세계의
대배심
규정들 ④

Grand Juries of the World

세계의
대배심 규정들 ❹

Grand Juries of the World

머리말

　2020년 6월에 1, 2권을 낸 데 힘입어 비교적 단기간 내에 3, 4권을 내게 되었다. 용어의 번역에서 두어 가지가 바뀌었는데, Discovery를 "증거개시(證據開示)"로 옮기던 것을 이번 책들에서는 "증거캐기"로 옮긴 것이 그 하나이고, state grand jury를 statewide grand jury에 더불어 "주 전체관할 대배심"으로 옮기던 것을 구분하여 "스테이트 대배심"으로 옮긴 것이 그 둘이다.

　2018년 6월에 대배심 연구에 착수한 지 2년 10개월만에 미국의 연방과 콜럼비아 특별구 및 50개 주의 대배심 규정들이, 그리고 라이베리아와 일본의 대배심 규정들이, 이로써 전체 네 권으로 대략 옮겨진 것이 되었다.

　회원들과 연구회의 존재가 이 연구를 및 출간을 가능하게 하여 준 원동력임을 거듭 밝히며, 두루 감사를 표한다. 아울러, 이 책들을 내 준 한올 출판사의 임순재 회장 이하 관계자들에게도 감사드린다. 대배심에 관한 이해를 돕기 위하여 부록으로 필자가 쓴 대배심 개설을 붙인다.

2021. 4. 8.
배심제도연구회 회장 **박 승 옥**

차 례

⚖ 네바다주 배심 규정 • 1747

⚖ 네브라스카주 대배심 규정 • 1835

⚖ 노스다코타주 대배심 규정 • 1869

⚖ 노스캐럴라이나주 대배심 규정 • 1917

⚖ 뉴햄프셔주 배심 규정 • 1981

⚖ 델라웨어주 배심 규정 • 2011

⚖ 라이베리아 대배심 규정 외 • 2037

⚖ 매사추세츠주 대배심 규정 • 2059

⚖ 메릴랜드주 배심 규정 • 2095

⚖ 메인주 배심 규정 • 2169

⚖ 몬태나주 대배심 규정 • 2199

⚖ 미네소타주 대배심 규정 • 2237

⚖ 미주리주 대배심 규정 • 2267

⚖ 버몬트주 대배심 규정 • 2303

⚖ 사우스다코타주 대배심 규정 • 2319

⚖ 사우스캐럴라이나주 배심 규정 • 2343

⚖ 아리조나주 대배심 규정 • 2491

찾아보기 및 용어대조 2520

부록: 대배심 개설 2520-42

⚖️ 아이다호주 배심 규정 • 2521

⚖️ 아이오와주 대배심 규정 • 2611

⚖️ 아칸자스주 배심 규정 • 2643

⚖️ 오클라호마주 대배심 규정 • 2785

⚖️ 와이오밍주 대배심 규정 • 2833

⚖️ 웨스트버지니아주 배심 규정 • 2869

⚖️ 위스콘신주 대배심 규정 • 2943

⚖️ 유타주 대배심 규정 • 2973

⚖️ 인디애나주 대배심 규정 • 3029

⚖️ 조지아주 대배심 규정 • 3071

⚖️ 콜럼비아 특별구 배심 규정 • 3159

⚖️ 콜로라도주 대배심 규정 • 3199

⚖️ 텍사스주 대배심 규정 • 3229

⚖️ 연방 법무부 검찰업무 편람 • 3289

찾아보기 및 용어대조 3346

부록: 대배심 개설 3346-42

아이다호주
배심 규정

아이다호주
배심 규정

https://law.justia.com/codes/idaho/2019/title-2/

2019 Idaho Code

Title 2 – JURIES AND JURORS

배심들 및 배심원들

- Chapter 1 - JURIES — KINDS AND DEFINITIONS

- Chapter 2 - JURY SELECTION AND SERVICE

- Chapter 3 - JURY LIST — [REPEALED]

- Chapter 4 - DRAWING AND SUMMONING JURORS — [REPEALED]

- Chapter 5 - IMPANELING JURIES

- Chapter 6 - FEES AND MILEAGE OF JURORS — [REPEALED]

Chapter 1 - JURIES — KINDS AND DEFINITIONS
배심들 — 종류들 및 개념규정들

• Section 2-101 - JURY DEFINED.

• Section 2-102 - KINDS OF JURIES.

• Section 2-103 - "GRAND JURY" DEFINED.

• Section 2-104 - TRIAL JURY DEFINED — VERDICT IN CIVIL ACTIONS.

• Section 2-105 - CONSTITUTION OF TRIAL JURY.

• Section 2-106 - JURY OF INQUEST DEFINED.

Section 2-101 - JURY DEFINED.
배심의 개념규정.

Universal Citation: ID Code § 2-101 (2019)

일반적 인용: ID Code § 2-101 (2019)

2-101. JURY DEFINED. A jury is a body of men or women, or both, temporarily selected from the citizens of a particular county and invested with power to present or indict a person for a public offense or to try a question of fact.

배심의 개념규정. 한 개의 배심은 한 개의 특정 카운티 시민들로부터 일시적으로 선정되는, 및 한 명의 사람을 한 개의 범죄로 대배심 독자고발에 처할, 내지는 대배심 검사기소에 처할, 내지는 한 개의 사실문제를 정식사실심리 할, 권한이 부여되는 남자들의 및 여자들의 또는 그 양자들의 한 개의 통일체이다.

History: [(2-101) C.C.P. 1881, sec. 73; R.S., R.C., & C.L., sec. 3935; C.S., sec. 6512; I.C.A., sec. 2-101; am.(개정) 1943, ch. 158, sec. 1, p. 320; am. 2000, ch. 70, sec. 1, p. 153.]

https://law.justia.com/codes/idaho/2019/title-2/chapter-1/section-2-102/

Section 2-102 - KINDS OF JURIES.
배심들의 종류들.

Universal Citation: ID Code § 2-102 (2019)

일반적 인용: ID Code § 2-102 (2019)

2-102. KINDS OF JURIES. Juries are of three (3) kinds:

배심들의 종류들. 배심에는 세 종류들이 있다:

1. Grand juries.

   대배심들.

2. Trial juries.

   정식사실심리 배심들.

3. Juries of inquest.

   강제적 사실조사 배심

History: [(2-102) C.C.P. 1881, sec. 74; R.S., R.C., & C.L., sec. 3936; C.S., sec. 6513; I.C.A., sec. 2-102.]

https://law.justia.com/codes/idaho/2019/title-2/chapter-1/section-2-103/

Section 2-103 - "GRAND JURY" DEFINED.
"대배심"의 개념규정.

Universal Citation: ID Code § 2-103 (2019)

일반적 인용: ID Code § 2-103 (2019)

2-103. "GRAND JURY" DEFINED. A grand jury is a body of men or women or both, sixteen (16) in number, returned in pursuance of law from citizens of the county before a court of competent jurisdiction and sworn to inquire of public offenses committed or triable within the county.

"대배심"의 개념규정. 한 개의 대배심은 한 개의 자격 있는 관할권의 법원 앞에 카운티의 시민들로부터 법에 따라서 선출되는, 및 당해 카운티 내에서 저질러진 내지는 정식사실심리 될 수 있는 범죄들을 조사하기로 선서에 처해지는 남자들의 및 여자들의 또는 그 양자들의 16명으로 구성되는 한 개의 통일체이다.

History: [(2-103) C.C.P. 1881, sec. 74; R.S., R.C., & C.L., sec. 3936; C.S., sec. 6513; I.C.A., sec. 2-102; am. 1953, ch. 87, sec. 1, p. 118.]

https://law.justia.com/codes/idaho/2019/title-2/chapter-1/section-2-104/

Section 2-104 - TRIAL JURY DEFINED — VERDICT IN CIVIL ACTIONS.
정식사실심리 배심의 개념규정 — 민사소송들에서의 평결.

Universal Citation: ID Code § 2-104 (2019)

일반적 인용: ID Code § 2-104 (2019)

2-104. TRIAL JURY DEFINED — VERDICT IN CIVIL ACTIONS. A trial jury is a body of men or women, or both, returned from the citizens of a particular county before a court or officer of competent jurisdiction and sworn to try and determine by a verdict a question of fact. Three-fourths (3/4) of the jury may render a verdict in a civil action, and such verdict shall have the same effect as a unanimous verdict.

정식사실심리 배심의 개념규정 — 민사소송들에서의 평결. 한 개의 정식사실심리 배심은 한 개의 관할권 있는 법원 앞에 또는 공무원 앞에 한 개의 특정 카운티의 시민들로부터 선출되는, 및 한 개의 사실의 문제를 정식사실심리 하기로 및 한 개의 평결에 의하여 판정하기로 선서에 처해지는 남자들의 내지는 여자들의 또는 그 양자들의 한 개의 통일체이다. 한 개의 평결을 한 개의 민사소송에서 배심의 4분의 3은 제출할 수 있는바, 만장일치의 평결에의 동일한 효력을 그러한 평결은 지닌다.

History: [(2-104) C.C.P. 1881, sec. 76; R.S., sec. 3938; am. 1890-1891, p. 165, sec. 1; reen.(재입법) 1899, p. 110, sec. 1; reen. R.C. & C.L., sec. 3938; C.S., sec. 6515; I.C.A., sec. 2-104; am. 1943, ch. 158, sec. 2, p. 320; am. 2000, ch. 70, sec. 2, p. 153.]

https://law.justia.com/codes/idaho/2019/title-2/chapter-1/section-2-105/

Section 2-105 - CONSTITUTION OF TRIAL JURY.
정식사실심리 배심의 구성.

Universal Citation: ID Code § 2-105 (2019)

일반적 인용: ID Code § 2-105 (2019)

2-105. CONSTITUTION OF TRIAL JURY. A trial jury consists of twelve (12) men or women or both: provided, that in civil actions the jury may consist of any number less than twelve (12) upon which the parties may agree in open court: and provided, further, that in cases of misdemeanor and in civil actions involving not more than five hundred dollars ($500), exclusive of costs, the jury shall consist of not more than six (6).

정식사실심리 배심의 구성. 열두 명의 남자들로 또는 여자들로 또는 그 양자들로 한 개의 정식사실심리 배심은 구성된다; 다만 민사소송들에서는 공개법정에서 당사자들이 동의하는, 열두 명 미만의 어떤 숫자로도 배심은 구성될 수 있다; 그리고 더 나아가 경죄사건들에서는 및 비용들을 제외하고 500달러 이하를 포함하는 민사소송들에서는 배심은 6명 이하로 구성되어야 한다.

History: [(2-105) R.S., sec. 3939; compiled R.C., sec. 3939; reen. C.L., sec. 3939; C.S., sec. 6516; I.C.A., sec. 2-105; am. 1965, ch. 80, sec. 2, p. 130; am. 1978, ch. 80, sec. 1, p. 155.]

Section 2-106 - JURY OF INQUEST DEFINED.
강제적 사실조사 배심의 개념규정.

Universal Citation: ID Code § 2-106 (2019)

일반적 인용: ID Code § 2-106 (2019)

2-106. JURY OF INQUEST DEFINED. A jury of inquest is a body of men or women, or both, summoned from the citizens of a particular county, before the sheriff, coroner, or other ministerial officer to inquire of particular facts.

강제적 사실조사 배심의 개념규정. 한 개의 강제적 사실조사 배심은 특정 사실관계를 조사하도록 집행관 앞에, 검시관 앞에, 또는 여타의 행정사무 공무원 앞에 한 개의 특정 카운티의 시민들 중에서 소환되는 남자들의, 여자들의, 또는 그 양자들의 한 개의 통일체이다.

History: [(2-106) C.C.P. 1881, sec. 78; R.S., R.C., & C.L., sec. 3940; C.S., sec. 6517; I.C.A., sec. 2-106; am. 2000, ch. 70, sec. 3, p. 153.]

Section 2-201 - TITLE OF ACT.

• Section 2-202 - POLICY OF STATE.

• Section 2-203 - DISCRIMINATION PROHIBITED.

• Section 2-204 - DEFINITIONS.

• Section 2-205 - JURY COMMISSIONS ESTABLISHED — COMPOSITION — QUALIFICATIONS OF COMMISSIONERS — EXPENSES AND COMPENSATION.

- Section 2-206 - MASTER AND COUNTY JURY LISTS OF REGISTERED VOTERS — SUPPLEMENTATION BY OTHER LISTS DESIGNATED BY SUPREME COURT — LIST AVAILABLE TO COMMISSION — OPEN TO PUBLIC INSPECTION.

- Section 2-207 - MASTER AND COUNTY JURY LISTS — MANNER OF UPDATING.

- Section 2-208 - NAMES RANDOMLY DRAWN FROM COUNTY JURY LIST — QUALIFICATION QUESTIONNAIRE FORMS FOR PROSPECTIVE JURORS — MAILING AND RETURN — ORDER TO APPEAR — CRIMINAL CONTEMPT — PENALTY FOR MISREPRESENTATION.

- Section 2-209 - DETERMINATION OF QUALIFICATION OF PROSPECTIVE JUROR — QUALIFICATIONS — PHYSICIAN'S CERTIFICATE OF DISABILITY.

- Section 2-210 - NAMES PLACED IN PROSPECTIVE JURY PANEL — SUMMONING ADDITIONAL TRIAL JURORS.

- Section 2-211 - NO EXEMPTIONS.

- Section 2-212 - EXCUSING OR POSTPONING JURY SERVICE — INQUIRY BY COURT — GROUNDS FOR EXCUSING OR POSTPONING.

- Section 2-213 - STAY OF PROCEEDINGS OR QUASHING INDICTMENT FOR IRREGULARITY IN SELECTING JURY — EVIDENCE IN SUPPORT OF MOTION — REMEDIES EXCLUSIVE — CONTENTS OF RECORDS NOT TO BE DISCLOSED.

- Section 2-214 - RETENTION PERIOD FOR PAPERS AND RECORDS.

- Section 2-215 - MILEAGE AND PER DIEM OF JURORS.

- Section 2-216 - LIMITATION ON REQUIRED JURY SERVICE.

- Section 2-218 - EMPLOYER PROHIBITED FROM PENALIZING EMPLOYEE FOR JURY SERVICE — PENALTY — ACTION BY DISCHARGED EMPLOYEE FOR LOST WAGES.

- Section 2-219 - DELEGATION OF AUTHORITY BY ADMINISTRATIVE JUDGES.

- Section 2-220 - POWER OF SUPREME COURT TO MAKE RULES CONCERNING JURIES.

- Section 2-221 - CONSTRUCTION OF ACT.

- Section 2-222 - LENGTHY TRIAL JUROR COMPENSATION.

https://law.justia.com/codes/idaho/2019/title-2/chapter-2/section-2-201/

Section 2-201 - TITLE OF ACT.
법률의 명칭.

Universal Citation: ID Code § 2-201 (2019)

일반적 인용: ID Code § 2-201 (2019)

2-201. TITLE OF ACT. This act may be cited as the "Uniform Jury Selection and Service Act."

법률의 명칭. 이 법률은 "배심선정 및 복무 통일법"이라고 칭해질 수 있다.

History: [2-201, added 1971, ch. 169, sec. 21, p. 799.]

https://law.justia.com/codes/idaho/2019/title-2/chapter-2/section-2-202/

Section 2-202 - POLICY OF STATE.
주(州)의 정책.

Universal Citation: ID Code § 2-202 (2019)

일반적 인용: ID Code § 2-202 (2019)

2-202. POLICY OF STATE. It is the policy of this state that all persons selected for jury service be selected at random from a fair cross section of the population of the area served by the court, and that all qualified citizens have the opportunity, in accordance with this act to be considered for jury service in this state and an obligation to serve as jurors when summoned for that purpose.

주(州)의 정책. 배심복무를 위하여 선정되는 모든 사람들은 당해 법원의 관할지역 내 인구의 공평한 횡단면으로부터 무작위로 선정되어야 함이, 및 이 주에서의 배심복무를 위하여 심사될 기회를 및 그 목적을 위하여 소환될 경우에는 배심원들로서 복무할 의무를, 이 법률에의 부합 속에서 모든 유자격 시민들이 지녀야 함이 이 주의 정책이다.

History: [2-202, added 1971, ch. 169, sec. 1, p. 799.]

https://law.justia.com/codes/idaho/2019/title-2/chapter-2/section-2-203/

Section 2-203 - DISCRIMINATION PROHIBITED.
차별금지.

Universal Citation: ID Code § 2-203 (2019)

일반적 인용: ID Code § 2-203 (2019)

2-203. DISCRIMINATION PROHIBITED. A citizen shall not be excluded from jury service in this state on account of race, color, religion, sex, national origin, or economic status.

차별금지. 인종을, 피부색을, 종교를, 성별을, 출신국을, 또는 경제적 지위를 이유로 해서는 이 주에서의 배심복무로부터 한 명의 시민은 배제되지 아니한다.

History: [2-203, added 1971, ch. 169, sec. 2, p. 799.]

Section 2-204 - DEFINITIONS.
개념정의들.

Universal Citation: ID Code § 2-204 (2019)

일반적 인용: ID Code § 2-204 (2019)

2-204. DEFINITIONS. As used in this chapter:

개념정의들. 이 장에서 사용되는 것으로서의:

(1) "Court" means district courts of this state, including the magistrates division, and includes, when the context requires, any judge of the court;

"법원"은 치안판사부를 포함하는 이 주의 재판구 지방법원들을 의미하는바, 맥락이 요구하는 경우에 당해 법원의 판사 어느 누구든지를 이는 포함한다;

(2) "Clerk" and "clerk of the court" mean the duly elected and acting clerk of the district court and ex officio auditor and recorder and duly appointed deputies;

"서기"는 및 "법원서기"는 재판구 지방법원의 적법하게 선출된 및 실제 복무 중인 서기를 및 당연직 보조재판관을 및 적법하게 임명된 대리인들을 의미한다;

(3) "Master jury list" means the voter registration lists for the county which shall be supplemented with names from other sources prescribed pursuant to section 2-206, Idaho Code, in order to foster the policy and protect the rights secured by sections 2-202 and 2-203, Idaho Code;

"종합 배심명부"는 카운티의 유권자 등록명부들을 의미하는바, 아이다호주 법률집 제2-202절에 및 제2-203절에 의하여 보장되는 정책을 촉진하기 위하여 및 권리들을 보호하기 위하여, 아이다호주 법률집 제2-206절에 따라서 규정되는 여타의 원천들로부터의 이름들이 여기에 보충되어야 한다;

(4) "Voter registration lists" means the most current official records, maintained by the county clerk, of persons registered to vote in any national, state, county, or municipal election;

"유권자 등록명부들"은 연방의, 주의, 카운티의, 또는 자치체의 선거에 투표하고자 등록되어 있는 사람들의, 카운티 서기에 의하여 보관되는 최신의 공식기록들을 의미한다;

(5) "Jury selection system" means any physical device or automated system for the management of the names or identifying numbers of prospective jurors;

"배심선정 시스템"은 배심원 후보들의 이름들의 내지는 동일인 식별번호들의 관리를 위한 물리적 장치를 또는 자동화된 시스템을 의미한다;

(6) "Prospective jury panel" means the list of names or identifying numbers of prospective jurors drawn at random from the master jury list pursuant to section 2-208, Idaho Code, and who are not disqualified pursuant to section 2-209, Idaho Code.

"배심원 후보단"은 아이다호주 법률집 제2-208절에 따라서 종합 배심명부로부터 무작위로 추출된, 및 아이다호주 법률집 제2-209절에 따라서 자격이 불인정되지 아니한 배심원 후보들의 이름들의 내지는 동일인 식별번호들의 명부를 의미한다.

History: [2-204, added 1971, ch. 169, sec. 3, p. 799; am. 1978, ch. 82, sec. 1, p. 156; am. 2001, ch. 28, sec. 1, p. 34; am. 2005, ch. 190, sec. 1, p. 583.]

https://law.justia.com/codes/idaho/2019/title-2/chapter-2/section-2-205/

Section 2-205 - JURY COMMISSIONS ESTABLISHED — COMPOSITION — QUALIFICATIONS OF COMMISSIONERS — EXPENSES AND COMPENSATION.

배심위원회들의 설치 — 구성 — 배심위원들의 자격조건들 — 비용들 및 보수.

Universal Citation: ID Code § 2-205 (2019)

일반적 인용: ID Code § 2-205 (2019)

2-205. JURY COMMISSIONS ESTABLISHED — COMPOSITION — QUALIFICATIONS OF COMMISSIONERS — EXPENSES AND COMPENSATION. A jury commission is established in each county to manage the jury selection process under the supervision and control of the court. The jury commission shall be composed of the clerk of the district court and a jury commissioner appointed by the administrative judge. The jury commissioner shall serve until a successor is appointed and qualifies. The jury commissioner must be a citizen of the United States and a resident in the county in which the jury commissioner serves. The jury commissioner may be reimbursed for travel, subsistence, and other necessary expenses incurred in the performance of jury commission duties and may receive compensation at a per diem rate fixed by the administrative judge and payable from county funds, if not otherwise a county employee.

배심위원회들의 설치 — 구성 — 배심위원들의 자격조건들 — 비용들 및 보수. 배심선정 절차를 법원의 감독 아래서 및 통제 아래서 관리하기 위하여 카운티에마다 한 개의 배심위원회가 설치된다. 재판구 지방법원의 서기로 및 법원장 판사에 의하여 지명되는 한 명의 배심위원으로 배심위원회는 구성된다. 한 명의 후임자가 지명될 때까지 및 자격이 인정될 때까지 한 명의 배심위원은 복무하여야 한다. 배심위원은 합중국의 시민이지 않으면 및 당해 배심위원이 복무하는 카운티의 주민이지 않으면 안 된다. 배심위원 임무들의 수행에서 발생하는 여행경비를, 생계비용을, 그리고 그 밖의 필요한 지출들을 배심위원은 변상받을 수 있고, 법원장 판사에 의하여 정해지는 및 카운티 기금으로부터 지급되는 일당에 의한 보수를 배심위원은, 달리 카운티의 피용자가 아니면, 수령할 수 있다.

History: [2-205, added 1971, ch. 169, sec. 4, p. 799; am. 1974, ch. 26, sec. 6, p. 804; am. 1998, ch. 71, sec. 1, p. 266; am. 2002, ch. 94, sec. 1, p. 257; am. 2005, ch. 190, sec. 2, p. 583.]

https://law.justia.com/codes/idaho/2019/title-2/chapter-2/section-2-206/

Section 2-206 - MASTER AND COUNTY JURY LISTS OF REGISTERED VOTERS — SUPPLEMENTATION BY OTHER LISTS DESIGNATED BY SUPREME COURT — LIST AVAILABLE TO COMMISSION — OPEN TO PUBLIC INSPECTION.

등록 유권자들로 이루어지는 종합 배심명부 및 카운티 배심명부들 — 대법원에 의하여 지정되는 여타의 명부들에 의한 보충 — 위원회에게의 명부의 제공 — 공중의 점검에의 제공.

Universal Citation: ID Code § 2-206 (2019)

일반적 인용: ID Code § 2-206 (2019)

2-206. MASTER AND COUNTY JURY LISTS OF REGISTERED VOTERS — SUPPLE-MENTATION BY OTHER LISTS DESIGNATED BY SUPREME COURT — LIST AVAILABLE TO COMMISSION — OPEN TO PUBLIC INSPECTION. (1) The jury commission for each county shall compile and maintain a county jury list consisting of the current voter registration list for the county supplemented with names from other lists of persons resident therein, such as lists of utility customers, property tax-payers, motor vehicle registrations, drivers' licenses, and state identification cards, which the supreme court from time to time designates. The supreme court shall initially designate the other lists within ninety (90) days following the effective date of this act and exercise the authority to designate from time to time in order to foster the policy and protect the rights secured by sections 2-202 and 2-203, Idaho Code. In the alternative, and upon the consent of the supreme court, a jury commission may use the supreme court jury platform, including the county jury list derived therefrom, instead of compiling and maintaining a separate county jury list of its own.

등록 유권자들로 이루어지는 종합 배심명부 및 카운티 배심명부들 — 대법원에 의하여 지정되는 여타의 명부들에 의한 보충 — 위원회에게의 명부의 제공 — 공중의 점검에의 제공. (1) 전기·가스·수도요금 고객들의, 재산세 납세자들의, 자동차 등록자들의, 운전면허증 소지자들의, 주 발행 신분증들의 명부들에를 비롯한 카운티 내에 거주하는 사람들의 대법원이 수시로 지정하는 여타의 명부들에 포함된 이름들에 의하여 보충되는 당해 카운티를 위한 현행의 유권자 등록명부로 구성되는 한 개의 카운티 배심명부를 개개 카운티의 배심위원회는 조제하여야 하고 유지하여야 한다. 그 여타의 명부들을 이 법률의 발효일로부터 90일 내에 최초로 대법원은 지정하여야 하고 아이다호주 법률집 제2-202절에 및 제2-203절에 보장된 정책을 촉진하기 위하여 및 권리들을 보호하기 위하여 그 지정할 권한을 수시로 대법원은 행사하여야 한다. 대법원의 배심운영 시스템을, 택일적으로 그리고 대법원의 동의 위에서 한 개의 배심위원회는 사용할 수 있는바, 그 자신의 별도의 카운티 배심명부를 조제하지 및 유지하지 아니하고 그 대신에 대법원의 배심운영 시스템으로부터 추출되는 카운티 배심명부를 한 개의 배심위원회가 사용함을 이는 포함한다.

(2) The supreme court shall compile and maintain a master jury list consisting of the current voter registration for the state supplemented with names from other lists of persons designated under subsection (1) of this section. The master jury list compiled and maintained by the supreme court shall be divided into county jury lists for use by the jury commissions authorized to use the supreme court jury platform.

이 절의 소절 (1)에 따라서 지정되는 여타의 사람들의 명부들로부터의 이름들로써 보충되는, 주 전체를 위한 현행의 유권자 등록명부로 구성되는, 한 개의 종합 배심명부를 대법원은 조제하고 유지하여야 한다. 대법원의 배심운영 시스템을 사용하도록 허가된 배심위원회들에 의한 사용을 위한 카운티 배심명부들로, 대법원에 의하여 조제되는 및 유지되는 종합 배심명부는 구분되어야 한다.

(3) In compiling the master and county jury lists, the jury commission and the supreme court shall avoid duplication of names.

종합 배심명부를 및 카운티 배심명부들을 조제함에 있어서 배심위원회는 및 대법원은 이름들의 중복을 피하여야 한다.

(4) Whoever has custody, possession, or control of any of the lists used in compiling the master or county jury lists, including those designated under subsection (1) of this section by the supreme court as supplementary sources of names, shall electronically transfer the list, including any changes, deletions and additions, and at the request of the jury commission or the supreme court, the custodian shall prepare a hard copy of the list and make the custodian's records, from which the list was compiled, available for inspection, reproduction, and copying at all reasonable times.

이 절의 소절 (1)에 따라서 이름들의 보충적 원천들로서 대법원에 의하여 지정되는 사람들의 명부들에를 포함하여 종합 배심명부를 내지는 카운티 배심명부들을 조제함에 있어서 사용되는 명부들에 대한 보관을, 소지를, 또는 통제를 지니는 사람 누구나는, 변경사항들을, 삭제사항들을 및 추가사항들을 포함하여 그 명부를 전자적으로 변형시켜야 하는바, 그 보관자는 배심위원회의 내지는 대법원의 요청에 따라서 그 명부의 하드카피 한 개를 작성하여야 하고, 그 명부가 작성된 원천인

보관자의 기록들이 점검을 위하여, 복제를 위하여, 그리고 복사를 위하여 모든 합리적인 시간대에 제공될 수 있도록 만들어야 한다.

(5) The master and county jury lists shall be open to the public for examination as provided by supreme court rule.

종합 배심명부는 및 카운티 배심명부들은 대법원 규칙에 의하여 규정되는 바에 따라서 검사를 위하여 공중에게 제공되어야 한다.

History: [2-206, added 1971, ch. 169, sec. 5, p. 799; am. 2005, ch. 190, sec. 3, p. 583; am. 2019, ch. 222, sec. 1, p. 682.]

---

https://law.justia.com/codes/idaho/2019/title-2/chapter-2/section-2-207/

Section 2-207 - MASTER AND COUNTY JURY LISTS — MANNER OF UPDATING.
종합 배심명부 및 카운티 배심명부들 — 갱신방법.

Universal Citation: ID Code § 2-207 (2019)

일반적 인용: ID Code § 2-207 (2019)

2-207. MASTER AND COUNTY JURY LISTS — MANNER OF UPDATING. (1) Updated information from the lists used to compile the master and county jury lists, including any changes, deletions and additions, shall be made to the master and county jury lists from time to time as determined by the jury commission or the supreme court, but at a minimum not less frequently than December of each odd-numbered year.

종합 배심명부 및 카운티 배심명부들 — 갱신방법. (1) 종합 배심명부를 및 카운티 배심명부들을 조제하기 위하여 사용된 명부들로부터의 갱신된 정보는 그 변경사항들이를, 삭제사항들이를 및 추가사항들이를 포함하여 배심위원회에 또는 대법원에 의하여 결정되는 바에 따라서 수시로 종합 배심명부에 및 카운티 배심명부들에 반영되어야 하는바, 적어도 매 홀수연도 12월에는 그것이 이루어져야 한다.

(2) In the alternative, or in addition to the procedure set forth in subsection (1) of this section, in December of each odd-numbered year, or more frequently as determined by the jury commission or the supreme court, the master and county jury lists shall be emptied and refilled as prescribed in section 2-206, Idaho Code.

이 절의 소절 (1)에 규정된 절차에 갈음하여 또는 이에 추가하여, 매 홀수연도 12월에 또는 배심위원회에 또는 대법원에 의하여 결정되는 바에 따라서 더 빈번히, 종합 배심명부는 및 카운티 배심명부들은 비워져야 하고 아이다호주 법률집 제 2-206절에 규정되는 바에 따라서 새로이 채워져야 한다.

(3) Pursuant to the provisions of subsections (1) and (2) of this section, the supreme court shall determine the method and timing of updating the master jury list, and the jury commission shall determine the method and timing of updating any county jury list that is separately compiled and maintained by a county.

종합 배심명부의 갱신의 방법을 및 시기를 이 절의 소절 (1)의 및 (2)의 규정들에 따라서 대법원은 결정하여야 하고, 한 개의 카운티에 의하여 별도로 조제되어 있는 및 유지되는 카운티 배심명부들의 갱신의 방법을 및 시기를 배심위원회는 결정하여야 한다.

History: [2-207, added 1971, ch. 169, sec. 6, p. 799; am. 1974, ch. 26, sec. 7, p. 804; am. 2002, ch. 94, sec. 2, p. 257; am. 2005, ch. 190, sec. 4, p. 584; am. 2019, ch. 222, sec. 2, p. 683.]

https://law.justia.com/codes/idaho/2019/title-2/chapter-2/section-2-208/

Section 2-208 - NAMES RANDOMLY DRAWN FROM COUNTY JURY LIST — QUALIFICATION QUESTIONNAIRE FORMS FOR PROSPECTIVE JURORS — MAILING AND RETURN — ORDER TO APPEAR — CRIMINAL CONTEMPT — PENALTY FOR MISREPRESENTATION.

카운티 배심명부로부터 무작위로 추출되는 이름들 — 배심원 후보들을 위한 자격심사 질문서식들 — 송달 및 회답 — 출석명령 — 형사적 법원모독 — 부실기재에 대한 벌칙.

Universal Citation: ID Code § 2-208 (2019)

일반적 인용: ID Code § 2-208 (2019)

2-208. NAMES RANDOMLY DRAWN FROM COUNTY JURY LIST — QUALIFICATION QUESTIONNAIRE FORMS FOR PROSPECTIVE JURORS — MAILING AND RETURN — ORDER TO APPEAR — CRIMINAL CONTEMPT — PENALTY FOR MISREPRESENTATION. (1) The court or any other state or county official having authority to conduct a trial or hearing with a jury within the county may direct the jury commission to draw and assign to that court or official the number of qualified jurors deemed necessary for one (1) or more jury panels or as required by law for a grand jury. Upon receipt of the direction and in a manner prescribed by the court, the jury commission shall publicly draw at random, by use of a manual, mechanical, or automated system, from the county jury list the number of prospective jurors specified. Neither the names drawn nor the list shall be disclosed to any person except upon specific order of the presiding judge.

카운티 배심명부로부터 무작위로 추출되는 이름들 — 배심원 후보들을 위한 자격심사 질문서식들 — 송달 및 회답 — 출석명령 — 형사적 법원모독 — 부실기재에 대한 벌칙. (1) 한 개 이상의 배심원단들을 위하여 필요하다고 간주되는 숫자의, 내지는 한 개의 대배심을 위하여 법에 의하여 요구되는 숫자의, 유자격 배심원들을 추출하도록 및 이를 그 법원에 내지는 공무원에게 배정하도록 배심위원회에게 법원은, 또는 카운티 내에서의 한 개의 배심을 대동하고서 한 개의 정식사실심리를 내지는 심문을 지휘할 권한을 지니는 여타의 주 공무원은 또는 카운티 공무원은, 명령할 수 있다. 명령의 수령 즉시로 및 법원에 의하여 정해지는 방법에 따라서, 특정된 숫자의 배심원 후보들을 수작업 방식의, 기계적 방식의 또는 자동화 방식의 사용에 의하여 공개리에 무작위로 카운티 배심명부로부터 배심위원회는 추출하여야 한다. 추출된 이름들은도 명부는도 법원장 판사의 명시적 명령에 의해서를 제외하고는 어느 누구에게도 공개되어서는 안 된다.

(2) Each person on the prospective jury panel shall be served with a summons, issued by the clerk of the court or the jury commissioner. The summons shall be served either personally, or by regular mail or certified mail, addressed to the prospective juror at that person's usual residence, business or post office address.

배심원 후보단 위의 개개 사람에게는 법원서기에 의하여 내지는 배심위원에 의하여 발부된 소환장이 송달되어야 한다. 소환장은 직접 송달되든지 또는 정규우편에 의하여 또는 배달증명 우편에 의하여 송달되든지 하여야 하는바, 배심원 후보에게 그의 일상의 주거지로, 영업장 주소로 또는 우체국 주소로 발송되어야 한다.

(3) The clerk or the jury commissioner shall mail a qualification questionnaire form, accompanied by instructions, addressed to the prospective jurors at their usual residence, business or post office address. The qualification questionnaire form may be sent together with the summons in a single mailing to a prospective juror. The qualification questionnaire form shall be in a form prescribed by the supreme court. The qualification questionnaire form must be completed and returned to the clerk or the jury commissioner within ten (10) days from the date of mailing. The qualification questionnaire form shall elicit the name, address of residence, and age of the prospective juror and whether the prospective juror: (a) is a citizen of the United States of America and a resident of the county; (b) is able to read, speak and understand the English language; (c) has any disability impairing his capacity to render satisfactory jury service; and (d) has lost the right to serve on a jury because of a felony criminal conviction as provided by section 3, article VI, of the constitution of the state of Idaho, and who has not been restored to the rights of citizenship pursuant to section 18-310, Idaho Code, or other applicable law. The qualification questionnaire form shall contain the prospective juror's declaration that his responses are true to the best of his knowledge and his acknowledgment that a willful misrepresentation of a material fact may be punished as a misdemeanor. Notarization of the completed qualification questionnaire form shall not be required. If the prospective juror is unable to complete the form, another person may do so on his or her behalf and shall indicate that such person has done so and the reason therefor. If it appears there is an omission, ambiguity, or error in a returned form, the clerk or the jury commissioner shall again send the form with instructions to the prospective juror to make the necessary addition, clarification, or correction and to return the form to the jury commission within ten (10) days after its second mailing.

지시사항들이 붙은 한 개의 자격심사 질문서식을 배심원 후보들에게 그들의 일상의 주거지로, 영업장 주소로 또는 우체국 주소로 서기는 또는 배심위원은 우송하여야 한다. 자격심사 질문서식은 소환장이에 더불어 배심원 후보에게의 한 개의 우편물로 발송될 수 있다. 자격심사 질문서식은 대법원에 의하여 규정되는 형식의 것이어야 한다. 우편 발송일로부터 10일 이내에 자격심사 서식은 작성되지 않으면 안 되고 서기에게 또는 배심위원에게 회답되지 않으면 안 된다. 배심원 후보의 이름을, 거주지 주소를, 그리고 나이를, 그리고 당해 배심원 후보가: (a) 아메리카 합중국의 시민인지 및 당해 카운티의 주민인지 여부를; (b) 영어를 읽을 수, 말할 수 및 이해할 수 있는지 여부를; (c) 만족스러운 배심복무를 제공할 그의 능력을 손상시키는 장애를 지니는지 여부를; 그리고 (d) 한 개의 배심에 복무할 그의 권리를 아이다호주 헌법 제6조 제3절에 규정되는 바에 따라서 한 개의 중죄의 형사 유죄판정으로 인하여 상실한 바 있는지 및 시민으로서의 권리들을 아이다주 법률집 제18-310절에 또는 여타의 준거법에 따라서 회복하지 못한 상태인지 여부를 자격심사 질문서식은 유도해 내야 한다. 그의 최선의 지식껏의 한도 내에서 자신의 응답들이 진실함에 대한 배심원 후보의 선언을 및 한 개의 중대한 사실에 관한 한 개의 의도적인 부실기재는 한 개의 경죄로 처벌될 수 있음에 대한 그의 승인을 자격심사 질문서식은 포함하여야 한다. 작성된 자격심사 서식의 공증은 요구되지 아니한다. 만약 서식을 당해 배심원 후보가 작성할 수 없으면, 그를 내지는 그녀를 대신하여 이를 다른 사람이 작성할 수 있는바, 그러한 사람이 그렇게 하였음을 및 그렇게 한 이유를 그러한 사람은 표시하여야 한다. 회답된 서식에 만약 누락이, 모호함이, 또는 오류가 있는 것으로 나타나면, 필요한 추가를, 명확화를, 또는 교정을 하도록 및 두 번째 발송 뒤 10일 내에 그 서식을 배심위원회에 돌려보내도록 지시사항들을 붙여 그 서식을 당해 배심원 후보에게 서기는 내지는 배심위원은 다시 보내야 한다.

(4) Any prospective juror who fails to return a completed qualification questionnaire form as instructed shall be directed by the jury commission to appear forthwith before the clerk or the jury commissioner to complete the qualification questionnaire form. At the time of his appearance for jury service, or at the time of interview before the court, clerk, or the jury commissioner, any prospective juror may be required to complete another qualification questionnaire form in the presence

of the court, clerk, or the jury commissioner, at which time the prospective juror may be questioned, but only with regard to his responses to questions contained on the form and grounds for his excuse or disqualification. Any information thus acquired by the court, clerk, or the jury commissioner shall be noted on the qualification questionnaire form.

완성된 자격심사 서식을 그 지시된 대로 돌려보내기를 불이행하는 배심원 후보는 서기 앞에 또는 배심위원 앞에 즉시 출석하도록 및 자격심사 서식을 작성하도록 배심위원회에 의하여 명령되어야 한다. 또 하나의 자격심사 질문서식을 법원의, 서기의, 또는 배심위원의 면전에서 작성하도록, 배심복무를 위한 그의 출석 때에 또는 법원 앞에서의, 서기 앞에서의 또는 배심위원 앞에서의 면담 때에, 배심원 후보 누구나는 요구될 수 있는바, 그 때에는 당해 배심원 후보에게 질문이 가해질 수 있으나, 그 범위는 오직 서식에 포함된 질문들에 대한 그의 응답사항들에 및 그의 면제 사유들에 내지는 자격결여 사유들에 관한 것에 국한된다. 법원에 의하여, 서기에 의하여, 또는 배심위원에 의하여 그렇게 얻어진 정보는 자격심사 질문서식 위에 기재되어야 한다.

(5) A prospective juror who fails to appear as directed by the commission, pursuant to subsection (4) of this section, shall be ordered by the court to appear and show cause for his failure to appear as directed. A prospective juror who fails to appear pursuant to the court's order may be subject to contempt proceedings under chapter 6, title 7, Idaho Code, and applicable rules of the supreme court, and the prospective juror's service may be postponed to a new prospective jury panel as set by the presiding judge.

이 절의 소절 (4)에 따라서 위원회에 의하여 명령되는 대로 출석하기를 불이행하는 배심원 후보는 출석하도록 및 명령된 대로 출석하기에 대한 그의 불이행을 위한 이유를 제시하도록 법원에 의하여 명령되어야 한다. 법원의 명령에 따라서 출석하기를 불이행하는 배심원 후보는 아이다호주 법률집 제7편 제6장 아래서의 및 대법원의 준거 규칙들 아래서의 법원모독 제재절차들에 처해질 수 있는바, 법원장에 의하여 정해지는 새로운 배심원 후보단에게로 당해 배심원 후보의 복무는 연기될 수 있다.

(6) Any person who willfully misrepresents a material fact on a qualification question-
naire form for the purpose of avoiding or securing service as a juror is guilty of a
misdemeanor.

한 명의 배심원으로서의 복무를 회피할 목적으로 또는 확보할 목적으로 한 개의 중
요한 사실을 자격심사 서식 위에 의도적으로 부실하게 기재하는 사람은 한 개의 경
죄를 범하는 것이 된다.

(7) The contents of the juror qualification questionnaire form shall be confidential to
the extent provided by rules of the Idaho supreme court.

배심원 자격심사 서식의 내용들에 대하여는 아이다호주 대법원 규칙들에 의하여
규정되는 한도 내에서 비밀이 보장되어야 한다.

(8) The clerk or the jury commissioner may provide an opportunity to a prospective
juror to complete and return the qualification questionnaire form through elec-
tronic mail, facsimile transmission, or other reliable means of communication
prior to mailing the qualification questionnaire form to the prospective juror. If
the prospective juror completes and returns the qualification questionnaire form in
such manner, the qualification questionnaire form need not be mailed to the pro-
spective juror.

전자우편을, 팩시밀리 전송을, 또는 여타의 믿을 만한 통신수단을 통하여 자격심사
질문서식을 작성하도록 및 회답하도록 기회를, 자격심사 질문서식을 배심원 후보
에게 우송하기에 앞서서 배심원 후보에게 서기는 내지는 배심위원은 제공할 수 있
다. 자격심사 질문서식을 그러한 방법으로 만약 당해 배심원 후보가 작성하면 및
회답하면, 당해 배심원 후보에게 자격심사 질문서식은 우송될 필요가 없다.

History: [2-208, added 1971, ch. 169, sec. 7, p. 799; am. 1974, ch. 26, sec. 8, p. 804; am. 2002, ch. 94, sec. 3, p. 258; am. 2003,
ch. 116, sec. 1, p. 360; am. 2005, ch. 190, sec. 5, p. 585; am. 2013, ch. 207, sec. 1, p. 494; am. 2019, ch. 222, sec. 3, p. 683.]

Section 2-209 - DETERMINATION OF QUALIFICATION OF PROSPECTIVE JUROR — QUALIFICATIONS — PHYSICIAN'S CERTIFICATE OF DISABILITY.

배심원 후보의 자격판정 — 결격판정 — 의사의 장애증명서.

Universal Citation: ID Code § 2-209 (2019)

일반적 인용: ID Code § 2-209 (2019)

2-209. DETERMINATION OF QUALIFICATION OF PROSPECTIVE JUROR — QUALIFICATIONS — PHYSICIAN'S CERTIFICATE OF DISABILITY. (1) The administrative district judge or administrative district judge's designee, upon request of the clerk or the jury commissioner or a prospective juror or on its own initiative, shall determine on the basis of information provided on the qualification questionnaire form or interview with the prospective juror or other competent evidence whether:

배심원 후보의 자격판정 — 결격판정 — 의사의 장애증명서. (1) 자격심사 질문서식에 제공된 정보를 내지는 배심원 후보와의 면담을 또는 그 밖의 상당한 증거를 토대로 하여, 서기의 내지는 배심위원의 내지는 배심원 후보의 요청에 따라서 또는 그 자신의 직권으로, 재판구 지방법원의 법원장은 또는 재판구 지방법원 법원장의 피지명자는 아래 사항들을 판정하여야 한다:

(a) The prospective juror is not qualified to serve on a jury because he or she is unable to read, speak, and understand the English language; or

영어를 그가 내지는 그녀가 읽을 수, 말할 수, 및 이해할 수 없다는 이유로는 당해 배심원 후보의 배심에 복무할 자격이 부정되지 아니하는지 여부; 또는

(b) The prospective juror is disqualified from service on a jury because of a disability which renders the prospective juror incapable of performing satisfactory jury service. A person claiming this disqualification shall be required to submit a physician's certificate as to the disability, and the certifying physician is subject to inquiry by the court at its discretion.

만족스러운 배심복무를 당해 배심원 후보로 하여금 수행할 수 없게 만들 정도의 장애로 인하여 당해 배심원 후보의 배심에 복무할 자격이 부정되는지 여부. 이 결격을 주장하는 사람은 그 장애에 관한 의사의 증명서를 제출하도록 요구되어야 하는바, 증명서를 작성한 의사는 법원의 재량에 따라서 법원의 질문에 처해진다.

(2) The clerk or the jury commissioner shall determine on the basis of information provided on the qualification questionnaire form or interview with the prospective juror or other competent evidence whether:

자격심사 질문서식 위에 제공된 정보를 또는 당해 배심원 후보와의 면담을 또는 여타의 상당한 증거를 토대로 하여, 서기는 내지는 배심위원은 아래 사항들을 판정하여야 한다.

(a) The prospective juror is not qualified to serve on a jury because the person is not a citizen of the United States of America, eighteen (18) years of age, and a resident of the county; or

아메리카 합중국의 시민이 아님으로 인하여, 18세에 달한 사람이 아님으로 인하여, 그리고 카운티의 주민이 아님으로 인하여 당해 배심원 후보의 배심에 복무할 자격이 인정되지 아니하는지 여부; 또는

(b) The prospective juror is disqualified from serving on a jury because of a felony criminal conviction as provided by section 3, article VI, of the constitution of the state of Idaho, and who has not been restored to the rights of citizenship pursuant to section 18-310, Idaho Code, or other applicable law.

아이다호주 헌법 제6조 제3절에 의하여 규정되는 한 개의 중죄 유죄판정을 받고서 아이다호주 법률집 제18-310절에 또는 여타의 준거법에 따라서 시민으로서의 권리들이 회복되어 있지 아니함으로 인하여 당해 배심원 후보의 배심에 복무할 자격이 부정되는지 여부

.(3) A person who is disqualified from serving on a jury on the basis of any of the grounds set forth in subsections (1) and (2) of this section shall be excused from serving on a jury for a period of two (2) years following the disqualification. The administrative district judge, or a district judge or magistrate judge designated by the administrative district judge, may excuse a person disqualified under subsection (1)(b) of this section for a period of time greater than two (2) years, or may excuse such person permanently from serving on a jury. An order excusing such a person permanently or for a period of time greater than two (2) years shall be based upon a finding as to the nature and duration of the disability, based upon the information provided in the qualification questionnaire form, an interview with the prospective juror, or other competent evidence.

이 절의 소절 (1)에 및 (2)에 규정된 사유들 중의 어느 것에든 터잡아 배심에 복무할 자격이 부정되는 사람은 그 결격판정으로부터 2년 동안 배심에서의 복무로부터 면제되어야 한다. 이 절의 소절 (1)(b)에 따라서 자격이 부정되는 사람을 배심에서의 복무로부터 재판구 지방법원의 법원장은, 또는 재판구 지방법원의 법원장에 의하여 지명되는 재판구 지방법원 판사는 또는 치안판사는 2년 초과의 기간 동안 면제할 수 있거나 또는 영구적으로 면제할 수 있다. 그러한 사람을 영구적으로 면제하는 내지는 2년 초과의 일정기간 동안 면제하는 명령은 자격심사 질문서식에 제공된 정보에 근거한, 당해 배심원 후보와의 면담에 근거한, 또는 여타의 상당한 증거에 근거한 장애의 성격에 및 지속기간에 관한 판단에 그 토대를 두어야 한다.

History: [2-209, added 1971, ch. 169, sec. 8, p. 799; am. 1972, ch. 8, sec. 1, p. 12; am. 1981, ch. 266, sec. 1, p. 565; am. 1996, ch. 189, sec. 1, p. 598; am. 2002, ch. 94, sec. 4, p. 259; am. 2005, ch. 190, sec. 6, p. 587.]

---

https://law.justia.com/codes/idaho/2019/title-2/chapter-2/section-2-210/

Section 2-210 - NAMES PLACED IN PROSPECTIVE JURY PANEL — SUMMONING ADDITIONAL TRIAL JURORS.
배심원 후보단에 넣어지는 이름들 — 추가적 정식사실심리 배심원들의 소환.

Universal Citation: ID Code § 2-210 (2019)

일반적 인용: ID Code § 2-210 (2019)

2-210. NAMES PLACED IN PROSPECTIVE JURY PANEL — SUMMONING ADDITIONAL TRIAL JURORS. (1) The jury commission shall maintain a prospective jury panel and shall place therein the names or identifying numbers of all prospective jurors drawn from the county jury list who are not disqualified under section 2-209, Idaho Code.

배심원 후보단에 넣어지는 이름들 — 추가적 정식사실심리 배심원들의 소환. (1) 한 개의 배심원 후보단을 배심위원회는 유지시켜야 하며 아이다호주 법률집 제2-209절에 따라서 자격이 부정되지 아니하는 카운티 배심명부로부터 추출되는 모든 배심원 후보들의 이름들을 내지는 식별번호들을 그 안에 배심위원회는 넣어야 한다.

(2) If there is an unanticipated shortage of available trial jurors drawn from a prospective jury panel, the court may require the sheriff to summon a sufficient number of trial jurors selected at random by the clerk from the county jury list in a manner prescribed by the court. The jurors whose names are drawn from the county jury list shall be served with a summons and shall complete the qualification questionnaire form in the manner prescribed in section 2-208, Idaho Code.

한 개의 배심원 후보단으로부터 추출된 동원될 수 있는 정식사실심리 배심원(후보)들에 만약 예상하지 못한 부족이 있으면, 법원에 의하여 규정되는 방법으로 서기에 의하여 카운티 배심명부로부터 무작위로 선정되는 충분한 숫자의 정식사실심리 배심원 (후보)들을 소환하도록 집행관에게 법원은 요구할 수 있다. 카운티 배심명부로부터 그 이름들이 추출되는 배심원(후보)들에게는 한 개의 소환장이 송달되어야 하는바, 자격심사 질문서식을 아이다호주 법률집 제2-208절에 규정된 방법에 따라서 그들은 작성하여야 한다 .

History: [2-210, added 1971, ch. 169, sec. 9, p. 799; am. 1978, ch. 79, sec. 1, p. 154; am. 1990, ch. 213, sec. 4, p. 490; am. 2001, ch. 120, sec. 1, p. 414; am. 2002, ch. 94, sec. 5, p. 260; am. 2005, ch. 190, sec. 7, p. 588; am. 2019, ch. 222, sec. 4, p. 684.]

https://law.justia.com/codes/idaho/2019/title-2/chapter-2/section-2-211/

Section 2-211 - NO EXEMPTIONS.
제외들의 금지.

Universal Citation: ID Code § 2-211 (2019)

일반적 인용: ID Code § 2-211 (2019)

2-211. NO EXEMPTIONS. No exemptions for any qualified prospective juror may be granted.

제외들의 금지. 자격이 인정되는 배심원 후보 어느 누구에 대하여도 제외들은 허가될 수 없다.

History: [2-211, added 1971, ch. 169, sec. 10, p. 799; am. 2005, ch. 190, sec. 8, p. 588.]

https://law.justia.com/codes/idaho/2019/title-2/chapter-2/section-2-212/

Section 2-212 - EXCUSING OR POSTPONING JURY SERVICE — INQUIRY BY COURT — GROUNDS FOR EXCUSING OR POSTPONING.
배심복무의 면제 내지는 연기 — 법원에 의한 조사 — 면제의 내지는 연기의 사유들.

Universal Citation: ID Code § 2-212 (2019)

일반적 인용: ID Code § 2-212 (2019)

2-212. EXCUSING OR POSTPONING JURY SERVICE — INQUIRY BY COURT — GROUNDS FOR EXCUSING OR POSTPONING. (1) The court, or a member of the jury commission designated by the court, upon request of a prospective juror or on its own initiative, shall determine on the basis of information provided on the qualification questionnaire form or interview with the prospective juror or other competent evidence whether the prospective juror should be excused from jury service or have their jury service postponed. The clerk or the jury commissioner shall keep a record of this determination.

배심복무의 면제 내지는 연기 — 법원에 의한 조사 — 면제의 내지는 연기의 사유들. (1) 배심복무로부터 한 명의 배심원 후보가 면제되어야 하는지 여부를 또는 그들의 배심복무를 연기시켜야 하는지 여부를, 당해 배심원 후보의 요청에 따라서 또는 직권으로, 자격심사 질문 서식 위에 제공되는 정보의 또는 당해 배심원 후보와의 면담의 또는 여타의 상당한 증거의 토대 위에서, 법원은 또는 법원에 의하여 지명되는 배심위원회의 구성원은 결정하여야 한다. 이 결정의 기록을 서기는 또는 배심위원은 보존하여야 한다.

(2) A person who is seventy (70) years of age or older shall be permanently excused if the person indicates on the qualification questionnaire form that he or she wishes to be excused. A person who requests to be excused on this basis shall be reinstated to the county jury list by submitting a written request asking to be reinstated for jury service.

면제되기를 그가 또는 그녀가 원함을 자격심사 질문서식 위에 70세 이상인 사람이 표시하면 그 사람은 영구적으로 면제되어야 한다. 배심복무에 복위되게 하여 주기를 요청하는 한 개의 신청서를, 그 면제되기를 이 이유로 요청한 사람이 제출하면 이로써 카운티 배심명부에 그는 복위되어야 한다.

(3) A person who is not disqualified for jury service under section 2-209, Idaho Code, may have jury service postponed by the court or the jury commissioner only upon a showing of undue hardship, extreme inconvenience, or public necessity, or upon a showing that the juror is a mother breastfeeding her child.

아이다호주 법률집 제2-209절에 따라서 배심복무의 자격이 부정되지 아니하는 사람은 오직 부당한 곤경에 대한, 극도의 불편에 대한, 또는 공공의 필요에 대한 한 개의 증명 위에서만, 또는 당해 배심원(후보)이 그녀 자신의 아동을 수유하는 어머니임에 대한 한 개의 증명 위에서만, 배심복무를 법원으로부터 또는 배심위원으로부터 연기받을 수 있다.

(a) Any person requesting a postponement shall provide a written statement setting forth the reason for the request and the anticipated date that the reason will no longer exist.

연기요청의 사유를 및 그 사유가 더 이상 존재하지 아니하게 되리라고 예상되는 날짜를 밝히는 한 개의 진술서를, 연기를 요청하는 사람은 제출하여야 한다.

(b) The court or the jury commissioner may require a person requesting a postponement for any medical reason to provide a statement from a medical provider supporting the request.

의학적 사유에 따른 연기요청을 뒷받침하는 의사의 진술서를 제출하도록, 그 사유에 따른 연기를 요청하는 사람에게 법원은 내지는 배심위원은 요구할 수 있다.

(c) The postponement, if granted, shall be for a period of time as the court or the jury commissioner deems necessary, at the conclusion of which the person shall reappear for jury service in accordance with the direction of the court or the jury commissioner.

허가되는 경우에의 연기는 그 필요하다고 법원이 또는 배심위원이 간주하는 기간 동안의 것이어야 하는바, 그 기간의 종료 때에 법원의 내지는 배심위원의 명령에 따라서 배심복무를 위하여 그 사람은 다시 출석하여야 한다.

History: [2-212, added 1971, ch. 169, sec. 11, p. 799; am. 1986, ch. 295, sec. 1, p. 742; am. 2002, ch. 94, sec. 6, p. 261; am. 2005, ch. 190, sec. 9, p. 588; am. 2019, ch. 222, sec. 5, p. 685.]

---

https://law.justia.com/codes/idaho/2019/title-2/chapter-2/section-2-213/

Section 2-213 - STAY OF PROCEEDINGS OR QUASHING INDICTMENT FOR IRREGULARITY IN SELECTING JURY — EVIDENCE IN SUPPORT OF MOTION — REMEDIES EXCLUSIVE — CONTENTS OF RECORDS NOT TO BE DISCLOSED.

배심을 선정함에 있어서의 규칙위반을 이유로 하는 절차들의 정지 또는 대배심 검사 기소장의 무효화 — 신청을 뒷받침하는 증거 — 배타적 구제수단들 — 기록들의 내용들은 공개되지 아니함.

Universal Citation: ID Code § 2-213 (2019)

일반적 인용: ID Code § 2-213 (2019)

2-213. STAY OF PROCEEDINGS OR QUASHING INDICTMENT FOR IRREGULARITY IN SELECTING JURY — EVIDENCE IN SUPPORT OF MOTION — REMEDIES EXCLUSIVE — CONTENTS OF RECORDS NOT TO BE DISCLOSED. (1) Within seven (7) days after the moving party discovered or by the exercise of diligence could have discovered the grounds therefor, and in any event before the trial jury is sworn to try the case, a party may move to stay the proceedings, and in a criminal case to quash the indictment, or for other appropriate relief, on the ground of substantial failure to comply with this chapter in selecting the grand or trial jury.

배심을 선정함에 있어서의 규칙위반을 이유로 하는 절차들의 정지 또는 대배심 검사기소장의 무효화 — 신청을 뒷받침하는 증거 — 배타적 구제수단들 — 기록들의 내용들은 공개되지 아니함. (1) 절차들을 정지시켜 줄 것을, 그리고 형사사건에서는 대배심 검사기소장을 무효화시켜 줄 것을, 또는 그 밖의 적절한 구제를 내려 줄 것을, 당해 대배심을 또는 정식사실심리 배심을 선정함에 있어서의 이 장을 준수하기에 대한 중대한 불이행을 사유로 하여, 그 사유들을 신청 측 당사자가 발견한 날 뒤의 7일 내에, 내지는 근면의 행사에 의하여 발견할 수 있었을 날 뒤의 7일 내에, 및 여하한 경우에도 당해 사건을 정식사실심리 하기 위하여 선서 절차에 정식사실심리 배심이 처해지고 나기 전에, 당사자는 신청할 수 있다.

(2) Upon motion filed under subsection (1) of this section containing a sworn statement of facts which, if true, would constitute a substantial failure to comply with this chapter, the moving party is entitled to present in support of the motion the testimony of the jury commissioner or the clerk, any relevant records and papers not public or otherwise available used by the jury commissioner or the clerk, and any other relevant evidence. If the court determines that in selecting either a grand jury or a trial jury there has been a substantial failure to comply with this chapter, the court shall stay the proceedings pending the selection of the jury in conformity with this chapter, quash an indictment, or grant other appropriate relief.

이 장을 준수하기에 대한 한 개의 중대한 불이행을 만약 그 진실이라면 구성할 사실관계에 대한 한 개의 선서진술서를 포함하는 이 절의 소절 (1) 아래서의 신청서의 제출에 따라서, 배심위원의 내지는 서기의 증언을, 배심위원에 의하여 내지는 서기에 의하여 사용된 공개되지 아니한 내지는 달리 입수될 수 없는 관련 있는 기록들을 및 서류들을, 그리고 여타의 관련 있는 증거를, 당해 신청의 증거로서 제출할 권리를 신청 측 당사자는 지닌다. 한 개의 대배심을이든 내지는 정식사실심리 배심을이든 선정함에 있어서 이 장을 준수하기에 대한 한 개의 중대한 불이행이 있었다고 만약 법원이 판단하면, 이 장에의 부합 속에서의 배심의 선정을 기다리는 동안 그 절차들을 법원은 정지시켜야 하고, 대배심 검사기소장을 무효화시켜야 하고, 또는 여타의 적절한 구제를 내려야 한다.

(3) The procedures prescribed by this section are the exclusive means by which a person accused of a crime, the state, or a party in a civil case may challenge a jury on the ground that the jury was not selected in conformity with this chapter.

이 절에 의하여 규정되는 절차들은 한 개의 배심이 이 장에의 부합 속에서 선정되지 아니하였음을 이유로 당해 배심에 대하여, 한 개의 범죄로 고발된 사람이, 주가, 또는 한 개의 민사사건에서의 당사자가 기피할 수 있는 배타적 수단이다.

(4) The contents of any records or papers used by the jury commissioner or the clerk in connection with the selection process and not made public under section 2-206(5), Idaho Code, shall not be disclosed, except in connection with the preparation or presentation of a motion under subsection (1) of this section. The parties in a case may inspect, reproduce, and copy the records or papers at all reasonable times during the preparation and pendency of a motion under subsection (1) of this section.

선정절차에의 연관 속에서 배심위원에 의하여 내지는 서기에 의하여 사용된, 및 아이다호주 법률집 제2-206(5)절 아래서 공개되지 아니한, 기록들의 내지는 서류들의 내용들은 공개되어서는 안 되는바, 이 절의 소절 (1) 아래서의 한 개의 신청의 준비에의 내지는 제출에의 연관 속에서의 경우에를 제외한다. 기록들을 내지는 서류들을, 이 절의 소절 (1) 아래서의 한 개의 신청의 준비 동안의 내지는 계속 동안의 모든 합리적인 시간대에, 한 개의 사건에서의 당사자들은 점검할 수 있고 복제할 수 있고, 그리고 복사할 수 있다.

History: [2-213, added 1971, ch. 169, sec. 12, p. 799; am. 2001, ch. 120, sec. 2, p. 414; am. 2005, ch. 190, sec. 10, p. 589; am. 2019, ch. 222, sec. 6, p. 685.]

https://law.justia.com/codes/idaho/2019/title-2/chapter-2/section-2-214/

Section 2-214 - RETENTION PERIOD FOR PAPERS AND RECORDS.
서류들의 및 기록들의 보존기간.

Universal Citation: ID Code § 2-214 (2019)

일반적 인용: ID Code § 2-214 (2019)

2-214. RETENTION PERIOD FOR PAPERS AND RECORDS. All records and papers compiled and maintained by the jury commissioner or the clerk in connection with selection and service of jurors shall be preserved by the clerk for a minimum period of four (4) years and for any longer period ordered by the court.

서류들의 및 기록들의 보존기간. 배심원들의 선정에 및 복무에 관련하여 배심위원에 내지는 서기에 의하여 조제되는 및 유지되는 모든 기록들은 및 서류들은 서기에 의하여 적어도 4년 동안 및 법원에 의하여 명령되는 한도 내에서 그 이상의 기간 동안 보관되어야 한다.

History: [2-214, added 1971, ch. 169, sec. 13, p. 799; am. 1978, ch. 81, sec. 1, p. 155; am. 2005, ch. 190, sec. 11, p. 590.]

https://law.justia.com/codes/idaho/2019/title-2/chapter-2/section-2-215/

Section 2-215 - MILEAGE AND PER DIEM OF JURORS.
배심원들의 여비수당 및 일당.

Universal Citation: ID Code § 2-215 (2019)

일반적 인용: ID Code § 2-215 (2019)

2-215. MILEAGE AND PER DIEM OF JURORS. A juror shall be paid mileage for his travel expenses from his residence to the place of holding court and return at the same rate per mile as established by resolution of the county commissioners for county employees in the county where the juror resides and shall be compensated at the following rate, to be paid from the county treasury:

배심원들의 여비수당 및 일당. 배심원이 거주하는 카운티의 피용자들을 위하여 카운티 위원들의 결의에 의하여 정해지는 마일 당 요율에의 동일 요율에 따른 여비수당을 배심원의 주거로부터의 법원소재지에의 그의 왕복에 소요되는 여행경비들을 위하여 그는 지급받는바, 아래의 요율에 의하여 카운티 재정회계로부터 그것은 지급되어야 한다:

(1) Five dollars ($5.00), or a rate of more than five dollars ($5.00) up to twenty-five dollars ($25.00) as determined by the county commissioners of the county where the juror resides, for each one-half (1/2) day, or portion thereof, unless the juror travels more than thirty (30) miles from his residence, in which event he shall receive ten dollars ($10.00), or a rate of more than ten dollars ($10.00) up to fifty dollars ($50.00) as determined by the county commissioners of the county where the juror resides, for each one-half (1/2) day or portion thereof;

당해 배심원의 주거로부터 30마일을 여행거리가 넘는 경우에를 제외하고는 매 반일(半日)에 또는 그 일부에 대하여 5불 또는 그가 거주하는 카운티의 카운티 위원들에 의하여 정해지는 요율에 따라서 5불을 초과하여 25불까지, 및 30마일을 여행거리가 넘는 경우에는 매 반일(半日)에 또는 그 일부에 대하여 10불 또는 그가 거주하는 카운티의 카운티 위원들에 의하여 정해지는 요율에 따라서 10불을 초과하여 50불까지;

(2) Ten dollars ($10.00), or a rate of more than ten dollars ($10.00) up to fifty dollars ($50.00) as determined by the county commissioners in the county where the juror resides, for each day's required attendance at court of more than one-half (1/2) day;

반일(半日)을 초과하는 하루마다의 요구되는 법원 출석에 대하여 10불 또는 당해 배심원이 거주하는 카운티의 카운티 위원들에 의하여 정해지는 요율에 따라서 10불을 초과하여 50불까지;

(3) Fifty dollars ($50.00) for each day's required attendance at court that exceeds five (5) days for one (1) trial.

한 개의 정식사실심리를 위한 5일을 초과하는 하루마다의 요구되는 법원 출석에 대하여 50불.

History: [2-215, added 1971, ch. 169, sec. 14, p. 799; am. 1982, ch. 213, sec. 1, p. 587; am. 2013, ch. 66, sec. 1, p. 161; am. 2018, ch. 257, sec. 1, p. 608.]

Section 2-216 - LIMITATION ON REQUIRED JURY SERVICE.
요구되는 배심복무의 제한.

Universal Citation: ID Code § 2-216 (2019)

일반적 인용: ID Code § 2-216 (2019)

2-216. LIMITATION ON REQUIRED JURY SERVICE. In any two (2) year period, or a longer period not to exceed five (5) years, as determined by the administrative judge of a judicial district, a person shall not be required:

요구되는 배심복무의 제한. 2년의 기간 중에, 또는 재판구의 법원장 판사에 의하여 정하여지는 2년을 초과하는 및 5년을 초과하지 아니하는 기간 중에 사람은:

(1) To serve or attend court for prospective service as a trial juror more than ten (10) court days, except if necessary to complete service in a particular case;

10일을 초과하여서는 정식사실심리 배심원으로서 복무하도록, 내지는 그 예상되는 복무를 위하여 법원에 출석하도록, 요구되지 아니하는바, 다만 한 개의 특정 사건에서의 복무를 끝마치기 위하여 필요한 경우에를 제외한다;

(2) To be available for jury service for a period to exceed six (6) months; provided however, that the administrative district judge for the judicial district in which a county is located may by order specify a shorter term of required availability for jury service;

배심복무에 6개월을 초과하는 기간 동안 동원가능 상태에 있도록 요구되지 아니한다; 그러나 배심복무에의 요구되는 동원가능 상태의 유지를 위한 보다 더 짧은 기간을 한 개의 카운티가 소재하는 재판구를 관할하는 재판구 지방법원장 판사는 명령에 의하여 정할 수 있다;

(3) To serve on more than one (1) grand jury; or

한 개를 넘는 대배심에 복무하도록 요구되지 아니한다; 또는

(4) To serve as both a grand and trial juror.

한 명의 대배심원으로서 겸 한 명의 정식사실심리 배심원으로서 복무하도록 요구되지 아니한다.

Appearance for jury service, whether or not the roll is called, shall be credited toward required jury service. Appearance for jury service may include telephone standby as permitted by the administrative judge of the district.

배심복무를 위한 출석은, 출석부가 불러지든 불러지지 않든 상관없이, 그 요구되는 배심복무로 기록되어야 한다. 재판구의 법원장 판사에 의하여 허가되는 바에 따라서 전화대기 상태를 배심복무를 위한 출석은 포함할 수 있다.

History: [2-216, added 1971, ch. 169, sec. 15, p. 799; am. 1977, ch. 54, sec. 1, p. 105; am. 1978, ch. 83, sec. 1, p. 157; am. 2001, ch. 120, sec. 3, p. 415; am. 2002, ch. 94, sec. 7, p. 261.]

https://law.justia.com/codes/idaho/2019/title-2/chapter-2/section-2-218/

Section 2-218 - EMPLOYER PROHIBITED FROM PENALIZING EMPLOYEE FOR JURY SERVICE — PENALTY — ACTION BY DISCHARGED EMPLOYEE FOR LOST WAGES.

배심복무를 이유로 피용자를 불리하게 고용주가 처우함은 금지됨 — 벌칙 — 해고된 피용자에 의한 상실임금 청구소송.

Universal Citation: ID Code § 2-218 (2019)

일반적 인용: ID Code § 2-218 (2019)

2-218. EMPLOYER PROHIBITED FROM PENALIZING EMPLOYEE FOR JURY SERVICE — PENALTY — ACTION BY DISCHARGED EMPLOYEE FOR LOST WAGES. (1) An employer shall not deprive an employee of his employment, or threaten or otherwise coerce him with respect thereto, because the employee receives a summons, responds thereto, serves as a juror, or attends court for prospective jury service.

배심복무를 이유로 피용자를 불리하게 고용주가 처우함은 금지됨 — 벌칙 — 해고된 피용자에 의한 상실임금 청구소송. (1) 한 개의 소환장을 피용자가 수령함을, 이에 응답함을, 배심원으로서 복무함을, 또는 예상되는 배심복무를 위하여 법원에 출석함을 이유로 고용주는 피용자의 근로관계를 그에게서 박탈하여서는, 근로관계에 관련하여 그를 위협하여서는 여타의 방법으로 강요하여서는 안 된다.

(2) Any employer who violates subsection (1) of this section is guilty of criminal contempt and upon conviction may be fined not more than three hundred dollars ($300).

이 절의 소절 (1)을 위반하는 고용주는 형사적 법원모독을 범하는 것이 되고 유죄판정에 따라서 300불 이하의 벌금에 처해질 수 있다.

(3) If an employer discharges an employee in violation of subsection (1) of this section the employee within sixty (60) days may bring a civil action for recovery of treble the amount of wages lost as a result of the violation and for an order requiring the reinstatement of the employee. If he prevails, the employee shall be allowed a reasonable attorney's fee fixed by the court.

피용자를 이 절의 소절 (1)의 위반 속에서 고용주가 해고하면 그 위반의 결과로서 상실된 임금액의 세 배의 지급을 청구하는, 및 당해 피용자의 복직을 요구하는 한 개의 명령을 청구하는, 한 개의 민사소송을 60일 내에 피용자는 제기할 수 있다. 만약 그가 승소하면, 법원에 의하여 정하여지는 합리적인 변호사 보수가 피용자에게 지급되어야 한다.

History: [2-218, added 1971, ch. 169, sec. 17, p. 799; am. 1987, ch. 65, sec. 1, p. 116.]

https://law.justia.com/codes/idaho/2019/title-2/chapter-2/section-2-219/

Section 2-219 - DELEGATION OF AUTHORITY BY ADMINISTRATIVE JUDGES.
법원장들에 의한 권한의 위임.

Universal Citation: ID Code § 2-219 (2019)

일반적 인용: ID Code § 2-219 (2019)

2-219. DELEGATION OF AUTHORITY BY ADMINISTRATIVE JUDGES. Administrative judges are authorized to delegate their duties and responsibilities under this act to district judges or duly appointed magistrates within their respective district [districts].

법원장들에 의한 권한의 위임. 이 법률 아래서의 그들의 임무사항들을 및 책임사항들을 재판구 지방법원 판사들에게 또는 그들의 각각의 재판구[재판구들] 내의 적법하게 임명된 치안판사들에게 위임할 권한을 법원장들은 지닌다.

History: [2-219, added 1971, ch. 169, sec. 18, p. 799; am. 1974, ch. 26, sec. 9, p. 804.]

https://law.justia.com/codes/idaho/2019/title-2/chapter-2/section-2-220/

Section 2-220 - POWER OF SUPREME COURT TO MAKE RULES CONCERNING JURIES.
배심들에 관한 규칙들을 제정할 대법원의 권한.

Universal Citation: ID Code § 2-220 (2019)

일반적 인용: ID Code § 2-220 (2019)

2-220. POWER OF SUPREME COURT TO MAKE RULES CONCERNING JURIES. The supreme court may make and amend rules, not inconsistent with this act, regulating the selection and service of jurors and for the administration and payment of reimbursement to the counties of forty dollars ($40.00) per day for lengthy jury trials as provided in section 2-222, Idaho Code.

배심들에 관한 규칙들을 제정할 대법원의 권한. 배심원들의 선정을 및 복무를 규율하는, 그리고 아이다호주 법률집 제2-222절에 규정되는 장기간의 배심 정식사실심리들을 위한 카운티들에게의 하루 당 40불의 변상금의 집행을 및 지급을 위한, 이 법률에 모순되지 아니하는 규칙들을 대법원은 제정할 수 있고 개정할 수 있다.

History: [2-220, added 1971, ch. 169, sec. 19, p. 799; am. 2018, ch. 257, sec. 2, p. 608.]

Section 2-221 - CONSTRUCTION OF ACT.
법률의 해석.

Universal Citation: ID Code § 2-221 (2019)

일반적 인용: ID Code § 2-221 (2019)

2-221. CONSTRUCTION OF ACT. This act shall be so applied and construed as to effectuate its general purpose to make uniform the law with respect to the subject of this act among those states which enact it.

법률의 해석. 이 법률의 주제에 관한 법률을 제정하는 주들 사이에서 그 법률을 통일적인 것이 되게끔 만들고자 하는 그 일반적 목적들을 실현하도록 이 법률은 적용되어야 하고 해석되어야 한다.

History: [2-221, added 1971, ch. 169, sec. 22, p. 799.]

Section 2-222 - LENGTHY TRIAL JUROR COMPENSATION.
정기간의 복무에 처해지는 정식사실심리 배심원의 보수.

Universal Citation: ID Code § 2-222 (2019)

일반적 인용: ID Code § 2-222 (2019)

2-222. LENGTHY TRIAL JUROR COMPENSATION. (1) The supreme court shall reimburse the counties for moneys the county paid during the previous fiscal year for lengthy trial juror compensation under section 2-215(3), Idaho Code, from and to the extent that moneys are appropriated for this purpose by the legislature. On and after September 30, 2018, and each county fiscal year thereafter, any board of county commissioners may file an annual application with the administrative director of the courts requesting reimbursement of lengthy jury trial juror compensation in the amount set forth in subsection (2) of this section. The supreme court shall prescribe by rule the time within which an application must be filed, the form for the application and the information that must accompany each application.

정기간의 복무에 처해지는 정식사실심리 배심원의 보수. (1) 장기간의 복무에 처해지는 정식사실심리 배심원 보수를 위하여 아이다호주 법률집 제2-215(3)절에 따라서 직전의 회계연도 동안에 카운티가 지불한 금액들을, 입법부에 의하여 이 목적으로 배정된 금액들로부터 및 그 범위 내에서, 카운티들에게 대법원은 변상하여야 한다. 이 절의 소절 (2)에 규정되는 액수의, 장기간 복무에 처해진 정식사실심리 배심원 보수의 변상을 요청하는 한 개의 연도별 신청서를 2018년 9월 30일 이후로 및 그 뒤의 개개 카운티의 매 회계연도에, 법원 사무처장에게 카운티 위원들의 위원회는 제출할 수 있다. 한 개의 신청서가 제출되지 않으면 안 되는 기한을, 신청서 서식을 및 개개 신청서에 담기지 않으면 안 되는 정보를 규칙으로 대법원은 정하여야 한다.

(2) Each county whose application is approved by the administrative director of the courts shall receive moneys for the reimbursement of lengthy trial juror compensation paid by the county during the previous fiscal year. The amount of the reimbursement shall be forty dollars ($40.00) per juror and alternate juror for each day of jury service beyond the fifth day of required attendance at court relating to a trial, if there are sufficient moneys to fully reimburse every county whose application is approved. If there are insufficient moneys to fully reimburse every county whose application is approved, then each county shall receive only a percentage of its reimbursement request. The percentage shall be established by dividing the total amount of available moneys by the sum of all reimbursements requested by all counties.

장기간 복무에 처해지는 정식사실심리 배심원 보수의 변상을 위하여 직전 회계연도 동안에 당해 카운티에 의하여 지급된 금액들을, 법원 사무처장에 의하여 자신의 신청서가 승인되는 개개 카운티는 수령하여야 한다. 만약 그 신청서가 승인되는 모든 카운티에게 완전하게 변상할 수 있는 충분한 기금이 있으면, 변상의 액수는 배심원 당 및 예비배심원 당 한 개의 정식사실심리에 관련하여 요구되는 법원출석의 다섯 번째 날을 초과하는 배심복무 하루마다에 대하여 40불이 되어야 한다. 그 신청서가 승인되는 모든 카운티에게 완전하게 변상하기에 만약 기금이 불충분하면, 자신의 변상 청구액의 일정 비율만을 그 경우에 개개 카운티는 수령하여야 한다. 사용 가능한 전체 금액을 모든 카운티들에 의하여 요청된 변상금액들 총액으로 나눔으로써 그 비율은 정해져야 한다.

History: [2-222, added 2018, ch. 257, sec. 3, p. 608.]

---

https://law.justia.com/codes/idaho/2019/title-2/chapter-5/

Chapter 5 - IMPANELING JURIES
배심들의 충원구성

- Section 2-501 - GRAND JURY — IMPANELING ON ORDER OF JUDGE.

- Section 2-502 - GRAND JURY — HOW CONSTITUTED — QUORUM.

- Section 2-503 - GRAND JURY — HOW IMPANELED.

- Section 2-508 - IMPANELING OF JURIES OF INQUEST.

https://law.justia.com/codes/idaho/2019/title-2/chapter-5/section-2-501/

Section 2-501 - GRAND JURY — IMPANELING ON ORDER OF JUDGE.
대배심 — 판사의 명령에 의한 충원구성.

Universal Citation: ID Code § 2-501 (2019)

일반적 인용: ID Code § 2-501 (2019)

2-501. GRAND JURY — IMPANELING ON ORDER OF JUDGE. Grand juries shall not hereafter be drawn, summoned or required to attend at the sittings of any court within the state, as provided by law, unless the district judge as assigned by the administrative judge shall so order in writing. The order shall be filed with the clerk of the court and a copy of the order shall be delivered to the jury commission and prosecuting attorney.

대배심 — 판사의 명령에 의한 충원구성. 대배심들은 향후로는 법원장에 의하여 배정되는 재판구 지방법원 판사가 서면으로 명령하는 경우에를 제외하고는 법에 규정되는 대로 추출되어서는, 소환되어서는, 또는 주 내의 법원의 개정법정들에 출석하도록 요구되어서는 안 된다. 그 명령은 법원서기에게 하달되어야 하고 배심위원회에게는 및 검사에게는 그 명령의 등본이 교부되어야 한다.

History: [(2-501) R.S., sec. 3968; reen. 1899, p. 125, sec. 7; reen. R.C. & C.L., sec. 3968; C.S., sec. 6545; I.C.A., sec. 2-501; am. 2002, ch. 94, sec. 8, p. 262.]

https://law.justia.com/codes/idaho/2019/title-2/chapter-5/section-2-502/

Section 2-502 - GRAND JURY — HOW CONSTITUTED — QUORUM.
대배심 — 어떻게 구성되는가 — 의사정족수.

Universal Citation: ID Code § 2-502 (2019)
일반적 인용: ID Code § 2-502 (2019)

2-502. GRAND JURY — HOW CONSTITUTED — QUORUM. Sixteen (16) persons shall constitute a grand jury, twelve (12) of whom shall constitute a quorum, and when of the jurors summoned, no more nor less than sixteen (16) attend they shall constitute the grand jury. If more than sixteen (16) attend the clerk shall call over the list summoned, and the sixteen (16) first answering shall constitute the grand jury. If less than sixteen (16) attend, the panel may be filled to sixteen (16).

대배심 — 어떻게 구성되는가 — 의사정족수. 한 개의 대배심은 16명이 구성하는바, 그 중 12명은 의사정족수를 구성하고, 그리고 그 소환된 배심원들 중에서 16명 이상이도 이하가도 아닌 숫자가 출석하는 경우에는 그들이 당해 대배심을 구성한다. 만약 그 출석한 숫자가 16을 넘으면 서기는 그 소환된 명부를 호명하여야 하고 그 먼저 대답하는 16명이 당해 대배심을 구성한다. 만약 16명 미만이 출석하면, 배심원단은 16명이 되도록 채워질 수 있다.

History: [(2-502) C.C.P. 1881, sec. 106; R.S., R.C., & C.L., sec. 3969; C.S., sec. 6546; I.C.A., sec. 2-502; am. 2009, ch. 11, sec. 1, p. 14.]

https://law.justia.com/codes/idaho/2019/title-2/chapter-5/section-2-503/

Section 2-503 - GRAND JURY — HOW IMPANELED.
대배심 — 어떻게 충원구성되는가.

Universal Citation: ID Code § 2-503 (2019)

일반적 인용: ID Code § 2-503 (2019)

2-503. GRAND JURY — HOW IMPANELED. Thereafter such proceedings shall be had in impaneling the grand jury as are prescribed by the criminal practice.

대배심 — 어떻게 충원구성되는가. 그 뒤에는 대배심을 충원구성함에 있어서 형사소송 실무에 의하여 규정되는 대로의 절차들이 거쳐져야 한다.

History: [(2-503) C.C.P. 1881, sec. 107; R.S., R.C., & C.L., sec. 3970; C.S., sec. 6547; I.C.A., sec. 2-503.]

https://law.justia.com/codes/idaho/2019/title-2/chapter-5/section-2-508/

Section 2-508 - IMPANELING OF JURIES OF INQUEST.
강제적 사실조사 배심들의 충원구성.

Universal Citation: ID Code § 2-508 (2019)

일반적 인용: ID Code § 2-508 (2019)

2-508. IMPANELING OF JURIES OF INQUEST. The mode and manner of impaneling juries of inquest are provided for in the provisions of the different statutes relating to such inquests.

강제적 사실조사 배심들의 충원구성. 강제적 사실조사 배심들을 충원구성하는 양식은 및 방법은 그러한 강제적 사실조사들에 관련되는 별도의 제정법들의 규정들에서 정해진다.

History: [(2-508) C.C.P. 1881, sec. 112; R.S., R.C., & C.L., sec. 3975; C.S., sec. 6552; I.C.A., sec. 2-508.]

https://law.justia.com/codes/idaho/2019/title-19/chapter-11/

2019 Idaho Code
Title 19 - CRIMINAL PROCEDURE
Chapter 11 - POWERS AND DUTIES OF GRAND JURY
2019년 아이다호주 법률집
제19편 형사절차

• Section 19-1101 - POWERS AND DUTIES IN GENERAL.

• Section 19-1102 - PRESENTMENT DEFINED.

• Section 19-1103 - INDICTMENT DEFINED.

• Section 19-1104 - FOREMAN MAY ADMINISTER OATHS.

• Section 19-1105 - EVIDENCE RECEIVABLE BY GRAND JURY.

• Section 19-1106 - EVIDENCE FOR DEFENDANT.

• Section 19-1107 - SUFFICIENCY OF EVIDENCE TO WARRANT INDICTMENT.

• Section 19-1108 - DUTY OF JUROR HAVING KNOWLEDGE OF OFFENSE.

• Section 19-1110 - ACCESS TO PRISONS AND PUBLIC RECORDS.

• Section 19-1111 - WHO MAY BE PRESENT AT SESSIONS OF JURY.

- Section 19-1112 - PROCEEDINGS TO BE SECRET.

- Section 19-1113 - JUROR NOT TO BE QUESTIONED.

- Section 19-1114 - NOTICE OF REFUSAL TO GIVE INCRIMINATING EVIDENCE — AGREEMENT TO TESTIFY WITH IMMUNITY — PERJURY — COMPELLING ANSWER.

- Section 19-1115 - REFUSAL TO GIVE INCRIMINATING EVIDENCE — COMPELLING TO ANSWER OR PRODUCE EVIDENCE — IMMUNITY — PERJURY.

- Section 19-1116 - SPECIAL INQUIRY JUDGE.

- Section 19-1117 - SPECIAL INQUIRY JUDGE — PETITION FOR ORDER.

- Section 19-1118 - SPECIAL INQUIRY JUDGE — DISQUALIFICATION FROM SUBSEQUENT PROCEEDINGS.

- Section 19-1119 - SPECIAL INQUIRY JUDGE — DIRECTION TO PROSECUTING ATTORNEY TO PARTICIPATE IN PROCEEDINGS IN ANOTHER COUNTY — PROCEDURE.

- Section 19-1120 - WITNESSES — ATTENDANCE.

- Section 19-1121 - SELF-INCRIMINATION — RIGHT TO COUNSEL.

- Section 19-1122 - SELF-INCRIMINATION — REFUSAL TO TESTIFY OR GIVE EVIDENCE — PROCEDURE.

- Section 19-1123 - SECRECY ENJOINED — EXCEPTIONS — USE AND AVAILABILITY OF EVIDENCE.

https://law.justia.com/codes/idaho/2019/title-19/chapter-11/section-19-1101/

Section 19-1101 - POWERS AND DUTIES IN GENERAL.
권한들 및 의무들 일반.

Universal Citation: ID Code § 19-1101 (2019)

일반적 인용: ID Code § 19-1101 (2019)

19-1101. POWERS AND DUTIES IN GENERAL. The grand jury must inquire into all public offenses committed or triable within the county, and present them to the court, either by presentment or by indictment.

권한들 및 의무들 일반. 대배심은 카운티 내에서 저질러진 내지는 정식사실심리될 수 있는 모든 범죄들을 캐 들어가지 않으면 안 되고, 그것들을 대배심 독자고발장에 의하여 또는 대배심 검사기소장에 의하여 법원에 고발하지 않으면 안 된다.

History: [(19-1101) Cr. Prac. 1864, sec. 201, p. 237; R.S., R.C., & C.L., sec. 7630; C.S., sec. 8789; I.C.A., sec. 19-1001.]

연혁:

Criminal Practice Act (1864), sec. 201, p. 237; Revised Statutes of Idaho (1887), Revised Codes of Idaho (1909), & Idaho Compiled Laws (1918), sec. 7630; Idaho Compiled Statutes (1919), sec. 8789; Idaho Code Annotated (1932), sec. 19-1001.]

https://law.justia.com/codes/idaho/2019/title-19/chapter-11/section-19-1102/

Section 19-1102 - PRESENTMENT DEFINED.
대배심 독자기소장의 개념정의.

Universal Citation: ID Code § 19-1102 (2019)

일반적 인용: ID Code § 19-1102 (2019)

19-1102. PRESENTMENT DEFINED. A presentment is a formal statement in writing, by the grand jury, representing to the court that a public offense has been committed which is triable in the county, and that there is reasonable ground for believing that a particular individual named or described therein has committed it.

대배심 독자기소의 개념정의. 한 개의 대배심 독자기소장은 당해 카운티 내에서 정식사실심리 될 수 있는 한 개의 범죄가 저질러져 있음을, 그리고 그것을 그 안에 거명된 내지는 설명된 한 명의 특정 개인이 저지른 상태라고 믿을 상당한 이유가 있음을 법원에 주장하는 대배심에 의한 한 개의 공식의 서면진술이다.

History: [(19-1102) Cr. Prac. 1864, sec. 203, p. 237; R.S., R.C., & C.L., sec. 7631; C.S., sec. 8790; I.C.A., sec. 19-1002.]

https://law.justia.com/codes/idaho/2019/title-19/chapter-11/section-19-1103/

Section 19-1103 - INDICTMENT DEFINED.
대배심 검사기소장의 개념정의.

Universal Citation: ID Code § 19-1103 (2019)

일반적 인용: ID Code § 19-1103 (2019)

19-1103. INDICTMENT DEFINED. An indictment is an accusation in writing, presented by the grand jury to a competent court, charging a person with a public offense.

대배심 검사기소장의 개념정의. 한 개의 대배심 검사기소장은 대배심에 의하여 관할법원에 제출되는, 한 명의 사람을 한 개의 범죄로 기소하는 한 개의 기소고발장이다.

History: [(19-1103) Cr. Prac. 1864, sec. 202, p. 237; R.S., R.C., & C.L., sec. 7632; C.S., sec. 8791; I.C.A., sec. 19-1003.]

https://law.justia.com/codes/idaho/2019/title-19/chapter-11/section-19-1104/

Section 19-1104 - FOREMAN MAY ADMINISTER OATHS.
선서들을 배심장은 실시할 수 있음.

Universal Citation: ID Code § 19-1104 (2019)

일반적 인용: ID Code § 19-1104 (2019)

19-1104. FOREMAN MAY ADMINISTER OATHS. The foreman may administer an oath to any witness appearing before the grand jury.

선서들을 배심장은 실시할 수 있음. 한 개의 선서를 대배심 앞에 출석하는 어떤 증인에게도 배심장은 실시할 수 있다.

History: [(19-1104) Cr. Prac. 1864, sec. 204, p. 237; R.S., R.C., & C.L., sec. 7633; C.S., sec. 8792; I.C.A., sec. 19-1004.]

---

https://law.justia.com/codes/idaho/2019/title-19/chapter-11/section-19-1105/

Section 19-1105 - EVIDENCE RECEIVABLE BY GRAND JURY.
대배심에 의하여 수령될 수 있는 증거.

Universal Citation: ID Code § 19-1105 (2019)

일반적 인용: ID Code § 19-1105 (2019)

19-1105. EVIDENCE RECEIVABLE BY GRAND JURY. In the investigation of a charge for the purpose of either presentment or indictment, the grand jury can receive any evidence that is given by witnesses produced and sworn before them except as hereinafter provided, furnished by legal documentary evidence, the deposition of a witness in the cases provided by this code or legally admissible hearsay. No witness whose testimony has been taken and reduced to writing on a preliminary examination must be subpoenaed or required to appear before the grand jury, until such testimony has been first submitted to and considered by the grand jury, but if such testimony has been lost or cannot be found, or if the grand jury after considering the same still desires the presence of any such witnesses, they may be subpoenaed.

대배심에 의하여 수령될 수 있는 증거. 자신들 앞에 제출되는 및 선서절차를 거친 증인들에 의하여 제공되는, 이하에서 규정되는 것들을을 제외하고는 어떤 증거를이든, 적법한 문서증거에 의하여 제공되는 어떤 증거를이든, 이 법전에 의하여 규정되는 사건들에서의 한 명의 증인의 법정 외 증언녹취록을, 또는 적법하게 증거능력을 지니는 전문(hearsay)을 대배심 독자기소의 목적을이든 내지는 대배심 검사기소의 목적을이든 위한 한 개의 고발에 대한 조사에서 대배심은 수령할 수 있다. 한 개의 예비신문에서 그 증언이 청취되어 있는 및 그것이 서면으로 정리되어 있는 증인은 그러한 증언이 최초로 제출되고 났을 때까지는 및 대배심에 의하여 검토되고 났을 때까지는 벌칙부로 소환되어서는 내지는 대배심 앞에 출석하도록 요구되어서는 안 되는바, 그러나 만약 그러한 증언이 분실되어 있으면 또는 확인될 수 없으면, 또는 그것을 대배심이 검토한 뒤에도 그러한 증인의 출석을 여전히 대배심이 원하면, 그들은 벌칙부로 소환될 수 있다.

History: [(19-1105) Cr. Prac. 1864, secs. 205, 206, p. 237; R.S., R.C., & C.L., sec. 7634; C.S., sec. 8793; I.C.A., sec. 19-1005; am. 1989, ch. 49, sec. 1, p. 62.]

https://law.justia.com/codes/idaho/2019/title-19/chapter-11/section-19-1106/

Section 19-1106 - EVIDENCE FOR DEFENDANT.
피고인을 위한 증거

Universal Citation: ID Code § 19-1106 (2019)
일반적 인용: ID Code § 19-1106 (2019)

19-1106. EVIDENCE FOR DEFENDANT. The grand jury is not bound to hear evidence for the defendant; but it is their duty to weigh all the evidence submitted to them, and when they have reason to believe that other evidence within their reach will explain away the charge, they should order such evidence to be produced, and for that purpose may require the prosecuting attorney to issue process for the witnesses.

피고인에게 유리한 증거. 피고인에게 유리한 증거를 대배심은 청취하여야 할 의무가 없다; 그러나 그들에게 제출되는 모든 증거를 비교교량함은 그들의 의무인바, 그들의 권한 범위 내의 여타의 증거가 혐의를 해명하여 벗겨 줄 것으로 믿을 이유를 그들이 지니는 경우에는 그러한 증거가 제출되게 하도록 그들은 명령하여야 하고, 증인들에 대한 영장을 발부하도록 그 목적을 위하여 검사에게 그들은 요구할 수 있다.

History: [(19-1106) Cr. Prac. 1864, sec. 207, p. 237; R.S., R.C., & C.L., sec. 7635; C.S., sec. 8794; I.C.A., sec. 19-1006.]

https://law.justia.com/codes/idaho/2019/title-19/chapter-11/section-19-1107/

Section 19-1107 - SUFFICIENCY OF EVIDENCE TO WARRANT INDICT-MENT.

대배심 검사기소를 뒷받침하는 증거의 충분성.

Universal Citation: ID Code § 19-1107 (2019)

일반적 인용: ID Code § 19-1107 (2019)

19-1107. SUFFICIENCY OF EVIDENCE TO WARRANT INDICTMENT. The grand jury ought to find an indictment when all the evidence before them, taken together, if unexplained or uncontradicted, would, in their judgment, warrant a conviction by a trial jury.

대배심 검사기소를 뒷받침하는 증거의 충분성. 자신들 앞의 모든 증거를 종합할 때, 만약 그 해명되지 아니한다면 내지는 반박되지 아니한다면 정식사실심리 배심에 의한 한 개의 유죄판정을 그것이 뒷받침하리라는 것이 그들의 판단인 경우에 한 개의 대배심 검사기소를 대배심은 평결하여야 한다.

History: [(19-1107) Cr. Prac. 1864, sec. 208, p. 238; R.S., R.C., & C.L., sec. 7636; C.S., sec. 8795; I.C.A., sec. 19-1007.]

https://law.justia.com/codes/idaho/2019/title-19/chapter-11/section-19-1108/

Section 19-1108 - DUTY OF JUROR HAVING KNOWLEDGE OF OFFENSE.

범죄에 대한 지식을 지니는 배심원의 의무.

Universal Citation: ID Code § 19-1108 (2019)

일반적 인용: ID Code § 19-1108 (2019)

19-1108. DUTY OF JUROR HAVING KNOWLEDGE OF OFFENSE. If a member of a grand jury knows, or has reason to believe, that a public offense, triable within the county, has been committed, he must declare the same to his fellow jurors, who must thereupon investigate the same.

범죄에 대한 지식을 지니는 배심원의 의무. 카운티 내에서 정식사실심리될 수 있는 한 개의 범죄가 저질러져 있음을 한 명의 배심원이 알면 내지는 그 저질러져 있다고 믿을 이유를 한 명의 배심원이 지니면, 그것을 그의 동료 배심원들에게 그는 선언하지 않으면 안 되는바, 그것을 즉시 그들은 조사하지 않으면 안 된다.

History: [(19-1108) Cr. Prac. 1864, sec. 209, p. 238; R.S., R.C., & C.L., sec. 7637; C.S., sec. 8796; I.C.A., sec. 19-1008.]

https://law.justia.com/codes/idaho/2019/title-19/chapter-11/section-19-1110/

Section 19-1110 - ACCESS TO PRISONS AND PUBLIC RECORDS.
감옥들에의 및 공공기록들에의 접근.

Universal Citation: ID Code § 19-1110 (2019)
일반적 인용: ID Code § 19-1110 (2019)

19-1110. ACCESS TO PRISONS AND PUBLIC RECORDS. They are also entitled to free access, at all reasonable times, to the public prisons, and to the examination, without charge, of all public records within the county.

감옥들에의 및 공공기록들에의 접근. 언제든지 합리적인 시간대에의 카운티 내의 공공의 감옥들에의 자유로운 접근을 누릴 권리를 및 모든 공공기록들에 대한 무료의 검사에의 권리를 그들은 지닌다.

History: [(19-1110) Cr. Prac. 1864, sec. 211, p. 238; R.S., R.C., & C.L., sec. 7639; C.S., sec. 8798; I.C.A., sec. 19-1010.]

Section 19-1111 - WHO MAY BE PRESENT AT SESSIONS OF JURY.

대배심 회합들에 출석할 수 있는 사람.

Universal Citation: ID Code § 19-1111 (2019)

일반적 인용: ID Code § 19-1111 (2019)

19-1111. WHO MAY BE PRESENT AT SESSIONS OF JURY. The grand jury may, at all reasonable times, ask the advice of the court, or the judge thereof, or of the prosecuting attorney; but unless such advice is asked, the judge of the court must not be present during the sessions of the grand jury. The prosecuting attorney of the county may at all times appear before the grand jury for the purpose of giving them information or advice relative to any matter cognizable by them, and may interrogate witnesses before them whenever they or he think it necessary, but no other person is permitted to be present during the sessions of the grand jury, except the members and witnesses actually under examination, and an interpreter, when necessary, and no person must be permitted to be present during the expressions of their opinions, or giving their votes upon any matter before them.

대배심 회합들에 참석할 수 있는 사람. 법원의, 또는 법원 판사의, 또는 검사의 조언을 모든 합리적인 시간대에 대배심은 요청할 수 있다; 그러나 그러한 조언이 요청되는 경우에를 제외하고는 대배심의 회합들 동안에 법원의 판사는 출석해 있어서는 안 된다. 대배심에 의하여 심리될 수 있는 사항에 관한 정보를 내지는 조언을 그들에게 제공하기 위하여 대배심 앞에 카운티 검사는 항상 출석해 있을 수 있고 그 필요하다고 그들이 내지는 그가 생각하는 때에는 언제든지 그들 앞의 증인들을 카운티 검사는 신문할 수 있는바, 그러나 구성원들이를 및 실제로 신문에 놓인 증인들이를 및 그 필요한 경우에의 통역인이를 제외한 그 밖의 사람은 회합들 동안에 출석해 있도록 허용되지 아니하고, 그리고 그들 앞의 사안에 대한 그들의 의견들의 표명 동안에 내지는 그들의 표결들의 행사 동안에 출석해 있도록은 어느 누구가도 허용되어서는 안 된다.

History: [(19-1111) Cr. Prac. 1864, sec. 212, p. 238; R.S., R.C., & C.L., sec. 7640; C.S., sec. 8799; I.C.A., sec. 19-1011.]

Section 19-1112 - PROCEEDINGS TO BE SECRET.
절차들의 비밀성.

Universal Citation: ID Code § 19-1112 (2019)

일반적 인용: ID Code § 19-1112 (2019)

19-1112. PROCEEDINGS TO BE SECRET. Every member of the grand jury must keep secret whatever he himself, or any other grand juror may have said, or in what manner he or any other grand juror may have voted on a matter before them; and such matters shall be subject to disclosure according to chapter 1, title 74, Idaho Code, but may, however, be required by any court to disclose the testimony of a witness examined before the grand jury, for the purpose of ascertaining whether it is consistent with that given by the witness before the court, or to disclose the testimony given before them by any person, upon a charge against such person for perjury in giving his testimony, or upon trial therefor.

절차들의 비밀성. 그 자신이 내지는 여타의 대배심원이 말한 바 그 무엇을이든, 또는 그들 앞의 사안에 대하여 어떤 방법으로 그가 또는 여타의 대배심원이 표결하였는지를, 비밀로 대배심의 구성원 모두는 간직하지 않으면 안 되는바; 그러한 사안들은 아이다호주 법률집 제74편 제1장에 따라서 공개에 처해질 수 있으나, 그러나 법원 앞에서 한 명의 증인에 의하여 이루어진 증언에 대배심 앞에서 신문된 그 증인의 증언이 일치하는지 여부를 확인하기 위하여, 대배심 앞에서의 그 증인의 증언을 공개하도록 내지는 대배심 앞에서의 다른 사람 어느 누구든지의 증언을 공개하도록, 그러한 사람의 증언에서 저질러진 위증죄에 대한 고발에 터잡아 또는 이에 대한 정식사실심리에서, 어느 법원에 의하여든지 대배심의 구성원 모두는 요구될 수 있다.

History: [(19-1112) Cr. Prac. 1864, secs. 213, 214, p. 238; R.S., R.C., & C.L., sec. 7641; C.S., sec. 8800; I.C.A., sec. 19-1012; am. 1990, ch. 213, sec. 13, p. 499; am. 2015, ch. 141, sec. 19, p. 401.]

Section 19-1113 - JUROR NOT TO BE QUESTIONED.

배심원에게 신문할 수 없는 사항.

Universal Citation: ID Code § 19-1113 (2019)

일반적 인용: ID Code § 19-1113 (2019)

19-1113. JUROR NOT TO BE QUESTIONED. A grand juror cannot be questioned for anything he may say, or any vote he may give in the grand jury relative to a matter legally pending before the jury, except for a perjury of which he may have been guilty, in making an accusation or giving testimony to his fellow jurors.

배심원에게 신문할 수 없는 사항. 대배심 앞에 적법하게 걸려 있는 사안에 관련하여 당해 대배심에서 그가 말하는 그 어떤 것에 대하여도 내지는 그가 행하는 그 어떤 표결에 대하여도, 대배심원은 신문될 수 없는바, 다만 그의 동료들에게 한 개의 고발을 행함에 있어서 내지는 증언을 함에 있어서 그가 저질렀을 수 있는 위증에 대하여는 그러하지 아니하다.

History: [(19-1113) Cr. Prac. 1864, sec. 215, p. 238; R.S., R.C., & C.L., sec. 7642; C.S., sec. 8801; I.C.A., sec. 19-1013.]

Section 19-1114 - NOTICE OF REFUSAL TO GIVE INCRIMINATING EVIDENCE — AGREEMENT TO TESTIFY WITH IMMUNITY — PERJURY — COMPELLING ANSWER.

부죄적 증언을 하기에 대한 거부의 통지 — 면제 아래서의 증언 합의 — 위증 — 답변 강제.

Universal Citation: ID Code § 19-1114 (2019)

19-1114. NOTICE OF REFUSAL TO GIVE INCRIMINATING EVIDENCE — AGREEMENT TO TESTIFY WITH IMMUNITY — PERJURY — COMPELLING ANSWER. In any criminal proceeding or in any investigation or proceeding before a grand jury in connection with any criminal offense, if a person has advised the prosecuting attorney that he will refuse to answer a question or produce evidence, if called as a witness, on the ground that he may be incriminated thereby, the person may agree in writing with the prosecuting attorney of the county to testify voluntarily pursuant to this section. Upon written request of such prosecuting attorney being made to the district court in and for that county, said district court shall approve such written agreement, unless the court finds that to do so would be clearly contrary to the public interest. If after court approval of such agreement, and if, but for this section, the person would have been privileged to withhold the answer given or the evidence produced by him, the answer given, or evidence produced, and any information directly or indirectly derived from the answer or evidence, may not be used against the person in any manner in a criminal case but the person may, nevertheless, be prosecuted or subjected to penalty or forfeiture for any perjury, false swearing or contempt committed in answering or in producing evidence in accordance with such agreement. If such person fails to give any answer or to produce any evidence in accordance with such agreement, that person shall be prosecuted or subjected to penalty or forfeiture in the same manner and to the same extent as he would be prosecuted or subjected to penalty or forfeiture but for this section: provided, that if such person fails to give any answer or to produce any evidence in accordance with such agreement, the prosecuting attorney may request the district court to compel the person to answer or produce evidence, in accordance with section 19-1115, Idaho Code.

부죄적 증언을 하기에 대한 거부의 통지 — 면제 아래서의 증언 합의 — 위증 — 답변강제. 그 어떤 범죄에든 관련한 그 어떤 형사절차에서도 내지는 한 개의 대배심 앞의 어떤 조사에서도 또는 절차에서도, 한 명의 증인으로서 자신이 소환되면 한 개의 질문에 답변하기를 내지는 증거를 제출하기를 이에 의하여 자신에게 유죄가 씌워질 수 있음을 이유로 자신이 거부할 것임을 검사에게 만약 한 명이 고지하여 놓았으면, 이 절에 따라서 자발적으로 증언하기로 카운티 검사에 더불어 서면으로 그 사람은 합의할 수 있다. 당해 카운티 내의 및 관할의 재판구 지방법원에게 이루어지는 그러한 검사의 서면요청이 있으면, 그러한 서면합의를 재판구 지방법원은 승인하여야 하는바, 그렇게 함이 명백하게 공익에 반함을 재판구 지방법원이 인정하는 경우에를 제외한다. 만약 그러한 합의에 대한 법원의 승인 뒤에, 그리고 그 사람에 의하여 이루어진 답변을 내지는 제출된 증거를 보류할 특권을 만약 이 절이 아니었더라면 그 사람이 지녔을 터인 경우에, 그 이루어진 답변은 내지는 제출된 증거는, 그리고 조금이라도 직접으로 또는 간접으로 그 답변으로부터 내지는 증거로부터 도출된 정보는 한 개의 형사사건에서 그 사람에게 불리하게는 어떤 방법으로도 사용되어서는 안 되는바, 그러나 그 합의에 따라서 답변함에 있어서 내지는 증거를 제출함에 있어서 저질러진 위증죄로, 허위선서로 또는 법원모독으로 이에도 불구하고 그 사람은 소추될 수 있거나 벌금에 내지는 몰수에 처해질 수 있다. 그러한 합의에 따라서 답변하기를 내지는 증거를 제출하기를 만약 그러한 사람이 불이행하면, 이 절이 없었을 경우에 그가 소추되었을 내지는 벌금에 내지는 몰수에 처해졌을 방법에의 및 정도에의 동일한 방법으로 및 동일한 정도로 그 사람은 소추되어야 하거나 벌금에 내지는 몰수에 처해져야 한다: 다만 그러한 합의에 따라서 답변하기를 내지는 증거를 제출하기를 만약 그러한 사람이 불이행하면, 아이다호주 법률집 제19-1115절에 따라서 그 사람으로 하여금 답변하도록 내지는 증거를 제출하도록 강제할 것을 재판구 지방법원에 검사는 요청할 수 있다.

History: [19-1114, added 1970, ch. 60, sec. 1, p. 146; am. 2000, ch. 238, sec. 1, p. 668.]

https://law.justia.com/codes/idaho/2019/title-19/chapter-11/section-19-1115/

Section 19-1115 - REFUSAL TO GIVE INCRIMINATING EVIDENCE — COMPELLING TO ANSWER OR PRODUCE EVIDENCE — IMMUNITY — PERJURY.

부죄적 증거를 제출하기에 대한 거부 — 답변하도록 내지는 증거를 제출하도록 강제하기 — 면제 — 위증.

Universal Citation: ID Code § 19-1115 (2019)

일반적 인용: ID Code § 19-1115 (2019)

19-1115. REFUSAL TO GIVE INCRIMINATING EVIDENCE — COMPELLING TO ANSWER OR PRODUCE EVIDENCE — IMMUNITY — PERJURY. In any criminal proceeding or in any investigation or proceeding before a grand jury in connection with any criminal offense, if a person refuses to answer a question or produce evidence of any other kind on the ground that he may be incriminated thereby, and if the prosecuting attorney of the county in writing requests the district court in and for that county to order that person to answer the question or produce the evidence, a judge of the district court shall set a time for hearing and order the person to appear before the court and show cause, if any, why the question should not be answered or the evidence produced, and the court shall order the question answered or the evidence produced unless it finds that to do so would be clearly contrary to the public interest, or could subject the witness to a criminal prosecution in another jurisdiction, and that person shall comply with the order. After complying, and if, but for this section, he would have been privileged to withhold the answer given or the evidence produced by him, the answer given, or evidence produced, and any information directly or indirectly derived from the answer or evidence, may not be used against the compelled person in any manner in a criminal case, except that he may nevertheless be prosecuted or subjected to penalty or forfeiture for any perjury, false swearing or contempt committed in answering, or failing to answer, or in producing, or failing to produce, evidence in accordance with the order.

부죄적 증거를 제출하기에 대한 거부 — 답변하도록 내지는 증거를 제출하도록 강제하기 — 면제 — 위증. 그 어떤 범죄에든 관련한 그 어떤 형사절차에서도 내지는 한 개의 대배심 앞의 어떤 조사에서도 또는 절차에서도, 한 개의 질문에 답변하기를 내지는 여타의 종류의 증거를 제출하기를 이에 의하여 자신에게 유죄가 씌워질 수 있음을 이유로 한 명이 거부하면, 그리고 그 질문에 답변하도록 내지는 그 증거를 제출하도록 그 사람에게 명령하여 줄 것을 당해 카운티 내의 및 관할의 재판구 지방법원에 카운티 검사가 서면으로 요청하면, 심문을 위한 시간을 당해 재판구 지방법원의 판사는 정하여야 하고 법원 앞에 출석하도록 및 어째서 그 질문이 답변되어서는 내지는 그 증거가 제출되어서는 안 되는지 그 있을 경우에의 이유를 제시하도록 그 사람에게 판사는 명령하여야 하는바, 그 질문에 답변함이 내지는 그 증거를 제출함이 명백하게 공익에 반함을 내지는 그 증인을 별개의 관할에서의 형사소추에 처해지게 할 수 있음을 법원이 인정하는 경우에를 제외하고는 그 질문에 답변하도록 내지는 그 증거를 제출하도록 법원은 명령하여야 하고, 그 명령에 그 사람은 복종하여야 한다. 그 복종하고 난 뒤에는, 그리고 그에 의하여 이루어진 답변을 내지는 제출된 증거를 보류할 특권을 만약 이 절이 없었더라면 그가 지녔을 터인 경우에는, 그 이루어진 답변은 내지는 제출된 증거는, 그리고 직접으로든 간접으로든 그 답변으로부터 내지는 증거로부터 도출되는 정보는 그 강제된 사람에게 불리하게 한 개의 형사사건에서 그 어떤 방법으로도 사용되어서는 안 되는바, 다만 명령에 따라서 답변함에 있어서, 내지는 답변하기를 불이행함에 있어서, 또는 증거를 제출함에 있어서 내지는 제출하기를 불이행함에 있어서 저질러진 위증죄에 대하여, 허위선서에 대하여 내지는 법원모독에 대하여 그는 이에도 불구하고 소추될 수 있거나 벌금에 내지는 몰수에 처해질 수 있다.

History: [19-1115, added 1970, ch. 60, sec. 2, p. 146; am. 2000, ch. 238, sec. 2, p. 669.]

https://law.justia.com/codes/idaho/2019/title-19/chapter-11/section-19-1116/

Section 19-1116 - SPECIAL INQUIRY JUDGE.
특별조사 법관.

Universal Citation: ID Code § 19-1116 (2019)

일반적 인용: ID Code § 19-1116 (2019)

19-1116. SPECIAL INQUIRY JUDGE. Upon the petition by affidavit of a prosecuting attorney of any county of the state of Idaho for the appointment of a special inquiry judge to conduct an inquiry into the existence of suspected crime or corruption within his jurisdiction, the administrative district court judge of the judicial district wherein the county is situated, may designate a judge from the magistrate division of the district court to preside over said inquiry.

특별조사 법관. 자신의 관할 내에서의 의심되는 범죄의 내지는 부패의 존재에 대한 한 개의 조사를 수행할 한 명의 특별조사 법관의 지명을 구하는 아이다호 주 내의 어느 카운티든지의 검사의 선서진술서에 의한 청구에 따라서, 그 조사를 주재할 한 명의 판사를 당해 재판구 지방법원의 치안판사부로부터, 당해 카운티가 소재하는 재판구 지방법원의 법원장 판사는 지명할 수 있다.

History: [19-1116, added 1980, ch. 251, sec. 1, p. 661.]

Section 19-1117 - SPECIAL INQUIRY JUDGE — PETITION FOR ORDER.
특별조사 법관 — 명령의 청구.

Universal Citation: ID Code § 19-1117 (2019)

일반적 인용: ID Code § 19-1117 (2019)

19-1117. SPECIAL INQUIRY JUDGE — PETITION FOR ORDER. (1) When the prosecuting attorney of any county has reason to suspect crime or corruption, within his jurisdiction, and there is reason to suspect that there are persons who may be able to give material testimony or provide material evidence concerning such suspected crime or corruption, such attorney may issue subpoenas directed to such persons commanding them to appear at a designated time and place in said county before the special inquiry judge and to then and there answer such questions under oath concerning the suspected crime or corruption as may be asked by the prosecuting attorney or special inquiry judge.

특별조사 법관 — 명령의 청구. (1) 자신의 관할 내에서의 범죄를 내지는 부패를 의심할 이유를 어느 카운티든지의 검사가 지니는 경우에, 그리고 그러한 의심되는 범죄에 내지는 부패에 관한 중요한 증언을 하여 줄 수 있는 내지는 중요한 증거를 제공하여 줄 수 있는 사람들이 있다고 의심할 이유가 있는 경우에, 그러한 사람들로 하여금 지정된 시각에 및 당해 카운티 내의 지정된 장소에 특별조사 법관 앞에 출석하도록 및 그 의심되는 범죄에 내지는 부패에 관하여 검사에 의하여 내지는 특별조사 법관에 의하여 물어지는 질문들에 대하여 선서 아래서 그 때 거기서 답변하도록 명령하는 그들 앞으로의 벌칙부소환장들을 그러한 검사는 발부할 수 있다.

(2) At any time after service of such subpoenas and before the return date thereof, the prosecuting attorney may apply to the special inquiry judge for an order vacating or modifying the subpoena on the grounds that such is in the public interest. Upon such application, the court may in its discretion vacate the subpoena, extend its return date, attach reasonable conditions to directions, or make such other qualification thereof as is appropriate.

그러한 벌칙부소환장을 무효화하는 내지는 변경하는 한 개의 명령을 그 벌칙부소환장들의 송달 뒤에 및 그 보고일자 이전에 어느 때든지 그러한 조치가 공익에 부합된다는 이유들에 따라서 특별조사 법관에게 검사는 신청할 수 있다. 그러한 신청이 있으면 법원은 그 자신의 재량으로 그 벌칙부소환장을 무효화할 수 있고, 그것의 보고일자를 연장할 수 있고, 합리적 조건들을 명령사항들에 덧붙일 수 있고, 또는 그 적절한 바대로의 여타의 수정을 가할 수 있다.

(3) The proceedings to summon a person and compel him to testify or provide evidence shall as far as possible be the same as proceedings to summon witnesses and compel their attendance. Such persons shall receive only those fees paid witnesses in district court criminal trials.

한 명을 소환하는 및 그로 하여금 증언하도록 내지는 증거를 제출하도록 강제하는 절차들은 증인들을 소환하는 및 그들의 출석을 강제하는 절차들에의 가능한 한도껏 동일한 절차여야 한다. 재판구 지방법원의 형사 정식사실심리들에서의 증인들에게 지급되는 보수들만을 그러한 사람들은 수령하여야 한다.

History: [19-1117, added 1980, ch. 251, sec. 2, p. 661.]

Section 19-1118 - SPECIAL INQUIRY JUDGE — DISQUALIFICATION FROM SUBSEQUENT PROCEEDINGS.
특별조사 법관 — 추후의 절차들에서의 복무결격.

Universal Citation: ID Code § 19-1118 (2019)

일반적 인용: ID Code § 19-1118 (2019)

19-1118. SPECIAL INQUIRY JUDGE — DISQUALIFICATION FROM SUBSEQUENT PROCEEDINGS. The judge serving as a special inquiry judge shall be disqualified from acting as a magistrate or judge in any subsequent court proceeding arising from such inquiry except alleged contempt for neglect or refusal to appear, testify or provide evidence at such inquiry in response to an order, summons or subpoena.

특별조사 법관 — 추후의 절차들에서의 복무결격. 한 명의 특별조사 법관으로 복무하는 판사는 그러한 조사로부터 발생하는 추후의 법원절차에서 치안판사로서 또는 판사로서 복무할 자격이 없는바, 다만 그러한 조사에서 한 개의 명령에 따라서, 소환장에 따라서 또는 벌칙부 소환장에 따라서 출석하기에 대한, 증언하기에 대한, 내지는 증거를 제출하기에 대한 태만을 내지는 거부를 이유로 하는 주장된 법원모독에 대하여는 그러하지 아니하다.

History: [19-1118, added 1980, ch. 251, sec. 3, p. 662.]

https://law.justia.com/codes/idaho/2019/title-19/chapter-11/section-19-1119/

Section 19-1119 - SPECIAL INQUIRY JUDGE — DIRECTION TO PROSECUTING ATTORNEY TO PARTICIPATE IN PROCEEDINGS IN ANOTHER COUNTY — PROCEDURE.

특별조사 법관 — 다른 카운티에서의 절차들에 참가하라는 검사에게의 명령 — 절차.

Universal Citation: ID Code § 19-1119 (2019)

일반적 인용: ID Code § 19-1119 (2019)

19-1119. SPECIAL INQUIRY JUDGE — DIRECTION TO PROSECUTING ATTORNEY TO PARTICIPATE IN PROCEEDINGS IN ANOTHER COUNTY — PROCEDURE. Upon petition of a prosecuting attorney to the special inquiry judge that there is reason to suspect that there exists evidence of crime and corruption in another county, and with the concurrence of the special inquiry judge and prosecuting attorney of the other county, the special inquiry judge shall direct the prosecuting attorney of the initiating county to attend and participate in special inquiry judge proceedings in the other county held to inquire into crime and corruption which relates to crime or corruption under investigation in the initiating county. The proceedings of such special inquiry judge may be transcribed, certified and filed in the county of the initiating prosecuting attorney's jurisdiction at the expense of that county.

특별조사 법관 — 다른 카운티에서의 절차들에 참가하라는 검사에게의 명령 — 절차. 다른 카운티에 범죄의 및 부패의 증거가 존재한다고 의심할 이유가 있다는 특별조사 법관에게의 검사의 청구에 따라서, 및 당해 특별조사 법관의 및 그 다른 카운티의 검사의 동의를 얻어서, 발의 측 카운티에서의 조사 대상인 범죄에 및 부패에 관련되는 범죄를 및 부패를 캐 들어가기 위하여 열리는 그 다른 카운티에서의 특별조사 법관의 절차들에 발의 측 카운티의 검사더러 출석하여 참가하도록 당해 특별조사 법관은 명령하여야 한다. 그 다른 카운티의 특별조사 법관 절차들은 발의 측 검사 관할의 카운티의 비용부담으로 녹취될 수 있고 인증될 수 있고 발의 측 검사 관할의 카운티에 제출될 수 있다.

History: [19-1119, added 1980, ch. 251, sec. 4, p. 662.]

https://law.justia.com/codes/idaho/2019/title-19/chapter-11/section-19-1120/

Section 19-1120 - WITNESSES — ATTENDANCE.
증인들 — 출석.

Universal Citation: ID Code § 19-1120 (2019)

일반적 인용: ID Code § 19-1120 (2019)

19-1120. WITNESSES — ATTENDANCE. (1) A prosecuting attorney may call as a witness, in a special inquiry judge proceeding, any person suspected by him to possess information or knowledge relevant thereto and may issue legal process and subpoena to compel his attendance and the production of evidence.

증인들 — 출석. (1) 검사는 그 관련되는 정보를 내지는 지식을 지니는 것으로 자신에 의하여 의심되는 누구를이든 특별조사 법관 절차에서의 증인으로 소환할 수 있고 그의 출석을 및 증거의 제출을 강제하기 위한 영장을 및 벌칙부소환장을 발부할 수 있다.

(2) The special inquiry judge may cause to be called as a witness any person suspected by him to possess relevant information or knowledge. If the special inquiry judge desires to hear any such witness who was not called by a prosecuting attorney, it

may direct the prosecuting attorney to issue and serve a subpoena upon such witness and the prosecuting attorney must comply with such direction.

관련되는 정보를 내지는 지식을 지니는 것으로 자신에 의하여 의심되는 누구를이든 한 명의 증인으로 소환되도록 특별조사 법관은 조치할 수 있다. 검사에 의하여 소환되지 아니한 증인을 청취하기를 만약 특별조사 법관이 원하면, 한 개의 벌칙부 소환장을 그러한 증인에 대하여 발부하도록 및 송달하도록 검사에게 특별조사 법관은 명령할 수 있는바, 그러한 명령에 검사는 복종하지 않으면 안 된다.

History: [19-1120, added 1980, ch. 251, sec. 5, p. 662.]

https://law.justia.com/codes/idaho/2019/title-19/chapter-11/section-19-1121/

Section 19-1121 - SELF-INCRIMINATION — RIGHT TO COUNSEL.
자기부죄 — 변호인의 조력을 받을 권리.

Universal Citation: ID Code § 19-1121 (2019)

일반적 인용: ID Code § 19-1121 (2019)

19-1121. SELF-INCRIMINATION — RIGHT TO COUNSEL. Any individual called to testify before a special inquiry judge, whether as a witness or principal, if not represented by an attorney appearing with the witness before the special inquiry judge, must be told of his privilege against self-incrimination. Such an individual must be informed that he has the right to have an attorney present to advise him as to his rights, obligations and duties before the special inquiry judge. Such attorney may be present as an observer and advisor during all proceedings, unless immunity has been granted pursuant to sections 19-1114, 19-1115 or 19-1122, Idaho Code. After immunity has been granted, such an individual may leave the special inquiry room to confer with his attorney.

자기부죄 — 변호인의 조력을 받을 권리. 한 명의 특별조사 법관 앞에서 증언하도록 소환된 개인 누구든지에게는, 그가 한 명의 증인이든지에 또는 주범이든지에 상관없이, 만약 당해 증인을 당해 특별조사 법관 앞에 대동하고서 출석하는 한 명의 변호사에 의하여 당해 증인이 대변되지 아니하는 경우이면, 그의 자기부죄 금지특권이 고지되지 않으면 안 된다. 당해 특별조사 법관 앞에서의 그의 권리들에, 의무들에 및 책임들에 관하여 그를 조언할 한 명의 변호사를 출석시킬 권리를 그가 지님이 그러한 개인에게는 고지되지 않으면 안 된다. 아이다호주 법률집 제9-1114절에, 제19-1115절에 또는 제19-1122절에 따라서 면제가 부여되어 있는 경우에를 제외하고는, 그러한 변호사는 절차들 전부에 걸쳐서 한 명의 참관인으로서 및 조언자로서 출석해 있을 수 있다. 면제가 부여되고 난 뒤에는, 자신의 변호사에게 상의하기 위하여 당해 특별조사 법관실을 그러한 개인은 떠날 수 있다.

History: [19-1121, added 1980, ch. 251, sec. 6, p. 663.]

https://law.justia.com/codes/idaho/2019/title-19/chapter-11/section-19-1122/

Section 19-1122 - SELF-INCRIMINATION — REFUSAL TO TESTIFY OR GIVE EVIDENCE — PROCEDURE.
자기부죄 — 증언거부 내지는 증거제출 거부 — 절차.

Universal Citation: ID Code § 19-1122 (2019)

일반적 인용: ID Code § 19-1122 (2019)

19-1122. SELF-INCRIMINATION — REFUSAL TO TESTIFY OR GIVE EVIDENCE — PROCEDURE. If in any proceedings before a special inquiry judge, a person refuses, or indicates in advance a refusal, to testify or provide evidence of any other kind on the ground that he may be incriminated thereby, and if a prosecuting attorney requests the court to order that person to testify or provide the evidence, the court shall then hold a hearing and shall so order unless it finds that to do so would be clearly contrary to the public interest, and that person shall comply with the order.

자기부죄 — 증언거부 내지는 증거제출 거부 — 절차. 만약 증언함에 의하여 내지는 여타의 종류의 증거를 제출함에 의하여 자신에게 유죄가 씌워질 수 있음을 이유로 그 증언하기를 내지는 여타의 종류의 증거를 제출하기를 특별조사 법관 앞의 어떤 절차들에서든지 한 명이 거부하면, 내지는 그 거부의사를 미리 표시하면, 그리고 그 사람으로 하여금 증언하도록 내지는 증거를 제출하도록 명령하여 주기를 법원에 만약 검사가 요청하면, 그 경우에 한 개의 심문을 법원은 열어야 하고, 그렇게 명령함이 공익에 명백하게 반함을 법원이 인정하는 경우에를 제외하고는 그렇게 법원은 명령하여야 하는바, 그 명령에 그 사람은 복종하여야 한다.

If, but for this section, he would have been privileged to withhold the answer given or the evidence produced by him, the witness may not refuse to comply with the order on the basis of his privilege against self-incrimination; but none of the testimony nor evidence presented by the witness relative to the issue under investigation before the special inquiry judge, nor any information directly or indirectly derived from his testimony, can be used against him in any further criminal proceeding. He may nevertheless be prosecuted for failing to comply with the order to answer, or for perjury or for offering false evidence to the special inquiry judge.

그에 의하여 이루어진 답변을 내지는 그에 의하여 제출된 증거를 보류할 특권을 만약 이 절이 없었더라면 그가 지녔을 터인 경우이면, 그 명령에 복종하기를 그 자신의 자기부죄 금지 특권에 터잡아 그 증인은 거부할 수 없다; 그러나 당해 특별조사 법관 앞의 조사 대상인 쟁점에 관련하여 당해 증인에 의하여 이루어진 증언은 내지는 제출된 증거는, 내지는 직접으로든 간접으로든 그의 증언으로부터 도출된 정보는, 추후의 어떤 형사절차에서도 그에게 불리하게는 사용될 수 없다. 이에도 불구하고, 답변하라는 명령에 대한 준수 불이행으로는, 또는 위증으로는 내지는 허위증거를 당해 특별조사 법관에게 제출한 행위로는 그는 소추될 수 있다.

History: [19-1122, added 1980, ch. 251, sec. 7, p. 663.]

Section 19-1123 - SECRECY ENJOINED — EXCEPTIONS — USE AND AVAILABILITY OF EVIDENCE.

비밀준수 명령 — 예외들 — 증거의 사용 및 제공.

Universal Citation: ID Code § 19-1123 (2019)

일반적 인용: ID Code § 19-1123 (2019)

19-1123. SECRECY ENJOINED — EXCEPTIONS — USE AND AVAILABILITY OF EVIDENCE. (1) No individual, who is present during a special inquiry judge proceeding or who shall gain information with regard to said inquiry, shall disclose the testimony of a witness examined before the special inquiry judge or other evidence received by him, except such testimony or evidence may be disclosed in the following cases: when the district court requires disclosure of such testimony to determine whether it is consistent with testimony given by the witness before district court; by a prosecuting attorney when communicating with any law enforcement officer; upon a charge against the witness for perjury in giving his testimony in the special inquiry judge proceeding or upon trial therefor; or when permitted by the district court in the furtherance of justice.

비밀준수 명령 — 예외들 — 증거의 사용 및 제공. (1) 한 개의 특별조사 법관절차 동안에 출석해 있는 개인은 또는 그 조사에 관한 정보를 얻는 개인은 당해 특별조사 법관 앞에서 신문되는 한 명의 증인의 증언을 내지는 그에 의하여 수령되는 여타의 증거를, 이하의 경우들에서 그것들이 공개될 수 있음을 제외하고는, 공개하여서는 안 된다: 당해 증인에 의하여 재판구 지방법원 앞에서 이루어진 증언에 그러한 증언이 일치하는지 여부를 판단하기 위하여 그러한 증언의 공개를 재판구 지방법원이 요구하는 경우; 법 집행 공무원 누구든지에게 전달함에 있어서 검사에 의하여 이루어지는 경우; 당해 특별조사 법관 절차에서의 당해 증인의 증언 동안에 저질러진 당해 증인의 위증죄에 대한 고발에 따라서 또는 이에 대한 정식사실심리에 따라서 이루어지는 경우; 또는 사법의 증진을 위하여 재판구 지방법원에 의하여 허가되는 경우.

(2) The prosecuting attorney shall have access to all special inquiry judge evidence and may introduce such evidence before any grand jury or judicial proceeding in which the same may be relevant.

모든 특별조사 법관 증거에의 접근을 검사는 누려야 하는바, 그러한 증거를 그것이 관련을 지니는 어떤 대배심에도 내지는 사법절차에도 검사는 제출할 수 있다.

(3) Any witness testimony, given before a special inquiry judge and relevant to any subsequent proceeding against the witness, shall be made available to the witness upon proper application to the district court. The district court may also, upon

proper application and upon a showing of good cause, make available to a defendant in a subsequent criminal proceeding other testimony or evidence when given or presented before a special inquiry judge, if the court finds that doing so is necessary to prevent an injustice and that there is no reason to believe that doing so would endanger the life or safety of any witness or his family. The cost of any such transcript made available shall be borne by the applicant.

한 명의 특별조사 법관 앞에서 이루어진 증인 누구든지의 증언으로서 당해 증인을 겨냥하는 추후의 절차에 관련을 지니는 증언은 당해 재판구 지방법원에의 적절한 신청에 따라서 당해 증인에 의하여 이용될 수 있도록 제공되어야 한다. 한 명의 특별조사 법관 앞에서 이루어진 내지는 제출된 여타의 증언을 내지는 증거를 추후의 형사절차에서 피고인에게도 이용될 수 있도록 제공함이 불의를 방지하기 위하여 필요하다고 및 그렇게 함이 증인의 내지는 그의 가족의 생명을 내지는 안전을 위태롭게 만들 것으로 믿을 이유가 없다고 재판구 지방법원이 판단하면, 그러한 증언을 내지는 증거를 그렇게 이용될 수 있도록 적절한 신청에 따라서 및 타당한 이유의 증명에 따라서 재판구 지방법원은 제공할 수 있다. 이용에 제공될 수 있도록 만들어지는 그러한 녹취의 비용은 신청인에 의하여 부담되어야 한다.

History: [19-1123, added 1980, ch. 251, sec. 8, p. 663.]

https://isc.idaho.gov/icr

Idaho Criminal Rules (I.C.R.)

아이다호주 형사규칙

TITLE III – THE GRAND JURY, THE INDICTMENT AND THE INFORMATION

제3편 대배심, 대배심 검사기소장 및 검사 독자기소장

Rule 6. Formation of the Grand Jury

대배심의 구성

• Rule 6.1. Prosecuting Attorney's Role with Grand Jury

• Rule 6.2. Transcript of Grand Jury Proceedings

• Rule 6.3. Secrecy and Confidentiality of Grand Jury Proceedings

• Rule 6.4. Grand Jury Proceedings

• Rule 6.5. Indictment

• Rule 6.6. Grounds for Motion to Dismiss Indictment

• Rule 6.7. Discharge of Grand Jury

• Rule 6.8. Other Prosecution

• Rule 7. Indictment and Information

• Rule 8. Joinder of Offenses and of Defendants

• Rule 9. Warrant or Summons upon Indictment

https://isc.idaho.gov/icr6

Idaho Criminal Rule 6. Formation of the Grand Jury
대배심의 구성

(a) Number of Jurors. A grand jury must consist of 16 qualified jurors of the county in which the grand jury sits, but 12 or more members constitute a quorum. A grand jury can deliberate and take action if a quorum is present.

배심원들의 숫자. 대배심이 착석하는 카운티의 자격이 인정되는 16명의 배심원들로 한 개의 대배심은 구성되지 않으면 안 되는바, 그러나 한 개의 의사정족수를 12명 이상은 구성한다. 의사정족수가 출석하면 대배심은 숙의할 수 있고 행동을 취할 수 있다.

(b) Summoning Grand Juries. On motion by the prosecuting attorney to summon a grand jury, a district judge assigned by the Administrative District Judge may order that a grand jury be impaneled within any county of the judicial district at such times as the public interest requires. Sixteen grand jurors must be selected as provided in the Uniform Jury Selection and Service Act, Chapter 2 of Title 2, Idaho Code. The selection of the grand jury must take place in a closed session with only a district judge, the prosecuting attorneys, the prospective jurors, the reporter or recorder, a clerk of the court, and any required interpreter present.

대배심들의 소환. 공익이 요구하는 때에 당해 재판구의 어떤 카운티 내에든 한 개의 대배심이 충원구성되게끔 조치하도록, 한 개의 대배심을 소환하여 달라는 검사의 신청에 따라서, 재판구 지방법원의 법원장 판사에 의하여 배정된 재판구 지방법원 판사는 명령할 수 있다. 배심선정 및 복무 통일법인 아이다호주 법률집 제2편 제2장에 규정된 바에 따라서 16명의 대배심원들은 선정되지 않으면 안 된다. 오직 한 명의 재판구 지방법원 판사를, 검사들을, 그리고 배심원후보들을, 속기사를 내지는 녹음 담당자를, 한 명의 법원 서기를, 그리고 요구되는 경우에의 통역인을 출석시킨 채로 비공개 회의에서 대배심의 선정은 이루어지지 않으면 안 된다.

(c) Impaneling a Grand Jury. A district judge must impanel a grand jury of 16 jurors. The district judge must preside over the impaneling of the grand jury and in doing so has the power and duty to:

대배심의 충원구성. 16명의 배심원들로 구성되는 한 개의 대배심을 한 명의 재판구 지방법원 판사는 충원구성하지 않으면 안 된다. 대배심의 충원구성을 재판구 지방법원 판사는 주재하지 않으면 안 되는바, 그렇게 함에 있어서 아래의 행위를 할 권한을 및 의무를 그는 가진다:

(1) administer, or direct the clerk to administer, an oath or affirmation to all prospective jurors that each of them will truthfully answer all questions as to their qualifications to sit as jurors on the grand jury;

당해 대배심에 배심원들로서 착석하기 위한 그들의 자격조건들에 관한 모든 질문들에 그들 각자가 정직하게 답변하겠다는 한 개의 선서를 내지는 무선서확약을 모든 배심원 후보들에게 실시하는 일 또는 서기로 하여금 이를 실시하도록 명령하는 일;

(2) select, or direct the clerk to select, at random the names of 16 prospective jurors;

16명의 배심원 후보들의 이름들을 무작위로 선정하는 일 또는 서기로 하여금 이를 선정하도록 명령하는 일;

(3) inquire of the prospective grand jurors to determine whether they are qualified to act as jurors and whether there are any facts which would constitute grounds for challenge against any of them. If the court finds any prospective juror to be unqualified or subject to challenge as provided by the Uniform Jury Selection and Service Act, Chapter 2, of Title 2 and § 19-1003, Idaho Code, the court must dismiss that prospective juror and choose another prospective juror at random from the panel summoned for the grand jury. The 16 selected jurors must be sworn to the following oath:

배심원들로서 행동할 자격을 그들이 지니는지 여부를 및 그들 중 어느 누군가에 대하여든 기피사유들을 구성할 만한 사실관계가 있는지 여부를 판단하기 위하여 대배심원 후보들에게 질문하는 일. 배심선정 및 복무 통일법인 아이다호주 법률집 제2편 제2장 제19-1003절에 의하여 규정되는 바에 따라서 어느 배심원 후보가든 자격이 결여되어 있음을 내지는 기피사유에 해당함을 만약 법원이 인정하면, 그 배심원 후보를 법원은 해임하지 않으면 안 되고 당해 대배심을 위하여 소환된 후보단으로부터 다른 배심원 후보를 무작위로 선정하지 않으면 안 된다. 아래의 선서에 16명의 선정된 배심원들은 처해지지 않으면 안 된다:

Do each of you, as jurors of the grand jury, affirm that you will diligently inquire into and true presentment make of all public offenses against the state of Idaho, committed or triable within this county, of which you shall have or can obtain legal evidence? That you will keep your own counsel, and that of the other members of the grand jury, and of the government and will not, except when required in the due course of judicial proceeding, disclose the testimony of any witness examined before you, nor anything which you or any other grand juror may have said nor the manner in which you or any other grand juror may have voted in any matter before you? That you will present no person through malice, hatred, or ill will, nor leave any unpresented through fear, favor or affection, or for any reward or the promise of hope thereof? Do you therefore affirm that you will in all your presentments follow these instructions and present the truth, the whole truth, and nothing but the truth, according to the best of your skill and understanding, so help you God?

법적 증거를 귀하들이 가지게 될 내지는 얻을 수 있는, 이 카운티 내에서 저질러진 내지는 정식사실심리가 가능한 아이다호주에 대한 모든 범죄들을 귀하가 근면하게 파헤치겠음을 및 진실한 고발을 하겠음을; 귀하 자신의 의논을, 그리고 대배심의 여타 구성원들의 의논을 및 정부의 의논을 귀하는 간직하겠음을, 그리고 사법절차의 정당한 과정에서 요구되는 경우에를 제외하고는, 귀하 앞에서 신문된 어떤 증인의 증언을도 내지는 귀하가 내지는 여타의 대배심원이 말한 그 무엇을도 내지는 귀하 앞의 어떤 사안에서든 귀하가 내지는 여타의 대배심원이 표결한 방법을도 귀하는 공개하지 아니하겠음을; 악의를, 원한을, 내지는 해의를 구실 삼아서는 어느 누구를도 귀하는 고발하지 아니하겠음을 내지는 두려움에, 호의에 내지는 애정에 기울어서는 또는 조금이라도 보상을 내지는 보상의 기대의 약속을 대가로 하여서는 어느 누구를도 고발되지 않는 채로 귀하는 남겨두지 아니하겠음을 대배심의 배심원들로서 귀하들 각자는 확약합니까? 그리하여 이 지시들을 귀하의 모든 고발들에서 준수하겠음을 및 귀하의 최선껏의 기량에 및 이해에 따라서 진실을, 온전한 진실을, 그리고 오직 진실만을 귀하는 고발하겠음을 귀하는 확약합니까? 하오니 신께서는 귀하를 도우소서.

(4) The impaneling of the grand jury must be recorded, either stenographically or electronically.

대배심의 충원구성은 속기적으로든 또는 전자적으로든 녹음되지 않으면 안 된다.

(d) Grand Jury Presiding Juror; Oath; Duties. After the grand jury is impaneled, the court must select one of the jurors as the presiding juror of the grand jury and administer an oath in the form of the oath in Rule 6(c)(3), only it will refer to the person as the presiding juror of the grand jury. The presiding juror has the following powers and duties:

대배심장; 선서; 임무들. 대배심이 충원구성된 뒤에 배심원들 중 한 명을 대배심의 배심장으로 법원은 선정하지 않으면 안 되고 Rule 6(c(3)에서의 선서방식에 따라서 한 개의 선서를 실시하지 않으면 안 되는바, 오직 그 사람을 당해 대배심의 배심장으로 법원은 칭하여야 한다. 아래의 사항들에 대한 권한들을 및 임무들을 배심장은 지닌다:

(1) preside over the grand jury until it is adjourned and discharged;

대배심이 폐회되어 임무해제 되기까지 당해 대배심을 주재하는 일;

(2) determine the time and place of commencement of each session of the grand jury and the time of adjournment of each session;

대배심의 개개 회합의 시작의 시각을 및 장소를 그리고 개개 회합의 폐회의 시각을 정하는 일;

(3) take roll of the jurors of the grand jury at the commencement of each session;

대배심의 배심원들의 출석을 개개 회합의 시작 때에 확인하는 일;

(4) rule on the disqualification of a grand juror;

대배심원의 자격결여를 결정하는 일;

(5) convey to the court any requests of the grand jury for further advice or instructions during the sessions of the grand jury;

대배심의 회합들 동안의 추가적 조언을 내지는 지시들을 바라는 대배심의 요청들을 법원에 전달하는 일;

(6) on majority vote of the grand jury, direct the issuance of subpoenas for additional witnesses called to testify before the grand jury;

대배심 앞에서 증언하도록 소환되는 추가적 증인들을 위한 벌칙부소환장들의 발부를 대배심 과반수 찬성에 의하여 명령하는 일;

(7) determine the sequence of the witnesses to be examined by the grand jury, with the advice of the prosecuting attorney, and discharge the witness when no further testimony of the witness is desired by the grand jury;

대배심에 의하여 신문될 증인들의 순서를 검사의 조언을 참작하여 결정하는 일, 및 증인의 더 이상의 증언이 대배심에 의하여 요구되지 아니하는 경우에 증인을 귀가시키는 일;

(8) administer an oath or affirmation to all witnesses appearing before the grand jury by asking the witness, "Do you solemnly swear or affirm that the testimony that

you shall give in the issue pending before this jury will be the truth, the whole truth and nothing but the truth, so help you God?";

이렇게 물음에 의하여 한 개의 선서를 내지는 무선서확약을 대배심 앞에 출석하는 모든 증인들에게 실시하는 일: "대배심 앞에 걸려 있는 쟁점에 관하여 귀하가 하는 증언은 진실임을, 온전한 진실임을, 그리고 오직 진실만임을 귀하는 엄숙하게 선서하거나 무선서로 확약합니까? 하오니 신께서는 귀하를 도우소서.";

(9) advise target witnesses prior to testifying, or as soon as their status becomes known, by reading the following advice: You are advised that you are one of the subjects or suspects in this grand jury investigation. You have the right not to incriminate yourself which includes the right to remain silent and the right to refuse to answer any question that might incriminate you. You have the right to request permission to leave the jury and consult with your attorney or counsel at any time, but you do not have the right to have your counsel with you before the grand jury. Any statements made by you may be used against you in any subsequent prosecution. If you give any false answers to questions you may be prosecuted for the felony crime of perjury. Do you understand these rights?

표적증인들의 증언에 앞서서 또는 그들의 지위가 알려진 즉시로 아래의 고지를 낭독함에 의하여 이를 표적증인들에게 제공하는 일: 귀하는 이 대배심 조사에서의 대상들 중의 내지는 용의자들 중의 한 명임을 귀하에게 이 대배심은 고지합니다. 유죄를 귀하 자신에게 씌우지 아니할 권리를 귀하는 지니는바, 침묵 상태로 있을 권리를 및 유죄를 귀하에게 씌울 수 있는 어떤 질문에 대하여도 답변하기를 거부할 권리를 이는 포함합니다. 대배심을 떠나 귀하의 변호사에게 내지는 변호인에게 상의하기 위한 허가를 언제든지 요청할 권리를 귀하는 지니는바, 그러나 귀하의 변호인을 대배심 앞에서 귀하 곁에 있게 할 권리를 귀하는 지니지 아니합니다. 귀하에 의하여 이루어지는 진술들은 추후의 소송추행에서 귀하에게 불리한 증거로 사용될 수 있습니다. 질문들에 대하여 허위의 답변들을 만약 귀하가 하면 위증의 중죄로 귀하는 소추될 수 있습니다. 이 권리들을 귀하는 이해하십니까?

(10) prepare or cause to be prepared and sign any indictment found by the grand jury and file it with the court; and

대배심에 의하여 기소평결된 대배심 검사기소장을 작성하는 또는 작성되도록 조치하는 일 및 이에 서명하는 일 및 그것을 법원에 제출하는 일; 그리고

(11) perform any other duties as prescribed by these rules or as directed by the court.

이 규칙들에 의하여 규정되는 또는 법원에 의하여 명령되는 여타의 임무들을 수행하는 일.

(e) Deputy Presiding Juror; Oath; Duties. The court must select one or more deputy presiding jurors and administer the presiding juror's oath to them. In the absence of the presiding juror, the deputy presiding juror acts as the presiding juror in the sequence directed by the district judge, if more than one has been selected, without further order of the court.

부배심장; 선서; 의무들. 법원은 한 명 이상의 부배심장들을 선정하지 않으면 안 되고 배심장의 선서를 그들에게 실시하지 않으면 안 된다. 배심장의 부재 중에 배심장을 부배심장은 대행하는바, 만약 부배심장으로 선정된 사람이 한 명을 넘으면 재판구 지방법원 판사에 의하여 명령된 순서에 따르되 법원에 의한 더 이상의 명령은 필요하지 아니하다.

(f) Charge to Jury. After the grand jury has been sworn, the court must give a charge to the jury stating in detail their powers, duties and authority and any other information which the court deems proper. The charge must be given orally to the jurors and a written copy must be given to the presiding juror.

배심원에 대한 임무부여. 선서절차를 대배심이 거치고 난 뒤에 그들의 권한들을, 의무들을 및 권능을 및 그 적절하다고 법원이 간주하는 여타의 정보를 상세히 설명함에 의하여 임무를 배심에게 법원은 부여하지 않으면 안 된다. 임무부여는 구두로 배심원들에게 이루어지지 않으면 안 되고 그것을 담은 한 개의 서면이 배심장에게 제공되지 않으면 안 된다.

(g) Excuse of a Juror. At any time the court or the presiding juror may temporarily or permanently excuse a juror for good cause shown.

배심원의 면제. 증명되는 타당한 이유에 따라서 한 명의 배심원을 일시적으로 또는 영구적으로 법원은 내지는 배심장은 언제든지 면제할 수 있다.

(Adopted February 22, 2017, effective July 1, 2017.)

(2017년 2월 22일 채택, 2017. 7. 1. 발효)

https://isc.idaho.gov/icr6-1

Idaho Criminal Rule 6.1. Prosecuting Attorney's Role with Grand Jury
대배심에서의 검사의 역할

(a) Attend Grand Jury Sessions. The prosecuting attorney of the county in which the grand jury is sitting, or one or more deputies, or a special prosecuting attorney may attend all sessions of the grand jury, except during the deliberations of the grand jury after the presentation of evidence.

대배심 회합들에의 출석. 대배심이 착석하는 중인 카운티의 검사는, 또는 그 한 명 이상의 대리인들은, 또는 특별검사는, 증거의 제출 뒤의 대배심의 숙의들 동안에를 제외하고는, 대배심의 모든 회합들에 참석할 수 있다.

(b) Powers and Duties. The prosecuting attorney has the power and duty to:

권한들 및 의무들. 아래의 행위를 할 권한을 및 의무를 검사는 지닌다:

(1) present to the grand jury evidence of any public offense, however, when a prosecutor conducting a grand jury inquiry is personally aware of substantial evidence which directly negates the guilt of the subject of the investigation the prosecutor must present or otherwise disclose that evidence to the grand jury;

범죄의 증거를 대배심에 제출하는 일. 다만 조사대상의 유죄를 직접적으로 부정하여 주는 실질적 증거를 대배심 조사를 지휘하는 검사가 직접 아는 경우에는 그 증거를 대배심에 그 검사는 제출하지 않으면 내지는 여타의 방법으로 공개하지 않으면 안 된다;

(2) at the commencement of a presentation of an investigation to the grand jury, inquire as to whether there are any grounds for disqualification of any grand juror and advise the presiding juror of the possible disqualification of a juror;

한 개의 조사에 대한 대배심에게의 소개의 시작 때에 대배심원 어느 누구든지의 결격사유들이 있는지 여부를 묻는 일 및 배심원의 있을 수 있는 결격의 점에 관하여 배심장에게 조언하는 일;

(3) list the elements of an offense being investigated by the grand jury, before, during or after the testimony of witnesses;

대배심에 의하여 조사되고 있는 중인 범죄의 요소들을 증인들의 증언에 앞서서, 증언 동안에, 또는 증언 뒤에 목록으로 만드는 일;

(4) advise the grand jury as to the standard for probable cause, and tell them that if a person refuses to testify this fact cannot be used against him or her;

상당한 이유의 기준에 관하여 대배심에게 조언하는 일 및 그 증언하기를 한 명이 거부하더라도 이 사실이 그에게 내지는 그녀에게 불리하게 사용될 수 없음을 그들에게 일러주는 일;

(5) issue and have served grand jury subpoenas for witnesses;

증인들을 소환하는 대배심 벌칙부소환장들을 발부하는 일 및 그것들이 송달되게끔 조치하는 일;

(6) present opening statements and/or instruct the grand jury on applicable law; and

모두진술들을 제출하는 일 및/또는 적용되는 법에 관하여 대배심에게 설명하는 일; 그리고

(7) prepare an indictment for consideration by or at the request of the grand jury.

한 개의 대배심 검사기소장을 대배심에 의한 검토를 위하여 또는 대배심의 요청에 따라서 작성하는 일.

(Adopted February 22, 2017, effective July 1, 2017.)

Idaho Criminal Rule 6.2. Transcript of Grand Jury Proceedings
대배심 절차들의 녹취록

(a) Reporting Grand Jury Proceedings. All proceedings of the grand jury, except deliberations, must be recorded, either stenographically or electronically.

대배심 절차들의 속기. 대배심의 모든 절차들은, 숙의들이를 제외하고는, 속기적으로든 전자적으로든 녹음되지 않으면 안 된다.

(b) Record of Proceedings. The district judge or the presiding juror must designate someone to report or electronically record all of the proceedings of the grand jury, except its deliberations. That person must be sworn to correctly report all of the proceedings and not to divulge any of the information to any person except on order of the district judge. On taking the oath, the person must be permitted to attend all sessions, except deliberations, of the grand jury. On the conclusion of each matter presented to the grand jury, the court clerk must seal the record of the grand jury proceedings and the record must not be examined by any person or transcribed except on order of the district judge.

절차들의 녹음. 숙의들을을 제외하고는 대배심 절차들 전부를 속기하도록 내지는 전자적으로 녹음하도록 적절한 사람을 재판구 지방법원 판사는 내지는 배심장은 지명하지 않으면 안 된다. 절차들 전부를 정확하게 기록하겠다는, 및 재판구 지방법원 판사의 명령에 따라서를 제외하고는 그 어떤 정보를도 어느 누구에게도 누설하지 아니하겠다는 선서에 그 사람은 처해지지 않으면 안 된다. 선서를 하고 나면 숙의들에를 제외하고는 대배심의 모든 회합들에 참석하도록 그 사람은 허용되지 않으면 안 된다. 대배심 절차들의 녹음을 대배심에 제출되는 개개 사안의 종결 즉시로 법원서기는 봉인하지 않으면 안 되는바, 재판구 지방법원 판사의 명령에 따라서를 제외하고는 어느 누구에 의하여도 그 녹음은 검사되어서는 내지는 녹취되어서는 안 된다.

(c) Availability of Record of Grand Jury Proceedings. The district judge, by motion, must permit the following persons to listen to the record of the proceedings of the grand jury or to obtain a transcript of the proceedings in the same manner as a transcript of a preliminary hearing:

대배심 절차들의 기록의 제공. 아래의 사람들로 하여금 대배심 절차들의 녹음을 청취하도록, 또는 예비심문의 녹취록을 얻는 방법에의 동일 방법으로 대배심 절차들의 녹취록을 얻도록, 신청에 따라서 재판구 지방법원 판사는 허가하지 않으면 안 된다;

(1) a prosecuting attorney,

검사,

(2) a person charged in an indictment or the attorney for the person charged, or

대배심 검사기소장에서 기소된 사람 또는 그 기소된 사람의 변호사, 또는

(3) a person charged with perjury because of the person's testimony before the grand jury.

대배심 앞에서의 그의 증언을 이유로 위증죄로 고발된 사람.

The district judge may place conditions on the use, dissemination or publication of the record of proceedings of the grand jury, and any violation of any condition by a party granted access to the record will constitute contempt of the order of the district judge.

대배심 절차들의 녹음의 사용에, 유포에, 또는 공표에 대한 조건들을 재판구 지방법원 판사는 부여할 수 있는바, 재판구 지방법원 판사의 명령에 대한 법원모독을, 당해 녹음에의 접근이 부여된 당사자에 의한 조건 위반은 구성한다.

(Adopted February 22, 2017, effective July 1, 2017.)

https://isc.idaho.gov/icr6-3

Idaho Criminal Rule 6.3. Secrecy and Confidentiality of Grand Jury Proceedings
대배심 절차들의 비밀성 및 기밀성

(a) Who May be Present at Grand Jury Sessions. The grand jury may, at all reasonable times, request the presence and advice of the district judge; but, unless advice is asked, the district judge must not be present during any session of the grand jury after it has been impaneled. No other person may be permitted to be present during the sessions of the grand jury except:

대배심 회합들에는 누가 출석해 있을 수 있는가. 재판구 지방법원 판사의 출석을 및 조언을 모든 합리적인 시간대에 대배심은 요청할 수 있다; 그러나 대배심이 충원구성되고 난 뒤의 대배심의 회합 동안에 재판구 지방법원 판사는, 조언이 요청되는 경우에를 제외하고는, 출석해 있어서는 안 된다. 아래의 사람들이를 제외하고는 그 밖의 사람은 대배심의 회합들 동안에 출석해 있도록 허용될 수 없다:

(1) jurors of the grand jury;

대배심의 배심원들;

(2) the prosecuting attorney of the county in which the grand jury is sitting, or a designated deputy or specially appointed deputy;

대배심이 착석하고 있는 카운티의 검사 또는 그 지명된 대리인 또는 특별히 임명된 대리인;

(3) a witness physically present before the grand jury and under questioning;

대배심 앞에 신체적으로 출석해 있는 및 신문에 놓여 있는 증인;

(4) a supporting person for a child witness requested by the prosecuting attorney as authorized by Idaho Code § 19-3023;

아이다호주 법률집 § 19-3023에 의하여 허가되는 바에 따라서 검사에 의하여 요청된, 아동증인에 대한 조력인;

(5) the person designated by the district judge or the presiding juror to report the proceedings; and

절차들을 속기하도록 재판구 지방법원 판사에 의하여 내지는 배심장에 의하여 지명된 사람; 그리고

(6) an interpreter designated by the district judge or presiding juror and sworn to correctly interpret the proceedings and sworn to secrecy.

재판구 지방법원 판사에 내지는 배심장에 의하여 지명된, 및 절차들을 정확하게 통역하기로 및 비밀을 준수하기로 하는 선서절차를 거친 통역인.

(b) Presence of Persons During Jury Deliberations Prohibited. No person other than the acting grand jurors may be present during the deliberations of the grand jury.

숙의들 동안의 사람들의 참석은 금지됨. 실제의 복무에 들어가 있는 중인 대배심원들이를 제외한 여타의 사람은 어느 누구가도 대배심의 숙의들 동안에 출석해 있어서는 안 된다.

(c) Secrecy of Proceedings and Disclosure. Every member of the grand jury must keep secret whatever was said or done in the grand jury proceedings and the vote of each grand juror on a matter before them; but a grand juror may be required by the district judge to disclose matters occurring before the grand jury which may constitute grounds for dismissal of an indictment or grounds for a challenge to a juror or the array of jurors. No other person present in a grand jury proceeding may disclose to any other person what was said or done in the proceeding, except by order of any court for good cause shown.

절차들의 비밀성 및 공개. 대배심 절차들에서 말해진 내지는 행해진 그 무엇을이든 및 그들 앞의 사안에 대한 개개 대배심원의 투표를, 비밀로 대배심의 모든 구성원은 간직하지 않으면 안 된다; 그러나 한 개의 대배심 검사기소장의 각하를 위한 사유들을 내지는 한 명의 배심원에 대한 내지는 배심원단에 대한 기피를 위한 사유들을 구성할 수 있는 대배심 앞에서 발생한 사안들을 공개하도록 재판구 지방법원 판사에 의하여 대배심원은 요구될 수 있다. 증명되는 타당한 이유에 따른 법원의 명령에 의하여를 제외하고는, 한 개의 대배심 절차에서 말해진 바를 내지는 행해진 바를 그 절차에 참석한 사람은 어느 누구에게도 공개하여서는 안 된다

(d) Disclosure of Indictment. The court may seal the indictment and, while sealed, no person may disclose the finding of the indictment.

대배심 검사기소의 공개. 대배심 검사기소장을 법원은 봉인할 수 있는바, 대배심 검사기소의 평결을 그 봉인되어 있는 동안에는 어느 누구가도 공개하여서는 안 된다.

(Adopted February 22, 2017, effective July 1, 2017.)

https://isc.idaho.gov/icr6-4

Idaho Criminal Rule 6.4. Grand Jury Proceedings
대배심 절차들

(a) Grand Jury Subpoenas. A grand jury subpoena or subpoena duces tecum may be issued by either the presiding juror or the prosecutor in the manner provided by law.

대배심 벌칙부소환장들. 대배심 벌칙부소환장은 내지는 문서제출명령 벌칙부소환장은 법에 의하여 규정되는 방법으로 배심장에 의하여든 또는 검사에 의하여든 발부될 수 있다.

(b) Questioning of Witnesses. Witnesses may be questioned by the prosecuting attorney, the presiding juror, and other members of the grand jury under the direction of the presiding juror.

증인들에 대한 신문. 증인들은 검사에 의하여, 배심장에 의하여, 그리고 배심장의 명령 아래서 대배심의 여타 구성원들에 의하여 신문될 수 있다.

(c) Evidence for Defendant. The grand jury is not bound to hear evidence for the defendant, but it is their duty to weigh all the evidence submitted to them, and when they have reason to believe that other evidence within their reach will explain away the charge, they should order such evidence to be produced, and for that purpose may require the prosecuting attorney to issue process for the witnesses.

피고인을 위한 증거. 피고인을 위한 증거를 청취할 의무를 대배심은 지지 아니하지만, 자신들에게 제출되는 모든 증거를 비교교량하여야 함은 그들의 의무인바, 그들의 권한범위 내에 있는 여타의 증거가 혐의를 해명하여 없애 줄 것으로 믿을 이유를 그들이 지니는 경우에는 그러한 증거가 제출되게 하도록 그들은 명령하여야 하고, 그 증인들을 위한 영장을 발부하도록 그 목적을 위하여 검사에게 그들은 요구할 수 있다.

(Adopted February 22, 2017, effective July 1, 2017.)

https://isc.idaho.gov/icr6-5

Idaho Criminal Rule 6.5. Indictment
대배심 검사기소장

(a) Sufficiency of Evidence to Warrant Indictment. If the grand jury finds, after evidence has been presented to it, that an offense has been committed and that there is probable cause to believe that the accused committed it, the jury ought to find an indictment. Probable cause exists when the grand jury has before it evidence that would lead a reasonable person to believe an offense has been committed and that the accused party has probably committed the offense.

대배심 검사기소를 정당화하는 증거의 충분성. 한 개의 범죄가 저질러져 있음을 및 그것을 피고인이 저질렀다고 믿을 상당한 이유가 있음을, 자신에게 증거가 제출되고 난 뒤에 만약 대배심이 인정하면, 한 개의 대배심 검사기소를 대배심은 평결하여야 한다. 한 개의 범죄가 저질러져 있다고 및 그 범죄를 피고인이 아마도 저지른 터라고 믿도록 한 명의 합리적인 사람을 이끌어줄 정도의 증거를 자신 앞에 대배심이 지닐 때 상당한 이유는 존재한다.

(b) Multiple Charges of Indictment. There may be two or more separate charges in a grand jury indictment, but each must be voted on separately by the grand jury.

대배심 검사기소장의 복수의 공소사실들. 한 개의 대배심 검사기소장에는 두 개 이상의 별개의 공소사실들이 있을 수 있는바, 다만 그 각각은 대배심에 의하여 따로 따로 표결되지 않으면 안 된다.

(c) Finding and Return of Indictment. An indictment may be found only by agreement of 12 or more jurors. It must be signed by the presiding juror and must be returned by the grand jury to a district judge. The indictment must be in writing and have endorsed on it the names of all witnesses examined before the grand jury about the subject matter of the indictment.

대배심 검사기소장의 평결 및 제출. 열두 명 이상의 배심원들의 동의에 의하여서만 한 개의 대배심 검사기소장은 평결될 수 있다. 그것은 배심장에 의하여 서명되지 않으면 안 되고 대배심에 의하여 재판구 지방법원 판사에게 제출되지 않으면 안 된다. 대배심 검사기소장은 서면으로 작성되지 않으면 안 되고 그 대배심 검사기소의 소송물에 관하여 대배심 앞에서 신문된 모든 증인들의 이름들을 그 위에 기입해 놓지 않으면 안 된다.

(d) List of Jurors' Votes. The presiding juror must prepare separate lists of all jurors voting in favor of and jurors voting against the indictment. The lists must remain sealed but may be disclosed to the prosecuting attorney, the defendant and defendant's counsel by order of the court.

배심원들의 투표들의 목록. 대배심 검사기소에 찬성투표 하는 모든 배심원들의 및 반대투표 하는 배심원들의 따로따로의 목록들을 배심장은 작성하지 않으면 안 된다. 그 목록들은 봉인 상태로 남아 있지 않으면 안 되는바, 다만 법원의 명령에 의하여 검사에게, 피고인에게 및 피고인의 변호사에게 공개될 수 있다.

(e) Return of No Bill. If the grand jury concludes that there is no probable cause and that no indictment will be returned, that fact must be placed in writing and maintained under seal by the court as part of the record of that proceeding.

불기소 평결의 제출. 상당한 이유가 없다고 및 대배심 검사기소장이 제출되지 말아야 한다고 만약 대배심이 결론지으면 그 사실은 서면으로 기록되지 않으면 안 되고 그 절차의 기록의 일부로서 법원에 의하여 봉인 아래에 보관되지 않으면 안 된다.

(Adopted February 22, 2017, effective July 1, 2017.)

Idaho Criminal Rule 6.6. Grounds for Motion to Dismiss Indictment
대배심 검사기소장을 각하하여 달라는 신청의 사유들

A motion to dismiss the indictment may be granted by the district court on any of the following grounds:

대배심 검사기소장을 각하하여 달라는 한 개의 신청은 아래의 사유들 중 그 어느 것에 터잡아서도 재판구 지방법원에 의하여 인용될 수 있다:

- a valid challenge to the array of grand jurors;

  대배심원단에 대한 유효한 기피신청;

- a valid challenge to an individual juror who served on the grand jury that found the indictment, except that finding of the valid challenge to one or more members of the grand jury is not grounds for dismissal of the indictment if there were 12 or more qualified jurors concurring in the finding of the indictment;

  당해 대배심 검사기소를 평결한 대배심에서 복무한 한 명의 개별적 배심원에 대한 유효한 기피신청; 다만, 당해 대배심 검사기소에 찬성한 유자격 배심원들이 12명 이상이었을 경우에는 당해 대배심의 구성원들 한 명 이상에 대한 유효한 기피사유의 인정은 당해 대배심 검사기소장의 각하를 위한 사유들이 되지 아니한다;

- that the charge in the indictment was previously submitted to a magistrate at preliminary hearing and dismissed for lack of probable cause; or

  당해 대배심 검사기소장 내의 공소사실이 이전에 예비심문에서 한 명의 치안판사에게 제출되어 상당한 이유의 결여를 이유로 각하된 바 있을 것; 또는

- that the indictment was not properly found, endorsed and presented as required by these rules or by the statutes of the state of Idaho.

  이 규칙들에 의하여 내지는 아이다호주 제정법들에 의하여 요구되는 바대로 올바르게 당해 대배심 검사기소장이 평결되지, 기입되지, 및 제출되지 아니하였을 것.

(Adopted February 22, 2017, effective July 1, 2017.)

Idaho Criminal Rule 6.7. Discharge of Grand Jury
대배심의 임무해제

A grand jury must serve until discharged by the court but no grand jury may serve more than six months unless specifically ordered by the court that summoned the grand jury.

법원에 의하여 임무해제 될 때까지 한 개의 대배심은 복무하지 않으면 안 되는바, 다만 당해 대배심을 소환한 법원에 의하여 명시적으로 명령되는 경우에를 제외하고는 6월을 초과하여 복무하여서는 안 된다.

(Adopted February 22, 2017, effective July 1, 2017.)

Idaho Criminal Rule 6.8. Other Prosecution
여타의 소추

The fact that a grand jury is in session in a county does not bar prosecution of other offenses by way of complaint or information in that county.

한 개의 카운티에서의 여타의 범죄들에 대한 소추청구장에 내지는 검사 독자기소장에 의한 소추를, 그 카운티에 한 개의 대배심이 회합 중이라는 사실은 방해하지 아니한다.

(Adopted February 22, 2017, effective July 1, 2017.)

Idaho Criminal Rule 7. Indictment and Information
대배심 검사기소장 및 검사 독자기소장

(a) Use of Indictment or Information. All felony offenses must be prosecuted by indictment or information.

대배심 검사기소장의 내지는 검사 독자기소장의 사용. 모든 중죄 범죄들은 대배심 검사기소장에 의하여 또는 검사 독자기소장에 의하여 소추되지 않으면 안 된다.

(b) Nature and Contents. The indictment or information:

성격 및 내용들. 대배심 검사기소장은 또는 검사 독자기소장은:

(1) must be a plain, concise and definite written statement of the essential facts constituting the offense charged;

기소대상 범죄를 구성하는 핵심적 사실관계 대한 한 개의 평이한, 간결한 및 명확한 서면서술이지 않으면 안 된다;

(2) need not contain a formal commencement, a formal conclusion or any other matter not necessary to the statement;

그 서술에 불필요한 형식에 매인 시작표시를, 형식에 매인 결론표시를 내지는 여타의 사항을 포함할 필요가 없다;

(3) must not contain any reference to the procedural history of the action; and

당해 소송의 절차적 연혁에 대한 언급을 포함하여서는 안 된다; 그리고

(4) must state, for each count, the official or customary citation of the statute, rule or regulation or other provision of law that the defendant is alleged to have violated, but error in the citation or its omission is not grounds for dismissal of the indictment or information or for reversal of the conviction if the error or omission did not mislead the defendant to the defendant's prejudice.

피고인이 위반한 것으로 주장되는 제정법에, 규칙에 내지는 조례에 또는 여타의 법규정에 대한 공식의 내지는 관례상의 인용을 개개 소인에 대하여 서술하지 않으면 안 되는바, 그 인용에서의 오류가 내지는 그 인용의 누락이 피고인을 오도하여 불이익을 피고인에게 끼친 경우를 빼고는, 그것들은 당해 대배심 검사기소장의 내지는 검사 독자기소장의 각하를 위한 사유들이 내지는 유죄판정의 파기를 위한 사유들이 되지 아니한다.

Allegations made in one count may be incorporated by reference in another count. A single count may allege that the means by which the defendant committed the offense are unknown or that he committed it by one or more specific means. The information must be signed by the prosecuting attorney.

한 개의 소인에서 이루어진 주장들은 언급에 의하여 다른 소인에 통합될 수 있다. 당해 범죄를 피고인이 저지른 수단이 알려져 있지 아니함을, 내지는 그것을 한 가지 이상의 구체적 수단에 의하여 그가 저질렀음을, 단일한 소인은 주장할 수 있다. 검사 독자기소장은 검사에 의하여 서명되지 않으면 안 된다.

(c) Two-Part Indictments or Informations. In all cases in which an extended term of imprisonment is sought because of a prior conviction or convictions, the indictment or information must state the facts on which the extended term of imprisonment is sought. Those facts must not be read to the jury unless the defendant has been found guilty of the primary charge. If the defendant is found guilty of the primary charge, the issue or issues involving the extended term of imprisonment must then be tried.

두 부분으로 구성되는 대배심 검사기소장들 내지는 검사 독자기소장들. 앞서의 유죄판정으로 내지는 유죄판정들로 인하여 한 개의 확장된 구금형기가 추구되는 모든 경우들에서 그 확장된 구금형기가 추구되는 근거인 사실관계를 대배심 검사기소장은 내지는 검사 독자기소장은 서술하지 않으면 안 된다. 일차적 공소사실에 대하여 유죄로 피고인이 평결되고 난 경우에를 제외하고는 그 사실관계는 배심에게 낭독되어서는 안 된다. 일차적 공소사실에 대하여 유죄로 만약 피고인이 판정되면, 그 확장된 구금형기를 포함하는 쟁점은 내지는 쟁점들은 그 뒤에 정식사실심리 되지 않으면 안 된다.

(d) Surplusage. The court, on motion by either party, may strike surplusage from the indictment or information.

불필요한 문구. 불필요한 문구를 당사자 어느 쪽의 신청에 따라서든 대배심 검사기소장으로부터 내지는 검사 독자기소장으로부터 법원은 삭제할 수 있다.

(e) Amendment of Information or Indictment. The court may permit amendment of a complaint, an information or indictment at any time before the prosecution rests if no additional or different offense is charged and if substantial rights of the defendant are not prejudiced.

검사 독자기소장의 내지는 대배심 검사기소장의 변경. 추가적인 내지는 별개의 범죄가 기소되지 아니하는 한 및 피고인의 실질적 권리들이 침해되지 아니하는 한, 한 개의 소추청구장의, 한 개의 검사 독자기소장의 내지는 대배심 검사기소장의 변경을 소송추행이 끝나기 전에 언제든지 법원은 허가할 수 있다.

(f) Filing of Information. The prosecuting attorney must file an information within 14 days after an order has been filed by the magistrate in the district court holding the defendant to answer, unless more time is granted by the court for good cause shown.

검사 독자기소장의 제출. 증명되는 타당한 이유에 따라서 더 많은 시간이 법원에 의하여 부여되는 경우에를 제외하고는 치안판사에 의하여 한 개의 명령이 하달되고 난 뒤 14일 내에, 한 개의 검사 독자기소장을 그 답변하도록 피고인을 구금하고 있는 재판구 지방법원에 검사는 제출하지 않으면 안 된다.

(Adopted February 22, 2017, effective July 1, 2017.)

https://isc.idaho.gov/icr8

Idaho Criminal Rule 8. Joinder of Offenses and of Defendants
범죄들의 및 피고인들의 병합

(a) Joinder of Offenses. Two or more offenses may be charged on the same complaint, indictment or information if the offenses charged, whether felonies or misdemeanors or both, are based on the same act or transaction or on two or more acts or transactions connected together or constituting parts of a common scheme or plan. The complaint, indictment or information must state a separate count for each offense.

범죄들의 병합. 그 중죄들인지 경죄들인지 또는 두 가지 다인지 여부에 상관없이, 그 기소되는 범죄들이, 동일한 행위에 내지는 거래에, 또는 서로 연결된 또는 한 개의 공통된 획책의 내지는 계획의 부분들을 구성하는 두 개 이상의 행위들에 내지는 거래들에, 터잡는 것들이면, 동일한 소추청구장에, 대배심 검사기소장에 또는 검사 독자기소장에, 두 개 이상의 범죄들은 기소될 수 있다. 개개 범죄를 위한 한 개의 별개의 소인을 소추청구장은, 대배심 검사기소장은 내지는 검사 독자기소장은 서술하지 않으면 안 된다.

(b) Joinder of Defendants. Two or more defendants may be charged on the same complaint, indictment or information if they are alleged to have participated in the same act or transaction or in the same series of acts or transactions constituting an offense or offenses. The defendants may be charged in one or more counts together or separately and all of the defendants need not be charged in each count.

피고인들의 병합. 동일한 행위에 내지는 거래에, 또는 한 개의 범죄를 내지는 범죄들을 구성하는 동일한 일련의 행위들에 내지는 거래들에, 두 명 이상의 피고인들이 가담한 것으로 주장되면, 동일한 소추청구장에, 대배심 검사기소장에 또는 검사 독자기소장에, 두 명 이상의 피고인들은 기소될 수 있다. 한 개 이상의 소인들에서 함께 또는 따로따로 피고인들은 기소될 수 있는바, 개개 소인마다에서 모든 피고인들이 기소되어야 할 필요는 없다.

(Adopted February 22, 2017, effective July 1, 2017.)

아이오와주
대배심 규정

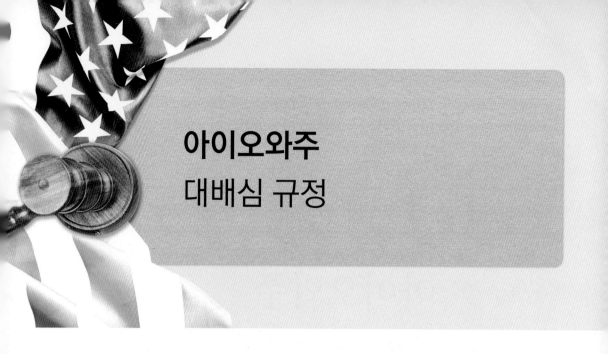

아이오와주
대배심 규정

https://www.legis.iowa.gov/docs/ACO/CR/LINC/06-30-2020.chapter.2.pdf

Rule 2.3 The grand jury.

대배심

 2.3(1) Drawing grand jurors.

대배심원들을 추출하기.

At such times as prescribed by the chief judge of the district court in the public interest, the names of the twelve persons constituting the panel of the grand jury shall be placed by the clerk in a container, and after thoroughly mixing the same, in open court the clerk shall draw therefrom seven names, and the persons so drawn shall constitute the grand jury. Computer selection processes may be used to randomly draw the seven names. Should any of the persons so drawn be excused by the court or fail to attend on the day designated for their appearance, the clerk shall draw either manually or by use of a computer selection process additional names until the seven grand jurors are secured.

공익을 위하여 재판구 지방법원의 법원장에 의하여 정해지는 때에 대배심원(후보)단을 구성하는 열두 명의 이름들은 서기에 의하여 한 개의 용기 안에 넣어져야 하고, 그것을 확실하게 뒤섞은 뒤에 일곱 명의 이름들을 공개법정에서 그 용기로부터 서기는 추출하여야 하는바, 대배심을 그렇게 추출되는 사람들이 구성한다. 그 일곱 명을 무작위로 추출하기 위하여 컴퓨터 선정절차들이 사용될 수 있다. 그렇게 뽑힌 사람들 중 어느 누구가든 법원에 의하여 면제되는 경우에는, 또는 그들의 출석을 위하여 정해진 날에 그 출석하기를 불이행하는 경우에는, 그 일곱 명의 배심원들이 확보될 때까지 추가적 이름들을 수작업으로 또는 컴퓨터 선정프로세스 사용에 의하여 서기는 추출하여야 한다.

If the panel is insufficient to provide and maintain a grand jury of seven members, the panel shall be refilled from the jury box or computer selection process by the clerk of the court under direction of the court; additional grand jurors shall be selected until a grand jury of seven grand jurors is secured, and they shall be summoned in the manner as those originally drawn.

일곱 명으로 구성되는 한 개의 대배심을 제공하기에 내지는 유지하기에 만약 배심원(후보)단이 불충분하면, 배심원(후보)단은 법원의 명령에 따라서 법원서기에 의하여 배심원후보상자로부터 또는 컴퓨터 선정프로세스로부터 다시 채워져야 한다; 일곱 명으로 구성되는 한 개의 대배심이 확보될 때까지 추가적 대배심원(후보)들은 선정되어야 하는바, 처음에 추출된 배심원(후보)들이 소환된 방법에의 동일한 방법으로 그들은 소환되어야 한다.

2.3(2) Challenge to grand jury.
대배심에 대한 기피신청.

a. Challenge to array. A defendant held to answer for a public offense may, before the grand jury is sworn, challenge the panel or the grand jury, only for the reason that it was not composed or drawn as prescribed by law. If the challenge be sustained, the court shall thereupon proceed to take remedial action to compose a proper grand jury panel or grand jury.

배심원(후보)단에 대한 기피신청. 범죄에 대하여 답변하도록 붙들린 피고인은 선서절차에 대배심이 처해지기 전에 배심원(후보)단에 대하여 또는 대배심에 대하여 기피를 신청할 수 있는바, 오직 법에 의하여 규정된 대로 그것이 구성되지 않았다는 내지는 추출되지 않았다는 점만을 그 사유로 하여야 한다. 그 기피신청이 인용되면, 적법한 대배심원(후보)단을 내지는 대배심을 구성하기 위한 시정조치를 취하는 데 이에 따라서 법원은 나아가야 한다.

b. Challenge to individual jurors. A challenge to an individual grand juror may be made before the grand jury is sworn as follows:

개별 배심원에 대한 기피신청. 개별 대배심원(후보)에 대한 기피신청은 대배심이 선서절차에 처해지기 전에 아래의 방법으로 이루어질 수 있다:

(1) By the state or the defendant, because the grand juror does not possess the qualifications required by law.

법에 의하여 요구되는 자격조건들을 당해 대배심원(후보)이 지니지 아니한다는 점을 사유로 하여 주에 또는 피고인에 의하여 제기될 수 있다.

(2) By the state only because:

아래를 사유로 하는 경우에는 주에 의하여서만 제기될 수 있다:

1. The juror is related either by affinity or consanguinity nearer than in the fifth degree, or stands in the relation of agent, clerk, servant, or employee, to any person held to answer for a public offense, whose case may come before the grand jury.

당해 대배심 앞에 그 사건이 올 수 있는 한 개의 범죄에 대하여 답변하도록 붙들린 사람에게, 5촌 미만의 인척관계에 의하여 내지는 혈족관계에 의하여 당해 배심원(후보)이 관련되어 있다는 점 내지는 그 사람의 대리인의, 서기의, 부하의, 또는 피용자의 지위에 당해 배심원(후보)이 있다는 점.

2. The juror is providing bail for anyone held to answer for a public offense, whose case may come before the grand jury.

당해 대배심 앞에 그 사건이 올 수 있는 한 개의 범죄에 대하여 답변하도록 붙들린 사람을 위한 보석금을 당해 배심원(후보)이 제공하고 있다는 점.

3. The juror is defendant in a prosecution similar to any prosecution to be examined by the grand jury.

당해 대배심에 의하여 검토되어야 할 소송추행에의 유사한 한 개의 소송추행에서 당해 배심원(후보)이 피고인이라는 점.

4. The juror is, or within one year preceding has been, engaged or interested in carrying on any business, calling, or employment the carrying on of which is a violation of law, and for which the juror may be indicted by the grand jury.

그 수행이 한 개의 범죄인, 그리고 이에 대하여 당해 대배심에 의하여 대배심 검사기소에 당해 배심원(후보)이 처해질 수 있는, 모종의 사업을, 직업을, 또는 근로관계를 수행하는 데에, 당해 배심원이 종사하고 있다는 내지는 이해관계를 지니고 있다는 점, 내지는 직전 1년 내에 종사하였었다는 내지는 이해관계를 지녔었다는 점.

(3) By the defendant only because:

아래를 사유로 하는 경우에는 피고인에 의하여서만 제기될 수 있다:

1. The juror is a complainant upon a charge against the defendant.

당해 배심원(후보)이 피고인에 대한 한 개의 고발에서의 고발인이라는 점.

2. The juror has formed or expressed such an opinion as to the guilt or innocence of the defendant as would prevent the juror from rendering a true indictment upon the evidence submitted.

그 제출되는 증거에 토대하는 한 개의 진실한 대배심 검사기소를 당해 배심원(후보)으로 하여금 평결할 수 없도록 방해할 만한 의견을 피고인의 유죄에 내지는 무죄에 관하여 당해 배심원(후보)이 형성한 상태라는 점 내지는 표명한 바 있다는 점.

c. Decision by court. Challenges to the panel or to an individual grand juror shall be decided by the court.

법원에 의한 결정. 배심원(후보)단에 대한 내지는 개별 배심원(후보)에 대한 기피신청들은 법원에 의하여 결정되어야 한다.

d. Motion to dismiss. A motion to dismiss the indictment may be based on challenges to the array or to an individual juror, if the grounds for challenge which are alleged in the motion of the defendant have not previously been determined pursuant to a challenge asserted by the defendant pursuant to rule 2.3(2)(a) or 2.3(2)(b).

각하신청. 대배심 검사기소장을 각하하여 달라는 피고인의 신청에서 주장되는 기피신청 사유들이, rule 2.3(2)(a)에 따라서 또는 rule 2.3(2)(b)에 따라서 피고인에 의하여 주장된 기피신청에서 이미 판단되어 있는 경우에가 아니면, 배심원단에 대한 기피신청에 내지는 개별 배심원에 대한 기피신청에 그 근거를 그러한 각하신청은 둘 수 있다.

2.3(3) Discharging and summoning jurors.
배심원들의 임무해제 및 소환.

a. Discharge. A grand jury, on the completion of its business, shall be discharged by the court. The grand jury shall serve until discharged by the court, and the regular term of service by a grand juror should not exceed one calendar year. However, when an investigation which has been undertaken by the grand jury is incomplete, the court may by order extend the eligibility of a grand juror beyond one year, to the completion of the investigation.

임무해제. 대배심은 그 임무의 완수 즉시로 법원에 의하여 임무로부터 해제되어야 한다. 법원에 의하여 임무해제 될 때까지 대배심은 복무하여야 하는바, 대배심에 의한 정규의 복무기간은 1역년을 초과하여서는 안 된다. 그러나 당해 대배심에 의하여 착수된 조사가 완수되어 있지 아니한 경우에, 배심원의 복무의무를 1년을 넘어서 당해 조사의 완수 때까지로 명령에 의하여 법원은 연장시킬 수 있다.

b. Summoning jurors. Upon order of the court the clerk shall issue a precept or precepts to the sheriff, commanding the sheriff to summon the grand juror or jurors. Upon a failure of a grand juror to obey such summons without sufficient cause, the grand juror may be punished for contempt.

배심원들의 소환. 법원의 명령이 있으면, 대배심원(후보)을 내지는 대배심원(후보)들을 소환하도록 집행관에게 명령하는 명령서를 또는 명령서들을 집행관에게 서기는 발부하여야 한다. 그러한 소환장에 복종하기를 충분한 이유 없이 대배심원(후보)이 불이행하는 경우에, 당해 대배심원(후보)은 법원모독으로 처벌될 수 있다.

c. Excusing jurors. If the court excuses a juror, the court may impanel another person in place of the juror excused. If the grand jury has been reduced to fewer than seven by reason of challenges to individual jurors being allowed, or from any other cause, the additional jurors required to fill the panel shall be summoned, first, from such of the twelve jurors originally summoned which were not drawn on the grand jury as first impaneled, and if they are exhausted the additional number required shall be drawn from the grand jury list. If a challenge to the array is allowed, a new grand jury shall be impaneled to inquire into the charge against the defendant in whose behalf the challenge to the array has been allowed, and they shall be summoned in the manner prescribed in this rule.

배심원들의 면제. 한 명의 배심원을 만약 법원이 면제하면, 그 면제된 사람을 대신하여 다른 사람을 법원은 충원할 수 있다. 개개 배심원들에 대한 기피신청들이 인용됨으로 인하여 또는 그 밖의 사유로 인하여 7명 미만으로 만약 대배심이 감소된 상태이면, 배심원단을 채우기 위하여 요구되는 추가적 배심원들이, 첫 번째로는 당초에 소환된 12명의 배심원(후보)들 중에서 처음의 당해 대배심 위에 충원되도록 추출되지 아니한 배심원(후보)들부터 소환되어야 하고, 만약 그들이 소진되면 그 요구되는 추가적 숫자는 대배심 명부로부터 추출되어야 한다. 만약 배심원(후보)단에 대한 한 개의 기피신청이 인용되면, 당해 배심원(후보)단에 대한 기피신청 인용의 이익이 귀속되는 당해 피고인에 대한 고발을 조사할 한 개의 새로운 대배심이 충원구성되어야 하는바, 이 규칙에 규정되는 방법으로 그들은 소환되어야 한다.

2.3(4) Oaths and procedure.
선서들 및 절차.

a. Foreman or forewoman. From the persons impaneled as grand jurors the court shall appoint a foreman or forewoman, or when the foreman or forewoman already appointed is discharged, excused, or from any cause becomes unable to act before the grand jury is finally discharged, an acting foreman or forewoman may be appointed.

남성/여성 배심장. 한 명의 남성/여성 배심장을 대배심원들로서 충원된 사람들 중에서 법원은 지명하여야 하는바, 당해 대배심이 최종적으로 임무해제 되기 전에, 이미 지명된 남성/여성 배심장이 해임되는 내지는 면제되는 내지는 어떤 이유에서든 대배심 앞에서 활동할 수 없게 되는 경우에는 한 명의 남성/여성 배심장 대행이 지명될 수 있다.

The foreman or forewoman of the grand jury may administer the oath to all witnesses produced and examined before it.

선서절차를 자신 앞에 제출되는 및 신문되는 모든 증인들에 대하여 대배심의 남성/여성 배심장은 실시할 수 있다.

b. Clerks, bailiffs and court attendants. The court may appoint as clerk of the grand jury a competent person who is not a member thereof. In addition the court may, if it deems it necessary, appoint assistant clerks of the grand jury. If no such appointments are made by the court, the grand jury shall appoint as its clerk one of its own number who is not its foreman or forewoman. In like manner the court may appoint bailiffs for the grand jury to serve with the powers of a peace officer while so acting.

서기들, 집행관보좌인들 및 법원 수행원들. 대배심원의 구성원들이 아닌 한 명의 적당한 사람을 대배심의 서기로 법원은 지명할 수 있다. 대배심의 보조서기들을 그 필요하다고 만약 법원이 간주하면 이에 더하여 법원은 지명할 수 있다. 법원에 의하여 만약 그러한 지명들이 이루어지지 아니하면, 대배심 자신의 남성/여성 배심장 아닌 구성원 한 명을 자신의 서기로 대배심은 지명하여야 한다. 그 복무 중에 치안담당관의 권한들을 지니고서 복무할, 대배심을 위한 집행관보좌인들을 같은 방법으로 법원은 지명할 수 있다.

c. Oaths administered to grand jury, clerk, bailiff, and court attendant. The following oath shall be administered to the grand jury: "Do each of you, as the grand jury, solemnly swear or affirm that you will diligently inquire and true presentment make of all public offenses against the people of this state, triable on indictment within this county, of which you have or can obtain legal evidence; you shall present no person through malice, hatred, or ill will, nor leave any unpresented through fear, favor, or affection, or for any reward, or the promise or hope thereof, but in all your presentments that you shall present the truth, the whole truth, and nothing but the truth, according to the best of your skill and understanding?"

대배심에게, 서기에게, 집행관보좌인에게, 그리고 법원 수행원에게 실시될 선서들. 대배심에게는 아래의 선서가 실시되어야 한다: "그 법적 증거를 귀하들이 지니는 내지는 얻을 수 있는, 이 카운티 내에서 대배심 검사기소장에 따라서 정식사실심리 될 수 있는, 이 주의 국민들에 대한 모든 범죄들을 근면하게 조사하기로 및 진실한 고발을 하기로; 악의를, 원한을, 내지는 해의를 구실 삼아서는 어느 누구를도 고발하지 아니하기로, 두려움에, 호의에, 애정에 기울어서는 또는 조금이라도 보상을 내지는 보상에 대한 약속을 내지는 보상의 기대를 대가로 하여서는 어느 누구를도 고발되지 아니한 채로 남겨두지 아니하기로, 귀하들의 모든 고발들에서 귀하들의 최선껏의 기량에 및 이해에 따라서 진실을, 온전한 진실을, 그리고 오직 진실만을 고발하기로 귀하들 각자는 대배심으로서 엄숙하게 선서하거나 무선서로 확약합니까?"

Any clerk, assistant clerk, bailiff, or court attendant appointed by the court must be given the following oath: "Do you solemnly swear that you will faithfully and impartially perform the duties of your office, that you will not reveal to anyone its proceedings or the testimony given before it and will abstain from expressing any opinion upon any question before it, to or in the presence or hearing of the grand jury or any member thereof?"

법원에 의하여 지명되는 서기에게는, 보조서기에게는, 집행관보좌인에게는, 또는 법원 수행원에게는 아래의 선서가 실시되어야 한다: "귀하의 직책 상의 임무들을 진실하게 및 공평하게 수행하기로, 대배심의 절차들을 내지는 대배심 앞에서 이루어지는 증언을 어느 누구에게도 공개하지 아니하기로, 및 대배심 앞의 문제에 대하여 조금이라도 의견을 대배심에게, 또는 대배심의 내지는 그 구성원 어느 누구든지의 면전에서, 또는 청취 내에서, 표명하기를 삼가기로 귀하는 엄숙하게 선서합니까?"

d. Secrecy of proceedings. Every member of the grand jury, and its clerks, bailiffs and court attendants, shall keep secret the proceedings of that body and the testimony given before it, except as provided in rule 2.14. No such person shall disclose the fact that an indictment has been found except when necessary for the issuance and execution of a warrant or summons, and such duty of nondisclosure shall continue until the indicted person has been arrested. The prosecuting attorney shall be allowed to appear before the grand jury on his or her own request for the purpose of giving information or for the purpose of examining witnesses, and the grand jury may at all reasonable times ask the advice of the prosecuting attorney or the court. However, neither the prosecuting attorney nor any other officer or person except the grand jury may be present when the grand jury is voting upon the finding of an indictment.

절차들의 비밀성. rule 2.14에 규정되는 바에 따라서를 제외하고는, 대배심의 절차들을 및 그 앞에 제출된 증거를 비밀로 대배심의 모든 구성원은, 및 그 서기들은, 집행관보좌인들은 및 법원 수행원들은, 유지하여야 한다. 영장의 내지는 소환장의 발부를 및 집행을 위하여 필요한 경우에를 제외하고는 한 개의 대배심 검사기소가 평결되어 있다는 사실을 그러한 사람은 공개하여서는 안 되는바, 그 대배심 검사기소 된 사람이 체포되고 났을 때까지 그러한 비공개 의무는 지속된다. 정보를 제공하기 위한 내지는 증인들을 신문하기 위한 그 자신의 내지는 그녀 자신의 요청 위에서 대배심 앞에 출석하도록 검사는 허용되며, 검사의 내지는 법원의 조언을 언제든지 합리적인 시간대에 대배심은 요청할 수 있다. 그러나 한 개의 대배심 검사기소의 평결에 관하여 대배심이 표결 중인 동안에는 대배심이를 제외하고는 검사는도 내지는 여타의 공무원은도 내지는 사람은도 출석할 수 없다.

e. Securing witnesses and records. The clerk of the court must, when required by the foreman or forewoman of the grand jury or prosecuting attorney, issue subpoenas including subpoenas duces tecum for witnesses to appear before the grand jury.

증인들의 및 기록들의 확보. 문서제출명령 벌칙부소환장들을을 포함하여 대배심 앞에 출석할 증인들을 위한 벌칙부소환장들을 대배심의 남성/여성 배심장에 내지는 검사에 의하여 요구될 경우에 법원서기는 발부하지 않으면 안 된다.

The grand jury is entitled to free access at all reasonable times to county institutions and places of confinement, and to the examination without charge of all public records within the county.

카운티 구금 시설들에의 및 구금장소들에의 모든 합리적인 시간대에의 자유로운 접근의 권리를 및 카운티 내의 모든 공공기록들에 대한 무료의 검사의 권리를 대배심은 지닌다.

f. Minutes. The clerk of the grand jury shall take and preserve minutes of the proceedings and of the evidence given before it, except the votes of its individual members on finding an indictment.

의사록. 한 개의 대배심 검사기소의 평결에 관한 대배심의 개개 구성원들의 투표들의를 제외하고는 절차들의 및 자신 앞에 제출되는 증거의 의사록을 대배심의 서기는 작성하여야 하고 보존하여야 한다.

g. Evidence for defendant. The grand jury is not bound to hear evidence for the defendant, but may do so, and must weigh all the evidence submitted to it, and when it has reason to believe that other evidence within its reach will explain away the charge, it may order the same produced.

피고인을 위한 증거. 피고인을 위한 증거를 청취할 의무를 대배심은 지지 아니하지만, 이를 대배심은 청취할 수 있고, 나아가 자신에게 제출되는 모든 증거를 대배심은 비교교량하지 않으면 안 되는바, 자신의 권한범위 내에 있는 증거가 혐의를 해명하여 없애 줄 것으로 믿을 이유를 자신이 지니는 경우에는 그러한 증거가 제출되게 하도록 대배심은 명령할 수 있다.

h. Refusal of witness to testify. When a witness under examination before the grand jury refuses to testify or to answer a question, it shall proceed with the witness before a district judge, and the foreman or forewoman shall then distinctly state before a district judge the question and the refusal of the witness, and if upon hearing the witness the court decides that the witness is bound to testify or answer the question propounded, the judge shall inquire whether the witness persists in refusing and, if the witness does, shall proceed with the witness as in cases of similar refusal in open court.

증인의 증언거부. 증언하기를 내지는 질문에 답변하기를 대배심 앞에서 신문에 놓인 증인이 거부하는 경우에 그 증인을 대동하고서 재판구 지방법원 판사 앞에 대배심은 나아가야 하고, 당해 질문을 및 증인의 거부를 그 때에 재판구 지방법원 판사 앞에서 남성/여성 배심장은 명확하게 진술하여야 하는바, 증언할 위무가 내지는 그 제기된 질문에 답변할 의무가 증인에게 있는 것으로 증인의 말을 듣고 나서 만약 법원이 결정하면, 그 거부하기를 증인이 그래도 고집하는지 여부를 판사는 물어야 하고, 증인이 고집하면, 공개법정에서의 유사한 거부들에서의 경우에 준하여 증인을 절차에 판사는 처하여야 한다.

i. Effect of refusal to indict. If, upon investigation, the grand jury refuses to find an indictment against one charged with a public offense, it shall return all papers to the clerk, with an endorsement thereon, signed by the foreman or forewoman, to the effect that the charge is ignored. Thereupon, the district judge must order the discharge of the defendant from custody if in jail, and the exoneration of bail if bail be given. Upon good cause shown, the district judge may direct that the charge again be submitted to the grand jury. Such ignoring of the charge does not prevent the cause from being submitted to another grand jury as the court may direct; but without such direction, it cannot again be submitted.

대배심 검사기소에 처하기를 거부함의 효과. 한 개의 대배심 검사기소를 범죄로 고발된 사람에 대하여 평결하기를 만약 조사 끝에 대배심이 거부하면, 고발이 무시되었다는 취지의 남성/여성 배심장에 의하여 서명되는 기입을 그 위에 달아 모든 서류들을 서기에게 대배심은 제출하여야 한다. 피고인이 감옥에 있는 경우에는 구금으로부터의 피고인의 석방을, 그리고 만약 보석금이 납부되어 있으면 보석금의 해방을 이에 따라서 재판구 지방법원 판사는 명령하지 않으면 안 된다. 대배심에 당해 고발이 다시 제출되게끔 조치하도록, 증명되는 타당한 이유에 따라서 재판구 지방법원 판사는 명령할 수 있다. 법원이 명령하는 바에 따라서 다른 대배심에 고발이 제출됨을, 고발에 대한 이러한 무시는 금지하지 아니한다; 그러나 그러한 명령 없이는 그것은 다시 제출될 수 없다.

j. Duty of grand jury. The grand jury shall inquire into all indictable offenses brought before it which may be tried within the county, and present them to the court by indictment. The grand jury shall meet at times specified by order of a district judge. In addition to those times, the grand jury shall meet at the request of the county attorney or upon the request of a majority of the grand jurors. It is made the special duty of the grand jury to inquire into:

대배심의 의무. 카운티 내에서 정식사실심리 될 수 있는 자신 앞에 제기된 모든 대배심 검사기소 대상 범죄들을 대배심은 조사해 들어가야 하고 그것들을 대배심 검사기소장에 의하여 법원에 대배심은 고발하여야 한다. 재판구 지방법원 판사의 명령에 의하여 정해진 시간에 대배심은 회합하여야 한다. 그 시간들에 회합하여야 함에 더하여, 카운티 검사의 요청에 따라서 또는 대배심원들 과반수의 요청에 따라서 대배심은 회합하여야 한다. 아래 사항들을 조사해 들어감은 대배심의 특별한 의무가 된다:

(1) The case of every person imprisoned in the detention facilities of the county on a criminal charge and not indicted.

범죄고발에 따라서 카운티의 구금시설들에 구금되고서 대배심 검사기소에 처해지지 아니한 모든 사람의 사건.

(2) The condition and management of the public prisons, county institutions and places of detention within the county.

카운티 내의 공공감옥들의 및 구금 시설들의 및 장소들의 상태 및 관리.

(3) The unlawful misconduct in office in the county of public officers and employees.

카운티 공무원들의 및 피용자들의 불법적인 직무상의 위법행위.

k. Appearance not required. A person under the age of ten years shall not be required to personally appear before a grand jury to testify against another person related to the person or another person who resided with the person at the time of the action which is the subject of the grand jury's investigation, unless there exists a special order of the court finding that the interests of justice require the person's appearance and that the person will not be disproportionately traumatized by the appearance.

출석이 요구되지 아니하는 경우. 그 자신의 친척 관계인 타인에게, 내지는 당해 대배심 조사의 대상인 행위 당시에 그 자신에 더불어 동거한 타인에게, 불리하게 증언하기 위하여 한 개의 대배심 앞에 직접 출석하도록 10세 미만인 사람은 요구되어서는 안 되는바, 다만 그 사람의 출석을 사법의 이익들이 요구함을 인정하는 및 그 출석에 의하여 그 사람이 과도하게 상처 입지 아니할 것임을 인정하는 법원의 특별명령이 존재하는 경우에는 그러하지 아니하다.

[66GA, ch 1245(2), §1301; 67GA, ch 153, §8 to 11, ch 1037, §11; amendment 1980; amendment 1983; 1985 Iowa Acts, ch 174, §12; Report November 9, 2001, effective February 15, 2002; February 22, 2002, effective May 1, 2002]

Rule 2.4 Indictment.
대배심 검사기소장.

2.4(1) Defined.
개념정의.

An indictment is an accusation in writing, found and presented by a grand jury legally impaneled and sworn to the court in which it is impaneled, charging that the person named therein has committed an indictable public offense.

한 개의 대배심 검사기소장은 적법하게 충원구성된 및 선서절차에 처해진 한 개의 대배심에 의하여 평결되는 및 그것이 충원구성된 법원에 제출되는, 한 개의 대배심 검사기소 대상인 범죄를 그 안에 특정된 사람이 저지른 상태임을 고발하는 한 개의 기소고발장이다.

2.4(2) Use of indictment.
대배심 검사기소장의 사용.

Criminal offenses other than simple misdemeanors may be prosecuted to final judgment either on indictment or on information as provided in rule 2.5.

단순경죄들을 제외한 범죄들은 rule 2.5에 규정되는 바에 따라서 대배심 검사기소장 위에 서든 검사 독자기소장 위에서든 종국판결에까지 추행될 수 있다.

2.4(3) Evidence to support.
뒷받침하는 증거.

An indictment should be found when all the evidence, taken together, is such as in the judgment of the grand jury, if unexplained, would warrant a conviction by the trial jury; otherwise it shall not. An indictment can be found only upon evidence given by witnesses produced, sworn, and examined before the grand jury, or furnished by legal documentary evidence, or upon the stenographic or taped record of evidence given by witnesses before a committing magistrate.

정식사실심리 배심에 의한 한 개의 유죄판정을, 종합적으로 검토된 증거 전체가, 만약 그 해명되지 아니한다면 뒷받침하리라는 것이 그들의 판단인 경우에 한 개의 대배심 검사기소는 평결되어야 한다; 그러하지 아니한 경우에는 그것은 평결되어서는 안 된다. 당해 대배심 앞에 제출된, 선서절차를 거친, 그리고 신문된 증인들에 의하여 제출된 증거만에 터잡아서도, 또는 적법한 문서증거에 의하여 제공된 증거만에 터잡아서도, 또는 구금 치안판사 앞에서의 증인들에 의하여 이루어진 증언의 속기 방식의 내지는 녹음테이프 방식의 기록만에 터잡아서도, 한 개의 대배심 검사기소는 평결될 수 있다.

If an indictment is found in whole or in part upon testimony taken before a committing magistrate, the clerk of the grand jury shall write out a brief minute of the substance of such evidence, and the same shall be returned to the court with the indictment.

한 명의 구금 치안판사 앞에서 청취된 증언에 전부든 일부든 토대하여 만약 한 개의 대배심 검사기소가 평결되면, 그러한 증거의 내용에 대한 요약 의사록을 대배심의 서기는 작성하여야 하고, 그것은 대배심 검사기소장이에 더불어 법원에 제출되어야 한다.

2.4(4) Vote necessary.
표결이 필요함.

An indictment cannot be found without the concurrence of five grand jurors. Every indictment must be endorsed "a true bill" and the endorsement signed by the foreman or forewoman of the grand jury.

다섯 명의 대배심원들의 찬성 없이는 한 개의 대배심 검사기소는 평결될 수 없다. 모든 대배심 검사기소장에는 "기소평결"이라는 문구가 기입되지 않으면 안 되고 그 기입은 당해 대배심의 남성/여성 배심장에 의하여 서명되지 않으면 안 된다.

2.4(5) Presentation and filing.
제출 및 편철.

An indictment, when found by the grand jury and properly endorsed, shall be presented to the court with the minutes of evidence of the witnesses relied on. The presentation shall be made by the foreman or forewoman of the grand jury in the presence of the members of the grand jury. The indictment, minutes of evidence, and all exhibits relating thereto shall be transmitted to the clerk of the court and filed by the clerk.

한 개의 대배심 검사기소장이 대배심에 의하여 평결되고 적법하게 기입되면, 그 근거로 삼아진 증인들의 증거 의사록이에 더불어 그것은 법원에 제출되어야 한다. 당해 대배심의 남성/여성 배심장에 의하여 대배심 구성원들의 면전에서 제출은 이루어져야 한다. 대배심 검사기소장은, 증거 의사록은, 그리고 이에 관련되는 모든 증거물은 법원 서기에게 송부되어야 하고 서기에 의하여 편철되어야 한다.

2.4(6) Minutes.
의사록

a. Contents. A minute of evidence shall consist of a notice in writing stating the name and occupation of the witness upon whose testimony the indictment is found, and a full and fair statement of the witness' testimony before the grand jury and a full and fair statement of additional expected testimony at trial.

   내용들. 당해 대배심 검사기소의 평결에서 근거로 삼아진 증언을 한 증인의 이름을 및 직업을 밝히는 한 개의 서면통지로, 그리고 당해 증인의 대배심 앞에서의 증언에 대한 한 개의 완전한 및 공정한 서술로, 및 정식사실심리에서의 당해 증인의 예상되는 추가적 증언에 대한 한 개의 완전한 및 공정한 서술로, 한 개의 증거 의사록은 구성되어야 한다.

b. Copy to defense. Such minutes of evidence shall not be open for the inspection of any person except the judge of the court, the prosecuting attorney, or the defendant and the defendant's counsel.

방어를 위한 복사. 그러한 증거 의사록은 당해 법원 판사의를, 검사의를, 또는 피고인의를 및 피고인의 변호인의를 제외하고는 어느 누구의, 점검을 위하여도 공개되어서는 안된다.

The clerk of the court must, on demand made, furnish the defendant or his or her counsel a copy thereof without charge.

그 사본을 제기되는 요구에 따라서 피고인에게 또는 그의 내지는 그녀의 변호인에게 무료로 법원서기는 제공하지 않으면 안 된다.

c. Minutes used again. A grand jury may consider minutes of testimony previously heard by the same or another grand jury. In any case, a grand jury may take additional testimony.

의사록의 재사용. 자신에 의하여 또는 다른 대배심에 의하여 이전에 청취된 바 있는 증언 의사록을 한 개의 대배심은 검토할 수 있다. 추가적 증언을 어떤 경우에든 한 개의 대배심은 청취할 수 있다.

2.4(7) Contents of indictment.
대배심 검사기소장의 내용들.

An indictment is a plain, concise, and definite statement of the offense charged. The indictment shall be signed by the foreman or forewoman of the grand jury. The names of all witnesses on whose evidence the indictment is found must be endorsed thereon. The indictment shall substantially comply with the form that accompanies these rules. The indictment shall include the following:

한 개의 대배심 검사기소장은 그 기소되는 범죄에 대한 한 개의 평이한 및 간결한 서술이다. 대배심 검사기소장은 당해 대배심의 남성/여성 배심장에 의하여 서명되어야 한다. 그 위에는 당해 대배심 검사기소의 평결의 근거로 삼아진 모든 증언을 한 모든 증인들의 이름들이 기입되지 않으면 안 된다. 이러한 규칙들에 따르는 형식을 대체적으로 대배심 검사기소장은 준수하여야 한다. 아래 사항들을 대배심 검사기소장은 포함하여야 한다:

a. The name of the accused, if known, and if not known, designation of the accused by any name by which the accused may be identified.

알려져 있는 경우에의 피고인의 이름 및 만약 그 알려져 있지 아니하면 피고인의 특정이 가능한 어떤 이름으로든지의 피고인의 호칭.

b. The name and if provided by law the degree of the offense, identifying by number the statutory provision or provisions alleged to have been violated.

그 위반되었다고 주장되는 제정법 상의 규정을 내지는 규정들을 조항번호에 의하여 명시한 채로의, 범죄의 명칭 및 만약 법에 의하여 규정되는 경우이면 범죄의 등급.

c. Where the time or place is a material ingredient of the offense a brief statement of the time or place of the offense if known.

시간이 내지는 장소가 당해 범죄의 중요한 요소인 경우에는, 그 알려져 있는 경우에의 범죄의 시간에 및 장소에 대한 간략한 서술.

d. Where the means by which the offense is committed are necessary to charge an offense, a brief statement of the acts or omissions by which the offense is alleged to have been committed.

한 개의 범죄를 기소하는 데에 그 범죄가 저질러진 수단이 필수인 경우에는, 당해 범죄가 저질러진 수단이 되었다고 주장되는 작위들에 내지는 부작위들에 대한 간략한 서술.

No indictment is invalid or insufficient, nor can the trial, judgment, or other proceeding thereon be affected by reason of any defect or imperfection in a matter of form which does not prejudice a substantial right of the defendant.

피고인의 실질적 권리를 침해하지 아니하는 형식의 사안에 있어서의 결함을 내지는 불완전을 이유로 해서는 대배심 검사기소장은 무효이지도 불충분하지도 아니하며 이에 의하여는 영향을 정식사실심리가도, 판결주문이도, 이에 터잡는 또는 여타의 절차가도 받지 아니한다.

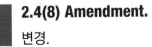

2.4(8) Amendment.
변경.

a. Generally. The court may, on motion of the state, either before or during the trial, order the indictment amended so as to correct errors or omissions in matters of form or substance. Amendment is not allowed if substantial rights of the defendant are prejudiced by the amendment, or if a wholly new and different offense is charged.

일반원칙. 형식적 내지는 실체적 사항들에 있어서의 오류들을 내지는 누락들을 교정하기 위하여 대배심 검사기소장을 변경하도록 정식사실심리 전에든 도중에든 주 측의 신청에 따라서 법원은 명령할 수 있다. 변경에 의하여 만약 피고인의 실질적 권리들이 침해되면, 내지는 한 개의 전체적으로 새로운 및 별개인 범죄가 이로써 기소되게 되면 그 변경은 허용되지 아니한다.

b. Amendment before trial. If the application for an amendment be made before the commencement of the trial, the application and a copy of the proposed amendment shall be served upon the defendant, or upon the defendant's attorney of record, and an opportunity given the defendant to resist the same.

정식사실심리 전의 변경. 정식사실심리의 시작 전에 만약 변경을 위한 신청이 이루어지면, 그 제의된 변경의 신청서가 및 사본이 피고인에게 내지는 피고인의 정식기록 변호사에게 송달되어야 하고 그것에 대하여 이의할 기회가 피고인에게 부여되이야 한다.

c. Amendment during trial. If the application be made during the trial, the application and the amendment may be dictated into the record in the presence of the defendant and the defendant's counsel, and such record shall constitute sufficient notice to the defendant.

정식사실심리 도중의 변경. 정식사실심리 동안에 만약 신청이 이루어지면, 신청은 및 변경은 피고인의 및 피고인의 변호사의 면전에서 구술되어 기록에 편입될 수 있는바, 피고인에게의 충분한 통지를 그러한 기록은 구성한다.

d. Continuance. When an application for amendment is sustained, no continuance or delay in trial shall be granted because of such amendment unless it appears that defendant should have additional time to prepare because of such amendment.

연기속행. 변경을 위한 신청이 인용되면, 그러한 변경에 따라서 준비할 추가적 시간을 피고인이 가져야 하는 것으로 드러나는 경우에를 제외하고는, 정식사실심리에 있어서의 연기속행은 내지는 지연은 그러한 변경을 이유로 하여서는 허가되어서는 안 된다.

e. Amendment of minutes. Minutes may be amended in the same manner and to the same extent that an indictment may be amended.

의사록의 변경. 한 개의 대배심 검사기소장이 변경될 수 있는 방법에의 및 정도에의 동일한 방법으로 및 정도로 의사록은 변경될 수 있다.

[66GA, ch 1245(2), §1301; 67GA, ch 153, §12, 13; amendment 1979; amendment 1980; amendment 1999; Report November 9, 2001, effective February 15, 2002; December 23, 2008, effective February 23, 2009; April 2, 2009, effective June 1, 2009]

Rule 2.5 Information.
검사 독자기소장.

2.5(1) Prosecution on information.
검사 독자기소장에 터잡는 소추.

All indictable offenses may be prosecuted by a trial information. An information charging a person with an indictable offense may be filed with the clerk of the district court at any time, whether or not the grand jury is in session. The county attorney shall have the authority to file such a trial information except as herein provided or unless that authority is specifically granted to other prosecuting attorneys by statute.

모든 대배심 검사기소 대상 범죄들은 한 개의 정식사실심리 검사 독자기소장에 의하여 소추될 수 있다. 한 개의 대배심 검사기소 대상인 범죄로 한 명을 고발하는 한 개의 검사 독자기소장은 대배심이 회합 중인지 아닌지 여부에 상관없이 재판구 지방법원 서기에게 제출될 수 있다. 그러한 정식사실심리 검사 독자기소장을 제출할 권한을, 여기에서 규정되는 경우에를 제외하고는 내지는 제정법에 의하여 별도의 검사들에게 명시적으로 그 권한이 부여되는 경우에를 제외하고는, 카운티 검사는 지닌다.

The attorney general, unless otherwise authorized by law, shall have the authority to file such a trial information upon the request of the county attorney and the determination of the attorney general that a criminal prosecution is warranted.

그러한 정식사실심리 검사 독자기소장을 카운티 검사의 요청에 따라서 및 한 개의 형사소추가 뒷받침된다는 자신의 판단에 따라서 제출할 권한을, 법에 의하여 다르게 권한이 부여되는 경우에를 제외하고는, 검찰총장은 지닌다.

2.5(2) Endorsement.
기입.

An information shall be endorsed "a true information" and shall be signed by the prosecuting attorney.

한 개의 검사 독자기소장에는 "검사 독자기소임"이 기입되어야 하고 검사에 의하여 서명되어야 한다.

2.5(3) Witness names and minutes.
증인들의 이름들 및 의사록.

The prosecuting attorney shall, at the time of filing such information, also file the minutes of evidence of the witnesses which shall consist of a notice in writing stating the name and occupation of each witness upon whose expected testimony the information is based, and a full and fair statement of the witness' expected testimony.

그러한 검사 독자기소장을 제출할 때에 증인들의 증거 의사록을 아울러 검사는 제출하여야 하는바, 그 예상되는 증언에 그 토대를 당해 검사 독자기소장이 두는 개개 증인의 이름을 및 직업을 밝히는 서면통지를, 그리고 당해 증인의 예상되는 완전한 및 공정한 서술을 그것은 구성한다.

2.5(4) Approval by judge.
판사에 의한 승인.

Prior to the filing of the information, it must be approved by a district judge, or a district associate judge or judicial magistrate having jurisdiction of the offense. If the judge or magistrate finds that the evidence contained in the information and the minutes of evidence, if unexplained, would warrant a conviction by the trial jury, the judge or magistrate shall approve the information which shall be promptly filed. If not approved, the charge may be presented to the grand jury for consideration. At any time after judicial approval of an information, and prior to the commencement of trial, the court, on its own motion, may order the information set aside and the case submitted to the grand jury.

검사 독자기소장을 제출하기에 앞서서 재판구 지방법원 판사에 의하여 또는 당해 범죄의 관할권을 지니는 재판구 지방법원의 배석판사에 의하여 또는 치안판사에 의하여 그것은 승인되지 않으면 안 된다. 정식사실심리 배심에 의한 한 개의 유죄판정을 검사 독자기소장에 및 증거 의사록에 포함된 증거가, 만약 그 해명되지 아니한다면 뒷받침할 것임을 판사가 또는 치안판사가 인정하면, 당해 검사 독자기소장을 당해 판사는 내지는 치안판사는 승인하여야 하는바, 그것은 신속히 제출되어야 한다. 만약 승인되지 아니하면, 당해 고발은 검토를 위하여 대배심에 제출될 수 있다. 검사 독자기소장을 취하하도록 및 당해 사건을 대배심에 회부하도록, 검사 독자기소장에 대한 법원의 승인 뒤에 및 정식사실심리의 시작 전에 언제든지, 법원은 직권으로 명령할 수 있다.

2.5(5) Indictment rules applicable.
대배심 검사기소에 관한 규칙들이 적용됨.

The information shall be drawn and construed, in matters of substance, as indictments are required to be drawn and construed. The term "indictment" embraces the trial information, and all provisions of law applying to prosecutions on indictments apply also to informations, except where otherwise provided for by statute or in these rules, or when the context requires otherwise.

실체사항들에 있어서 대배심 검사기소장들의 작성에 및 해석에 요구되는 방법에 준하여 검사 독자기소장은 작성되어야 하고 해석되어야 한다. 제정법에 의하여 내지는 이 규칙들에 의하여 달리 규정되는 경우에를 제외하고는, 또는 맥락이 달리 요구하는 경우에를 제외하고는, 정식사실심리 검사 독자기소장을 "대배심 검사기소장"이라는 용어는 포함하며, 대배심 검사기소장들에 터잡는 소송추행들에 적용되는 모든 법 규정들은 검사 독자기소장들에도 적용된다.

2.5(6) Investigation by prosecuting attorney.
검사에 의한 조사.

The clerk of the district court, on written application of the prosecuting attorney and the approval of the court, shall issue subpoenas including subpoenas duces tecum for such witnesses as the prosecuting attorney may require in investigating an offense, and in such subpoenas shall direct the appearance of said witnesses before the prosecuting attorney at a specified time and place. Such application and judicial order of approval shall be maintained by the clerk in a confidential file until a charge is filed, in which event disclosure shall be made, unless the court in an in-camera hearing orders that it be kept confidential. The prosecuting attorney shall have the authority to administer oaths to said witnesses and shall have the services of the clerk of the grand jury in those counties in which such clerk is regularly employed. The rights and responsibilities of such witnesses and any penalties for violations thereof shall otherwise be the same as a witness subpoenaed to the grand jury.

한 개의 범죄를 조사함에 있어서의 검사가 요구하는 증인들을 위하여, 문서제출명령 벌칙부소환장들을을 포함하여 벌칙부소환장들을, 검사의 서면신청에 및 법원의 승인에 따라서 재판구 지방법원의 서기는 발부하여야 하는바, 특정의 시간에의 및 장소에의 검사 앞에의 그러한 증인들의 출석을 그러한 벌칙부소환장들에서 서기는 명령하여야 한다. 그러한 신청서는 및 법원의 승인명령은 한 개의 공소장이 제출될 때까지 한 개의 비밀 파일에 서기에 의하여 보관되어야 하며, 한 개의 공소장이 제출되는 경우에는, 그것이 비밀리에 간수되게 하도록 판사실에서의 심문에서 법원이 명령하는 경우에를 제외하고는, 그러한 신청서는 및 법원의 승인명령은 공개되어야 한다. 선서들을 위 증인들에게 실시할 권한을 검사는 지니고, 대배심 서기가 정규적으로 고용되어 있는 카운티들에서의 대배심 서기의 복무들을 검사는 수령한다. 그러한 증인들의 권리들은 및 책임들은 및 그 위반행위들에 대한 벌칙들은, 여타의 점에서는 당해 대배심에 벌칙부로 소환되는 한 명의 증인의 그것들에 동일하다.

[66GA, ch 1245(2), §1301; 67GA, ch 153, §14, 15; Report 1978, effective July 1, 1979; amendment 1979; amendment 1982; amendment 1983; amended February 21, 1985, effective July 1, 1985; November 9, 2001, effective February 15, 2002; December 23, 2008, effective February 23, 2009; April 2, 2009, effective June 1, 2009]

Rule 2.6 Multiple offenses or defendants; pleading special matters.
복수의 범죄들 및 피고인들; 특별한 사항들을 주장하기.

2.6(1) Multiple offenses.
복수의 범죄들.

Two or more indictable public offenses which arise from the same transaction or occurrence or from two or more transactions or occurrences constituting parts of a common scheme or plan, when alleged and prosecuted contemporaneously, shall be alleged and prosecuted as separate counts in a single complaint, information or indictment, unless, for good cause shown, the trial court in its discretion determines otherwise. Where a public offense carries with it certain lesser included offenses, the latter should not be charged, and it is sufficient to charge that the accused committed the major offense.

동일한 행위로부터 내지는 사건으로부터 또는 두 개 이상의 행위들로부터 내지는 사건들로부터 발생하는, 공통된 획책의 내지는 계획의 부분들을 구성하는 두 개 이상의 대배심 검사기소 대상 범죄들이 동시적으로 주장되는 및 소추되는 경우에는, 단일한 소추청구장에서의, 검사 독자기소장에서의 또는 대배심 검사기소장에서의 별개의 소인들로서 그것들은 주장되어야 하고 소추되어야 하는바, 다만 증명되는 타당한 이유에 따라서 정식사실심리 법원이 그 자신의 재량으로 달리 결정하는 경우에는 그러하지 아니하다. 모종의 보다 더 경미한 한 개의 내포된 범죄들을 한 개의 범죄가 함께 지니는 경우에, 전자는 기소되어서는 안 되며, 더 중대한 범죄를 피고인이 저질렀음을 기소하면 이로써 충분하다.

COMMENT
주해

This rule is not intended to eliminate a prosecutor's discretion not to charge certain offenses at the time other offenses growing out of the same transaction or that are part of a common scheme are being charged. Nor is it intended to prevent a later charge from being filed with respect to an offense that has not initially been included. The rule is only intended to require that all contemporaneous criminal filings in which the crimes charged grow out of the same transaction or are part of a common scheme be combined in a single indictment or information. The rule will facilitate uniformity in charging practices to assure the comparability of statistical data derived from case filings and will eliminate unnecessary multiple filings which place an unnecessary administrative burden on the court system.

동일한 행위로부터 발생하는 내지는 공통의 책략의 일부인 여타의 범죄들이 기소되는 시점에서 특정 범죄들을 기소하지 아니할 검사의 재량권을 박탈하려는 의도를 이 규칙은 지니지 아니한다. 당초에 포함되지 않았었던 한 개의 범죄에 관련하여서는 추후의 기소장이 제출되지 못하도록 금지하려는 의도를 또한 그것은 지니지 아니한다. 그 기소되는 범죄들이 동일한 행위로부터 발생하는, 내지는 한 개의 공통된 책략의 일부를 구성하는, 모든 동시적 범죄의 제출사항들은 단일한 대배심 검사기소장에 또는 검사 독자기소장에 결합되어야 함을 요구하려는 의도만을 그 규칙은 지닌다. 사건 제출물들로부터 추출되는 통계자료의 비교 가능성을 확보하기 위한 기소업무 처리들에서의 통일성을 이 규칙은 촉진하고자 하는 것이고, 나아가 불필요한 행정적 부담을 법원 업무 위에 가하는 불필요한 복수의 제출들을 제거하고자 하는 것이다.

2.6(2) Prosecution and judgment.
소송추행 및 판결.

Upon prosecution for a public offense, the defendant may be convicted of either the public offense charged or an included offense, but not both.

범죄에 대한 소송추행에 따라서 기소대상인 범죄에 대하여 또는 이에 포함된 범죄에 대하여 피고인은 유죄로 판정될 수 있으나, 그 둘 다에 대하여 유죄로 판정될 수는 없다.

2.6(3) Duty of court to instruct.
법원의 설시의무.

In cases where the public offense charged may include some lesser offense it is the duty of the trial court to instruct the jury, not only as to the public offense charged but as to all lesser offenses of which the accused might be found guilty under the indictment and upon the evidence adduced, even though such instructions have not been requested.

모종의 보다 더 경미한 범죄를 그 기소된 범죄가 포함하는 경우들에서는 그 기소된 범죄에 관하여만이 아니라 당해 대배심 검사기소장 아래서 및 그 제출되는 증거에 토대하여 유죄로 피고인이 판정될 수 있는 보다 더 경미한 모든 범죄들에 관하여 배심에게 설시함은 정식사실 심리 법원의 의무인바, 그러한 설시들이 요청된 바 없는 경우에도 이는 그러하다.

2.6(4) Charging multiple defendants.
복수의 피고인들을 기소하기.

a. Multiple defendants. Two or more defendants may be charged in the same indictment, information, or complaint if they are alleged to have participated in the same act or the same transaction or occurrence out of which the offense or offenses arose. Such defendants may be charged in one or more counts together or separately, and all the defendants need not be charged in each count.

복수의 피고인들. 당해 범죄가 내지는 범죄들이 발생한 동일한 행위에 내지는 동일한 거래에 내지는 사건에, 두 명 이상의 피고인들이 가담한 것으로 주장되면, 동일한 대배심 검사기소장에서, 검사 독자기소장에서 또는 소추청구장에서 그들은 기소될 수 있다. 한 개 이상의 소인들에서 함께 또는 따로 따로 그러한 피고인들은 기소될 수 있는바, 개개 소인에서마다 피고인들 전부가 기소되어야 할 필요는 없다.

b. Prosecution and judgment. When an indictment or information jointly charges two or more defendants, those defendants may be tried jointly if in the discretion of the court a joint trial will not result in prejudice to one of the parties. Otherwise, defendants shall be tried separately. When jointly tried, defendants shall be adjudged separately on each count.

소송추행 및 판결주문. 두 명 이상의 피고인들을 한 개의 대배심 검사기소장이 또는 검사 독자기소장이 병합으로 기소하는 경우에, 병합에 의한 정식사실심리가 당사자들 중 한 명에게의 불이익으로 귀결되지 아니하리라는 것이 만약 법원의 판단이면, 피고인들은 병합으로 정식사실심리 될 수 있다. 그 밖의 경우에는 피고인들은 따로 따로 정식사실심리에 처해져야 한다. 병합으로 정식사실심리 되는 경우에 피고인들은 개개 소인에 대하여마다 따로 따로 판결되어야 한다.

c. When charged or appearing jointly, those defendants may share an interpreter if in the discretion of the court a shared interpreter will not result in prejudice to one of the parties. Otherwise, defendants shall have separate interpreters.

병합으로 기소되는 내지는 출석하는 경우에, 한 명의 공유되는 통역인이 당사자들 중 한 명에게의 불이익으로 귀결되지 아니하리라는 것이 만약 법원의 판단이면, 한 명의 통역인을 그 피고인들은 공유할 수 있다. 그 밖의 경우에는 저마다의 통역인들을 피고인들은 가져야 한다.

 2.6(5) Allegations of prior convictions.
과거의 유죄판정들의 주장들.

If the offense charged is one for which the defendant, if convicted, will be subject by reason of the Code to an increased penalty because of prior convictions, the allegation of such convictions, if any, shall be contained in the indictment. A supplemental indictment shall be prepared for the purpose of trial of the facts of the current offense only, and shall satisfy all pertinent requirements of the Code, except that it shall make no mention, directly or indirectly, of the allegation of the prior convictions, and shall be the only indictment read or otherwise presented to the jury prior to conviction of the current offense. The effect of this subrule shall be to alter the procedure for trying, in one criminal proceeding, the offenses appropriate to its provisions, and not to alter in any manner the basic elements of an offense as provided by law.

만약 기소된 범죄가 과거의 유죄판정들로 인하여 법률집에 따라서 가중된 벌칙에 피고인이 처해질 성격의 것이면, 그 있을 경우에의 그러한 유죄판정들의 주장은 대배심 검사기소장에 포함되어야 한다. 현재의 범죄만의 사실관계에 대한 정식사실심리를 위하여 한 개의 보충적 대배심 검사기소장이 작성되어야 하고, 법률집의 해당되는 요구사항들 전부를 그것은 충족하여야 하는바, 다만 과거의 유죄판정들에 대한 언급을 직접으로든 간접으로든 그것은 하여서는 안 되고, 또한 그것은 현재의 범죄의 유죄판정이 있기 전에 배심에게 낭독되는 내지는 그 밖의 방법으로 제출되는 유일한 대배심 검사기소장이어야 한다. 이 소규칙의 취지는 자신의 규정들에 적합한 범죄들을 한 개의 형사절차에서 정식사실심리 하기 위한 절차를 변경하려는 데 있을 뿐, 법에 의하여 규정되는 범죄의 기본적 요소들을 그 어떤 방법으로도 변경하려는 데 있지 아니하다.

2.6(6) Allegations of use of a dangerous weapon.
흉기사용의 주장들.

If the offense charged is one for which the defendant, if convicted, will be subject by reason of the Code See §902.7 to a minimum sentence because of use of a dangerous weapon, the allegation of such use, if any, shall be contained in the indictment. If use of a dangerous weapon is alleged as provided by this rule, and if the allegation is supported by the evidence, the court shall submit to the jury a special interrogatory concerning this matter, as provided in rule 2.22(2).

만약 기소된 범죄가 흉기의 사용으로 인하여 법률집에 따라서 최소한도 이상의 의무적 형량의 적용을 피고인이 받게 될 성격의 것이면, 그 있을 경우에의 그러한 사용의 주장은 대배심 검사기소장에 포함되어야 한다. 만약 이 규칙에 의하여 규정되는 것으로서의 흉기의 사용이 주장되면, 그리고 그 주장이 증거에 의하여 뒷받침되면, rule 2.22(2)에 규정되는 바에 따라서 이 문제에 관한 한 개의 특별질문을 배심에게 법원은 회부하여야 한다.

[Report 1980; amendment 1999; November 9, 2001, effective February 15, 2002]

2.6(7) Pleading statutes.
제정법들을 주장하기.

A pleading asserting any statute of another state, territory or jurisdiction of the United States, or a right derived therefrom, shall refer to such statute by plain designation and if such reference is made, the court shall judicially notice such statute.

합중국 별개의 주의, 준주의 또는 관할의 제정법을, 또는 거기에서 도출되는 권리를 주장하는 한 개의 주장은 그러한 제정법을 평이한 호칭에 의하여 적시하여야 하는바, 만약 그러한 적시가 이루어지면 그러한 제정법을 법원에 현저한 사실로 법원은 인정하여야 한다.

[66GA, ch 1245(2), §1301; 67GA, ch 153, §16; amendment 1980; amendment 1982; amendment 1983; Report January 24, 2000, effective March 1, 2000; November 9, 2001, effective February 15, 2002; December 22, 2003, effective November 1, 2004]

Rule 2.7 Proceedings after indictment or information.
대배심 검사기소 뒤의 또는 검사 독자기소 뒤의 절차들.

2.7(1) Issuance.
발부.

Upon the request of the prosecuting attorney the court shall issue a warrant for each defendant named in the indictment or information. The clerk shall issue a summons instead of a warrant upon the request of the prosecuting attorney or by direction of the court. The warrant or summons shall be delivered to a person authorized by law to execute or serve it. If a defendant fails to appear in response to the summons, a warrant shall issue.

대배심 검사기소장에서 내지는 검사 독자기소장에서 특정된 개개 피고인을 위한 한 개의 영장을 검사의 요청에 따라서 법원은 발부하여야 한다. 한 개의 영장을에 대신하여 한 개의 소환장을 검사의 요청에 따라서 내지는 법원의 명령에 따라서 서기는 발부하여야 한다. 그것을 집행할 내지는 송달할 권한이 법에 의하여 부여된 사람에게 영장은 내지는 소환장은 교부되어야 한다. 만약 피고인이 소환장에 응하여 출석하지 아니하면, 영장이 발부되어야 한다.

2.7(2) Form.
형식.

a. Warrant. The warrant shall be signed by the judge or clerk; it shall describe the offense charged in the indictment; and it shall command that the defendant shall be arrested and brought before the court. The amount of bail or other conditions of release may be fixed by the court and endorsed on the warrant. The warrant shall substantially comply with the form that accompanies these rules. The warrant may be served in any county in the state.

영장. 영장은 판사에 또는 서기에 의하여 서명되어야 한다; 대배심 검사기소장에서 기소된 범죄를 그것은 기술하여야 한다; 피고인을 체포하도록 및 법원 앞에 데려오도록 그것은 명령하여야 한다. 보석금의 액수는 및 여타의 석방조건들은 법원에 의하여 정해질 수 있고 영장 위에 기입될 수 있다. 이 규칙들에 따르는 형식을 대체적으로 영장은 준수하여야 한다. 영장은 주 내의 어느 카운티에서든 송달될 수 있다.

b. Summons. The summons shall be in the form described in Iowa Code section 804.2, except that it shall be signed by the clerk. A summons to a corporation shall be in the form prescribed in Iowa Code section 807.5.

소환장. 소환장은 아이오와주 법률집 제804.2절에 규정된 형식이어야 하는바, 다만 그것은 서기에 의하여 서명되어야 한다. 법인에 대한 소환장은 아이오와주 법률집 제807.5절에 규정된 형식이어야 한다.

2.7(3) Execution, service, and return.
집행, 송달, 그리고 보고.

a. Execution or service. The warrant shall be executed or the summons served as provided in Iowa Code chapter 804. Upon the return of an indictment or upon the filing of trial information against a person confined in any penal institution, the court to which such indictment is returned may enter an order directing that such person be produced before it for trial. The sheriff shall execute such order by serving a copy thereof on the warden having such accused person in custody and thereupon such person shall be delivered to such sheriff and conveyed to the place of trial.

집행 또는 송달. 아이오와주 법률집 제804절에 규정된 바에 따라서 영장은 집행되어야 하거나 소환장은 송달되어야 한다. 구금시설에 구금된 사람에 대한 대배심 검사기소장의 제출에 따라서 또는 정식사실심리 검사 독자기소장의 제출에 따라서 정식사실심리를 위하여 그러한 사람을 자신 앞에 제출하도록 지시하는 한 개의 명령을 그러한 대배심 검사기소장이 제출된 법원은 기입할 수 있다. 그러한 구금된 피고인을 보호하고 있는 교도소장에게 그러한 명령의 사본을 송달함에 의하여 그 명령을 집행관은 집행하여야 하는바, 이에 따라서 그러한 사람은 그러한 집행관에게 인도되어야 하고 정식사실심리 장소에 운반되어야 한다.

b. Return. The officer executing a warrant, or the person to whom a summons was delivered for service shall make return thereof to the court.

보고. 영장을 집행하는 공무원은 또는 송달을 위하여 소환장을 교부받는 사람은 그 보고를 법원에 하여야 한다.

[66GA, ch 1245(2), §1301; 67GA, ch 153, §17, 18; amendment 1983; Report November 9, 2001, effective February 15, 2002]

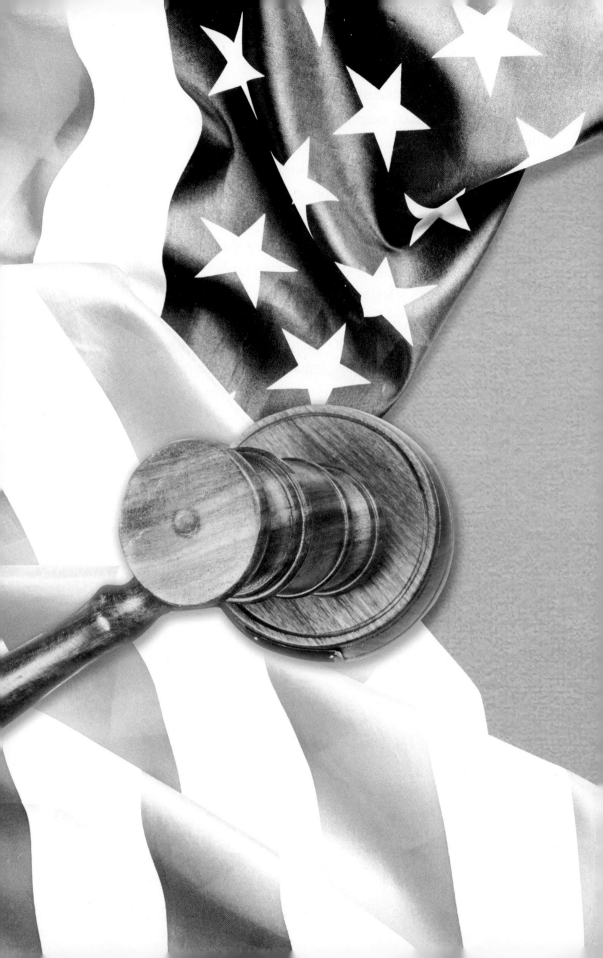

아칸자스주
배심 규정

아칸자스주
배심 규정

https://law.justia.com/codes/arkansas/2019/title-16/subtitle-3/chapter-30/

2019 Arkansas Code

Title 16 - Practice, Procedure, and Courts

업무처리방법, 절차, 그리고 법원들

Subtitle 3 - Juries and Jurors

배심들 및 배심원들

Chapter 30 - General Provisions
일반적 규정들

- Tit. 16, Subtit. 3., Ch. 30 Note

- § 16-30-101. Multijudge and Divided Circuits

- § 16-30-102. Alternate Jurors

- § 16-30-103. Oaths

- § 16-30-104. Contractual Waiver of Jury Trial

https://law.justia.com/codes/arkansas/2019/title-16/subtitle-3/chapter-30/tit-16-subtit-3-ch-30-note/

Tit. 16, Subtit. 3., Ch. 30 Note

• Tit. 16, Subtit. 3., Ch. 30 Note

https://law.justia.com/codes/arkansas/2019/title-16/subtitle-3/chapter-30/section-16-30-101/

§ 16-30-101. Multijudge and Divided Circuits
판사들이 복수인 및 분할된 순회구들

Universal Citation: AR Code § 16-30-101 (2019)

일반적 인용: AR Code § 16-30-101 (2019)

(a) In multijudge circuits, the circuit judges may select one (1) of their number to perform any of the duties imposed upon a judge by this act.

판사들이 복수인 순회구들에서 순회구 판사들은 자신들 중 한 명을 선정하여 이 법률에 의하여 판사에게 부과되는 의무들을 수행하게 할 수 있다.

(b) Divisions of any circuit court may either have separate jurors, or the circuit judges by concurrence may share a single jury wheel or box or a single list of jurors.

따로따로의 배심원들을 순회구 지방법원의 부(部)들은 가질 수 있거나 또는 한 개의 단일한 배심원후보 명부 저장장치를 내지는 배심원후보상자를 또는 단일한 배심원 명부를 합의로써 순회구 지방법원 판사들은 공유할 수 있다.

§ 16-30-102. Alternate Jurors
예비배심원들

Universal Citation: AR Code § 16-30-102 (2019)

일반적 인용: AR Code § 16-30-102 (2019)

(a) When in the discretion of the court it shall be deemed advisable in the interests of the furtherance of justice, the court may direct that not more than three (3) jurors in addition to the regular jury be called and impaneled to sit as alternate jurors. Alternate jurors, in the order in which they are called, shall replace jurors who, prior to the time the jury retires to consider its verdict, become unable or disqualified to perform their duties.

사법촉진의 이익들을 위하여 그 타당하다고 법원의 재량 내에서 간주되는 경우에, 정규 배심에 추가하여 3명 이하의 배심원들이 소환되도록 및 예비배심원들로서 충원되어 착석하도록, 법원은 명령할 수 있다. 그 자신의 평결을 검토하기 위하여 배심이 물러가기 전에 그들의 임무들을 수행할 수 없게 되는 또는 결격이 되는 배심원들을, 예비배심원들은 그 소환되는 순서에 따라서 대체하여야 한다.

(b) Alternate jurors shall be drawn in the same manner, shall have the same qualifications, shall be subject to the same examinations and challenges, shall take the same oath, and shall have the same functions, powers, facilities, and privileges as the regular jurors. An alternate juror who does not replace a regular juror shall be discharged after the jury retires to consider its verdict.

예비배심원들은 정규배심원들이 추출되는 방법에의 동일한 방법으로 추출되어야 하고, 정규배심원들이 지니는 자격조건들에의 동일한 자격조건들을 지녀야 하며, 정규배심원들이 처해되는 신문들에의 및 기피사유들에의 동일한 신문들에 및 기피사유들에 처해져야 하고, 정규배심원들이 하여야 하는 선서에의 동일한 선서를 하여야 하며, 정규배심원들이 보유하는 기능들에의, 권한들에의, 편의들에의, 그리고 특권들에의 동일한 기능들을, 권한들을, 편의들을, 그리고 특권들을 보유하여야 한다. 한 명의 정규배심원을 대체하지 아니하는 예비배심원은 배심 자신의 평결을 검토하기 위하여 배심이 물러간 뒤에 해임되어야 한다.

(c) Each opposing side shall be entitled to one (1) peremptory challenge in addition to those otherwise allowed by law. The additional peremptory challenges may be used against an alternate juror only, and the other peremptory challenges allowed by these rules by this section may not be used against an alternate juror.

달리 법에 의하여 허용되는 무이유부 기피들을에 더하여 한 번의 무이유부 기피를, 할 권리를 개개 반대 측 당사자는 지닌다. 추가적 무이유부 기피들은 예비배심원에 대하여만 사용될 수 있고, 이 절에 의하여 이 규칙들에 의하여 허용되는 나머지 무이유부기피들은 예비배심원에 대하여는 사용될 수 없다.

https://law.justia.com/codes/arkansas/2019/title-16/subtitle-3/chapter-30/section-16-30-103/

§ 16-30-103. Oaths
선서들

Universal Citation: AR Code § 16-30-103 (2019)

일반적 인용: AR Code § 16-30-103 (2019)

(a) The following oath, in substance, shall be administered to the grand jurors: "Saving yourselves and fellow jurors, you do swear that you will diligently inquire of, and present all treasons, felonies, misdemeanors, and breaches of the penal laws over which you have jurisdiction, of which you have knowledge or may receive information."

대배심원들에게는 대체로 아래의 선서가 실시되어야 한다: "귀하께와 동료 배심원들께 경의를 표하는바, 귀하가 그 지식을 지니는 또는 정보를 수령할 수 있는, 귀하의 관할 내의 모든 반역죄들을, 중죄들을, 경죄들을, 그리고 형사법들에 대한 위반들을 근면하게 파헤치기로 및 고발하기로 귀하는 선서합니다."

(b) Petit jurors upon being impaneled pursuant to this act shall take the following oath:

아래의 선서를 이 법률에 따라서 충원구성되는 즉시로 소배심원들은 하여야 한다:

"I do solemnly swear (or affirm) that I will well and truly try each and all of the issues submitted to me as a juror and a true verdict render according to the law and the evidence."

"한 명의 배심원으로서 나에게 제출되는 개개의 모든 쟁점들을 충실하게 및 진실되게 심리할 것임을 및 법에 따라서 및 증거에 따라서 진실한 평결을 제출할 것임을 나는 엄숙하게 선서한다(또는 무선서로 확약한다)."

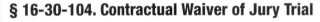

https://law.justia.com/codes/arkansas/2019/title-16/subtitle-3/chapter-30/section-16-30-104/

§ 16-30-104. Contractual Waiver of Jury Trial
배심에 의한 정식사실심리에 대한 계약에 의한 포기

Universal Citation: AR Code § 16-30-104 (2019)
일반적 인용: AR Code § 16-30-104 (2019)

A written provision in a contract to borrow money or to lend money in which the parties agree to waive their respective rights to a trial by jury under Arkansas Constitution, Article 2, § 7, is valid and enforceable except upon those grounds that exist at law or in equity for the revocation of any contract.

아칸자스주 헌법 제2조 제7절 아래서의 배심에 의한 정식사실심리를 받을 각자의 권리들을 포기하기로 당사자들이 합의하는 돈을 꾸기로 하는 또는 돈을 꾸어주기로 하는 한 개의 계약에서의 서면규정은, 보통법에 또는 형평법에 존재하는 계약취소 사유들에 따라서를 제외하고는, 유효하고 집행력을 지닌다.

2019 Arkansas Code

Title 16 - Practice, Procedure, and Courts

Subtitle 3 - Juries and Jurors

Chapter 31 - Juror Qualifications and Exemptions

배심원 자격조건들 및 제외사유들

• Tit. 16, Subtit. 3., Ch. 31 Note

• § 16-31-101. Qualifications

• § 16-31-102. Disqualifications

• § 16-31-103. Exemptions From Service

• § 16-31-104. Limitations on Frequency and Period of Service

• § 16-31-105. Exemption From Overtime Parking Penalties

• § 16-31-106. Penalty for Employees' Service Prohibited

• § 16-31-107. Effect of Unqualified Juror Upon Verdict or Indictment

• § 16-31-108. Interpreters for Visually or Hearing Impaired Jurors

Chapter 31 - Juror Qualifications and Exemptions

Tit. 16, Subtit. 3., Ch. 31 Note

• Tit. 16, Subtit. 3., Ch. 31 Note

§ 16-31-101. Qualifications
자격조건들

Universal Citation: AR Code § 16-31-101 (2019)

일반적 인용: AR Code § 16-31-101 (2019)

Every registered voter or, in counties where an enhanced prospective jury list is utilized, every registered voter, licensed driver, or person issued an identification card under § 27-16-805 who is a citizen of the United States and a resident of the State of Arkansas and of the county in which he or she may be summoned for jury service is legally qualified to act as a grand or petit juror if not otherwise disqualified under the express provisions of this act.

모든 등록투표권자는, 또는 한 개의 증강된 배심원후보 명부가 사용되는 카운티들에서의 모든 등록투표권자는, 면허운전자는, 합중국 시민으로서 및 아칸자스주의 및 배심복무를 위하여 그가 또는 그녀가 소환되는 카운티의 거주자로서 제27-16-805절 아래서의 신분증을 발급받은 사람은, 달리 이 법률의 명시적 규정들 아래서 결격으로 인정되는 경우에를 제외하고는, 대배심원으로서 또는 소배심원으로서 행동할 자격을 법적으로 지닌다.

§ 16-31-102. Disqualifications
결격사유들

Universal Citation: AR Code § 16-31-102 (2019)

일반적 인용: AR Code § 16-31-102 (2019)

(a) The following persons are disqualified to act as grand or petit jurors:

아래의 사람들은 대배심원들로서 또는 소배심원들로서 행동할 자격이 없다:

(1) Persons who do not meet the qualifications of § 16-31-101;

제16-131-101절의 자격조건들을 충족하지 못하는 사람들;

(2) Persons who are unable to speak or understand the English language;

영어를 말할 수 또는 이해할 수 없는 사람들;

(3) Persons who are unable to read or write the English language, except that the circuit judge, in the exercise of his discretion, may waive these requirements when the persons are otherwise found to be capable of performing the duties of jurors;

배심원들의 임무들을 그 사람들이 여타의 방법으로 이행할 수 있다고 판단되는 경우에 이 요구들을 순회구 지방법원 판사가 그의 재량의 행사 내에서 포기할 수 있음을 제외하고는, 영어를 읽을 수 또는 쓸 수 없는 사람들;

(4) Persons who have been convicted of a felony and have not been pardoned;

중죄에 대하여 유죄로 판정되고서 사면되지 아니한 사람들;

(5) Persons who are:

아래의 사람들:

(A) Not of good character or approved integrity;

좋지 못한 성격의, 또는 증명된 성실을 갖추지 못한, 사람들;

(B) Lacking in sound judgment or reasonable information;

건전한 판단력을 내지는 합리적 지식을 결여하는 사람들;

(C) Intemperate; or

무절제한 사람들; 또는

(D) Not of good behavior;

좋지 못한 품행의 사람들;

(6) Persons who, by reason of a physical or mental disability, are unable to render satisfactory jury service, except that no person shall be disqualified solely on the basis of loss of hearing or sight in any degree; and

정도 여하를 불문하고 청각의 내지는 시각의 상실만을 이유로 하여서는 어느 누구가도 결격이 되지 아니함을 제외하고, 만족스러운 배심복무를 신체적 내지는 정신적 장애로 인하여 제공할 수 없는 사람들; 그리고

(7) Persons who are less than eighteen (18) years of age at the time they are required to appear.

그 출석하도록 요구되는 당시에 18세 미만인 사람들.

(b) Except by the consent of all the parties, no person shall serve as a petit juror in any case who:

당사자들 전원의 동의에 의하여를 제외하고는 아래에 해당하는 사람은 어떤 사건에서도 소배심원으로 복무하여서는 안 된다:

(1) Is related to any party or attorney in the cause within the fourth degree of consanguinity or affinity;

당해 사건의 어느 당사자에게든 내지는 변호사/검사에게든 4촌 이내의 혈족관계로 또는 인척관계로 연결되는 사람;

(2) Is expected to appear as a witness or has been summoned to appear as a witness in the cause;

당해 사건에서의 증인으로 출석할 것으로 예상되는 사람 또는 출석하도록 소환되어 있는 사람;

(3) Has formed or expressed an opinion concerning the matter in controversy which may influence his judgment;

다툼에 놓인 사안에 관련하여 그의 판단에 영향을 미칠 수 있는 견해를 형성한 터인 또는 표명한 터인 사람;

(4) May have a material interest in the outcome of the case;

사건의 결과에 중대한 이익을 지닐 수 있는 사람;

(5) Is biased or prejudiced for or against any party to the cause or is prevented by any relationship or circumstance from acting impartially; or

당해 사건의 어느 당사자에게든 유리하게 또는 불리하게 치우쳐 있는 또는 편견을 지닌, 또는 공정하게 행동할 수 없게끔 관계에 의하여 또는 상황에 의하여 방해를 받는 사람; 또는

(6) Was a petit juror in a former trial of the cause or of another case involving any of the same questions of fact.

당해 사건의 또는 동일한 사실문제를 포함하는 다른 사건의 과거의 정식사실심리에서의 소배심원이었던 사람.

(c) Nothing in this section shall limit a court's discretion and obligation to strike jurors for cause for any reason other than solely because of sight or hearing impairment.

시각의 내지는 청각의 손상만을 이유로 하는 경우에를 제외하고 그 밖의 어떤 이유로든, 배심원들을 이유부로 삭제할 법원의 재량권을 및 의무를 이 절 안의 것은 제한하지 아니한다.

https://law.justia.com/codes/arkansas/2019/title-16/subtitle-3/chapter-31/section-16-31-103/

§ 16-31-103. Exemptions From Service
복무로부터의 제외사유들

Universal Citation: AR Code § 16-31-103 (2019)

일반적 인용: AR Code § 16-31-103 (2019)

Any person may be excused from serving as a grand or petit juror or a jury commissioner for such period as the court deems necessary or may have his service deferred to another specified term of court when the state of his health or that of his family reasonably requires his absence, or when, for any reason, his own interests or those of the public will, in the opinion of the court, be materially injured by his attendance.

대배심원으로 또는 소배심원으로 또는 배심위원으로 복무함으로부터, 그 필요하다고 법원이 간주하는 기간 동안, 어느 누구든지는 면제될 수 있고, 또는 그의 결석을 그의 또는 그의 가족의 건강상태가 합리적으로 요구하는 경우에는, 또는 어떤 이유로든 그의 출석에 의하여 그 자신의 또는 공중의 이익들이 중대하게 손상될 것이라는 것이 법원의 의견인 경우에는, 그의 복무를 별도의 특정된 법원 개정기로 어느 누구든지는 연기받을 수 있다.

https://law.justia.com/codes/arkansas/2019/title-16/subtitle-3/chapter-31/section-16-31-104/

§ 16-31-104. Limitations on Frequency and Period of Service
복무의 빈도에 및 기간에 대한 제한들

Universal Citation: AR Code § 16-31-104 (2019)

일반적 인용: AR Code § 16-31-104 (2019)

(a) Any person who is sworn as a member of a grand or petit jury shall be ineligible to serve on another grand or petit jury in the same county for a period of two (2) years from the date the person is excused from further jury service by the court or by operation of law.

대배심의 또는 소배심의 배심원으로서 선서절차에 처해진 어느 누구든지는 법원에 의하여 또는 법의 작용으로 인하여 더 이상의 복무로부터 면제되는 날로부터 2년 동안 동일 카운티의 다른 대배심에 또는 소배심에 복무하도록 뽑힐 수 없다.

(b) No petit juror shall be required to report for jury duty on more than ten (10) days or for more than a four-month period during the calendar year for which he or she is selected, except that any juror actually engaged in the trial of a case at the time of the expiration of the period of permitted service shall serve until the trial of the case is concluded.

그가 또는 그녀가 선정되는 역년 동안에 10일을 초과하도록은 또는 4개월 기간을 넘도록은 배심의무를 위하여 출석하도록 소배심원은 요구되지 아니하는바, 다만 그 허용되는 복무의 기간만료 당시에 한 개의 사건의 정식사실심리에 실제로 투입되어 있는 배심원은 그 사건의 정식사실심리가 끝날 때까지 복무하여야 한다.

(c) A summons to serve on jury duty shall include a description of the maximum periods of service under this section.

이 절 아래서의 복무의 최대기간들에 대한 설명을 배심의무에의 복무를 위한 소환장은 포함하여야 한다.

https://law.justia.com/codes/arkansas/2019/title-16/subtitle-3/chapter-31/section-16-31-105/

§ 16-31-105. Exemption From Overtime Parking Penalties
시간초과 주차위반 벌칙들로부터의 제외

Universal Citation: AR Code § 16-31-105 (2019)
일반적 인용: AR Code § 16-31-105 (2019)

(a) No person shall be subject to a fine or other penalty for the offense of over-time parking incurred while the person is engaged in actual service as a grand or petit juror in any court, federal or state, in this state.

연방법원에서를 또는 주 법원에서를 막론하고 이 주 내의 어느 법원에서든지의 대배심원으로서의 또는 소배심원으로서의 실제의 복무에 투입되어 있는 동안에 발생한 시간초과 주차위반에 대하여 벌금에 내지는 그 밖의 벌칙에 사람은 처해지지 아니한다.

(b) The person may evidence the fact of jury service by exhibiting to the appropriate official of the city or town offended by the violation a certificate of the clerk of the court similar to the form now in use to the effect that the person was engaged in jury service on the date of the violation and the hours of actual service.

당해 위반의 날에 및 그 실제의 복무시간에 배심복무에 그 사람이 투입되었다는 취지의, 지금 사용되고 있는 서식에 유사한 법원서기의 증명서를, 그 위반에 의하여 침해를 입은 시티의 또는 타운의 적절한 공무원에게 제시함에 의하여 그 배심복무의 사실을 그 사람은 증명할 수 있다.

(c) Any person attempting to enforce any fine or other penalty notwithstanding the provisions of this section shall be subject to contempt proceedings before the judge of the court being served by the person so charged.

이 절의 규정들에도 불구하고 벌금을 내지는 여타의 벌칙을 집행하고자 시도하는 사람은, 그렇게 집행 당하는 사람이 복무한 법원의 판사 앞에서의 법원모독 절차들에 처해진다.

(d) Nothing contained in this section shall be construed to give immunity from fine or penalty other than for the offense of overtime parking.

시간초과 주차위반 이외의 위반에 대한 벌금으로부터의 내지는 벌칙으로부터의 면제를 부여하는 것으로는 이 절에 포함된 것은 해석되지 아니한다.

§ 16-31-106. Penalty for Employees' Service Prohibited
복무를 이유로 하는 피용자의 불이익은 금지됨

Universal Citation: AR Code § 16-31-106 (2019)

일반적 인용: AR Code § 16-31-106 (2019)

(a)

(1) Any person who is summoned to serve on jury duty shall not be subject to discharge from employment, loss of sick leave, loss of vacation time, or any other form of penalty as a result of his or her absence from employment due to jury duty, upon giving reasonable notice to his or her employer of the summons.

배심의무에 복무하도록 소환되는 사람은 소환장에 대한 그의 내지는 그녀의 고용주에게의 합리적 통지를 제공하면, 배심의무로 인한 그의 내지는 그녀의 결근의 결과로서의 해고에, 병가의 상실에, 휴가기간의 상실에, 또는 그 밖의 형태의 불이익에 처해지지 아니한다.

(2) No employer shall subject an employee to discharge, loss of sick leave, loss of vacation time, or any other form of penalty on account of his or her absence from employment by reason of jury duty.

배심의무로 말미암은 피용자의 결근을 이유로 해서는 그를 내지는 그녀를 해고에, 병가의 상실에, 휴가기간의 상실에, 또는 그 밖의 형태의 불이익에 고용주는 처해서는 안 된다.

(b) Any person violating the provisions of this section shall be guilty of a Class A misdemeanor.

이 절의 규정들을 위반하는 사람은 A급 경죄를 저지르는 것이 된다.

§ 16-31-107. Effect of Unqualified Juror Upon Verdict or Indictment
결격인 배심원이 평결에 또는 대배심 검사기소장에 미치는 효과

Universal Citation: AR Code § 16-31-107 (2019)

일반적 인용: AR Code § 16-31-107 (2019)

No verdict or indictment shall be void or voidable because any juror shall fail to possess any of the qualifications required in this act unless a juror shall knowingly answer falsely any question on voir dire relating to his qualifications propounded by the court or counsel in any cause. A juror who shall knowingly fail to respond audibly or otherwise as is required by the circumstances to make his position known to the court or counsel in response to any question propounded by the court or counsel, the answer to which would reveal a disqualification on the part of the juror, shall be deemed to have answered falsely.

배심원자격 예비심문에서의 그의 자격조건들에 관련되는, 법원에 의하여 또는 변호사에 의하여 제기되는 어떤 질문에 대하여든 허위의 답변을 어떤 사건에서든 배심원이 고의로 하는 경우에를 제외하고는, 이 법률에서 요구되는 자격조건들 중 어느 한 가지를이라도 어느 한 명의 배심원이가라도 보유하지 못하였음을 이유로 해서는, 평결은 내지는 대배심 검사기소장은 무효가 되어서도 안 되고 무효화될 수 있어서도 안 된다. 법원에 의하여 또는 변호사에 의하여 제기되는 질문에 응수하여, 그 들릴 수 있게끔 응답하기를, 또는 달리 그의 입장을 법원에게 또는 변호사에게 밝히도록 상황들에 의하여 요구되는 대로 응답하기를, 고의로 불이행하는 배심원은, 당해 배심원 쪽의 한 개의 결격사유를 만약 그 응답이 드러내 주었을 만하였던 경우에는, 허위로 답변한 것으로 간주되어야 한다.

§ 16-31-108. Interpreters for Visually or Hearing Impaired Jurors
시각이 또는 청각이 손상된 배심원들을 위한 통역인들

Universal Citation: AR Code § 16-31-108 (2019)

일반적 인용: AR Code § 16-31-108 (2019)

(a)

(1)

(A) The state, through the Administrative Office of the Courts, shall provide and pay the cost of reasonable accommodations for the hearing and visually impaired when necessary to enable a person with those disabilities to act as a venireperson or juror.

시각 손상의 또는 청각 손상의 장애들을 지닌 사람으로 하여금 한 명의 배심소집 대상자로서 또는 배심원(후보)으로서 행동할 수 있게 하기 위하여 필요한 경우에, 그러한 장애들을 지닌 사람들을 위한 합리적 편의들의 비용을 법원사무처를 통하여 주는 제공하여야 하고 지급하여야 한다.

(B) Such accommodations may include a qualified sign language interpreter, real-time captioning, or other reasonable auxiliary aid for the hearing impaired or a reader for the visually impaired.

청각 장애인을 위한 자격을 갖춘 수화통역인을, 실시간 자막제공자를, 또는 그 밖의 합리적 보조자를, 또는 시각 장애인을 위한 낭독자를 그러한 편의들은 포함할 수 있다.

(C) In the event the juror indicates that he or she can be accommodated by several means, the Administrative Office of the Courts may consider the cost and availability of each accommodation when deciding which to provide.

그 자신에게 또는 그녀 자신에게 제공될 수 있는 편의들에 여러 가지 방법들이 있음을 배심원이 나타내는 경우에, 어느 것을 제공할지를 결정함에 있어서 개개 편의의 비용을 및 제공 가능성을 법원사무처는 고려할 수 있다.

(2) The interpreter, the person writing real-time captioning, and the reader, when necessary, shall be present throughout jury service, the trial, and when the jury assembles for deliberation.

그 필요한 경우에의 통역인은, 실시간 자막 제공자는, 그리고 낭독자는 배심복무의, 정식사실심리의 및, 그리고 숙의를 위하여 배심이 모일 때의 등 그 전체를 통하여 출석해 있어야 한다.

(b)

(1) Whenever a sign language interpreter, real-time captioning, or a reader is utilized in judicial proceedings or in jury deliberations, the court will administer an oath to the interpreter, the person writing the real-time captioning, and the reader, to ensure objective and unbiased translation and complete confidentiality of the proceedings.

객관적인 및 공평한 통역을 및 절차들의 완전한 비밀을 확보하기 위한 선서를, 사법절차들에서 또는 배심 숙의들에서 수화통역인이, 실시간 자막제공자가, 또는 낭독자가 사용되는 때에는 언제든지, 그 통역인에게, 자막제공자에게, 그리고 낭독자에게 법원은 실시하여야 한다.

(2) The court shall also instruct the interpreter, the person writing the real-time captioning, and the reader to make a true and complete translation of all testimony and other relevant colloquy to the best of his ability.

모든 증언에 대한 및 그 밖의 관련 있는 대화에 대한 그의 최선의 능력껏의 진실한 및 완전한 통역을 하도록 통역인에게, 실시간 자막제공자에게, 그리고 낭독자에게 법원은 아울러 명령하여야 한다.

(3) The court shall further instruct the interpreter, the person writing the real-time captioning, and the reader to refrain from participating in any manner in the deliberations of the jury, except for the complete translations of jurors' remarks made during deliberations.

숙의들 동안에 이루어지는 배심원들의 발언들에 대한 완전한 통역들을 위하여를 제외하고는, 배심의 숙의들에 어떤 방법으로든 참여함을 삼가도록, 통역인에게, 실시간 자막 제공자에게, 그리고 낭독자에게 추가로 법원은 명령하여야 한다

(c) The verdict of the jury shall be valid notwithstanding the presence of the interpreter during deliberations.

숙의들 동안의 통역인의 출석에도 불구하고 배심의 평결은 유효하다.

https://law.justia.com/codes/arkansas/2019/title-16/subtitle-3/chapter-32/

2019 Arkansas Code

Title 16 - Practice, Procedure, and Courts

Subtitle 3 - Juries and Jurors

Chapter 32 - Selection and Attendance
선정 및 출석

- Tit. 16, Subtit. 3., Ch. 32 Note

- Subchapter 1 - General Provisions

- Subchapter 2 - Criminal Proceedings

- Subchapter 3 - Enhanced Prospective Juror Pool

https://law.justia.com/codes/arkansas/2019/title-16/subtitle-3/chapter-32/tit-16-subtit-3-ch-32-note/

Tit. 16, Subtit. 3., Ch. 32 Note

- Tit. 16, Subtit. 3., Ch. 32 Note

Subchapter 1 - General Provisions
총칙

- Tit. 16, Subtit. 3., Ch. 32, Subch. 1 Note

- § 16-32-101. Selection Pursuant to Act Required - Waiver

- § 16-32-102. [repealed.]

- § 16-32-103. Master List

- § 16-32-104. Jury Wheel or Box

- § 16-32-105. Drawing for Petit Jurors

- § 16-32-106. Summons of Petit Jurors

- § 16-32-107. Excess Number of Jurors Drawn and Listed

- § 16-32-108. Additional Jurors

- § 16-32-109. Selection Upon Challenge by Litigant

- § 16-32-110. Electronic Random Selection

- § 16-32-111. Confidentiality of Juror Information - Definition

Tit. 16, Subtit. 3., Ch. 32, Subch. 1 Note
- Tit. 16, Subtit. 3., Ch. 32, Subch. 1 Note

§ 16-32-101. Selection Pursuant to Act Required – Waiver
법률에 따른 선정이 요구됨 – 포기의 경우

Universal Citation: AR Code § 16-32-101 (2019)

일반적 인용: AR Code § 16-32-101 (2019)

No person shall be summoned to serve as a grand or petit juror who has not been selected under the provisions of this act unless this requirement is waived by the parties.

이 법률의 규정들 아래서 선정되지 아니한 사람은 대배심원으로 또는 소배심원으로 복무하도록 소환되지 아니하는바, 당사자들에 의하여 이 요구가 포기되는 경우에는 그러하지 아니하다.

§ 16-32-103. Master List
종합명부

Universal Citation: AR Code § 16-32-103 (2019)

일반적 규정: AR Code § 16-32-103 (2019)

(a) During the month of November or December of each year, the prospective jurors for the following calendar year shall be selected from among the current list of registered voters of the applicable district or county in the following manner:

매년 11월 중에 또는 12월 중에 해당 재판구의 내지는 카운티의 현행 등록 유권자명부로부터 아래의 방법으로 차기연도를 위한 배심원후보들은 선정되어야 한다:

(1) The circuit judge, in the presence of the circuit clerk, shall select at random a number between one (1) and one hundred (100), inclusive, which shall be the starting number, and the circuit court shall then select the person whose name appears on the current voter registration list in that numerical position, counting sequentially from the first name on the list;

출발숫자가 될, 1부터 100(포함)까지 사이의 한 개의 숫자를, 순회구 지방법원 서기의 출석 가운데서 순회구 지방법원 판사는 무작위로 선정하여야 하고, 그 다음에는 그 명부 상의 첫 번째 이름으로부터 연속적으로 세어서 현행의 등록 유권자명부 위의 당해 숫자에 해당하는 자리에 그 이름이 나타나는 사람을 순회구 지방법원은 선정하여야 한다.

(2) The circuit clerk shall then select the one hundredth voter registrant appearing on the list after the starting number. As an example, if the starting number is sixty-seven (67), which is the first selection, the second selection would be the one hundred sixty-seventh registered voter, the third selection would be the two hundred sixty-seventh registered voter, and so forth until the current registered voter list is exhausted; and

출발숫자 뒤의 명부 위에 나타나는 100번째 등록유권자를 순회구 지방법원 서기는 그 다음에 선정하여야 한다. 예를 들면, 만약 출발숫자가 67이면, 그것이 첫 번째 선정대상이고, 두 번째 선정대상은 167번째 등록유권자이며, 세 번째 선정대상은 267번째 등록유권자이고, 현행의 등록 유권자명부가 소진될 때까지 계속 그렇게 진행한다; 그리고

(3) The circuit judge and the circuit clerk shall then repeat the random selection process until the number of jurors set out in this subsection have been selected.

그 무작위 선정과정을, 이 소절에 규정되는 배심원(후보)들의 숫자가 선정되고 났을 때까지, 순회구 지방법원 판사는 및 순회구 지방법원 서기는 그 뒤에 반복하여야 한다.

(b) The number of persons to be selected shall be based upon the number of qualified registered voters in the appropriate district or county as reflected by the current list of registered voters provided by the county clerk under legal requirements and, unless a larger number is designated by the circuit judge, the minimum number selected shall be as follows:

선정되어야 할 사람들의 숫자는, 법적 요구들에 따라서 카운티 서기에 의하여 제공되는 현행의 등록 유권자명부에 반영된 것으로서의 해당 재판구에서의 또는 카운티에서의 유자격 등록유권자들의 숫자를 토대로 하는 것이어야 하는바, 순회구 지방법원 판사에 의하여 더 큰 숫자가 지정되는 경우에를 제외하고는, 그 선정되어야 할 최소 숫자는 아래에 따른다:

• Document 1

https://statecodesfiles.justia.com/arkansas/2019/title-16/subtitle-3/chapter-32/subchapter-1/section-16-32-103/attachment-1/attachment-1.pdf?ts=1595008329

Number of Registered Voters 등록 유권자들의 숫자	Minimum Number of Prospective Petit Jurors 소배심원후보들의 숫자	Minimum Number of Prospective Grand Jurors 대배심원후보들의 최소숫자
90,000 or more	1,200	120
16,000 to 89,999	1,000	100
10,000 to 15,999	800	90
6,000 to 9,999	600	75
2,000 to 5,999	500	75
0 to 1,999	250 or 50% of the registered voters, whichever is smaller 250의 또는 등록유권자들의 50%의 그 둘 중 더 적은 쪽	

(c)

(1) After the list of prospective jurors has been submitted by the circuit clerk, the circuit judge may, in the exercise of his or her discretion, authorize clerical assistance in preparing the alphabetized master list and separate cards, chips, disks, or other appropriate means of including the names and addresses of the prospective jurors in the wheel or box.

알파벳 순의 종합명부를 및 개별 뽑기카드들을, 뽑기조각들을, 뽑기원판들을 조제함에 있어서의, 또는 배심원후보들의 이름들을 및 주소들을 배심원후보 명부 저장장치에 또는 배심원후보상자에 포함시킬 그 밖의 적절한 수단을 조제함에 있어서의 사무적 조력을, 순회구 지방법원 서기에 의하여 배심원후보들의 명부가 제출되고 난 뒤에, 순회구 지방법원 판사는 그의 내지는 그녀의 재량권의 행사 속에서 허가할 수 있다.

(2) The expense of this clerical help shall be paid by the county as an expense of the administration of justice.

이 사무적 조력의 비용은 사법운영의 비용으로서 카운티에 의하여 지급되어야 한다.

(3) Clerical employees shall take the following oath: "I will not make known to anyone the names of the prospective jurors who have been selected and I will not, directly or indirectly, converse with anyone selected as a juror concerning the merits of any proceeding pending or likely to come before the grand jury or court until after the case is tried or otherwise finally disposed of."

아래의 선서를 사무적 피용자들은 하여야 한다: "그 선정된 배심원후보들의 이름들을 누구에게도 저는 발설하지 아니하겠으며, 대배심 앞에 또는 법원 앞에 걸려 있는 또는 올 소지가 있는 절차의 본안에 관하여, 당해 사건이 정식사실심리 되고 났을 때까지 또는 달리 종국적으로 처분되고 났을 때까지, 배심원(후보)으로 선정되는 어느 누구에 더불어서도 직적으로든 간접으로든 저는 대화하지 아니하겠습니다."

(d) Subsections (a)-(c) of this section shall be applicable to all circuit courts and counties within the state that are not using a computerized random jury selection process.

컴퓨터 처리된 무작위 배심선정 과정을 사용하고 있지 아니한 이 주의 모든 순회구 지방법원들에 및 카운티들에 이 절의 소절 (a)부터 (c)까지는 적용된다.

(e)

(1)

(A) All circuit clerks who maintain on computers voter registration lists or the enhanced list of prospective jurors authorized by § 16-32-302, whether in-house or contracted, may utilize the computers and associated equipment for the purpose of selecting jury panels from the voter registration lists or the enhanced list of prospective jurors instead of compiling a master list under subsections (a)-(c) of this section if the computer program is capable of randomly selecting names for the jury panels from the voter registration lists or enhanced list of prospective jurors.

등록 유권자명부들을 또는 제16-32-302절에 의하여 허용되는 증강된 배심원후보 명부를 청사 내에서의든 또는 계약에 의한 것으로서의든 컴퓨터들 위에 보관하는 모든 순회구 지방법원 서기들은, 배심원(후보)단들을 위한 이름들의, 등록 유권자명부들로부터의 내지는 증강된 배심원후보들 명부로부터의 무작위 선정을 만약 그 컴퓨터 프로그램이 할 수 있으면, 배심원(후보)단들을 등록 유권자명부들로부터 또는 배심원후보들의 증강된 명부로부터 선정하기 위하여 이 절의 소절 (a)부터 (c)까지 아래서의 한 개의 종합명부를 조제함을에 갈음하여, 그 컴퓨터들을 및 부속장비를 사용할 수 있다.

(B) If the computer program is not capable of randomly selecting names for the jury panels from the voter registration lists or enhanced list of prospective jurors, the clerks may use the computers and associated equipment for the purpose of creating the master list under subsections (a)-(c) of this section.

배심원(후보)단들을 위한 이름들의 유권자등록명부들로부터의 내지는 증강된 배심원후보들 명부로부터의 무작위 선정을 만약 그 컴퓨터 프로그램이 할 수 없으면, 이 절의 소절 (a)부터 (c)까지 아래서의 종합명부를 조제함의 목적을 위하여, 그 컴퓨터들을 및 부속장비를 서기들은 사용할 수 있다.

(2) The master list of jurors' names and addresses shall not be available for public inspection, publication, or copying, but it may be examined in the presence of the circuit judge by litigants or their attorneys who desire to verify that names drawn from the wheel or box were placed there in the manner provided in this act by the commissioners.

배심원(후보)들의 이름들의 및 주소들의 종합명부는 공중의 점검을 위하여, 공표를 위하여, 복사를 위하여 제공되어서는 안 되는바, 배심원후보 명부 저장장치로부터 또는 배심원후보상자로부터 추출된 이름들이 이 법률에 규정되는 방법으로 배심위원들에 의하여 거기에 넣어져 있었음을 확인하기를 원하는 소송인들에 의하여 또는 그들의 변호사들에 의하여 순회구 지방법원 판사의 면전에서 그것은 검사될 수 있다.

(3)

(A) In counties where jury selection is conducted by a computerized random process, the source list of potential jurors' names and addresses shall not be available for public inspection, publication, or copying.

컴퓨터에 의한 무작위 방법으로 배심선정이 실시되는 카운티들에서 잠재적 배심원들의 이름들의 및 주소들의 원천명부는 공중의 점검을, 공표를, 또는 복사를 위하여 제공되어서는 안 된다.

(B) The source list may be examined in the presence of the circuit judge by litigants or their attorneys who desire to verify that names randomly selected by computer were selected from the list.

컴퓨터에 의하여 무작위로 선정된 이름들이 명부로부터 선정되었음을 확인하기를 원하는 소송인들에 의하여 또는 그들의 변호사들에 의하여 순회구 지방법원 판사의 면전에서 원천명부는 검사될 수 있다.

https://law.justia.com/codes/arkansas/2019/title-16/subtitle-3/chapter-32/subchapter-1/section-16-32-104/

§ 16-32-104. Jury Wheel or Box
배심원후보 명부 저장장치 또는 배심원후보상자

Universal Citation: AR Code § 16-32-104 (2019)

일반적 인용: AR Code § 16-32-104 (2019)

(a)

(1) The names and last known addresses of the persons selected shall be placed, in the presence of the circuit judge and the circuit clerk, in a circular hollow wheel or a

large box constructed of sturdy and durable material. In place of names and addresses, the court may cause cards or discs, numbered serially, to reflect the number of prospective jurors required to be placed in the box and shall cause the names on the master list to be numbered serially so that a juror on the list may be identified when his number is drawn for entry in the jury book.

그 선정된 사람들의 이름들은 및 그 알려진 최후의 주소들은 순회구 지방법원 판사의 및 순회구 지방법원 서기의 면전에서 한 개의 튼튼한 및 내구력 있는 재질로 만들어진 둥그런 빈 바퀴 안에 또는 커다란 상자 안에 넣어져야 한다. 이름들을에 및 주소들을에 갈음하여, 그 배심원후보상자에 넣어지도록 요구되는 배심원후보들의 번호를, 일련번호 붙여진 뽑기카드들이 또는 뽑기원판들이 나타내도록 법원은 조치할 수 있고, 종합명부 상의 이름들에 일련번호가 붙여지도록, 그리하여 배심장부에의 기입을 위하여 한 명의 배심원(후보)의 번호가 추출될 때 그 명부 상의 해당 배심원(후보)이 특정될 수 있도록 법원은 조치하여야 한다.

(2)

(A) The wheel or box shall thereafter remain locked at all times, except when in use as provided in this subchapter, by the use of two (2) separate locks so arranged that the key to one will not open the other lock. The clasps into which the locks shall be fitted shall be so arranged that the wheel or box cannot be opened unless both locks are unlocked.

그 뒤에는 이 소장(subchapter)에 규정되는 바에 따라서 사용되는 경우에를 제외하고는, 배심원후보 명부 저장장치는 또는 배심원후보상자는 두 개의 따로따로인 자물쇠들의 사용에 의하여 그 자물쇠 한 개의 열쇠로는 그 다른 자물쇠를 열지 못하게끔 항상 잠긴 채로 남아 있어야 한다. 두 개의 자물쇠가 다 같이 풀리지 않는 한 배심원후보 명부 저장장치가 또는 배심원후보상자가 열릴 수 없도록, 자물쇠들이 맞추어 들어가야 할 걸쇠들은 배열되어야 한다.

(B) The key to one (1) lock shall be kept by the circuit judge, and the key to the other shall be kept by the circuit clerk.

한 개의 자물쇠에 대한 열쇠는 순회구 지방법원 판사에 의하여 보관되어야 하고, 다른 자물쇠에 대한 열쇠는 순회구 지방법원 서기에 의하여 보관되어야 한다.

(C) The circuit clerk of each county shall keep the wheel or box, when not in use, in a safe and secure place.

그 사용되지 아니하는 경우의 배심원후보 명부 저장장치를 또는 배심원후보상자를 안전한 및 확실한 장소에 개개 카운티의 순회구 지방법원 서기는 보관하여야 한다.

(3) Whenever the circuit judge finds that there is sufficient reason to believe that the integrity of the contents of the wheel or box may have been compromised, he or she shall cause the names in the wheel or box to be compared with the names on the master list, and the verified names shall then be placed in the wheel or box in open court.

배심원후보 명부 저장장치의 또는 배심원후보상자의 내용들의 완전무결성이 손상되어 있다고 믿을 충분한 이유가 있음을 순회구 지방법원 판사가 인정하는 때에는 언제든지, 배심원후보 명부 저장장치 내의 내지는 배심원후보상자 내의 이름들이 종합명부 상의 이름들에 대조되도록 그는 또는 그녀는 조치할 수 있는바, 그 확인되는 이름들은 그 뒤에 공개법정에서 배심원후보 명부 저장장치에 또는 배심원후보상자에 넣어져야 한다.

(4) Any person other than one acting in open court as authorized by this act who shall open a jury wheel or box with intent to remove, alter, or add to its contents shall be deemed guilty of a felony, and upon conviction shall be imprisoned in the penitentiary not less than one (1) year nor more than twenty-one (21) years.

한 개의 배심원후보 명부 저장장치의 또는 배심원후보상자의 내용들을 제거할, 변경할, 또는 추가할 의도로, 한 개의 배심원후보 명부 저장장치를 또는 배심원후보상자를, 이 법률에 의하여 허가되는 바에 따라서 공개법정에서 행동하는 사람 이외의 사람이 열면, 그는 한 개의 중죄를 범하는 것으로 간주되어야 하고 유죄판정에 따라서 1년 이상 21년 이하의 기간 동안 교도소에 구금되어야 한다.

(b) The courts are authorized to use a computer program that is capable of random selection of names from the list of registered voters or the enhanced list of prospective jurors authorized under § 16-32-302 instead of maintaining the jury wheel or box required under subdivisions (a)(1)-(4) of this section.

이 절의 소절 (a)(1)부터 (4)까지의 아래서 요구되는 배심원후보 명부 저장장치를 내지는 배심원후보상자를 유지함을 갈음하여, 등록 유권자명부로부터의 내지는 제16-32-302절 아래서 허용되는 증강된 배심원후보 명부로부터의, 이름들의 무작위 선정을 할 수 있는 컴퓨터 프로그램을, 사용할 권한을 법원들은 지닌다.

https://law.justia.com/codes/arkansas/2019/title-16/subtitle-3/chapter-32/subchapter-1/section-16-32-105/

§ 16-32-105. Drawing for Petit Jurors
소배심원들을 위한 추출

Universal Citation: AR Code § 16-32-105 (2019)

일반적 인용: AR Code § 16-32-105 (2019)

(a)

(1) After the names have been placed in the wheel or box and not less than fifteen (15) days prior to the first jury trial in the year for which the prospective jurors have been selected, the circuit judge shall enter an order which shall be spread of record stating a time and place for the initial drawing for the names of petit jurors from the wheel or box.

배심원후보 명부 저장장치에 또는 배심원후보상자에 이름들이 넣어지고 난 뒤에, 및 당해 배심원후보들이 선정된 복무대상인 당해연도의 첫 번째의 배심에 의한 정식사실심리 전에 15일 이상의 여유를 두고서, 배심원후보 명부 저장장치로부터의 내지는 배심원후보상자로부터의 소배심원들의 이름들의 최초의 추출을 위한 시간을 및 장소를 명시하는, 한 개의 공지의 사실이 될 한 개의 명령을, 순회구 지방법원 판사는 기입하여야 한다.

(2) At the time and place designated, the wheel or box shall be unlocked in open court.

지정된 때에 및 장소에서 배심원후보 명부 저장장치는 또는 배심원후보상자는 공개법정에서 개봉되어야 한다.

(3) After the names have been thoroughly mixed, the circuit judge shall cause to be drawn the number of names which in his or her opinion shall be necessary to provide a panel of qualified petit jurors for the trial of cases, after excuses from attendance have been granted to those who are entitled to be excused.

그 이름들이 철저하게 뒤섞이고 난 뒤에, 그 출석을 면제받을 권리를 지니는 사람들에게 출석면제들이 부여되고 난 뒤에, 그 자신의 내지는 그녀 자신의 견해로 사건들의 정식사실심리를 위한 한 개의 유자격 소배심원(후보)단을 제공하기 위하여 필요한 숫자만큼의 이름들이 추출되도록, 순회구 지방법원 판사는 조치하여야 한다.

(4) As the names are drawn, they shall be recorded in the same order by the circuit clerk in a book to be provided for that purpose, and if the name of any person known to have died or found by the court upon inquiry to be unfit and disqualified under § 16-31-102(a) is drawn, that name shall be put aside and not used and a notation of the discarding of the name and reason therefor shall be made in the jury book.

이름들이 추출되면 그것들은 순회구 지방법원 서기에 의하여 그 목적을 위하여 마련된 한 개의 장부에 동일한 순서대로 기록되어야 하는바, 만약 그 사망하였음이 알려져 있는 사람의 이름이 또는 질문에 따라서 그 부적합함이 법원에 의하여 판정된 및 그리하여 제16-31-102(a)절에 따라서 결격으로 처리된 바 있는 사람의 이름이 추출되면, 그 이름은 치워져야 하고 사용되어서는 안 되며, 그 이름의 삭제의 및 그 이유의 기재가 배심장부에 이루어져야 한다.

(5) The same procedures outlined in this section shall be followed in the event all of the jurors whose names are listed in the jury book shall be excused from further service.

배심장부에 명단 잡힌 배심원(후보)들 전원이 향후의 복무로부터 면제되는 경우에는 이 절에서 윤곽 그려지는 동일한 절차들이 준수되어야 한다.

(b) The drawing and recording of jurors under subdivisions (a)(1)-(5) of this section may be accomplished by a computerized random jury selection process.

이 절의 소절 (a)(1)부터 (5)까지 아래서의 배심원(후보)들을 추출하기는 및 기록하기는 컴퓨터에 의한 무작위 배심선정 방법에 의하여 달성될 수 있다.

https://law.justia.com/codes/arkansas/2019/title-16/subtitle-3/chapter-32/subchapter-1/section-16-32-106/

§ 16-32-106. Summons of Petit Jurors
소배심원(후보)들의 소환

Universal Citation: AR Code § 16-32-106 (2019)

일반적 인용: AR Code § 16-32-106 (2019)

(a) The persons whose names have been selected under § 16-32-105 shall be summoned to appear on a date set by the court to answer questions concerning their qualifications and unless excused or disqualified, to serve the required number of days or for the maximum period during the calendar year for which selected unless sooner discharged.

제16-32-105절에 따라서 그 이름들이 선정되어 있는 사람들은 법원에 의하여 지정된 날에 출석하도록, 그리하여 그들의 자격조건들에 관한 질문들에 답변하도록, 그리고 그 면제되는 경우에를 내지는 결격으로 판정되는 경우에를 제외하고는 그 요구되는 날수를, 또는 더 일찍 임무해제 되는 경우에를 제외하고는 그 선정되는 복무대상 역년 중의 최대 기간 동안을, 복무하도록 소환되어야 한다.

(b) Jurors shall be summoned by the court or by the sheriff, as the court directs, by:

법원에 의하여, 또는 법원이 명령할 경우에는 집행관에 의하여, 아래의 방법으로 배심원(후보)들은 소환되어야 한다:

(1) A notice dispatched by first-class mail;

일급우편으로 속달되는 통지서;

(2) Notice given personally on the telephone; or

전화로 직접 부여되는 통지; 또는

(3) Service of summons personally or by such other method as is permitted or pre-scribed by law.

직접적으로 이루어지는, 또는 법에 의하여 허용되는 내지는 규정되는 여타의 방법에 의한, 소환장의 송달.

(c)

(1)

(A) If a notice is dispatched by first-class mail, the prospective jurors shall be given a date certain to contact the sheriff or the court to confirm receipt of the notice.

만약 일급우편에 의하여 통지서가 속달되면, 그 통지서의 수령을 확인하기 위하여 집행관에게 또는 법원에게 연락을 취할 특정일이 배심원후보들에게 부여되어야 한다.

(B) Not later than five (5) days before the prospective juror is to appear, the sheriff or the court shall contact the prospective juror if the prospective juror has failed to acknowledge receipt of the notice.

통지서의 수령을 확인하기를 배심원후보가 불이행하였으면, 그 배심원후보가 출석하여야 할 날 전에 적어도 5일 이상의 여유를 두고서 당해 배심원후보에게 집행관은 내지는 법원은 연락을 취하여야 한다.

(C) The court shall have discretion to determine whether the sheriff or the court will be the prospective juror's primary contact.

집행관이 또는 법원이 중 어느 쪽이 당해 배심원후보의 일차적 연락대상이 될지를 결정할 재량권을 법원은 지닌다.

(2) A notice dispatched by first-class mail shall be sent on a form approved by the Administrative Office of the Courts or it shall include the following language: "You are hereby notified that you have been chosen as a prospective juror. You

must notify the sheriff [or the court] on or before (date) to confirm that you have received this notice. If you do not notify the sheriff [or the court] to confirm this notice, the sheriff [or the court] will contact you and there will be added cost. Please call the sheriff [or the court] at (phone number)."

일급우편에 의하여 속달되는 통지서는 법원사무처에 의하여 승인된 서식으로 발송되어야 하거나 아래의 문구를 담아야 한다: "한 명의 배심원후보로 귀하가 선정되었음을 귀하에게 이로써 통지합니다. 이 통지서를 귀하가 수령하였음을 확인하는 통지를 (날짜) 이전에 집행관에게 [또는 법원에게] 귀하는 하지 않으면 안 됩니다. 이 통지서를 수령하였음을 확인하는 통지를 집행관에게 [또는 법원에게] 만약 귀하가 하지 아니하면, 집행관은 [또는 법원은] 귀하에게 연락을 취하게 되고 이에 따라서 추가비용이 발생할 것입니다. 모쪼록 집행관에게 [또는 법원에게] 아래(전화번호)로 연락해 주시기 바랍니다."

(d) Unless excused by the circuit judge, a juror who has been legally summoned and who shall fail to attend on any date when directed to do so may be fined in any sum not less than five dollars ($5.00) nor more than five hundred dollars ($500). However, nothing in this subsection shall be construed to limit the inherent power of the court to punish for contempt. All excuses granted by the circuit judge shall be noted in the jury book or the computer program described in § 16-32-103.

순회구 지방법원 판사에 의하여 면제되는 경우에를 제외하고는, 그 적법하게 소환되고서도 그 출석하도록 명령된 날짜에 출석하기를 불이행하는 배심원(후보)은 5불 이상의 및 500불 이하의 벌금에 처해질 수 있다. 그러나, 법원모독으로 처벌할 법원의 고유의 권한을 제한하는 것으로는 이 절 안의 것은 해석되지 아니한다. 순회구 지방법원 판사에 의하여 부여되는 모든 면제들은 배심장부에 기입되어야 하거나 제16-32-103절에 규정된 컴퓨터 프로그램에 입력되어야 한다.

§ 16-32-107. Excess Number of Jurors Drawn and Listed
추출된 및 명부에 기재된 배심원(후보)들 중의 잉여숫자

Universal Citation: AR Code § 16-32-107 (2019)

일반적 인용: AR Code § 16-32-107 (2019)

(a) Whenever it shall appear that the names of more jurors have been drawn and listed in the jury book than are needed for jury service at the current or at any subsequent session of the court, the judge, if the jurors are present in court, shall designate the number of jurors required, the names of whom shall be taken from the jury book in the same order as they appear thereon.

현재의 법원 개정기에의 또는 장래의 법원 개정기 어디에든지의, 배심복무를 위하여 요구되는 숫자를 넘는 배심원(후보)들의 이름들이 추출되어 있음이 및 배심장부에 올라 있음이 드러나는 때에는 언제든지, 판사는, 만약 그 배심원(후보)들이 법정에 출석해 있으면, 그 필요한 숫자의 배심원(후보)들을 지정하여야 하는바, 그들의 이름들은 배심장부 위에 나타나는 순서대로 배심장부로부터 취해져야 한다.

(b) If the jurors are not present in court, the judge shall direct the sheriff to summon the number of jurors needed, the names of whom shall be taken from the jury book in the same order as they appear thereon, exempting those who have been excused from attendance.

만약 배심원(후보)들이 법정에 출석해 있지 않으면, 그 필요한 숫자의 배심원(후보)들을 소환하도록 집행관에게 판사는 명령하여야 하는바, 그들의 이름들은 배심장부 위에 나타나는 순서대로 배심장부로부터 취해져야 하고, 그 출석이 면제된 터인 사람들에 대하여는 제외조치를 취하여야 한다.

(c) Persons whose names are drawn and recorded in the jury book shall not be disqualified from further duty as provided for in § 16-31-104(a) until they have been required to report for jury service and sworn therefor.

그 이름들이 추출되어 있는 및 배심장부에 기록되어 있는 사람들은, 배심복무를 위하여 출석하도록 그들이 요구되어 이를 위하여 선서절차에 처해지기까지는, 추후의 의무에 대하여 제16-31-104(a)절에 규정된 바에 따라서 결격으로 처리되어서는 안 된다.

https://law.justia.com/codes/arkansas/2019/title-16/subtitle-3/chapter-32/subchapter-1/section-16-32-108/

§ 16-32-108. Additional Jurors
추가적 배심원(후보)들

Universal Citation: AR Code § 16-32-108 (2019)

일반적 인용: AR Code § 16-32-108 (2019)

(a)

(1) If at any time it appears that a sufficient number of qualified jurors are not available to try scheduled cases, additional names may be drawn and recorded in the jury book in open court or randomly selected by computer program described in § 16-32-103. These jurors shall be summoned as provided in § 16-32-106(b).

기일 잡힌 사건들을 정식사실심리 할 충분한 숫자의 유자격 배심원(후보)들이 확보되어 있지 아니함이 드러나는 때에는 언제든지, 추가적 이름들은 공개법정에서 추출되어 배심장부에 기입될 수 있거나, 또는 제16-32-103절에 규정된 컴퓨터 프로그램에 의하여 무작위로 선정될 수 있다. 제16-32-106(b)절에 규정된 바에 따라서 이 배심원(후보)들은 소환되어야 한다.

(2)

(A) The circuit judge may direct the circuit clerk who selected the original names placed in the jury wheel or box to submit the names and last known addresses of additional registered voters whom the circuit clerk shall select in the manner provided by § 16-32-103(a)-(d).

배심원후보 명부 저장장치 안에 또는 배심원후보상자 안에 넣어진 최초의 이름들을 선정한 순회구 지방법원 서기로 하여금, 제16-32-103(a)절에서부터 (d)절까지에 의하여 규정되는 방법에 따라서 순회구 지방법원 서기가 선정할 모집단이 될 추가적 등록 유권자들의 이름들을 및 그 알려진 최후의 주소들을 제출하도록, 순회구 지방법원 판사는 명령할 수 있다.

(B) These names and addresses shall be placed by the circuit clerk within the jury wheel or box when it is next unlocked in open court and prior to any additional drawing of jurors, and a master list shall be presented to the court as provided in § 16-32-103(a)-(d).

배심원후보 명부 저장장치가 또는 배심원후보상자가 다음 번에 공개법정에서 개봉될 때에로서 배심원(후보)들의 추가적 추출이 있기 전에, 순회구 지방법원 서기에 의하여 그 안에 이 이름들은 및 주소들은 넣어져야 하고, 제16-32-103(a)-(d)절에 규정되는 바에 따라서 법원에 한 개의 종합명부가 제출되어야 한다.

(b) The drawing and recording of additional jurors pursuant to subdivisions (a)(1) and (2) of this section may be accomplished by a computerized random jury selection process.

이 절의 소절 (a)(1)에 및 (2)에 따른 추가적 배심원(후보)들의 추출은 및 기록은 컴퓨터에 의한 무작위 배심선정 방법에 의하여 달성될 수 있다.

https://law.justia.com/codes/arkansas/2019/title-16/subtitle-3/chapter-32/subchapter-1/section-16-32-109/

§ 16-32-109. Selection Upon Challenge by Litigant
소송인에 의한 이의의 경우의 선정

Universal Citation: AR Code § 16-32-109 (2019)

일반적 인용: AR Code § 16-32-109 (2019)

(a)

(1) A challenge to the use of the names selected by the circuit clerk and placed in the jury wheel or box for the drawing of trial panels from the jury wheel or box may be made only by a litigant in a particular case.

배심원후보 명부 저장장치로부터의 내지는 배심원후보상자로부터의 정식사실심리 배심원(후보)단들의 추출을 위한, 순회구 지방법원 서기에 의하여 선정된, 및 배심원후보 명부 저장장치에 또는 배심원후보상자에 넣어진, 이름들의 사용에 대한 이의는 한 개의 특정의 사건에서의 소송인에 의하여서만 제기될 수 있다.

(2)

(A) If the trial judge sustains the challenge to the use of names in the jury wheel or box for the drawing of trial jurors, he or she shall instruct the circuit clerk to select such a number of persons as the trial judge may designate from the current voter registration list in the manner provided by § 16-32-103(a)-(d).

정식사실심리 배심원(후보)들의 추출을 위한 배심원후보 명부 저장장치 안의 또는 배심원후보상자 안의 이름들의 사용에 대한 이의를 만약 정식사실심리 판사가 인용하면, 정식사실심리 판사 자신이 정하는 숫자의 사람들을 현행의 등록 유권자명부로부터 제16-32-103(a)절에서부터 (d)절까지에 규정된 방법에 따라서 선정하도록 순회구 지방법원 서기에게 그는 또는 그녀는 명령하여야 한다.

(B) The list of persons, upon being summoned, shall constitute the panel of jurors for the trial of the cause.

그렇게 소환되는 경우에의 그 사람들의 명부는 당해 사건의 정식사실심리를 위한 배심원(후보)단을 구성한다.

(3) If the panel is exhausted prior to the formation of the trial jury for any reason, the trial judge shall instruct the circuit clerk to select additional names as provided for

in this section and place the additional names on the list to be summoned as special jurors in such numbers as is deemed necessary to complete the jury for the trial of the cause.

정식사실심리 배심의 구성 전에 어떤 이유에서이든 만약 배심원(후보)단이 소진되면, 당해 사건의 정식사실심리를 위한 배심을 완성짓는 데 필요하다고 간주되는 숫자 만큼의 추가적 이름들을 이 절에 규정되는 바에 따라서 선정하도록 및 그 추가적 이름들을 특별 배심원(후보)들로서 소환되어야 할 명부에 올리도록 순회구 지방법원 서기에게 정식사실리 판사는 명령하여야 한다.

(b)

(1) A challenge to the jury drawn from the jury wheel or box may be made by a litigant in a particular case and shall be sustained by the court if it appears that there was a substantial irregularity in the drawing or summoning of the jury.

배심원후보 명부 저장장치로부터 또는 배심원후보상자로부터 추출된 배심에 대한 기피신청은 한 개의 특정의 사건에서의 소송인에 의하여 제기될 수 있는바, 배심의 추출에서의 또는 소환에서의 중대한 규칙위반이 있었음이 만약 드러나면, 법원에 의하여 그것은 인용되어야 한다.

(2) In such a case, the court shall order in open court another panel drawn for the trial of the case and other cases in which a similar challenge is sustained.

당해사건의 및 유사한 기피신청이 인용되는 여타의 사건들의, 정식사실심리를 위한 별개의 배심원(후보)단이 추출되게 하도록 그러한 사건에서 법원은 공개법정에서 명령하여야 한다.

https://law.justia.com/codes/arkansas/2019/title-16/subtitle-3/chapter-32/subchapter-1/section-16-32-110/

§ 16-32-110. Electronic Random Selection
전자적 방법에 의한 무작위 선정

Universal Citation: AR Code § 16-32-110 (2019)

일반적 인용: AR Code § 16-32-110 (2019)

Beginning January 1, 1998, and thereafter, during every step in the procedure for the selection of grand jurors and petit jurors, electronic devices or mechanical devices shall be utilized to assure the random selection of all jury panels.

1998년 1월 1일부터는, 대배심원(후보)들의 및 소배심원(후보)들의 선정을 위한 절차에서의 모든 단계 동안에, 모든 배심원(후보)단들의 무작위 선정을 보장하는 전자적 장치들이 또는 기계적 장치들이 사용되어야 한다.

https://law.justia.com/codes/arkansas/2019/title-16/subtitle-3/chapter-32/subchapter-1/section-16-32-111/

§ 16-32-111. Confidentiality of Juror Information - Definition
배심원 정보의 비밀보장 – 개념정의

Universal Citation: AR Code § 16-32-111 (2019)

일반적 인용: AR Code § 16-32-111 (2019)

(a) As used in this section, "juror information" means:

아래의 것들을 이 절에서 사용되는 것으로서의 "배심원 정보"는 의미한다:

(1) An original or a copy of a list of potential jurors;

잠재적 배심원들 명부의 원본 또는 사본;

(2) A list of potential jurors who were sworn and qualified;

선서에 처해진 및 자격이 인정된 잠재적 배심원들의 명부;

(3) Any response to a juror questionnaire; and

배심원 자격심사 질문서에 대한 응답; 그리고

(4) A list of an individual venire panel.

개개 소집된 배심원후보단의 명부.

(b) Upon application by any person and findings on the record for good cause, any juror information submitted to a circuit court or circuit clerk from which the identity of a particular juror can be determined is confidential and shall not be released or otherwise made available except:

어느 누구든지의 신청이 있으면, 그리고 타당한 이유에 대한 기록에 의한 사실인정들이 있으면, 순회구 지방법원에 또는 순회구 지방법원 서기에게 제출된, 이에 의하여 특정의 배심원의 신원이 확인될 수 있는 배심원 정보는 비밀이고, 따라서 아래의 경우에를 제외하고는 그것은 공개되어서는 내지는 달리 제공되어서는 안 된다:

(1) To any attorney eligible to represent a party in a proceeding before the circuit court;

순회구 지방법원 앞의 절차에서의 당사자를 대변할 자격이 있는 변호사에게 이루어지는 경우;

(2) To a party appearing pro se in a proceeding before the circuit court and limited to the juror information relevant to that particular proceeding;

순회구 지방법원 앞에서의 절차에 그 스스로를 대변하여 출석하는 당사자에게 그 특정 절차에 관련되는 배심원 정보에 한정하여 이루어지는 경우;

(3) For any audit or similar activity conducted with the administration of any plan or program by any governmental agency that is authorized by law to conduct the audit or activity; or

회계감사를 또는 유사한 활동을 수행하도록 법에 의하여 권한이 부여된 정부기관에 의한 계획의 또는 사업의 집행에 더불어 실시되는, 그 회계감사를 또는 유사한 활동을 위하여 이루어지는 경우; 또는

(4) To a grand jury or court upon a finding that the juror information is necessary for the determination of an issue before the grand jury or court.

한 개의 대배심 앞의 또는 법원 앞의 쟁점의 결정을 위하여 당해 배심원 정보가 필요하다는 판단에 따라서 그 대배심에게 또는 법원에게 이루어지는 경우.

(c)

(1) The circuit clerk shall require a signed receipt from any person who receives juror information under subsection (b) of this section.

배심원 정보를 이 절의 소절 (b에 따라서 수령하는 사람으로부터의, 서명된 영수증을 순회구 지방법원 서기는 요구하여야 한다.

(2) The signed receipt shall be maintained in the jury records of the circuit clerk.

그 서명된 영수증은 순회구 지방법원 서기의 배심기록들 안에 보관되어야 한다.

(d)

(1) Except as provided in subdivision (d)(2) of this section, no person to whom disclosure is made under this section may disclose to any other person juror information obtained under this section.

이 절의 소부 (d)(2)에 규정되는 바에 따라서를 제외하고는, 이 절 아래서 정보를 공개받는 사람은 이 절 아래서 얻어지는 배심원 정보를 다른 어느 누구에게도 공개하여서는 안 된다.

(2) Disclosure of juror information may be made to the following persons without violating subdivision (d)(1) of this section:

아래의 사람들에게는 이 절의 소부 (d)(1)을 위반함이 없이 배심원 정보의 공개는 이루어질 수 있다:

(A) A client or a legally authorized representative of a client of an attorney who receives the juror information;

배심원 정보를 수령하는 변호사의, 의뢰인 또는 의뢰인의 적법하게 허가된 대리인;

(B) An employee of an attorney who receives the juror information;

배심원 정보를 수령하는 변호사의 피용자;

(C) An attorney associated with an attorney who receives the juror information; or

배심원 정보를 수령하는 변호사에게 결합된 변호사; 또는

(D) A person with whom an attorney or a party appearing pro se who receives the juror information may consult or confer regarding potential jurors in a specific case.

특정 사건에서의 잠재적 배심원들에 관련하여, 배심원 정보를 수령하는 변호사가 또는 자기 스스로를 대변하여 출석하는 당사자가, 상의할 수 있는 또는 의논할 수 있는 사람.

(e) A disclosure of juror information in violation of this section is a Class C misdemeanor.

이 절의 위반 속에서의 배심원 정보의 공개는 C급 경죄이다.

https://law.justia.com/codes/arkansas/2019/title-16/subtitle-3/chapter-32/subchapter-2/

2019 Arkansas Code

Title 16 - Practice, Procedure, and Courts

Subtitle 3 - Juries and Jurors

Chapter 32 - Selection and Attendance

Subchapter 2 - Criminal Proceedings

• Tit. 16, Subtit. 3., Ch. 32, Subch. 2 Note

• § 16-32-201. Selection of Grand Jury

• § 16-32-202. Selection, Summons, and Composition of Trial Generally

• § 16-32-203. Selection for Misdemeanor Trial

Tit. 16, Subtit. 3., Ch. 32, Subch. 2 Note

• Tit. 16, Subtit. 3., Ch. 32, Subch. 2 Note

§ 16-32-201. Selection of Grand Jury
대배심의 선정

Universal Citation: AR Code § 16-32-201 (2019)

일반적 인용: AR Code § 16-32-201 (2019)

(a)

(1) The selecting, summoning, and impaneling of a grand jury shall be as prescribed
by law.

한 개의 대배심의 선정은, 소환은, 및 충원구성은 법에 의하여 규정되는 바에 따라
야 한다.

(2)

(A) Circuit courts to which criminal cases are assigned may call grand jurors from the
jury wheel or box from which petit jurors are drawn, or the circuit judge may
direct the circuit clerk to provide the minimum number of names for a separate
grand jury wheel or box in the minimum number set forth in § 16-32-103(a)-(d).

소배심원들 추출의 모집단이 되는 배심원후보 명부 저장장치로부터 대배심원(후보)
들을 형사사건들이 배정되는 순회구 지방법원들은 소환할 수 있거나, 또는 제16-32-
103(a)절에서부터 (d)절까지에 규정되는 최소한도의 숫자로 이루어지는 별도의 대
배심원후보 명부 저장장치를 위한 또는 대배심원후보상자를 위한 최소한도의 숫자

의 이름들을 제공하도록 순회구 지방법원 서기에게 순회구 지방법원 판사는 명령할 수 있다.

(B) In the event the circuit judge directs the circuit clerk to provide the minimum number of names for a separate grand jury wheel or box, the circuit clerk shall select the names of persons whom the circuit clerk believes to be qualified from the current voter registration list or the enhanced prospective juror list authorized by § 16-32-302.

따로따로의 대배심원후보 명부 저장장치를 위한 또는 대배심원후보상자를 위한 최소한도의 숫자의 이름들을 제공하도록 순회구 지방법원 서기에게 순회구 지방법원 판사가 명령하는 경우에, 유자격이라고 순회구 지방법원 서기 자신이 믿는 사람들의 이름들을 현행의 등록 유권자명부로부터 또는 제16-32-302절에 의하여 허가되는 증강된 배심원후보 명부로부터 순회구 지방법원 서기는 선정하여야 한다.

(3) In either event, when a grand jury is selected, the names of a sufficient number of persons shall be drawn from the appropriate box or wheel to provide a panel of sixteen (16) qualified grand jurors, plus a reasonable number of alternates, after excuses from attendance have been granted to those who are entitled to be excused.

그 어느 경우에든 한 개의 대배심이 선정되는 때에는, 그 출석을 면제받을 권리가 있는 사람들에게 출석면제가 부여되고 난 뒤에, 열여섯(16) 명의 자격 있는 대배심원단을 제공하기에 충분한 숫자의 이름들이, 그리고 이에 더하여 합리적 숫자의 예비 대배심원들이, 적절한 배심원후보상자로부터 또는 배심원후보 명부 저장장치로부터 추출되어야 한다.

(4) As the names are drawn, they shall be recorded in the grand jury book, and the grand jurors shall be summoned and directed to appear in the same manner as provided for petit jurors.

이름들이 추출되는 대로 그들은 배심장부에 기록되어야 하는바, 소배심원들을 위하여 규정되는 방법에의 동일한 방법으로 대배심원들은 소환되어야 하고 출석하도록 명령되어야 한다.

(5) The grand jury shall be made up of the first sixteen (16) persons summoned whose names appear as grand jurors in the jury book after the elimination of the disqualified or excused persons.

결격 처리된 또는 면제된 사람들의 제거 뒤에 배심장부에 대배심원(후보)들로서 그 이름들이 나타나는 그 소환된 첫 열여섯 명으로 대배심은 구성되어야 한다.

(6)

(A) The remaining grand jurors whose names appear in the jury book after the elimination of disqualified or excused persons shall be considered as alternates and shall be designated in the order as they appear in the jury book to replace regular grand jurors who become incapacitated or who are unavailable.

결격처리 된 내지는 면제된 사람들의 제거 뒤에 배심장부에 그 이름들이 있는 그 나머지 대배심원(후보)들은 예비 대배심원들로 간주되어야 하고, 무능력이 되는 또는 복무할 수 없는 정규 대배심원들을 배심장부에 그들이 올라 있는 순서대로 대체하도록 그들은 지명되어야 한다.

(B) Alternate grand jurors shall not be disqualified from further jury duty as provided in § 16-31-104 until they have been required to report for grand jury service during the year.

당해 연도 중에 대배심 복무를 위하여 출석하도록 예비 대배심원들이 요구되었을 때까지는 추후의 복무에 대하여 제16-31-104절에 따라서 결격으로 그들은 처리 되어서는 안 된다.

(7) Grand jurors shall serve during the calendar year in which selected unless sooner discharged by the court.

법원에 의하여 더 일찍 임무해제 되는 경우에를 제외하고는 그 선정되는 역년 동안 대배심원들은 복무하여야 한다.

(b) The drawing and recording of grand jurors under subsection (a) of this section may be accomplished by a computerized random jury selection process.

이 절의 소절 (a) 아래서의 대배심원들의 추출은 및 기록은 컴퓨터에 의한 무작위 배심선정 방법에 의하여 달성될 수 있다.

(c) In either event, when a grand jury is selected, the names of a sufficient number of persons shall be drawn from the appropriate box or wheel to provide a panel of sixteen (16) qualified grand jurors, plus a reasonable number of alternates, after excuses from attendance have been granted to those who are entitled to be excused.

그 어느 경우에든 한 개의 대배심이 선정되는 때에는, 그 출석을 면제받을 권리가 있는 사람들에게 출석면제가 부여되고 난 뒤에, 열여섯(16) 명의 자격 있는 대배심원단을 제공하기에 충분한 숫자의 이름들이, 그리고 이에 더하여 합리적 숫자의 예비배심원들이, 적절한 배심원후보상자로부터 또는 배심원후보 명부 저장장치로부터 추출되어야 한다.

(d) As the names are drawn, they shall be recorded in the grand jury book, and the grand jurors shall be summoned and directed to appear in the same manner as provided for petit jurors.

이름들이 추출되는 대로 그들은 배심장부에 기록되어야 하는바, 소배심원들을 위하여 규정되는 방법에의 동일한 방법으로 대배심원들은 소환되어야 하고 그 출석하도록 명령되어야 한다.

(e) The grand jury shall be made up of the first sixteen (16) persons summoned whose names appear as grand jurors in the jury book after the elimination of the disqualified or excused persons.

결격 처리된 또는 면제된 사람들의 제거 뒤에 배심장부에 대배심원들로서 그 이름들이 나타나는 그 소환된 첫 열여섯 명으로 대배심은 구성되어야 한다.

(f) The remaining grand jurors whose names appear in the jury book after the elimination of disqualified or excused persons shall be considered as alternates and shall be designated in the order as they appear in the jury book to replace regular grand jurors who become incapacitated or who are unavailable. Alternate grand jurors shall not be disqualified from further jury duty as provided in § 16-31-104 until they have been required to report for grand jury service during the year.

결격처리 된 내지는 면제된 사람들의 제거 뒤에 배심장부에 그 이름들이 있는 그 나머지 대배심원들은 예비 대배심원들로 간주되어야 하고, 무능력이 되는 또는 복무할 수 없는 정규 대배심원들을 배심장부에 그들이 올라 있는 순서대로 대체하도록 그들은 지명되어야 한다. 예비 대배심원들은 당해연도 동안에 대배심 복무를 위하여 출석하도록 그들이 요구되고 났을 때까지는 제16-31-104절에 규정되는 바에 따른 추후의 배심의무에의 결격으로 처리되어서는 안 된다.

(g) Grand jurors shall serve during the calendar year in which selected unless sooner discharged by the court.

달리 법원에 의하여 더 일찍 임무해제 되는 경우에를 제외하고는, 그 선정된 복무 대상 역년 동안 대배심원들은 복무하여야 한다.

https://law.justia.com/codes/arkansas/2019/title-16/subtitle-3/chapter-32/subchapter-2/section-16-32-202/

§ 16-32-202. Selection, Summons, and Composition of Trial Generally
정식사실심리 배심원들의 선정, 소환, 및 구성 등 일반

Universal Citation: AR Code § 16-32-202 (2019)

일반적 인용: AR Code § 16-32-202 (2019)

(a) The jurors for the trial of criminal prosecutions shall be selected and summoned as provided by law.

형사소추들의 정식사실심리를 위한 배심원들은 법에 의하여 규정되는 바에 따라서 선정되어야 하고 소환되어야 한다.

(b)

(1) Juries shall be composed of twelve (12) jurors.

배심들은 12명의 배심원들로 구성되어야 한다.

(2) However, cases other than felonies may be tried by a jury of fewer than twelve (12) jurors by agreement of the parties.

그러나 중죄 이외의 사건들은 당사자들의 합의가 있으면 열두(12) 명 미만의 배심원들로 구성되는 배심에 의하여 정식사실심리 될 수 있다.

https://law.justia.com/codes/arkansas/2019/title-16/subtitle-3/chapter-32/subchapter-2/section-16-32-203/

§ 16-32-203. Selection for Misdemeanor Trial
경죄의 정식사실심리를 위한 선정

Universal Citation: AR Code § 16-32-203 (2019)

일반적 인용: AR Code § 16-32-203 (2019)

The jury, for the trial of all prosecutions for misdemeanors, shall be selected in the following manner:

경죄들에 대한 모든 소추들의 정식사실심리를 위한 배심은 아래의 방법으로 선정되어야 한다:

(1) Each party shall have three (3) peremptory challenges, which may be made orally; and

개개 당사자는 세 번의 무이유부 기피신청들을 할 권리를 지니는바, 그것은 구두로 이루어질 수 있다; 그리고

(2)

(A) The court shall cause the names of twenty-four (24) competent jurors, written upon separate slips of paper, to be placed in a box to be kept for that purpose, from which the names of eighteen (18) jurors shall be drawn and entered on a list in the order in which they were drawn, and numbered.

따로따로의 뽑기 종이조각들 위에 이름들이 기재된 스물네(24) 명의 자격 있는 배심원 (후보)들이 그 목적을 위하여 보관되는 배심원후보상자 안에 넣어지도록 법원은 조치 하여야 하는바, 그것들로부터 열여덟(18) 명의 배심원(후보)들의 이름들이 추출되어야 하고 그들이 추출되는 순서대로 명부에 기입되어야 하며 번호가 붙여져야 한다.

(B) Each party shall be furnished with a copy of the list, from which each may strike the names of three (3) jurors and return the list so stricken to the judge, who shall strike from the original list the names struck from the copies.

개개 당사자에게는 명부 사본이 제공되어야 하되, 세 명의 배심원(후보)들의 이름들을 거기로부터 각자는 삭제할 수 있고, 그렇게 삭제된 명부를 판사에게 각자는 제출하여 야 하는바, 사본들로부터 삭제된 이름들을 명부원본으로부터 판사는 삭제하여야 한다.

(C) The first twelve (12) names remaining on the original list shall constitute the jury.

명부원본에 남아 있는 첫 열두(12) 명의 이름들이 배심을 구성하여야 한다.

https://law.justia.com/codes/arkansas/2019/title-16/subtitle-3/chapter-32/subchapter-3/

2019 Arkansas Code

Title 16 - Practice, Procedure, and Courts

Subtitle 3 - Juries and Jurors

Chapter 32 - Selection and Attendance

Subchapter 3 - Enhanced Prospective Juror Pool

• Tit. 16, Subtit. 3., Ch. 32, Subch. 3 Note

• § 16-32-301. Enhanced Prospective Juror Pool

• § 16-32-302. Enhanced List of Prospective Jurors

• § 16-32-303. Judicial Determination of Need for Expanded List

• § 16-32-304. List of Disqualifications Not Affected

Subchapter 3 - Enhanced Prospective Juror Pool

Tit. 16, Subtit. 3., Ch. 32, Subch. 3 Note

• Tit. 16, Subtit. 3., Ch. 32, Subch. 3 Note

§ 16-32-301. Enhanced Prospective Juror Pool
증강된 배심원후보 풀

Universal Citation: AR Code § 16-32-301 (2019)

일반적 인용: AR Code § 16-32-301 (2019)

(a) The pool of names from which prospective jurors are chosen may be expanded from the list of registered voters to include the list of licensed drivers and persons issued an identification card under § 27-16-805.

배심원후보들이 선정되는 모집단인 이름들의 풀은 운전면허 보유자들의 명부를 및 제 27-16-805절 아래서의 신분증을 발급받은 사람들의 명부를 포함하도록 등록 유권자 명부로부터 확대될 수 있다

(b) The qualifications for serving on a jury under § 16-31-101 and the disqualifications under § 16-31-102 shall apply to the enhanced prospective juror pool permitted under subsection (a) of this section.

이 절의 소절 (a)에 따라서 허용되는 증강된 배심원후보 풀에는, 배심에 복무함을 위한 제16-31-101절 아래서의 자격조건들이 및 제16-31-102절 아래서의 결격사유들이 적용된다.

https://law.justia.com/codes/arkansas/2019/title-16/subtitle-3/chapter-32/subchapter-3/section-16-32-302/

§ 16-32-302. Enhanced List of Prospective Jurors
증강된 배심원후보 명부

Universal Citation: AR Code § 16-32-302 (2019)

일반적 인용: AR Code § 16-32-302 (2019)

(a)

(1) In order to allow for the use of the enhanced prospective juror pool, the Secretary of State shall compile and make available no later than November 1 of each year, and at other times determined by the Secretary of State, an enhanced list of prospective jurors in automated or nonautomated form, as provided for in subsection (b) of this section, for:

증강된 배심원후보 풀의 사용을 허용하기 위하여 한 개의 증강된, 자동화 방식의 또는 비자동화 방식의 배심원후보 명부를 매년 11월 1일 이전에, 그리고 국무장관에 의하여 정해지는 다른 때에, 이 절의 소절 (b)에 규정되는 바에 따라서, 국무장관은 조제하여야 하고 아래의 곳에 제공하여야 한다:

(A) Any circuit clerk requesting an enhanced list of prospective jurors for his or her county; and

그 자신의 내지는 그녀 자신의 카운티를 위한 한 개의 증강된 배심원후보 명부를 요청하는 순회구 지방법원 서기; 그리고

(B) The Administrative Office of the Courts for use in its automated jury management system.

그 자신의 자동화된 배심운영 시스템에서의 사용을 위한 경우에의 법원사무처.

(2) Neither the enhanced list of prospective jurors nor its component parts may be released by the Secretary of State, the Administrative Office of the Courts, or any county or agency receiving the list or its component parts unless otherwise permitted by law.

달리 법에 의하여 허용되는 경우에를 제외하고는, 그 증강된 배심원후보 명부는도 그것의 구성부분들은도 국무장관에 의하여, 법원사무처에 의하여, 또는 당해 명부를 또는 그 구성부분들을 수령하는 카운티에 또는 기관에 의하여, 공개되어서는 안된다.

(3) Unlawful release of the enhanced list of prospective jurors shall be a Class B misdemeanor.

증강된 배심원후보 명부의 불법적인 공개는 B급 경죄이다.

(b)

(1) The Secretary of State shall receive from the Department of Finance and Administration at mutually agreeable times each year a list of all licensed drivers and persons issued identification cards under § 27-16-805 who are citizens of the United States and sixteen (16) years of age or older.

합중국 시민들로서 16세 이상인, 모든 운전면허 보유자들의 및 제27-16-805절 아래서의 신분증들을 발급받은 사람들의, 한 개의 명부를 재정관리부로부터 매년 상호간에 적절한 때에 국무장관은 수령하여야 한다.

(2) The Department of Finance and Administration, the Arkansas Crime Information Center, the Department of Health, and the Administrative Office of the Courts shall assist the Secretary of State in developing a process whereby the Secretary of State will create a merged list from the voter registration list, the list of licensed drivers, and persons issued identification cards under § 27-16-805, who are citizens of the United States and who will be eighteen (18) years of age or older at the time the list is provided to the counties or the Administrative Office of the Courts.

합중국 시민들로서 당해 명부가 카운티들에 또는 법원사무처에 제공되는 시점에서 18세 이상인 등록 유권자명부로부터, 운전면허 보유자들의 명부로부터 및 제27-16-805절 아래서의 신분증들을 발급받은 사람들의 명부로부터 한 개의 통합명부를 국무장관이 조제하게 될 한 개의 공정을 개발함에 있어서의 국무장관을 재정운영부는, 아칸자스주 범죄정보관리센터는, 보건부는, 법원사무처는 조력하여야 한다.

(3)

(A) In order to improve the quality of the enhanced list of prospective jurors and to decrease the cost of summoning potential jurors, the Arkansas Crime Information Center and the Administrative Office of the Courts are authorized to provide information to the Secretary of State and the Department of Finance and Administration to identify which voters, licensed drivers, and persons issued identification cards under § 27-16-805 have been convicted of a felony and have not been pardoned.

증강된 배심원후보 명부의 질을 개선하기 위하여 및 잠재적 배심원들을 소환하는 비용을 절감하기 위하여, 어느 유권자들이, 운전면허증 보유자들이, 그리고 제27-16-805절 아래서 신분증들을 발급받은 사람들이 한 개의 중죄로 유죄판정을 받았는지를 및 그 사면되어 있지 않은지를 확인할 수 있는 정보를 국무장관에게 및 재정관리부에 제공할 권한을 아칸자스주 범죄정보관리센터는 및 법원사무처는 지닌다.

(B) The Department of Health is authorized to provide information to the Secretary of State and the Department of Finance and Administration in order to identify which voters, licensed drivers, and persons issued identification cards under § 27-16-805 are deceased, have changed names, or have been married or divorced.

어느 유권자들이, 운전면허증 보유자들이, 그리고 제27-16-805절 아래서의 신분증들을 발급받은 사람들이 사망하였는지를, 이름들을 바꾸었는지를, 혼인하였는지를 또는 이혼하였는지를 확인할 수 있도록 정보를 국무장관에게 및 재정관리부에 제공할 권한을 보건부는 지닌다.

(4) The Arkansas Crime Information Center, the Administrative Office of the Courts, and the Department of Health are authorized to provide as much information as they agree is necessary and possible to enable the Secretary of State to compile the most accurate, timely, and complete merged list of voters, licensed drivers, and persons issued identification cards under § 27-16-805, who are citizens of the United States, eighteen (18) years of age or older, are still living, and who have not been convicted of a felony and have not been pardoned.

합중국의 시민들로서 여전히 생존 중인, 및 한 개의 중죄로 유죄판정 되지 아니한, 그리고 그 유죄로 판정되고서 사면되어 있는, 18세 이상인 유권자들의, 운전면허 보유자들의, 그리고 제27-16-805절 아래서의 신분증들을 발급받은 사람들의, 가장 정확한, 적시의, 및 완전한 통합명부를 국무장관으로 하여금 조제할 수 있게 하는 데에 필요하다고 및 그 가능하다고 그들이 동의하는 만큼의 정보를 제공할 권한을 아칸자스주 범죄정보관리센터는, 법원사무처는, 그리고 보건부는 지닌다.

https://law.justia.com/codes/arkansas/2019/title-16/subtitle-3/chapter-32/subchapter-3/section-16-32-303/

§ 16-32-303. Judicial Determination of Need for Expanded List
증강된 명부의 필요성에 대한 사법적 판단

Universal Citation: AR Code § 16-32-303 (2019)
일반적 인용: AR Code § 16-32-303 (2019)

(a) The administrative circuit judge for each county shall determine that either the list of registered voters or the enhanced list, but not both, shall be utilized in the selection of all prospective jurors for all circuit court divisions within the county, based upon a consideration of whether the use of registered voters creates a sufficient pool for the selection of jurors to offer an adequate cross section of the community.

카운티 내의 순회구 지방법원의 모든 재판부들을 위한 모든 배심원후보들의 선정에서, 등록 유권자명부의, 또는 증강된 명부의, 그 둘 다가 아닌 그 둘 중의 어느 쪽이 사용되어야 할지를 개개 카운티의 순회구 지방법원의 법원장 판사는 결정하여야 하는바, 배심원들의 선정을 위한 지역사회의 한 개의 적절한 횡단면을 제공할 만한 충분한 풀을 등록유권자들의 사용이 창출하는지 여부의 검토에 그 결정은 근거하여야 한다.

(b) If the judge determines that the enhanced prospective juror list, as described in § 16-32-302, should be used by the county, then the judge on or before October 1 shall inform the circuit clerk who shall notify the Secretary of State and the Administrative Office of the Courts that the enhanced list will be requested for the county.

제16-32-302절에 규정되는 증강된 배심원후보 명부가 카운티에 의하여 사용되도록 만약 법원장 판사가 결정하면, 당해 카운티를 위한 증강된 명부가 요청될 것임을 그 경우에 10월 1일 이전에 순회구 지방법원 서기에게 법원장 판사는 고지하여야 하고 국무장관에게 및 법원사무처에 서기는 통지하여야 한다.

https://law.justia.com/codes/arkansas/2019/title-16/subtitle-3/chapter-32/subchapter-3/section-16-32-304/

§ 16-32-304. List of Disqualifications Not Affected
결격사유들의 목록에 영향을 미치지 아니함

Universal Citation: AR Code § 16-32-304 (2019)
일반적 인용: AR Code § 16-32-304 (2019)

This subchapter shall not affect the list of disqualifications from jury service found in § 16-31-102.

제16-31-102절에 규정되는 배심복무로부터의 결격사유들의 목록에 영향을 이 소장(subchapter)은 미치지 아니한다.

https://law.justia.com/codes/arkansas/2019/title-16/subtitle-3/chapter-33/

2019 Arkansas Code

Title 16 - Practice, Procedure, and Courts

Subtitle 3 - Juries and Jurors

Chapter 33 - Examination and Challenge

- Tit. 16, Subtit. 3., Ch. 33 Note

- Subchapter 1 - General Provisions

- Subchapter 2 - Civil Proceedings

- Subchapter 3 - Criminal Proceedings

https://law.justia.com/codes/arkansas/2019/title-16/subtitle-3/chapter-33/tit-16-subtit-3-ch-33-note/

Tit. 16, Subtit. 3., Ch. 33 Note

- Tit. 16, Subtit. 3., Ch. 33 Note

https://law.justia.com/codes/arkansas/2019/title-16/subtitle-3/chapter-33/subchapter-1/

2019 Arkansas Code

Title 16 - Practice, Procedure, and Courts

Subtitle 3 - Juries and Jurors

Chapter 33 - Examination and Challenge

신문 및 기피신청

Subchapter 1 - General Provisions
총칙

• Tit. 16, Subtit. 3., Ch. 33, Subch. 1 Note

• § 16-33-101. Examination of Prospective Jurors

https://law.justia.com/codes/arkansas/2019/title-16/subtitle-3/chapter-33/subchapter-1/tit-16-subtit-3-ch-33-subch-1-note/

Tit. 16, Subtit. 3., Ch. 33, Subch. 1 Note

• Tit. 16, Subtit. 3., Ch. 33, Subch. 1 Note

https://law.justia.com/codes/arkansas/2019/title-16/subtitle-3/chapter-33/subchapter-1/section-16-33-101/

§ 16-33-101. Examination of Prospective Jurors
배심원후보들에 대한 신문

Universal Citation: AR Code § 16-33-101 (2019)

일반적 인용: AR Code § 16-33-101 (2019)

(a) In all cases, both civil and criminal, the court shall examine all prospective jurors under oath upon all matters set forth in the statutes as disqualifications.

민사의를 및 형사의를 막론하고 모든 사건들에서 모든 배심원후보들을, 그 결격사유들로서 제정법들에 규정된 모든 사항들에 관하여 선서 아래서 법원은 신문하여야 한다.

(b) Further questions may be asked by the court or by the attorneys in the case, in the discretion of the court.

법원에 의하여 또는 당해 사건에서의 변호사들에 의하여 추가적 질문들이 법원의 재량으로 물어질 수 있다.

(c)

(1)

(A)

(i) If a court utilizes prospective juror questionnaires, the questionnaires may request a prospective juror's mailing or residential address or phone number.

배심원후보 질문서들을 만약 한 개의 법원이 사용하면, 배심원후보의 우편주소를 또는 거주지 주소를 또는 전화번호를 그 질문서들은 요청할 수 있다.

(ii) However, the address and phone number shall be redacted from the questionnaires before providing completed questionnaires to the attorneys for the parties.

그러나 그 주소는 및 전화번호는 그 응답된 질문서들을 당사자들의 변호사들에게 제공하기 전에 질문서들로부터 가려져야 한다.

(B) The attorneys for the parties shall be precluded from asking for that information during voir dire.

그 정보를 배심원자격 예비심문 동안에 요청함으로부터 당사자들의 변호사들은 금지되어야 한다.

(C) However, the attorneys or the court may ask a prospective juror his or her city or town of residence.

그러나 그의 내지는 그녀의 거주지 시티를 내지는 타운을 배심원후보에게 변호사들은 내지는 법원은 물을 수 있다.

(2) Except as provided in § 13-4-302, nothing in this section shall preclude the clerk of the court from keeping and maintaining records of potential jurors that contain mailing or residential addresses or phone numbers.

제13-4-302절에 규정되는 경우에를 제외하고는, 우편주소들을 또는 거주지 주소들을 또는 전화번호들을 포함하는 잠재적 배심원들의 기록들을 법원서기가 보관함을 및 유지함을 이 절 안의 것은 금지하지 아니한다.

https://law.justia.com/codes/arkansas/2019/title-16/subtitle-3/chapter-33/subchapter-2/

2019 Arkansas Code

Title 16 - Practice, Procedure, and Courts

Subtitle 3 - Juries and Jurors

Chapter 33 - Examination and Challenge

Subchapter 2 - Civil Proceedings

민사절차들

- Tit. 16, Subtit. 3., Ch. 33, Subch. 2 Note

- § 16-33-201. Challenge to the Array

- § 16-33-202. Challenge for Cause

- § 16-33-203. Peremptory Challenges - Panel

https://law.justia.com/codes/arkansas/2019/title-16/subtitle-3/chapter-33/subchapter-2/
tit-16-subtit-3-ch-33-subch-2-note/

Tit. 16, Subtit. 3., Ch. 33, Subch. 2 Note

- Tit. 16, Subtit. 3., Ch. 33, Subch. 2 Note

https://law.justia.com/codes/arkansas/2019/title-16/subtitle-3/chapter-33/subchapter-2/section-16-33-201/

§ 16-33-201. Challenge to the Array
배심원(후보)단에 대한 기피신청

Universal Citation: AR Code § 16-33-201 (2019)

일반적 인용: AR Code § 16-33-201 (2019)

A challenge to the array shall be decided by the court.

배심원(후보)단에 대한 기피신청은 법원에 의하여 판단되어야 한다.

https://law.justia.com/codes/arkansas/2019/title-16/subtitle-3/chapter-33/subchapter-2/section-16-33-202/

§ 16-33-202. Challenge for Cause
이유부 기피신청

Universal Citation: AR Code § 16-33-202 (2019)

일반적 인용: AR Code § 16-33-202 (2019)

(a) A challenge for cause shall be decided by the court, and, in order to determine the challenge, the particular juror challenged may be sworn, or, at the instance of either party, all of the jurors may be sworn to make true and perfect answers to such questions as may be demanded of them, touching their qualifications as jurors.

이유부 기피신청은 법원에 의하여 판단되어야 하는바, 기피신청을 판단하도록, 진실한 및 완전한 답변들을 배심원들로서의 그 자신들의 자격조건들에 관하여 그 자신들에게 요구될 수 있는 질문들에 대하여 하겠다는 선서에, 기피신청의 대상인 특정의 배심원(후보) 은 또는 당사자 일방의 요구가 있는 경우에 배심원(후보)들 전원은, 처해질 수 있다.

(b) The court may allow other testimony in regard to the qualifications of any juror.

배심원(후보) 어느 누구든지의 자격조건들에 관련하여 여타의 증언을 법원은 허가할 수 있다.

https://law.justia.com/codes/arkansas/2019/title-16/subtitle-3/chapter-33/subchapter-2/section-16-33-203/

§ 16-33-203. Peremptory Challenges - Panel
무이유부 기피신청들 - 배심원(후보)단

Universal Citation: AR Code § 16-33-203 (2019)

일반적 인용: AR Code § 16-33-203 (2019)

(a) Each party shall have three (3) peremptory challenges, which may be made orally.

세 번의 무이유부 기피들을 할 권리를 개개 당사자는 지니는바, 그것들은 구두로 이루어 질 수 있다.

(b)

(1) However, if either party desires a panel, the court shall cause the names of twenty-four (24) competent jurors, written upon separate slips of paper, to be placed in a box to be kept for that purpose, from which the names of eighteen (18) shall be drawn and entered on a list in the order in which they were drawn, and numbered.

그러나, 한 개의 배심원(후보)단을 만약 어느 당사자가든 원하면, 따로따로의 뽑기 종이조각들 위에 기재된 스물네(24) 명의 유자격 배심원(후보)들의 이름들이 그 목적을 위하여 보관된 한 개의 배심원후보상자 안에 넣어지도록, 그 상자로부터 열 여덟(18) 명의 이름들이 추출되도록 및 그것들이 그 추출된 순서에 따라서 명부 위 에 기입되도록 및 번호가 붙여지도록 법원은 조치하여야 한다.

(2) Each party shall be furnished with a copy of the list, from which each may strike the names of three (3) jurors and return the list so struck to the judge, who shall strike from the original list the names so stricken from the copies, and the first twelve (12) names remaining on the original list shall constitute the jury.

개개 당사자에게는 명부의 사본 한 부가 제공되어야 하되, 세(3) 명의 배심원(후보)들의 이름들을 사본으로부터 개개 당사자는 삭제할 수 있으며, 그렇게 삭제된 명부를 판사에게 개개 당사자는 제출하여야 하고, 그렇게 사본들로부터 삭제된 이름들을 명부원본으로부터 판사는 삭제하여야 하는바, 명부원본 위에 남아 있는 첫 열두 (12) 명의 이름들이 배심을 구성하여야 한다.

2019 Arkansas Code

Title 16 - Practice, Procedure, and Courts

Subtitle 3 - Juries and Jurors

Chapter 33 - Examination and Challenge

Subchapter 3 - Criminal Proceedings

형사절차들

• Tit. 16, Subtit. 3., Ch. 33, Subch. 3 Note

• § 16-33-301. Challenge to Grand Juror

• § 16-33-302. Challenge to Trial Jurors Generally

• § 16-33-303. Challenge to Trial Jurors - Individual Juror Generally

• § 16-33-304. Challenge to Trial Jurors - Individual Juror for Cause

• § 16-33-305. Challenge to Trial Jurors - Individual Juror - Peremptory

• § 16-33-306. Challenge to Trial Jurors - Order

- § 16-33-307. Challenge to Trial Jurors - Several Defendants

- § 16-33-308. Challenge to Trial Jurors - Hearing

https://law.justia.com/codes/arkansas/2019/title-16/subtitle-3/chapter-33/subchapter-3/tit-16-subtit-3-ch-33-subch-3-note/

Tit. 16, Subtit. 3., Ch. 33, Subch. 3 Note

- Tit. 16, Subtit. 3., Ch. 33, Subch. 3 Note

https://law.justia.com/codes/arkansas/2019/title-16/subtitle-3/chapter-33/subchapter-3/section-16-33-301/

§ 16-33-301. Challenge to Grand Juror
대배심원에 대한 기피신청

Universal Citation: AR Code § 16-33-301 (2019)

일반적 인용: AR Code § 16-33-301 (2019)

(a) Every person held to answer a criminal charge may object to the competency of anyone summoned to serve as a grand juror, before he is sworn, on the ground that he is the prosecutor or complainant upon any charge against the person or that he is a witness on the part of the prosecution and has been summoned or bound in a recognizance as such.

대배심원으로서 복무하도록 소환된 어느 누구의 자격에 대하여도, 한 개의 형사고발에 답변하도록 붙들린 모든 사람은, 그 소환된 사람이 선서절차에 처해지고 나기 전에, 그 소환된 사람이 그 붙들린 사람 자신에게 제기된 고발에 대하여 소추자라는 내지는 소추청구인이라는 이유로, 또는 소추 측의 한 명의 증인이라는 이유로, 또는 그러한 자격으로 그가 소환되어 있음을 이유로 또는 한 개의 서약보증서에 묶여 있음을 이유로, 이의할 수 있다.

(b) If the objection is established, the person so challenged shall be set aside and another juror summoned.

만약 이의가 입증되면, 그렇게 기피신청 된 사람은 치워져야 하고 다른 배심원(후보)이 소환되어야 한다.

https://law.justia.com/codes/arkansas/2019/title-16/subtitle-3/chapter-33/subchapter-3/section-16-33-302/

§ 16-33-302. Challenge to Trial Jurors Generally
정식사실심리 배심원(후보)들에 대한 기피신청 일반

Universal Citation: AR Code § 16-33-302 (2019)

일반적 인용: AR Code § 16-33-302 (2019)

A challenge is an objection to the trial jurors and is of two (2) kinds:

한 개의 기피신청은 정식사실심리 배심원들에 대한 이의이며, 이에는 두 종류가 있다:

(1) To the panel;

배심원(후보)단에 대한 것인 경우;

(2) To the individual juror.

개개 배심원(후보)에 대한 것인 경우.

https://law.justia.com/codes/arkansas/2019/title-16/subtitle-3/chapter-33/subchapter-3/section-16-33-303/

§ 16-33-303. Challenge to Trial Jurors - Individual Juror Generally
정식사실심리 배심원들에 대한 기피신청 - 개개의 배심원에 대한 것 일반

Universal Citation: AR Code § 16-33-303 (2019)

일반적 인용: AR Code § 16-33-303 (2019)

(a) The challenge to the individual juror is:

개개 배심원(후보)에 대한 기피신청에는 아래의 것들이 있다:

(1) For cause;

이유부인 경우;

(2) Peremptory.

무이유부인 경우.

(b) The challenge must be taken before he is sworn in chief, but the court, for a good cause, may permit it to be made at any time before the jury is completed.

기피신청은 주로 그가 선서절차에 처해지고 나기 전에 제기되지 않으면 안 되지만, 당해 배심의 구성이 완료되기 전에는 언제든지 기피신청이 제기되도록 그 타당한 이유에 따라서 법원은 허가할 수 있다.

(c) The challenge to the juror shall first be made by the state and then by the defendant, and the state must exhaust its challenges to each particular juror before the juror is passed to the defendant for challenge or acceptance.

배심원(후보)에 대한 기피신청은 먼저 주에 의하여 이루어져야 하고, 그 뒤에 피고인에 의하여 이루어져야 하는바, 기피신청을 위하여 또는 승인을 위하여 개개 특정의 배심원(후보)이 피고인에게 넘겨지기 전에 그 배심원(후보)에 대한 그 자신의 기피신청들을 주는 다 하지 않으면 안 된다.

https://law.justia.com/codes/arkansas/2019/title-16/subtitle-3/chapter-33/subchapter-3/section-16-33-304/

§ 16-33-304. Challenge to Trial Jurors - Individual Juror for Cause
정식사실심리 배심원들에 대한 기피 – 개개 배심원(후보)에 대한 이유부 기피의 경우

Universal Citation: AR Code § 16-33-304 (2019)

일반적 인용: AR Code § 16-33-304 (2019)

(a) The challenge for cause may be taken either by the state or by the defendant.

주에 의하여든 또는 피고인에 의하여든 이유부 기피는 제기될 수 있다.

(b) It may be general, that the juror is disqualified in serving in any case, or particular, that he is disqualified from serving in the case on trial.

기피사유는 어떤 사건에서든지 복무하지 못하도록 당해 배심원(후보)이 결격처리 되는 일반적인 것일 수 있거나, 또는 정식사실심리 대상인 당해 사건에 복무하지 못하도록 그가 결격처리 되는 특별한 것일 수 있다.

(1) Causes of general challenge are:

일반적 기피사유들은 이러하다:

(A) A want of the qualifications prescribed by law;

법에 의하여 규정되는 자격조건들의 결여;

(B) A conviction for a felony;

중죄에 대한 유죄판정;

(C) Unsoundness of mind, or such defect in the faculties of the mind, or organs of the body, as renders him incapable of properly performing the duties of a juror.

불건건한 정신상태, 또는 그로 하여금 배심원으로서의 의무들을 적절히 수행할 수 없게 만들 정도의 정신적 능력들에 있어서의 또는 신체기관들에 있어서의 결함.

(2) Particular causes of challenge are actual and implied bias.

특별한 기피사유들은 실제의 및 함축된 선입견이다.

(A) Actual bias is the existence of such a state of mind on the part of the juror, in regard to the case or to either party, as satisfies the court, in the exercise of a sound discretion, that he cannot try the case impartially and without prejudice to the substantial rights of the party challenging.

실제의 선입견은 당해 사건을 공평하게 및 그 기피 측 당사자의 실질적 권리들에 대한 침해 없이 그가 심리할 수 없음에 대하여 건전한 재량권의 행사 속에서의 법원을 납득시키는, 당해 사건에 관련한 내지는 당사자 어느 쪽에든 관련한 당해 배심원(후보) 쪽에서의 마음 상태의 존재이다.

(B) A challenge for implied bias may be taken in the case of the juror:

함축된 선입견을 이유로 하는 기피신청은 아래에 해당하는 배심원(후보)의 경우에 제기될 수 있다:

(i) Being related by consanguinity, or affinity, or who stands in the relation of guardian and ward, attorney and client, master and servant, landlord and tenant, employer and employed on wages, or who is a member of the family of the defendant or of the person alleged to be injured by the offense charged, or on whose complaint the prosecution was instituted;

혈족관계에 의하여, 인척관계에 의하여 연결되는 경우, 또는 후견인의 및 피후견인의, 변호사의 및 의뢰인의, 주인의 및 종복의, 지주의 및 차지인의, 고용주의 및 임금피용자의 관계에 있는 경우 또는 피고인의 가족의, 또는 기소된 범죄에 의하여 피해를 입었다고 주장되는 사람의 가족의, 또는 당해 소추가 개시되게 한 소추청구장에서의 소추청구인의 가족의 구성원인 경우;

(ii) Being adverse to the defendant in a civil suit, or having complained against or being accused by him in a criminal prosecution;

한 개의 민사소송에서 피고인의 상대방인 경우, 또는 한 개의 형사 소송추행에서 피고인을 상대로 고소한 사람인 경우 또는 피고인에 의하여 고소된 사람인 경우;

(iii) Having served on the grand jury that found the indictment or on the coroner's jury that inquired into the death of the party, whose death is the subject of the indictment;

당해 대배심 검사기소를 평결한 대배심에서, 또는 당해 대배심 검사기소장의 소송물인 당사자의 사망을 조사한 검시배심에서, 복무한 터인 경우;

(iv) Having served on a trial jury which has tried another person for the offense charged in the indictment;

당해 대배심 검사기소장에서 기소된 범죄로 다른 사람을 심리한 한 개의 정식사실심리 배심에서 복무한 터인 경우;

(v) Having been one of the former jury sworn to try the same indictment and whose verdict was set aside, or who were discharged without a verdict;

동일한 대배심 검사기소장을 정식사실심리 하기로 선서절차에 처해진, 그 평결이 무효화된 내지는 평결 없이 임무해제된 과거의 배심의 한 명의 구성원이었던 경우;

(vi) Having served as a juror in a civil action brought against the defendant for the act charged in the indictment;

당해 대배심 검사기소장에서 기소된 행위를 이유로 피고인에게 제기된 민사소송에서 한 명의 배심원으로 복무한 터인 경우;

(vii) When the offense is punishable with death, the entertaining of such conscientious opinions as would preclude him from finding the defendant guilty.

범죄가 사형으로 처벌될 수 있는 경우에, 당해 피고인을 유죄로 판정하지 못하도록 그를 금지시킬 만한 양심적인 의견들을 품고 있는 경우.

(c) An exemption from serving on a jury is not a cause of challenge. Having formed or expressed an opinion merely from rumor shall not be a cause of challenge.

한 개의 배심에의 복무로부터의 제외는 기피의 사유가 되지 아니한다. 단순히 소문만으로부터의 한 개의 의견을 형성한 것으로는 내지는 표명한 것으로는 기피의 사유가 되지 아니한다.

https://law.justia.com/codes/arkansas/2019/title-16/subtitle-3/chapter-33/subchapter-3/section-16-33-305/

§ 16-33-305. Challenge to Trial Jurors - Individual Juror - Peremptory

정식사실심리 배심원(후보)들에 대한 기피 – 개개 배심원(후보)에 대한 경우 – 무이유부의 경우

Universal Citation: AR Code § 16-33-305 (2019)

일반적 인용: AR Code § 16-33-305 (2019)

(a) The state shall be entitled to ten (10) peremptory challenges in prosecutions for capital murder, to six (6) peremptory challenges in prosecutions for all other felonies, and to three (3) peremptory challenges in prosecutions for misdemeanors.

사형에 해당하는 모살죄의 소추들에서는 열(10) 번의, 그 밖의 모든 중죄들의 소추들에서는 여섯(6) 번의 , 그리고 경죄들의 소추들에서는 세(3) 번의 무이유부 기피들을 할 권리를 주는 지닌다.

(b) The defendant shall be entitled to twelve (12) peremptory challenges in prosecutions for capital murder, to eight (8) peremptory challenges in prosecutions for all other felonies, and to three (3) peremptory challenges in prosecutions for misdemeanors.

사형에 해당하는 살인죄의 소추들에서는 열두(12) 번의, 그 밖의 모든 중죄들의 소추들에서는 여덟(8) 번의, 그리고 경죄들의 소추들에서는 세(3) 번의 무이유부 기피들을 할 권리를 피고인은 지닌다.

https://law.justia.com/codes/arkansas/2019/title-16/subtitle-3/chapter-33/subchapter-3/section-16-33-306/

§ 16-33-306. Challenge to Trial Jurors - Order
정식사실심리 배심원(후보)들에 대한 기피 – 순서

Universal Citation: AR Code § 16-33-306 (2019)
일반적 인용: AR Code § 16-33-306 (2019)

The challenges of either party need not be all taken together, but may be taken separately, in the following order:

당사자 각각의 기피들은 함께 제기되어야 할 필요가 없고 따로따로 아래의 순서에 따라서 제기될 수 있다:

(1) To the panel;

배심원(후보)단에 대한 기피;

(2) To the individual juror for general disqualification;

일반적 결격사유를 이유로 하는 개개 배심원(후보)에 대한 기피;

(3) To the individual juror for implied bias;

함축된 선입견을 이유로 하는 개개 배심원(후보)에 대한 기피;

(4) To the individual juror for actual bias;

실제의 선입견을 이유로 하는 개개 배심원(후보)에 대한 기피;

(5) Peremptory.

무이유부 기피.

§ 16-33-307. Challenge to Trial Jurors - Several Defendants
정식사실심리 배심원(후보)들에 대한 기피 – 수 명의 피고인들의 경우

Universal Citation: AR Code § 16-33-307 (2019)

일반적 인용: AR Code § 16-33-307 (2019)

When several defendants are tried together, the challenge of any one (1) of the defendants shall be the challenge of all.

수 명의 피고인들이 함께 정식사실심리 되는 경우에, 피고인들 중 한 명의 기피는 전원을 위한 기피가 된다.

§ 16-33-308. Challenge to Trial Jurors - Hearing
정식사실심리 배심원(후보)들에 대한 기피 – 심문

Universal Citation: AR Code § 16-33-308 (2019)

일반적 인용: AR Code § 16-33-308 (2019)

(a) Challenges shall be tried and determined by the court in a summary manner, without the issues of law or of fact arising thereon being reduced to writing.

기피신청에의 관련으로 발생하는 법의 또는 사실의 쟁점들이 서면으로 옮겨짐이 없이 약식의 방법으로 법원에 의하여 기피신청들은 심리되어야 하고 판단되어야 한다.

(b) The juror himself may be examined on oath by either party upon challenge.

기피신청에 대하여 어느 쪽 당사자에 의하여든 선서 위에서 배심원(후보) 자신은 신문될 수 있다.

(c) Other witnesses may also be examined and their attendance coerced.

여타의 증인들이 또한 신문될 수 있고 그들의 출석은 강제될 수 있다.

2019 Arkansas Code

Title 16 - Practice, Procedure, and Courts

Subtitle 3 - Juries and Jurors

Chapter 34 - Fees and Expenses
보수들 및 지출경비들

- Tit. 16, Subtit. 3., Ch. 34 Note

- §§ 16-34-101, 16-34-102. [repealed.]

- § 16-34-103. Per Diem Compensation for Jurors and Prospective Jurors

- § 16-34-104. Mileage Reimbursement for Jurors

- § 16-34-105. [repealed.]

- § 16-34-106. Payment by County - Reimbursement by State

https://law.justia.com/codes/arkansas/2019/title-16/subtitle-3/chapter-34/tit-16-subtit-3-ch-34-note/

Tit. 16, Subtit. 3., Ch. 34 Note

- Tit. 16, Subtit. 3., Ch. 34 Note

https://law.justia.com/codes/arkansas/2019/title-16/subtitle-3/chapter-34/section-16-34-103/

§ 16-34-103. Per Diem Compensation for Jurors and Prospective Jurors

배심원들을 및 배심원후보들을 위한 일당

Universal Citation: AR Code § 16-34-103 (2019)

일반적 인용: AR Code § 16-34-103 (2019)

(a) Any person who receives official notice that he or she has been selected as a prospective juror or who is chosen as a juror is eligible to receive per diem compensation for service if:

그 자신이 내지는 그녀 자신이 한 명의 배심원후보로 선정되어 있다는 공식의 통지서를 수령하는 사람 누구든지는 또는 한 명의 배심원(후보)으로 선정되는 사람 누구든지는 아래의 경우에 복무에 대한 일당을 수령할 자격이 있다:

(1) The person actually appears at the location to which the juror or prospective juror was summoned; and

당해 배심원이 내지는 배심원후보가 소환된 장소에 그 사람이 실제로 출석하는 경우; 그리고

(2) The person's appearance is duly noted by the circuit clerk.

그 사람의 출석이 순회구 지방법원 서기에 의하여 적법하게 기록되는 경우.

(b)

(1) The per diem compensation payable to any person who is eligible for payment under subsection (a) of this section and who is selected and seated to serve as a member of a grand jury or petit jury is fifty dollars ($50.00) per day.

이 절의 소절 (a)에 따른 지급을 받을 자격이 있는, 그리하여 대배심의 내지는 소배심의 구성원으로서 복무하도록 선정되는 및 착석하는 사람에게 지급되는 일당은 하루 당 50불이다.

(2) Any person who is eligible for payment under subsection (a) of this section and who is excused or otherwise not selected and seated as a member of a grand jury or petit jury shall be provided per diem compensation of not less than fifteen dollars ($15.00) as established by ordinance of the county quorum court.

이 절의 소절 (a)에 따른 지급을 받을 자격이 있는, 그러나 그 면제되는, 또는 그 밖의 사유로 대배심의 내지는 소배심의 구성원으로 선정되지 아니하는 또는 착석하지 아니하는 사람에게는 카운티 의회의 조례에 의하여 정해지는 바에 따라서 15불 이하의 일당이 지급되어야 한다.

§ 16-34-104. Mileage Reimbursement for Jurors
배심원(후보)들을 위한 여비수당의 변상

Universal Citation: AR Code § 16-34-104 (2019)

일반적 인용: AR Code § 16-34-104 (2019)

In the event and to the extent that a county quorum court adopts by ordinance a policy for reimbursement of mileage costs for jurors, any person who is eligible to receive per diem compensation under § 16-34-103 and whose primary place of residence is outside the city limits of the city where the court that summoned the juror or prospective juror is located may receive, in addition to the per diem compensation, a mileage reimbursement payment for mileage from and to his or her home by the most direct and practicable route at the rate prescribed by the county.

배심원들의 여비지출의 변상을 위한 한 개의 규정을 조례에 의하여 카운티 의회가 채택하는 경우에 및 그 채택하는 정도만큼, 일당을에 추가하여 그의 내지는 그녀의 집을 가장 직접적인 통행 가능한 경로로 오가는 마일 수에 대한 카운티에 의하여 정해지는 요율에 따르는 여비 변상금을, 제16-34-103절 아래서의 일당의 수령 자격이 있는 및 당해 배심원을 내지는 배심원후보를 소환한 법원이 소재한 시티 경계들 너머에 그의 또는 그녀의 주된 거주장소가 있는 사람 누구든지는, 수령할 수 있다.

https://law.justia.com/codes/arkansas/2019/title-16/subtitle-3/chapter-34/section-16-34-106/

§ 16-34-106. Payment by County - Reimbursement by State
카운티에 의한 지급 - 주에 의한 변상

Universal Citation: AR Code § 16-34-106 (2019)

일반적 인용: AR Code § 16-34-106 (2019)

(a) The per diem compensation under § 16-34-103 shall be paid promptly to each juror or prospective juror by a county from funds appropriated for that purpose by the quorum court.

제16-34-103절 아래서의 일당은 그 목적을 위하여 카운티 의회에 의하여 예산에 책정된 기금으로부터 카운티에 의하여 개개 배심원에게 또는 배심원후보에게 신속하게 지급되어야 한다.

(b)

(1)

(A) The state shall reimburse a county for a portion of the costs incurred for a payment under § 16-34-103(b)(1) if the county makes a request under subdivision (b)(3) of this section.

제16-34-103(b)(1)절 아래서의 지급을 위하여 발생한 비용들의 일부를, 이 절의 소부 (b)(3) 아래서의 요청을 카운티가 하는 경우에 카운티에게 주는 변상하여야 한다.

(B)

(i) If funds are available, the state shall reimburse a county for the cost of a prospective juror orientation for a juror eligible for payment under § 16-34-103(b)(2) up to fifteen dollars ($15.00) if the county makes a request under subdivision (b)(3) of this section.

기금이 여유가 있으면, 제16-34-103(b)(2)절 아래서 지급을 받을 자격이 있는 배심원을 위한 배심원후보 지도의 비용을 15불까지의 한도 내에서 카운티에게, 이 절의 소부 (b)(3) 아래서의 요청을 카운티가 하는 경우에, 주는 변상하여야 한다.

(ii) The reimbursement under this subdivision (b)(1)(B) shall not exceed the minimum per diem compensation under § 16-34-103(b)(2).

제16-34-103(b)(2) 아래서의 최소일당을 이 소부 (b)(1)(B) 아래서의 변상은 초과하여서는 안 된다.

(2) The Administrative Office of the Courts shall administer the state reimbursement to a county under subdivision (b)(1) of this section.

이 절의 소부 (b)(1) 아래서의 카운티에 대한 주 변상을 법원사무처는 집행하여야 한다.

(3) A county may request reimbursement for costs incurred for a payment under § 16-34-103(b)(1) or § 16-34-103(b)(2) on a quarterly basis as follows:

제16-34-103(b)(1) 아래서의 또는 제16-34-103(b)(2) 아래서의 지급을 위하여 발생한 비용들의 변상을 연 4회 기준으로 아래에 따라서 카운티는 요청할 수 있다:

(A) On or before May 1 of each year for costs incurred between January 1 and March 31 of that year;

당해 연도 1월 1일부터 3월 31일까지 사이에 발생한 비용들에 대하여는 그 해 5월 1일 이전;

(B) On or before August 1 of each year for costs incurred between April 1 and June 30 of that year;

당해 연도 4월 1일부터 6월 30일까지 사이에 발생한 비용들에 대하여는 그 해 8월 1일 이전;

(C) On or before December 1 of each year for costs incurred between July 1 and September 30 of that year; and

당해 연도 7월 1일부터 9월 30일까지 사이에 발생한 비용들에 대하여는 그 해 12월 1일 이전;

(D) On or before February 1 of each year for costs incurred between October 1 and December 31 of the prior year.

전년도 10월 1일부터 12월 31일까지 사이에 발생한 비용들에 대하여는 금년도 2월 1일 이전;

(4) The Administrative Office of the Courts shall consult with Arkansas Legislative Audit and shall prescribe the information that shall be documented and certified by a county in order to receive reimbursement under subdivision (b)(1) of this section.

아칸자스주 법원사무처는 아칸자스주 의회 회계감사국에게 협의하여야 하고, 이 절의 소부 (b)(1) 아래서의 변상금을 수령하기 위하여 카운티에 의하여 문서로 제공되어야 할 및 확인되어야 할 정보를 규정하여야 한다.

https://law.justia.com/codes/arkansas/2019/title-16/subtitle-5/chapter-64/

Title 16 - Practice, Procedure, and Courts

Subtitle 5 - Civil Procedure Generally

민사절차 일반

Chapter 64 - Trial and Verdict

정식사실심리 및 평결

• Tit. 16, Subtit. 5., Ch. 64 Note

• §§ 16-64-101 — 16-64-104. [repealed.]

• § 16-64-105. [superseded.]

• §§ 16-64-106 — 16-64-108. [repealed.]

• § 16-64-109. [superseded.]

• § 16-64-110. Order of Trial

• §§ 16-64-111, 16-64-112. [repealed.]

• § 16-64-113. Jury May View Subject of Litigation

• § 16-64-114. Jury Instructions Generally

• § 16-64-115. Jury Instructions - Further Instruction During Deliberations

• § 16-64-116. Conduct of Jury After Submission of Case

• § 16-64-117. Separation of Jury - Admonishment by Court

- § 16-64-118. Discharge of Jury

- § 16-64-119. Verdict of Jury - Polling Jury

- § 16-64-120. Recovery of Damages

- § 16-64-121. Assessment of Damages by Jury

- § 16-64-122. Comparative Fault

- § 16-64-123. Excessiveness of Damages Generally

- § 16-64-124. Remittitur

- § 16-64-125. Method of Serving Judgment on Defendant Constructively Summoned

- § 16-64-126. Title of Bona Fide Purchasers of Property Unaffected by New Trial

- §§ 16-64-127 — 16-64-129. [repealed.]

- § 16-64-130. Punitive Damage - Contract Involving Financial Institutions

- § 16-64-131. New Business Rule - Damages

https://law.justia.com/codes/arkansas/2019/title-16/subtitle-5/chapter-64/tit-16-subtit-5-ch-64-note/

Tit. 16, Subtit. 5., Ch. 64 Note

• Tit. 16, Subtit. 5., Ch. 64 Note

https://law.justia.com/codes/arkansas/2019/title-16/subtitle-5/chapter-64/section-16-64-110/

§ 16-64-110. Order of Trial
정식사실심리의 순서

Universal Citation: AR Code § 16-64-110 (2019)

일반적 인용: AR Code § 16-64-110 (2019)

When the jury has been sworn, the trial shall proceed in the following order unless the court, for special reasons, otherwise directs:

배심이 선서절차에 처해지고 나면, 특별한 이유들에 따라서 법원이 달리 명령하는 경우에를 제외하고는, 아래의 순서에 따라서 정식사실심리는 진행되어야 한다:

(1) The plaintiff must briefly state his or her claim and the evidence by which he or she expects to sustain it;

그 자신의 내지는 그녀 자신의 청구를, 및 그것을 입증할 것으로 그 자신이 또는 그녀 자신이 예상하는 증거를 원고는 간략하게 진술하지 않으면 안 된다;

(2) The defendant must then briefly state his or her defense and the evidence he or she expects to offer in support of it;

그 자신의 내지는 그녀 자신의 항변을, 및 그것을 뒷받침하기 위하여 제출하고자 그 자신이 또는 그녀 자신이 예상하는 증거를 그 뒤에 피고는 간략하게 진술하지 않으면 안 된다;

(3)

(A) The party on whom rests the burden of proof in the whole action must first produce his or her evidence;

전체 소송에서의 입증책임을 지는 당사자는 그 자신의 내지는 그녀 자신의 증거를 먼저 제출하지 않으면 안 된다;

(B) The adverse party will then produce his or her evidence;

그 자신의 내지는 그녀 자신의 증거를 그 뒤에 상대방 당사자는 제출한다;

(4) The parties will then be confined to rebutting evidence unless the court, for good reasons, in furtherance of justice, permits them to offer evidence in their original case;

그 뒤에는, 달리 그들의 본래의 주장을 뒷받침하는 증거를 제출하도록 사법의 증진을 위한 타당한 이유들에 따라서 그들에게 법원이 허용하는 경우에를 제외하고는, 증거를 반박함만이 허용되도록 당사자들은 제한된다;

(5) When the evidence is concluded, either party may request instructions to the jury on points of law, which shall be given or refused by the court, and the instructions shall be reduced to writing if either party requires it; and

증거절차가 종결되면, 법의 문제들에 관하여 배심에게 할 지시사항들을 어느 쪽 당사자가든 요청할 수 있고 그것들은 법원에 의하여 부여되어야 하거나 거부되어야 하는바, 지시사항들은 만약 당사자 어느 쪽이든지가 원하면 서면으로 옮겨져야 한다; 그리고

(6) The parties may then submit or argue the case to the jury. In the argument the party having the burden of proof shall have the opening and conclusion, and if, upon the demand of his or her adversary, he or she refuses to open and fully state the grounds upon which he or she claims a verdict, he or she shall be refused the conclusion.

그 뒤에 당사자들은 사건을 배심에게 맡길 수 있거나 변론할 수 있다. 변론에 있어서 입증책임을 지는 당사자는 개시변론의 및 종결변론의 권리를 가지는바, 만약 그의 내지는 그녀의 상대방의 요구에도 불구하고 개시변론을 하기를 및 한 개의 평결을 그가 또는 그녀가 요구하는 근거들을 완전하게 진술하기를 그가 내지는 그녀가 거부하면, 종결변론을 하도록 그는 또는 그녀는 허가되지 아니한다.

https://law.justia.com/codes/arkansas/2019/title-16/subtitle-5/chapter-64/section-16-64-113/

§ 16-64-113. Jury May View Subject of Litigation
소송물을 배심은 검증할 수 있음

Universal Citation: AR Code § 16-64-113 (2019)

일반적 인용: AR Code § 16-64-113 (2019)

Whenever, in the opinion of the court, it is proper for the jury to have a view of real property which is the subject of litigation, or of the place in which any material fact occurred, it may order them to be conducted in a body, under the charge of an officer, to the place, which shall be shown to them by some person appointed by the court for that purpose. While the jury is thus absent, no person other than the person so appointed shall speak to them on any subject connected with the trial.

소송물인 부동산에 대한, 또는 중요한 사실이 발생한 장소에 대한, 검증을 배심이 행함이 적절하다는 것이 법원의 의견인 경우에는 언제든지, 그들로 하여금 일단이 되어 공무원의 보호 아래서 그 장소에 안내되게 하도록 법원은 명령할 수 있는바, 그 목적을 위하여 법원에 의하여 지명된 상당한 사람에 의하여 그들에게 그 장소는 제시될 수 있다. 이렇게 법정을 배심이 떠나 있는 동안에는 그렇게 지명된 사람 이외의 어느 누구가도 그들에게 그 정식사실심리에 관련되는 어떤 사항에 관하여도 말하여서는 안 된다.

https://law.justia.com/codes/arkansas/2019/title-16/subtitle-5/chapter-64/section-16-64-114/

 § 16-64-114. Jury Instructions Generally
배심 지시사항들 일반

Universal Citation: AR Code § 16-64-114 (2019)
일반적 인용: AR Code § 16-64-114 (2019)

In the trial of all cases in courts of record wherein juries are employed, it shall be the duty of the presiding trial judge to deliver to the jury immediately prior to its retirement for deliberation a typewritten copy of the instructions which has been given to the jury orally, when counsel for all parties so request. This copy of instructions shall, at the time of the dismissal of the jury, be returned to the court by the foreman of the jury.

배심들이 사용되는 정식기록 법원들의 모든 사건들의 정식사실심리에서, 구두로 배심에게 부여되어 있는 지시사항들의 타이핑된 사본 한 부를, 숙의를 위한 퇴정 직전에 배심에게 교부함은, 모든 당사자들의 변호사들이 그렇게 요청할 경우에는, 정식사실심리 재판장 판사의 의무이다. 지시사항들의 이 사본은 배심의 임무해제 때에 당해 배심의 배심장에 의하여 법원에 반환되어야 한다.

https://law.justia.com/codes/arkansas/2019/title-16/subtitle-5/chapter-64/section-16-64-115/

§ 16-64-115. Jury Instructions - Further Instruction During Deliberations
배심 지시사항들 – 숙의들 도중의 추가적 지시사항

Universal Citation: AR Code § 16-64-115 (2019)

일반적 인용: AR Code § 16-64-115 (2019)

After the jury has retired for deliberation, if there is a disagreement between them as to any part of the testimony or if they desire to be informed as to any point of law arising in the case, they may request the officer to conduct them into court, where the information required shall be given in the presence of, or after notice to, the parties or their counsel.

숙의를 위하여 배심이 물러가고 난 뒤에 만약 증언의 어느 부분에 관하여든지 그들 사이의 불일치가 있으면 또는 당해 사건에서 발생한 법의 문제에 관하여 정보를 제공받기를 그들이 원하면 그 자신들을 법정 안으로 안내해 줄 것을 공무원에게 그들은 요청할 수 있는바, 법정에서는 당사자들의 또는 그들의 변호사들의 출석 가운데 또는 그들에게의 통지 뒤에, 그 요구된 정보가 제공되어야 한다.

§ 16-64-116. Conduct of Jury After Submission of Case
사건의 위임 뒤의 배심의 행위

Universal Citation: AR Code § 16-64-116 (2019)

일반적 인용: AR Code § 16-64-116 (2019)

(a) When the case is finally submitted to the jury, they may decide in court or retire for deliberation.

사건이 종국적으로 배심에게 위임되면, 그들은 법정에서 결정할 수 있고 또는 숙의를 위하여 물러갈 수 있다.

(b)

(1) If the jury retires, they must be kept together in some convenient place, under the charge of an officer, until they agree upon a verdict or are discharged by the court, subject to the discretion of the court to permit them to separate temporarily at night and at their meals.

만약 배심이 물러가면, 한 개의 평결에 그들이 합의할 때까지 또는 법원에 의하여 임무해제 될 때까지 그들은 편리한 장소에 공무원 한 명의 보호 가운데 함께 붙들려 있지 않으면 안 되는바, 밤에 또는 그들의 식사 때에 그들로 하여금 일시적으로 쪼개지도록 허용할 법원의 재량의 적용을 그들은 받는다.

(2) The officer having them under his or her charge shall not allow any communication to be made to them, or make any himself or herself, except to ask them if they have agreed upon their verdict, unless by order of the court, and he or she shall not, before their verdict is rendered, communicate to any person the state of their deliberations or the verdict agreed upon.

법원의 명령에 의한 경우에를 제외하고는, 그들에게의 의사소통이 조금이라도 이루어지도록은 그 자신의 또는 그녀 자신의 보호 아래에 그들을 두는 공무원은 허용하여서는 안 되고, 또는 그들의 평결에 그들이 합의한 터인지 여부를 그들에게 묻기 위하여를 제외한 그 어떤 의사소통을이라도 그 공무원인 그 자신이 또는 그녀 자신이 하여서는 안 되는바, 그들의 평결이 제출되기 전에는 그들의 숙의들의 상태에 관하여 또는 그 합의된 평결에 관하여 어느 누구에게도 그는 또는 그녀는 의사소통 하여서는 안 된다.

https://law.justia.com/codes/arkansas/2019/title-16/subtitle-5/chapter-64/section-16-64-117/

§ 16-64-117. Separation of Jury - Admonishment by Court
배심의 분리 – 법원에 의한 경고

Universal Citation: AR Code § 16-64-117 (2019)

일반적 인용: AR Code § 16-64-117 (2019)

If the jury is permitted to separate, either during the trial or after the case is submitted to them, they may be admonished by the court that it is their duty not to converse with or allow themselves to be addressed by any other person on any subject of the trial and, during the trial, that it is their duty not to form or express an opinion thereon until the cause is finally submitted to them.

만약 정식사실심리 동안에든 또는 당해 사건이 그들에게 위임된 뒤에든 그 분리하도록 배심이 허용되면, 그들에게는 당해 정식사실심리의 그 어떤 주제에 대하여도 다른 어느 누구에더불어서도 그들이 대화하지 아니함이, 내지는 다른 어떤 사람에 의하여도 그들에게 발언이 이루어지도록 그들 스스로 허용하지 아니함이 그들의 의무임에 관하여, 그리고 정식사실심리 동안에는 당해 사건이 종국적으로 그들에게 위임되기까지는 이에 대한 한 개의 의견을 형성하지 아니함이 내지는 표명하지 아니함이 그들의 의무임에 관하여, 법원에 의하여 경고가 이루어질 수 있다.

§ 16-64-118. Discharge of Jury
배심의 임무해제

Universal Citation: AR Code § 16-64-118 (2019)

일반적 인용: AR Code § 16-64-118 (2019)

(a) The jury may be discharged by the court on account of the sickness of a juror, or other accident or calamity requiring their discharge, or by consent of both parties, or after they have been kept together until it satisfactorily appears that there is no probability of their agreeing.

한 명의 배심원의 질병을 이유로 또는 그들의 임무해제를 요구하는 여타의 사고를 내지는 재난을 이유로, 또는 쌍방 당사자들의 동의에 의하여, 또는 그들의 합의의 가망 없음이 그 납득할 수 있을 만큼 나타나도록 그들이 함께 붙들려 있고 난 뒤에, 법원에 의하여 배심은 임무해제 될 수 있다.

(b) In all cases where the jury is discharged during the trial, or after the cause is submitted to them, it may be tried again immediately or at a future date, as the court may direct.

정식사실심리 동안에 또는 그들에게 사건이 위임된 뒤에 배심이 임무해제 되는 모든 경우들에서, 법원이 명령하는 바에 따라서 즉시로 또는 장래의 지정된 날에 다시 사건은 정식사실심리 될 수 있다.

§ 16-64-119. Verdict of Jury - Polling Jury
배심의 평결 – 배심투표 조사집계

Universal Citation: AR Code § 16-64-119 (2019)

일반적 인용: AR Code § 16-64-119 (2019)

(a) When the jury has agreed upon its verdict, they must be conducted into court, their names called by the clerk, and the verdict rendered by their foreman.

자신의 평결에 배심이 합의한 터이면, 법정으로 그들은 안내되지 않으면 안 되고, 그들의 이름들이 서기에 의하여 호창되지 않으면 안 되며, 그들의 배심장에 의하여 평결이 제출되지 않으면 안 된다.

(b) When the verdict is announced either party may require the jury to be polled, which is done by the clerk or court asking each juror if it is his or her verdict. If any one answers in the negative, the jury must again be sent out for further deliberation.

배심투표 집계조사를 실시할 것을 평결이 선언되는 때에 어느 쪽 당사자가든지 요구할 수 있는바, 그것이 그의 내지는 그녀의 평결인지를 개개 배심원에게 서기가 또는 법원이 물음에 의하여 그것은 실시된다. 만약 어느 한 명이가라도 부정으로 답하면, 추가적 숙의를 위하여 배심은 다시 내보내지지 않으면 안 된다.

(c) The verdict shall be written, signed by the foreman, and read by the court or clerk to the jury, and the inquiry made whether it is their verdict.

평결은 서면화 되어야 하고 배심장에 의하여 서명되어야 하며 법원에 의하여 또는 서기에 의하여 배심에게 낭독되어야 하는바, 그것이 그들의 평결인지 여부의 질문이 이루어져야 한다.

(d)

(1) If any juror disagrees, the jury must be sent out again.

만약 배심원 어느 누구가라도 부동의하면, 배심은 다시 내보지지 않으면 안 된다.

(2) If no disagreement is expressed, and neither party requires the jury to be polled, the verdict is complete and the jury discharged from the case.

만약 부동의가 표명되지 아니하면, 그리고 배심투표 집계조사를 실시할 것을 어느 쪽 당사자가라도 요구하지 아니하면, 평결은 완료된 것이 되고 배심은 사건으로부터 임무해제 된다.

https://law.justia.com/codes/arkansas/2019/title-16/subtitle-5/chapter-64/section-16-64-120/

§ 16-64-120. Recovery of Damages
손해액의 회복

Universal Citation: AR Code § 16-64-120 (2019)

일반적 인용: AR Code § 16-64-120 (2019)

Whenever damages are recoverable, the plaintiff may claim and recover any rate of damages to which he or she may be entitled for the cause of action established.

그 증명되는 청구원인에 따라서 그 지급받을 권리를 그가 또는 그녀가 지니는 여하한 액수의 손해배상을이든, 그 손해액이 지급될 수 있는 때에는 언제든지, 원고는 청구할 수 있고 지급받을 수 있다.

https://law.justia.com/codes/arkansas/2019/title-16/subtitle-5/chapter-64/section-16-64-121/

§ 16-64-121. Assessment of Damages by Jury
배심에 의한 손해액의 산정

Universal Citation: AR Code § 16-64-121 (2019)

일반적 인용: AR Code § 16-64-121 (2019)

When, by the verdict, either party is entitled to recover money of the adverse party, the jury in their verdict must assess the amount of recovery.

상대방에게서 금전을 지급받을 권리를 평결에 의하여 어느 쪽 당사자가든 지니는 경우에, 그 지급받을 액수를 그들의 평결에서 배심은 산정하지 않으면 안 된다.

https://law.justia.com/codes/arkansas/2019/title-16/subtitle-5/chapter-64/section-16-64-122/

§ 16-64-122. Comparative Fault
과실상계

Universal Citation: AR Code § 16-64-122 (2019)

일반적 인용: AR Code § 16-64-122 (2019)

(a) In all actions for damages for personal injuries or wrongful death or injury to property in which recovery is predicated upon fault, liability shall be determined by comparing the fault chargeable to a claiming party with the fault chargeable to the party or parties from whom the claiming party seeks to recover damages.

과실에 그 청구의 토대를 두는 신체상해에 대한, 또는 부당한 사망에 대한, 또는 재산에의 침해에 대한 손해배상을 구하는 모든 소송들에서는, 청구 측 당사자에게 물어질 수 있는 과실을, 손해배상을 청구 측 당사자가 구하는 상대방 측 당사자에게 내지는 당사자들에게 물어질 수 있는 과실을에 비교함에 의하여, 책임은 판단되어야 한다.

(b)

(1) If the fault chargeable to a party claiming damages is of a lesser degree than the fault chargeable to the party or parties from whom the claiming party seeks to recover damages, then the claiming party is entitled to recover the amount of his or her damages after they have been diminished in proportion to the degree of his or her own fault.

손해배상을 청구 측 당사자가 구하는 상대방 측 당사자에게 내지는 당사자들에게
물어질 수 있는 과실이에 비하여 손해배상을 청구하는 측 당사자에게 물어질 수 있
는 과실이 그 정도에 있어서 만약 더 적으면, 그 자신의 내지는 그녀 자신의 손해액
중에서 그 자신의 내지는 그녀 자신의 과실 비율만큼 감경되고 난 뒤의 액수만을
지급받을 권리를 그 경우에 청구 측 당사자는 지닌다.

(2) If the fault chargeable to a party claiming damages is equal to or greater in degree
than any fault chargeable to the party or parties from whom the claiming party
seeks to recover damages, then the claiming party is not entitled to recover such
damages.

손해배상을 청구 측 당사자가 구하는 상대방 측 당사자에게 내지는 당사자들에게
물어질 수 있는 과실이에 비하여, 손해배상을 청구하는 측 당사자에게 물어질 수
있는 과실이 그 정도에 있어서 만약 같으면 또는 더 크면, 그러한 손해배상을 지급
받을 권리를 청구 측 당사자는 지니지 아니한다.

(c) The word "fault" as used in this section includes any act, omission, conduct,
risk assumed, breach of warranty, or breach of any legal duty which is a prox-
imate cause of any damages sustained by any party.

어느 쪽 당사자에게든 입혀진 손해의 주원인인 작위를, 부작위를, 행위를, 인수된 위험
을, 담보위반을, 또는 법적 의무 위반을 이 절에서 사용되는 것으로서의 "과실"이라는 단
어는 포함한다.

(d) In cases where the issue of comparative fault is submitted to the jury by an
interrogatory, counsel for the parties shall be permitted to argue to the jury
the effect of an answer to any interrogatory.

과실상계의 쟁점이 한 개의 질문사항에 의하여 배심에게 맡겨지는 사건들에서, 어떤 질
문에 대하여든지의 배심의 답변의 결과를 배심에게 주장하도록 당사자들의 변호사들은
허용되어야 한다.

§ 16-64-123. Excessiveness of Damages Generally
과다한 손해배상액의 경우 일반

Universal Citation: AR Code § 16-64-123 (2019)

일반적 인용: AR Code § 16-64-123 (2019)

The verdict of any jury rendered in any action for the recovery of damages where the measure thereof is indeterminate or uncertain shall not be held to be excessive or be set aside as excessive, except for some erroneous instruction or, upon evidence, aside from the amount of the damages assessed, that it was rendered under the influence of passion or prejudice.

그 산정기준이 불확정인 또는 불명확한 손해배상 청구소송에서는, 그 제출된 배심의 평결은 과다한 것으로 간주되어서도 또는 과다한 것으로서 무효화되어서도 안 되는바, 다만 모종의 오류적 지시사항으로 인한 경우에를, 또는 그 산정된 손해배상액을 차치하고 격노의 또는 편견의 영향력 아래서 그것이 내려졌음이 증거에 의하여 뒷받침되는 경우에를, 제외한다.

§ 16-64-124. Remittitur
손해액 감액결정

Universal Citation: AR Code § 16-64-124 (2019)

일반적 인용: AR Code § 16-64-124 (2019)

The circuit judge presiding at the trial, if he or she deems the verdict excessive, may, on motion for a new trial filed by the losing party, indicate the amount of the excess. Thereupon, if the losing party offers to file and enter of record a release of all errors that may have accrued at the trial if the prevailing party will remit the amount so deemed excessive and the prevailing party refuses to remit the amount so deemed excessive, the verdict shall be set aside.

당해 정식사실심리에서의 재판장으로서 주재하는 순회구 지방법원 판사는, 평결이 과다하다고 만약 그 자신이 내지는 그녀 자신이 간주하면, 패소 측 당사자에 의하여 제출된 새로운 정식사실심리를 구하는 신청에 따라서 그 과다액을 제시할 수 있다. 이에 따라서 그렇게 과도한 것으로 간주된 액수를 승소 측 당사자가 감액하여 줄 것을 전제로 당해 정식사실심리에서 발생하였을 수 있는 모든 오류사항들에 대한 권리포기서를 자신이 제출하겠다고 및 이를 정식기록에 기입하여 달라고 만약 패소 측 당사자가 신청하면, 그런데 그렇게 과다한 것으로 간주된 액수를 감액하기를 승소 측 당사자가 거부하면, 평결은 무효로 처리되어야 한다.

https://law.justia.com/codes/arkansas/2019/title-16/subtitle-5/chapter-64/section-16-64-125/

§ 16-64-125. Method of Serving Judgment on Defendant Constructively Summoned

해석적으로 소환된 피고에 대한 판결의 송달방법

Universal Citation: AR Code § 16-64-125 (2019)

일반적 인용: AR Code § 16-64-125 (2019)

The service of the copy of the judgment, if in this state, shall be made and proved in the same manner as the service of a summons and, if out of this state, in the manner prescribed in § 16-58-119 [superseded], as to the service of a copy of the complaint and summons and proof thereof.

판결 등본의 송달은 만약 이 주 내에서이면 소환장의 송달 방법에의 동일한 방법으로 이루어져야 하고 증명되어야 하며, 만약 이 주 바깥에서이면 소장 등본의 및 소환장의 및 그 증거의 송달에 관하여 제16-58-119절 [대체됨]에 규정되는 방법으로 이루어져야 한다.

§ 16-64-126. Title of Bona Fide Purchasers of Property Unaffected by New Trial
선의의 매수인들의 권원은 새로운 정식사실심리에 의하여 영향을 받지 아니함

Universal Citation: AR Code § 16-64-126 (2019)

일반적 인용: AR Code § 16-64-126 (2019)

The title of purchasers in good faith to any property sold under an attachment or judgment shall not be affected by the new trial permitted by ARCP, Rule 59, except the title of property obtained by the plaintiff and not bought of him in good faith by others.

압류영장 아래서 또는 판결주문 아래서 매각된 재산에 대한 선의의 매수인들의 권원은, 아칸자스주 민사소송법 Rule 59에 의하여 허가되는 새로운 정식사실심리에 의하여 영향을 받지 아니하는바, 다만 원고에 의하여 취득된 재산으로서 그에게서 타인들에 의하여 선의 속에서 매수된 것이 아닌 재산의 권원의 경우에는 그러하지 아니하다.

§ 16-64-130. Punitive Damage - Contract Involving Financial Institutions
징벌적 손해 - 금융기관들을 포함하는 계약

Universal Citation: AR Code § 16-64-130 (2019)

일반적 인용: AR Code § 16-64-130 (2019)

(a) For the purposes of this section, the term "financial institutions" means banks, savings and loan associations, and credit unions located within the

State of Arkansas and which are insured by an agency of the federal government.

아칸자스주 내에 소재하는 및 연방정부기관에 의하여 보증된 은행들을, 저축대출조합들을, 그리고 신용조합들을 이 절의 목적상으로 "금융기관들"은 의미한다.

(b) This section shall be applicable in civil actions in which a claim is asserted against a financial institution, whether by complaint, counterclaim, third party complaint, or other pleading. If a claim asserted against a financial institution is determined by the court to be a breach of contract claim arising out of a loan of money or other extension of credit by the financial institution to the person asserting the claim, then punitive damages shall not be awarded to the person asserting the claim unless it is found that the person asserting the claim suffered personal injury or physical damage to property as a result of the financial institution's alleged action or inaction.

소장에 의하여든, 반소장에 의하여든, 제3당사자 소장에 의하여든, 또는 여타의 소장에 의하여든 금융기관에 대한 청구가 주장되는 민사소송들에 이 절은 적용된다. 만약 한 개의 금융기관을 상대로 하여 주장되는 청구가 당해 청구를 주장하는 사람에 대한 당해 금융기관에 의한 금전대출로부터 또는 신용공여로부터 발생하는 계약위반 청구임이 법원에 의하여 판단되면, 당해 금융기관의 주장되는 작위의 또는 부작위의 결과로서 신체적 상해를 또는 재산에의 유형적 손해를 그 청구를 주장하는 사람이 입었음이 인정되는 경우에를 제외하고는, 징벌적 손해배상은 그 경우에 그 청구를 주장하는 사람을 위하여 인용되어서는 안 된다.

https://law.justia.com/codes/arkansas/2019/title-16/subtitle-5/chapter-64/section-16-64-131/

 § 16-64-131. New Business Rule - Damages
새로운 사업체 법리 – 손해액

Universal Citation: AR Code § 16-64-131 (2019)

일반적 인용: AR Code § 16-64-131 (2019)

(a) In a case involving a recognized tort or breach of contract, there is no absolute denial of damages for lost profits to a newly established business.

한 개의 승인된 불법행위를 또는 계약위반을 포함하는 사건에서 새로이 설립된 사업체에 가해진 일실수익 손해액에 대한 절대적 기각의 법리는 없다.

(b) A newly established business is subject to the same standard of proof for lost profits as any other business regardless of how long the newly established business has operated.

여타 사업체의 일실수익을 위한 증명기준에의 동일한 기준의 적용을, 새로이 설립된 사업체가 얼마나 오래 영업해 왔는지에 상관없이, 새로이 설립된 사업체는 받는다.

2019 Arkansas Code

Title 16 - Practice, Procedure, and Courts

Subtitle 6 - Criminal Procedure Generally

형사절차 일반

- Tit. 16, Subtit. 6. Note

- Chapter 80 - General Provisions

- Chapter 81 - Citation and Arrest

- Chapter 82 - Search and Seizure

- Chapter 83 - Coroner's Inquest

- Chapter 84 - Bail Generally

- Chapter 85 - Pretrial Proceedings

- Chapter 86 - Insanity Defense

- Chapter 87 - Public Defenders

- Chapter 88 - Jurisdiction and Venue

- Chapter 89 - Trial and Verdict

- Chapter 90 - Judgment and Sentence Generally

- Chapter 91 - Appeal and Post-Conviction

- Chapter 92 - Costs, Fees, Fines, Etc.

- Chapter 93 - Probation and Parole

- Chapter 94 - Extradition

- Chapter 95 - Interstate Agreement on Detainers

- Chapter 96 - Proceedings in Inferior Courts

- Chapter 97 - Sentencing

- Chapter 98 - Treatment for Drug Abuse

- Chapter 99 - Performance Incentive Funding for Recidivism and Crime Reduction

- Chapter 100 - Mental Health and the Criminal Justice System

- Chapters 101-104 - [reserved.]

https://law.justia.com/codes/arkansas/2019/title-16/subtitle-6/tit-16-subtit-6-note/

Tit. 16, Subtit. 6. Note

- Tit. 16, Subtit. 6. Note

Chapter 80 - General Provisions
총칙

- Tit. 16, Subtit. 6., Ch. 80 Note

- § 16-80-101. [repealed.]

- § 16-80-102. Precedence Given to Criminal Trials When Victim Under Age of 14

- § 16-80-103. Disposition of Stolen Property

- § 16-80-104. Comprehensive Mental Health Evaluation for a Minor Convicted of Capital Murder or Murder in the First Degree

https://law.justia.com/codes/arkansas/2019/title-16/subtitle-6/chapter-80/tit-16-subtit-6-ch-80-note/

Tit. 16, Subtit. 6., Ch. 80 Note

- Tit. 16, Subtit. 6., Ch. 80 Note

https://law.justia.com/codes/arkansas/2019/title-16/subtitle-6/chapter-80/section-16-80-102/

§ 16-80-102. Precedence Given to Criminal Trials When Victim Under Age of 14
피해자가 14세 미만인 경우의 형사 정식사실심리들에 부여되는 우선순위

Universal Citation: AR Code § 16-80-102 (2019)

일반적 인용: AR Code § 16-80-102 (2019)

Notwithstanding any rule of court to the contrary and in furtherance of the purposes of the Arkansas Rules of Criminal Procedure, Rule 27.1, all courts of this state having jurisdiction of criminal offenses, except for extraordinary circumstances, shall give precedence to the trials of criminal offenses over other matters before the court, civil or criminal, when the alleged victim is a person under the age of fourteen (14) years.

이에 반하는 여하한 법원규칙에도 불구하고, 및 아칸자스주 형사소송규칙 Rule 27.1의 목적들의 촉진 속에서, 범죄들에 대한 재판권을 지니는 이 주의 모든 법원들은 민사의이든 형사의이든 법원 앞의 여타의 사항들에 대한 우선순위를, 그 주장되는 피해자가 14세 미만인 범죄들의 정식사실심리들에, 특별한 상황들의 경우에를 제외하고는, 부여하여야 한다.

https://law.justia.com/codes/arkansas/2019/title-16/subtitle-6/chapter-89/

2019 Arkansas Code

Title 16 - Practice, Procedure, and Courts

Subtitle 6 - Criminal Procedure Generally

Chapter 89 - Trial and Verdict
정식사실심리 및 평결

• Tit. 16, Subtit. 6., Ch. 89 Note

• § 16-89-101. Trial Times and Postponements

• § 16-89-102. Severance

• § 16-89-103. Presence of Defendant

• §§ 16-89-104, 16-89-105. [repealed.]

• § 16-89-106. Defendant on Bail for Felony Indictment

• § 16-89-107. Trial of Issues of Law or Fact

- § 16-89-108. Waivers of Trial by Jury and Death Penalty

- § 16-89-109. Oath of Jury Members

- § 16-89-110. Opening Statements

- § 16-89-111. Evidence Generally

- § 16-89-112. Evidence - Proof of Certain Acts or Facts

- § 16-89-113. Evidence - Acquittal Upon Certain Insufficient Evidence

- § 16-89-114. Documents - Production Generally

- § 16-89-115. Documents - Production Where in Possession of State

- § 16-89-116. Documents - Discovery and Inspection

- § 16-89-117. Limitation of Witness Fees in Misdemeanor Trials

- § 16-89-118. Conduct of Jury

- § 16-89-119. Lack of Jurisdiction

- § 16-89-120. Proof of Higher Offense

- § 16-89-121. Facts Charged Do Not Constitute Offense

- § 16-89-122. Dismissal of Indictment

- § 16-89-123. Order of Final Arguments

- § 16-89-124. Exceptions to Decisions of the Court

- § 16-89-125. Deliberation of Jury

- § 16-89-126. Verdict Generally

- § 16-89-127. Verdict - Misdemeanor Included in Felony

- § 16-89-128. Polling of Jury Members

- § 16-89-129. Final Adjournment

- § 16-89-130. New Trial

Tit. 16, Subtit. 6., Ch. 89 Note

• Tit. 16, Subtit. 6., Ch. 89 Note

§ 16-89-101. Trial Times and Postponements
정식사실심리들의 시기 및 연기

Universal Citation: AR Code § 16-89-101 (2019)

일반적 인용: AR Code § 16-89-101 (2019)

(a)

(1) When any circuit court is duly convened for a regular term, the court shall remain open for all criminal proceedings until its next regular term and may be in session at any time the judge thereof may deem necessary. However, no session shall interfere with any other court to be held by the same judge.

정규 개정기를 위하여 순회구 지방법원이 적법하게 소집되는 경우에는 다음 번 정규 개정기까지 모든 형사절차들을 위하여 법원은 열린 채로 남아 있어야 하고 그 필요하다고 판사가 간주하는 때에는 언제든지 개정할 수 있다. 그러나 동일한 판사에 의하여 열려야 할 다른 법정에 그 개정은 충돌하여서는 안 된다.

(2) If the time has not been previously fixed by the court, or unless in such cases they are required by law to take notice, all interested parties shall receive notice of any proceeding affecting their rights and shall be given time to prepare to meet the proceeding.

만약 시간이 미리 법원에 의하여 정해져 있지 아니하면 또는 주의를 이해당사자들 스스로 기울이도록 법에 의하여 요구되는 사건들에서를 제외하고는, 그들의 권리들에 영향을 미치는 절차의 통지를 모든 이해당사자들은 수령하여야 하고 절차에 대비하도록 준비할 시간이 부여되어야 한다.

(b)

(1) If the defendant is in custody or on bail when the indictment is found, the trial may take place at the same term of the court on a day to be fixed by the court.

대배심 검사기소가 평결되는 때에 만약 피고인이 구금되어 있으면 또는 보석 상태에 있으면, 당해 법원의 동일한 개정기 중에서 법원에 의하여 정하여지는 날에 정식사실심리는 실시될 수 있다.

(2) If not tried at the same term, all indictments, together with all other criminal prosecutions and penal actions, shall be docketed for the first day of the next term of the court unless a different day is fixed by the order of the court.

만약 동일한 개정기에 정식사실심리가 이루어지지 아니하면, 법원의 명령에 의하여 다른 날짜가 정해지는 경우에를 제외하고는, 모든 대배심 검사기소장들은, 그 밖의 모든 형사 소송추행들이에 및 형사소송들이에 더불어, 법원의 차회 개정기의 첫 번째 날짜로 심리예정표에 올려져야 한다.

(3) All prosecutions shall stand for trial on the day to which they are docketed, where the defendant is in custody, on bail, or has been summoned three (3) days before the commencement of the term.

피고인이 구금되어 있는, 보석 상태에 있는, 또는 당해 개정기의 시작 3일 전에 소환되어 있는 경우에, 모든 소송추행들은 심리예정표에 정식사실심리 기일로 올려진 날에 정식사실심리가 이루어지도록 대기하여야 한다.

(c)

(1) When an indictment is called for trial, or at any time previous thereto, the court upon sufficient cause shown by either party may direct the trial to be postponed to another day in the same term or to another term.

동일 개정기 내의 다른 날짜로 또는 다른 개정기로 정식사실심리가 연기되도록, 한 개의 대배심 검사기소장이 정식사실심리를 위하여 호창되는 때에, 또는 그 이전의 어느 때에든지, 당사자 일방에 의하여 증명되는 충분한 이유에 따라서 법원은 명령할 수 있다.

(2) The provisions of the Code of Practice in Civil Cases of 1869, in regard to post-ponements of the trial of actions, shall apply to the postponement of prosecutions on behalf of a defendant.

소송들의 정식사실심리의 연기들에 관련되는 범위 내에서 1869년의 민사소송법의 규정들은 피고인을 위한 소송추행들의 연기에 적용된다.

(d) The prosecuting attorney shall not be required, in order to obtain a continu-ance of a criminal case, to make an affidavit to the causes for continuance. His official statement in writing shall be sufficient.

한 개의 형사사건의 연기속행을 얻기 위하여 연기속행 사유들에 대한 선서진술서를 작성하도록 검사는 요구되지 아니한다. 그의 공식적 서면진술이 있으면 이로써 충분하다.

https://law.justia.com/codes/arkansas/2019/title-16/subtitle-6/chapter-89/section-16-89-102/

§ 16-89-102. Severance
분리

Universal Citation: AR Code § 16-89-102 (2019)

일반적 인용: AR Code § 16-89-102 (2019)

(a) When two (2) or more defendants are jointly indicted for a misdemeanor, they may be tried jointly or separately in the discretion of the court.

두 명 이상의 피고인들이 한 개의 경죄에 대하여 병합으로 대배심 검사기소에 처해지는 경우에, 그들은 법원의 재량 내에서 병합으로 또는 따로따로 정식사실심리 될 수 있다.

(b) No trial on an indictment against two (2) or more defendants shall be delayed because some of the defendants have not been arrested. Those arrested or in custody shall be tried and the cause shall be continued as to those not arrested.

두 명 이상의 피고인들에 대한 한 개의 대배심 검사기소장의 정식사실심리는 피고인들 중 일부가 체포되어 있지 아니함을 이유로 연기되어서는 안 된다. 체포된 내지는 구금된 피고인들은 정식사실심리 되어야 하고, 그 체포되지 아니한 피고인들에 관하여 사건은 연기속행 되어야 한다.

https://law.justia.com/codes/arkansas/2019/title-16/subtitle-6/chapter-89/section-16-89-103/

§ 16-89-103. Presence of Defendant
피고인의 출석

Universal Citation: AR Code § 16-89-103 (2019)

일반적 인용: AR Code § 16-89-103 (2019)

(a)

(1) If the indictment is for a felony, the defendant must be present during the trial.

만약 대배심 검사기소가 한 개의 중죄에 대한 것이면, 피고인은 정식사실심리 동안에 출석해 있지 않으면 안 된다.

(2)

(A)

(i) If he or she escapes from custody after the trial has commenced or is present at the beginning of the trial and then causes himself or herself to be unable to appear at trial or if on bail shall absent himself or herself during the trial, the trial may either be stopped or progress to a verdict at the discretion of the court.

정식사실심리가 시작된 뒤로 구금으로부터 만약 그가 또는 그녀가 도주하면, 또는 정식사실심리 시작 때에 출석하였으나 그 뒤에 정식사실심리에 출석할 수 없는 상태를 그 스스로 또는 그녀 스스로 만들어내면, 또는 보석 상태에 있으면서 정식사실심리 동안에 결석하면, 정식사실심리는 법원의 재량에 따라서 중지될 수 있거나 평결에 이르도록 진행될 수 있다.

(ii) This provision shall apply in all instances except where the death penalty is sought.

사형이 구해지는 경우에를 제외하고는 모든 사건들에 이 규정은 적용된다.

(B) However, judgment shall not be rendered until the presence of the defendant is obtained.

그러나, 피고인의 출석이 얻어질 때까지 판결주문은 내려져서는 안 된다.

(b) If the indictment is for a misdemeanor, the trial may be had in the absence of the defendant.

만약 대배심 검사기소장이 한 개의 경죄에 대한 것이면 정식사실심리는 피고인의 결석 상태에서 실시될 수 있다.

https://law.justia.com/codes/arkansas/2019/title-16/subtitle-6/chapter-89/section-16-89-106/

§ 16-89-106. Defendant on Bail for Felony Indictment
중죄 대배심 검사기소에 처해진 보석 상태의 피고인

Universal Citation: AR Code § 16-89-106 (2019)

일반적 인용: AR Code § 16-89-106 (2019)

During the trial of an indictment for felony, when the defendant is on bail, he or she may remain on bail or be committed to and remain in the custody of the proper officer, as the court may direct.

피고인이 보석 상태에 있는 경우에는 중죄의 대배심 검사기소장에 대한 정식사실심리 동안에 법원의 명령에 따라서 그는 또는 그녀는 보석 상태로 남아 있을 수 있거나 또는 적절한 공무원에게 맡겨져서 그의 보호에 남아 있을 수 있다.

§ 16-89-107. Trial of Issues of Law or Fact
법의 또는 사실의 쟁점들에 대한 정식사실심리

Universal Citation: AR Code § 16-89-107 (2019)
일반적 인용: AR Code § 16-89-107 (2019)

(a)

(1) Issues of law shall be tried by the court.

법의 쟁점들은 법원에 의하여 정식사실심리 된다.

(2) An issue of law arises on a demurrer to the indictment.

대배심 검사기소장에 대하여 제기되는 주장불충분항변에 따라서 한 개의 법의 쟁점은 발생한다.

(3) All questions of law arising during the trial shall be decided by the court, and the jury shall be bound to take the decisions of the court on points of law as the law of the case.

정식사실심리 동안에 발생하는 모든 법 문제들은 법원에 의하여 결정되어야 하는 바, 법 문제들에 대한 법원의 결정들을 당해 사건의 법으로서 받아들일 의무를 배심은 진다.

(b)

(1) Issues of fact shall be tried by a jury. However, the determination of fact concern-

ing the admissibility of a confession shall be made by the court when the issue is raised by the defendant; the trial court shall hear the evidence concerning the admissibility and the voluntariness of the confession out of the presence of the jury, and it shall be the court's duty before admitting the confession into evidence to determine by a preponderance of the evidence that the confession has been made voluntarily.

사실의 쟁점들은 배심에 의하여 정식사실심리 되어야 한다. 그러나, 한 개의 자백의 증거능력의 쟁점이 피고인에 의하여 제기되는 경우에 그 증거능력에 관한 사실판단은 법원에 의하여 이루어져야 한다; 자백의 증거능력에 관한 및 임의성에 관한 증거를 배심의 출석이 없는 곳에서 정식사실심리 법원은 청취하여야 하는바, 자백이 임의로 이루어졌음을 그 자백을 증거로 받아들이기에 앞서서 증거의 우세에 의하여 판단하여야 함은 법원의 의무이다.

(2) An issue of fact arises upon a plea of not guilty or of former acquittal or conviction.

한 개의 무죄답변에 따라서, 또는 그 이미 받은 바 있는 무죄방면의 내지는 유죄판정의 답변에 따라서, 한 개의 사실의 쟁점은 발생한다.

https://law.justia.com/codes/arkansas/2019/title-16/subtitle-6/chapter-89/section-16-89-108/

§ 16-89-108. Waivers of Trial by Jury and Death Penalty
배심에 의한 정식사실심리의 및 사형의 포기

Universal Citation: AR Code § 16-89-108 (2019)

일반적 인용: AR Code § 16-89-108 (2019)

(a) In all criminal cases, except where a sentence of death may be imposed, trial by a jury may be waived by the defendant, provided the prosecuting attorney gives his or her assent to the waiver. The waiver and the assent thereto shall be made in open court and entered of record. In the event of waiver, the trial judge shall pass both upon the law and the facts.

사형판결이 선고될 수 있는 경우에를 제외하고는 모든 형사사건들에서 배심에 의한 정식 사실심리는 피고인에 의하여 포기될 수 있는바, 다만 그 포기에 대한 그의 내지는 그녀의 동의를 검사가 부여할 것을 조건으로 한다. 포기는 및 이에 대한 동의는 공개법정에서 이루어져야 하고 기록에 기입되어야 한다. 포기의 경우에 법을 및 사실관계를 다 같이 정식 사실심리 판사는 판단하여야 한다.

(b) In all criminal cases where the punishment is death, the prosecuting attorney, with permission of the court, may waive the death penalty and in those cases punishment cannot be fixed at more than life imprisonment.

처벌이 사형인 경우의 모든 형사사건들에서 검사는 법원의 허가를 얻어 사형을 포기할 수 있는바, 그 경우들에는 처벌은 종신형을 초과하도록은 정해질 수 없다.

(c) In all criminal cases where the maximum punishment is death by electrocution and the defendant waives a trial by jury, the court must determine that the defendant's waiver is voluntary and is not made in response to any promise or threat and that the waiver is freely made without fear or compulsion.

최대형량이 전기사형인, 및 배심에 의한 정식사실심리를 피고인이 포기하는, 모든 형사 사건들에서, 피고인의 포기가 임의의 것임을 및 모종의 약속에 또는 위협에 응하여 이루어진 것이 아님을, 및 포기가 두려움 없이 내지는 강요 없이 자유로이 이루어진 것임을, 법원은 판단하지 않으면 안 된다.

https://law.justia.com/codes/arkansas/2019/title-16/subtitle-6/chapter-89/section-16-89-109/

§ 16-89-109. Oath of Jury Members
배심 구성원들의 선서

Universal Citation: AR Code § 16-89-109 (2019)

일반적 인용: AR Code § 16-89-109 (2019)

When a jury of twelve (12) qualified jurors shall have been duly impaneled, they shall be sworn substantially as follows: "You, and each of you, do solemnly swear, that you will well and truly try the case of the State of Arkansas against A. B., and a true verdict render, unless discharged by the court or withdrawn by the parties."

열두 명의 유자격 배심원들로 구성되는 한 개의 배심이 적법하게 충원구성 되고 나면 대체로 아래의 선서에 그들은 처해져야 한다: "법원에 의하여 임무해제 되는 경우에를 및 당사자들에 의하여 퇴출되는 경우에를 제외하고는, 아칸자스주 대 A. B. 사건을 충실하게 및 진실되게 정식사실심리 할 것을, 및 진실한 평결을 제출할 것을 귀하들은, 그리고 귀하들 각자는 엄숙히 선언합니다."

https://law.justia.com/codes/arkansas/2019/title-16/subtitle-6/chapter-89/section-16-89-110/

§ 16-89-110. Opening Statements

모두진술들

Universal Citation: AR Code § 16-89-110 (2019)

일반적 인용: AR Code § 16-89-110 (2019)

(a) The prosecuting attorney may then:

아래의 행위를 그 뒤에 검사는 할 수 있다:

(1) Read the indictment to the jury;

대배심 검사기소장을 배심에게 낭독하는 행위;

(2) State the defendant's plea to the indictment and the punishment prescribed by law for the offense; and

당해 대배심 검사기소장에 대한 피고인의 답변을 및 당해 범죄에 대하여 법에 의하여 규정된 처벌을 설명하는 행위;

(3) Make a brief statement of the evidence on which the state relies.

주가 의존하는 증거에 대한 간략한 설명을 하는 행위.

(b) The defendant or his or her counsel may then make a brief statement of the defense and the evidence upon which the defendant relies.

피고인이 의존하는 항변에 대한 및 증거에 대한 간략한 설명을 그 뒤에 피고인은 또는 그의 내지는 그녀의 변호인은 할 수 있다.

https://law.justia.com/codes/arkansas/2019/title-16/subtitle-6/chapter-89/section-16-89-111/

§ 16-89-111. Evidence Generally
증거일반

Universal Citation: AR Code § 16-89-111 (2019)

일반적 인용: AR Code § 16-89-111 (2019)

(a) The state shall first offer the evidence in support of an indictment or information.

한 개의 대배심 검사기소장을 또는 검사 독자기소장을 뒷받침하는 증거를 주는 먼저 신청하여야 한다.

(b) The defendant or his or her counsel shall then offer the defendant's evidence in support of his or her defense.

그 자신의 내지는 그녀 자신의 항변을 뒷받침하는 피고인의 증거를 피고인은 내지는 그의 내지는 그녀의 변호인은 그 뒤에 신청하여야 한다.

(c) The parties may then respectively offer rebutting evidence only, unless the court for good reason, in furtherance of justice, permits them to offer evidence upon their original cases.

그들의 본래의 주장들을 뒷받침하는 증거를 제출하도록 사법의 증진을 위한 타당한 이유에 따라서 그들에게 법원이 허용하는 경우에를 제외하고는, 그 뒤에는 오직 반박증거만을 당사자들은 각각 신청할 수 있다.

(d) A confession of a defendant, unless made in open court, does not warrant a conviction unless:

공개법정에서 이루어진 경우에를 제외하고는, 아래에 해당되지 아니하는 피고인의 자백은 유죄판정을 뒷받침하지 아니한다:

(1) Accompanied with other proof that the offense was committed; or

당해 범죄가 저질러졌음을 뒷받침하는 별개의 증거를 수반할 것; 또는

(2) Supported by substantial independent evidence that would tend to establish the trustworthiness of the confession.

자백의 신빙성을 입증하는 데 보탬이 되는 실질적인 독립증거에 의하여 뒷받침될 것.

(e)

(1)

(A) A conviction or an adjudication of delinquency may not be had in any case of felony upon the testimony of an accomplice, including in the juvenile division of circuit court, unless corroborated by other evidence tending to connect the defendant or the juvenile with the commission of the offense.

피고인을 내지는 소년을 당해 범죄의 범행에 연결 짓는 데 보탬이 되는 여타의 증거에 의하여 보강되는 경우에를 제외하고는, 순회구 지방법원의 소년부에서를 포함하는 어떤 중죄사건에서도 공범의 증언에 의하여는, 소년비행에 대한 한 개의 유죄판정은 또는 판결은 내려져서는 안 된다.

(B) The corroboration under subdivision (e)(1)(A) of this section is not sufficient if it merely shows that the offense was committed and the circumstances of the offense.

단지 당해 범죄가 저질러졌음만을 및 그 범행의 상황만을 이 절의 소부 (e)(1)(A) 아래서의 보강증거가 증명하면, 그것은 충분하지 아니하다.

(2) However, a conviction may be had in misdemeanor cases upon the testimony of an accomplice.

그러나 경죄사건들에서는 한 명의 공범의 증언에 의하여 한 개의 유죄판정은 내려질 수 있다.

§ 16-89-112. Evidence - Proof of Certain Acts or Facts
증거 – 일정한 행위들의 내지는 사실들의 증명

Universal Citation: AR Code § 16-89-112 (2019)

일반적 인용: AR Code § 16-89-112 (2019)

(a) In trials for treason, no evidence shall be given of an overt act that is not expressly laid in the indictment, and no conviction shall be had unless one (1) or more overt acts are alleged therein.

반역죄의 정식사실심리들에서 대배심 검사기소장에 명시적으로 주장되지 아니한 한 개의 명백한 행위에 대하여는 증거가 제출되어서는 안 되고, 한 개 이상의 명백한 행위들이 그 안에 주장되어 있는 경우에를 제외하고는 유죄판정은 내려져서는 안 된다.

(b) In trials of indictments for conspiracy, in cases where an overt act is required by law to consummate the offense, no conviction shall be had unless one (1) or more overt acts are expressly alleged in the indictment and proved on the trial. However, overt acts other than those alleged in the indictment may be given in evidence on the part of the prosecution.

공모를 완성 짓기 위하여는 법에 의하여 한 개의 명백한 행위가 요구되는 사건들의 당해 공모에 대한 대배심 검사기소장들의 정식사실심리들에서, 당해 대배심 검사기소장에 한 개 이상의 명백한 행위들이 명시적으로 주장되어 있는 경우에를 및 그것들이 정식사실심리에서 증명되는 경우에를 제외하고는, 유죄판정은 내려져서는 안 된다. 그러나 당해 대배심 검사기소장에서 주장되는 행위들이를 제외한 명백한 행위들은 소추 측 증거로 제출될 수 있다.

(c)

(1) If the existence, constitution, or powers of any banking company shall become material or are in any manner drawn in question on the trial of any indictment or other proceeding in a criminal cause, it shall not be necessary to produce a certified copy of the charter or act of incorporation, but the existence, constitution, or powers may be proved by general reputation or by the printed statute book of the state by which the corporation was created.

은행회사의 존재가, 설립이, 또는 권한들이 대배심 검사기소장의 정식사실심리에 또는 형사사건에서의 여타 절차에 중요한 사항이 되면 내지는 어떤 방법으로든 문제로 제기되면, 특허장의 내지는 법인설치법의 인증된 등본을 제출함은 필요하지 아니한바, 그 존재는, 설립은 및 권한들은 일반적 명성에 의하여 또는 당해 법인이 창설된 근거인 인쇄된 주 제정법전에 의하여 증명될 수 있다.

(2) On the trial of any indictment for counterfeiting any bill or note of any bank in this state, or of the United States, or of any other state or territory of the United States, the prosecuting attorney shall not be required to produce, on the trial, an authenticated copy of the charter of the bank, but the charter may be established in the manner prescribed in subdivision (c)(1) of this section.

진정성립이 증명되는 은행설립특허장 등본을 정식사실심리에 제출하도록은, 이 주의, 합중국의, 또는 합중국 여타의 주의 내지는 준주의 은행 어음의 또는 지폐의 위조에 대한 대배심 검사기소장의 정식사실심리에서, 검사는 요구되지 아니하는바, 그러나 그 특허장은 이 절의 소부 (c)(1)에 규정되는 방법에 따라서 증명될 수 있다.

§ 16-89-113. Evidence - Acquittal Upon Certain Insufficient Evidence
증거 – 일정한 증거의 불충분에 따르는 무죄방면

Universal Citation: AR Code § 16-89-113 (2019)

일반적 인용: AR Code § 16-89-113 (2019)

(a) In all cases where, by law, two (2) witnesses, or one (1) witness with corroborating circumstances are requisite to warrant a conviction, the court shall instruct the jury to render a verdict of acquittal if the requisition is not fulfilled, by which instruction they are bound.

한 개의 유죄판정을 정당화하기 위하여는 법에 의하여 두 명의 증인들이 또는 보강적 정황들을 수반하는 한 명의 증인이 필요한 경우의 모든 사건들에서, 만약 그 요구가 충족되지 아니하면 한 개의 무죄방면을 내리도록 배심에게 법원은 지시할 수 있는바, 그 지시에 의하여 그들은 구속된다.

(b)

(1) Where two (2) or more persons are included in the same indictment, and the court is of the opinion that the evidence in regard to a particular individual is not sufficient to put him or her on his or her defense, it must, on motion of either party desiring to use the defendant as a witness, order him or her to be discharged from the indictment and permit him or her to be examined by the party so moving.

동일한 대배심 검사기소장에 두 명 이상이 포함되는 경우에로서 그들 중의 한 명의 특정 개인에 관련되는 증거가 그로 하여금 내지는 그녀로 하여금 방어자의 위치에 있게 하기에 충분하지 아니하다는 것이 법원의 의견인 경우에, 그 피고인을 한 명의 증인으로 사용하기를 바라는 당사자 어느 쪽이든지의 신청에 따라서 법원은, 그를 내지는 그녀를 대배심 검사기소로부터 해방시키도록 명령할 수 있고 그로 하여금 내지는 그녀로 하여금 그렇게 신청하는 당사자에 의하여 신문되도록 허가할 수 있다.

(2) The order is an acquittal of the defendant and a bar to another prosecution for the same offense.

그 명령은 당해 피고인에 대한 한 개의 무죄방면이고 그 동일한 범죄에 대한 또 다른 소추를 막는 장해사유이다.

§ 16-89-114. Documents - Production Generally
문서들 – 제출일반

Universal Citation: AR Code § 16-89-114 (2019)
일반적 인용: AR Code § 16-89-114 (2019)

Upon motion of either party, the court by its order and process may compel the production of any written document or any other thing which may be necessary or proper to be produced or exhibited as evidence on trial and may punish a disobedience of its orders or process as in case of witnesses refusing to testify.

정식사실심리에서 증거로서 제출됨이 내지는 제시됨이 필요한 내지는 적절한 문서의 내지는 여타의 물건의 제출을, 당사자 일방의 신청이 있으면 그 자신의 명령에 및 영장에 의하여 법원은 강제할 수 있고, 자신의 명령들에 내지는 영장에 대한 불복종을, 그 증언하기를 거부하는 증인들의 경우에 준하여 법원은 처벌할 수 있다.

§ 16-89-115. Documents - Production Where in Possession of State
문서들 – 주가 점유하는 경우의 제출

Universal Citation: AR Code § 16-89-115 (2019)

일반적 인용: AR Code § 16-89-115 (2019)

(a) In any criminal prosecution brought by the State of Arkansas, no statement or report in the possession of the state which was made by a state witness or prospective state witness, other than the defendant, to an agent of the state shall be subject to subpoena, discovery, or inspection until the witness has testified on direct examination in the trial of the case.

아칸자스주에 의하여 제기되는 여하한 소추에서도, 피고인 이외의 주 측 증인에 의하여 또는 주 측 증인으로 예정된 사람에 의하여 작성되어 주 직원에게 제출된 아칸자스주 점유 내의 진술서는 내지는 보고서는, 당해 사건의 정식사실심리에서의 주신문에서 당해 증인이 증언하고 났을 때까지는, 벌칙부소환장의, 증거캐기의, 또는 점검의 대상이 되지 아니한다.

(b) After a witness called by the state has testified on direct examination, the court on motion of the defendant shall order the state to produce any statement, as defined in subsection (e) of this section, of the witness in the possession of the state which relates to the subject matter as to which the witness has testified. If the entire contents of the statement relate to the subject matter of the testimony of the witness, the court shall order it to be delivered directly to the defendant for his or her examination and use.

주에 의하여 소환된 증인이 해 놓은 증언이 연관성을 지니는 계쟁물에 관련되는 주의 점유 내에 있는 그 증인의 이 절의 소절 (e)에 개념정의 된 진술서를 제출하도록, 그 증인이 주신문에서 증언하고 난 뒤에 피고인의 신청에 따라서 주에게, 법원은 명령하여야 한다. 만약 진술서의 내용 전체가 당해 증인의 증언의 계쟁물에 관련되면, 피고인의 검사를 및 사용을 위하여 그것을 직접 그에게 내지는 그녀에게 교부하도록 법원은 명령하여야 한다.

(c)

(1) If the state claims that any statement ordered to be produced under this section contains matter which does not relate to the subject matter of the testimony of the

witness, the court shall order the state to deliver the statement for the inspection of the court in camera.

당해 증인의 증언의 계쟁물에 관련되지 아니하는 사항을 이 절 아래서 제출이 명령된 진술서가 포함함을 만약 주가 주장하면, 판사실에서의 점검을 위하여 그 진술서를 교부하도록 주에게 법원은 명령하여야 한다.

(2) Upon the delivery, the court shall excise the portions of the statement which do not relate to the subject matter of the testimony of the witness.

교부가 이루어지면, 진술서 중에서 증인의 증언의 계쟁물에 관련되지 아니하는 부분들을 법원은 삭제하여야 한다.

(3) With the material excised, the court shall then direct delivery of the statement to the defendant for his or her use.

자료가 삭제처리 되고 나면, 그 뒤에는 피고인의 사용을 위한 진술서의 그에게의 또는 그녀에게의 직접의 교부를 법원은 명령하여야 한다.

(4) If, pursuant to the procedure, any portion of the statement is withheld from the defendant and the defendant objects to the withholding, and the trial is continued to an adjudication of the guilt of the defendant, the entire text of the statement shall be preserved by the state and, in the event the defendant appeals, shall be made available to the appellate court for the purpose of determining the correctness of the ruling of the trial judge.

만약 절차에 따라서 진술서의 어떤 부분이든지가라도 피고인에게 교부되지 아니하고 보류되면, 그리고 그 보류에 대하여 피고인이 이의하면, 그런데도 정식사실심리가 속행되어 피고인의 유죄판결이 내려지면, 주에 의하여 당해 진술서의 본문 전체가 보존되어야 하고, 피고인이 항소하는 경우에는 정식사실심리 판사의 결정의 정확성 여하를 판단하도록 항소법원에 그것은 제공되어야 한다.

(5) Whenever any statement is delivered to a defendant pursuant to this section, the court, in its discretion and upon application of the defendant, may recess proceedings in the trial for such time as it may determine to be reasonably required for the

examination of the statement by the defendant and his or her preparation for its use in the trial.

이 절에 따라서 피고인에게 진술서가 교부되는 때에는 언제든지 법원 자신의 재량으로 및 피고인의 신청에 따라서 정식사실심리에서의 절차를, 당해 진술서에 대한 피고인에 의한 검사를 위하여 및 당해 정식사실심리에서의 그것의 사용을 위한 그의 내지는 그녀의 준비를 위하여 합리적으로 요구된다고 법원이 결정하는 기간 동안, 법원은 중지시킬 수 있다.

(d) If the state elects not to comply with an order of the court under subsection (b) or (c) of this section to deliver to the defendant any statement, or portion thereof, as the court may direct, the court shall strike from the record the testimony of the witness and the trial shall proceed unless the court in its discretion shall determine that the interests of justice require that a mistrial be declared.

법원이 명령하는 대로의 진술서를 내지는 진술서의 부분을 피고인에게 교부하라는 이 절의 소절 (b) 아래서의 또는 (c) 아래서의 법원의 명령에 복종하지 아니하기로 만약 주가 결정하면, 당해 증인의 증언을 기록으로부터 법원은 삭제하여야 하고, 심리무효가 선언될 것을 사법의 이익들이 요구한다고 법원이 그 재량으로 결정하는 경우에를 제외하고는, 정식사실심리는 진행되어야 한다.

(e) The term "statement", as used in this section in relation to any witness called by the state, means:

주에 의하여 소환되는 증인에 관련하여 이 절에서 사용되는 것으로서의 "진술서"는 아래의 것들을 의미한다:

(1) A written statement made by the witness and signed or otherwise adopted or approved by him or her; or

증인에 의하여 작성된 및 서명된 내지는 달리 그에 의하여 또는 그녀에 의하여 채택된 또는 승인된 서면상의 진술; 또는

(2) A stenographic, mechanical, electrical, or other recording, or a transcription there-

of, which is a substantially verbatim recital of an oral statement made by the witness to an agent of the state and recorded contemporaneously with the making of the oral statement.

속기적, 기계적, 전자적, 또는 그 밖의 방법에 의한 녹음으로서 또는 그 녹취록으로서, 당해 증인에 의하여 주 직원에게 이루어진 한 개의 구두진술의, 당해 구두진술을 할 당시에 동시적으로 녹음된, 대체로 말 그대로 옮겨진 것.

(f) The provisions of this section shall be applicable to the district, city, and circuit courts of this state.

이 주의 재판구 지방법원에, 시티 지방법원에, 그리고 순회구 지방법원에 이 절의 규정들은 적용되어야 한다.

https://law.justia.com/codes/arkansas/2019/title-16/subtitle-6/chapter-89/section-16-89-116/

§ 16-89-116. Documents - Discovery and Inspection
문서들 - 증거캐기 및 점검

Universal Citation: AR Code § 16-89-116 (2019)
일반적 인용: AR Code § 16-89-116 (2019)

(a) Upon motion of a defendant, the court may order the prosecuting attorney to permit the defendant to inspect and copy or photograph any relevant:

조금이라도 관련 있는 아래의 것들을 피고인으로 하여금 점검하게끔 및 복사하게끔 또는 촬영하게끔 허용하도록 피고인의 신청에 따라서 검사에게 법원은 명령할 수 있다:

(1) Written or recorded statements or confessions made by the defendant, or copies thereof, within the possession, custody, or control of the state, the existence of which is known or by the exercise of due diligence may become known to the prosecuting attorney;

검사에게 그 존재가 알려진, 또는 정당한 근면에 의하여 알려진 것이 될 수 있는, 주의 점유 내에, 보관 내에 또는 통제 내에 있는, 피고인에 의하여 이루어진 서면의 또는 녹음된 진술들 또는 자백들 또는 그 등본들;

(2) Results or reports of physical or mental examinations and of scientific tests or experiments made in connection with the particular case, or copies thereof, within the possession, custody, or control of the state, the existence of which is known or by the exercise of due diligence may become known to the prosecuting attorney; and

검사에게 그 존재가 알려진, 또는 정당한 근면에 의하여 알려진 것이 될 수 있는, 주의 점유 내에, 보관 내에 또는 통제 내에 있는, 특정사건에의 연관 속에서 이루어진 신체적 또는 정신적 감정들의, 및 과학적 시험들의 내지는 실험들의 결과들 또는 보고서들 또는 그 등본들; 그리고

(3) Recorded testimony of the defendant before a grand jury.

대배심 앞에서의 피고인의 녹음된 증언.

(b) Upon motion of a defendant, the court may order the prosecuting attorney to permit the defendant to inspect and copy or photograph books, papers, documents, tangible objects, buildings, or places, or copies or portions thereof, which are within the possession, custody, or control of the state, upon a showing of materiality to the preparation of his or her defense and that the request is reasonable. Except as provided in subdivision (a)(2) of this section, this section does not authorize the discovery or inspection of reports, memoranda, or other internal state documents made by state agents in connection with the investigation or prosecution of the case, or of statements made by state witnesses or prospective state witnesses, other than the defendant, to agents of the state except as provided in § 16-89-115(a)-(e).

피고인의 요청이 있으면, 주의 점유 내에, 보관 내에 또는 통제 내에 있는, 장부들을, 서류들을, 문서들을, 유형물들을, 건물들을, 장소들을, 또는 그 사본들을 또는 부분들을 피고인으로 하여금 점검하게끔 및 복사하게끔 또는 촬영하게끔 허용하도록, 그의 내지는 그녀의 방어의 준비에 그것들이 중요하다는 점에 대한 및 당해 요청이 합리적이라는 점에

대한 증명 위에서, 검사에게 법원은 명령할 수 있다. 이 절의 소부 (a)(2)에 규정된 경우에를 제외하고는, 주 직원들에 의하여 당해 사건의 조사에의 내지는 소추에의 연관 속에서 작성된 보고서들에 대한, 메모들에 대한, 또는 그 밖의 주 측 내부문서들에 대한 증거캐기의 또는 점검의 권한을, 또는 제16-89-115(a)-(e)절에 규정된 것들에 대하여를 제외하고는 피고인 이외의 주 측 증인들에 의하여 내지는 주 측 증인들로 예정된 사람들에 의하여 작성되어 주 직원들에게 제출된 진술들에 대한 증거캐기의 또는 점검의 권한을 이 절은 부여하지 아니한다.

(c) If the court grants relief sought by the defendant under subdivision (a)(2) or subsection (b) of this section, it may, upon motion of the state, condition its order by requiring that the defendant permit the state to inspect and copy or photograph scientific or medical reports, books, papers, documents, tangible objects, or copies or portions thereof, which the defendant intends to produce at the trial and which are within his or her possession, custody, or control, upon a showing of materiality to the preparation of the state's case and that the request is reasonable. Except as to scientific or medical reports, this subsection does not authorize the discovery or inspection of reports, memoranda, or other internal defense documents made by the defendant or his attorneys or agents in connection with the investigation or defense of the case or of statements made by the defendant or by state or defense witnesses, or by prospective state or defense witnesses, to the defendant, his agents, or attorneys.

이 절의 소부 (a)(2) 아래서 또는 소절 (b) 아래서 피고인에 의하여 구해지는 구제를 만약 법원이 부여하면, 정식사실심리에 제출하고자 피고인이 예정하는 및 그의 점유 내에, 보관 내에, 또는 통제 내에 있는 과학적 내지는 의학적 보고서들을, 장부들을, 서류들을, 문서들을, 유형물들을, 또는 그 사본들을 내지는 부분들을 주로 하여금 점검하게끔, 복사하게끔 또는 촬영하게끔 허용하도록, 주 측 주장의 준비에 그것들이 중요하다는 점에 대한 및 당해 요청이 합리적이라는 점에 대한 증명 위에서, 피고인에게 요구함에 의하여 자신의 명령을, 주의 신청이 있을 경우에, 법원은 조건지울 수 있다. 과학적 내지는 의학적 보고서들에 대하여를 제외하고는, 당해 사건의 조사에의 내지는 방어에의 연관 속에서, 피고인에 의하여 또는 그의 변호사들에 의하여 또는 직원들에 의하여, 작성된 보고서들에 대한, 메모들에 대한, 또는 여타의 방어 측 내부문서들에 대한 증거캐기의 권한을 내지는 점검의 권한을 이 절은 부여하지 아니하며, 또는 피고인에 의하여, 또는 주 측의 또는 방어 측의 증인들에 의하여, 그리고 주 측의 내지는 방어 측의 증인으로 예정된 사람들에 의하여 작성되어 피고인에게, 그의 직원들에게 또는 변호사들에게 제출된 진술들에 대한 증거캐기의 권한을 내지는 점검의 권한을, 이 절은 부여하지 아니한다.

(d) An order of the court granting relief under this section shall specify the time, place, and manner of making the discovery and inspection permitted and may prescribe such terms and conditions as are just.

이 절 아래서의 구제를 부여하는 법원의 명령은 그 허용되는 증거캐기를 및 점검을 실시할 시간을, 장소를, 그리고 방법을 명시하여야 하는 바, 정당한 조건들을 및 제약들을 그것은 규정할 수 있다.

(e)

(1) Upon a sufficient showing, the court may at any time order that the discovery or inspection be denied, restricted, or deferred, or make such other order as is appropriate.

충분한 증명 위에서 증거캐기가 또는 점검이 거부되게끔, 제한되게끔, 또는 연기되게끔 조치하도록 언제든지 법원은 명령할 수 있고, 또한 적절한 그 밖의 명령을 법원은 내릴 수 있다.

(2) Upon motion by the state, the court may permit the state to make the showing, in whole or in part, in the form of a written statement to be inspected by the court in camera.

전체에서든 일부에서든 판사실에서 법원에 의하여 점검될 한 개의 서면진술의 형식으로 그 증명을 하도록 주 측의 신청이 있으면 주에게 법원은 허가할 수 있다.

(3) If the court enters an order granting relief following a showing in camera the entire text of the state's statement shall be sealed and preserved in the records of the court to be made available to the appellate court in the event of an appeal by the defendant.

구제를 부여하는 명령을 판사실에서의 증명 뒤에 만약 법원이 기입하면, 주 측 진술서의 본문 전체가 봉인되어야 하고 법원기록들 안에 보전되어 피고인에 의한 항소의 경우에 항소법원에 제공되게 하여야 한다.

(f) A motion under this section may be made only within ten (10) days after arraignment or at such reasonable later time as the court may permit.

기소인부신문 뒤 10일 내에서만 또는 법원이 허가하는 더 나중의 합리적 시간 내에서만 이 절 아래서의 신청은 이루어질 수 있다.

(1) The motion shall include all relief sought under this section.

이 절 아래서 구해지는 모든 구제를 신청은 포함하여야 한다.

(2) A subsequent motion may be made only upon a showing of cause why the motion would be in the interest of justice.

사법의 이익에 어째서 당해 신청이 부합하는지에 대한 이유의 증명 위에서만 추후의 신청은 제기될 수 있다.

(g)

(1) If, subsequent to compliance with an order issued pursuant to this section, and prior to or during trial, a party discovers additional material previously requested or ordered which is subject to discovery or inspection under this section, he or she shall promptly notify the other party or his or her attorney or the court of the existence of the additional material.

이 절 아래서의 증거캐기에 따라야 할 내지는 점검에 따라야 할 과거에 요청된 내지는 명령된 추가적 자료를, 만약 이 절에 따라서 발부된 명령에의 복종 뒤에 및 정식사실심리 전에 내지는 정식사실심리 동안에, 한 명의 당사자가 발견하면, 그 추가적 자료의 존재를 상대방 당사자에게 또는 그의 내지는 그녀의 변호사에게 또는 법원에게 그는 내지는 그녀는 신속하게 고지하여야 한다.

(2) If at any time during the course of the proceedings it is brought to the attention of the court that a party has failed to comply with this section or with an order issued

pursuant to this section, the court may order the party to permit the discovery or inspection of materials not previously disclosed, grant a continuance, or prohibit the party from introducing in evidence the material not disclosed, or it may enter such other order as it deems just under the circumstances.

이 절에 순응하기를 내지는 이 절에 따라서 발부된 명령에 순응하기를 한 명의 당사자가 불이행하였음이 만약 절차들의 진행 도중에 언제든지 법원의 주목 안에 제시되면, 이전에 공개되지 아니한 자료들의 증거캐기를 내지는 점검을 허용하도록 그 당사자에게 법원은 명령할 수 있고, 연기속행을 법원은 허가할 수 있으며, 또는 그 공개되지 아니한 자료를 그 당사자로 하여금 증거로 제출하지 못하도록 법원은 금지할 수 있고, 또는 제반 상황들 아래서 정당하다고 자신이 간주하는 여타의 명령을 법원은 기입할 수 있다.

(h) The provisions of this section shall be applicable to the district, city, and circuit courts of this state.

이 주의 재판구 지방법원에, 시티 지방법원에, 그리고 순회구 지방법원에 이 절의 규정들은 적용되어야 한다.

 § 16-89-117. Limitation of Witness Fees in Misdemeanor Trials
경죄 정식사실심리들에서의 증인보수들의 제한

Universal Citation: AR Code § 16-89-117 (2019)
일반적 인용: AR Code § 16-89-117 (2019)

In no trial of any misdemeanor in circuit court shall the fees of more than five (5) witnesses be taxed against any county or the state unless their materiality and importance are first affirmed and certified to, under oath, by the attorney at whose instance the additional witnesses are subpoenaed.

순회구 지방법원의 경죄 정식사실심리에서 다섯(5) 명을 초과하는 증인들의 보수는, 그 추가적 증인들을 벌칙부로 소환하여 줄 것을 신청하는 변호사/검사에 의하여 그들의 중요함이 및 중요성이 선서 아래서 먼저 확인되는 및 보증되는 경우에를 제외하고는, 카운티에게 내지는 주에게 청구되어서는 안 된다.

https://law.justia.com/codes/arkansas/2019/title-16/subtitle-6/chapter-89/section-16-89-118/

§ 16-89-118. Conduct of Jury
배심의 관리

Universal Citation: AR Code § 16-89-118 (2019)

일반적 인용: AR Code § 16-89-118 (2019)

(a)

(1) In the discretion of the court, the jurors may be permitted to separate or be kept together in the charge of proper officers before the case is submitted to them. The officers must be sworn to keep the jury together during the adjournment of the court and to suffer no person to speak to or communicate with them on any subject connected with the trial, nor to do so themselves.

당해 사건이 그들에게 위탁되기 전에 법원의 재량 내에서 배심원들은 쪼개지도록 허용될 수 있거나 또는 적절한 공무원들의 보호 안에서 함께 붙들려 있을 수 있다. 법정의 휴정 동안에 배심을 함께 붙들어 두겠다는 및 어느 누구로 하여금도 당해 정식사실심리에 관련되는 어떠한 사항에 대하여도 배심에게 말하도록 내지는 배심에 더불어 의사소통 하도록 내버려두지 아니하겠다는, 그리고 그들 스스로도 그렇게 하지 아니하겠다는, 선서에 공무원들은 처해지지 않으면 안 된다.

(2) Whether permitted to separate or kept in the charge of officers, the jury must be admonished by the court that it is their duty not to permit anyone to speak to or communicate with them on any subject connected with the trial and that all attempts

to do so should be immediately reported by them to the court, and that they should not converse among themselves on any subject connected with the trial or form or express any opinion thereon until the cause is finally submitted to them. This admonition must be given or referred to by the court at each adjournment.

쪼개지도록 허용되는지 또는 공무원들의 보호 안에 붙들리는지 여부에 상관없이, 당해 정식사실심리에 관련되는 어떠한 사항에 관하여도 그 자신들에게 말하도록 내지는 그 자신들에 더불어 의사소통 하도록 어느 누구에게도 허용하지 아니하여야 함이 그 자신들의 의무임이, 및 그렇게 하고자 하는 모든 시도들은 그 자신들에 의하여 즉시 법원에 보고되어야 함이, 그리고 당해 사건이 종국적으로 그 자신들에게 위탁될 때까지는 당해 정식사실심리에 관련되는 어떤 사항에 관하여도 그 자신들은 그 자신들끼리 대화하여서는 내지는 조금이라도 이에 대한 의견을 형성하여서는 내지는 표명하여서는 안 됨이, 법원에 의하여 배심에게 경고되지 않으면 안 된다. 이 경고는 법원에 의하여 개개 휴정 때마다 부여되지 않으면 안 되고 또는 인용되지 않으면 안 된다.

(b)

(1) When, in the opinion of the court, it is necessary that the jury should view the place in which the offense is charged to have been committed or in which any other material fact occurred, it may order the jury to be conducted in a body, in the custody of proper officers, to the place, which must be shown to them by the judge or by a person appointed by the court for that purpose.

당해 범죄가 저질러진 것으로 기소된 장소를 또는 여타의 중요한 사실이 발생한 장소를 배심이 검증함이 필요하다는 것이 법원의 의견인 경우에는, 배심으로 하여금 일단이 되어 적절한 공무원들의 보호 아래서 그 장소에 안내되게 하도록 법원은 명령할 수 있는바, 판사에 의하여 또는 그 목적을 위하여 법원에 의하여 지명된 사람에 의하여 그들에게 그 장소는 제시되지 않으면 안 된다.

(2) The officers must be sworn to suffer no person to speak or communicate with the jury on any subject connected with the trial, nor do so themselves, except for the mere showing of the place to be viewed, and to return them into court without unnecessary delay or at a specified time.

검증되어야 할 장소의 제시 자체를 위하여를 제외하고는, 어느 누구로 하여금도 당해 정식사실심리에 관련되는 어떠한 사항에 관하여도 배심에 더불어 말하도록 내지는 의사소통 하도록 자신들이 내버려두지 아니하겠다는, 그리고 그들 스스로도 그렇게 하지 아니하겠다는, 그리고 불필요한 지체 없이 또는 지정된 시각에 법정 안에 그들을 되돌려 보내겠다는 선서에 공무원들은 처해지지 않으면 안 된다.

https://law.justia.com/codes/arkansas/2019/title-16/subtitle-6/chapter-89/section-16-89-119/

§ 16-89-119. Lack of Jurisdiction
관할의 결여

Universal Citation: AR Code § 16-89-119 (2019)

일반적 인용: AR Code § 16-89-119 (2019)

(a) If, during the trial, it shall appear that the offense was committed out of the jurisdiction of the court, but within the jurisdiction of some other court of this state, the court shall stop the trial, discharge the jury, and take the proceedings in the case as directed in § 16-85-708.

당해 법원의 관할 밖에서, 그러나 이 주의 다른 법원의 관할 내에서, 당해 범죄가 저질러졌음이 정식사실심리 동안에 만약 드러나면, 법원은 정식사실심리를 중지시켜야 하고 배심을 임무해제 하여야 하며, 제16-85-708절에 명령되는 대로의 당해 사건에서의 절차들을 취하여야 한다.

(b) If it appears the offense was committed out of the state, the trial shall be stopped as in subsection (a) of this section and the defendant either discharged or ordered to be retained in custody for a reasonable time until the counsel for the state shall have an opportunity to inform the chief executive officer of the state in which the offense was committed of the facts and for that officer to require the delivery of the offender.

주 밖에서 당해 범죄가 저질러졌음이 만약 드러나면, 이 절의 소절 (a)에 규정되는 바에 따라서 정식사실심리는 중지되어야 하는바, 피고인은 석방되든지, 또는 사실관계를 당해 범죄가 저질러진 주의 최고책임자에게 고지할 기회를, 그리하여 당해 범인의 인도를 그 최고책임자로 하여금 요구하게 할 기회를 주 측 변호사가 지닐 때까지 합리적 기간 동안 구금 상태로 유지되도록 명령되든지, 하여야 한다.

https://law.justia.com/codes/arkansas/2019/title-16/subtitle-6/chapter-89/section-16-89-120/

§ 16-89-120. Proof of Higher Offense
보다 더 무거운 범죄의 증명

Universal Citation: AR Code § 16-89-120 (2019)

일반적 인용: AR Code § 16-89-120 (2019)

(a) If, during the trial, the court shall be of the opinion that the facts proved constitute an offense of a higher nature than that charged in the indictment, it may direct the jury to be discharged and all proceedings to be suspended until the case can be resubmitted to a grand jury and may order the defendant to be committed or admit him or her to bail to answer any new indictment which may be found against him or her for the higher offense.

대배심 검사기소장에 기소된 범죄를보다도 더 높은 등급의 범죄를 그 증명된 사실관계가 구성한다는 것이 만약 정식사실심리 동안의 법원의 의견이면, 배심이 임무해제 되도록 및 한 개의 대배심에 사건이 다시 회부될 수 있을 때까지 모든 절차들이 정지되도록 법원은 명령할 수 있고, 그 더 높은 등급의 범죄에 대하여 그에게 내지는 그녀에게 평결되는 새로운 대배심 검사기소장에 답변하도록 피고인을 구금할 것을 법원은 명령할 수 있으며, 또는 그를 내지는 그녀를 보석에 법원은 처할 수 있다.

(b) If an indictment is not found for the higher offense before the next grand jury is discharged, the court must proceed to try the defendant on the original indictment.

차회 대배심이 임무해제 되기 전에 만약 보다 더 높은 등급의 범죄에 대한 대배심 검사기소가 평결되지 아니하면, 본래의 대배심 검사기소장에 대하여 피고인을 정식사실심리 하는 데 법원은 나아가지 않으면 안 된다.

https://law.justia.com/codes/arkansas/2019/title-16/subtitle-6/chapter-89/section-16-89-121/

§ 16-89-121. Facts Charged Do Not Constitute Offense
기소된 사실관계가 범죄를 구성하지 아니하는 경우

Universal Citation: AR Code § 16-89-121 (2019)

일반적 인용: AR Code § 16-89-121 (2019)

If, during the trial, the court is of the opinion that the facts charged in the indictment do not constitute an offense punishable by law, it shall order the jury to be discharged and the indictment to be quashed, and thereupon take the proceedings directed in § 16-89-113(b).

법에 의하여 처벌되는 한 개의 범죄를 대배심 검사기소장에 기소된 사실관계가 구성하지 아니한다는 것이 만약 정식사실심리 동안의 법원의 의견이면, 배심은 임무해제 되도록 및 대배심 검사기소장은 무효화 되도록 법원은 명령하여야 하고, 나아가 제16-89-113(b)절에 명령된 절차들을 곧바로 법원은 취하여야 한다.

https://law.justia.com/codes/arkansas/2019/title-16/subtitle-6/chapter-89/section-16-89-122/

§ 16-89-122. Dismissal of Indictment
대배심 검사기소장의 취하

Universal Citation: AR Code § 16-89-122 (2019)

일반적 인용: AR Code § 16-89-122 (2019)

The prosecuting attorney, with the permission of the court, may at any time before the case is finally submitted to the jury dismiss the indictment as to all or a part of the defendants and the dismissal shall not bar a future prosecution for the same offense.

사건이 종국적으로 배심에게 위임되기 전에 언제든지 법원의 허가를 얻어서 대배심 검사기소장을 피고인들의 전부에 대하여 내지는 일부에 대하여 검사는 취하할 수 있는바, 그 취하는 동일범죄에 대한 장래의 소추를 저해하지 아니한다.

§ 16-89-123. Order of Final Arguments
최종변론의 순서

Universal Citation: AR Code § 16-89-123 (2019)

일반적 인용: AR Code § 16-89-123 (2019)

(a) If the case is not submitted without argument, the party having the burden of proof shall have the opening and conclusion of the argument. If, upon the demand of the adverse party, the attorney prosecuting for the state or the attorney for the defense shall refuse to openly and fully state the grounds on which he or she claims a verdict, the party so refusing shall be refused the conclusion of the argument.

만약 사건이 변론 없이 배심에게 맡겨지는 경우에가 아니면, 입증책임을 지는 당사자는 개시변론을 및 종결변론을 할 권리를 지닌다. 한 개의 평결을 그가 또는 그녀가 요구하는 근거들을 공개적으로 및 완전하게 진술하기를 상대방 당사자의 요구에도 불구하고 검사가 또는 변호인이 만약 거부하면, 그렇게 거부하는 당사자는 종결변론을 할 권리를 상실한다.

(b) If more than one (1) counsel on each side shall argue the case, they shall do so alternately.

사건을 변론하여야 할 변호사/검사들이 각 측에 1명을 초과하면, 그들은 교대로 그렇게 하여야 한다.

https://law.justia.com/codes/arkansas/2019/title-16/subtitle-6/chapter-89/section-16-89-124/

§ 16-89-124. Exceptions to Decisions of the Court
법원의 결정들에 대한 이의들

Universal Citation: AR Code § 16-89-124 (2019)

일반적 인용: AR Code § 16-89-124 (2019)

(a) Upon the trial of criminal or penal prosecutions, either party may except to any decision of the court by which the substantial rights of the party are prejudiced, subject to the restrictions in subsection (b) of this section.

형사소추들의 내지는 범죄소추들의 정식사실심리에 따라서, 법원의 결정에 의하여 자신의 실질적 권리들이 침해되는 당사자 일방 어느 쪽이든지는 그 결정에 대하여 이의할 수 있는바, 다만 이 절의 소절 (b)에서의 제한들에 그는 종속된다.

(b) The decisions of the court upon challenges to the panel and for cause shall not be subject to exception.

배심원(후보)단에 대한 기피들에 대한 및 이유부 기피들에 대한 법원의 결정들은 이의에 종속되지 아니한다.

(c) The exception shall be shown upon the record by a bill of exceptions prepared, settled, and signed as provided in the Code of Practice in Civil Cases of 1869.

1869년 민사소송법에 규정된 대로 작성된, 처리된 및 서명된 이의사유서에 의하여 기록상으로 이의는 증명되어야 한다.

§ 16-89-125. Deliberation of Jury

배심의 숙의

Universal Citation: AR Code § 16-89-125 (2019)

일반적 인용: AR Code § 16-89-125 (2019)

(a) While the jury is absent, the court may adjourn from time to time as to other business, but it shall be deemed open for every purpose connected with the cause submitted to the jury until a verdict is rendered or the jury discharged.

배심이 법정을 떠나 있는 동안, 법원은 여타의 업무에 따라서 수시로 휴정할 수 있으나, 한 개의 평결이 제출되기까지는 또는 배심이 임무해제 되기까지는, 배심에게 위임된 사건에 연관되는 모든 목적들을 위하여 법원은 개정되어 있는 것으로 간주되어야 한다.

(b) When the evidence is concluded, the court shall, on motion of either party, instruct the jury on the law applicable to the case. If the defense is the insanity of the defendant, the jury must be instructed to state that fact in their verdict if they acquit him or her on that ground.

증거절차가 종결되면, 당해 사건에 적용되는 법에 관하여 어느 쪽이든지의 신청에 따라서 배심에게 법원은 지시하여야 한다. 만약 항변이 피고인의 정신이상이면, 그를 내지는 그녀를 그 이유로 그들이 무죄방면 하는 경우에는, 그 사실을 그들의 평결에서 밝히도록 배심은 지시되지 않으면 안 된다.

(c) A suitable room must be provided for the use of the jury on their retirement for deliberation, with suitable furniture, fuel, lights, and stationery.

숙의를 위한 그들의 퇴정 때에는, 적당한 가구를, 연료를, 조명을, 그리고 문방구를 갖춘 적당한 방이 배심의 사용을 위하여 제공되지 않으면 안 된다.

(d)

(1) After the cause is submitted to the jury, they must be kept together in the charge of the sheriff, in the room provided for them, except during their meals and periods for sleep, unless they are permitted to separate by order of the court.

배심에게 사건이 위임된 뒤에는, 그 쪼개지도록 법원의 명령에 의하여 그들이 허용되는 경우에를 제외하고는, 그리고 그들의 식사 도중에를 및 취침 동안에를 제외하고는, 그들을 위하여 제공된 방에 집행관의 보호 속에서 함께 그들은 붙들려 있지 않으면 안 된다.

(2) Suitable food and lodging must be provided by the sheriff and the expense paid by the county.

적당한 음식이 및 숙박이 집행관에 의하여 제공되지 않으면 안 되고 그 비용은 카운티에 의하여 지불되지 않으면 안 된다.

(3) Upon retiring for deliberation, the jury may take with them all papers which have been received as evidence in the cause.

숙의를 위하여 물러갈 때에 당해 사건에서 증거로 수령되어 있는 모든 서류들을 배심은 지참해 갈 수 있다.

(e) After the jury retires for deliberation, if there is a disagreement between them as to any part of the evidence or if they desire to be informed on a point of law, they must require the officer to conduct them into court. Upon their being brought into court, the information required must be given in the presence of or after notice to the counsel of the parties.

숙의를 위하여 배심이 물러가고 난 뒤에 만약 증거의 어느 부분에 관하여든지 그들 사이의 불일치가 있으면 또는 법의 문제에 관하여 정보를 제공받기를 그들이 원하면 그들 자신을 법정 안으로 안내해 줄 것을 공무원에게 그들은 요구하지 않으면 안 된다. 법정 안에 그들이 안내되면, 당사자들의 변호사들의 출석 가운데 또는 그들에게의 통지 뒤에, 그 요구된 정보가 제공되지 않으면 안 된다.

(f)

(1) If, after retirement, one of the jurors becomes so sick as to prevent the continuance of his or her duty, or other accident or cause occurs preventing the jury from being kept together or, after being kept together such a length of time as the court deems proper, they do not agree in a verdict and it satisfactorily appears that there is no probability they can agree, the court may discharge them.

만약 퇴정 뒤에 그의 내지는 그녀의 의무의 지속을 방해할 정도로 배심원들 중의 한 명이 아프게 되면, 내지는 당해 배심이 함께 붙들려 있지 못하게 방해하는 여타의 사고가 또는 원인이 발생하면, 또는 그 적절하다고 법원이 간주하는 시간 동안 함께 붙들려 있고 난 뒤에도 한 개의 평결에 그들이 합의하지 못하면 및 그들이 합의할 가망이 없음이 납득할 수 있을 정도로 드러나면, 그들을 법원은 임무해제 할 수 있다.

(2) In all cases where a jury is discharged, either in the progress of a trial or after the cause is submitted to them, the cause may again be tried at the same or another term of the court.

정식사실심리 진행 과정에서든 또는 그들에게 사건이 위임되고 난 뒤에든 배심이 임무해제 되는 모든 사건들에서, 당해 법원의 동일한 개정기에 또는 다른 개정기에 당해 사건은 다시 정식사실심리 될 수 있다.

https://law.justia.com/codes/arkansas/2019/title-16/subtitle-6/chapter-89/section-16-89-126/

§ 16-89-126. Verdict Generally
평결 일반

Universal Citation: AR Code § 16-89-126 (2019)

일반적 인용: AR Code § 16-89-126 (2019)

(a) When the jury has agreed upon their verdict, they must be conducted into court by the officer having them in charge, their names called by the clerk, and, if they all appear, their foreman must declare their verdict.

그들 자신의 평결에 배심이 합의한 터이면, 그들을 보호하고 있는 공무원에 의하여 법정으로 그들은 안내되지 않으면 안 되고, 그들의 이름들이 서기에 의하여 호창되지 않으면 안 되며, 그리하여 그들이 모두 출석하면 그들의 평결을 그들의 배심장은 선언하지 않으면 안 된다.

(b) The jury may render either a general or a special verdict.

일반평결을 또는 특별평결을 중 한 쪽을 배심은 제출할 수 있다.

(c) A general verdict is either "guilty" or "not guilty." If the verdict is guilty, the jury must affix the punishment if the amount thereof is not determined by law.

일반평결은 "유죄" 또는 "무죄" 둘 중의 한 개다. 만약 평결이 유죄이면, 형량이 법에 의하여 정해지지 아니한 경우에 형량을 배심은 붙이지 않으면 안 된다.

(d)

(1) A special verdict is the finding of the facts only, leaving the law arising on the facts to the judgment of the court, with an ascertainment of the punishment in the event that the court pronounces a judgment of conviction on the verdict.

특별평결은 사실관계만에 대한 판단으로서, 당해 사실관계 위에서 생기는 법을, 당해 평결에 근거한 유죄판정의 판결주문을 법원이 선언하는 경우에 있어서의 형량의 확인을에 더불어 법원의 판단에 맡기는 것이다.

(2) A special verdict must present the conclusions of fact as established by the evidence, and not the evidence of those facts. The facts must be presented so that the court has nothing to do but draw the conclusions of law upon them.

증거에 의하여 입증된 것으로서의 사실의 결론들을 - 그 사실들의 증거를이 아니라 - 특별평결은 제출하지 않으면 안 된다. 법의 결론들을 당해 사실들 위에서 도출하는 것을 이외에는 법원이 해야 할 사항이 없도록 사실들은 제출되지 않으면 안 된다.

(3) The special verdict must be reduced to writing by the jury and read to them in the presence of the court. It shall not be received by the court unless it pronounces affirmatively on the facts necessary to enable the court to give judgment.

특별평결은 배심에 의하여 서면으로 옮겨지지 않으면 안 되고 법원의 면전에서 그들에게 낭독되지 않으면 안 된다. 판결주문을 법원으로 하여금 내릴 수 있게 하는데 필요한 사실들을 확정적으로 그것이 선언하는 경우에를 제외하고는 법원에 의하여 그것은 수령되어서는 안 된다.

(e)

(1) Upon an indictment for an offense consisting of different degrees, the defendant may be found guilty of any degree not higher than that charged in the indictment and may be found guilty of any offense included in that charged in the indictment.

여러 가지 등급들을 구성하는 한 개의 범죄에 대한 대배심 검사기소장에 터잡아서는, 당해 대배심 검사기소장에 기소된 등급에보다도 더 높지 아니한 어느 등급에 대하여도 유죄로 피고인은 평결될 수 있고, 당해 대배심 검사기소장에 기소된 범죄에 포함되는 어떤 범죄에 대하여도 유죄로 피고인은 평결될 수 있다.

(2)

(A) The offenses named in each of the subdivisions of this section shall be deemed degrees of the same offense, in the meaning of subdivision (e)(1) of this section:

이 절의 소부들 각각에 열거된 범죄들은 이 절의 소부 (e)(1)의 의미 내에서의 동일 범죄등급들로 간주된다:

(i) All offenses of homicide;

모든 살인범죄들;

(ii) All injuries to the person by maiming, wounding, beating, and assaulting, whether malicious or from sudden passion, and whether attended or not with the intention to kill;

악의적인 것이든 또는 갑작스러운 격노로 인한 것이든, 그리고 살해하려는 의도를 지니고서 이루어진 것이든 아니든, 불구로 만듦에 의한, 상처를 가함에 의한, 구타함에 의한, 그리고 폭행함에 의한 신체에 대한 모든 상해들;

(iii) All offenses of larceny;

모든 절도범죄들;

(iv) Arson and house-burning;

방화 및 주거방화;

(v) Burglary and house-breaking; and

불법목적침입 및 불법목적주거침입

(vi) An offense, and an attempt to commit the offense.

한 개의 범죄, 그리고 그 범죄에 대한 미수.

(B) Offenses punished capitally are of the highest degree, other felonies are of higher degree than misdemeanor, and those punished by imprisonment are of higher degree than those punished by fine alone.

사형으로 처벌되는 범죄들은 가장 높은 등급의 것들이고, 여타의 중죄들은 경죄가보다는 높은 등급의 것들이며, 구금에 의하여 처벌되는 범죄들은 벌금만에 의하여 처벌되는 범죄들이보다도 높은 등급의 것들이다.

(C) Where the punishment is the same in kind, the amount that may be inflicted fixes the degree.

처벌이 그 종류에 있어서 동일하면, 그 부과될 수 있는 형벌의 양이 등급을 결정한다.

(3) Where there is a reasonable doubt of the degree of the offense which the defendant has committed, he or she shall be convicted only of the lower degree.

피고인이 지지른 범죄의 등급에 관하여 합리적 의심이 있는 경우에, 더 낮은 등급에 대하여만 유죄로 그는 내지는 그녀는 판정되어야 한다.

(4) When the proof shows the defendant to be guilty of a higher degree of the offense than is charged in the indictment, the jury shall find him or her guilty of the degree charged in the indictment.

대배심 검사기소장에서 기소된 범죄에 대하여보다도 더 높은 등급의 범죄에 대하여 피고인이 유죄임을 증거가 증명하는 경우에, 그를 내지는 그녀를 대배심 검사기소장에 기소된 등급에 대하여 유죄로 배심은 평결하여야 한다.

(f) Upon an indictment against several, if the jury cannot agree as to all, they may render a verdict as to those concerning whom they do agree, and the case as to the others may be tried by another jury.

여러 명에 대한 한 개의 대배심 검사기소장의 경우에 만약 전원에 관하여 배심이 합의할 수 없으면 그들이 합의하는 사람들에 관한 한 개의 평결을 그들은 제출할 수 있는바, 나머지 피고인들에 관한 사건은 다른 배심에 의하여 정식사실심리 될 수 있다.

(g) When there is a reasonable doubt of the defendant's guilt upon the testimony in the whole case, he or she is entitled to an acquittal.

사건 전체의 증거에 토대한 피고인의 유죄에 대한 합리적 의심이 있는 경우에는 무죄방면을 누릴 권리를 그는 또는 그녀는 지닌다.

https://law.justia.com/codes/arkansas/2019/title-16/subtitle-6/chapter-89/section-16-89-127/

§ 16-89-127. Verdict - Misdemeanor Included in Felony
평결 – 중죄에 포함되는 경죄

Universal Citation: AR Code § 16-89-127 (2019)
일반적 인용: AR Code § 16-89-127 (2019)

When an offense is charged in an indictment to have been committed with peculiar circumstances as to time, place, person, property, value, motive, or intention, the offense, without the circumstances, or with part only, is included in the offense, although that charge may be a felony, and the offense, without the circumstances, a misdemeanor only.

시간에 관한, 장소에 관한, 사람에 관한, 재산에 관한, 가치에 관한, 동기에 관한, 또는 의도에 관한 특별한 상황들을 지니고서 저질러진 것으로 한 개의 대배심 검사기소장에 한 개의 범죄가 기소되는 경우에, 그 상황들을 지니지 아니하는, 또는 그 일부만을 지니는 범죄는 그 범죄 안에 포함되는바, 비록 그 공소사실이 한 개의 중죄일 수 있는 경우에서로 그러한 상황들을 지니지 아니한 범죄는 단지 한 개의 경죄이기만 할 수 있는 경우이더라도 이는 그러하다.

https://law.justia.com/codes/arkansas/2019/title-16/subtitle-6/chapter-89/section-16-89-128/

§ 16-89-128. Polling of Jury Members
배심 구성원들에 대한 배심투표 집계조사

Universal Citation: AR Code § 16-89-128 (2019)

일반적 인용: AR Code § 16-89-128 (2019)

Upon a verdict's being rendered, the jury may be polled at the instance of either party, which consists of the clerk or judge asking each juror if it is his or her verdict. If one (1) answers in the negative, the verdict cannot be received.

한 개의 평결이 제출되면 당사자 어느 쪽의 요구에 의하여든 배심투표 집계조사에 배심은 처해질 수 있는바, 그것이 그의 내지는 그녀의 평결인지를 개개 배심원에게 서기가 또는 판사가 물음으로써 그것은 구성된다. 만약 한(1) 명이 반대로 답하면 평결은 수령될 수 없다.

https://law.justia.com/codes/arkansas/2019/title-16/subtitle-6/chapter-89/section-16-89-129/

§ 16-89-129. Final Adjournment
종국적 휴정

Universal Citation: AR Code § 16-89-129 (2019)

일반적 인용: AR Code § 16-89-129 (2019)

A final adjournment of the court discharges a jury.

법정의 종국적 휴정은 배심을 임무해제 시킨다.

§ 16-89-130. New Trial
새로운 정식사실심리

Universal Citation: AR Code § 16-89-130 (2019)

일반적 인용: AR Code § 16-89-130 (2019)

(a) A new trial is the reexamination of an issue of fact in the same court by another jury after a verdict has been given.

한 개의 새로운 정식사실심리는 한 개의 평결이 내려지고 난 뒤의 동일 법원에서의 별개의 배심에 의한 한 개의 사실의 쟁점에 대한 재심리이다.

(b) The application for a new trial must be made at the same term at which the verdict is rendered, unless the judgment is postponed to another term, in which case it may be made at any time before judgment.

다른 개정기로 판결주문이 연기되는 경우에를 제외하고는, 한 개의 새로운 정식사실심리를 구하는 신청은 당해 평결이 제출된 개정기에의 동일 개정기에 제기되지 않으면 안 되는바, 그 경우에는 판결주문 전에 언제든지 그것은 제기될 수 있다.

(c) The court in which a trial is had upon an issue of fact may grant a new trial when a verdict is rendered against the defendant by which his or her substantial rights have been prejudiced, upon his or her motion, in the following cases:

피고인의 실질적 권리들을 침해한 그에게 내지는 그녀에게 불리한 한 개의 평결이 제출된 경우에로서 아래에 해당하는 경우에는, 그의 내지는 그녀의 신청에 따라서 한 개의 새

로운 정식사실심리를, 한 개의 사실의 쟁점에 대하여 정식사실심리를 실시한 법원은 부여할 수 있다:

(1) Where the trial in the case of a felony was commenced and completed in his or her absence;

그의 내지는 그녀의 결석 상태에서 한 개의 중죄 사건의 정식사실심리가 시작된 및 종결된 경우;

(2) Where the jury has received any evidence out of court other than that resulting from a view as provided in this code;

이 법전에 규정된 바에 따른 검증으로부터 도출된 증거 이외의 증거를 법정 외에서 당해 배심이 수령한 경우;

(3) Where the verdict has been decided by lot, or in any other manner than by a fair expression of opinion by the jurors;

제비뽑기에 의하여, 또는 그 밖에 배심원들의 의견의 공정한 표명에 의하지 아니한 방법으로, 당해 평결이 결정된 경우;

(4) Where the court has misinstructed or refused to properly instruct the jury;

배심에게 법원이 잘못 지시한 경우 또는 정확하게 지시하기를 거부한 경우;

(5) Where the verdict is against law or evidence;

평결이 법에 또는 증거에 반하는 경우;

(6) Where the defendant has discovered important evidence in his or her favor since the verdict; and

그 자신에게 또는 그녀 자신에게 유리한 중요한 증거를 평결이 있고 난 뒤에 피고인이 발견한 경우; 그리고

(7) Where, from the misconduct of the jury or from any other cause, the court is of opinion that the defendant has not received a fair and impartial trial.

한 개의 공정한 및 공평한 정식사실심리를, 배심의 위법행위로 인하여 또는 여타의 원인으로 인하여, 피고인이 수령하지 못하였다는 것이 법원의 의견인 경우.

(d) The granting of a new trial places the parties in the same position as if no trial had been had. All the testimony must be produced anew, and the former verdict cannot be used or referred to in evidence or in argument.

정식사실심리가 실시되지 않았을 경우에라면 놓였을 위치에의 동일한 위치에 당사자들을 한 개의 새로운 정식사실심리의 부여는 놓는다. 모든 증거는 새로이 제출되지 않으면 안 되고, 과거의 평결은 증거로서든 또는 변론에서든 사용될 수 내지는 언급될 수 없다.

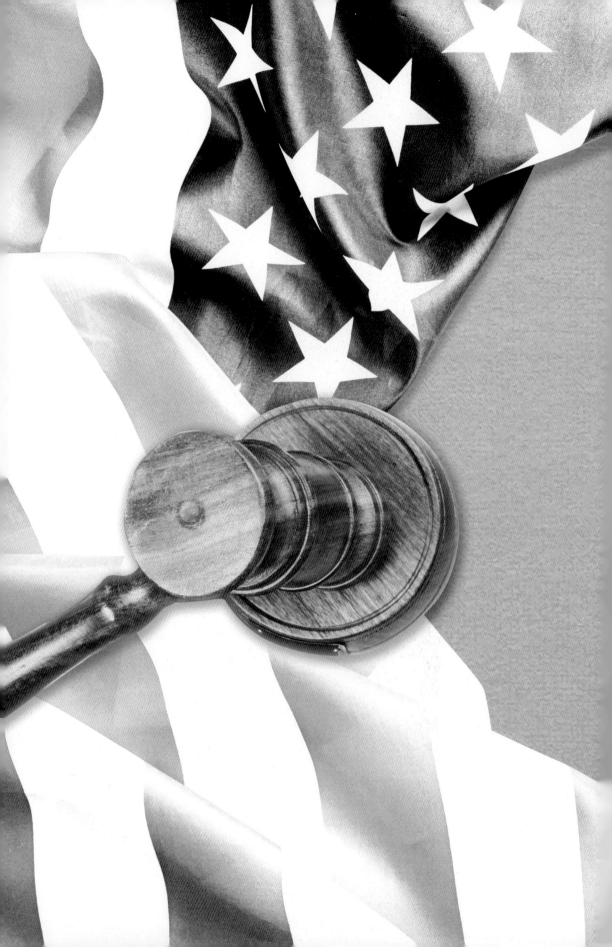

오클라호마주
대배심 규정

오클라호마주
대배심 규정

오클라호마주 헌법

https://law.justia.com/constitution/oklahoma/

Oklahoma Constitution

https://law.justia.com/constitution/oklahoma/II.html

Article II

[Previous] [Next] [Up] [Top]

Article II: BILL OF RIGHTS

BILL OF RIGHTS

- Section II-1: Political power - Purpose of government - Alteration or reformation.

- Section II-2: Inherent rights.

- Section II-3: Right of assembly and petition.

- Section II-4: Interference with right of suffrage.

- Section II-5: Public money or property - Use for sectarian purposes.

- Section II-6: Courts of justice open - Remedies for wrongs - Sale, denial or delay.

- Section II-7: Due process of law.

- Section II-8: Right to bail - Exceptions.

- Section II-9: Excessive bail or fines - Cruel or unusual punishment.

- Section II-10: Habeas corpus - Suspension.

- Section II-11: Officers - Personal attention to duties - Intoxication.

- Section II-12: Officers of United States or other states - Ineligibility to office.

- Section II-12A: Term limits for Congressman.

- Section II-13: Imprisonment for debt.

- Section II-14: Military subordinate to civil authorities - Quartering without owner's consent.

- Section II-15: Bills of attainder - Ex post facto laws - Obligation of contracts

- Section II-16: Treason.

- Section II-17: Indictment or information - Preliminary examination -

- Prosecutions in courts not of record.

- Section II-18: Grand jury. 대배심

- Section II-19: Trial by jury.

- Section II-20: Rights of accused in criminal cases.

- Section II-21: Self-incrimination - Double jeopardy.

- Section II-22: Liberty of speech and press - Truth as evidence in prosecution for libel.

- Section II-23: Private property - Taking or damaging for private use.

• Section II-24: Private property - Public use - Character of use a judicial question.

• Section II-25: Contempt - Definition - Jury trial - Hearing.

• Section II-26: Bearing arms - Carrying weapons.

• Section II-27: Witnesses not excused from testifying - Immunity from prosecution.

• Section II-28: Corporate records, books and files.

• Section II-29: Transportation out of State.

• Section II-30: Unreasonable searches or seizures - Warrants, issuance of.

• Section II-31: State - Engagement in occupation or business.

• Section II-32: Perpetuities - Monopolies - Primogeniture - Entailments.

• Section II-33: Effect of enumeration of rights.

• Section II-34: Rights of victims.

https://law.justia.com/constitution/oklahoma/II-18.html

 Section II-18: Grand jury.
대배심.

A grand jury shall be composed of twelve (12) persons, any nine (9) of whom concurring may find an indictment or true bill. A grand jury shall be convened upon the order of a district judge upon his own motion; or such grand jury shall be ordered by a district judge upon the filing of a petition therefor signed by qualified electors of the county equal to the number of signatures required to propose legislation by a county by initiative petition as provided in Section 5 of Article V of the Oklahoma Constitution, with the minimum number of required signatures being five hundred (500) and the maximum being five thousand (5,000); and further providing that in any calendar year in which a grand jury has been convened pursuant to a petition therefor, then any subsequent petition filed during the same calendar year shall require double the minimum number of signatures as were required hereunder for the first petition; or such grand jury shall be ordered convened upon the filing of a verified application by the Attorney General of the State of Oklahoma who shall have authority to conduct the grand jury in investigating crimes which are alleged to have been committed in said county or involving multicounty criminal activities; when so assembled such grand jury shall have power to inquire into and return indictments for all character and grades of crime. All other provisions of the Constitution or the laws of this state in conflict with the provisions of this constitutional amendment are hereby expressly repealed. The Legislature shall enact laws to prevent corruption in making, filing, circulating and submitting petitions calling for convening a grand jury.

열두 명으로 한 개의 대배심은 구성되는바, 한 개의 대배심 검사기소를, 즉 기소평결부 대배심 검사기소장을 그들 중 찬성하는 아홉 명은 평결할 수 있다. 재판구 지방법원 판사의 직권에 의한 명령에 따라서 한 개의 대배심은 소집된다; 또는 오클라호마주 헌법 제5조 제5절에 규정된 발의청구서에 의한 카운티의 입법을 제안하기 위하여 요구되는 서명들의 숫자에 해당하는 카운티의 유자격 유권자들의 서명이 붙은 그 소집을 구하는 청구서의 제출이 있으면 재판구 지방법원 판사에 의하여 그러한 대배심은 명령되어야 하는바, 그 요구되는 서명들의 최소한도는 500으로, 최대한도는 5,000으로 한다; 그리고 만약 대배심 소집을 구하는 한 개의 청구서에 따라서 한 개의 대배심이 소집되어 있는 당해역년 내이면 그 경우에는 동일역년 중에 제출되는 나중의 청구서는 첫 번째 청구서를 위하여 이에 의하여 요구된 최소숫자의 두 배 숫자의 서명들을 요구하여야 한다; 또는 당해 카운티 내에서 저질러진 것으로 주장되는 내지는 복수카운티 범죄활동들을 포함하는 범죄들을 조사함에 있어서의 대배심을 지휘할 권한을 지니는 오클라호마주 검찰총장에 의한, 그 진실임이 선언되는 신청서의 제출에 따라서 그러한 대배심은 소집되도록 명령되어야 한다; 모든 성격의 및 등급들의 범죄를 파헤칠 및 그것들에 관한 대배심 검사기소장들을 제출할 권한을 그렇게 소집되는 경우에 그러한 대배심은 지닌다. 이 개정 헌법조항에 저촉되는 이 주 헌법의 내지는 법들의 그 밖의 모든 규정들은 이로써 명시적으로 폐지된다. 한 개의 대배심을 소집하여 달라고 요구하는 청구서들을 작성함에 있어서의, 제출함에 있어서의, 배포함에 있어서의 및 제출함에 있어서의 부정행위를 방지하기 위한 법들을 입법부는 입법하여야 한다.

Title 22. Criminal Procedure(2212KB)
형사절차

1. §22-311. Grand jury defined.
대배심의 개념정의.

A grand jury is a body of men consisting of twelve jurors impaneled and sworn to inquire into and true presentment make of all public offenses against the state committed or triable within the county for which the court is holden.

한 개의 대배심은 법원이 열리는 관할 카운티 내에서 저질러진 또는 정식사실심리 될 수 있는, 주에 대한 모든 범죄들을 파헤치기 위하여 및 그것들에 대한 진실한 고발을 하기 위하여, 충원되는 및 선서절차를 거친, 열두 명의 배심원들로 구성되는 사람들의 통일체이다.

R.L.1910, § 5696.

2. §22-311.1. Petition for convening grand jury – Warning.
대배심 소집의 청구 – 경고.

Every petition for the convening of a grand jury shall contain on the outer page thereof the word "Warning" and underneath this in ten-point type the words, "It is a felony for anyone to sign a petition for the convening of a grand jury with any name other than his own, or knowingly to sign his name more than once for the convening of the grand jury, or to sign such petition when he is not a legal voter of the county."

"경고"라는 낱말을, 그리고 그 아래에 "어느 누구든지가, 대배심의 소집을 바라는 청구서에 그 자신 이외의 다른 사람의 이름으로 서명함은, 또는 그의 이름을 그 대배심의 소집을 위하여 고의로 한 번을 초과하여 서명함은, 또는 카운티의 적법한 유권자가 아닌데도 그러한 청구서에 서명함은 한 개의 중죄이다."라는 10 포인트 크기의 타이핑 된 글자의 문장을, 겉 페이지에 한 개의 대배심 소집을 바라는 모든 청구는 포함하여야 한다.

Added by Laws 1989, c. 6, § 1, eff. Nov.1,1989. Amended by Laws 1989, c. 180, § 10, eff. Nov.1,1989.

3. §22-312. Challenge of grand jury.
대배심에 대한 기피.

The state, or a person held to answer a charge for a public offense, may challenge the panel of a grand jury, or an individual grand juror.

이 주는, 또는 한 개의 범죄고발에 대하여 답변하도록 붙들린 사람은 대배심원단에 대하여 또는 개개 대배심원에 대하여 기피할 수 있다.

R.L.1910, § 5697.

4. §22-313. Grounds for challenge to panel.
배심원단에 대한 기피사유들.

A challenge to the panel may be interposed by either party for one or more of the following causes only:

배심원단에 대한 기피는 아래 사유들 중 한 개 이상에 해당하는 경우에만 어느 쪽 당사자에 의하여든 제기될 수 있다:

1. That the requisite number of ballots was not drawn from the jury box of the county or subdivision.

    필요한 숫자의 뽑기종이들이 카운티의 내지는 그 구획의 배심원후보상자로부터 추출되지 아니한 경우.

2. That the drawing was not had in the presence of the officers designated by law, or in the manner prescribed by law.

법에 의하여 지정된 공무원들의 면전에서 또는 법에 의하여 규정된 방법으로 추출이 실시되지 아니한 경우.

R.L.1910, § 5698.

5. §22-314. Jury discharged if challenge allowed.
기피 인용의 경우에의 배심의 임무해제

If a challenge to the panel be allowed, the grand jury must be discharged.

만약 배심원단에 대한 한 개의 기피가 인용되면, 당해 대배심은 임무해제 되지 않으면 안 된다.

R.L.1910, § 5699.

6. §22-315. Grounds for challenge to juror.
배심원에 대한 기피사유들.

A challenge to an individual grand juror may be interposed by either party, for one or more of the following causes only:

한 명의 개별 대배심원에 대한 기피는 아래의 사유들 중 한 개 이상에 해당되는 경우에만 어느 쪽 당사자에 의하여든 제기될 수 있다:

1. That he is a minor.

   그가 미성년자인 경우.

2. That he is not a qualified elector.

   그가 유자격 유권자가 아닌 경우.

3. That he is otherwise disqualified under any of the provisions of law, in relation to the qualification of grand jurors.

   그가 대배심원들의 자격조건에 관련되는 법 규정들에 따라서 결격인 경우.

4. That he is insane.

그가 정신이상인 경우.

5. That he is a prosecutor upon a charge against the defendant.

피고인에 대한 한 개의 고발에서 그가 한 명의 소추자인 경우.

6. That he is a witness on the part of the prosecution and has been served with process by an undertaking as such.

그가 한 명의 소추 측 증인인 경우에로서 그 자격에서의 보증에 의하여 영장을 송달 받은 경우

7. That a state of mind exists on his part in reference to the case, or to either party, which will prevent him from acting impartially and without prejudice to the substantial rights of the party challenging; but no person shall be disqualified as a grand juror, by reason of having formed and expressed an opinion upon the matter or cause to be submitted to such jury, founded upon public rumor, statements in public journals, or common notoriety, provided it satisfactorily appear to the court, upon his declaration, under oath, or otherwise, that he can and will, notwithstanding such opinion, act impartially and fairly upon the matters to be submitted to him.

당해 사건에 관련하여 또는 당사자 어느 한 쪽에 관련하여 공평하게 및 기피신청 측 당사자의 실질적 권리들에 대한 침해 없이 행동하지 못하도록 그를 방해하게 될 그의 쪽에서의 마음상태가 존재하는 경우; 그러나 공공연한 소문에, 일반신문들에서의 보도들에, 널리 알려진 악명에 근거한, 그러한 배심에게 제출될 사안에 내지는 사건에 대한 한 개의 의견을 형성한 및 표명한 상태임을 이유로 하여서는 한 명의 대배심으로서의 자격을 결여한 것으로는 어느 누구가도 처리되어서는 안 되는바, 다만 그러한 의견에도 불구하고 그에게 제출될 사안들에 대하여 공평하게 및 공정하게 그가 행동할 수 있다는 점이 및 행동할 것이라는 점이 선서 아래서의 그의 선언에 의하여 또는 여타의 방법에 의하여 법원에 납득이 갈 만큼 나타나 있어야 한다.

R.L.1910, § 5700.

7. §22-316. Challenge may be oral or written - How tried.

기피는 구두로 또는 서면으로 신청할 수 있음 – 어떻게 심리되는가.

Challenges may be oral or in writing, and must be tried by the court.

기피들은 구두로 또는 서면으로 이루어질 수 있는바, 법원에 의하여 심리되지 않으면 안 된다.

R.L.1910, § 5701.

8. §22-317. Ruling on challenge.

기피신청에 대한 결정

The court must allow or disallow the challenge and the clerk must enter its decision upon the minutes if demanded.

기피신청을 법원은 허가하지 않으면 안 되거나 또는 불허가 하지 않으면 안 되는바, 그 요구되는 경우에는 법원의 결정을 의사록 위에 서기는 기입하지 않으면 안 된다.

R.L.1910, § 5702.

9. §22-318. Effect of challenge allowed.

인용된 기피신청의 효과.

If a challenge to an individual grand juror is allowed, he cannot be present at, or take part in the consideration of the charge against the defendant who interposed the challenge, or the deliberations of the grand jury thereon.

만약 한 명의 개별 대배심원에 대한 기피신청이 인용되면, 그 기피신청을 제기한 피고인에 대한 고발의 심리에 내지는 그것에 대한 대배심 숙의들에 그는 출석해 있을 수 내지는 참여할 수 없다.

R.L.1910, § 5703.

10. §22-319. Violation, where challenge allowed.
기피가 인용되는 경우에의 위반.

The grand jury must inform the court of a violation of the last section and it is punishable by the court as a contempt.

위 마지막 절에 대한 위반을 법원에 대배심은 고지하지 않으면 안 되는바, 그것은 법원모독으로 법원에 의하여 처벌될 수 있다.

R.L.1910, § 5704.

11. §22-320. Challenge to be made before jury is sworn - Exception.
선서절차에 배심이 처해지기 전에 기피는 제기되어야 함 – 예외.

Neither the state, nor a person held to answer a charge for a public offense, can take advantage of any objection to the panel or to an individual grand juror unless it be by challenge, and before the grand jury is sworn, except that after the grand jury is sworn, and before the indictment is found, the court may, in its discretion, upon a good cause shown, receive and allow a challenge.

주는 및 범죄의 고발에 대하여 답변하도록 붙들린 사람은 배심원단에 대한 내지는 개별 배심원에 대한 그 어떤 이의를도, 당해 대배심이 선서절차에 처해지기 전에 기피에 의하여 그것이 제기되는 경우에를 제외하고는, 이용할 수 없는바, 다만 당해 대배심이 선서절차에 처해진 뒤에 및 대배심 검사기소가 평결되기 전에, 그 증명되는 타당한 이유에 따라서 그 재량으로 한 개의 기피신청을 법원은 수령할 수 있고 인용할 수 있다.

R.L.1910, § 5705.

12. §22-321. New grand jury in certain cases.
특정 사건들에서의 새로운 대배심.

If the grand jury is discharged by the allowance of a challenge to the whole panel; or if from any cause, in the opinion of the court, another grand jury may become necessary, the court may in its discretion order that another grand jury be summoned.

전체 배심원단에 대한 한 개의 기피의 인용에 의하여 만약 대배심이 임무해제 되면; 또는 만약 어떤 이유로든 별개의 대배심이 필요하다는 것이 법원의 의견이면, 별개의 대배심이 소집되게끔 조치하도록 법원은 그 재량으로 명령할 수 있다.

R.L.1910, § 5706.

13. §22-322. Special grand jury.
특별대배심.

A grand jury formed and impaneled as to and in a particular case after a challenge or challenges to individual grand jurors have been allowed, shall be sworn to act only in such particular case and as to all other cases at the same term of the court the grand jury shall be formed in the usual manner provided by law.

개별 배심원들에 대한 한 개의 기피가 또는 기피들이 인용되고 난 뒤의 한 개의 특정 사건에 관련하여 및 그러한 특정 사건에서 구성되는 및 충원되는 한 개의 대배심은 그러한 특정 사건에서만 행동하도록 선서절차에 처해져야 하는바, 당해 법원의 동일 개정기에서의 그 밖의 모든 사건들에 관련하여서는 법에 의하여 규정되는 일반적 방법으로 대배심은 구성되어야 한다.

R.L.1910, § 5707.

14. §22-323. Court to appoint foreman.
배심장을 지명할 법원의 의무.

From the persons summoned to serve as grand jurors, and appearing, the court must appoint a foreman. The court must also appoint a foreman when a person already appointed is discharged or excused before the grand jury are dismissed.

한 명의 배심장을 대배심원들로서 복무하도록 소환된 및 출석한 사람들 중에서 법원은 지명하지 않으면 안 된다. 이미 배심장으로 지명된 사람이 당해 대배심의 임무해제 전에 임무해제 되는 경우에 내지는 면제되는 경우에, 한 명의 배심장을 또한 법원은 지명하지 않으면 안 된다.

R.L.1910, § 5708.

 ## 15. §22-324. Oath to foreman.
배심장에게 실시되는 선서

The following oath must be administered to the foreman of the grand jury:

아래의 선서가 대배심의 배심장에게 실시되지 않으면 안 된다:

You, as foreman of this grand jury, shall diligently inquire into, and true present-ment make, of all public offenses against this state, committed or triable within this county (or subdivisions), of which you shall have or can obtain legal evi-dence. You will keep your own counsel, and that of your fellows, and of the state, and will not, except when required in the due course of judicial proceedings, disclose the testimony of any witness examined before you, nor anything which you or any other grand juror may have said, nor the manner in which you or any other grand juror may have voted on any matter before you. You shall present no person through malice, hatred, or ill will, nor leave any unpresented through fear, favor or affection, or for any reward, or the promise or hope thereof; but in all your presentments, or indictments, you shall present the truth, the whole truth, and nothing but the truth, according to the best of your skill and understanding. So help you God.

그 법적 증거를 귀하가 입수하게 될 내지는 입수할 수 있는, 이 카운티 (또는 그 구획들) 내에서 저질러진 내지는 정식사실심리 될 수 있는, 이 주에 대한 모든 범죄들을 귀하는 이 대배심의 배심장으로서 근면하게 파헤쳐야 하고 그것들에 관하여 진실한 고발을 하여야 합니다.

귀하 자신의, 귀하의 동료들의, 그리고 주(state)의 논의를 귀하는 간직하여야 하는바, 사법
절차들의 적법한 과정에서 요구되는 경우에를 제외하고는, 귀하 앞에서 신문되는 그 어느 증
인의 증언을이라도, 그리고 귀하가 또는 여타의 대배심원들이 말한 그 어느 것을이라도, 그
리고 귀하 앞의 어떤 사안에 대하여든지의 귀하의 또는 여타의 대배심원 어느 누구든지의 투
표한 방법을이라도, 귀하는 공개하여서는 안 됩니다. 어느 누구를이라도 악의를, 원한을, 또
는 해의를 지니고서 귀하는 고발하여서는 안 되고, 어느 누구를이라도 두려움 때문에, 호의
내지는 애정 때문에, 또는 보상을 바라고서, 내지는 보상의 약속에 내지는 기대에 편승하여
미고발 상태로 귀하는 남겨두어서도 안 되는바; 귀하의 모든 대배심 독자고발들에서 내지는
대배심 검사기소들에서, 귀하의 최선의 기량껏의 및 이해껏의 진실을, 온전한 진실을, 그리
고 오직 진실만을 귀하는 고발하여야 합니다. 하오니 신께서는 귀하를 도우소서.

R.L.1910, § 5709.

16. §22-325. Oath to other jurors.
여타의 배심원들에게 실시되는 선서.

The following oath must be immediately thereupon administered to the other
grand jurors present: The same oath which your foreman has now taken before
you on his part, you and each of you shall well and truly observe on your part. So
help you God.

출석해 있는 여타의 대배심원들에게 아래의 선서가 그 뒤 즉시로 실시되지 않으면 안 된다:
귀하들 앞에서 귀하들의 배심장이 그의 쪽에서 방금 행한 바 있는 바로 그 선서를 귀하들은
및 귀하들 각자는 귀하들 쪽에서 충실히 및 진실되게 준수하여야 합니다. 하오니 신께서는
귀하들을 도우소서.

R.L.1910, § 5710.

17. §22-326. Charge to grand jury.
대배심에 대한 임무설명.

The grand jury, being impaneled and sworn, must be charged by the court. In doing so the court must give them such information as it may deem proper as to the nature of their duties, and as to any charges for public offenses returned to the court, or likely to come before the grand jury.

대배심이 충원구성 되고 선서절차에 처해지고 나면, 대배심에게는 법원에 의하여 임무가 설명되지 않으면 안 된다. 그렇게 함에 있어서 그들의 의무들의 성격에 관하여, 그리고 법원에 제출되어 있는 내지는 당해 대배심 앞에 올 가능성이 있는 그 어떤 범죄고발들에든지에 관하여, 그 적당하다고 법원이 간주하는 정보를 그들에게 법원은 제공하지 않으면 안 된다.

R.L.1910, § 5711.

18. §22-327. Jury to retire.
배심의 퇴정.

The grand jury must then retire to a private room and inquire into the offenses cognizable by them.

대배심은 그 뒤에 한 개의 비밀실로 물러가지 않으면 안 되고 그들에 의하여 심리되어야 할 범죄들을 파헤치지 않으면 안 된다.

R.L.1910, § 5712.

19. §22-328. Grand jury must appoint clerk.
서기를 대배심은 지명하지 않으면 안 됨.

The grand jury must appoint one of their number as clerk, who must preserve minutes of their proceedings, except of the votes of the individual members, and of the evidence given before them.

그들 중 한 명을 서기로 대배심은 지명하지 않으면 안 되는바, 개개 구성원들의 투표들의를 제외한 그들의 절차들의, 그리고 그들 앞에 제출되는 증거의 의사록을 그는 보전하지 않으면 안 된다.

R.L.1910, § 5713.

20. §22-329. Discharge of grand juror.
대배심원의 임무해제.

A member of the grand jury may for ill health of himself or immediate family, or other cause rendering him unable to serve, be discharged before the term is ended or the labor of the grand jury completed; or, if the judge becomes satisfied that any grand juror is willfully refusing to discharge his duty, the court may order his discharge. In the event of the discharge or death of a grand juror, an alternate grand juror shall be appointed to fill the vacancy by the court. The appointment shall be made in the same order in which the alternate grand jurors were selected. If the number of grand jurors and alternates becomes so depleted as to prevent the grand jury from functioning, as many names as the court may order shall be drawn from the jury box in the same manner the original grand jurors and alternates were drawn, and from the names so drawn there shall be summoned as many grand jurors and alternates as can be found and are able to attend as necessary, and if found they shall be summoned in the order in which their names were drawn from the box. If the number be not thus obtained there shall be another drawing in the same manner. When a sufficient number so drawn appears to fill the panel, the grand jury shall in open court be reimpaneled, but subject to challenge and be charged and sworn in the same manner as when the grand jury was originally impaneled.

대배심의 구성원은, 그 자신의 내지는 직계가족의 질병을 이유로 또는 그로 하여금 복무할 수 없게 만드는 그 밖의 사유에 따라서, 당해 복무기한 종료 전에 또는 당해 대배심의 업무 완료 전에 임무해제 될 수 있다; 또는, 그의 의무를 이행하기를 대배심원 어느 누구가든지 의도적으로 거부하고 있음을 만약 판사가 납득하면, 그의 임무해제를 법원은 명령할 수 있다. 한 명의 대배심원의 임무해제의 또는 사망의 경우에는, 그 결원을 채우기 위하여 법원에 의하여 한 명의 예비 대배심원이 지명되어야 한다. 지명은 예비 대배심원들이 선정된 순서에의 동일한 순서에 따라서 이루어져야 한다. 당해 대배심으로 하여금 기능하지 못하도록 방해할 정도로 만약 대배심원들의 및 예비 대배심원들의 숫자가 고갈되면, 최초의 대배심원들이 및 예비 대배심원들이 추출되었던 방법에의 동일한 방법에 따라서, 법원이 명령하는 숫자의 이름들이 배심원후보상자로부터 추출되어야 하고, 그렇게 추출된 이름들로부터 그 확인될 수 있는 및 출석할 수 있는 필요한 만큼의 숫자의 대배심원(후보)들이 및 예비 대배심원(후보)들이 소환되어야 하며, 그리고 만약 확인되면 배심원후보상자로부터 그들의 이름들이 추출되었던 순서에 따라서 그들은 소환되어야 한다. 만약 그렇게 하여 그 숫자가 얻어지지 아니하면 동일한 방법으로 또 한 번의 추출이 실시되어야 한다. 그렇게 추출된 숫자가 대배심원단을 채우기에 충분한 것으로 나타나면, 대배심은 공개법정에서 다시 충원구성 되어야 하는바, 당해 대배심이 최초에 충원구성 되었을 때에 적용되었던 방법에의 동일한 방법에 따라서 기피가 적용되어야 하고 임무설명이 이루어져야 하며 선서절차가 실시되어야 한다.

R.L.1910, § 5714; Laws 1977, c. 213, § 1, emerg. eff. June 14, 1977.

21. §22-330. Discharge of grand jury.
대배심의 임무해제.

On the completion of the business before the grand jury, or completion of the statutory time limit for sessions of a grand jury, or whenever the court shall be of the opinion that the public interests will not be subserved by further continuance of the session, the grand jury must be discharged, but whether the business be completed or not they are discharged by the final adjournment of the court, or by the judge of the district holding court in some other county of the state, not within the judicial district in which the grand jury is called.

대배심 앞의 업무의 완수에 따라서, 또는 한 개의 대배심의 회합들을 위한 제정법 상의 기한 만료에 따라서, 또는 회합의 더 이상의 지속에 의하여서는 공공의 이익들이 촉진되지 아니하리라는 것이 법원의 의견인 경우에는 언제든지, 대배심은 임무해제 되지 않으면 안 되는바, 그러나 업무가 완료되어 있는지 여부에 상관없이 법원의 종국적 휴정조치에 의하여, 또는 당해 대배심이 소환되는 법원 재판구 내에 있지 아니한, 이 주의 여타의 카운티에서의 법원을 개정하는 재판구 판사에 의하여 그들은 임무해제 된다.

R.L.1910, § 5715; Laws 1961, p. 236, § 1.

22. §22-331. General powers and duties of grand jury.
대배심의 일반적 권한들 및 의무들.

The grand jury has power to inquire into all public offenses committed or triable in the county or subdivision, and to present them to the court, by indictment or accusation in writing.

카운티 내에서 내지는 그 구획 내에서 저질러진 내지는 정식사실심리 될 수 있는 모든 범죄들을 파헤칠, 그리고 그것들을 서면의 대배심 검사기소장에 내지는 기소고발장에 의하여 법원에 기소할 권한을 대배심은 지닌다.

R.L.1910, § 5716.

23. §22-332. Foreman to swear witness.
선서절차를 증인들에게 실시할 배심장의 권한.

The foreman may administer an oath to any witness appearing before the grand jury.

대배심 앞에 출석하는 어떤 증인에게도 선서절차를 배심장은 실시할 수 있다.

R.L.1910, § 5718.

24. §22-333. Evidence before grand jury.
대배심 앞의 증거.

In the investigation of a charge for the purpose of presenting an indictment or accusation, the grand jury may receive the written testimony of the witnesses taken in a preliminary examination of the same charge, and also the sworn testimony prepared by the district attorney without bringing those witnesses before them, and may hear evidence given by witnesses produced and sworn before them, and may also receive legal documentary evidence. Each indictment or accusation shall be voted on separately by the grand jury.

한 개의 대배심 검사기소장을 내지는 기소고발장을 제출함을 목적으로 하는 한 개의 고발에 대한 조사에서는 바로 그 고발에 대한 예비심문에서 청취된 증인들의 서면증언을, 그리고 재판구 지방검사에 의하여 작성된 선서증언을, 그 증인들을 자신들 앞에 불러옴 없이, 대배심은 수령할 수 있고, 그들 앞에 제출된 및 선서절차에 처해진 증인들에 의하여 제공된 증거를 대배심은 청취할 수 있으며, 적법한 문서증거를 또한 대배심은 수령할 수 있다. 개개의 대배심 검사기소장은 내지는 기소고발장은 대배심에 의하여 따로따로 표결되어야 한다.

R.L.1910, § 5719; Laws 1961, p. 236, § 1.

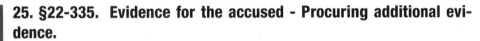

25. §22-335. Evidence for the accused - Procuring additional evidence.
범인이라고 주장되는 사람 측의 증거 – 추가적 증거의 확보

The grand jurors, upon request of the accused, shall, and on their own motion may, hear the evidence for the accused. It is their duty to weigh all the evidence submitted to them and when they have reason to believe that there is other evidence, they may order such evidence to be produced, and for that purpose the State's Attorney shall cause process to issue for the witnesses.

범인이라고 주장되는 사람 측의 증거를, 그의 요청이 있으면 대배심원들은 청취하여야 하고, 또는 그들의 직권으로 대배심원들은 청취할 수 있다. 자신들에게 제출되는 모든 증거를 평가하여야 함은 그들의 의무이고, 여타의 증거가 있다고 믿을 이유를 그들이 지니는 경우에는 그러한 증거가 제출되게끔 조치하도록 그들은 명령할 수 있는바, 그 목적을 위하여 증인들을 위한 영장이 발부되도록 검사(주 측 변호사)는 조치하여야 한다.

R.L.1910, § 5721; Laws 1961, p. 236, § 1.

26. §22-336. Indictment to be found, when.
대배심 검사기소의 평결, 어떤 경우여야 하는가.

The grand jury ought to find an indictment when all the evidence before them, taken together, is such as in their judgment would, if unexplained or uncontradicted, warrant a conviction by the trial jury.

자신들 앞의 모든 증거를 종합할 때, 만약 그 해명되지 아니한다면 내지는 반박되지 아니한다면 정식사실심리 배심에 의한 한 개의 유죄판정을 그것이 뒷받침하리라는 것이 그들의 판단인 경우에 한 개의 대배심 검사기소를 대배심은 평결하여야 한다.

R.L.1910, § 5722.

27. §22-337. Members to give evidence.
증거를 제출할 구성원들의 의무.

If a member of the grand jury knows, or has reason to believe, that a public offense has been committed, which is triable in the county or subdivision, he must declare the same to his fellow jurors, who must thereupon investigate the same.

카운티 내에서 내지는 그 구획 내에서 정식사실심리 될 수 있는 한 개의 범죄가 저질러져 있음을 만약 대배심의 구성원 한 명이 알면 내지는 그렇게 믿을 이유를 그가 지니면, 그것을 그의 동료 배심원들에게 그는 선언하지 않으면 안 되는바, 그것을 그 후 즉시 그들은 조사하지 않으면 안 된다.

R.L.1910, § 5723.

28. §22-338. Subjects for inquiry by grand jury.
대배심에 의한 조사의 대상들.

The grand jury must inquire:
아래의 것들을 대배심은 파헤치지 않으면 안 된다:

1. Into the case of every person imprisoned in the jail of the county or subdivision, on a criminal charge, and not indicted.

범죄혐의에 따라서 카운티의 내지는 그 구획의 감옥에 구금된, 그러나 대배심 검사 기소에 처해지지 아니한 모든 사람의 사건.

2. Into the condition and management of the public prisons in the county or subdivision; and,

카운티 내에 내지는 그 구획 내에 소재하는 공공감옥들의 상태 및 운영; 그리고

3. Into the willful and corrupt misconduct in office of public officers of every description in the county or subdivision.

카운티 내의 내지는 그 구획 내의 모든 종류의 공무원들의 의도적인 및 부정한 직무상의 위법행위.

R.L.1910, § 5724.

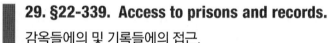

29. §22-339. Access to prisons and records.
감옥들에의 및 기록들에의 접근.

They are also entitled to free access at all reasonable times, to public prisons, and to the examination, without charge, of all public records in the county.

모든 합리적 시간대에서의 카운티 내의, 공공감옥들에의 자유로운 접근의 권리를 및 모든 공공기록들에 대한 무료검사의 권리를, 또한 그들은 지닌다.

R.L. 1910, § 5725.

30. §22-340. Advice of court or district attorney – Reproduction or disclosure of transcript - Who may be present.
법원의 내지는 재판구 지방검사의 조언 – 녹취록의 복제 내지는 공개 – 누가 출석할 수 있는가.

A. The grand jury may at all reasonable times ask the advice of the court or of the district attorney. In no event shall the grand jury be advised as to the sufficiency or insufficiency of the evidence necessary to return a true bill, in a matter under investigation before them. The district attorney, with or without a regularly appointed assistant district attorney individually or collectively, or if the district attorney and all of his or her assistants are disqualified for any reason, a district attorney or assistant district attorney from another district, appointed by the Attorney General of Oklahoma pursuant to Sections 215.9 and 215.13 of Title 19 of the Oklahoma Statutes, and where proper, the Attorney General, or an assistant attorney general, may at all times appear before the grand jury for the purpose of giving information or advice relative to any matter cognizable before them and may interrogate witnesses before them whenever he or she thinks it necessary. A qualified court reporter shall be present and take the testimony of all witnesses.

법원의 내지는 재판구 지방검사의 조언을 대배심은 모든 합리적인 시간대에 요청할 수 있다. 그들 앞의 조사에 놓인 한 개의 사안에 있어서의 한 개의 대배심 평결부 기소장을 제출함에 필요한 증거의 충분성에 내지는 불충분성에 관하여 그 어떤 경우에도 대배심에게 조언이 이루어져서는 안 된다. 개별적으로든지의 내지는 집단적으로든지의 정규적으로 지명된 한 명의 재판구 지방검사보를 대동한 채로 또는 대동하지 아니한 채로 재판구 지방검사는, 또는 어떤 이유로든지 재판구 지방검사가 및 그의 내지는 그녀의 검사보들 전부가 결격인 경우이면 오클라호마주 제정법집 제19편 제215.9절에 및 제215.13절에 따라서 오클라호마주 검찰총장에 의하여 지명되는 다른 재판구 소속의 재판구 지방검사는, 또는 재판구 지방검사보는, 그리고 그 적절한 경우의 검찰총장은 내지는 검찰총장보는, 그들 앞에서 심리될 수 있는 그 어떤 사안에든지 관련되는 정보를 내지는 조언을 제공함을 위하여 대배심 앞에 항상 출석할 수 있고, 그 필요하다고 그가 또는 그녀가 간주하는 때에는 언제든지 그들 앞의 증인들을 신문할 수 있다. 자격이 인정된 한 명의 법원 속기사는 출석하여야 하고 모든 증인들의 증언을 녹취하여야 한다.

B. Upon request a transcript of the testimony or any portion thereof shall be made available to an accused or the district attorney, at the expense of the requesting party or officer, and, in the event of an indigent accused, at the expense of the state. Any person who obtains a copy of a transcript shall not reproduce the transcript in whole or in part or otherwise disclose its contents to any person other than his or her attorney without leave of the court. Violation of this provision shall be punishable as contempt. Provided, nothing in this section shall prohibit the attorney for the accused, the district attorney or assistant district attorney from reproducing in whole or in part the transcribed testimony of a witness he or she anticipates calling to testify at trial and providing same to said witness for the sole purpose of preparing for trial.

범인이라고 주장되는 사람에게는 내지는 재판구 지방검사에게는, 증언의 녹취록이 또는 그 어느 부분이든지가, 요청에 따라서 그 요청 측 당사자의 내지는 공무원의 비용부담으로, 그리고 그 범인이라고 주장되는 사람이 가난하면 주(state)의 비용부담으로, 제공되어야 한다. 한 개의 녹취록 등본을 얻는 사람 누구든지는 그 녹취록을 전체로든 부분으로든 복제하여서는 안 되고, 또는 여타의 방법으로 그것의 내용들을 그의 내지는 그녀의 변호사에게 이외에는 법원의 허가 없이 공개하여서는 안 된다. 이 규정에 대한 위반은 법원 모독으로 처벌되어야 한다. 다만, 범인이라고 주장되는 사람 측 변호사로 하여금, 재판구 지방검사로 하여금 또는 재판구 지방검사보로 하여금, 정식사실심리에서 증언하도록 소환할 것으로 그 자신이 또는 그녀 자신이 예상하는 한 명의 증인의 녹취된 증언을 전체로든 부분으로든 복제할 수 없도록, 및 정식사실심리를 준비함을 그 유일한 목적으로 하여 그것을 그 증인에게 제공할 수 없도록, 이 절 안의 것은 금지하지 아니한다.

C. No other person is permitted to be present during sessions of the grand jury except the members of the grand jury, the witness actually under examination, and one attorney representing such witness, except that an interpreter, when necessary, may be present during the interrogation of a witness; provided that, no person, except the members of the grand jury, shall be permitted to be present during the expression of juror opinions or the giving of votes upon any matter before the grand jury; provided further that neither the district attorney, nor an assistant district attorney, may be present or participate in an official capacity, as herein provided, during an investigation by the grand jury of the district attorney's office, or of any person officially associated with said office.

한 명의 증인에 대한 신문 동안에 그 필요한 경우에의 한 명의 통역인이 출석해 있을 수 있음을 제외하고는, 대배심 구성원들을, 실제로 신문 아래에 놓인 증인을, 그리고 그러한 증인을 대변하는 한 명의 변호사가를 제외한 다른 어느 누구가도 대배심의 회합들 동안에 출석해 있도록 허용되지 아니한다; 다만 대배심 앞의 사안에 대한 배심원 의견들의 표명 동안에는 내지는 표결 동안에는 대배심 구성원들이를 제외하고는 어느 누구가도 출석해 있도록 허용되지 아니한다; 더 나아가 다만, 재판구 지방검사 사무소에 대한 내지는 그 사무소에 직무상으로 연결되어 있는 사람 누구든지에 대한 대배심에 의한 한 개의 조사 동안에는, 당해 재판구 지방검사도 재판구 지방검사보도, 여기서 규정되는 바로서의 공무상의 자격으로는 출석해 있을 수도 없고 참여할 수도 없다.

R.L. 1910, § 726; Laws 1961, p. 236, § 1; Laws 1965, c. 532, § 1; Laws 1967, c. 226, § 1, emerg. eff. May 2, 1967; Laws 1974, c. 60, § 1; Laws 1989, c. 179, § 3, eff. Nov. 1, 1989; Laws 1999, c. 147, § 1, emerg. eff. May 3, 1999.

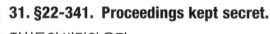

31. §22-341. Proceedings kept secret.
절차들의 비밀의 유지.

Every member of the grand jury must keep secret whatever he himself or any other grand juror may have said or in what manner he or any other grand juror may have voted on a matter before them.

그들 앞의 사안에 대하여 그 자신이 내지는 다른 배심원 어느 누구가든지 말한 그 어떤 것이든지를, 내지는 어떤 방법으로 그 자신이 내지는 여타의 대배심원 어느 누구든지가 투표하였는지를, 비밀로 대배심의 모든 구성원은 간직하지 않으면 안 된다.

R.L.1910, § 5727.

32. §22-342. Juror may disclose proceedings, when.
절차들을 배심원이 공개할 수 있는 경우.

A member of the grand jury may, however, be required by any court to disclose the testimony of a witness examined before the grand jury for the purpose of ascertaining whether it is consistent with that given by the witness before the court, or to disclose the testimony given before them by any person, upon a charge against him for perjury in giving his testimony or upon his trial therefor.

그러나 대배심 앞에서 신문된 한 명의 증인의 증언이, 당해 증인에 의하여 법원 앞에서 이루어진 증언에 부합하는지 여부를 확인함의 목적을 위하여, 그 대배심 앞에서의 증언을 공개하도록, 또는 어느 누구든지에 의하여 그들 앞에서 이루어진 증언을, 그의 증언을 행함에 있어서 저질러졌다는 위증을 이유로 하는 그 사람에 대한 고발장 위에서 또는 이에 대한 그의 정식사실심리 위에서, 공개하도록 그 어떤 법원에 의하여도 대배심 구성원은 요구될 수 있다.

R.L.1910, § 5729.
---

33. §22-343. Privilege of grand juror.
대배심원의 특권.

A grand juror cannot be questioned for anything he may say, or any vote he may give in the grand jury, relative to a matter legally pending before the jury, except for a perjury of which he may have been guilty in making an accusation or giving testimony to his fellow jurors.

한 개의 고발을 행함에 있어서 내지는 증언을 그의 동료 배심원들에게 함에 있어서 그가 저질렀을 수 있는 위증을 이유로 하는 경우에를 제외하고는, 대배심 앞에 적법하게 걸려 있는 한 개의 사안에 관련하여 대배심에서 그가 말한 바를 이유로 또는 그가 행한 투표를 이유로 대배심원은 신문될 수 없다.

R.L.1910, § 5729.
---

34. §22-344. Interpreter - Appointment - Compensation.
통역인 - 지명 - 보수.

That upon the request of either the district attorney, or the grand jurors, the district judge who has called a grand jury shall appoint, whenever necessary, an interpreter, and shall swear him to secrecy, not to disclose any testimony or the name of any witness which shall be presented to the grand jury except when testifying in a court of record.

재판구 지방검사의든 대배심원들의든 요청이 있으면 한 개의 대배심을 소환한 재판구 지방법원의 판사는, 그 필요한 경우에는 언제든지, 한 명의 통역인을 지명하여야 하고, 비밀을 준수하도록, 대배심에 제출되는 그 어떤 증언을이라도 내지는 그 어떤 증인의 이름을이라도, 정식기록 법원에서 그가 증언하는 경우에를 제외하고는, 공개하지 아니하도록 그를 선서에 처하여야 한다.

The compensation for any interpreter thus appointed shall be fixed and allowed by the judge appointing him, and such fees, when earned, may be allowed and paid from time to time as they accrue, and shall be paid from the funds from which the grand jurors are paid.

그렇게 지명되는 통역인의 보수는 그를 지명하는 판사에 의하여 정해져야 하고 지급되어야 하는바, 그 발생하는 경우에의 그러한 보수는 그것들이 발생하는 바에 따라서 수시로 지급될 수 있고 지불될 수 있되, 대배심원들이 지불받는 기금으로부터 지불되어야 한다.

Laws 1941, p. 88, § 1.

 35. §22-345. Restrictions on sessions before and after elections.
선거들 전후의 개회들의 제한들.

No grand jury shall be convened or remain in session during a period beginning thirty (30) days before any Primary, Runoff Primary, or General Election, for state or county offices, and ending ten (10) days after such Primary, Runoff Primary, or General Election. Any grand jury in session at the commencement of any such period shall be discharged forthwith. The provisions of this section shall not apply to a multicounty grand jury convened pursuant to the Multicounty Grand Jury Act, Section 350 et seq. of this title.

주 공직들을 내지는 카운티 공직들을 위한 예비선거의, 결선투표의, 또는 총선거의 30일 전에 시작하여 그러한 예비선거의, 결선투표의, 또는 총선거의 10일 뒤에 끝나는 기간 동안에 대배심은 소집되어서는 내지는 개회 상태로 남아 있어서는 안 된다. 그러한 기간의 시작 당시에 개회 상태에 있는 대배심은 즉시 임무해제 되어야 한다. 이 편의 제350절 이하의 복수카운티 관할 대배심법에 따라서 소집되는 복수카운티 관할 대배심에 이 절의 규정들은 적용되지 아니한다.

Amended by Laws 1990, c. 232, § 2, emerg. eff. May 18, 1990.

36. §22-346. Reports of investigations of public offices or institutions.
공공의 사무소들에 내지는 기관들에 대한 조사들의 보고서들.

In addition to any indictments or accusations that may be returned, the grand jury, in their discretion, may make formal written reports as to the condition and operation of any public office or public institution investigated by them. No such report shall charge any public officer, or other person with willful misconduct or malfeasance, nor reflect on the management of any public office as being willful and corrupt misconduct. It being the intent of this section to preserve to every person the right to meet his accusers in a court of competent jurisdiction and be heard, in open court, in his defense.

그 제출될 수 있는 대배심 검사기소장들을에 및 기소고발장들을에 더하여, 대배심에 의하여 조사된 그 어떤 공공 사무소의 내지는 공공기관의 상태에 및 업무에 관련하여서도 정식의 보고서들을 그들의 재량으로 대배심은 작성할 수 있다. 공무원 어느 누구든지를이라도 또는 그 밖의 사람 어느 누구를이라도 의도적인 위법행위로 내지는 부정행위로 그러한 보고서는 고발하여서는 안 되고, 공공 사무소의 운영을 의도적인 및 부정한 위법행위에 해당되는 것으로 그러한 보고서는 비난하여서도 안 된다. 자신에 대한 고소인들을 자격 있는 관할의 법정에서 만날 권리를, 그리고 공개법정에서 그 자신의 항변이 청취되게 할 권리를 모든 사람에게 보전함이 이 절의 의도이다.

Laws 1961, P. 237, Sec. 1.

37. §22-350. Multicounty Grand Jury Act - Conflicting provisions.
복수카운티 관할 대배심법 – 충돌하는 규정들의 경우.

This act shall be known and may be cited as the "Multicounty Grand Jury Act". All matters not specifically governed by the provisions of the Multicounty Grand Jury Act shall be subject to the provisions governing grand juries. If the provisions of the Multicounty Grand Jury Act conflict with the provisions governing grand juries, the provisions of the Multicounty Grand Jury Act shall govern.

"복수카운티 관할 대배심법"이라고 이 법은 칭해져야 하고 그렇게 이 법은 인용될 수 있다. 복수카운티 관할 대배심법의 규정들에 의하여 명시적으로 규율되지 아니하는 모든 사안들은 대배심들을 규율하는 규정들의 적용을 받는다. 대배심들을 규율하는 규정들에 만약 복수카운티 관할 대배심법의 규정들이 충돌하면, 복수카운티 관할 대배심법의 규정들이 규율한다.

Added by Laws 1987, c. 99, § 1, eff. Nov. 1, 1987.

 38. attorney.
검사.

A. 1. Whenever the Attorney General considers it to be in the public interest to convene a grand jury with jurisdiction extending beyond the boundaries of a single county, he or she shall file a verified application with the Chief Justice of the Supreme Court, or with such Justice of the Supreme Court as is designated by rule to receive such application.

단일 카운티의 경계들 너머에까지 미치는 관할을 지니는 한 개의 대배심을 소집함이 공공의 이익에 부합한다고 검찰총장이 간주하는 때에는 언제든지, 그 진실함이 선언된 한 개의 신청서를 대법원장에게, 또는 그러한 신청서를 수령하도록 규칙에 의하여 지정된 대법원 판사에게 그는 내지는 그녀는 제출하여야 한다.

2. The application shall:
신청서는:

a. state that in the judgment of the Attorney General, the convening of a multicounty grand jury is necessary because of organized crime or public corruption, or both, involving more than one county of the state and that, in the judgment of the

Attorney General, the investigation cannot be adequately performed by a county grand jury, and

검찰총장 자신의 판단으로는 주 내의 한 개를 넘는 카운티들을 포함하는 조직범죄로 또는 공직부패로 또는 그 둘 다로 인하여 한 개의 복수카운티 관할 대배심의 소집이 필요함을, 그리고 검찰총장 자신의 판단으로는 한 개의 카운티 대배심에 의하여서는 그 조사가 적절히 수행될 수 없음을 서술하여야 하고, 그리고

b. specify those counties for which the multicounty grand jury is to be convened.

그 복수카운티 관할 대배심이 소집되어야 할 대상 카운티들을 명시하여야 한다.

3. The Supreme Court, within fifteen (15) days, shall determine whether or not to issue an order convening the multicounty grand jury. If an order is issued convening said jury, the purpose or purposes shall be set forth in such order.

그 복수카운티 관할 대배심을 소집하는 한 개의 명령을 발령할지 말지 여부를 15일 내에 대법원은 결정하여야 한다. 그러한 대배심을 소집하는 한 개의 명령이 발령되면, 그 목적은 및 목적들은 그러한 명령에 기재되어야 한다.

B. An order granting the convening of a multicounty grand jury issued under subsection A of this section shall:

이 절의 소절 A에 따라서 발령되는 한 개의 복수카운티 관할 대배심의 소집을 허가하는 명령은:

1. Convene a multicounty grand jury having jurisdiction over any subject matter listed in Section 353 of this title which occurs in any single county or in multiple counties of this state approved by the Supreme Court and requested in the application by the Attorney General;

이 주의 어떤 단일 카운티에서든지 발생하는 또는 복수 카운티들에서 발생하는, 이 편 제353절에 열거된 어떤 소송물에 대하여든 관할을 지니는, 대법원에 의하여 승인된 및 검찰총장에 의하여 신청서에서 요청된 한 개의 복수카운티 관할 대배심을 소집하여야 한다;

2. Designate a district court judge to be the presiding judge over such multicounty grand jury and provide that such judge shall, with respect to investigations, indict-

ments, reports, and all other proper activities of said multicounty grand jury, have jurisdiction over all counties in the jurisdiction of said multicounty grand jury; and

그러한 복수카운티 관할 대배심에 대한 주재판사가 될 한 명의 재판구 지방법원 판사를 지정하여야 하고, 당해 복수카운티 관할 대배심의 조사들에 관련하여, 대배심 검사기소장 들에 관련하여, 보고서들에 관련하여, 그리고 그 밖의 모든 적절한 활동들에 관련하여 그 러한 복수카운티 관할 대배심의 관할 내의 모든 카운티들에 대한 관할권을 그러한 판사가 지님을 규정하여야 한다; 그리고

3. Provide for such other incidental arrangements as may be necessary, including a determination of the share of costs attributable to the state.

주에게 귀속될 수 있는 비용들의 분담의 결정을을 포함하여 그 필요할 수 있는 여타의 부 수적 조정들을 규정하여야 한다.

C. The impaneling of a multicounty grand jury shall not be construed to diminish the responsibility or the authority of any district attorneys within their respective jurisdictions to investigate and prosecute organized crime or public corruption, or any other crime.

조직범죄를 내지는 공직부패를 또는 그 밖의 어떤 범죄를이든 조사할 및 소추할 그들 각 각의 관할들 내에서의 재판구 지방검사들의 책임을 내지는 권한을 감소시키는 것으로 한 개의 복수카운티 관할 대배심의 충원구성은 해석되지 아니한다.

39. §22-352. Regular term - Extension.
정규의 복무기간 - 연장.

A. The regular term of a multicounty grand jury shall be eighteen (18) months unless an order for discharge is entered earlier:

임무해제를 위한 한 개의 명령이 아래에 따라서 더 일찍 기입되는 경우에를 제외하고는, 한 개의 복수카운티 관할 대배심의 정규의 복무기간은 18개월이다:

1. by the court after the multicounty grand jury determines by majority vote that its business is completed; or

자신의 임무가 완료된 것으로 복수카운티 관할 대배심이 그 과반수의 찬성으로써 결정한 뒤에 법원에 의하여 기입되는 경우; 또는

2. by the court, on its own motion or on the motion of the Attorney General, upon a determination that termination is in the public interest.

복무의 종결이 공공의 이익에 부합한다는 한 개의 판단 위에서 법원 자신의 발의에 따라서 또는 검찰총장의 신청에 따라서 법원에 의하여 기입되는 경우.

B. The regular term of a multicounty grand jury may be extended by the presiding judge for a specified time period upon a verified petition by the Attorney General stating that an extension is necessary to conclude a grand jury inquiry begun prior to the expiration of the regular term. No jury so extended shall serve for more than twenty-four (24) months, unless permission is granted by the Supreme Court.

정규 복무기간의 종료 전에 시작된 한 개의 대배심 조사를 종결짓기 위하여 한 개의 연장이 필요함을 밝히는, 그 진실함이 선언된 검찰총장의 청구서에 터잡아, 특정의 기간 동안 주재판사에 의하여, 복수카운티 관할 대배심의 정규의 복무기간은 연장될 수 있다. 그렇게 연장되는 대배심은, 대법원에 의하여 허가가 부여되는 경우에를 제외하고는, 24개월을 초과하여 복무하여서는 안 된다.

Added by Laws 1987, c. 99, § 3, eff. Nov. 1, 1987.
Added by Laws 1987, c. 99, § 2, eff. Nov.1,1987. Amended by Laws 2003, c. 388, § 1, eff. Nov. 1, 2003.

40. §22-353. Jurisdiction.
관할.

A. The jurisdiction of a multicounty grand jury impaneled under the Multicounty Grand Jury Act shall extend throughout the state, including but not limited to, a single county as designated in the State Supreme Court's order convening the multicounty grand jury.

복수카운티 관할 대배심법에 따라서 충원구성되는 한 개의 복수카운티 대배심의 관할은 주 전체에 걸쳐 미치는바, 당해 복수카운티 관할 대배심을 소집하는 주 대법원의 명령에서 지정되는 것으로서의 한 개의 단일 카운티에 걸치는 경우를 포함하되 이에 한정되지 아니한다.

B. The subject matter jurisdiction of the multicounty grand jury shall be limited to:
복수카운티 관할 대배심의 소송물 관할은 아래의 것들에 한정된다:

1. Murder;
   모살;

2. Rape;
   강간;

3. Bribery;
   뇌물;

4. Extortion;
   재물강요;

5. Arson;
   방화;

6. Perjury;
   위증;

7. Fraud;
   사기;

8. Embezzlement;
   횡령;

9. Manufacturing, distribution, dispensing, possession or possession with intent to

manufacture, distribute or dispense, a controlled dangerous substance, or any other violation of Section 2-101 et seq. of Title 63 of the Oklahoma Statutes;

금제위험물의 제조, 배포, 분배, 소지, 내지는 제조 목적의, 배포 목적의 또는 분배 목적의 소지 내지는 오클라호마주 제정법집 제63편 제2-101절 이하에 대한 그 밖의 위반;

10. Organized crime, which for purposes of the Multicounty Grand Jury Act, means any unlawful activity of an association trafficking in illegal goods or services, including but not limited to, gambling; loan sharking; controlled dangerous substances; labor racketeering, or other unlawful activities; or any continuing criminal conspiracy or other unlawful practice which has as its objectives improper governmental influence or economic gain through fraudulent or coercive practices;

복수카운티 관할 대배심법의 목적 상으로 도박을; 고리대금업을; 금제위험물들을; 노동관련 갈취를; 또는 그 밖의 불법적 활동들을; 또는 그 목적들을 부당한 정부적 영향력에 내지는 기망적 내지는 강압적 영업들을 통한 경제적 이득에 두는 지속적인 범죄공모를 또는 여타의 불법적 영업을 포함하되 이에 한정되지 아니하는, 불법적 상품들을 내지는 용역들을 거래하는 한 개의 사단의 불법적 활동을 의미하는 조직범죄;

11. Public corruption, which for purposes of the Multicounty Grand Jury Act, means any unlawful activity under color of or in connection with any public office or employment of any law enforcement officer, public official, public employee, candidate for public office, or any agent thereof;

복수카운티 관할 대배심법의 목적상으로 법집행 공무원의, 공직자의, 공공피용자의, 공직후보자의, 또는 그 대리인의 공적 직무의 내지는 근무의 구실 아래서의 내지는 그 연결 속에서의 불법적 활동을 의미하는 공직부패;

12. The registration or failure to register securities;

증권들의 등록 또는 등록불이행;

13. The offer or sale of securities;

증권들의 매매제의 또는 판매;

14. The sale or purchase of goods or services by or for the state or any political subdivision thereof, or the misappropriation of funds belonging to or entrusted to the state or any political subdivision thereof; and

주에 의한 내지는 주를 위한, 또는 주의 정치적 하부단위에 의한 또는 주의 정치적 하부단위를 위한, 상품들의 내지는 용역들의 판매 또는 구매 또는 주에게 내지는 그 정치적 하부단위에게 속하는 내지는 맡겨진 기금의 부정목적 사용; 그리고

15. All character and grades of crime pursuant to Section 18 of Article II of the Oklahoma Constitution.

오클라호마주 헌법 제2조 제18절에 따르는 모든 성격의 및 등급들의 범죄.

Added by Laws 1987, c. 99, § 4, eff. Nov.1,1987. Amended by Laws 1990, c. 232, § 3, eff. May 18, 1990; Laws 2003, c. 388, § 2, eff. Nov. 1, 2003.

41. §22-354. Powers - Document copies or reproductions.
권한들 - 문서의 등본들 또는 복제물들.

A. The multicounty grand jury shall have the power to:

아래의 권한을 복수카운티 관할 대배심은 지닌다:

1. compel the attendance of witnesses;

증인들의 출석을 강제할 권한;

2. compel the testimony of witnesses under oath;

선서 아래서의 증인들의 증언을 강제할 권한;

3. take testimony of witnesses who have been granted immunity;

면제가 부여되어 있는 증인들의 증언을 청취할 권한;

4. require the production of documents, records and other evidence;

문서들의, 기록들의 및 여타의 증거의 제출을 요구할 권한;

5. obtain the initiation of civil and criminal contempt proceedings; and

   민사적 및 형사적 법원모독 절차들의 개시를 얻을 권한; 그리고

6. exercise any investigative power of any grand jury of the state.

   그 어떤 주 대배심의 그 어떠한 조사적 권한을이든지 행사할 권한.

B. Any document produced before a multicounty grand jury may be copied or re-produced. Each statement, question, comment, or response of the presiding judge, the Attorney General or his designee, any witness, any grand juror or any other person which is made in the presence of the multicounty grand jury, except its deliberations and the vote of any juror, shall be stenographically re-corded or transcribed, or both.

   복수카운티 관할 대배심 앞에 제출되는 문서는 복사될 수 있거나 복제될 수 있다. 복수카운티 관할 대배심의 면전에서 이루어지는 주재판사의, 검찰총장의 또는 그의 피지명자의, 증인 어느 누구나의, 대배심원 어느 누구나의, 또는 그 밖의 사람 어느 누구나의 개개 진술은, 질문은, 논평은, 또는 응답은, 그 대배심의 숙의들이를 및 배심원 누구든지의 투표가를 제외하고는, 속기적으로 기록되어야 하거나 녹취되어야 하거나 또는 그 두 가지 모두가 이루어져야 한다.

Added by Laws 1987, c. 99, § 5, eff. Nov. 1, 1987.

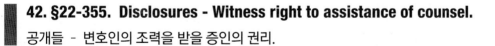

42. §22-355. Disclosures - Witness right to assistance of counsel.
공개들 – 변호인의 조력을 받을 증인의 권리.

A. Disclosure of matters occurring before the multicounty grand jury other than its deliberations and the vote of any juror may be used by the Attorney General in the performance of his duties. The Attorney General may disclose so much of the multicounty grand jury's proceedings to law enforcement agencies as he considers essential to the public interest and effective law enforcement. Oth-erwise, a grand juror, attorney, interpreter, stenographer, operator of any recording device, or any typist who transcribes recorded testimony may disclose matters occurring before the multicounty grand jury only when so directed by the court. All such persons shall be sworn to secrecy and shall be in contempt of court if they reveal any information which they are sworn to keep secret.

복수카운티 관할 대배심의 숙의들의를 및 배심원 어느 누구든지의 투표의를 제외한 그 대배심 앞에서 발생하는 사안들의 공개는 검찰총장에 의하여 그의 의무들의 수행에 있어서 사용될 수 있다. 공공의 이익에 및 효율적인 법 집행에 불가결하다고 그가 간주하는 범위만큼의 복수카운티 관할 대배심 절차들을 법 집행 기관들에게 검찰총장은 공개할 수 있다. 그 이외에는, 복수카운티 관할 대배심 앞에서 발생하는 사안들을 오직 법원에 의하여 명령되는 경우에만 대배심원은, 검사/변호사는, 통역인은, 속기사는, 녹음장비 기사는, 또는 녹음된 증언을 녹취하는 타이피스트는 공개할 수 있다. 그러한 모든 사람들은 비밀을 준수하겠다는 선서에 처해져야 하는바, 비밀의 것으로 간직하겠다고 그들이 선서한 정보를 만약 그들이 누설하면 그들은 법원모독으로 처벌되어야 한다.

B. 1. A witness subpoenaed to appear and testify before a multicounty grand jury or to produce documents, records, or other evidence shall be entitled to the assistance of counsel, including assistance during such time as the witness is questioned in the presence of the multicounty grand jury.

한 개의 복수카운티 관할 대배심 앞에 출석하도록 및 증언하도록 또는 문서들을, 기록들을, 또는 그 밖의 증거를 제출하도록 벌칙부로 소환되는 증인은 변호인의 조력을 받을 권리를 지니는바, 당해 복수카운티 관할 대배심의 면전에서 당해 증인이 신문되는 동안의 조력을 이는 포함한다.

2. If counsel desired by the witness is not available, the witness shall obtain other counsel within a reasonable time in order that the multicounty grand jury may proceed with its investigation.

만약 증인에 의하여 요망되는 변호사가 선임될 수 없으면, 당해 복수카운티 관할 대배심이 그 자신의 조사를 진행할 수 있도록 다른 변호인을 합리적 시간 내에 그 증인은 얻어야 한다.

3. Such counsel may be retained by the witness or shall be appointed in the case of any person unable to procure sufficient funds to obtain legal representation.

   그러한 변호인은 증인에 의하여 선임될 수 있거나, 또는 법적 대변을 얻기 위한 충분한 자력을 확보할 수 없는 사람의 경우에는 지정되어야 한다.

4. Such counsel shall be allowed to be present in the grand jury room during the questioning of the witness and shall be allowed to advise the witness but shall make no objections or arguments or otherwise address the multicounty grand jury or its legal advisor. The presiding judge shall have the same power to remove such counsel from the grand jury room as a judge has with respect to an attorney in any court proceeding. Violation of this subsection shall be punishable as contempt.

   그러한 변호인은 당해 증인에 대한 신문 동안에 대배심실에 출석해 있도록 허용되어야 하고 그 증인을 조언하도록 허용되어야 하는바, 그러나 이의들을 내지는 주장들을 제기하여서는 내지는 여타의 방법으로 당해 복수카운티 관할 대배심에게 또는 그 대배심의 법적 조언자에게 말하여서는 안 된다. 그러한 변호인을 대배심실로부터 퇴정시킬, 법원절차 어디에서든지의 한 명의 변호사에 관련하여 한 명의 판사가 지니는 권한에의 동일한 권한을, 주재판사는 지닌다. 이 소절에 대한 위반은 법원모독으로 처벌된다.

C. No witness shall be prohibited from disclosing his testimony before the multicounty grand jury except for cause shown in a hearing before the presiding judge. In no event may a witness be prevented from disclosing his testimony to his attorney.

   주재판사 앞에서의 심문에서 증명된 이유에 따라서를 제외하고는, 복수카운티 관할 대배심 앞에서의 그 자신의 증언을 공개함으로부터 증인은 금지되지 아니한다. 자신의 증언을 자신의 변호사에게 공개함으로부터는 어떤 경우에도 한 명의 증인은 금지되지 아니한다.

Added by Laws 1987, c. 99, § 6, eff. Nov. 1, 1987.

43. §22-356. Jurisdictional limits - Investigations.
관할의 한계들 - 조사들.

Nothing in the Multicounty Grand Jury Act shall be construed to limit the jurisdiction of the county grand juries or district attorneys nor shall an investigation by a multicounty grand jury be preemptive of a previously instituted investigation by another grand jury or agency having jurisdiction under the same subject matter unless good cause is shown.

카운티 대배심들의 내지는 재판구 지방검사들의 관할을 제한하는 것으로 복수카운티 관할 대배심법 내의 것은 해석되지 아니하며, 한 개의 복수카운티 관할 대배심에 의한 한 개의 조사는 그 동일한 소송물 아래서의 관할을 지니는 다른 대배심에 의하여 내지는 기관에 의하여 그 이전에 시작된 조사를, 타당한 이유가 제시되는 경우에를 제외하고는, 방해하지 아니한다.

Added by Laws 1987, c. 99, § 7, eff. Nov. 1, 1987.

44. §22-357. Presentation of evidence - Power to prosecute.
증거의 제출 - 소추권한.

The presentation of evidence to a multicounty grand jury shall be made by the Attorney General or his designee. When an indictment or accusation for removal is returned, the Attorney General, his designee, or the designated district attorney in whose district the case is filed, shall be empowered to prosecute such indictment or accusation for removal in the district court where venue is proper.

복수카운티 관할 대배심에의 증거의 제출은 검찰총장에 의하여 또는 그의 피지명자에 의하여 이루어져야 한다. 해임을 위한 한 개의 대배심 검사기소장이 내지는 기소고발장이 제출되는 경우에, 검찰총장은, 그의 피지명자는, 또는 당해 사건이 그의 재판구 내에 제출되는 그 지명되는 재판구 지방검사는, 그 해임을 위한 그러한 대배심 검사기소장을 내지는 기소고발장을 정당한 재판지에 해당하는 재판구 지방법원에서 추행할 권한을 지닌다.

Added by Laws 1987, c. 99, § 8, eff. Nov. 1, 1987.

45. §22-358. Venue - Consolidation of indictment.
재판지 – 대배심 검사기소장의 병합.

A. Any indictment or accusation for removal by a multicounty grand jury shall be returned to the presiding judge without designation of venue. Thereupon, the judge, by order, shall designate the county of venue for the purpose of trial. The judge, by order, may direct the consolidation of an indictment returned by a county grand jury with an indictment returned by a multicounty grand jury and fix venue for trial.

복수카운티 관할 대배심에 의한 해임을 위한 대배심 검사기소장은 내지는 기소고발장은 재판지의 지정 없이 주재판사에게 제출되어야 한다. 정식사실심리의 목적을 위한 재판지 카운티를 그 즉시로 판사는 명령에 의하여 지정하여야 한다. 한 개의 카운티 대배심에 의하여 제출된 대배심 검사기소장의, 한 개의 복수카운티 관할 대배심에 의하여 제출된 대배심 검사기소장에의, 병합을 판사는 명령에 의하여 지시할 수 있고 정식사실심리를 위한 재판지를 정할 수 있다.

B. If a multicounty grand jury, pursuant to its investigation, learns of an offense for which it lacks jurisdiction to indict, the multicounty grand jury shall direct the Attorney General to inform the appropriate prosecutorial authority.

대배심 검사기소에 처할 관할권을 그 자신이 결여하는 한 개의 범죄에 관하여 만약 한 개의 복수카운티 관할 대배심이 그 자신의 조사에 따라서 알게 되면, 적절한 소추권한자에게 고지하도록 검찰총장에게 복수카운티 관할 대배심은 명령하여야 한다.

Added by Laws 1987, c. 99, § 9, eff. Nov. 1, 1987.

46. §22-359. Prospective juror list - Numbers and qualifications.
배심원후보 명부 – 숫자들 및 자격조건들.

A. The Administrative Director of the Courts, upon receipt of the State Supreme Court order convening a multicounty grand jury, shall prepare a list of up to two hundred prospective jurors drawn from the current grand jury lists of the several counties designated in the order.

한 개의 복수카운티 관할 대배심을 소집하는 주 대법원 명령에서 지정된 개개 카운티들의 현행 대배심명부들로부터 추출된 200명까지에 달하는 배심원후보들의 명부를 그 명령의 수령 즉시로 법원사무처장은 조제하여야 한다.

B. A multicounty grand jury shall be comprised of the same number of members having the same qualifications as provided by law for a county grand jury; provided, however, not more than one-half (1/2) of the members of a multicounty grand jury shall be residents of any one county.

한 개의 카운티 대배심을 위하여 법에 의하여 규정되는 것들에의 동일한 자격조건들을 지니는 동일한 숫자의 구성원들로 한 개의 복수카운티 관할 대배심은 구성되어야 한다; 그러나 다만, 카운티 한 곳의 주민들이 차지하는 비율은 한 개의 복수카운티 관할 대배심 구성원들의 2분의 1 이하여야 한다.

C. Where an electronic jury management system has been authorized for use in the courts pursuant to Section 13 of this act, the Administrative Director of the Courts is authorized to select and summon multicounty grand jurors utilizing the automated functionality provided in the jury management system.

이 법 제13절에 따라서 법원들에서의 사용을 위한 전자적 배심운영 체계가 허가되어 있는 경우에, 그 배심운영 체계에서 제공되는 자동화된 기능을 사용하여 복수카운티 관할 대배심원(후보)들을 선정할 및 소환할 권한을 법원사무처장은 지닌다.

D. The process of impaneling the multicounty grand jury shall be conducted under the supervision and control of the judge presiding over the multicounty grand jury and may be conducted in the same manner as is provided by law for impanelment of county grand and petit juries using the electronic jury management system.

복수카운티 관할 대배심을 충원구성 하는 절차는 당해 복수카운티 관할 대배심을 주재하는 판사의 감독 아래서 및 통제 아래서 실시되어야 하는바, 전자적 배심운영 체계를 사용하는 카운티 대배심들의 및 소배심들의 충원구성을 위하여 법에 의하여 규정되는 방법에 의 동일한 방법으로 그것은 실시될 수 있다.

E. Whenever the approved electronic jury management system is used to randomly select and sequentially order juror names during any step in the multi-county grand jury selection process, the laws relating to the use of a jury wheel, and laws requiring paper ballots drawn from a jury wheel or a shaken box, shall not apply, including but not limited to those requirements set forth in Sections 301 through 363 and Sections 591 through 693 of this title.

복수카운티 관할 대배심 선정절차 내에서의 그 어느 단계 동안에든 배심원 이름들을 무작위로 선정하기 위하여 및 순서대로 정렬하기 위하여 그 승인된 전자적 배심운영 체계가 사용되는 때에는 언제든지, 한 개의 배심원후보자명부 저장장치의 사용에 관련되는 법들은, 그리고 한 개의 배심원후보명부 저장장치로부터 또는 한 개의 흔들린 배심원후보상자로부터 추출되는 뽑기용지들을 요구하는 법들은 적용되지 아니하는바, 그 적용되지 아니하는 것들은 이 편 제301절에서부터 제363절까지에 및 제591절에서부터 제693절까지에 규정되는 요구들을 포함하되 이에 한정되지 아니한다.

Added by Laws 1987, c. 99, § 10, eff. Nov.1,1987. Amended by
Laws 2004, c. 239, § 1, eff. July 1, 2004; Laws 2015, c. 242, § 1, emerg. eff. May 4, 2015.

47. §22-360. Summons for service.
복무를 위한 소환장.

A. The court clerk of the county in which a prospective member of a multicounty grand jury resides, upon receipt from the Administrative Director of the Courts of a list of prospective multicounty grand jurors residing in the county, shall cause such prospective jurors to be summoned for service.

한 개의 복수카운티 관할 대배심의 배심원후보가 거주하는 카운티의 법원서기는 당해 카운티에 거주하는 복수카운티 관할 대배심원 후보들의 명부의 법원사무처장으로부터의 수령 즉시로 그러한 배심원후보들이 그 복무를 위하여 소환되도록 조치하여야 한다.

B. Where an electronic jury management system has been authorized for use in the courts pursuant to Section 13 of this act, the Administrative Director of the Courts is authorized to issue and serve summons to the panel of prospective multicounty grand jurors utilizing the approved system. The Administrative Director of the Courts shall develop a standard summons form for multicounty grand jurors. The Administrative Director of the Courts is authorized to utilize the jury management system to prepare the summons and shall mail the summons by first-class mail to every person whose name is drawn for the multicounty grand jury, not less than ten (10) days prior to the day the person is to appear.

법원들에서의 사용을 위하여 이 법 제13절에 따라서 전자적 배심운영 체계가 허가되어 있는 경우에, 그 승인된 체계를 사용하여 소환장을 복수카운티 관할 대배심원 후보단에게 발부할 및 송달할 권한을 법원사무처장은 지닌다. 복수카운티 관할 대배심원(후보)들을 위한 한 개의 표본 소환장 서식을 법원사무처장은 개발하여야 한다. 소환장을 작성하기 위한 배심운영 체계를 사용할 권한을 법원사무처장은 지니는바, 당해 복수카운티 관할 대배심을 위하여 그 이름이 추출되는 모든 사람에게 소환장을, 그 사람이 출석하여야 할 날로부터 적어도 10일 전에 1급우편으로, 법원사무처장은 발송하여야 한다.

Added by Laws 1987, c. 99, § 11, eff. Nov. 1, 1987. Amended by Laws 2015, c. 242, § 2, emerg. eff. May 4, 2015.

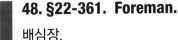

48. §22-361. Foreman.
배심장.

From the persons selected to serve as multicounty grand jurors, the court shall appoint a foreman. The court shall also appoint a foreman when a person already appointed is discharged or excused before the multicounty grand jury is dismissed.

복수카운티 관할 대배심원들로서 복무하도록 선정되는 사람들 중에서 한 명의 배심장을 법원은 지명하여야 한다. 이미 지명된 사람이 당해 복수카운티 관할 대배심의 임무해제 전에 임무해제 되는 경우에 내지는 면제되는 경우에, 한 명의 배심장을 또한 법원은 지명하여야 한다.

Added by Laws 1987, c. 99, § 12, eff. Nov. 1, 1987.

49. §22-362. Costs and expenses.
비용들 및 경비들.

The costs and expenses incurred by any multicounty grand jury in the performance of its functions and duties shall be paid by the state out of funds appropriated to the Office of the Attorney General.

복수카운티 관할 대배심의 임무들의 및 의무들의 수행에서 그 대배심에 의하여 발생하는 비용들은 및 경비들은 검찰총장실에 예산으로 책정되는 기금에서 주에 의하여 지급되어야 한다.

Added by Laws 1987, c. 99, § 13, eff. Nov. 1, 1987.

50. §22-363. Compensation and reimbursement.
보수 및 변상.

Multicounty grand jurors shall be compensated as provided in Section 86 of Title 28 of the Oklahoma Statutes, and shall be reimbursed for necessary expenses on a per diem basis in the same manner and at the same rate as is prescribed by law for state employees.

복수카운티 관할 대배심원들에게는 오클라호마주 제정법집 제28편 제86절에 규정된 보수가 지급되어야 하고, 주 피용자들을 위하여 법에 의하여 규정되는 방법에의 동일한 방법으로 및 요율에의 동일한 요율로 일당 기준에 따라서 필요한 경비들이 변상되어야 한다.

Added by Laws 1987, c. 99, § 14, eff. Nov. 1, 1987.

51. §22-381. Indictment may be found by nine - Endorsement.
대배심 검사기소는 아홉 명에 의하여 평결될 수 있음 - 기입.

An indictment cannot be found without the concurrence of at least nine grand jurors. When so found it must be endorsed "A True Bill", and the endorsement must be signed by the foreman.

적어도 아홉 명의 대배심원들의 찬성 없이는 한 개의 대배심 검사기소는 평결될 수 없다. 그렇게 평결되면 거기에는 "기소평결부 대배심 검사기소장"이 기입되지 않으면 안 되고, 그 기입은 배심장에 의하여 서명되지 않으면 안 된다.

R.L.1910, § 5730.

52. §22-382. Charge dismissed, when.
고발이 각하되는 경우.

If nine grand jurors do not concur in finding an indictment against a defendant who has been held to answer the original information or the certified record of the proceedings before the magistrate transmitted to them, must be returned to the court, with an endorsement thereon, signed by the foreman, to the effect that the charge is dismissed.

최초의 검사 독자기소장에 대하여 답변하도록, 또는 그들에게 송부된 치안판사 앞에서의 절차들의 인증된 기록에 대하여 답변하도록 붙들린, 한 명의 피고인을 상대로 하는 한 개의 대배심 검사기소를 평결함에 만약 아홉 명의 대배심원들이 찬성하지 아니하면, 당해 고발이 각하되었다는 취지의 배심장에 의하여 서명된 한 개의 기입을 그 위에 달아 그것은 법원에 보고되지 않으면 안 된다.

R.L.1910, § 5731.

53. §22-383. Resubmission of charge.
고발의 재제출.

The dismissal of the charge does not, however, prevent its being again submitted to a grand jury as often as the court may so direct. But without such direction it cannot be again submitted.

그러나, 법원이 명령하는 만큼 여러 번, 한 개의 대배심에 다시 고발이 제출됨을 고발의 각하는 방해하지 아니한다. 그러나 그러한 명령 없이는 그것은 다시 제출될 수 없다.

R.L.1910, § 5732.

54. §22-384. Names of witnesses endorsed on indictment.
대배심 검사기소장에 기입되는 증인들의 이름들.

When an indictment is found, the names of the witnesses examined before the grand jury must be endorsed thereon before the same is presented to the court, but a failure to so endorse the said names shall not be sufficient reason for setting aside the indictment if the district attorney or prosecuting officer will within a reasonable time, to be fixed by the court, endorse the names of the witnesses for the prosecution on the indictment. Provided that the names of witnesses examined before the grand jury on matters not concerning the indictment in question shall not be endorsed on the indictment relative to such case. The court or judge may, at any time, direct the names of additional witnesses for the prosecution to be endorsed on the indictment, and shall order that such names be furnished to the defendant or his counsel.

한 개의 대배심 검사기소가 평결되는 경우에 당해 대배심 앞에서 신문된 증인들의 이름들은 그것이 법원에 제출되기 전에 그 위에 기입되지 않으면 안 되는바, 그 이름들을 그렇게 기입하기에 대한 불이행은, 만약 소추 측 증인들의 이름들을 법원에 의하여 정하여지는 상당한 기간 내에 당해 대배심 검사기소장 위에 재판구 지방검사가 또는 소추공무원이 기입하는 경우에는, 당해 대배심 검사기소장을 무효화하기 위한 충분한 이유가 되지 아니한다. 다만 문제의 대배심 검사기소장에 관련되지 아니한 사안들에 관하여 대배심 앞에서 신문된 증인들의 이름들은 그러한 사건에 관련되는 대배심 검사기소장에 기입되어서는 안 된다. 소추 측을 위한 추가적 증인들의 이름들이 대배심 검사기소장 위에 기입되게 하도록 법원은 내지는 판사는 언제든지 명령할 수 있는바, 그러한 이름들을 피고인에게 또는 그의 변호인에게 제공하도록 법원은 내지는 판사는 명령하여야 한다.

R.L.1910, § 5733; Laws 1967, c. 268, § 1, emerg. eff. May 8, 1967.

55. §22-385. Presentment and filing of indictment - Prohibition against disclosure.
대배심 검사기소장의 제출 및 하달 – 공개금지.

An indictment, when found by the grand jury, must be presented by their foreman, in their presence, to the court, and must be filed with the clerk, and remain in the clerk's office as a public record. Upon the request of the grand jury's legal advisor, the presiding judge of the grand jury may order the indictment sealed until the defendant is arrested.

대배심에 의하여 평결되는 경우의 한 개의 대배심 검사기소장은 그들의 배심장에 의하여 그들의 면전에서 법원에 제출되지 않으면 안 되고, 서기에게 하달되지 않으면 안 되며, 서기의 사무소에 한 개의 공공기록으로서 남아 있지 않으면 안 된다. 당해 대배심 검사기소장을 피고인의 체포 때까지 봉인하도록 대배심의 법적 조언자의 요청에 따라서 당해 대배심의 주재 판사는 명령할 수 있다.

R.L.1910, § 5734. Amended by Laws 1961, p. 237, § 1; Laws 2012, c. 176, § 2, eff. Nov. 1, 2012.

56. §22-386. Proceedings where defendant at large.
피고인이 자유로운 상태에 있는 경우의 절차들.

When an indictment is found against a defendant who has not been previously arrested, and is not under bail, the same proceedings must be had as are prescribed against a defendant who fails to appear for arraignment.

미리 체포되어 있지 아니한 및 보석 아래에 있지 아니한 한 명의 피고인에 대하여 한 개의 대배심 검사기소가 평결되는 경우에는, 기소인부 신문을 위하여 출석하기를 불이행하는 피고인에 대하여 규정되는 절차들에의 동일한 절차들이 취하여지지 않으면 안 된다.

R.L.1910, § 5735.

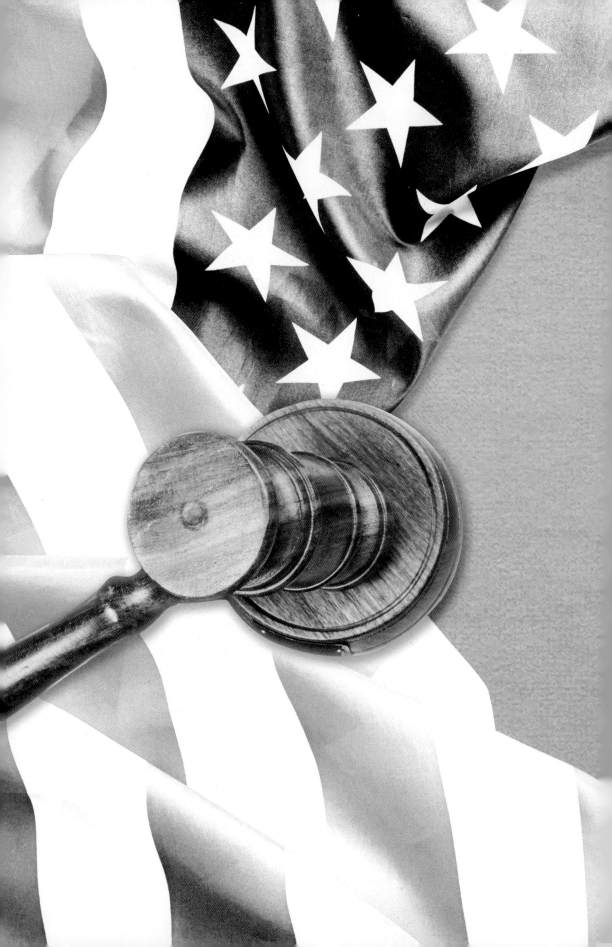

와이오밍주
대배심 규정

와이오밍주
대배심 규정

https://codes.findlaw.com/wy/wyoming-constitution/wy-const-art-1-sect-9.html

Wyoming Constitution Art. 1, § 9. Trial by jury inviolate
배심에 의한 정식사실심리의 신성함

The right of trial by jury shall remain inviolate in criminal cases. A jury in civil cases and in criminal cases where the charge is a misdemeanor may consist of less than twelve (12) persons but not less than six (6), as may be prescribed by law. A grand jury may consist of twelve (12) persons, any nine (9) of whom concurring may find an indictment. The legislature may change, regulate or abolish the grand jury system.

배심에 의한 정식사실심리의 권리는 형사사건들에서 신성한 것으로 남아야 한다. 민사사건들에서의 및 공소사실이 경죄에 대한 것인 경우의 형사사건들에서의 배심은 12명 미만으로 그러나 6명 이상으로 법에 의하여 규정되는 바에 따라서 구성될 수 있다. 대배심은 12명으로 구성될 수 있는바, 그 중 아홉 명의 찬성은 대배심 검사기소를 평결할 수 있다. 입법부는 대배심 제도를 변경할 수 있고 규율할 수 있고 폐지할 수 있다.

Wyoming Statutes Title 7. Criminal Procedure § 7-5-101. Required court order for summoning

소환을 위하여는 법원의 명령이 요구됨

A grand jury shall be summoned only when ordered by a judge of the district court.

재판구 지방법원의 판사에 의하여 명령되는 경우에만 대배심은 소환되어야 한다.

Wyoming Statutes Title 7. Criminal Procedure § 7-5-102. Manner of summoning; term

소환의 방법; 복무기간

A grand jury shall be selected, summoned and impaneled in the same manner as trial juries in civil actions and shall serve for one (1) year following selection unless discharged sooner by the district judge.

민사소송들에서의 정식사실심리 배심들에의 동일한 방법으로 대배심은 선정되어야 하고 소환되어야 하고 충원구성 되어야 하며, 재판구 지방법원 판사에 의하여 더 일찍 임무해제 되는 경우에를 제외하고는 선정 뒤 1년 동안 복무하여야 한다.

Wyoming Statutes Title 7. Criminal Procedure § 7-5-103. Composition; qualifications; alternates

구성; 자격조건들; 예비배심원들

(a) A grand jury shall consist of twelve (12) persons who shall possess the qualifications of trial jurors as provided by W.S. 1-11-101.

와이오밍주 제정법집 제1편 제11장 제101절에 규정되는 정식사실심리 배심원들로서의 자격조건들을 지니는 12명으로 대배심은 구성되어야 한다.

(b) The district judge may direct the selection of one (1) or more alternate jurors who shall sit as regular jurors before an indictment is found. If a member of the grand jury becomes unable or disqualified to perform his duty he shall be replaced by an alternate juror.

대배심 검사기소가 평결되기 전에 정규 배심원들로서 착석할 한 명 이상의 예비배심원들의 선정을 재판구 지방법원 판사는 명령할 수 있다. 만약 대배심 구성원이 그의 임무를 수행할 수 없게 되면 또는 그의 임무를 수행할 자격이 상실되면 그는 예비배심원에 의하여 교체되어야 한다.

https://codes.findlaw.com/wy/title-7-criminal-procedure/wy-st-sect-7-5-104.html

Wyoming Statutes Title 7. Criminal Procedure § 7-5-104. Finding of indictment
대배심 검사기소의 평결

(a) No indictment shall be found unless the finding is concurred in by at least nine (9) members of the grand jury.

대배심 구성원들의 적어도 9명에 의하여 찬성되지 아니하면 대배심 검사기소는 평결되지 아니한다.

(b) Not less than nine (9) jurors may act as the grand jury in which event it is required that all of them concur in finding an indictment.

9명 이상의 배심원들은 대배심으로서 행동할 수 있는바, 9명이 대배심으로서 행동하는 경우에 대배심 검사기소를 평결함에 있어서는 그들 전원의 찬성이 요구된다.

(c) If an indictment is found as provided by this section the foreman of the grand jury shall endorse upon the indictment the words "A True Bill" and shall sign the indictment.

이 절에 의하여 규정되는 바에 따라서 만약 한 개의 대배심 검사기소장이 평결되면, 대배심의 배심장은 그 대배심 검사기소장에 "기소평결부 대배심 검사기소장"이라는 문구를 기입하여야 하고 그 대배심 검사기소장에 서명하여야 한다.

https://codes.findlaw.com/wy/title-7-criminal-procedure/wy-st-sect-7-5-201.html

Wyoming Statutes Title 7. Criminal Procedure § 7-5-201. Appointment of foreman; oath of jurors
배심장의 지명; 배심원들의 선서

(a) The district judge shall appoint one (1) of the jurors to be foreman. The foreman is authorized to administer oaths to witnesses and shall sign indictments as provided by W.S. 7-5-104.

배심원들 중 한 명을 배심장으로 재판구 지방법원 판사는 지명하여야 한다. 선서절차들을 증인들에게 실시할 권한을 배심장은 지니는바, W.S. 7-5-104에 의하여 규정되는 대로 대배심 검사기소장들에 그는 서명하여야 한다.

(b) Before entering upon their duties, an oath or affirmation shall be administered to the foreman and each of the jurors providing, in substance, that each of them will:

그들의 임무들에 들어가기에 앞서서 배심장에게 및 배심원들 각각에게 대체로 아래에 따라서 그들 각자가 행동하겠음을 규정하는 선서가 내지는 무선서 확약이 실시되어야 한다:

(i) Diligently inquire into all matters coming before them;

그들 앞에 오는 모든 사항들을 근면하게 파헤치겠다는 것;

(ii) Find and present indictments truthfully and without malice, fear of reprisal or hope of reward; and

대배심 검사기소들을 진실하게, 악의 없이, 보복에 대한 두려움 없이, 내지는 보상의 기대 없이 평결하고 제출하겠다는 것; 그리고

(iii) Keep secret matters occurring before the grand jury unless disclosure is directed or permitted by the court.

법원에 의하여 공개가 명령되는 내지는 허가되는 경우에를 제외하고는 대배심 앞에서 발생하는 사항들을 비밀로 간직하겠다는 것.

Wyoming Statutes Title 7. Criminal Procedure § 7-5-202. Charging of duties; powers
임무사항들의 설명; 권한들

(a) After the grand jury is impaneled and sworn, the district judge shall charge the jurors as to their duties particularly to the obligation of secrecy which their oaths impose, and give them any information the court deems proper concerning any offenses known to the court and likely to come before the grand jury.

대배심이 충원구성되고 및 선서절차에 처해지고 난 뒤에, 재판구 지방법원 판사는 배심원들의 임무사항들에 관하여, 특별히 그들의 선서들이 부과하는 비밀준수 의무에 관하여 그들에게 설명하여야 하고 법원에 알려진 및 대배심 앞에 올 가능성이 있는 범죄들에 관하여 그 적절하다고 법원이 간주하는 정보를 그들에게 제공하여야 한다.

(b) The grand jury may:

대배심은:

(i) Inquire into any crimes committed or triable within the county and present them to the court by indictment; and

카운티 내에서 저질러진 또는 정식사실심리 될 수 있는 범죄들을 파헤칠 수 있고 그것들을 대배심 검사기소장에 의하여 법원에 고발할 수 있다; 그리고

(ii) Investigate and report to the court concerning the condition of the county jail and the treatment of prisoners.

카운티 감옥의 상황에 및 죄수들의 처우에 관하여 조사할 수 있고 법원에 보고할
수 있다.

https://codes.findlaw.com/wy/title-7-criminal-procedure/wy-st-sect-7-5-203.html

Wyoming Statutes Title 7. Criminal Procedure § 7-5-203. Right of district attorney to appear before jury; presence of other persons during deliberations

배심 앞에 출석할 재판구 지방검사의 권리; 숙의들 도중의 다른 사람들의 출석

(a) The district attorney, or the deputy or assistant district attorney may appear before the grand jury for the purpose of:

아래의 목적을 위하여 대배심 앞에 재판구 지방검사는, 또는 재판구 부지방검사는 내지는 재판구 지방검사보는 출석할 수 있다:

(i) Giving information relative to any matter under inquiry;

조사 대상인 사항에 관련되는 정보를 제공하는 일;

(ii) Giving requested advice upon any legal matter; and

법적 문제에 관하여 요청된 조언을 제공하는 일; 그리고

(iii) Interrogating witnesses.

증인들을 신문하는 일.

(b) No person other than the grand jurors shall be present during the deliberations of the grand jury or when the jurors are voting.

대배심의 숙의들 동안에는 또는 배심원들이 표결하고 있을 때에는 대배심원들 이외의 사람은 출석하여서는 안 된다.

Wyoming Statutes Title 7. Criminal Procedure § 7-5-204. Process for witnesses
증인들을 위한 영장

If requested by the grand jury or the district attorney, the clerk of the court in which the jury is impaneled shall issue subpoenas for the attendance of witnesses to testify before the grand jury.

대배심 앞에서 증언할 증인들의 출석을 위한 벌칙부소환장들을, 대배심에 의하여 또는 재판구 지방검사에 의하여 요청되면, 당해 대배심이 충원구성 되는 법원의 서기는 발부하여야 한다.

Wyoming Statutes Title 7. Criminal Procedure § 7-5-205. Administration of oath or affirmation to witnesses
증인들에게의 선서의 내지는 무선서확약의 실시

Before any witness is examined by the grand jury, an oath or affirmation shall be administered to him by the foreman.

대배심에 의하여 증인이 신문되기 전에 선서가 또는 무선서확약이 배심장에 의하여 그에게 실시되어야 한다.

Wyoming Statutes Title 7. Criminal Procedure § 7-5-206. Proceedings upon refusal of witness to testify
증언하기에 대한 증인의 거부에 따르는 절차들

If a witness appearing before a grand jury refuses, without just cause shown, to testify or provide other information, the district attorney may take the witness before the court for an order directing the witness to show cause why the witness should not be held in contempt. If after hearing the court finds that the refusal was without just cause, and if the witness continues to refuse to testify or produce evidence, the court may hold the witness in contempt subject to the punishment provided by W.S. 1-12-108(a)(ii).

증언하기를 내지는 여타의 정보를 제공하기를 만약 대배심 앞에 출석하는 증인이 그 증명되는 정당한 이유 없이 거부하면, 어째서 법원모독으로 그 증인이 구금되어서는 안 되는지 이유를 그 증인더러 제시하도록 그 증인에게 지시하는 명령을 위하여 그 증인을 법원 앞에 재판구 지방검사는 데려갈 수 있다. 거부에 정당한 이유가 없었음을 심문 뒤에 만약 법원이 인정하면, 그런데도 그 증언하기를 또는 증거를 제출하기를 거부하기를 만약 그 증인이 계속하면, 그를 법원모독으로 법원은 구금할 수 있는바, W.S. 1-12-108(a)(ii)에 의하여 규정되는 처벌에 그 증인은 처해진다.

https://codes.findlaw.com/wy/title-7-criminal-procedure/wy-st-sect-7-5-207.html

Wyoming Statutes Title 7. Criminal Procedure § 7-5-207. Secrecy of indictments against persons not under control
통제 아래에 있지 아니한 사람들에 대한 대배심 검사기소장들의 비밀성

The district judge may direct that an indictment shall be kept secret until the defendant is in custody or has given bail, and in that event the clerk shall seal the indictment and no person shall disclose the finding of the indictment except when necessary for the issuance and execution of a warrant or summons.

피고인이 구금에 놓이기까지 또는 보석금을 납부하고 났을 때까지 한 개의 대배심 검사기소장이 비밀리에 보관되게 하도록 재판구 지방법원 판사는 명령할 수 있고, 그 경우에 그 대배심 검사기소장을 서기는 봉인하여야 하는바, 영장의 내지는 소환장의 발부를 및 집행을 위하여 필요한 경우에를 제외하고는 그 대배심 검사기소의 평결을 누구가도 공개하여서는 안 된다.

Wyoming Statutes Title 7. Criminal Procedure § 7-5-208. Confidentiality
비밀성

(a) Disclosure of matters occurring before the grand jury, other than its deliberations and the vote of any juror, may be made to the district attorney for use in the performance of his duties. The district attorney may disclose so much of the grand jury's proceeding to law enforcement agencies as he deems essential to the public interest and effective law enforcement.

대배심의 숙의들의를 및 배심원 어느 누구든지의 표결의를 제외한, 대배심 앞에서 발생하는 사항들의 공개는, 재판구 지방검사의 임무들의 수행에서의 사용을 위하여 재판구 지방검사에게 이루어질 수 있다. 공공의 이익을 및 효율적인 법 집행을 위하여 불가결하다고 그 자신이 간주하는 범위 내의 대배심 절차를 법 집행 기관들에게 재판구 지방검사는 공개할 수 있다.

(b) Except as provided in subsection (a) of this section, a juror, attorney, interpreter, stenographer, operator of a recording device or any typist who transcribes recorded testimony may disclose matters occurring before the grand jury only when so directed by the court preliminarily to or in connection with a judicial proceeding or when permitted by the court at the request of the defendant upon a showing that a particularized need exists for a motion to dismiss the indictment because of matters occurring before the grand jury.

이 절의 소절 (a)에서 규정되는 바에 따라서를 제외하고는 배심원은, 검사/변호사는, 통역인은, 속기사는, 녹음장비 기사는, 또는 녹음된 증언을 녹취하는 타이피스트는 대배심 앞에서 발생하는 사항들을, 사법절차에 앞서서 예비적으로 또는 사법절차에의 연관 속에서 법원에 의하여 그 공개하도록 명령되는 경우에만, 내지는 당해 대배심 앞에서 발생한 사항들을 이유로 하는 당해 대배심 검사기소장을 각하해 달라는 신청을 위한 구체화된 필요가 존재한다는 점의 증명에 터잡는 피고인의 요청에 따라서 법원에 의하여 허가되는 경우에만, 공개할 수 있다.

(c) No obligation of secrecy may be imposed upon any person except in accordance with this section and W.S. 7-5-207.

이 절에의 및 W.S. 7-5-207에의 부합 속에서를 제외하고는 어느 누구에게도 비밀의무는 부과될 수 없다.

https://codes.findlaw.com/wy/title-7-criminal-procedure/wy-st-sect-7-5-209.html

Wyoming Statutes Title 7. Criminal Procedure § 7-5-209. Presentation and filing of indictment
대배심 검사기소장의 제출

Indictments found by the grand jury shall be presented by the foreman to the court in the presence of the jury and filed with the clerk.

대배심에 의하여 평결되는 대배심 검사기소장들은 배심의 출석 가운데서 배심장에 의하여 법원에 제출되어야 하고 서기에게 하달되어야 한다.

https://codes.findlaw.com/wy/title-7-criminal-procedure/wy-st-sect-7-5-301.html

Wyoming Statutes Title 7. Criminal Procedure § 7-5-301. Petition for impaneling; determination by district judge
배심 충원구성의 청구; 재판구 지방법원 판사에 의한 결정

If the attorney general or the governor deems it to be in the public interest to convene a grand jury which shall have jurisdiction extending beyond the boundaries of any single county, he may petition the judge of any district court for an order in accordance with the provisions of W.S. 7-5-301 through 7-5-309. The district judge may, for good cause shown, order the impaneling of a state grand jury which shall have statewide jurisdiction. In making his determination as to the need for impaneling a state grand jury, the judge shall require a showing that the matter cannot be effectively handled by a county grand jury impaneled pursuant to W.S. 7-5-101 through 7-5-209.

단일 카운티의 경계들을 넘어서까지 미치는 관할권을 지니는 한 개의 대배심을 소집함이 공공의 이익에 부합한다고 만약 검찰총장이 또는 주지사가 간주하면, W.S. 7-5-301에서 7-5-309까지의 규정들에 부합되는 명령을 재판구 지방법원의 판사에게 그는 청구할 수 있다. 주 전체에 대한 관할권을 지니는 한 개의 스테이트 대배심의 충원구성을, 증명되는 타당한 이유에 따라서 재판구 지방법원 판사는 명령할 수 있다. 스테이트 대배심을 충원구성할 필요에 관한 자신의 결정을 내림에 있어서, W.S. 7-5-101부터 7-5-209까지에 따라서 충원구성되는 카운티 대배심에 의해서는 당해 사안이 효율적으로 다루어질 수 없음에 대한 증명을 판사는 요구하여야 한다.

https://codes.findlaw.com/wy/title-7-criminal-procedure/wy-st-sect-7-5-302.html

Wyoming Statutes Title 7. Criminal Procedure § 7-5-302. Powers and duties; applicable law; procedural rules
권한들 및 의무들; 준거법; 절차적 규칙들

A state grand jury shall have the same powers and duties and shall function in the same manner as a county grand jury, except for the provisions of W.S. 7-5-202(b)(ii), and except that its jurisdiction shall extend throughout the state. The law applicable to county grand juries shall apply to state grand juries except when the law is inconsistent with the provisions of W.S. 7-5-301 through 7-5-309. The supreme court may promulgate any rules it deems necessary to govern the procedures of state grand juries.

W.S. 7-5-202(b)(ii)의 규정들에 따라서를 제외하고는 및 그 관할권이 주 전체에 미친다는 점을 제외하고는, 카운티 대배심에의 동일한 권한들을 및 의무들을 스테이트 대배심은 지녀야 하며 카운티 대배심에의 동일한 방법으로 작동해야 한다. 카운티 대배심들에 적용되는 법은 W.S. 7-5-301에서부터 7-5-309까지의 규정들에 그 법이 모순되는 경우에를 제외하고는 스테이트 대배심들에게도 적용되어야 한다. 스테이트 대배심들의 절차들을 규율하기 위하여 필요하다고 자신이 간주하는 규칙들을 대법원은 공포할 수 있다.

Wyoming Statutes Title 7. Criminal Procedure § 7-5-303. Selection and term of members

구성원들의 선발 및 복무기간

The district judge granting the petition to convene a state grand jury shall impanel the state grand jury from a base jury list for the state compiled by the supreme court. The district court judge may specify that the base jury list for the state not include the names of jurors from every county within the state to limit juror expense and inconvenience of travel. A state grand jury shall be composed of twelve (12) persons, but not more than one-half (1/2) of the members of the state grand jury shall be residents of any one (1) county. The members of the state grand jury shall be selected by the court in the same manner as jurors of county grand juries and shall serve for one (1) year following selection unless discharged sooner by the district judge.

스테이트 대배심을 소집해 달라는 청구를 허가하는 재판구 지방법원 판사는 스테이트 대배심을 대법원에 의하여 조제된 주를 위한 기본 배심명부로부터 충원구성 하여야 한다. 배심원 여행의 비용들을 및 불편을 제한하기 위하여 주 내의 모든 카운티로부터의 배심원들의 이름들을 주를 위한 기본 배심명부가 포함하여야 하는 것은 아님을 재판구 지방법원 판사는 명시할 수 있다. 열두 명으로 스테이트 대배심은 구성되어야 하는바, 다만 카운티 한 개의 주민들은 스테이트 대배심 구성원들의 2분의 1 이하여야 한다. 스테이트 대배심의 구성원들은 카운티 대배심의 배심원들에의 동일한 방법으로 법원에 의하여 선정되어야 하고 재판구 지방법원 판사에 의하여 더 일찍 임무해제 되는 경우에를 제외하고는 선정 뒤 1년 동안 복무하여야 한다.

Wyoming Statutes Title 7. Criminal Procedure § 7-5-304. Summoning of jurors

배심원(후보)들의 소환

Jurors shall be summoned and selected in the same manner as jurors of county grand juries.

카운티 대배심들의 배심원(후보)들이 소환되는 및 선정되는 방법에의 동일한 방법으로 배심원(후보)들은 소환되어야 하고 선정되어야 한다.

https://codes.findlaw.com/wy/title-7-criminal-procedure/wy-st-sect-7-5-305.html

Wyoming Statutes Title 7. Criminal Procedure § 7-5-305. Judicial supervision
법원의 감독

Judicial supervision of the state grand jury shall be maintained by the district judge who issued the order impaneling the grand jury, and all indictments, reports and other formal returns of any kind made by the grand jury shall be returned to that judge.

스테이트 대배심에 대한 법원의 감독은 당해 대배심을 충원구성하라는 명령을 발령한 재판구 지방법원 판사에 의하여 유지되어야 하는바, 대배심에 의한 모든 대배심 검사기소장들은, 보고서들은 및 종류 여하를 불문한 여타의 공식적 보고들은 그 판사에게 제출되어야 한다.

https://codes.findlaw.com/wy/title-7-criminal-procedure/wy-st-sect-7-5-306.html

Wyoming Statutes Title 7. Criminal Procedure § 7-5-306. Presentation of evidence
증거의 제출

The presentation of the evidence shall be made to the state grand jury by the attorney general or his designee. In the event the office of the attorney general is under investigation, the presentation of evidence shall be made to the state grand jury by an attorney appointed by the Wyoming supreme court.

검찰총장에 의하여 내지는 그의 피지명자에 의하여 주 전체관할 대배심에게의 증거의 제출은 이루어져야 한다. 검찰총장의 직무가 조사의 대상인 경우에, 와이오밍주 대법원에 의하여 지명되는 검사/변호사에 의하여 주 전체관할 대배심에게의 증거의 제출은 이루어져야 한다.

https://codes.findlaw.com/wy/title-7-criminal-procedure/wy-st-sect-7-5-307.html

Wyoming Statutes Title 7. Criminal Procedure § 7-5-307. Return of indictment; designation of venue; consolidation of indictments
대배심 검사기소장의 제출; 재판지의 지정; 대배심 검사기소장들의 병합

Any indictment by the state grand jury shall be returned to the district judge without any designation of venue. Thereupon, the judge shall, by order, designate the county of venue for the purpose of trial. The judge may order the consolidation of an indictment returned by a county grand jury with an indictment returned by a state grand jury and fix venue for trial.

스테이트 대배심에 의한 대배심 검사기소장은 재판구 지방법원 판사에게 재판지에 대한 특정 없이 제출되어야 한다. 정식사실심리를 위하여 재판지 카운티를 그 후 즉시 명령에 의하여 그 판사는 지정하여야 한다. 카운티 대배심에 의하여 제출되는 대배심 검사기소장의, 스테이트 대배심에 의하여 제출되는 대배심 검사기소장에의 병합을 판사는 명령할 수 있고 정식사실심리를 위한 재판지를 판사는 정할 수 있다.

https://codes.findlaw.com/wy/title-7-criminal-procedure/wy-st-sect-7-5-308.html

Wyoming Statutes Title 7. Criminal Procedure § 7-5-308. Investigative powers; secrecy of proceedings
조사적 권한들; 절차들의 비밀성

(a) In addition to its powers of indictment, a statewide grand jury impaneled under W.S. 7-5-301 through 7-5-309 may, at the request of the attorney general, cause an investigation to be made into the extent of organized criminal activity within the state and return a report to the attorney general.

주 전체관할 대배심의 대배심 검사기소의 권한들을 행사할 수 있음에 추가하여, W.S. 7-5-301에서 7-5-309까지 아래서 충원구성되는 주 전체관할 대배심은 검찰총장의 요청에 따라서 주 내의 조직적 범죄활동의 정도에 대한 조사가 이루어지도록 조치할 수 있고 보고서를 검찰총장에게 제출할 수 있다.

(b) Disclosure of matters occurring before the grand jury, other than its deliberations and the vote of any juror, may be made to the attorney general and to any district attorney for use in the performance of their duties. Those officials may disclose so much of the grand jury's proceedings to law enforcement agencies as they deem essential to the public interest and effective law enforcement.

대배심의 숙의들의를 및 배심원의 표결의를 제외한 대배심 앞에서 발생하는 사안들의 공개는, 그들의 임무사항들의 수행에서의 사용을 위하여 검찰총장에게 및 재판구 지방검사 아무에게든지 이루어질 수 있다. 공공의 이익에 및 효율적인 법 집행에 불가결하다고 자신들이 간주하는 범위의 대배심의 절차들을 법 집행기관들에게 그 공무원들은 공개할 수 있다.

(c) Except as provided in subsection (b) of this section, a juror, attorney, interpreter, stenographer, operator of a recording device or any typist who transcribes recorded testimony may disclose matters occurring before the grand jury only when so directed by the court preliminarily to or in connection with a judicial proceeding or when permitted by the court at the request of the defendant upon a showing that a particularized need exists for a motion to dismiss the indictment because of matters occurring before the grand jury.

이 절의 소절 (b)에 규정되는 바에 따라서를 제외하고는 배심원은, 검사/변호사는, 통역인은, 속기사는, 녹음장비 기사는, 또는 녹음된 증언을 녹취하는 타이피스트는 대배심 앞에서 발생하는 사항들을, 사법절차에 앞서서 예비적으로 또는 사법절차에의 연관 속에서 법원에 의하여 그 공개하도록 명령되는 경우에만, 내지는 당해 대배심 앞에서 발생한 사항들을 이유로 하는 당해 대배심 검사기소장을 각하해 달라는 신청을 위한 구체화된 필요가 존재한다는 점의 증명에 터잡는 피고인의 요청에 따라서 법원에 의하여 허가되는 경우에만, 공개할 수 있다.

(d) No obligation of secrecy may be imposed upon any person except in accordance with this section. The court may direct that an indictment shall be kept secret until the defendant is in custody or has given bail, and in that event, the clerk shall seal the indictment and no person shall disclose the finding of the indictment except when necessary for the issuance and execution of a warrant or summons.

이 절에의 부합 속에서를 제외하고는 어느 누구에게도 비밀의무는 부과될 수 없다. 피고인이 구금에 놓이기까지 또는 보석금을 납부하고 났을 때기까지 한 개의 대배심 검사기소장이 비밀리에 보관되게 하도록 법원은 명령할 수 있고, 그 경우에 그 대배심 검사기소장을 서기는 봉인하여야 하는바, 영장의 내지는 소환장의 발부를 및 집행을 위하여 필요한 경우에를 제외하고는 그 대배심 검사기소의 평결을 누구가도 공개하여서는 안 된다.

https://codes.findlaw.com/wy/title-7-criminal-procedure/wy-st-sect-7-5-309.html

Wyoming Statutes Title 7. Criminal Procedure § 7-5-309. Costs and expenses
비용들 및 경비들

The costs and expenses incurred in impaneling a state grand jury and in the performance of its functions and duties shall be paid by the state out of funds appropriated to the attorney general for that purpose.

스테이트 대배심을 충원구성 함에 있어서 및 그 기능들을 및 임무들을 수행함에 있어서 초래되는 비용들은 및 경비들은 그 목적을 위하여 검찰총장에게 할당된 기금들에서 주에 의하여 지불되어야 한다.

https://codes.findlaw.com/wy/title-1-code-of-civil-procedure/wy-st-sect-1-27-125.html

Wyoming Statutes Title 1. Code of Civil Procedure § 1-27-125. Certain proceedings not reviewable
재검토 불능인 특정의 절차들

Habeas corpus is not permissible to question the correctness of the action of a grand jury in finding a bill of indictment, or a petit jury in the trial of a cause nor of a court or judge when acting within their jurisdiction and in a lawful manner.

인신보호영장은 대배심 검사기소장안을 기소평결 함에 있어서의 대배심의 처분의 정당성을, 또는 그들의 관할 내에서 및 적법한 방법으로 처분하는 경우에의 한 개의 청구원인에 대한 정식사실심리에 있어서의 소배심의 내지는 법원의 내지는 판사의 처분의 정당성을 문제시하도록 허용되지 아니한다.

https://codes.findlaw.com/wy/title-7-criminal-procedure/wy-st-sect-7-11-203.html

Wyoming Statutes Title 7. Criminal Procedure § 7-11-203. Dismissal for unnecessary delay
불필요한 지체를 이유로 하는 각하

If there is unnecessary delay in presenting the charge to a grand jury or in filing an information against a defendant who has been held to answer to the district court, or if there is unnecessary delay in bringing a defendant to trial, the court may dismiss the indictment, information or complaint.

그 답변하도록 구금되어 있는 피고인을 상대로 하는 고발을 대배심에 제출함에 있어서의 내지는 검사 독자기소장을 재판구 지방법원에 제출함에 있어서의 불필요한 지체가 있으면, 또는 피고인을 정식사실심리에 처함에 있어서의 불필요한 지연이 있으면, 그 대배심 검사기소장을, 검사 독자기소장을, 또는 소추청구장을 법원은 각하할 수 있다.

https://codes.findlaw.com/wy/title-1-code-of-civil-procedure/wy-st-sect-1-14-102.html

Wyoming Statutes Title 1. Code of Civil Procedure § 1-14-102. Witness fees; fees for expert witnesses in civil and criminal cases
증인 보수들; 민사사건들에서의 및 형사사건들에서의 전문가 증인들을 위한 보수들

(a) Witnesses are entitled to receive the following minimum fees:

아래의 최소한도의 보수들을 수령할 권리를 증인들은 지닌다;

(i) For attending before any court or grand jury, or before any judge, referee or commissioner, ten dollars ($10.00) per day, and five dollars ($5.00) for half a day; and

법원 앞의 내지는 대배심 앞의, 또는 판사 앞의, 심판관 앞의 또는 위원 앞의 출석을 위하여 하루에 대하여 10불 ($10.00) 및 반일에 대하여 5불 ($5.00); 그리고

(ii) Repealed by Laws 2004, ch. 42, § 2.

2004년도 법률집(Laws 2004), ch. 42, § 2에 의하여 폐지됨.

(iii) Mileage at the rate set in W.S. 9-3-103 for each mile actually and necessarily traveled in going to and returning from place of attendance.

출석장소에 가는 데 및 출석장소로부터 되돌아오는 데 실제로 및 불가피하게 거쳐진, W.S. 9-3-103에 정해진 요율에 의한 마일 당 여행경비.

(b) In any civil or criminal case, any party may call expert witnesses to testify and if the court finds any witness to be a qualified expert and the expert gives expert testimony which is admitted as evidence in the case, the expert witness shall be allowed witness fees of twenty-five dollars ($25.00) per day or such other amount as the court allows according to the circumstances of the case. Expert witness fees may be charged as costs against any party or be apportioned among some or all parties in the discretion of the court.

민사소송에서든 또는 형사소송에서든, 전문가 증인들을 당사자는 불러서 증언하게 할 수 있는바, 증인이 자격을 지닌 전문가임을 만약 법원이 인정하면 및 전문가 증언을 당해 사건에서 그 전문가가 하면 및 그것이 증거로 받아들여지면, 그 전문가 증인에게는 하루 이십오 불 ($25.00)의 또는 사건의 제반상황들에 따라서 법원이 인정하는 증인보수들이 지급되어야 한다. 전문가 증인 보수들은 비용들로서 법원의 재량으로 당사자에게 청구될 수 있거나 또는 당사자들 일부 사이에서 또는 전원 사이에서 할당될 수 있다.

WYOMING RULES OF CRIMINAL PROCEDURE
와이오밍주 형사절차규칙

Rule 6. Grand juries.
대배심들.

(a) County grand jury. —
카운티 대배심. —

(1) Summoning Grand Juries. — A county grand jury shall be summoned only when ordered by a district judge.

대배심들의 소환. — 재판구 지방법원 판사에 의하여 명령되는 경우에만 카운티 대배심은 소환된다.

(2) Manner of Summoning. — A grand jury shall be drawn, summoned and im-paneled in the same manner as trial juries in civil actions.

소환의 방법. — 민사소송들에서의 정식사실심리 배심들이 추출되는, 소환되는 및 충원구성 되는 방법에의 동일한 방법으로 한 개의 대배심은 추출되어야 하고, 소환되어야 하며 충원구성 되어야 한다.

(3) Term; Discharge and Excuse. —A grand jury shall serve until discharged by the court, but no grand jury may serve more than 12 months unless the court extends the service of the grand jury. Extensions shall be for periods of six months or less, for good cause only, and upon a determination that such ex-tension is in the public interest. At any time for cause shown, the court may excuse a juror either temporarily or permanently, and in the latter event the court may impanel another person in place of the juror excused.

복무기간; 임무해제 및 면제. — 법원에 의하여 임무해제 될 때까지 한 개의 대배심은 복무하여야 하는바, 대배심의 복무를 법원이 연장하는 경우에를 제외하고는 12개월을 넘어서 대배심은 복무할 수 없다. 연장들은 6개월 이하의 기간들이 되어야 하며, 타당한 이유에 의하여서만, 그리고 그러한 연장이 공익에 부합된다는 판정 위에서만 내려져야 한다. 증명되는 이유에 따라서 언제든지 한 명의 배심원을 일시적으로 또는 영구적으로 법원은 면제할 수 있고, 영구적으로 면제하는 경우에는 그 면제되는 배심원에 갈음하여 다른 사람을 법원은 충원할 수 있다.

(4) Composition; Qualification; Alternates.

구성; 자격조건; 예비배심원들.

(A) Number and Qualifications. — A grand jury shall consist of 12 persons who shall possess the qualifications of trial jurors.

숫자 및 자격조건들. — 정식사실심리 배심원들의 자격조건들을 보유하는 열두 명으로 대배심은 구성되어야 한다.

(B) Quorum. — Not less than nine jurors may act as the grand jury.

의사정족수. — 아홉 명 이상의 배심원들은 대배심으로서 행동할 수 있다.

(C) Alternate Jurors. — The court may direct that alternate jurors may be designated at the time a grand jury is selected. Alternate jurors in the order in which they were designated may thereafter be impaneled as provided in subdivision (a)(3). Alternate jurors shall be drawn in the same manner and shall have the same qualifications as the regular jurors, and if impaneled shall be subject to the same challenges, shall take the same oath and shall have the same functions, powers, facilities and privileges as the regular jurors.

예비배심원들. — 한 개의 대배심이 선정되는 때에 예비배심원들이 지정될 수 있음을 법원은 명령할 수 있다. 그들이 지정된 순서대로 예비배심원들은 그 뒤로 소부(a)(3)에 규정된 바에 따라서 충원될 수 있다. 예비배심원들은 정규배심원들이 추출되는 방법에의 동일한 방법으로 추출되어야 하고 그 보유하는 자격조건들에의 동일한 자격조건들을 보유해야 하며, 만약 충원되면 정규배심원들이 적용받는 기피사유들에의 동일한 기피사유들의 적용을 받고, 그 하여야 하는 선서에의 동일한 선서를 하여야 하며, 그 지니는 기능들에의, 권한들에의, 편의들에의 및 특권들에의 동일한 기능들을, 권한들을, 편의들을 및 특권들을 지닌다.

(5) Objections to Grand Jury and to Grand Jurors.

대배심에 및 대배심원들에 대한 이의들.

(A) Challenges. — The attorney for the state may challenge the array of jurors on the ground that the grand jury was not selected, drawn or summoned in accordance with law, and may challenge an individual juror on the ground that the juror is not legally qualified. Challenges shall be made before the administration of the oath to the jurors and shall be tried by the court.

기피들. — 검사(주 측 변호사)는 법에의 부합 속에서 당해 대배심이 선정되지, 추출되지 내지는 소환되지 아니하였음을 이유로 배심원단을 기피할 수 있고, 개별 배심원이 법적으로 자격을 갖추지 아니하였음을 이유로 그 배심원을 기피할 수 있다. 기피들은 배심원들에게의 선서 실시 전에 제기되어야 하며, 법원에 의하여 심리되어야 한다.

(B) Motion to Dismiss. — A motion to dismiss an indictment may be based on objections to the array or on the lack of legal qualification of an individual juror, if not previously determined upon challenge. An indictment shall not be dismissed on the ground that one or more members of the grand jury were not legally qualified if it appears from the record kept pursuant to this rule that nine or more jurors, after deducting the number not legally qualified, concurred in finding the indictment.

각하신청. — 배심원단에 대한 이의들이 또는 개별 배심원의 법적 자격조건의 결여가 미리 기피신청에 따라서 결정되어 있지 아니한 경우이면, 한 개의 대배심 검사 기소장을 각하하여 달라는 신청은 그러한 이의들에 또는 결여에 그 근거를 둘 수 있다. 대배심 검사기소를 평결함에 법적으로 자격을 갖추지 못한 숫자를 빼고서도 아홉 명 이상의 배심원들이 찬성하였음이 이 규칙에 따라서 보관되는 기록으로부터 확인되는 경우에는, 한 명 이상의 대배심원들이 법적으로 자격을 갖추지 못하였음을 이유로 하여서는 한 개의 대배심 검사기소장은 각하되어서는 안 된다.

(6) Indictment.

대배심 검사기소장.

(A) Finding to Indict. — No indictment shall be found unless the finding is concurred in by at least nine members of the grand jury.

대배심 검사기소를 평결하기. — 대배심의 적어도 아홉 명의 구성원들에 의하여 대배심 검사기소 평결이 찬성되는 경우에를 제외하고는 대배심 검사기소는 평결되어서는 안 된다.

(B) A True Bill. — If an indictment is found as provided by this subdivision, the presiding juror of the grand jury shall endorse upon the indictment the words "A True Bill" and shall sign the indictment.

기소 평결부 대배심 검사기소장. — 이 소부에 규정되는 바에 따라서 한 개의 대배심 검사기소가 평결되면, 대배심의 배심장은 당해 대배심 검사기소장 위에 "기소평결부 대배심 검사기소장"이라고 기입하여야 하고 당해 대배심 검사기소장에 서명하여야 한다.

(C) Sealed Indictments. — The district judge to whom an indictment is returned may direct that the indictment be kept secret until the defendant is in custody or has been released pending trial. If so directed the clerk shall seal the indictment and no person shall disclose the return of the indictment except as necessary for the issuance and execution of a warrant or summons.

대배심 검사기소장들의 봉인.— 한 개의 대배심 검사기소장을, 피고인이 구금될 때까지 또는 정식사실심리를 기다리기 위하여 석방되고 났을 때까지, 비밀의 것으로 보관되게 하도록 그것을 제출받는 재판구 지방법원 판사는 명령할 수 있다. 만약 그렇게 명령되면 그 대배심 검사기소장을 서기는 봉인하여야 하는바, 그 경우에 당해 대배심 검사기소장의 제출을, 영장의 내지는 소환장의 발부를 및 집행을 위하여 필요한 경우에를 제외하고는, 어느 누구가도 공개하여서는 안 된다.

(7) Presiding Juror; Oath of Jurors; Charge.

배심장; 배심원들의 선서; 임무설명.

(A) Presiding Juror. — The district judge shall appoint one of the jurors to be presiding juror and another to be deputy presiding juror. The presiding juror shall have power to administer oaths and affirmations and shall sign all indictments. The presiding juror or another juror designated by the presiding juror shall keep a record of the number of jurors concurring in the finding of every indictment and shall file the record with the clerk of the court, but the record shall not be made public except on order of the court. During the absence of the presiding juror, the deputy presiding juror shall act as presiding juror.

배심장. — 배심원들 중 한 명을 배심장으로, 그리고 다른 한 명을 부배심장으로 재판구 지방법원 판사는 지명하여야 한다. 선서들을 및 무선서확약들을 실시할 권한을 배심장은 지니며, 모든 대배심 검사기소장들에 그는 서명하여야 한다. 모든 대배심 검사기소 평결의 경우에 이에 찬성한 배심원들의 숫자의 기록을 배심장은 또는 배심장에 의하여 지명되는 다른 배심원은 보관하여야 하고 그 기록을 법원서기에게 제출하여야 하는바, 그러나 그 기록은 법원의 명령에 의한 경우에를 제외하고는 공개되어서는 안 된다. 배심장의 부재 동안에는 부배심장이 배심장을 대행한다.

(B) Oath. — Before entering upon their duties, jurors shall swear or affirm that each of them shall:

선서. — 아래대로 그들 각자가 하겠음을 그들의 임무들에 들어가기 전에, 배심원들은 선서하여야 하거나 무선서로 확약하여야 한다:

(i) Diligently inquire into all matters coming before them;

그들 앞에 오는 모든 사안들을 근면하게 파헤치겠다는 것;

(ii) Find and present indictments truthfully and without malice, fear of reprisal or hope of reward; and

대배심 검사기소장들을 진실되게, 그리고 악의 없이, 보복에 대한 두려움 없이 또는 보상에 대한 기대 없이 평결하겠다는 것 및 제출하겠다는 것; 그리고

(iii) Keep secret matters occurring before the grand jury unless disclosure is directed or permitted by the court.

대배심 앞에서 발생하는 사안들을, 법원에 의하여 그 공개가 명령되는 내지는 허가되는 경우에를 제외하고는, 비밀로 간직하겠다는 것.

(C) Charge. — After the grand jury is impaneled and sworn, the district judge shall charge the jurors as to their duties, including their obligation of secrecy, and give them any information the court deems proper concerning any offenses known to the court and likely to come before the grand jury.

임무설명. — 대배심이 충원구성되고 난 뒤에 및 선서절차에 처해지고 난 뒤에, 재판구 지방법원 판사는 배심원들의 비밀준수 의무에 관하여를 포함하여 그들의 의무들에 관하여 그들에게 설명하여야 하고, 법원에 알려진 범죄들에 및 대배심 앞에 올 가능성이 있는 범죄들에 관하여 그 적절하다고 법원이 간주하는 정보를 그들에게 제공하여야 한다.

(8) Powers. — The grand jury may:

권한들. — 아래의 행위를 대배심은 할 수 있다:

(A) Inquire into any crimes committed or triable within the county and present them to the court by indictment; or

카운티 내에서 저질러진 내지는 정식사실심리 될 수 있는 범죄들을 파헤치는 행위 및 그것들을 대배심 검사기소장에 의하여 법원에 고발하는 행위; 또는

(B) Investigate and report to the court concerning the condition of the county jail and the treatment of prisoners.

카운티 감옥의 상태에 및 죄수들의 처우에 관하여 조사하는 행위 및 법원에 보고하는 행위.

(9) Appearance before Jury.

배심 앞에의 출석.

(A) Attorneys for State. — Attorneys for the state may appear before the grand jury for the purpose of:

검사(주 측 변호사). — 아래의 목적을 위하여 대배심 앞에 검사(주 측 변호사)들은 출석할 수 있다:

(i) Giving information relative to any matter under inquiry;

조사 대상인 사안에 관한 정보를 제공함;

(ii) Giving requested advice upon any legal matter; and

법적 문제에 대한 요청되는 조언을 제공함; 그리고

(iii) Interrogating witnesses.

증인들을 신문함.

(B) Who May Be Present. — Attorneys for the state, the witness under examination, interpreters when needed and, for the purpose of taking the evidence, a stenographer or operator of a recording device may be present while the grand jury is in session, but no person other than the jurors may be present while the grand jury is deliberating or voting.

누가 출석해 있을 수 있는가.— 대배심이 회합 중인 동안에 검사(주 측 변호사)들은, 신문대상인 증인은, 필요한 경우에의 통역인들은, 그리고 증언을 속기하기 위한 속기사는 내지는 녹음장비 기사는 출석해 있을 수 있으나, 대배심이 숙의 중인 내지는 표결 중인 동안에는 배심원들을 제외한 어느 누구가도 출석해 있어서는 안 된다.

(10) Recording and Disclosure of Proceedings. — All proceedings, except when the grand jury is deliberating or voting, shall be recorded stenographically or by an electronic recording device. An unintentional failure of any recording to reproduce all or any portion of a proceeding shall not affect the validity of the prosecution. The recording or reporter's notes or any transcript prepared therefrom shall remain in the custody or control of the attorney for the state unless otherwise ordered by the court in a particular case.

절차들의 녹음 및 공개. — 대배심이 숙의 중인 내지는 표결 중인 경우에를 제외하고는 모든 절차들은 속기적 방법으로 또는 전자적 녹음장비에 의하여 녹음되어야 한다. 한 개의 절차의 전부를 내지는 일부를 복제하기 위한 녹음하기의 비의도적 불이행은 그 절차추행의 유효성에 영향을 미치지 아니한다. 녹음물은 내지는 속기사의 메모들은 내지는 그것들로부터 작성되는 녹취록 어느 것이든지는, 한 개의 특정의 사건에서 법원

에 의하여 달리 명령되는 경우에를 제외하고는, 검사(주 측 변호사)의 보관 안에 내지
는 통제 안에 남아 있어야 한다.

(11) Process for Witnesses. — If requested by the grand jury or the attorney for
the state, the clerk of the court in which the jury is impaneled shall issue
subpoenas for the attendance of witnesses to testify before the grand jury.

증인들을 위한 영장. — 대배심 앞에서 증언하도록 증인들의 출석을 위한 벌칙부소환
장들을 대배심에 의하여 또는 검사(주 측 변호사)에 의하여 요청되는 경우이면 당해 대
배심이 충원구성 된 법원의 서기는 발부하여야 한다.

(12) Administration of Oath or Affirmation to Witnesses. — Before any witness is
examined by the grand jury, an oath or affirmation shall be administered to
the witness by the presiding juror.

선서의 내지는 무선서확약의 증인들에게의 실시. — 대배심에 의하여 증인이 신문되기
전에 증인에게 배심장에 의하여 선서가 또는 무선서확약이 실시되어야 한다.

(13) Refusal of Witness to Testify. — If a witness appearing before a grand jury
refuses, without just cause shown, to testify or provide other information,
the attorney for the state may take the witness before the court for an order
directing the witness to show cause why the witness should not be held in
contempt. If after the hearing, the court finds that the refusal was without
just cause, and if the witness continues to refuse to testify or produce evi-
dence, the court may hold the witness in contempt subject to punishment
provided by statute or these rules. The witness has the right to be represent-
ed by counsel at such hearing. Nothing in this rule shall be construed to re-
quire or permit the court to compel testimony under a grant of immunity
unless such a procedure is expressly authorized by statute.

증인의 증언거부. — 증언하기를 내지는 그 밖의 정보를 제공하기를 대배심 앞에 출석
한 증인이 정당한 이유의 제시 없이 만약 거부하면, 법원모독으로 그 증인이 붙들려서
는 어째서 안 되는지 이유를 제시하도록 당해 증인에게 지시하는 명령을 구하여 당해

증인을 법원 앞에 검사(주 측 변호사)는 데려갈 수 있다. 그 거부에 정당한 이유가 없었음을 심문 뒤에 법원이 인정하면, 그런데도 그 증언하기를 내지는 증거를 제출하기를 증인이 계속 거부하면, 제정법에 의하여 내지는 이 규칙들에 의하여 규정되는 처벌에 처해지는 법원모독으로 그 증인을 법원은 구금할 수 있다. 그러한 심문에서 변호인에 의하여 대변될 권리를 그 증인은 지닌다. 면제의 부여 아래서 증언을 강제하도록 법원에게 요구하는 것으로는 내지는 허용하는 것으로는, 그러한 절차가 한 개의 제정법에 의하여 명시적으로 허가되는 경우에를 제외하고는, 이 규칙 내의 것은 해석되지 아니한다.

(14) Confidentiality.

비밀의무.

(A) Disclosure by Attorney for State. — Disclosure of matters occurring before the grand jury, other than its deliberations and the vote of any juror, may be made to the attorney for the state for use in the performance of the duties of the attorney for the state. The attorney for the state may disclose so much of the grand jury's proceeding to law enforcement agencies as the attorney for the state deems essential to the public interest and effective law enforcement.

검사(주 측 변호사)에 의한 공개. — 대배심의 숙의들의를 및 배심원 어느 누구든지의 투표의를 제외한 대배심 앞에서 발생한 사안들의, 공개는 검사(주 측 변호사)의 임무들의 수행에 있어서의 사용을 위하여 검사(주 측 변호사)에게 이루어질 수 있다. 공익을 위하여 및 효과적인 법 집행을 위하여 불가결하다고 검사(주 측 변호사)가 간주하는 범위껏의 대배심 절차를 법집행 기관들에게 검사(주 측 변호사)는 공개할 수 있다.

(B) Disclosure by Others. — Except as provided in subparagraph (A), a juror, attorney, interpreter, stenographer, operator of a recording device or any typist who transcribes recorded testimony may disclose matters occurring before the grand jury only when so directed by the court preliminarily to, or in connection with a judicial proceeding, or when permitted by the court at the request of the defendant upon a showing that a particularized need exists for a motion to dismiss the indictment because of matters occurring before the grand jury. No obligation of secrecy may be imposed upon any person except in accordance with this rule. A knowing violation of this provision may be punishable as contempt of court.

그 밖의 사람들에 의한 공개. — 소단락 (A)에 규정되는 바에 따라서를 제외하고는, 대배심 앞에서 발생한 사안들을, 한 개의 사법절차에 앞서서 예비적으로 또는 한 개의 사법절차에의 연관 속에서 법원에 의하여 명령되는 경우에만, 또는 당해 대배심 검사기소장을 당해 대배심 앞에서 발생한 사안들을 이유로 각하하여 달라는 신청을 위한 한 개의 구체화된 필요가 존재함의 증명 위에서의 피고인의 요청에 따라서 법원에 의하여 허가되는 경우에만, 배심원은, 검사/변호사는, 통역인은, 속기사는, 녹음장비 기사는 또는 녹음된 증언을 녹취하는 타이피스트는 공개할 수 있다. 이 규칙에의 부합 속에서를 제외하고는, 어느 누구에게도 비밀의무는 부과되어서는 안 된다. 이 규정의 고의의 위반은 법원모독으로 처벌될 수 있다.

(C) Closed Hearing. — Subject to any right to an open hearing in contempt proceedings, the court shall order a hearing on matters affecting a grand jury proceeding to be closed to the extent necessary to prevent disclosure of matters occurring before a grand jury.

심문의 비공개. — 조금이라도 법원모독죄 절차들에서의 공개된 심문의 권리가 적용되는 가운데서, 대배심 절차에 영향을 미치는 사안들에 대한 심문은 대배심 앞에서 발생한 사안의 공개를 방지하기 위하여 필요한 정도껏 비공개로 진행되도록 법원은 명령하여야 한다.

(D) Sealed Records.—Records, orders and subpoenas relating to grand jury proceedings shall be kept under seal to the extent and for such time as is necessary to prevent disclosure of matters occurring before a grand jury.

기록들의 봉인. 대배심 절차들에 관련되는 기록들은, 명령들은, 그리고 벌칙부소환장들은 대배심 앞에서 발생한 사안들의 공개를 방지하기 위하여 필요한 정도만큼 및 필요한 기간 동안 봉인상태로 보관되지 않으면 안 된다.

(15) Presentation and Filing of Indictment. — Indictments found by the grand jury shall be presented by the presiding juror to the district judge in open court in the presence of the grand jury and filed with the clerk.

대배심 검사기소장의 제출 및 하달. — 대배심에 의하여 평결된 대배심 검사기소장들은 배심장에 의하여 공개법정에서 및 대배심의 출석 가운데서 재판구 지방법원 판사에게 제출되어야 하고 서기에게 하달되어야 한다.

(b) State grand jury. —
스테이트 대배심. —

(1) Petition for Impaneling; Determination by District Judge. — If the governor or the attorney general deems it to be in the public interest to convene a grand jury which shall have jurisdiction extending beyond the boundaries of any single county, the governor or attorney general may petition a judge of any district court for an order in accordance with the provisions of Rule 6(b). The district judge may, for good cause shown, order the impaneling of a state grand jury which shall have statewide jurisdiction. In making a determination as to the need for impaneling a state grand jury, the judge shall require a showing that the matter cannot be effectively handled by a county grand jury impaneled pursuant to subdivision (a).

충원구성의 청구; 재판구 지방법원 판사에 의한 결정. — 단일 카운티 어디든지의 경계들 너머에까지 관할을 지니는 한 개의 대배심을 소집함이 공익에 부합한다고 만약 주지사가 또는 검찰총장이 간주하면, Rule 6(b)의 규정들에 부합되는 명령을 재판구 지방법원 어디든지의 판사에게 주지사 내지는 검찰총장은 청구할 수 있다. 주 전체에 미치는 관할권을 지니는 한 개의 스테이트 대배심의 충원구성을 재판구 지방법원 판사는 그 증명되는 타당한 이유에 따라서 명령할 수 있다. 한 개의 스테이트 대배심을 충원구성 할 필요에 관한 판단을 내림에 있어서 소부 (a)에 따라서 충원구성 되는 카운티 대배심에 의하여는 당해 사안이 효과적으로 다루어질 수 없다는 점에 대한 증명을 판사는 요구하여야 한다.

(2) Powers and Duties; Applicable Law; Procedural Rules. —A state grand jury shall have the same powers and duties and shall function in the same manner as a county grand jury, except for the provisions of this subdivision, and

except that its jurisdiction shall extend throughout the state. The procedural rules applicable to county grand juries shall apply to state grand juries except when inconsistent with the provisions of this subdivision.

권한들 및 의무들; 준거법; 절차규칙들. — 이 소부의 규정들에 따라서를 제외하고는, 그리고 주 전체를 통하여 그 관할이 미친다는 점을 제외하고는, 스테이트 대배심은 카운티 대배심이 지니는 권한들에의 및 의무들에의 동일한 권한들을 및 의무들을 지니고 카운티 대배심이 작동하는 방법에의 동일한 방법으로 작동한다. 카운티 대배심들에 적용되는 절차규칙들은 이 소부의 규정들에 배치되는 경우에를 제외하고는 스테이트 대배심들에 적용된다.

(3) Selection and Term of Members. — The clerk of the district court in each county of the state, upon receipt of an order of the district judge of the court granting a petition to impanel a state grand jury, shall prepare a list of 15 prospective state grand jurors drawn from existing jury lists of the county. The list so prepared shall be immediately sent to the clerk of the court granting the petition to impanel the state grand jury. The district judge granting the order shall impanel the state grand jury from the lists compiled by the clerk of court. The judge preparing the final list from which the grand jurors will be chosen need not include the names of the jurors from every county within the state having due regard for the expense and inconvenience of travel. A state grand jury shall be composed of 12 persons, but not more than one-half (1/2) of the members of the state grand jury shall be residents of any one county. The members of the state grand jury shall be selected by the court in the same manner as jurors of county grand juries and shall serve for one year following selection unless discharged sooner by the district judge.

구성원들의 선정 및 복무기간. — 한 개의 스테이트 대배심을 충원구성 하여 달라는 청구를 인용하는 재판구 지방법원 판사의 명령의 수령 즉시로 주(state) 카운티마다에서의 재판구 지방법원의 서기는 카운티의 기존의 배심명부들로부터 추출되는 15명의 스테이트 대배심원후보들의 명부를 작성하여야 한다. 당해 스테이트 대배심을 충원구성 하여 달라는 청구를 인용한 법원의 서기에게 그렇게 작성된 명부는 즉시 송부되어야 한다. 명령을 부여한 재판구 지방법원 판사는 스테이트 대배심을 법원서기에 의하여 조제된 명부들로부터 충원구성 하여야 한다. 대배심원들이 선정되는 모집단이 될 최종명부를 작성하는 판사는, 여행의 비용에 및 불편에 대한 정당한 고려를 기울이는 한, 주 내의 모든 카운티로부터의 배심원들의 이름들을 포함시켜야 할 필요는 없다. 한 개의 스테이트 대배심은 12명으로 구성되어야 하되, 다만 카운티 어느 한 개든지에 속하는 거주자들은 스테이트 대배심의 구성원들의 2분의 1 이하여야 한다. 스테이트 대배심의 구성원들은 카운티 대배심들의 배심원들이 선정되는 방법에의 동일한 방법으로 법원에 의하여 선정되어야 하고 재판구 지방법원 판사에 의하여 더 일찍 임무해제 되는 경우에를 제외하고는 선정 뒤 1년 동안 복무하여야 한다.

(4) Summoning of Jurors.— Jurors shall be summoned and selected in the same manner as jurors of county grand juries.

배심원들의 소환.— 배심원들은 카운티 대배심들의 배심원들이 소환되는 및 선정되는 방법에의 동일한 방법으로 소환되어야 하고 선정되어야 한다.

(5) Judicial Supervision. — Judicial supervision of the state grand jury shall be maintained by the district judge who issued the order impaneling the grand jury, and all indictments, reports and other formal returns of any kind made by the grand jury shall be returned to that judge.

법원의 감독. — 스테이트 대배심에 대한 법원의 감독은 당해 스테이트 대배심을 충원구성하라는 명령을 내린 재판구 지방법원 판사에 의하여 유지되어야 하는바, 모든 대배심 검사기소장들은, 보고서들은 및 당해 대배심에 의하여 이루어지는 종류 여하를 불문한 그 밖의 공식의 제출물들은 그 판사에게 제출되어야 한다.

(6) Presentation of Evidence. — The presentation of the evidence shall be made to the state grand jury by the attorney general or the attorney general's designee. In the event the office of the attorney general is under investigation, the presentation of evidence shall be made to the state grand jury by an attorney appointed by the Wyoming Supreme Court.

증거의 제출. — 스테이트 대배심에게의 증거의 제출은 검찰총장에 의하여 또는 검찰총장의 피지명자에 의하여 이루어져야 한다. 검찰총장의 업무가 조사 대상인 경우에 스테

이트 대배심에의 증거의 제출은 와이오밍주 대법원에 의하여 지명된 변호사에 의하여 이루어져야 한다

(7) Return of Indictment; Designation of Venue; Consolidation of Indictments.— Any indictment by the state grand jury shall be returned to the district judge without any designation of venue. Thereupon, the judge shall, by order, designate the county of venue for the purpose of the trial. The judge may order the consolidation of an indictment returned by a county grand jury with an indictment returned by a state grand jury and fix venue for the trial.

대배심 검사기소장의 제출; 재판지의 지정; 대배심 검사기소장들의 병합.— 스테이트 대배심에 의한 대배심 검사기소장은 재판지의 특정 없이 재판구 지방법원 판사에게 제출되어야 한다. 이에 따라서 정식사실심리의 목적상으로 재판지가 될 카운티를 판사는 명령에 의하여 지정해야 한다. 카운티 대배심에 의하여 제출된 한 개의 대배심 검사기소장의, 스테이트 대배심에 의하여 제출된 대배심 검사기소장에의 병합을 판사는 명령할 수 있다.

(8) Investigative Powers; Secrecy of Proceedings.

조사적 권한들; 절차들의 비밀성.

(A) Report to Attorney General. — In addition to its powers of indictment, a statewide grand jury impaneled under this subdivision may, at the request of the attorney general, cause an investigation to be made into the extent of organized criminal activity within the state and return a report to the attorney general.

검찰총장에게의 보고. — 그 자신의 대배심 검사기소의 권한들을 행사할 수 있음에 추가하여, 주 내의 조직범죄 활동의 정도에 대한 조사가 실시되도록 이 소부 아래서 충원구성되는 한 개의 주 전체관할 대배심은 검찰총장의 요청에 따라서 조치할 수 있고 한 개의 보고서를 검찰총장에게 제출할 수 있다.

(B) Disclosure by Attorney General and District Attorney. — Disclosure of matters occurring before the grand jury, other than its deliberations and the vote of any juror, may be made to the attorney general and to any district attorney for use in the performance of their duties. Those officials may disclose so much of the grand jury's proceedings to law enforcement agencies as they deem essential to the public interest and effective law enforcement.

검찰총장에 및 재판구 지방검사에 의한 공개. — 대배심의 숙의들의를 및 배심원 어느 누구든지의 투표의를 제외한 대배심 앞에서 발생한 사안들의, 공개는 검찰총 장의 및 재판구 지방검사 어느 누구든지의 의무들의 수행에 있어서의 사용을 위하 여 그들에게 이루어질 수 있다. 공익을 위하여 및 효과적인 법 집행을 위하여 불가 결하다고 그들이 간주하는 범위껏의 대배심 절차를 법집행 기관들에게 그들은 공 개할 수 있다.

(C) Disclosure by Others. — Except as provided in subparagraph (B), a juror, attorney, interpreter, stenographer, operator of a recording device or any typist who transcribes recorded testimony may disclose matters occurring before the grand jury only when so directed by the court preliminarily to, or in connection with, a judicial proceeding, or when permitted by the court at the request of the defendant upon a showing that a particularized need exists for a motion to dismiss the indictment because of matters occurring before the grand jury.

그 밖의 사람들에 의한 공개. — 소단락 (B)에 규정되는 바에 따라서를 제외하고는, 대배심 앞에서 발생한 사안들을, 한 개의 사법절차에 앞서서 예비적으로 또는 한 개의 사법절차에의 연관 속에서 법원에 의하여 명령되는 경우에만, 또는 당해 대배 심 검사기소장을 당해 대배심 앞에서 발생한 사안들을 이유로 각하하여 달라는 신 청을 위한 한 개의 구체화된 필요가 존재함의 증명 위에서의 피고인의 요청에 따라 서 법원에 의하여 허가되는 경우에만, 배심원은, 검사/변호사는, 통역인은, 속기사 는, 녹음장비 기사는 또는 녹음된 증언을 녹취하는 타이피스트는 공개할 수 있다.

(D) Other Obligations of Secrecy.— No obligation of secrecy may be imposed upon any person except in accordance with this rule. The court may direct that an indictment shall be kept secret until the defendant is in custody or has given bail, and in that event, the clerk shall seal the indictment and no person shall disclose the finding of the indictment except when necessary for the issuance and execution of a warrant or summons. A knowing violation of this provision may be punishable as contempt of court.

그 밖의 비밀의무들.— 이 규칙에의 부합 속에서를 제외하고는 비밀의무는 어느 누구에게도 부과되어서는 안 된다. 피고인이 구금되고 났을 때까지 또는 보석금을 납부하고 났을 때까지 대배심 검사기소장을 비밀리에 보관되게 하도록 법원은 명령할 수 있고 그 경우에 당해 대배심 검사기소장을 서기는 봉인하여야 하는바, 영장의 내지는 소환장의 발부를 및 집행을 위하여 필요한 경우에를 제외하고는 그 대배심 검사기소의 평결을 어느 누구가도 공개하여서는 안 된다. 이 규정에 대한 고의의 위반은 법원모독으로서 처벌될 수 있다.

(9) Costs and Expenses. — The costs and expenses incurred in impaneling a state grand jury and in the performance of its functions and duties shall be paid by the state out of funds appropriated to the attorney general for that purpose.

비용들 및 경비들.— 한 개의 스테이트 대배심을 충원구성 함에 있어서 및 그 기능들의 및 의무들의 수행에서 초래되는 비용들은 및 경비들은 그 목적을 위하여 검찰총장에게 예산배정 된 기금들로부터 주에 의하여 지급되어야 한다.

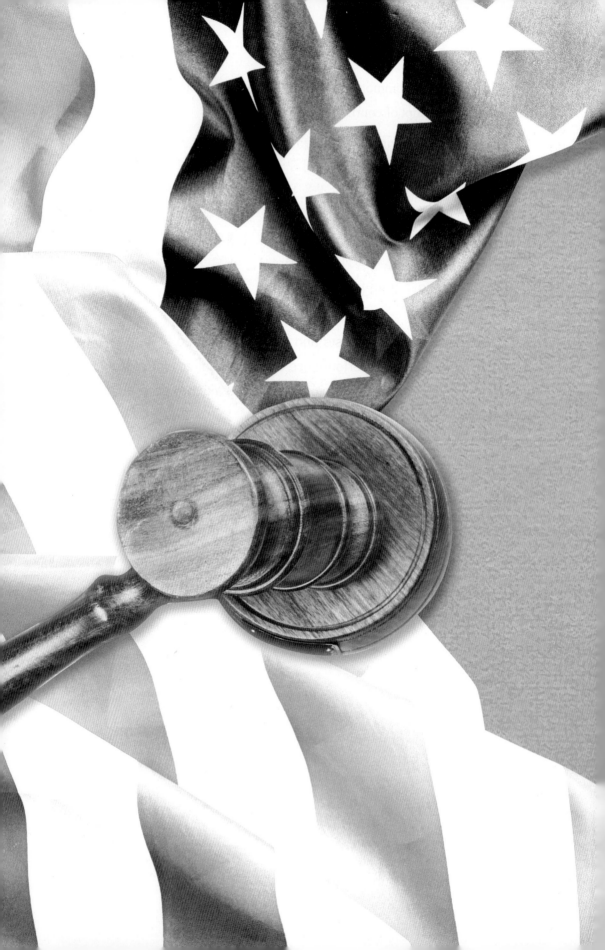

웨스트버지니아주
배심 규정

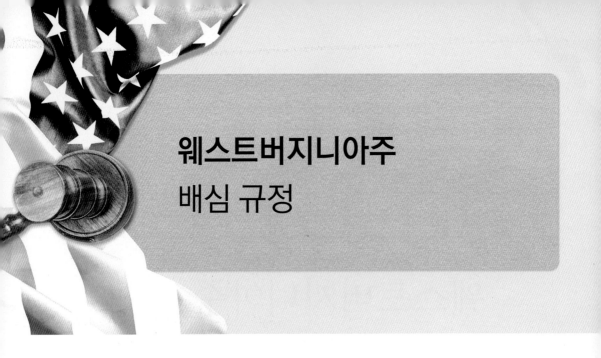

웨스트버지니아주
배심 규정

https://law.justia.com/codes/west-virginia/2019/chapter-52/

2019 West Virginia Code

2019년 버지니아주 법률집

Chapter 52. Juries

배심들

- Article 1. Petit Juries

- Article 2. Grand Juries

- Article 3. Discrimination for Jury Service

https://law.justia.com/codes/west-virginia/2019/chapter-52/article-1/

Article 1. Petit Juries

소배심들

- §52-1-1. Declaration of Policy

- §52-1-2. Prohibition of Discrimination

- §52-1-3. Definitions

- §52-1-4. Jury Selection

- §52-1-5. Master List; Method for Compilation; Additional Freeholder List; Lists to Be Available to Public

- §52-1-5a. Jury Qualification Form; Contents; Procedure for Use; Penalties

- §52-1-6. Jury Wheel or Jury Box; Random Selection of Names From Master List for Jury Wheel or Jury Box

- §52-1-7. Drawings From the Jury Wheel or Jury Box; Notice of Jury Duty; Penalties

- §52-1-7a. Alternate Procedure for Selection of Jury by Electronic Data Processing Methods

- §52-1-8. Disqualification From Jury Service

- §52-1-9. Assignment of Jurors to Jury Panels; Drawing of Additional Jurors Upon Shortage of Qualified Jurors

- §52-1-10. No Exemptions

- §52-1-11. Excuses From Jury Service

- §52-1-12. Discharge of Excess Jurors

- §52-1-13. Competency of Jurors When Municipality, County or District Is a Party

- §52-1-14. When and How Jurors Are to Be Summoned From a County to Serve in Another County

- §52-1-15. Challenging Compliance With Selection Procedures

- §52-1-16. Preservation of Records

- §52-1-17. Reimbursement of Jurors

- §52-1-18. When Juror Not Entitled to Reimbursement

- §52-1-19. Record of Allowance to Jurors

- §52-1-20. Payment of Reimbursement

- §52-1-21. Excuse From Employment

- §52-1-22. Fraud in Selection of Jurors; Penalties

- §52-1-23. Length of Service by Jurors

- §52-1-24. Penalties for Failure to Perform Jury Service

- §52-1-25. Present Methods of Jury Selection to Remain in Effect Until Preparation of Master List

- §52-1-26. Provisions Apply to Selection Jurors for Magistrate Juries

https://law.justia.com/codes/west-virginia/2019/chapter-52/article-1/section-52-1-1/

§52-1-1. Declaration of Policy
정책의 선언

Universal Citation: WV Code § 52-1-1 (2019)

일반적 인용: WV Code § 52-1-1 (2019)

It is the policy of this state that all persons selected for jury service be selected at random from a fair cross section of the population of the area served by the court, and that all citizens have the opportunity in accordance with this article to be considered for jury service and an obligation to serve as jurors when summoned for that purpose.

배심복무를 위하여 선정되는 모든 사람들로 하여금 당해 법원에 의하여 관할되는 지역주민의 공정한 횡단면으로부터 무작위로 선정되게 함이, 그리고 모든 시민들로 하여금 배심복무를 위하여 이 조에의 부합 속에서 검토될 기회를 지니게 함이, 및 그 목적을 위하여 소환될 경우에의 배심원들로서 복무할 의무를 지니게 함이 이 주의 정책이다.

§52-1-2. Prohibition of Discrimination
차별의 금지

Universal Citation: WV Code § 52-1-2 (2019)

일반적 인용: WV Code § 52-1-2 (2019)

A citizen may not be excluded from jury service on account of race, color, religion, sex, national origin, economic status or being a qualified individual with a disability.

인종을, 피부색을, 종교를, 성별을, 출신국을, 또는 경제적 지위를 이유로 해서는 내지는 유자격의 개인으로서 장애를 지님을 이유로 해서는 배심복무로부터 한 명의 시민은 배제되어서는 안 된다.

§52-1-3. Definitions
개념정의들

Universal Citation: WV Code § 52-1-3 (2019)

일반적 인용: WV Code § 52-1-3 (2019)

As used in this article:

이 조에서 사용되는 것으로서의:

(1) "The court" means the circuit and magistrate courts of this state, and includes, when the context requires, any judge of the court;

"법원"은 이 주의 순회구 지방법원들을 및 치안판사 법원들을 의미하며, 맥락이 요구하는 경우에는 그 법원의 판사 어느 누구든지를 포함한다;

(2) "Clerk" means clerk of the circuit court and includes any deputy circuit clerk;

"서기"는 순회구 지방법원의 서기를 의미하며 순회구 지방법원의 부서기를 포함한다;

(3) "Master list" means the master list of residents of the county from which prospective jurors are to be chosen, and which is compiled in accordance with the provisions of section five of this article;

"종합명부"는 배심원 후보들이 선정되는 모집단인, 및 이 조 제5절의 규정들에의 부합 속에서 조제되는, 카운티 주민들의 종합명부를 의미한다;

(4) "Persons who are registered to vote" means persons whose names appear on the official records of the clerk of the county commission as persons registered to vote in the most recent general election;

"투표권자로서 등록된 사람들"은, 가장 최근의 총선거에서 투표하고자 등록된 사람들로서 카운티 위원회 서기의 공식의 기록들 위에 그 이름들이 오르는 사람들을 의미한다;

(5) "Drivers' license lists" means the official records of persons licensed by the state to operate motor vehicles and who reside within the county and have applied for a driver's license or renewal of a driver's license within the preceding two years. The department of motor vehicles shall furnish such a list upon request of the clerk of the circuit court;

"운전면허 보유자 명부들"은, 자동차들을 운전하도록 주에 의하여 면허가 부여된 사람들의, 및 카운티 내에 거주하는 및 운전면허를 내지는 운전면허의 갱신을 직전 2년 내에 신청한 사람들의, 공식의 기록들을 의미한다. 그러한 명부를 순회구 지방법원 서기에 요청에 따라서 자동차관리국은 제공하여야 한다;

(6) "Jury wheel" means any electronic system in which are placed names or identifying numbers of prospective jurors taken from the master list and from which names are drawn at random for jury panels;

"배심원후보 명부 저장장치"는, 종합명부로부터 추출되는 배심원 후보들의 이름들이 내지는 식별번호들이 저장되는, 및 배심원단들을 구성하기 위하여 그 이름들이 거기에서 무작위로 추출되는 전자적 체계를 의미한다;

(7) "Jury box" means any physical, nonelectronic device in which are placed names or identifying numbers of prospective jurors taken from the master list and from which names are drawn at random for jury panels.

"배심원후보상자"는, 종합명부로부터 추출되는 배심원 후보들의 이름들이 내지는 식별번호들이 넣어지는, 및 배심원단들을 구성하기 위하여 그 이름들이 거기에서 무작위로 추출되는 물리적인 비전자적 장치를 의미한다;

https://law.justia.com/codes/west-virginia/2019/chapter-52/article-1/section-52-1-4/

§52-1-4. Jury Selection
배심선정

Universal Citation: WV Code § 52-1-4 (2019)

일반적 인용: WV Code § 52-1-4 (2019)

Potential petit jurors shall be selected by the clerk of the circuit court pursuant to the provisions of this article and under the supervision of the circuit court, or in circuits with more than one circuit judge, the chief judge of the circuit.

잠재적 소배심원들은 이 조의 규정들에 따라서 순회구 지방법원의 서기에 의하여, 및 순회구 지방법원의 감독 아래서, 또는 순회구 지방법원 판사가 한 명을 초과하는 순회구들에서의 경우에는 순회구 지방법원장의 감독 아래서, 선정되어야 한다.

https://law.justia.com/codes/west-virginia/2019/chapter-52/article-1/section-52-1-5/

§52-1-5. Master List; Method for Compilation; Additional Freeholder List; Lists to Be Available to Public
종합명부; 조제방법; 추가적 자유토지보유권자 명부; 공중에게 제공되는 명부들

Universal Citation: WV Code § 52-1-5 (2019)

일반적 인용: WV Code § 52-1-5 (2019)

(a) In each county, the clerk shall compile and maintain a master list of residents of the county from which prospective jurors are to be chosen. The master list shall be a list of individuals compiled from not less than two of the following source lists:

배심원 후보들이 선정되는 모집단인 카운티 거주자들의 한 개의 종합명부를 개개 카운티에서 서기는 조제하여야 하고 보존하여야 한다. 종합명부는, 아래의 원천명부들 중 두 개 이상으로부터 조제되는 개인들의 명부여야 한다:

(1) Persons who have filed a state personal income tax return for the preceding tax year;

직전 과세연도를 위한 주(state) 개인소득세 신고서를 제출한 사람들;

(2) Persons who are registered to vote in the county;

투표권자로서 카운티에 등록된 사람들;

(3) Persons who hold a valid motor vehicle operator's or chauffeur's license as determined from the drivers' license lists provided by the Division of Motor Vehicles.

자동차관리국에 의하여 제공되는 운전면허 보유자 명부들로부터 판정되는, 유효한 자동차 운전면허를 또는 자가용 운전면허를 보유하는 사람들.

The clerk shall compile the master list by combining all the names from each source used and eliminating all duplicates or by selecting a sample of names from each source used by means of a random key number system. If a sample of names is selected from each source list, the same percentage of names must be selected from each list. One source list shall be designated a primary source. Names selected from the second source shall be compared with the entire list of names on the primary source. Duplicate names shall be removed from the second source sample and the remaining names shall be combined with the sample of names selected from the primary source to form the master list. If more than two source lists are used, this process shall be repeated, using the previously combined list for comparison with the third source list, and so on.

그 사용되는 개개 원천으로부터의 모든 이름들을 통합시킴으로써 및 모든 중복들을 제거함으로써, 또는 그 사용되는 개개 원천으로부터의 이름들의 한 개의 표본을 무작위의 키 숫자 방식에 의하여 선정함으로써, 종합명부를 서기는 조제하여야 한다. 만약 개개 원천 명부로부터 이름들의 표본이 선정되는 경우이면, 개개 명부로부터 동일비율의 이름들이 선정되지 않으면 안 된다. 일차적 원천으로서 한 개의 원천명부가 지정될 수 있다. 두 번째 원천으로부터 선정되는 이름들은 일차적 원천 위의 이름들의 전체명부에 대조되어야 한다. 중복되는 이름들은 두 번째 원천의 표본으로부터 제거되어야 하고 그 나머지 이름들이 그 일차적 원천으로부터 선정된 이름들의 표본에 합쳐져 종합명부를 구성해야 한다. 두 개 이상의 원천명부들이 사용되면, 이 과정이 반복되어야 하는바, 앞서서 합쳐진 명부를 그 세 번째 명부에의 대조를 위하여 사용해야 하고, … 등등이다.

(b) The master list so compiled shall be used for a period of two years or such other period as designated by the chief judge.

그렇게 조제된 종합명부는 2년 동안 또는 법원장에 의하여 정해지는 기간 동안 사용되어야 한다.

(c) In addition to the master list required to be compiled under the provisions of subsection (a) of this section, the clerk shall compile a list of persons who pay real property taxes to compile and maintain a list of freeholders to be used as jurors in condemnation cases.

공용수용 사건들에서의 배심원들로서 사용될 자유토지보유권자들의 명부를 조제하기 위하여 및 보존하기 위하여, 부동산 보유세들을 납부하는 사람들의 명부를, 이 절의 소절 (a) 의 규정들 아래서 조제됨이 요구되는 종합명부를에 추가하여, 서기는 조제하여야 한다.

(d) Any public officer of an agency, department or political subdivision of this state having custody, possession or control of any of the source lists designated to be used in compiling the master list shall make the source list available to the clerk for inspection, reproduction and copying at all reasonable times: Provided, That the Tax Commissioner shall be exempt from this requirement. The master list and the freeholder list shall be open to the public for examination.

종합명부를 조제함에 있어서 사용되도록 지정된 원천명부들의 어느 것이든지에 대한 보관을, 점유를, 또는 통제를 지니는 이 주의 기관의, 부서의 정치적 하부단위의 공무원은 점검을, 복제를 및 복사를 위하여 모든 합리적인 시간대에 서기에게 그 원천명부가 제공될 수 있도록 조치하여야 한다: 다만 이 요구로부터 세무서장은 제외되어야 한다. 종합명부는 및 자유토지보유권자 명부는 검사를 위하여 공중에게 개방되어야 한다.

https://law.justia.com/codes/west-virginia/2019/chapter-52/article-1/section-52-1-5a/

§52-1-5a. Jury Qualification Form; Contents; Procedure for Use; Penalties

배심 자격심사 서식; 내용들; 사용절차; 벌칙들

Universal Citation: WV Code § 52-1-5a (2019)

일반적 인용: WV Code § 52-1-5a (2019)

(a) Not less than twenty days before the date for which persons are to report for jury duty, the clerk may, if directed by the court, serve by first-class mail, upon each person listed on the master list, a juror qualification form accompanied by instructions necessary for its completion: Provided, That the clerk may, if directed by the court, mail the juror qualification form to only those prospective jurors drawn for jury service under the provisions of section seven of this article. Each prospective juror shall be directed to complete the form and return it by mail to the clerk within ten days after its receipt. The juror qualification form is subject to approval by the circuit court as to matters of form and shall elicit the following information concerning the prospective juror:

법원에 의하여 명령되는 경우에는 그 작성에 필요한 지시사항들이 첨부된 배심원 자격심사 서식을 종합명부 위에 오른 개개 사람에게, 배심복무를 위하여 사람들이 출석해야 할 날전에 20일 이상의 여유를 두고서 1급우편에 의하여 서기는 송달할 수 있다; 다만 법원에 의하여 명령되는 경우에는 배심원 자격심사 서식을 이 조 제7절의 규정들 아래서 배심복무를 위하여 추출된 배심원 후보들에게만 서기는 발송할 수 있다. 서식을 완성하도록 및 그것을 그 수령 뒤 10일 내에 서기에게 우편으로 돌려보내도록 개개 배심원 후보는 명령되어야 한다. 배심원 자격심사 서식은 형식의 사항들에 관하여 순회구 지방법원의 승인을 받아야 하고 당해 배심원 후보에 관한 아래의 정보를 유도해 내야 한다:

(1) The juror's name, sex, race, age and marital status;

당해 배심원(후보)의 이름, 성별, 인종, 나이 및 혼인관계;

(2) The juror's level of educational attainment, occupation and place of employment;

당해 배심원(후보)의 학력수준, 직업 및 근무장소;

(3) If married, the name of the juror's spouse and the occupation and place of employment of the spouse;

기혼이면 당해 배심원(후보)의 배우자의 이름 및 배우자의 직업 및 근무장소;

(4) The juror's residence address and the juror's mailing address if different from the residence address;

당해 배심원(후보)의 거주지 주소, 및 만약 당해 배심원(후보)의 주소가 거주지 주소와는 다른 경우에는 배심원 후보의 우편주소;

(5) The number of children which the juror has and their ages;

당해 배심원(후보)이 지니는 자녀들의 숫자 및 그들의 연령;

(6) Whether the juror is a citizen of the United States and a resident of the county;

당해 배심원(후보)이 합중국 시민인지 및 카운티 주민인지 여부;

(7) Whether the juror is able to read, speak and understand the English language;

당해 배심원(후보)이 영어를 읽을 수, 말할 수, 이해할 수 있는지 여부;

(8) Whether the juror has any physical or mental disability substantially impairing the capacity to render satisfactory jury service: Provided, That a juror with a physical disability, who can with reasonable accommodation render competent service, is eligible for service;

만족스러운 배심복무를 제공할 능력을 중대하게 손상시킬 만한 신체적 내지는 정신적 장애를 당해 배심원(후보)이 지니는지 여부: 다만, 신체적 장애를 지니더라도, 합리적 편의가 만약 제공된다면 충분한 복무를 제공할 수 있는 배심원(후보)은 복무에 뽑힐 수 있다;

(9) Whether the juror has, within the preceding two years, been summoned to serve as a petit juror, grand juror or magistrate court juror, and has actually attended sessions of the magistrate or circuit court and been reimbursed for his or her expenses as a juror;

당해 배심원(후보)이 직전 2년 내에 소배심원으로, 대배심원으로, 또는 치안판사 법원의 배심원으로 소환된 바 있는지 및 당해 치안판사의 내지는 순회구 지방법원의 개정법정들에 실제로 출석하였는지 및 배심원으로서의 그의 내지는 그녀의 지 출경비들에 대하여 변상을 받은 바 있는지 여부;

(10) Whether the juror has lost the right to vote because of a criminal conviction; and

투표권을 형사 유죄판정에 따라서 당해 배심원(후보)이 상실한 상태인지 여부; 그리고

(11) Whether the juror has been convicted of perjury, false swearing or any crime punishable by imprisonment in excess of one year under the applicable law of this state, another state or the United States.

위증죄로, 허위선서로 또는 이 주의, 타 주의 또는 합중국의 준거법률 아래서 1년 초과의 구금형에 의하여 처벌될 수 있는 범죄로 유죄판정을 당해 배심원 후보가 받은 바 있는지 여부.

The juror qualification form may also request information concerning the prospective juror's religious preferences and organizational affiliations, except that the form and the accompanying instructions shall clearly inform the juror that this information need not be provided if the juror declines to answer such inquiries.

당해 배심원 후보의 종교적 취향들에 및 단체가입들에 관한 정보를 또한 배심원 자격심사 서식은 요청할 수 있는바, 다만 그러한 질문들에 답변하기를 당해 배심원 후보가 거절하면 이 정보는 제공될 필요가 없음을 서식은 및 이에 첨부되는 명령사항들은 배심원(후보)에게 명확하게 고지하여야 한다.

(b) The juror qualification form shall contain the prospective juror's declaration that the responses are true to the best of the prospective juror's knowledge and an acknowledgment that a willful misrepresentation of a material fact may be punished by a fine of not more than $500 or imprisonment for not more than thirty days, or both fine and imprisonment. Notarization of the juror qualification form shall not be required. If the prospective juror is unable to fill out the form, another person may assist the prospective juror in the preparation of the form and indicate that such person has done so and the reason therefor. If an omission, ambiguity or error appear in a returned form, the clerk shall again send the form with instructions to the prospective juror to make the necessary addition, clarification or correction and to return the form to the clerk within ten days after its second receipt.

응답들은 당해 배심원 후보의 최선의 지식의 한도껏 진실하다는 당해 배심원 후보의 선언을, 및 한 개의 중요한 사실에 대한 의도적 부실기재는 500불 이하의 벌금에 내지는 30일 이하의 구금에 의하여 또는 그 병과에 의하여 처벌될 수 있음에 대한 승인을, 배심원 자격심사 서식은 포함하여야 한다. 배심원 자격심사 서식에 대한 공증은 요구되지 아니한다. 서식을 만약 당해 배심원 후보가 채울 수 없으면, 그 배심원 후보의 서식 작성을 다른 사람이 조력하고서 그렇게 자신이 하였음을 및 그 이유를 그러한 사람은 기재할 수 있다. 그 회답된 서식에 만약 누락이, 모호함이 또는 오류가 나타나면, 필요한 추가를, 명확화를 또는 교정을 하도록, 및 그 서식을 그 두 번째 수령 뒤 10일 내에 서기에게 돌려보내도록, 지시들을 붙여 서식을 다시 당해 배심원 후보에게 서기는 보내야 한다.

(c) Any prospective juror who fails to return a completed juror qualification form as instructed shall be directed by the clerk to appear forthwith before the clerk to fill out the juror qualification form. At the time of the prospective juror's appearance for jury service, or at the time of any interview before the court or clerk, any prospective juror may be required to fill out another juror qualification form in the presence of the court or clerk. At that time the prospective juror may be questioned with regard to the responses to questions contained on the form and the grounds for the prospective juror's excuse or disqualification. Any information thus acquired by the court or clerk shall be noted on the juror qualification form.

지시된 대로의 완성된 배심원 자격심사 서식을 되돌려 보내기를 불이행하는 배심원 후보는 즉시 서기 자신 앞에 출석하도록 및 배심원 자격심사 서식을 채우도록 서기에 의하여 명령되어야 한다. 별도의 배심원 자격심사 서식을 법원의 내지는 서기의 면전에서 채우도록, 당해 배심원 후보의 배심복무를 위한 출석 때에, 또는 법원 앞에서의 내지는 서기 앞에서의 면담 때에, 배심원 후보는 요구될 수 있다. 서식 위에 포함된 질문들에 대한 응답사항들에 관하여, 및 당해 배심원 후보의 면제를 내지는 자격 불인정을 위한 사유들에 관하여, 그 때에 당해 배심원 후보는 질문될 수 있다. 법원에 내지는 서기에 의하여 그렇게 얻어진 정보는 당해 배심원 자격심사 서식 위에 기재되어야 한다.

(d) Any person who willfully misrepresents a material fact on a juror qualification form or during any interview described in subsection (c) of this section, for the purpose of avoiding or securing service as a juror, is guilty of a misdemeanor and, upon conviction thereof, shall be fined not more than $500 or imprisoned not more than thirty days, or both fined and imprisoned.

배심원으로서의 복무를 회피할 내지는 확보할 목적으로 한 개의 중요한 사실을 배심원 자격심사 서식 위에 또는 이 절의 소절 (c)에 설명된 면담 동안에 의도적으로 부실하게 기재하는 사람 누구나는 한 개의 경죄를 범하는 것이 되는바, 유죄판정에 따라서 500불 이하의 벌금에 처해지거나 30일 이하의 구금형에 처해지거나 또는 그 두 가지가 병과된다.

(e) Upon the clerk's receipt of the juror qualification questionnaires of persons selected as prospective petit jurors, he or she shall make the questionnaires of the persons so selected available, upon request, to counsel of record in the trial or trials for which the persons have been selected as prospective jurors: Provided, That upon the conclusion of the trial the juror qualification forms for persons serving on a particular trial jury may only be released with the written permission of the judge who presided over the trial or his or her successor: Provided, however, That if the judge denies the request, the reasons for the denial must be in writing and be share with all parties in the case and the person making the request within thirty days after filing the motion.

소배심원 후보들로서 선정된 사람들의 배심원 자격심사 질문서들을 서기가 수령하면, 그 배심원 후보들로서 그 사람들이 선정되어 있는 정식사실심리에서의 내지는 정식사실심리들에서의 정식기록 변호사에게 그것들이 제공될 수 있도록 그는 내지는 그녀는 조치하여야 한다: 다만, 정식사실심리가 종결되면, 특정의 정식사실심리 배심에서 복무하는 사람들을 위한 당해 배심원 자격심사 서식들은 당해 정식사실심리를 주재한 판사의 내지는 그의 내지는 그녀의 후임자의 서면허가가 있을 경우에만 공개될 수 있다: 다만, 그 요청을 만약 판사가 기각하면 기각의 이유들은 서면으로 제시되지 않으면 안 되고 그 신청의 제출 뒤 30일 내에 당해 사건에의 모든 당사자들에게 및 그 요청을 한 사람에게 그 이유들은 공유되지 않으면 안 된다.

https://law.justia.com/codes/west-virginia/2019/chapter-52/article-1/section-52-1-6/

§52-1-6. Jury Wheel or Jury Box; Random Selection of Names From Master List for Jury Wheel or Jury Box

배심원후보 명부 저장장치 또는 배심원후보상자; 배심원후보 명부 저장장치를 또는 배심원후보상자를 위한 이름들의 종합명부로부터의 무작위 선정

Universal Citation: WV Code § 52-1-6 (2019)

일반적 인용: WV Code § 52-1-6 (2019)

(a) At the direction of the circuit court, the clerk for each county shall maintain a jury wheel or jury box, into which shall be placed the names or identifying numbers of prospective jurors taken from the master list. The choice of employing a jury wheel or jury box shall be at the discretion of the circuit court or the chief judge thereof.

한 개의 배심원후보 명부 저장장치를 또는 배심원후보상자를 순회구 지방법원의 명령에 따라서 개개 카운티의 서기는 유지하여야 하는바, 종합명부로부터 추출된 배심원 후보들

의 이름들이 내지는 식별번호들이 그 안에 넣어져야 한다. 한 개의 배심원후보 명부 저장장치를 사용할지 또는 배심원후보상자를 사용할지의 선택은 순회구 지방법원의 또는 그 법원장의 명령에 따라야 한다.

(b) In counties having a population of less than fifteen thousand persons according to the last available census, the jury wheel or jury box shall include at least two hundred names; in counties having a population of at least fifteen thousand but less than fifty thousand, at least four hundred names; a population of at least fifty thousand but less than ninety thousand, at least eight hundred names; and a population of ninety thousand or more, at least one thousand six hundred names. From time to time a larger or additional number may be ordered by the circuit court to be placed in the jury wheel or jury box. The clerk shall take measures to ensure that a sufficient number of additional jurors are drawn from time to time so that the jury wheel or jury box is refilled and additional jurors may be drawn therefrom. In October of each even-numbered year, or at such other time as the court may direct, the clerk shall remove from the jury box or jury wheel the names of all persons who have, within the preceding two years, been summoned to serve as petit jurors, grand jurors or magistrate court jurors, and who have actually attended sessions of the magistrate or circuit court and been reimbursed for their expenses as jurors pursuant to the provisions of section twenty-one of this article, section thirteen, article two of this chapter, or under any applicable rule or regulation of the Supreme Court of Appeals promulgated pursuant to the provisions of section eight, article five, chapter fifty of this code.

최신의 유효한 인구조사에 따른 인구 1만5천 이하의 카운티들에서는 적어도 200명의 이름들을; 인구 1만5천 이상 5만 미만의 카운티들에서는 적어도 400명의 이름들을; 인구 5만 이상 9만 미만의 카운티들에서는 적어도 800명의 이름들을; 그리고 인구 9만 이상의 카운티들에서는 적어도 1600명의 이름들을 배심원후보 명부 저장장치는 내지는 배심원후보상자는 포함하여야 한다. 배심원후보명부 저장장치에 또는 배심원후보상자에 수시로 더 많은 또는 추가적인 숫자가 넣어지도록 순회구 지방법원에 의하여 명령될 수 있다. 충분한 숫자의 추가적 배심원(후보)들이 수시로 추출되도록, 그리하여 배심원후보명부 저장장치가 또는 배심원후보상자가 새로 채워져 추가적 배심원(후보)들이 거기로부터 추출될 수 있도록, 확보하기 위한 조치들을 서기는 취하여야 한다. 소배심원들로서, 대배심원들로서 또는 치안판사 법정 배심원들로서 복무하도록 직전 2년 이내에 소환된 바 있는, 그리하여 실제로 치안판사의 또는 순회구 지방법원의 개정법정들에 출석한 바 있는 및 배심원들로서의 그들의 지출경비들을 이 조 제21절의 규정들에 따라서, 이 장 제2조 제13절의 규정들에 따라서 또는 이 법률집 제50장 제5조 제8절의 규정들에 따라서 공포된, 대법원의 준거 규칙 아래서 내지는 규정 아래서 변상 받은 바 있는 모든 사람들의 이름들을, 배심원후보상자로부터 또는 배심원후보명부 저장장치로부터 매 짝수연도 10월에 또는 법원이 명령하는 그 밖의 때에, 서기는 제거해야 한다.

(c) The names or identifying numbers of prospective jurors to be placed in the jury wheel or jury box shall be selected by the clerk at random from the master list in the following manner: The total number of names on the master list shall be divided by the number of names to be placed in or added to the jury wheel or jury box and the whole number next greater than the quotient shall be the "key number", except that the key number shall never be less than two. A "starting number" for making the selection shall then be determined by a random method from the numbers from one to the key number, both inclusive. The required number of names shall then be selected from the master list by taking in order the first name on the master list corresponding to the starting number and then successively the names appearing in the master list at intervals equal to the key number, recommencing if necessary at the start of the list until the required number of names has been selected. Upon recommencing at the start of the list, or if additional names are subsequently to be selected for the jury wheel or jury box, names previously selected from the master list shall be disregarded in selecting the additional names. The clerk is not required to, but may, use an electronic or mechanical system or device in carrying out its duties. (For example, assume a county with a master list of eight thousand nine hundred eighty names, a population of less than fifteen thousand and a desired jury box or wheel containing two hundred names. Eight thousand nine hundred eighty names divided by two hundred is forty-four and nine-tenths percent. The next whole number is forty-five. The clerk would take every forty-fifth name on the list, using a random starting number between one and forty-five.)

배심원후보명부 저장장치에 또는 배심원후보상자에 넣어질 배심원후보들의 이름들은 또는 식별번호들은 아래의 방법으로 종합명부로부터 서기에 의하여 무작위로 선정되어야 한다: 배심원후보명부 저장장치에 또는 배심원후보상자에 넣어질 또는 추가될 이름들의 숫자에 의하여 종합명부 위의 이름들의 전체숫자가 나뉘어야 하고 그 몫이보다도 큰 바로 다음 번 자연수가 "키 숫자"가 되는바, 다만 키 숫자는 2보다 작아서는 안 된다. 선정을 위한 "출발숫자"는 그 때에 1부터 키 숫자까지의 번호들 중에서 무작위 방법으로 결정되어야 한다(1 및 키 숫자 포함). 출발숫자에 상응하는 종합명부 위의 첫 번째 이름을 순서대로 취함에 의하여 및 그 다음에는 키 숫자에 대응하는 간격으로 종합명부 위에 나타나는 이름들을 연속적으로 취함에 의하여 그 요구되는 이름들의 숫자가 그 뒤에 종합명부로부터 선정되어야 하는바, 필요한 경우에는 명부의 시작지점에서 다시 시작하여 그 요구되는 숫자의 이름들이 선정되고 났을 때까지 반복하여야 한다. 명부의 시작지점에서 다시 시작하는 경우에는 내지는 만약 추가적 이름들이 배심원후보 명부 저장장치를 위하여 또는 배심원후보상자를 위하여 추후에 선정되는 경우에는, 종합명부로부터 먼저 선정된 이름들은 추가적 이름들을 선정함에 있어서는 무시되어야 한다. 자신의 임무들을 수행함에 있어서 전자적 내지는 기계적 방식을 또는 장치를 사용하도록 서기는 요구되지 아니하는바, 다만 그것을 서기는 사용할 수 있다. (예컨대, 8,980명의 이름들의 종합명부를 지니는, 1만5천 미만의 인구의, 및 200명을 포함하는 배심원후보상자가 또는 배심원후보 명부 저장장치가 요망되는 한 개의 카운티를 가정하자. 200명으로 8,980명의 이름들을 나누면 44.9가 된다. 그 다음 번 자연수는 45이다. 1부터 45 사이에서 무작위의 출발숫자를 사용하여 매 45 번째 이름을 서기는 취하게 된다.)

§52-1-7. Drawings From the Jury Wheel or Jury Box; Notice of Jury Duty; Penalties

배심원후보 명부 저장장치로부터의 내지는 배심원후보상자로부터의 추출들; 배심의무의 통지; 벌칙들

Universal Citation: WV Code § 52-1-7 (2019)

일반적 인용: WV Code § 52-1-7 (2019)

(a) The chief judge of the circuit, or the judge in a single judge circuit, shall provide by order rules relating to the random drawing by the clerk of panels from the jury wheel or jury box for juries in the circuit and magistrate courts. The rules may allow for the drawing of panels at any time. Upon receipt of the direction and in the manner prescribed by the court, the clerk shall publicly draw at random from the jury wheel or jury box the number of jurors specified.

순회구 지방법원에서의 내지는 치안판사 법원에서의 배심들을 위한 배심원단들의, 배심원후보 명부 저장장치로부터의 내지는 배심원후보상자로부터의 서기에 의한 무작위 추출에 관련되는 규칙들을 명령에 의하여, 순회구 지방법원의 법원장은 또는 단일판사 순회구 지방법원에서의 판사는 규정하여야 한다. 언제든지의 배심원단들의 추출을 규칙들은 허용할 수 있다. 특정된 숫자의 배심원 후보들을 배심원후보명부 저장장치로부터 또는 배심원후보상자로부터, 명령의 수령 즉시로 및 법원에 의하여 규정되는 방법에 따라서, 서기는 공개적으로 무작위로 추출하여야 한다.

(b) If a jury is ordered to be drawn, the clerk thereafter shall cause each person drawn for jury service to be notified not less than twenty days before the date for which the persons are to report for jury duty with a summons and juror qualification form, if such form has not already been completed, by personal service or first class mail addressed to the person at his or her usual residence, business or post-office address, requiring him or her to report for jury service at a specified time and place.

만약 한 개의 배심을 추출하도록 서기가 명령되면, 배심복무를 위하여 추출된 개개 사람에게, 배심 의무를 위하여 그 사람들이 출석해야 할 날짜 전에 20일 이상의 여유를 두고서, 배심복무를 위하여 특정의 시간에 및 장소에 출석하도록 그에게 또는 그녀에게 요구하는 소환장을 붙인, 및 만약 배심원 자격심사 서식이 아직 작성되어 있지 아니하면 그 서식을 붙인, 통지가 직접 송달에 의하여, 또는 그의 내지는 그녀의 일상의 주거지로, 영업장 주소로 또는 우체국 주소로 그 사람에게 발송되는 1급우편에 의하여, 이루어지도록 서기는 그 뒤에 조치하여야 한다.

(c) A prospective juror who fails to appear as directed by the summons issued pursuant to subsection (b) of this section shall be ordered by the court to appear and show cause for failure to appear as directed. If the prospective juror fails to appear pursuant to the court's order or fails to show good cause for failure to appear as directed by the summons, he or she is guilty of civil contempt and shall be fined not more than $1,000.

이 절의 소절 (b)에 따라서 발부된 소환장에 의하여 명령되는 대로 출석하기를 불이행하는 배심원 후보는 그 출석하도록, 및 그 명령된 대로 출석하기에 대한 불이행의 이유를 제시하도록, 법원에 의하여 명령되어야 한다. 법원의 명령에 따라서 출석하기를, 또는 그 소환장에 의하여 명령된 대로 출석하기에 대한 불이행을 위한 타당한 이유를 제시하기를, 만약 당해 배심원 후보가 불이행하면, 민사적 법원모독을 그는 또는 그녀는 범하는 것이 되는바, 1,000불 이하의 벌금에 그는 또는 그녀는 처해져야 한다.

§52-1-7a. Alternate Procedure for Selection of Jury by Electronic Data Processing Methods
전자적 데이터 처리방법들에 의한 배심선정을 위한 대체적 절차

Universal Citation: WV Code § 52-1-7a (2019)

일반적 인용: WV Code § 52-1-7a (2019)

Notwithstanding any provision of this article to the contrary, the court may, after conferring with the clerk and documenting in writing the methods to be used, with such documentation to be approved by the chief judge, direct the use of electronic data processing methods, or a combination of manual and machine methods, for any combination of the following tasks:

아래 업무들의 통합을 위하여 전자적 데이터 처리방법들의 사용을 내지는 수작업 방법들의 및 기계적 방법들의 통합을, 이에 반대되는 이 조의 규정에도 불구하고, 서기에게 협의한 뒤에 및 그 사용될 방법들을 서면으로 문서화 한 뒤에 그러한 문서에 대한 법원장의 승인을 거쳐, 법원은 명령할 수 있다:

(a) Recording in machine readable form names that are initially selected manually from source lists authorized by this article.

이 조에 의하여 허용되는 원천명부들로부터 수작업으로 당초에 선정된 이름들을 기계적 해독이 가능한 형식으로 기록하는 업무.

(b) Copying of names from source lists authorized by this article from any counties or other sources that maintain those lists in machine readable form such as punched cards, magnetic tapes or magnetic discs.

이 조에 의하여 허용되는 카운티들의 원천명부들로부터의, 내지는 그러한 명부들을 보존하는 여타의 원천들로부터의, 이름들을 천공카드들로, 마그네틱 테이프들로 또는 마그네틱 디스크들로 등 기계적 해독이 가능한 형식으로 복사하는 업무.

(c) Selecting names from source lists for inclusion in the jury list.

배심명부에의 포함을 위하여 이름들을 원천명부들로부터 선정하는 업무.

(d) Selecting names from the jury list for the list of jurors summoned to attend at any term of court.

법원의 개정기에 출석하도록 소환되는 배심원(후보)들의 명부를 위하여 이름들을 배심명부로부터 선정하는 업무.

(e) Sorting or alphabetizing lists of names, deleting duplicate selections of names and deleting names of persons exempt, disqualified or excused from jury service.

이름들의 명부들을 분류하는 내지는 알파벳 순서로 정리하는, 이름들의 중복선정들을 제거하는, 및 배심복무로부터 실격인, 자격이 불인정된, 또는 면제된 사람들의 이름들을 제거하는 업무.

(f) Selecting and copying names for the creation of any papers, records or correspondence necessary to recruit, select and pay jurors and for other clerical tasks.

배심원(후보)들을 보충함에, 선정함에 및 배심원(후보)들에게 지급함에 필요한 서류들의, 기록들의 내지는 통신의 조제를 위하여 또는 그 밖의 사무적 업무들을 위하여, 이름들을 선정하는 및 복사하는 업무.

If the court elects to use electronic machine methods for any tasks described above, the selection system shall be planned and programmed in order to ensure that any group of names chosen will represent all segments of source files from which drawn and that the mathematical odds of any single name being picked are substantially equal.

위에서 설명된 업무들을 위하여 전자적 기계방법들을 사용하기로 만약 법원이 선택하면, 그 추출의 모집단이 되는 원천파일들의 모든 부문들을 그 선정되는 이름들의 그룹이 대표함을, 및 어떤 단일한 이름이 뽑힐 수학적 확률이 실질적으로 동일함을, 확보하도록 선정방식은 기획되어야 하고 프로그램화 되어야 한다.

When machine methods for jury selection are employed, both the jury list and the jury list as recorded in machine readable form shall be safely kept in a secure location with the office of the clerk of the circuit court.

배심선정을 위한 기계적 방법들이 사용되는 경우에, 배심명부는 및 기계적 해독이 가능한 형식으로 기록된 배심명부는 다 같이 순회구 지방법원 서기의 사무소에 딸린 튼튼한 장소에 안전하게 보관되어야 한다.

https://law.justia.com/codes/west-virginia/2019/chapter-52/article-1/section-52-1-8/

 ## §52-1-8. Disqualification From Jury Service
배심복무 자격불인정

Universal Citation: WV Code § 52-1-8 (2019)

일반적 인용: WV Code § 52-1-8 (2019)

(a) The court, shall determine whether any prospective juror is disqualified for jury service on the basis of information provided on the juror qualification form or interview with the prospective juror or other competent evidence. The clerk shall enter this determination in the space provided on the juror qualification form and on the alphabetical lists of names drawn from the jury wheel or jury box.

배심원 후보가 배심복무에 결격인지 여부를 배심원 자격심사 서식 위에 제공된 또는 당해 배심원 후보와의 면담 때에 제공된 정보에 또는 여타의 상당한 증거에 토대하여 법원은 결정하여야 한다. 배심원 자격심사 서식 위의 여백에, 그리고 배심원후보 명부 저장장치로부터 또는 배심원후보상자로부터 추출된 이름들의 알파벳 순 목록들 위에, 이 판단을 서기는 기입하여야 한다.

(b) A prospective juror is disqualified to serve on a jury if the prospective juror:

아래의 어느 한 개에 한 명의 배심원 후보가 해당하면 그 배심원 후보는 배심에 복무할 자격이 부정된다:

(1) Is not a citizen of the United States, at least 18 years old and a resident of the county;

합중국의 시민이 아닐 것, 또는 18세에 달하지 못하였을 것, 또는 카운티의 주민이 아닐 것;

(2) Is unable to read, speak and understand the English language. For the purposes of this section, the requirement of speaking and understanding the English language is met by the ability to communicate in American Sign Language or Signed English;

영어를 읽을 수, 말할 수 및 이해할 수 없을 것. 이 절의 목적들을 위하여는 미국 수화로 또는 영국 수화로 의사소통할 수 있는 능력에 의하여, 영어를 말할 수 및 이해할 수 있어야 함의 요구는 충족된다;

(3) Is incapable, by reason of substantial physical or mental disability, of rendering satisfactory jury service. A person claiming this disqualification may be required to submit a physician's certificate as to the disability and the certifying physician is subject to inquiry by the court at its discretion;

만족스러운 배심복무를 중대한 신체적 내지는 정신적 장애로 인하여 제공할 수 없을 것. 이 결격사유를 주장하는 사람은 장애에 관한 의사의 증명서를 제출하도록 요구될 수 있는바, 그 증명서를 발급하는 의사는 법원의 재량에 따라서 법원에 의한 질문에 처해진다.

(4) Has, within the preceding two years, been summoned to serve as a petit juror, grand juror or magistrate court juror and has attended sessions of the magistrate or circuit court and been reimbursed for his or her expenses as a juror pursuant to the provisions of §52-1-21 or §52-2-13 of this code, or pursuant to an applicable rule or regulation of the Supreme Court of Appeals promulgated pursuant to the provisions of §50-5-8 of this code;

소배심원으로서, 대배심원으로서 또는 치안판사 법원 배심원으로서 복무하도록 직전 2년 내에 소환된 바 있을 것 및 그 치안판사의 또는 순회구 지방법원의 개정법정들에 출석하였을 것 및 한 명의 배심원으로서의 그의 내지는 그녀의 지출경비들을 이 법률집 제52-21-13절의 규정들에 따라서 또는 이 법률집 제50-5-8절의 규정들에 따라서 공포된 대법원의 준거 규칙에 내지는 규정에 의하여 변상 받았을 것.

(5) Has lost the right to vote because of a criminal conviction; or

형사 유죄판정으로 인하여 투표권을 상실한 상태에 있을 것; 또는

(6) Has been convicted of perjury, false swearing or any crime punishable by imprisonment in excess of one year under the applicable law of this state, another state or the United States.

위증으로, 허위선서로 또는 이 주의, 다른 주의 내지는 합중국의 준거 법률에 따른 1년 초과의 구금형에 의하여 처벌될 수 있는 범죄로 유죄판정된 바 있을 것.

(c) A prospective juror 70 years of age or older is not disqualified from serving but shall be excused from service by the court upon his or her request.

70세 이상인 배심원 후보는 복무로부터 결격이 되지 아니하는바, 그러나 그의 내지는 그녀의 요청이 있으면 법원에 의하여 복무로부터 그는 면제되어야 한다.

(d) A prospective grand juror is disqualified to serve on a grand jury if he or she is an officeholder under the laws of the United States or of this state except that the term "officeholder" does not include notaries public.

그가 또는 그녀가 합중국의 또는 이 주의 법률들 아래서의 한 명의 공직 보유자이면 한 개의 대배심에서의 복무에 그 배심원 후보는 결격이 되는바, 다만 공증인들을 "공직 보유자"는 포함하지 아니한다.

(e) A person who is physically disabled and can render competent service with reasonable accommodation is not ineligible to act as juror and may not be dismissed from a jury panel on the basis of disability alone. The circuit judge shall, upon motion by either party or upon his or her own motion, disqualify a disabled juror if the circuit judge finds that the nature of potential evidence in the case including, but not limited to, the type or volume of exhibits or the disabled juror's ability to evaluate a witness or witnesses, unduly inhibits the disabled juror's ability to evaluate the potential evidence. For purposes of this section:

신체적으로 장애를 지니더라도 합리적 편의가 만약 제공된다면 충분한 복무를 제공할 수 있는 사람은 배심원으로서 활동하도록 뽑힘으로부터 배제되지 아니하고, 따라서 장애만에 터잡아서는 배심원단으로부터 그는 배제되어서는 안 된다. 증거물의 종류가를 내지는 분량이를, 내지는 증인을 내지는 증인들을 평가할 한 명의 장애 배심원(후보)의 능력이를 포함하는 – 그러나 이에 한정되지 아니하는 – 당해 사건에서의 잠재적 증거의 성격이, 잠재적 증거를 평가할 당해 장애 배심원(후보)의 능력을 과도하게 방해하는 것으로 순회구 지방법원 판사가 인정하는 경우이면, 당사자들 중 한 쪽의 신청에 따라서 또는 순회구 지방법원 판사 그 자신의 내지는 그녀 자신의 직권에 따라서, 당해 장애 배심원 후보를 결격으로 순회구 지방법원 판사는 판정하여야 한다. 이 절의 목적들을 위하여:

(1) Reasonable accommodation includes, but is not limited to, certified interpreters for the deaf and hard of hearing, spokespersons for the speech impaired, real-time court reporting and readers for the visually impaired.

청각상실자를 내지는 청각장애인을 위한 공인된 통역인들을, 언어장애자를 위한 대변인을, 시각장애자를 위한 동시속기 낭독자들을 합리적 편의는 포함하되 이에 한정되지 아니한다.

(2) The court shall administer an oath or affirmation to any person present to facilitate communication for a disabled juror. The substance of the oath or affirmation shall be that any person present as an accommodation to a disabled juror will not deliberate on his or her own behalf, although present throughout the proceedings, but act only to accurately communicate for and to the disabled juror.

장애 배심원을 위한 의사소통을 돕기 위하여 출석하는 어느 누구에게든지 한 개의 선서절차를 내지는 무선서확약 절차를 법원은 실시하여야 한다. 한 명의 장애 배심원에게 제공되는 편의도모로서 출석하는 사람은 그 스스로가 내지는 그녀 스스로가 숙의하여서는 안된다는 것이, 그리고 설령 절차들 전부를 통하여 출석해 있더라도 오직 당해 장애 배심원을 위하여서만 및 당해 장애 배심원에게 정확하게 소통시키기 위하여서만 행동하여야 한다는 것이, 선서의 내지는 무선서확약의 내용이 되어야 한다.

(f) Nothing in this article limits a party's right to peremptory strikes in civil or criminal actions.

민사소송에서의 및 형사소송에서의 무이유부 삭제들을 할 당사자의 권리를 이 조 안의 것은 제한하지 아니한다.

https://law.justia.com/codes/west-virginia/2019/chapter-52/article-1/section-52-1-9/

§52-1-9. Assignment of Jurors to Jury Panels; Drawing of Additional Jurors Upon Shortage of Qualified Jurors

배심원단들에의 배심원들의 배정; 유자격 배심원들의 부족에 따르는 추가적 배심원들의 추출

Universal Citation: WV Code § 52-1-9 (2019)

일반적 인용: WV Code § 52-1-9 (2019)

(a) The jurors drawn for jury service shall be assigned at random by the clerk to each jury panel in a manner prescribed by the court.

배심복무를 위하여 추출되는 배심원들은 법원에 의하여 정해지는 방법으로 서기에 의하여 무작위로 개개 배심원단에 배정되어야 한다.

(b) If there is an unanticipated shortage of available petit jurors drawn from the jury wheel or jury box the court may require the sheriff to summon a sufficient number of petit jurors selected at random by the clerk from the jury wheel or jury box in a manner prescribed by the circuit court.

배심원후보 명부 저장장치로부터 또는 배심원후보상자로부터 추출되는 복무 가능한 소배심원들에 예상 밖의 부족이 있으면, 순회구 지방법원에 의하여 정해지는 방법으로 배심원후보 명부 저장장치로부터 또는 배심원후보상자로부터 서기에 의하여 무작위로 선정되는 충분한 숫자의 소배심원(후보)들을 소환하도록 집행관에게 법원은 요구할 수 있다.

https://law.justia.com/codes/west-virginia/2019/chapter-52/article-1/section-52-1-10/

§52-1-10. No Exemptions
제외조치들의 금지

Universal Citation: WV Code § 52-1-10 (2019)

일반적 인용: WV Code § 52-1-10 (2019)

No qualified prospective juror is exempt from jury service.

자격이 인정되는 배심원 후보는 어느 누구가도 복무로부터 제외되지 아니한다.

https://law.justia.com/codes/west-virginia/2019/chapter-52/article-1/section-52-1-11/

§52-1-11. Excuses From Jury Service
배심복무로부터의 면제사유들

Universal Citation: WV Code § 52-1-11 (2019)

일반적 인용: WV Code § 52-1-11 (2019)

(a) The court, upon request of a prospective juror or on its own initiative, shall determine on the basis of information provided on the juror qualification form or interview with the prospective juror or other competent evidence whether the prospective juror should be excused from jury service. The clerk shall enter this determination in the space provided on the juror qualification form.

배심복무로부터 한 명의 배심원 후보가 면제되어야 하는지 여부를 당해 배심원 후보의 요청에 따라서 또는 직권으로, 배심원 자격심사 서식 위에 제공되는 정보의, 또는 당해 배심원 후보와의 면담의, 또는 여타의 상당한 증거의 토대 위에서, 법원은 결정하여야 한다. 이 결정을 배심원 자격심사 서식 위에 마련된 여백에 서기는 기입하여야 한다.

(b) A person who is not disqualified for jury service under section eight of this article may be excused from jury service by the court upon a showing of undue hardship, extreme inconvenience, or public necessity, for a period the court deems necessary, at the conclusion of which the person shall reappear for jury service in accordance with the court's direction.

이 조 제8절 아래서 배심복무로부터 결격처리 되지 아니하는 사람은 부당한 곤경에 대한, 극도의 불편에 대한, 또는 공공의 필요에 대한 한 개의 증명 위에서, 그 필요하다고 법원이 간주하는 기간 동안 배심복무로부터 법원에 의하여 면제될 수 있는바, 그 기간의 종료 때에 그 사람은 법원의 명령에 따라서 배심복무를 위하여 다시 출석하여야 한다.

(c) A person who is not disqualified for jury service under section eight of this article may be excused from jury service by the court if the person is a current member of the National Guard or reserves.

이 조 제8절 아래서 배심복무로부터 결격처리 되지 아니하는 사람은, 만약 그가 주 방위대의 현역 구성원이면, 법원에 의하여 배심복무로부터 면제될 수 있다.

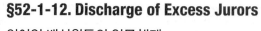

https://law.justia.com/codes/west-virginia/2019/chapter-52/article-1/section-52-1-12/

§52-1-12. Discharge of Excess Jurors
잉여인 배심원들의 임무해제

Universal Citation: WV Code § 52-1-12 (2019)

일반적 인용: WV Code § 52-1-12 (2019)

Any court may, upon the appearance of an excess number of qualified jurors, dispense with the attendance of the unneeded jurors on any one day the court is sitting, as long as such discharge from duty is conducted in a random fashion and in a manner consistent with the spirit of this article.

자격이 인정되는 배심원(후보)들의 출석 숫자가 그 필요한 숫자를 초과하는 경우에, 그 잉여인 배심원(후보)들에 대한 임무해제가 무작위 방법에 의하여 이 조의 취지에 부합되는 방법으로 이루어지는 한도 내에서, 법원이 개정하는 어느 하루에 대하여든지 그들의 출석을 법원은 면제할 수 있다.

https://law.justia.com/codes/west-virginia/2019/chapter-52/article-1/section-52-1-13/

§52-1-13. Competency of Jurors When Municipality, County or District Is a Party

자치체가, 카운티가 또는 지구(District)가 당사자인 경우에 있어서의 배심원들의 복무능력

Universal Citation: WV Code § 52-1-13 (2019)

일반적 인용: WV Code § 52-1-13 (2019)

In any suit or proceeding in which a county, district, school district or municipal corporation is a party, no person is incompetent as a juror because such person is an inhabitant or taxpayer of the county, district, school district or municipal corporation. In any case where a municipal corporation is a party, the court, upon motion of either party to the suit, made either on the first day of the term of the court or at any other time not less than five days before the day set for the trial, may, in its discretion, disqualify jurors who are citizens or taxpayers of such municipal corporations. But this provision does not apply in any case between a municipal corporation and any citizen or taxpayer of such corporation.

한 개의 카운티가, 지구가, 학교지구가 또는 시군 자치체가 당사자인 소송에서 또는 절차에서, 당해 카운티의, 지구의, 학교지구의 내지는 시군 자치체의 거주자인 내지는 납세자인 사람은 그러한 지위를 이유로 하여서는 한 명의 배심원으로서 결격이 되지 아니한다. 시군 자치체가 당사자인 소송에서, 당해 법원 개정기의 첫 째 날에든지 또는 정식사실심리를 위하여 정해진 날 전의 5일 이상의 여유를 둔 여타의 어느 날에든지 제기되는 당해 소송에의 당사자 어느 한 쪽의 신청에 따라서, 그러한 시군 자치체들의 시민들인 내지는 납세자들인 배심원(후보)들을 결격으로 그 재량 내에서 법원은 결정할 수 있다. 그러나 한 개의 시군 자치체의, 및 그러한 자치체 시민의 내지는 납세자의, 그 양자 사이의 사건에 이 규정은 적용되지 아니한다.

https://law.justia.com/codes/west-virginia/2019/chapter-52/article-1/section-52-1-14/

§52-1-14. When and How Jurors Are to Be Summoned From a County to Serve in Another County

다른 카운티에서 복무하도록 한 개의 카운티로부터 배심원(후보)들이 소환되는 경우 및 그 방법

Universal Citation: WV Code § 52-1-14 (2019)

일반적 인용: WV Code § 52-1-14 (2019)

(a) In any criminal case or any civil case referred to the Mass Litigation Panel, in any court, if qualified jurors, not exempt from serving, cannot be conveniently found in the county in which the trial is to be held, the judge of the court shall enter an order directing as many jurors as necessary be summoned from any other county or counties: Provided, That for those cases referred to the Mass Litigation Panel, jurors may only be summoned from any contiguous county.

어떤 법원에서든지를 막론하고 형사사건에서의 경우에, 또는 집단소송 재판부에 회부된 민사사건에서의 경우에, 정식사실심리가 열릴 카운티에서 그 복무로부터 제외되지 아니하는, 자격이 인정되는 배심원(후보)들이 만약 쉽게 발견될 수 없으면, 필요한 만큼의 숫자의 배심원(후보)들을 다른 카운티로부터 내지는 카운티들로부터 소환되게끔 조치하도록 지시하는 한 개의 명령을 그 법원의 판사는 기입하여야 한다: 다만, 집단소송 재판부에 회부된 사건들을 위하여는 오직 인접한 카운티로부터만 배심원(후보)들은 소환될 수 있다.

(b) The court order shall include the following:

아래 사항들을 법원 명령은 포함하여야 한다:

(1) The date on which the jurors are required to attend;

그 출석하도록 배심원(후보)들이 요구되는 날짜;

(2) The county or counties from which the jurors shall be drawn; and

배심원(후보)들이 추출되어야 할 카운티 내지는 카운티들; 그리고

(3) The number of jurors to be drawn.

추출될 배심원(후보)들의 숫자.

(c) The judge issuing the order shall direct his or her circuit clerk to forward a certified copy of the order to the circuit clerk in the county or counties from which the jurors are to be drawn.

명령을 발부하는 판사는 그의 내지는 그녀의 서기로 하여금 명령의 인증된 등본을, 배심원(후보)들이 추출되어야 할 카운티 내의 내지는 카운티들 내의 순회구 지방법원 서기에게 발송하도록, 지시하여야 한다.

(d) The circuit clerk of the court conducting the drawing shall do so in the manner provided by law for the drawing of petit jurors. The circuit clerk shall draw a separate jury pool specifically designated for the purpose of complying with the court order. The proceedings for drawing the jurors and the names of the jurors drawn shall be certified by the clerk of the circuit court of the county or counties designated to conduct the drawing and a copy of the certification shall be forwarded to the clerk of the circuit court in the county where the trial is to be held. After forwarding a copy of the certification, the clerk of the circuit court of the county or counties from which the jurors were drawn shall summon the jurors to appear for jury service in the county where the trial is to be held pursuant to the provisions of section nine of this article.

추출 업무를 수행하는 순회구 지방법원의 서기는 소배심원들의 추출을 위하여 법에 의하여 규정되는 방법으로 그렇게 하여야 한다. 그 법원의 명령을 준수함을 목적으로 특별히 지정되는 한 개의 별도의 배심풀을 순회구 지방법원 서기는 추출하여야 한다. 추출업무를 수행하도록 지정되는 카운티의 내지는 카운티들의 순회구 지방법원 서기에 의하여, 배심원들의 추출을 위한 절차들은 및 그 추출되는 이름들은 인증되어야 하는바, 정식사실심리가 열릴 카운티 소재의 순회구 지방법원 서기에게 그 인증서 등본은 제출되어야 한다. 한 개의 인증등본을 제출한 뒤에, 그 배심원들이 추출된 카운티의 내지는 카운티들의 순회구 지방법원 서기는 정식사실심리가 열릴 카운티에서의 배심복무를 위하여 그들로 하여금 출석하도록 그들을 이 조 제9절의 규정들에 따라서 소환하여야 한다.

(e) Jurors summoned from a county to serve in another county shall be reimbursed expenses and compensated by the county for which the juror actually served.

다른 카운티에서 복무하도록 한 개의 카운티로부터 소환되는 배심원(후보)들에게는 당해 배심원이 실제로 복무한 카운티에 의하여 지출경비들이 변상되어야 하고 보수가 지급되어야 한다.

§52-1-15. Challenging Compliance With Selection Procedures
선정절차들의 준수를 다투기

Universal Citation: WV Code § 52-1-15 (2019)
일반적 인용: WV Code § 52-1-15 (2019)

(a) Within seven days after the moving party discovers, or by the exercise of due diligence could have discovered, the grounds therefor, and in any event before the petit jury is sworn to try the case, a party may move to stay the proceedings, quash the indictment or move for other relief as may be appropriate under the circumstances or the nature of the case. The motion shall set forth the facts which support the party's contention that there has been a substantial failure to comply with this article in selecting the jury.

그 사유들을 신청 당사자가 발견한 날 뒤의 또는 정당한 근면의 행사에 의하여 발견할 수 있었던 날 뒤의 7일 내에, 및 여하한 경우에도 당해 사건을 정식사실심리 하기 위하여 선서에 소배심이 처해 지고 나기 전에, 당사자는 그 절차들을 정지시켜 달라고, 당해 대배심 검사기소장을 무효화 하여 달라고 신청할 수 있고, 또는 사건의 상황들 아래서 또는 성격 아래서 적절한 것이 될 수 있는 여타의 구제를 신청할 수 있다. 배심을 선정함에 있어서의 이 조를 준수하기에 대한 중대한 불이행이 있었다는 당해 당사자의 주장을 뒷받침하는 사실관계를 신청서는 적시하여야 한다.

(b) Upon motion filed under subsection (a) of this section containing a sworn statement of facts which, if true, would constitute a substantial failure to comply with this article, the moving party is entitled to present, in support of the motion, the testimony of the clerk, any relevant records and papers not public or otherwise available used by the clerk, and any other relevant evidence. The clerk may identify the lists utilized in compiling the master list, but may not be required to divulge the contents of such lists. If the court determines that in selecting a jury there has been a substantial failure to comply with this article, the court shall stay the proceedings pending the selection of the jury in conformity with this article, quash an indictment or grant such other relief as the court may deem appropriate.

이 조를 준수하기에 대한 한 개의 중대한 불이행을 만약 그 진실이라면 구성할 사실관계에 대한 한 개의 선서진술서를 포함하는, 이 절의 소절 (a) 아래서 제출되는 신청에 따라서, 서기의 증언을, 서기에 의하여 사용된 공개되지 아니한 내지는 달리 입수 가능하지 아니한, 관련 있는 기록들을 및 서류들을, 및 그 밖의 관련 있는 증거를, 신청의 증거로서 제출할 권리를 신청 측 당사자는 지닌다. 종합명부를 조제함에 있어서 사용된 목록들을 서기는 확인하여 줄 수 있는바, 그러나 그러한 목록들의 내용들을 밝히도록 서기는 요구되지 아니한다. 한 개의 배심을 선정함에 있어서 이 조를 준수하기에 대한 중대한 불이행이 있었다고 만약 법원이 판단하면, 이 조에의 부합 속에서의 배심의 선정을 기다리는 동안 법원은 절차들을 정지시켜야 하거나, 대배심 검사기소장을 무효화 시켜야 하거나 또는 그 적절하다고 법원이 간주하는 여타의 구제를 부여해야 한다.

(c) In the absence of fraud, the procedures prescribed by this section are the exclusive means by which a person accused of a crime, the state or a party in a civil case, may challenge a jury on the ground that the jury was not selected in conformity with this article.

기망의 결여 상태에서는, 이 절에 의하여 규정되는 절차들은 이 조에의 합치 내에서 한 개의 배심이 선정되지 아니하였음을 이유로 그 배심을, 범죄로 고발된 사람이, 주가 또는 민사사건에서의 당사자가, 기피할 수 있는 배타적 수단이다.

https://law.justia.com/codes/west-virginia/2019/chapter-52/article-1/section-52-1-16/

§52-1-16. Preservation of Records
기록들의 보전

Universal Citation: WV Code § 52-1-16 (2019)

일반적 인용: WV Code § 52-1-16 (2019)

All records and papers compiled and maintained by the clerk in connection with selection and service of jurors from the master list, the jury box or the jury wheel shall be preserved by the clerk for at least four years after such jurors were selected, or for any longer period ordered by the court.

종합명부로부터의, 배심원후보상자로부터의 내지는 배심원후보 명부 저장장치로부터의 배심원들의 선정에 및 복무에 관련하여 서기에 의하여 조제되는 및 유지되는 모든 기록들은 및 서류들은 그러한 배심원들이 선정된 뒤 적어도 4년 동안 또는 법원에 의하여 명령되는 더 긴 기간 동안 서기에 의하여 보전되어야 한다.

The clerk shall make an annual report no later than March 1 of each year to the Supreme Court of Appeals setting forth the following information: Whether the clerk employed a jury box or jury wheel for the year reported, and the age, race and gender of each person for whom a juror qualification form has been received. The Supreme Court of Appeals shall provide this information to the President of the Senate and the Speaker of the House of Delegates on an annual basis, no later than April 1 of each year.

아래의 정보를 적시하는 연례보고를 대법원에 매년 3월 1일 이전에 서기는 하여야 한다: 배심원후보상자를 또는 배심원후보 명부 저장장치를 보고대상 연도에 서기가 사용하였는지 여부 및 한 개의 배심원 자격심사 서식이 수령된 개개 사람의 연령, 인종 및 성별. 이 정보를 상원의장에게 및 하원의장에게 매년 4월 1일 이전에 연례적으로 대법원은 제공하여야 한다.

https://law.justia.com/codes/west-virginia/2019/chapter-52/article-1/section-52-1-17/

 ## §52-1-17. Reimbursement of Jurors
배심원들에 대한 비용변상

Universal Citation: WV Code § 52-1-17 (2019)

일반적 인용: WV Code § 52-1-17 (2019)

(a) A juror shall be paid mileage, at the rate set by the Secretary of the Department of Administration, for travel expenses to and from the juror's residence to the courthouse or other place where the court is convened and shall be reimbursed for other expenses incurred as a result of his or her required attendance at sessions of the court at a rate of not less than $15 nor more than $40, set at the discretion of the circuit court or the chief judge of the circuit court, for each day of required attendance. The reimbursement shall be based on vouchers submitted to the sheriff and shall be paid out of the State Treasury.

배심원(후보)에게는 당해 배심원(후보)의 주거로부터의 법원에까지의 내지는 법정이 소집되는 여타의 장소에까지의 왕복 여행경비들을 위하여 국무장관에 의하여 정해지는 요율에 의한 여비수당이 지급되어야 하고, 법원의 개정법정들에의 그의 내지는 그녀의 요구되는 출석의 결과로서 초래되는, 순회구 지방법원의 내지는 그 법원장의 재량에 따라서 정해지는, 그 요구되는 출석 하루마다의 15불 이상 40불 이하의 요율에 의한 여타의 지출경비들이 변상되어야 한다. 변상금은 집행관에게 제출되는 증빙서들에 근거하여야 하고 주 재정회계에서 지급되어야 한다.

(b) When a jury in any case is placed in the custody of the sheriff, he or she shall provide the jury with meals and lodging while they are in the sheriff's custody at a reasonable cost to be determined by an order of the court. The costs of the meals and lodging shall be paid out of the State Treasury.

어떤 사건에서든 한 개의 배심이 집행관의 보호에 놓이면, 집행관의 보호 안에 그들이 있는 동안에 식사를 및 숙박을 법원의 명령에 의하여 정해지는 합리적 비용으로 배심에게 그는 내지는 그녀는 제공하여야 한다. 식사의 및 숙박의 비용들은 주 재정회계에서 지급되어야 한다.

(c) Any time a panel of prospective jurors has been required to report to court for the selection of a petit jury in any scheduled matter, the court shall, by specific provision in a court order, assess a jury cost. In both magistrate and circuit court cases the jury cost shall be the actual cost of the jurors' service: Provided, That the actual cost of a magistrate jury can only be assessed where the jury request or demand occurs on or after July 1, 2007. For any magistrate court case in which the jury request or demand occurred prior to July 1, 2007, the jury cost assessed shall be $200. The jury costs shall be assessed against the parties as follows:

기일이 예정된 사안에 있어서의 한 개의 소배심의 선정을 위하여 법원에 출석하도록 한 개의 배심원 후보단에게 요구되는 때에는 언제든지 한 개의 배심비용을 한 개의 법원명령에서의 명시적 규정에 의하여 법원은 사정하여야 한다. 치안판사 법원 사건에서든 순회구 지방법원 사건에서든 다 같이, 배심비용은 배심원들의 복무의 실제의 비용이어야 한다: 다만, 치안판사 배심의 실제의 비용은 배심에 대한 요청이 내지는 요구가 2007년 7월에 또는 그 뒤에 발생하는 경우에만 사정될 수 있다. 2007년 7월 1일에보다도 더 앞서서 배심에 대한 요청이 내지는 요구가 발생한 치안판사 법원 사건에서는 그 사정되는 배심비용은 200불이어야 한다. 배심비용들을 물어야 할 당사자들은 아래의 방법으로 사정되어야 한다:

(1) In every criminal case, against the defendant upon conviction, whether by plea, by bench trial or by jury verdict;

모든 형사사건에서 답변에 의한 것이든 또는 판사에 의한 정식사실심리에 의한 것이든 또는 배심평결에 의한 것이든 유죄판정의 경우에는 피고인;

(2) In every civil case, against either party or prorated against both parties, at the court's discretion, if the parties settle the case or elect for a bench trial; and

모든 민사사건에서 당사자들이 사건을 합의로 해결하면 또는 판사에 의한 정식사실심리를 선택하면 법원의 재량에 따라서, 어느 한 쪽의 당사자, 또는 비율에 의하여 할당되는 당사자 쌍방; 그리고

(3) In the discretion of the court, and only when fairness and justice so require, a circuit court or magistrate court may forego assessment of the jury fee, but shall set out the reasons for waiving the fee in a written order: Provided, That a waiver of the assessment of a jury fee in a case tried before a jury in magistrate court may only be permitted after the circuit court, or the chief judge of the circuit court, has reviewed the reasons set forth in the order by the magistrate and has approved the waiver.

법원의 재량으로 그리고 공평이 및 정의가 그렇게 요구하는 경우에 한하여, 순회구 지방법원은 내지는 치안판사는 배심보수의 사정을 보류할 수 있는바, 그러나 배심보수를 포기하는 이유들을 서면에 의한 명령으로 밝혀야 한다; 다만 치안판사 법원에서의 배심 앞에서 정식사실심리 된 사건에서의 배심보수의 사정의 포기는, 치안판사의 명령에 적시된 이유들을 순회구 지방법원이, 또는 순회구 지방법원의 법원장이 검토하고서 그 포기를 승인하고 난 뒤에만 허가될 수 있다.

(d) (1) The circuit or magistrate court clerk shall by the tenth day of the month following the month of collection remit to the State Treasurer for deposit as described in subdivision (2) of this subsection all jury costs collected and the clerk and the clerk's surety are liable for the collection on the clerk's official bond as for other money coming into the clerk's hands by virtue of the clerk's office. When the amount of the jury costs collected in a magistrate court case exceeds $200, the magistrate court clerk shall separately delineate the portion of the collected jury costs which exceeds $200.

징수된 모든 배심비용들을 이 소절의 소부 (1)에서 설명된 대로의 예치를 위하여 징수 월의 다음달 10일까지 주 출납관에게 순회구 지방법원의 또는 치안판사 법원의 서기는 보내야 하는바, 서기의 직무에 의하여 서기의 점유 안에 들어오는 여타의 금전에 대하여에 준하여 서기의 공식적 보증증서 상의 책임을 징수금에 대하여 서기는 또는 서기의 보증인은 진다. 한 개의 치안판사 법원 사건에서 징수된 배심비용들의 액수가 200불을 초과하는 경우에, 그 징수된 배심비용들 중 200불을 초과하는 부분을 치안판사 법원 서기는 별도로 기술하여야 한다.

(2) The jury costs described in subdivision (1) of this subsection shall upon receipt by the State Treasurer be deposited as follows:

이 소절의 소부 (1)에 설명된 배심비용들은 수령 즉시로 주 회계출납관에 의하여 아래에 따라서 예치되어야 한다:

(A) All jury costs collected in a magistrate court case which exceed $200 shall be deposited in the State's General Revenue Fund; and

200불을 초과하는, 한 개의 치안판사 법원 사건에서 징수된 모든 배심비용들은 주 일반세입 기금에 예치되어야 한다; 그리고

(B) The remaining balance of the collected jury costs shall be deposited as follows:

징수된 배심비용들의 나머지 잔액은 아래에 따라서 예치되어야 한다:

(i) One-half shall be deposited into the Parent Education and Mediation Fund created in section six hundred four, article nine, chapter forty-eight of this code; and

이 법률집 제48장 제9조 제604절에 의하여 설치되는 부모교육 및 중재 기금에 절반이 예치되어야 한다; 그리고

(ii) One-half shall be deposited into the Domestic Violence Legal Services Fund created in section six hundred three, article twenty-six of chapter forty-eight of this code.

이 법률집 제48장 제26조 제603절에 의하여 설치되는 가정폭력법률지원기금에 절반이 예치되어야 한다.

https://law.justia.com/codes/west-virginia/2019/chapter-52/article-1/section-52-1-18/

 §52-1-18. When Juror Not Entitled to Reimbursement
변상 받을 권리를 배심원이 지니지 아니하는 경우

Universal Citation: WV Code § 52-1-18 (2019)
일반적 인용: WV Code § 52-1-18 (2019)

No juror who departs without leave of the court or who, being summoned as a witness for the state, charges for attendance as such, may be entitled to receive any reimbursement for services as a juror.

법원의 허가 없이 떠나는 배심원(후보)은, 또는 한 명의 주 측 증인으로서 소환되고서 그러한 증인으로서의 출석에 대하여 요금을 받는 배심원(후보)은, 배심원(후보)으로서의 복무들에 대한 변상금을 수령할 권리를 지니지 아니한다.

https://law.justia.com/codes/west-virginia/2019/chapter-52/article-1/section-52-1-19/

 §52-1-19. Record of Allowance to Jurors
배심원들에게의 급여의 기록

Universal Citation: WV Code § 52-1-19 (2019)

The clerk of any court upon which juries are in attendance shall make an entry upon its record stating separately the amount which each juror is entitled to receive out of the State Treasury for services or attendance during the term. Any clerk who fails to pay over, as required by law, any moneys so received by the clerk or otherwise to comply with the provisions of this article, is guilty of a misdemeanor, and, upon conviction thereof, shall be fined not less than $50 nor more than $300.

개정기 동안의 복무들에 대하여 내지는 출석에 대하여 주 재정회계로부터 수령할 권리를 개개 배심원이 지니는 액수를 개별적으로 명시하는, 자신의 기록 위에의 한 개의 기입을 배심들이 출석하는 법원의 서기는 행하여야 한다. 그렇게 자신에 의하여 수령된 돈들을 법에 의하여 요구되는 대로 지급하기를 불이행하는, 내지는 그 밖에 이 조의 규정들을 준수하기를 불이행하는 서기는 한 개의 경죄를 범하는 것이 되고, 이에 대한 유죄판정에 따라서 50불 이상 300불 이하의 벌금에 처해진다.

https://law.justia.com/codes/west-virginia/2019/chapter-52/article-1/section-52-1-20/

 ## §52-1-20. Payment of Reimbursement
변상금의 지급

Universal Citation: WV Code § 52-1-20 (2019)
일반적 인용: WV Code § 52-1-20 (2019)

The method of payment of jurors shall be determined by the chief judge and approved by the State Tax Commissioner. It is the duty of the clerk, as soon as practicable after the adjournment of the court or before the adjournment of the court at such time as the chief judge may direct, to deliver to the sheriff of the county a certified accounting of the amount to which each juror is entitled. If any sheriff fails to pay any allowance as required by law, the sheriff may be proceeded against as for a contempt of court.

배심원(후보)들에게의 지급의 방법은 법원장에 의하여 정해져야 하고 주 세무국장에 의하여 승인되어야 한다. 그 지급받을 권리를 개개 배심원(후보)이 지니는 액수에 대한 한 개의 인증된 결산서를 법원의 휴회 뒤에 가능한 한 빨리, 또는 법원장이 명령하는 때에의 법원의 휴회 전에, 카운티 집행관에게 교부함은 서기의 의무이다. 법에 의하여 요구되는 대로의 급여를 지급하기를 만약 집행관이 불이행하면, 그 집행관은 법원모독으로 절차에 처해질 수 있다.

Any allowance paid by the sheriff under the provisions of this section shall be repaid to the sheriff out of the State Treasury upon the production of satisfactory proof that the same has actually been paid by the sheriff. Proof of payment shall be in the form of a complete itemized statement indicating the total amount eligible for reimbursement.

이 절의 규정들 아래서 집행관에 의하여 지급되는 급여는 바로 그 급여가 실제로 집행관에 의하여 지급된 상태임에 대한 납득할 만한 증거의 제시에 따라서 주 재정회계로부터 집행관에게 환불되어야 한다. 지급의 증거는 변상 대상인 총액을 나타내는 완전한 항목이 표시된 명세서 형식이어야 한다.

https://law.justia.com/codes/west-virginia/2019/chapter-52/article-1/section-52-1-21/

§52-1-21. Excuse From Employment
근무로부터의 면제

Universal Citation: WV Code § 52-1-21 (2019)
일반적 인용: WV Code § 52-1-21 (2019)

Upon receiving a summons to report for jury duty an employee shall, the next day the employee is engaged in employment, exhibit the summons to the employee's immediate superior and the employee shall thereupon be excused from employment for the day or days required in serving as a juror in any court created by the Constitutions of the United States or of the State of West Virginia or the laws of the United States or the State of West Virginia.

배심의무를 위하여 출석하라는 소환장을 수령하는 피용자는 그 소환장을 다음 번 근무일에 자신의 직근상관에게 제시하여야 하는바, 합중국의 또는 웨스트버지니아주의 헌법들에 의하여 또는 합중국의 또는 웨스트버지니아주의 법들에 의하여 설치된 법원에서의 한 명의 배심원(후보)으로서 복무하도록 요구되는 날의 또는 날들의 근무로부터 이로써 그 피용자는 면제된다.

§52-1-22. Fraud in Selection of Jurors; Penalties
배심원들의 선정에 있어서의 기망; 벌칙들

Universal Citation: WV Code § 52-1-22 (2019)

일반적 인용: WV Code § 52-1-22 (2019)

If any person is guilty of any fraud by tampering with the jury wheel or jury box prior to drawing jurors or any other way in the drawing of jurors, such person shall be guilty of a felony and, upon conviction thereof, shall be fined not more than $5,000, or imprisoned in the penitentiary for not less than one nor more than five years, or both fined and imprisoned.

배심원들을 추출함에 있어서 그 추출 전에 배심원후보 명부 저장장치를 또는 배심원후보상자를 함부로 손댐에 의하여 또는 여타의 방법으로 기망을 만약 어느 누구가라도 저지르면, 그러한 사람은 한 개의 중죄를 범하는 것이 되고, 이에 대한 유죄판정에 따라서 5,000불 이하의 벌금에 처해져야 하거나, 또는 1년 이상 5년 이하의 기간 동안 교도소에 구금되어야 하거나, 또는 그 두 가지가 병과되어야 한다.

§52-1-23. Length of Service by Jurors
배심원들에 의한 복무기간

Universal Citation: WV Code § 52-1-23 (2019)

일반적 인용: WV Code § 52-1-23 (2019)

In any two-year period a person may not be required:

2년 내에 사람은:

(1) To serve or attend court for prospective service as a juror more than thirty court days, except if necessary to complete service in a particular case;

한 개의 특정사건에서의 복무를 완수하기 위하여 필요한 경우에를 제외하고는, 30 회를 초과하여 법원기일들에 한 명의 배심원으로서 복무하도록 또는 그 예상되는 복무를 위하여 출석하도록 요구되지 아니한다;

(2) To serve on more than one grand jury;

한 개를 초과하는 대배심에서 복무하도록 요구되지 아니한다;

(3) To serve as both a grand and petit juror; or

한 명의 대배심원으로서 겸 한 명의 소배심원으로서 둘 다를 복무하도록 요구되지 아니한다; 또는

(4) To serve as a petit juror at more than one term of court.

한 명의 소배심원으로서 한 개를 넘는 법원 개정기 동안 복무하도록 요구되지 아니 한다.

https://law.justia.com/codes/west-virginia/2019/chapter-52/article-1/section-52-1-24/

§52-1-24. Penalties for Failure to Perform Jury Service
배심복무 불이행에 대한 벌칙들

Universal Citation: WV Code § 52-1-24 (2019)

일반적 인용: WV Code § 52-1-24 (2019)

A person summoned for jury service who fails to appear or to complete jury service as directed shall be ordered by the court to appear forthwith and show cause for failure to comply with the summons. If the person fails to show good cause for noncompliance with the summons, the person is guilty of civil contempt and, shall be fined not more than $1,000.

배심복무를 위하여 소환되고서도 그 명령되는 대로 출석하기를 또는 배심복무를 완수하기

를 불이행하는 사람은, 즉시 출석하도록 및 소환장에 복종하기에 대한 불이행의 이유를 제시하도록 법원에 의하여 명령되어야 한다. 소환장에의 불응을 위한 타당한 이유를 만약 그 사람이 제시하지 못하면, 그 사람은 민사적 법원모독을 범하는 것이 되고, 1,000불 이하의 벌금에 처해져야 한다.

https://law.justia.com/codes/west-virginia/2019/chapter-52/article-1/section-52-1-25/

§52-1-25. Present Methods of Jury Selection to Remain in Effect Until Preparation of Master List
종합명부가 마련되기까지는 현행의 배심선정 방법들이 유효함

Universal Citation: WV Code § 52-1-25 (2019)

일반적 인용: WV Code § 52-1-25 (2019)

The present method of jury selection utilized by a county shall remain in full force until a master list of potential jurors has been prepared by the jury commission under this article.

이 조 아래서 배심위원회에 의하여 잠재적 배심원들의 종합명부가 마련되기까지는 한 개의 카운티에서 사용되는 현행의 배심선정 방법은 완전한 효력을 지니는 것으로 남아야 한다.

https://law.justia.com/codes/west-virginia/2019/chapter-52/article-1/section-52-1-26/

§52-1-26. Provisions Apply to Selection Jurors for Magistrate Juries
치안판사 배심들을 위한 배심원들의 선정에 규정들이 적용됨

Universal Citation: WV Code § 52-1-26 (2019)

일반적 인용: WV Code § 52-1-26 (2019)

All provisions of this article shall apply with equal force and effect to the selection of jurors for magistrate juries as well as for petit juries.

소배심들을 위한 배심원들의 선정에와 아울러 치안판사 배심들을 위한 배심원들의 선정에도 동일한 효력을 및 효과를 지니고서 이 조의 모든 규정들은 적용되어야 한다.

https://law.justia.com/codes/west-virginia/2019/chapter-52/article-2/

2019 West Virginia Code

Chapter 52. Juries

Article 2. Grand Juries
대배심들

- §52-2-1. At What Terms Grand Jury Shall Attend; When Court or Judge May Dispense With It

- §52-2-2. Provisions Governing Petit Juries Govern Grand Juries

- §52-2-3. Selection and Summoning of Jurors

- §52-2-4. Quorum

- §52-2-5. Oath

- §52-2-6. Charge

- §52-2-7. Duties; Preservation of Evidence

- §52-2-8. Finding or Making of Indictment or Presentment

- §52-2-9. Second Hearing

- §52-2-10. Substituting New Juror to Fill Vacancy; Summoning Additional Juror

- §52-2-11. Materials Subpoenaed by Grand Jury; Authorizing Custodian Possession and Use Thereof

- §52-2-12. Incompetency or Disqualification of Juror Not to Affect Validity of Finding

- §52-2-13. Compensation and Mileage of Grand Jurors

- §52-2-14. Grand Jury Authorized to Sit for as Long as One Year and in Addition to Any Other Grand Jury; Provisions of Article Applicable With Certain Exception

- §52-2-15. Secrecy of Grand Jury Proceedings

- §52-2-16. Juror Questionnaires; Judicial Approval Required for Release of Forms

https://law.justia.com/codes/west-virginia/2019/chapter-52/article-2/section-52-2-1/

§52-2-1. At What Terms Grand Jury Shall Attend; When Court or Judge May Dispense With It

대배심이 출석하여야 할 개정기들; 배심에 의하지 아니하고서 법원이 또는 판사가 처리할 수 있는 경우

Universal Citation: WV Code § 52-2-1 (2019)

일반적 인용: WV Code § 52-2-1 (2019)

There shall be a grand jury at each term of a circuit court, except that the circuit court of any county by an order entered of record, or the judge thereof in vacation by written order to the clerk at least twenty days before the term, may dispense with the grand jury for one or two of the terms required by law to be held in such county annually, and the circuit court of any county in which there may be a criminal court whose jurisdiction includes the trial of felony cases, by an order entered of record, may dispense with the grand jury for all the terms of such circuit court required by law to be held in such county annually; and in such case no grand jury shall be drawn by the court or by the judge in vacation. Any circuit court may, at a special, regular or adjourned term thereof, whenever it shall be proper to do so, order a grand jury to be drawn and to attend such term. A grand jury summoned to attend a special, regular or adjourned term may consider any offense against the laws, whether the same shall have been committed before the next preceding term of the court or not, and whether the accused shall have been held for trial or not prior to the next preceding regular term.

한 개의 순회구 지방법원의 개정기마다에 한 개의 대배심이 있어야 하는바, 다만 정식기록에 기입되는 서기에게의 명령에 의하여 카운티의 순회구 지방법원은, 또는 개정기에 앞서서 적어도 20일의 여유를 둔 상태에서의 서기에게의 서면명령에 의하여 그 법원의 폐정기 중의 판사는, 그러한 카운티에서 해마다 열리도록 법에 의하여 요구되는 한 번의 또는 두 번의 개정기들 동안에 대배심 없이 업무를 처리할 수 있고, 그리고 중죄사건들의 정식사실심리를 그 관할이 포함하는 한 개의 형사법원이 설치될 수 있는 카운티의 순회구 지방법원은 정식기록에 기입되는 명령에 의하여, 그러한 카운티에서 해마다 열리도록 법에 의하여 요구되는 그러한 순회구 지방법원의 모든 개정기들 동안에 대배심 없이 업무를 처리할 수 있다; 그리고 그러한 경우에 대배심은 법원에 의하여도 또는 폐정기 중의 판사에 의하여도 추출되지 아니한다. 한 개의 대배심으로 하여금 추출되도록 및 그러한 개정기에 출석하도록 명령함이 적절한 때에는 언제든지 한 개의 특별 개정기에, 정규 개정기에 또는 그 연장된 개정기에 순회구 지방법원은 그렇게 명령할 수 있다. 한 개의 특별 개정기에, 정규 개정기에 또는 연장된 개정기에 출석하도록 소환되는 한 개의 대배심은 법에 대하여 저질러진 어떤 범죄를도 검토할 수 있는바, 법원의 직전의 개정기 이전에 그러한 범죄가 저질러져 있는지 없는지 여부에는, 그리고 정식사실심리를 위하여 그 범인이라고 주장되는 사람이 직전의 정규 개정기 이전에 구금되어 있는지 없는지 여부에는 상관이 없다.

https://law.justia.com/codes/west-virginia/2019/chapter-52/article-2/section-52-2-2/

§52-2-2. Provisions Governing Petit Juries Govern Grand Juries
소배심들을 규율하는 규정들이 대배심들을 규율함

Universal Citation: WV Code § 52-2-2 (2019)
일반적 인용: WV Code § 52-2-2 (2019)

The provisions of article one of this chapter relating to petit juries, so far as applicable and not inconsistent with the provisions of this article, shall be observed and govern grand juries.

소배심들에 관련되는 이 장의 제1조는 이 조의 규정들에 적용될 수 있는 및 모순되지 아니하는 한도 내에서 준수되어야 하고 대배심들을 규율하여야 한다.

https://law.justia.com/codes/west-virginia/2019/chapter-52/article-2/section-52-2-3/

§52-2-3. Selection and Summoning of Jurors
배심원들의 선정 및 소환

Universal Citation: WV Code § 52-2-3 (2019)

일반적 인용: WV Code § 52-2-3 (2019)

The clerk of any circuit court requiring a grand jury shall, at least thirty days before the term of court, draw and assign persons for the grand jury, but the court, or judge thereof, may require the clerk at any specified time to draw and assign grand jurors for either a regular, special or adjourned term of court. When required by the circuit court or the chief judge thereof, the clerk shall draw the names of sixteen persons from the jury wheel or jury box, and the persons so drawn shall constitute the grand jury. At the same time, the clerk shall draw the names of such additional numbers of persons from the jury wheel or jury box as the chief judge of the circuit, or the judge in a single judge circuit shall by prior order direct, and the persons so drawn shall constitute alternate jurors for the grand jury. The judge may replace any absent members of the grand jury from among the alternate grand jurors, in the order in which the alternate jurors were drawn. The clerk shall enter the names of all persons so drawn in a book kept for that purpose and shall issue summonses to the persons so drawn in the same manner as that provided for petit jurors in subsection (b), section seven, article one of this chapter.

한 개의 대배심을 요구하는 순회구 지방법원의 서기는 대배심에 복무할 사람들을 법원 개정기 전에 적어도 30일의 여유를 두고서 추출하여야 하고 배정하여야 하는바, 그러나 법원의 정규 개정기를 위한, 특별 개정기를 위한, 또는 연장된 개정기를 위한 대배심원들을 서기로 하여금 어느 특정의 때에든 추출하도록 및 배정하도록 그 법원은, 또는 그 판사는 요구할 수 있다. 16명의 이름들을 배심원후보 명부 저장장치로부터 또는 배심원후보상자로부터, 순회구 지방법원에 의하여 내지는 그 법원장에 의하여 요구되는 경우에, 서기는 추출하여야 하는바, 대배심을 그렇게 추출되는 사람들은 구성한다. 순회구 지방법원의 법원장이 내지는 판사 한 명이 근무하는 순회구의 경우에는 그 판사가 사전의 명령에 의하여 지시하는 추가적 숫자의 이름들을 배심원후보 명부 저장장치로부터 또는 배심원후보상자로부터 동시에 서기는 추출하여야 하는바, 당해 대배심의 예비배심원들을 그렇게 추출되는 사람들은 구성한다. 대배심의 결석 구성원들을 예비배심원들로, 그 예비배심원들이 추출된 순서에 따라서, 판사는 교체할 수 있다. 그렇게 추출된 모든 사람들의 이름들을 그 목적을 위하여 보관되는 장부에 서기는 기입하여야 하며, 그렇게 추출된 사람들에게 소환장들을 이 장의 제1조 제7절의 소절 (b)에 소배심원들을 위하여 규정되는 방법에의 동일한 방법으로 서기는 발부하여야 한다.

https://law.justia.com/codes/west-virginia/2019/chapter-52/article-2/section-52-2-4/

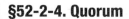

§52-2-4. Quorum
의사정족수

Universal Citation: WV Code § 52-2-4 (2019)
일반적 인용: WV Code § 52-2-4 (2019)

Of the sixteen grand jurors chosen from the grand jurors and alternate grand jurors summoned, fifteen or more of the grand jurors attending shall be a competent grand jury.

소환된 대배심원들로부터 및 예비배심원들로부터 선정되는 열여섯 명 중에서, 15명 이상의 출석 대배심원들이 자격 있는 대배심이 된다.

https://law.justia.com/codes/west-virginia/2019/chapter-52/article-2/section-52-2-5/

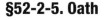

§52-2-5. Oath
선서

Universal Citation: WV Code § 52-2-5 (2019)

일반적 인용: WV Code § 52-2-5 (2019)

From among the persons so summoned, who attend, the court shall select a foreman, who shall be sworn as follows: "You shall diligently inquire and true presentment make of all such matters as may be given you in charge or come to your knowledge touching the present service. You shall present no person through malice, hatred or ill will, nor leave any unpresented through fear, favor, partiality or affection, but in all your presentments you shall present the truth, the whole truth and nothing but the truth. So help you God." The other grand jurors shall afterwards be sworn as follows: "The same oath that your foreman has taken on his part, you and each of you shall observe and keep on your part. So help you God."

한 명의 배심장을 그렇게 소환되어 출석한 사람들 가운데서 법원은 선정하여야 하는바, 그에게는 아래의 선서가 시행되어야 한다: "현재의 복무에 관련하여 귀하에게 맡겨지는 또는 귀하의 지식 내에 들어오는 모든 사항들을 귀하는 근면하게 조사하여야 하고 그것들에 대하여 진실한 고발을 귀하는 하여야 합니다. 악의를, 원한을, 내지는 해의를 구실 삼아서는 어느 누구를도 귀하는 고발하여서는 안 되고, 두려움에, 호의에, 편파에 내지는 애정에 기울어서는 어느 누구를도 고발되지 않는 채로 귀하는 남겨두어서는 안 되며, 진실을, 온전한 진실을 및 오직 진실만을 귀하의 모든 고발장들에서 귀하는 고발하여야 합니다. 하오니 신께서는 귀하를 도우소서." 여타의 대배심원들에게는 그 뒤에 아래의 선서가 실시되어야 한다: 귀하들의 배심장이 그의 쪽에서 행한 바로 그 선서를 귀하들은 및 귀하들 각자는 귀하들 쪽에서 준수하여야 하고 지켜야 합니다. 하오니 신께서는 귀하들을 도우소서."

https://law.justia.com/codes/west-virginia/2019/chapter-52/article-2/section-52-2-6/

§52-2-6. Charge
임무설명

Universal Citation: WV Code § 52-2-6 (2019)

일반적 인용: WV Code § 52-2-6 (2019)

The grand jurors, after being sworn, shall be charged by the judge, and shall then be sent to their room.

선서절차를 마치고 난 뒤에 대배심원들에게는 판사에 의하여 임무가 설명되어야 하고 그 뒤에 그들의 방으로 그들은 보내져야 한다.

https://law.justia.com/codes/west-virginia/2019/chapter-52/article-2/section-52-2-7/

§52-2-7. Duties; Preservation of Evidence
임무들; 증거의 보전

Universal Citation: WV Code § 52-2-7 (2019)

일반적 인용: WV Code § 52-2-7 (2019)

The grand jury shall inquire of and present all felonies, misdemeanors and violations of penal laws, committed in the jurisdiction of the court wherein they are sworn, except that no presentment shall be made of a matter for which there is no imprisonment, but only a fine, where the fine is limited to an amount not exceeding $10 and the offense is cognizable by a justice of the peace. They shall appoint one of their number as clerk, who shall write down the name of each witness examined by them, and the substance of the evidence given by him and furnish the same to the prosecuting attorney.

대배심이 선서절차에 처해지는 해당 법원의 관할 내에서 저질러진 모든 중죄들을, 경죄들을 및 형사법들에 대한 위반행위들을 대배심은 조사하여야 하는바, 다만 구금형이 없이 오직 10불을 초과하지 아니하는 액수로 제한되는, 및 치안판사에 의하여 심리될 수 있는 벌금형만이 있는 사안에 대하여는 고발이 이루어져서는 안 된다. 그들 중 한 명을 서기로 그들은 지명하여야 하는바, 그들에 의하여 신문되는 개개 증인의 이름을, 그리고 그에 의하여 제출되는 증거의 내용을 그는 기록하여야 하고 그것들을 검사에게 그는 제공하여야 한다.

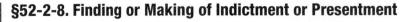
§52-2-8. Finding or Making of Indictment or Presentment
대배심 검사기소의 내지는 대배심 독자고발의 평결 내지 제기

Universal Citation: WV Code § 52-2-8 (2019)

일반적 인용: WV Code § 52-2-8 (2019)

At least twelve of the grand jurors must concur in finding or making an indictment or presentment. They may make a presentment or find an indictment upon the information of two or more of their own body, and when a presentment or indictment is so made, or on the testimony of witnesses called on by the grand jury, or sent to it by the court, the names of the grand jurors giving the information, or of the witnesses, shall be written at the foot of the presentment or indictment.

한 개의 대배심 검사기소를 내지는 대배심 독자고발을 평결함에 내지는 제기함에 있어서는 대배심원들 중 적어도 열두 명이 찬성하지 않으면 안 된다. 그들 자신의 통일체의 두 명 이상의 정보에 따라서 한 개의 대배심 독자고발을 그들은 제기할 수 있거나 한 개의 대배심 검사기소를 그들은 평결할 수 있고, 그러한 방법으로, 또는 대배심에 의하여 소환된 증인들의 내지는 법원에 의하여 대배심에 보내진 증인들의 증언에 터잡아서, 한 개의 대배심 독자고발이 내지는 대배심 검사기소가 이루어지는 경우에, 정보를 제공한 대배심원들의 내지는 증인들의 이름들은 대배심 독자고발장의 내지는 대배심 검사기소장의 밑 부분에 기재되어야 한다.

§52-2-9. Second Hearing
두 번째 심리

Universal Citation: WV Code § 52-2-9 (2019)

일반적 인용: WV Code § 52-2-9 (2019)

Although a bill of indictment be returned not a true bill, another bill of indictment against the same person for the same offense may be sent to and acted on by the same or another grand jury.

비록 한 개의 대배심 검사기소장안에 대하여 불기소평결이 제출되더라도, 그 동일한 범죄를 고발하는 그 동일한 사람에 대한 또 다른 대배심 검사기소장안이 그 동일한 대배심에게 또는 별개의 대배심에게 제출될 수 있고 이에 대하여 그 동일한 대배심에 의하여 또는 별개의 대배심에 의하여 심리가 이루어질 수 있다.

https://law.justia.com/codes/west-virginia/2019/chapter-52/article-2/section-52-2-10/

§52-2-10. Substituting New Juror to Fill Vacancy; Summoning Additional Juror

결석을 채우기 위한 새로운 배심원으로의 교체; 추가적 배심원의 소환

Universal Citation: WV Code § 52-2-10 (2019)

일반적 인용: WV Code § 52-2-10 (2019)

If the foreman or any grand juror be unable or fail to attend after being sworn, another may be sworn in his stead. And when one grand juror has been discharged, another may, by order of the court, be summoned to attend at the same term.

선서절차에 처해지고 난 뒤에 만약 배심장이 또는 여타의 대배심원이 출석할 수 없으면 내지는 출석하기를 불이행하면, 그를 대신하여 다른 사람이 선서절차에 처해질 수 있다. 그리고 한 명의 대배심원이 해임되어 있으면, 바로 그 개정기에 출석하도록 다른 사람이 법원의 명령에 의하여 소환될 수 있다.

https://law.justia.com/codes/west-virginia/2019/chapter-52/article-2/section-52-2-11/

§52-2-11. Materials Subpoenaed by Grand Jury; Authorizing Custodian Possession and Use Thereof

대배심에 의한 문서제출명령 벌칙부소환장에 의하여 제출된 자료들; 점유를 및 사용을 그 보관자에게 허가하기

Universal Citation: WV Code § 52-2-11 (2019)

일반적 인용: WV Code § 52-2-11 (2019)

(a) For purposes of this section:

이 절의 목적들을 위하여:

(1) "Prosecuting attorney" means a prosecuting attorney, assistant prosecuting attorney or duly appointed special prosecuting attorney.

한 명의 검사를, 한 명의 검사보를 또는 적법하게 지명된 특별검사를 "검사"는 의미한다.

(2) "Investigator" means an investigator employed by a prosecuting attorney's office or an employee of a state agency authorized by the provisions of this code to perform criminal investigations. For purposes of this definition, state agency shall include a legislative committee, commission or entity authorized by the provisions of this code to perform criminal investigations.

검사의 사무소에 의하여 사용되는 한 명의 조사관을 또는 범죄조사들을 수행하도록 이 법률집 규정들에 의하여 권한이 부여되는 한 개의 주 기관의 피용자를 "조사관"은 의미한다. 범죄조사들을 수행하도록 이 법률집의 규정들에 의하여 권한이 부여되는 한 개의 입법위원회를, 위원회를 내지는 법 주체를 이 개념정의의 목적상으로 주 기관은 포함한다.

(3) "Law-enforcement officer" shall have the same meaning as is set forth in section one, article twenty-nine, chapter thirty of this code: Provided, That for purposes of this section, "law-enforcement officer" shall also include those individuals meeting the definition of "chief executive" set forth in section one, article twenty-nine, chapter thirty of this code.

이 법률집 제30장 제29조 제1절에 규정된 의미에의 동일한 의미를 "법 집행 공무원"은 지닌다: 다만, 이 법률집 제30장 제29조 제1절에 규정된 "법 집행 책임자"의 개념정의를 충족하는 개인들을 또한 이 절의 목적상으로 "법 집행 공무원"은 포함한다.

(4) "Subpoenaed material" means books, records, documents, papers, computers, laptops, computer hard drives, electronic records, including, but not limited to, emails, electronic files, electronic documents, metadata or any other thing in any form in which it may exist.

"문서제출명령 벌칙부소환장에 의하여 제출된 자료들"은 장부들을, 기록들을, 문서들을, 서류들을, 컴퓨터들을, 휴대용 컴퓨터들을, 컴퓨터 하드드라이브들을, 전자적 기록들을 의미하는바, 이메일들을, 전자파일들을, 전자문서들을, 메타데이터를 또는 그것이 존재하는 형식 여하에 불구하고 그 밖의 것을 포함하되 이에 한정되지 아니한다.

(b) Notwithstanding any provision of this code to the contrary, material subpoenaed and received by a prosecuting attorney pursuant to a grand jury subpoena may thereafter, in the discretion of the prosecuting attorney, be delivered to a designated law-enforcement officer or investigator. Upon receipt from the prosecuting attorney, the designated law-enforcement officer or investigator may keep, review and analyze the subpoenaed materials and otherwise use the subpoenaed materials for investigative purposes.

이에 반하는 이 법률집 규정 그 어느 것에도 불구하고 문서제출명령 벌칙부소환장에 의하여 제출된 자료로서 한 개의 대배심 벌칙부소환장에 따라서 검사에 의하여 수령된 자료는 그 뒤에는, 한 명의 지명된 법 집행 공무원에게 내지는 조사관에게 그 검사의 재량으로 교부될 수 있다. 검사로부터의 수령에 따라서 당해 문서제출명령 벌칙부소환장에 의하여 제출된 자료들을 그 지명된 법 집행 공무원은 내지는 조사관은 보유할 수 있고 검토할 수 있고 분석할 수 있으며 그 문서제출명령 벌칙부소환장에 의하여 제출된 자료들을 조사목적 상으로 여타의 방법으로 사용할 수 있다.

(c) Prior to providing subpoenaed material to a designated law-enforcement officer or investigator, as authorized by subsection (b) of this section, the prosecuting attorney shall prepare and have the designated law-enforcement officer or investigator execute a nondisclosure statement acknowledging the existence and content of the subpoenaed material is secret under Rule 6(e) of the West Virginia Rules of Criminal Procedure. The prosecuting attorney shall file all nondisclosure statements, under seal, with the clerk of the circuit court. The existence or contents of any subpoenaed material subject to the provisions of this section may only be disclosed to another law-enforcement officer or investigator for investigative purposes with the prior written authorization of the prosecuting attorney and the receiving law-enforcement officer's or investigator's execution of a nondisclosure statement.

문서제출명령 벌칙부소환장에 의하여 제출된 자료를 이 절의 소절 (b)에 의하여 허가되는 대로 그 지명된 법 집행 공무원에게 내지는 조사관에게 제공하기에 앞서서, 웨스트버지니아주 형사소송규칙 6(e)에 따라서 그 존재가 및 내용이 비밀임을 승인하는 한 개의 비밀준수 서약서를 검사는 준비하여야 하고 이를 당해 피지명 법 집행 공무원으로 하여금 또는 조사관으로 하여금 작성하게 하여야 한다. 모든 비밀준수 서약서들을 봉인 아래서 순회구 지방법원 서기에게 검사는 제출하여야 한다. 이 절이 적용되는 문서제출명령 벌칙부소환장에 의하여 제출된 자료의 존재는 내지는 내용들은 오직 조사적 목적들을 위해서 검사의 사전의 서면허가를 거친 경우에만, 및 그 수령 측 법 집행 공무원의 내지는 조사관의 한 개의 비밀준수 서약서 작성을 거친 경우에만, 다른 법 집행 공무원에게 또는 조사관에게 공개될 수 있다.

(d) The designated law-enforcement officer or investigator, as authorized by subsection (b) of this section, may, in the discretion of the prosecuting attorney, retain the subpoenaed material or other evidence in his or her possession, care, custody or control until the termination of the investigation or presentation of the subpoenaed matter to the grand jury.

그 지명된 법 집행 공무원은 내지는 조사관은 이 절의 소절 (b)에 의하여 허가되는 바에 따라서, 당해 문서제출명령 벌칙부소환장에 의하여 제출된 자료를 내지는 여타의 증거를, 검사의 재량으로 조사의 종료 때까지 내지는 그 자료의 대배심에게의 제출 때까지 그의 내지는 그녀의 점유 안에, 보호 안에, 관리 안에 내지는 통제 안에 보유할 수 있다.

§52-2-12. Incompetency or Disqualification of Juror Not to Affect Validity of Finding

배심원의 무능력은 내지는 자격결여는 평결의 유효성에 영향을 미치지 아니함

Universal Citation: WV Code § 52-2-12 (2019)

일반적 인용: WV Code § 52-2-12 (2019)

No presentment or indictment shall be quashed or abated on account of the incompetency or disqualification of any one or more of the grand jurors who found the same.

대배심 독자고발을 내지는 대배심 검사기소를 평결한 대배심원들 중 한 명 이상의 무능력을 내지는 자격결여를 이유로 하여서는 대배심 독자고발장은 내지는 대배심 검사기소장은 무효화되지도 각하되지도 아니한다.

§52-2-13. Compensation and Mileage of Grand Jurors

대배심원들의 보수 및 여비수당

Universal Citation: WV Code § 52-2-13 (2019)

일반적 인용: WV Code § 52-2-13 (2019)

A grand juror shall be paid mileage, at the rate set by the commissioner of finance and administration for state employees, for travel expenses incurred in traveling from the grand juror's residence to the place of the holding of the grand jury and return, and shall be reimbursed for other expenses incurred as a result of required attendance at sessions of the grand jury at a rate of between $15 and $40, set at the discretion of the circuit court or the chief judge thereof, for each day of required attendance.

대배심원에게는 재정운영조달국장에 의하여 정해지는 주 피용자들을 위한 요율에 의한 대배심원의 주거로부터 대배심의 개최장소까지의 여행에 및 복귀에 소요되는 여행경비들을 위한 여비수당이 지급되어야 하고, 순회구 지방법원의 재량에 의하여 또는 그 법원장에 의하여 정해지는 그 요구되는 출석 하루 당 15불의 및 40불의 양자 사이의 요율에 의하여, 그 요구되는 대배심의 개정법정들에의 출석으로 인하여 초래되는 여타의 지출경비들이 변상되어야 한다.

§52-2-14. Grand Jury Authorized to Sit for as Long as One Year and in Addition to Any Other Grand Jury; Provisions of Article Applicable With Certain Exception

최장 1년 동안 및 여타의 대배심이에 추가하여, 착석하도록 허용되는 대배심; 일정한 예외를 지니고서 적용되는 조항의 규정들

Universal Citation: WV Code § 52-2-14 (2019)

일반적 인용: WV Code § 52-2-14 (2019)

Whenever it appears to the judge of any court of record having criminal jurisdiction that there may be possible offenses against the criminal laws of this state which because of their complexity and involvement may require a grand jury to sit for an extended period of time, he may, pursuant to the provisions of this section, order a grand jury to be drawn and to attend any special, regular or adjourned term of such court in addition to any other grand jury attending any such term of court and all of the provisions of this article shall apply, except as follows:

그 복잡성으로 및 어려움으로 인하여 한 개의 대배심으로 하여금 연장된 기간 동안 착석하도록 요구할 수 있는 이 주의 형사법들에 대한 가능한 위반행위들이 있을 수 있는 것으로 형사적 관할권을 지니는 정식기록 법원의 판사에게 여겨지는 때는 언제든지, 한 개의 대배심이 추출되게 하도록 및 그러한 법원의 특별 개정기에, 정규 개정기에 내지는 연장된 개정기에 출석하는 다른 대배심이에 추가하여 별도로 그러한 법원 개정기에 그러한 대배심으로 하여금 출석하게 하도록 이 절의 규정들에 따라서 그는 명령할 수 있는바, 아래의 예외들이를 제외하고는 이 조의 모든 규정들이 적용되어야 한다 :

(1) Such grand jury shall sit for one year unless an order for its discharge be earlier entered upon a determination by such grand jury, by majority vote, that its business has been completed, and such grand jury shall have the power to make presentments or find indictments at any time while it is sitting, notwithstanding the end of the term of court during which it was drawn and summoned;

자신의 업무가 완수되었다는 과반수 찬성에 의한 그러한 대배심의 판단에 터잡아 그러한 대배심의 임무해제를 위한 명령이 보다 더 일찍 기입되는 경우에를 제외하고는 1년 동안 그러한 대배심은 착석하여야 하는바, 그러한 대배심이 추출된 및 소환된 해당 법원 개정기의 종료에도 불구하고, 자신이 착석하는 동안에는 언제든지, 대배심 독자고발들을 제기할 또는 대배심 검사기소들을 평결할 권한을 그러한 대배심은 지닌다.

(2) The term limitation specified in the last sentence of section ten of this article shall not apply to a grand jury attending pursuant to the provisions of this section fourteen; and

이 조 제10절의 마지막 문장에 명시된 개정기의 제한은 이 제14절의 규정들에 따라서 출석하는 대배심에 적용되지 아니한다.

(3) Notwithstanding the first two sentences of section thirteen of this article, every person who shall serve upon a grand jury attending pursuant to the provisions of this section fourteen shall be entitled to receive for such services not less than $8 nor more than $20, to be fixed by the court, for each day he may so serve, for a total period not in excess of one year, and in addition thereto the same mileage as allowed to witnesses, to be paid out of the county treasury.

이 조 제13절의 맨 앞의 두 문장들에도 불구하고, 이 제14절의 규정들에 따라서 출석하는 한 개의 대배심에 복무하는 모든 사람은 그러한 복무들에 대하여 법원에 의하여 정하여지는 바에 따라서 그의 복무 하루 당 8불 이상 20불 이하를 1년을 초과하지 아니하는 기간의 범위 내에서, 그리고 그것을에 더하여 증인들에게 지급되는 여비수당에의 동일한 여비수당을 수령할 권리를 지니는바, 카운티 재정회계로부터 그것들은 지급되어야 한다.

§52-2-15. Secrecy of Grand Jury Proceedings
대배심 절차들의 비밀성

Universal Citation: WV Code § 52-2-15 (2019)

일반적 인용: WV Code § 52-2-15 (2019)

(a) A grand juror, an interpreter, a stenographer, an operator of a recording device, a typist who transcribes recorded testimony, an attorney for the state, or any person to whom disclosure is made under paragraph (B), subdivision (1), subsection(c) of this section, shall not disclose matters occurring before the grand jury, except as otherwise provided by subsection (c) of this section, and rules promulgated by the Supreme Court of Appeals.

대배심원은, 통역인은, 속기사는, 녹음장비 기사는, 녹음된 증언을 녹취하는 타이피스트는, 검사(주 측 변호사)는, 또는 이 절의 소절 (c)의 소부 (1)의 단락 (B)에 따라서 공개를 제공받는 사람 어느 누구든지는, 이 절의 소절 (c)에 의하여 및 대법원이 공포하는 규칙들에 의하여 달리 규정되는 경우에를 제외하고는, 대배심 앞에서 발생하는 사안들을 공개하여서는 안 된다.

(b) A person who knowingly violates subsection (a)of this section is guilty of a misdemeanor and, upon conviction, shall be fined not more than $1,000 or confined in jail not more than thirty days, or both fined and confined.

이 절의 소절 (a)를 고의로 위반하는 사람은 한 개의 경죄를 저지르는 것이 되고 유죄판정에 따라서 1,000불 이하의 벌금에 처해지거나 30일 이하의 기간 동안 감옥에 감금되거나 또는 그 두 가지가 병과된다.

(c) (1) Disclosure otherwise prohibited by this section of matters occurring before the grand jury, other than its deliberations and the vote of any grand juror, may be made to:

대배심의 숙의들에 대하여를 및 대배심원의 투표에 대하여를 제외한 대배심 앞에서 발생하는 사안들에 대한 이 절에 의하여 달리 금지되는 공개는:

(A) An attorney for the state for use in the performance of such attorney's duty; and

검사(주 측 변호사)의 임무수행에서의 사용을 위하여 그에게 이루어질 수 있다; 그리고

(B) Such official personnel as are deemed necessary by an attorney for the state to assist an attorney for the state in the performance of such attorney's duty to enforce criminal law.

형사법을 시행할 한 명의 검사(주 측 변호사)의 임무의 수행에 있어서 그를 조력하기 위하여 필요하다고 그러한 검사(주 측 변호사)에 의하여 간주되는 공무원에게 이루어질 수 있다.

(2) Disclosure otherwise prohibited by this section of matters occurring before the grand jury may also be made:

대배심 앞에서 발생하는 사안들에 대한 이 절에 의하여 달리 금지되는 공개는 또한:

(A) when so directed by a court preliminarily to or in connection with a judicial proceeding;

한 개의 사법절차에 앞서서 예비적으로 또는 그 절차에의 연관 속에서, 법원에 의하여 명령되는 경우에 이루어질 수 있다;

(B) when permitted by a court at the request of the defendant, upon a showing that grounds may exist for a motion to dismiss the indictment because of matters occurring before the grand jury;

대배심 앞에서 발생한 사항들을 이유로 대배심 검사기소장을 각하하여 달라는 신청을 뒷받침하는 사유들이 존재할 수 있음에 대한 증명에 터잡는 피고인의 요청에 따라서 법원에 의하여 허가되는 경우에 이루어질 수 있다;

(C) when the disclosure is made by an attorney for the state to another grand jury; or

다른 대배심에게 검사(주 측 변호사)에 의하여 공개가 이루어지는 경우에 이루어질 수 있다; 또는

(D) when permitted by a court at the request of an attorney for the state, upon a showing that such matters may disclose a violation of federal criminal law or of the law of another state, to an appropriate official of the federal government or of such other state for the purposes of enforcing such law.

연방 형사법의 또는 다른 주 법의 위반을 그러한 사안들이 드러내줄 수 있음에 대한 증명에 터잡는 검사(주 측 변호사)의 요청에 따라서 법원에 의하여 허가되는 경우에, 그러한 법을 시행함을 목적으로 하여 연방정부의 또는 그러한 다른 주의 적절한 공무원에게 이루어질 수 있다.

https://law.justia.com/codes/west-virginia/2019/chapter-52/article-2/section-52-2-16/

§52-2-16. Juror Questionnaires; Judicial Approval Required for Release of Forms

배심원 질문서들; 서식들의 개봉을 위하여 요구되는 법원의 허가

Universal Citation: WV Code § 52-2-16 (2019)

일반적 인용: WV Code § 52-2-16 (2019)

Completed juror questionnaire forms for persons called for or serving as grand jurors are confidential and may only be released from the custody of the clerk with the written permission of the circuit court.

대배심원들로서 소환되는 또는 복무하는 사람들을 위한 그 작성된 배심원 질문서 서식들은 비밀이며 오직 순회구 지방법원의 서면허가가 있을 경우에만 서기의 보관으로부터 그것들은 개봉될 수 있다.

https://law.justia.com/codes/west-virginia/2019/chapter-52/article-3/

2019 West Virginia Code

Chapter 52. Juries

Article 3. Discrimination for Jury Service
배심복무를 이유로 하는 차별의 금지

• §52-3-1. Right of Action for Discrimination Against Employees Summoned for Jury Duty; Penalties

https://law.justia.com/codes/west-virginia/2019/chapter-52/article-3/section-52-3-1/

§52-3-1. Right of Action for Discrimination Against Employees Summoned for Jury Duty; Penalties
배심복무에 소환되는 피용자들에게 불리한 차별을 이유로 하는 소 제기의 권리; 벌칙들

Universal Citation: WV Code § 52-3-1 (2019)

일반적 인용: WV Code § 52-3-1 (2019)

(a) Any person who, as an employee, is discriminated against by his employer because such employee received, or was served with a summons for jury duty, or was absent from work to respond to a summons for jury duty or to serve on any jury in any court of this state, the United States or any state of the United States, may have an action against his employer in the circuit court of the county where the jury summons originated or where the discrimination occurred. If the circuit court finds that an employer terminated or threatened to terminate from employment, or decreased the regular compensation of employment of an employee for time the employee was not actually away from his employment because the employee served as a juror, the court may order the employer to cease and desist from this unlawful practice and order affirmative relief, including, but not limited to, reinstatement of the employee with or without back pay as will effectuate the purposes of this section.

한 명의 피용자로서 배심의무를 위한 소환장을 수령하였음을 내지는 송달받았음을 이유로 또는 배심의무를 위한 소환장에 응하고자 또는 이 주의, 합중국의, 또는 합중국 그 어느 주의 그 어떤 법원에서든지의 그 어떤 배심에든 복무하고자 결근하였음을 이유로 그의 고용주에 의하여 불리하게 처우되는 사람 어느 누구든지는, 그 배심 소환장이 발부된 또는 그 차별이 발생한 카운티의 순회구 지방법원에 한 개의 소송을 그의 고용주를 상대로 하여 제기할 수 있다. 한 명의 피용자가 한 명의 배심원으로서 복무하였기에 실제로는 그의 근무로부터 이탈해 있었던 것이 아닌 기간 동안 당해 피용자의 고용관계를 한 명의 고용주가 종료시켰음을 내지는 종료시키고자 위협하였음을, 또는 정규의 보수를 삭감하였음을 만약 순회구 지방법원이 인정하면, 이 불법적 조치를 그치도록 및 단념하도록 고용주에게 법원은 명령할 수 있고, 또한 소급분 급여를 동반한 채로의 또는 동반하지 아니한 채로의 당해 피용자의 복직을을 포함하는 그러나 그것들을에 한정되지 아니하는, 이 절의 목적을 달성시켜 줄 적극적 구제를 법원은 명령할 수 있다.

(b) Nothing in this section shall be construed to require an employer to pay an employee any wages or other compensation for the time the employee is actually away from employment for jury services or to respond to a jury summons.

배심복무들을 위하여 또는 배심소환장에 응하기 위하여 근무를 피용자가 실제로 떠나 있었던 시간에 대한 임금들을 내지는 여타의 보수를 피용자에게 지불하도록 고용주에게 요구하는 것으로 이 절 안의 것은 해석되지 아니한다.

(c) If the employee prevails in an action under subsection (a) of this section, the employee shall be allowed reasonable attorney's fees as fixed by the court.

이 절의 소절 (a) 아래서의 소송에서 만약 피용자가 승소하면, 그에게는 법원에 의하여 정해지는 합리적 변호사 보수들이 지급되어야 한다.

(d) Any employer who discriminates against an employee because the employee received or was served with a summons for jury duty, or was absent from work to respond to a summons for jury duty or to serve on any jury in any court of this state, the United States or any state of the United States, is guilty of civil contempt and shall be fined not less than $100 nor more than $500.

한 명의 피용자로서 배심의무를 위한 소환장을 수령하였음을 내지는 송달받았음을 이유로, 또는 배심의무를 위한 소환장에 응하고자 또는 이 주의, 합중국의, 또는 합중국 그 어느 주의 그 어떤 법원에서든지의 그 어떤 배심에든 복무하고자 결근하였음을 이유로 그 피용자를 불리하게 차별하는 고용주는 민사적 법원모독을 범하는 것이 되는바, 100불 이상 500불 이하의 벌금에 처해진다.

http://www.courtswv.gov/legal-community/court-rules/criminal-procedure/section1.html#III

Rules of Criminal Procedure
형사절차규칙

Rule 6. The grand jury.
대배심.

(a) Summoning Grand Juries. — The court may order that a grand jury be summoned at each term of the circuit court or at any specified time for either a regular, special or adjourned term of court. The grand jury shall consist of 16 members, but any fifteen or more members attending shall constitute a quorum. The court shall direct that a sufficient number of legally qualified persons be summoned to meet this requirement as prescribed by Chapter 52, Article 2, Section 3, of the West Virginia Code of 1931, as amended.

대배심들의 소환. — 순회구 지방법원의 개정기에마다, 또는 법원의 정규 개정기를, 특별 개정기를, 또는 연기된 개정기를 위하여 특정의 시점에, 한 개의 대배심이 소환될 수 있게 하도록 법원은 명령할 수 있다. 대배심은 16명으로 구성되며, 출석한 15명 이상의 구성원들은 의사정족수를 이룬다. 그 개정된 것으로서의 1931년 웨스트버지니아주 법률집 제3절 제2조 제52장에 규정되는 바에 따라서, 이 요구를 충족하기 위한 법적으로 자격을 갖춘 충분한 숫자의 사람들이 소환되게 하도록 법원은 명령하여야 한다.

(b) Objections to grand jury and grand jurors. — (1) Challenges. — The prosecuting attorney or a defendant who has been held to answer in the circuit court may challenge the array of jurors on the ground that the grand jury was not selected, drawn, or summoned in accordance with law, and may challenge an individual juror on the ground that the juror is not legally qualified. Challenges shall be made before the administration of the oath to the jurors and shall be tried by the circuit court.

대배심에 및 배심원들에 대한 이의들. — (1) 기피들. — 검사는 또는 순회구 지방법원에서 답변하도록 붙들린 피고인은, 법에의 부합 속에서 당해 대배심이 선정되지, 추출되지, 또는 소환되지 아니하였음을 이유로 배심원(후보)단을 기피할 수 있고, 개별 배심원(후보)이 법적으로 자격을 갖추고 있지 아니함을 이유로 그 배심원(후보)을 기피할 수 있다. 기피들은 배심원(후보)들에 대한 선서의 실시 전에 제기되어야 하고 순회구 지방법원에 의하여 심리되어야 한다.

(2) Motion to dismiss. — A motion to dismiss the indictment may be based on objections to the array or on the lack of legal qualifications of an individual juror, if not previously determined upon challenge. An indictment shall not be dismissed on the ground that one or more members of the grand jury were not legally qualified if it appears from the record kept pursuant to subdivision (c) of this rule that 12 or more jurors, after deducting the number not legally qualified, concurred in finding the indictment.

각하신청. — 대배심원(후보)단에 대한 이의들이 또는 개별 배심원(후보)의 법적 자격조건의 결여가 미리 기피신청에 따라서 판단되어 있지 아니한 경우이면, 대배심 검사기소장을 각하하여 달라는 신청은 그러한 이의에 내지는 결여에 근거할 수 있다. 당해 대배심 검사기소를 평결함에 법적으로 자격을 갖추지 못한 숫자를 빼고서도 열두 명 이상의 배심원들이 찬성하였음이 만약 이 규칙의 소부 (c)에 따라서 보관되는 기록으로부터 확인되면, 한 명 이상의 대배심원들이 법적으로 자격을 갖추지 못하였음을 이유로 하여서는 대배심 검사기소장은 각하되어서는 안 된다.

(c) Foreperson and deputy foreperson. — The court shall appoint one of the jurors to be foreperson and another to be deputy foreperson. The foreperson shall have power to administer oaths and affirmations and shall sign all indictments. The foreperson or another juror designated by the grand jury shall keep a record of the name of each witness examined by them, the substance of the evidence given by such witness, and the number of jurors concurring in the finding of every indictment, and shall file the record with the clerk of the court, but the record shall not be made public except on order of the court. During the absence of the foreperson, the deputy foreperson shall act as foreperson.

배심장 및 부배심장. — 배심원들 중 한 명을 배심장으로, 그리고 다른 한 명을 부배심장으로 법원은 지명하여야 한다. 배심장은 선서들을 및 무선서확약들을 실시할 권한을 지니는 바, 모든 대배심 검사기소장들에 그는 서명하여야 한다. 배심장은 또는 대배심에 의하여 지정되는 다른 배심원은 그들에 의하여 신문되는 개개 증인의 이름에 대한, 그러한 증인에 의하여 제공된 증거의 내용에 대한, 그리고 모든 대배심 검사기소 평결의 경우에 그 평결에 찬성하는 배심원들의 숫자에 대한 기록을 보관하여야 하고 그 기록을 법원서기에게 제출하여야 하는바, 그러나 법원의 명령에 의하여를 제외하고는 그 기록은 공개되어서는 안 된다. 배심장의 부재 중에 부배심장은 배심장을 대행한다.

(d) Who may be present. — The following persons may be present while the grand jury is in session: attorneys for the state, the witness under examination, interpreters when needed, and, for the purpose of taking the evidence, a stenographer or operator of a recording device. During deliberations and voting no person other than the jurors and any interpreter needed to assist a hearing-impaired or speech-impaired juror may be present.

누가 출석해 있을 수 있는가. — 대배심이 회합 중인 동안에는 아래의 사람들이 출석해 있을 수 있다: 검사(주 측 변호사)들, 신문대상인 증인, 필요한 경우에의 통역인들, 그리고 증언을 속기하기 위한 목적에서의 속기사 또는 녹음장비 기사. 숙의들 도중에는 및 표결 도중에는 배심원들이를, 및 청각장애의 내지는 언어장애의 배심원을 조력하기 위하여 필요한 통역인이를, 제외한 어느 누구가도 출석해 있어서는 안 된다.

(e) Reporting and Disclosure of Proceedings. — (1) Reporting of Proceedings. — All proceedings, except when the grand jury is deliberating or voting, shall be reported by an official court reporter or a certified court reporter approved by the Supreme Court. An unintentional failure to reproduce all or any portion of a proceeding shall not affect the validity of the prosecution. The reporter's notes or any transcript prepared therefrom shall be filed with the clerk of the circuit court and shall not be made public except on order of the court.

절차들의 기록 및 공개. — (1) 절차들의 기록. — 대배심이 숙의 중인 내지는 표결 중인 경우에를 제외한 모든 절차들은 공식의 법원 속기사에 의하여 내지는 대법원의 승인을 받은 공인된 법원 속기사에 의하여 기록되어야 한다. 한 개의 절차의 전부를 내지는 일부를 복제하기에 대한 비의도적 불이행은 절차추행의 유효성에 영향을 미치지 아니한다. 속기사의 메모들은 내지는 그것들로부터 작성되는 녹취록은 순회구 지방법원의 서기에게 제출되어야 하는바, 법원의 명령 위에서를 제외하고는 그것들은 공개되어서는 안 된다.

(2) General rule of secrecy. — A grand juror, an interpreter, a stenographer, an operator of a recording device, a typist who transcribes recorded testimony, an attorney for the state, or any person to whom disclosure is made under paragraph (3)(A)(ii) of this subdivision shall not disclose matters occurring before the grand jury, except as otherwise provided for in these rules. No obligation of secrecy may be imposed on any person except in accordance with this rule. A knowing violation of Rule 6 may be punished as a contempt of court.

비밀성의 일반원칙. — 대배심원은, 통역인은, 속기사는, 녹음장비 기사는, 녹음된 증언을 녹취하는 타이피스트는, 검사(주 측 변호사)는, 또는 이 소부의 단락 (3)(A)(ii)에 따라서 공개를 제공받는 사람 어느 누구든지는 대배심 앞에서 발생한 사안들을, 이 규칙들에서 달리 규정되는 경우에를 제외하고는, 공개하여서는 안 된다. 이 규칙에의 부합 속에서를 제외하고는 어느 누구에게도 비밀의무가 부과되어서는 안 된다. Rule 6에 대한 고의의 위반은 법원모독으로 처벌될 수 있다.

(3) Exceptions. — (A) Disclosure otherwise prohibited by this rule of matters occurring before the grand jury, other than its deliberations and the vote of any grand juror, may be made to:

예외들. — (A) 대배심의 숙의들의를 내지는 대배심원 어느 누구든지의 투표의를 제외한 대배심 앞에서 발생한 사안들의, 이 규칙에 의하여 달리 금지되는 공개는 아래에 따라서 이루어질 수 있다:

(i) An attorney for the state for use in the performance of such attorney's duty; and

검사(주 측 변호사)의 의무 수행에 있어서의 사용을 위하여 그 검사(주 측 변호사)에게 이루어지는 경우; 그리고

(ii) Such official personnel as are deemed necessary by an attorney for the state to assist an attorney for the state in the performance of such attorney's duty to enforce criminal law.

형사법을 시행할 자신의 의무의 수행에 있어서 자신을 조력하게 하기 위하여 필요하다고 검사(주 측 변호사)에 의하여 간주되는 공무원.

(B) Any person to whom matters are disclosed under subparagraph (A)(ii) of this paragraph shall not utilize that grand jury material for any purpose other than assisting the attorney for the state in the performance of such attorney's duty to enforce criminal law. An attorney for the state shall promptly provide the circuit court, before which was impaneled the grand jury whose material has been so disclosed, with the names of the persons to whom such disclosure has been made, and shall certify that the attorney has advised such persons of their obligation of secrecy under this rule.

이 단락의 소단락 (A)(ii)에 따라서 사안들의 공개를 제공받는 사람 누구든지는 형사법을 시행할 당해 검사(주 측 변호사)의 의무의 수행에 있어서 그를 조력함 이외의 그 어떤 목적을 위해서도 그 대배심 자료를 사용하여서는 안 된다. 공개를 제공받은 터인 사람들의 이름들을, 그 공개된 자료들이 속하는 당해 대배심을 충원구성한 순회구 지방법원에 검사(주 측 변호사)는 신속하게 제공하여야 하고, 이 규칙 아래서의 그 사람들의 비밀준수 의무에 관하여 그들에게 자신이 고지한 터임을 검사(주 측 변호사)는 보증하여야 한다.

(C) Disclosure otherwise prohibited by this rule of matters occurring before the grand jury may also be made:

대배심 앞에서 발생한 사안들의 이 규칙에 의하여 달리 금지되는 공개는 아래에 따라서도 이루어질 수 있다:

(i) when so directed by a court preliminarily to or in connection with a judicial proceeding;

한 개의 사법절차에 앞서서 예비적으로 또는 한 개의 사법절차에의 연관 속에서 법원에 의하여 명령되는 경우;

(ii) when permitted by a court at the request of the defendant, upon a showing that grounds may exist for a motion to dismiss the indictment because of matters occurring before the grand jury;

당해 대배심 검사기소장을 각하하여 달라는 신청을 위한 사유들이 당해 대배심 앞에서 발생한 사안들에 근거하여 존재할 수 있음에 대한 증명 위에서의 피고인의 요청에 따라서 법원에 의하여 허가되는 경우;

(iii) when the disclosure is made by an attorney for the state to another grand jury; or

다른 대배심에게 검사(주 측 변호사)에 의하여 공개가 이루어지는 경우; 또는

(iv) when permitted by a court at the request of an attorney for the state, upon a showing that such matters may disclose a violation of federal criminal law or of the law of another state, to an appropriate official of the federal government or of such other state for the purposes of enforcing such law. If the court orders disclosure of matters occurring before the grand jury, the disclosure shall be made in such manner, at such time, and under such conditions as the court may direct.

연방 형사법에 대한 또는 다른 주 법률에 대한 위반을 그러한 사안들이 드러내 줄 수 있음의 증명 위에서의 검사(주 측 변호사)의 요청에 따라서, 그러한 법을 시행하기 위한 연방정부의 또는 그러한 다른 주의 적절한 공무원에게의 공개가 법원에 의하여 허가되는 경우. 대배심 앞에서 발생한 사안들의 공개를 만약 법원이 명령하면, 법원이 명령하는 방법으로, 때에, 및 조건들 아래서 그 공개는 이루어져야 한다.

(D) A petition for disclosure pursuant to subdivision (e)(3)(C)(i) shall be filed in the county where the grand jury convened. Unless the hearing is ex parte, which it may be when the petitioner is the state, the petitioner shall serve written notice of the petition upon (i) the attorney for the state, (ii) the parties to the judicial proceeding if disclosure is sought in connection with such a proceeding, and (iii) such other persons as the court may direct. The court shall afford those persons a reasonable opportunity to appear and be heard.

소부 (e)(3)(C)(i)에 따른 공개 청구서는 당해 대배심이 소집된 카운티에 제출되어야 한다. 주가 청구인인 경우에 심문이 일방절차일 수 있듯이 심문이 일방절차인 경우에를 제외하고는, 청구에 대한 서면통지를 (i) 검사(주 측 변호사)에게, (ii) 한 개의 사법절차에의 연관 속에서 공개가 구해지는 경우이면 그러한 절차에의 당사자들에게, 그리고 (iii) 법원이 명령하는 그 밖의 사람들에게 청구인은 송달하여야 한다. 출석할 및 심문에 참여할 합리적 기회를 그 사람들에게 법원은 부여하여야 한다.

(E) If the judicial proceeding giving rise to the petition is in a circuit court in another county, the court shall transfer the matter to that court unless it can reasonably obtain sufficient knowledge of the proceeding to determine whether disclosure is proper. The court shall order transmitted to the court to which the matter is transferred the material sought to be disclosed, if feasible, and a written evaluation of the need for continued grand jury secrecy. The court to which the matter is transferred shall afford the aforementioned persons a reasonable opportunity to appear and be heard.

당해 공개청구를 발생시킨 사법절차가 만약 다른 카운티 내의 순회구 지방법원에서의 것이면, 공개가 적절한지 여부를 판단하기에 충분한 지식을 그 절차에 대하여 그 공개청구를 접수받은 법원 자신이 합리적으로 얻을 수 있는 경우에를 제외하고는, 그 접수받은 법원은 그 사안을 그 다른 법원에 이송하여야 한다. 공개청구를 접수받은 법원은 그 가능한 경우에는 공개청구 대상인 자료를, 그리고 대배심 비밀의 지속을 위한 필요성에 대한 한 개의 서면판단을, 당해 사안이 이송되어 가는 법원에 송부하도록 명령하여야 한다. 당해 사안을 이송받는 법원은 그 출석할 및 심문에 참여할 합리적 기회를 위 사람들에게 제공하여야 한다.

(4) Sealed indictments. — The court to whom an indictment is returned may direct that the indictment be kept secret until the defendant is in custody or has been released pending trial. Thereupon, the clerk shall seal the indictment and no per-

son shall disclose the return of the indictment except when necessary for the issuance and execution of a warrant or summons.

대배심 검사기소장들의 봉인. — 한 개의 대배심 검사기소장을, 피고인이 구금될 때까지 또는 정식사실심리를 기다리기 위하여 석방되고 났을 때까지, 비밀의 것으로 보관되게 하도록, 그것을 제출받는 법원은 명령할 수 있다. 그 경우에 그 대배심 검사기소장을 서기는 봉인하여야 하는바, 그 경우에는 영장의 내지는 소환장의 발부를 및 집행을 위하여 필요한 경우에를 제외하고는, 당해 대배심 검사기소장의 제출을 어느 누구가도 공개하여서는 안 된다.

(5) Closed hearing. — Subject to any right to an open hearing in contempt proceedings, the court shall order a hearing on matters affecting a grand jury proceeding to be closed to the extent necessary to prevent disclosure of matters occurring before a grand jury.

심문의 비공개. — 조금이라도 법원모독죄 절차들에서의 공개된 심문의 권리가 적용되는 가운데서, 대배심 절차에 영향을 미치는 사안들에 대한 심문의 방청을, 대배심 앞에서 발생한 사안들의 공개를 방지하기 위하여 필요한 정도껏, 금지하도록 법원은 명령하여야 한다.

(6) Sealed records. — Records, orders and subpoenas relating to grand jury proceedings shall be kept under seal to the extent and for such time as is necessary to prevent disclosure of matters occurring before a grand jury.

기록들의 봉인. — 대배심 절차들에 관련되는 기록들은, 명령들은, 그리고 벌칙부소환장들은 대배심 앞에서 발생한 사안들의 공개를 방지하기 위하여 필요한 정도껏 및 기간껏 봉인 아래서 보관되어야 한다.

(f) Finding and return of indictment. — An indictment may be found only upon the concurrence of 12 or more jurors. The indictment shall be returned by the grand jury to a circuit judge in open court. If a complaint is pending against the defendant and 12 jurors do not concur in finding an indictment, the foreperson shall so report to the circuit judge in writing forthwith.

대배심 검사기소의 평결 및 제출. — 오직 열두 명 이상의 배심원들의 찬성 위에서만 한 개의 대배심 검사기소는 평결될 수 있다. 그 대배심 검사기소장은 대배심에 의하여 공개 법정에서 순회구 지방법원 판사에게 제출되어야 한다. 만약 피고인을 겨냥하여 한 개의 소추청구장이 걸려 있으면, 그런데 한 개의 대배심 검사기소를 평결함에 열두 명의 배심 원들이 찬성하지 아니하면, 순회구 지방법원 판사에게 즉시 서면으로 배심장은 그렇게 보고하여야 한다.

(g) Discharge and excuse. — A grand jury shall serve until discharged by the court, but no grand jury may serve more than one year unless the court extends the service of the grand jury for a period of six months or less upon a determination that such extension is in the public interest. The tenure and powers of a grand jury are not affected by the beginning and expiration of a term of court. At any time for cause shown the court may excuse a juror either temporarily or permanently, and in the latter event the court may impanel another person in place of the juror excused.

임무해제 및 면제. — 법원에 의하여 임무해제 될 때까지 한 개의 대배심은 복무하여야 하는바, 그러나 복무기간의 연장이 공익에 부합된다는 판단 위에서 대배심의 복무를 6개 월 이하의 기간 동안 법원이 연장하는 경우에를 제외하고는 대배심은 1년을 초과하도록 복무하여서는 안 된다. 법원의 개정기의 시작에 또는 종료에 의하여 한 개의 대배심의 복 무기간은 및 권한들은 영향을 받지 아니한다. 한 명의 배심원을 증명되는 이유에 따라서 언제든지 일시적으로 또는 영구적으로 법원은 면제할 수 있는바, 영구적으로 면제하는 경우에 그 면제되는 배심원에 갈음하여 다른 사람을 법원은 충원할 수 있다.

[Effective October 1, 1981; amended effective February 1, 1985; September 1, 1995, February 5, 2009.]

위스콘신주
대배심 규정

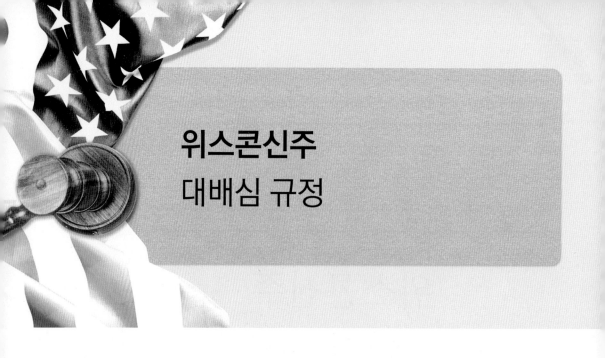

위스콘신주 대배심 규정

https://law.justia.com/codes/wisconsin/2018/chapter-967/section-967.05/

967.05 Methods of prosecution.
소송추행의 방법.

Universal Citation: WI Stat § 967.05 (2018)

일반적 인용: WI Stat § 967.05 (2018)

(1) A prosecution may be commenced by the filing of:

아래의 것의 제출에 의하여 한 개의 소송추행은 개시될 수 있다

(a) A complaint;

소추청구장;

(b) In the case of a corporation or limited liability company, an information;

법인의 내지는 유한책임 회사의 경우에 검사 독자기소장;

(c) An indictment.

대배심 검사기소장.

(2) The trial of a misdemeanor action shall be upon a complaint.

경죄의 정식사실심리는 소추청구장에 근거하여야 한다.

(3) The trial of a felony action shall be upon an information.

중죄행위의 정식사실심리는 검사 독자기소장에 근거하여야 한다.

History: 1979 c. 291; 1993 a. 112.

https://law.justia.com/codes/wisconsin/2019/chapter-968/section-968-01/

968.01 Complaint.
소추청구장.

Universal Citation: WI Stat § 968.01 (2019)

일반적 인용: WI Stat § 968.01 (2019)

(1) In this section:

이 절에서의:

(a) "Electronic" has the meaning given in s. 137.11 (5).

"전자적"이라 함은 제137.11 (5)절에서 부여되는 의미를 지닌다.

(b) "Electronic signature" has the meaning given in s. 801.18 (1) (f).

"전자적 서명"이라 함은 제801.18 (1) (f)절에서 부여되는 의미를 지닌다.

(c) "Facsimile machine" has the meaning given in s. 134.72 (1) (a).

"팩시밀리 장치"라 함은 제134.72 (1)(a)절에서 부여되는 의미를 지닌다.

(2) The complaint is a written statement of the essential facts constituting the offense charged. A person may make a complaint on information and belief.

Except as provided in sub. (3) or (4), the complaint shall be made upon oath before a district attorney or judge as provided in this chapter.

소추청구장은 그 고발되는 범죄를 구성하는 필수적 사실관계에 대한 한 개의 서면서술이다. 한 개의 소추청구장을 정보에 및 믿음에 근거하여 사람은 작성할 수 있다. 소절 (3)에서 또는 (4)에서 규정되는 경우를 제외하고는, 이 장에 규정되는 바에 따라서 재판구 지방검사 앞에서의 또는 재판구 지방법원 판사 앞에서의 선서 위에서 소추청구장은 작성되어야 한다.

(3) A person may comply with sub. (2) if he or she makes the oath by telephone contact with the district attorney or judge, signs the statement and immediately thereafter transmits a copy of the signed statement to the district attorney or judge using a facsimile machine. The person shall also transmit the original signed statement, without using a facsimile machine, to the district attorney or judge. If the complaint is filed, both the original and the copy shall be filed under s. 968.02 (2).

재판구 지방검사에게의 내지는 재판구 지방법원 판사에게의 전화접촉에 의한 선서를 그가 또는 그녀가 할 경우에는, 및 그 진술서에 서명하고서 그 뒤에 곧바로 그 서명된 진술서 사본을 팩시밀리 장치를 사용하여 재판구 지방검사에게 또는 재판구 지방법원 판사에게 송부할 경우에는, 소절 (2)를 사람은 준수하는 것이 될 수 있다. 서명된 진술서 원본을 팩시밀리 장치를 사용하지 아니하고서 재판구 지방검사에게 또는 재판구 지방법원 판사에게 그 사람은 아울러 송부하여야 한다. 만약 소추청구장이 제출되면, 원본은 및 사본은 다 같이 제968.02절에 따라서 편철되어야 한다.

(4) A person may comply with sub. (2) if he or she makes the oath by telephone contact with the district attorney or judge and immediately thereafter electronically transmits the statement, accompanied by the person's electronic signature, to the district attorney or judge. If the complaint is filed, the electronically transmitted statement shall be incorporated into a criminal complaint filed in either an electronic or paper format under s. 968.02 (2).

재판구 지방검사에게의 내지는 재판구 지방법원 판사에게의 전화접촉에 의한 선서를 그가 또는 그녀가 할 경우에는, 및 그 직후에 그 진술서를 그 사람의 전자적 서명을 첨부하여 재판구 지방검사에게 또는 재판구 지방법원 판사에게 전자적으로 송부할 경우에는, 소절 (2)를 사람은 준수하는 것이 될 수 있다. 만약 소추청구장이 제출되면, 전자적으로 송부된 진술서는, 제968.02 (2)절에 따라서 전자적 형식으로든 또는 종이 형식으로든 제출된 형사 소추청구장 안에, 통합되어야 한다

History: 1989 a. 336; 1995 a. 351; 2009 a. 184; 2017 a. 365.

To be constitutionally sufficient to support the issuance of an arrest warrant and to show probable cause, a complaint must contain the essential facts constituting the offense charged. A complaint was fatally defective in merely repeating the language of the statute allegedly violated. State v. Williams, 47 Wis. 2d 242, 177 N.W.2d 611 (1970).

체포영장의 발부를 뒷받침하기에 및 상당한 이유를 증명하기에 헌법적으로 충분하기 위하여는, 그 고발되는 범죄를 구성하는 필수적 사실관계를 소추청구장은 포함하지 않으면 안 된다. 그 위반되었다고 주장되는 제정법의 문언을 단순히 반복한 소추청구장은 치명적으로 결함을 지닌 것이었다. State v. Williams, 47 Wis. 2d 242, 177 N.W.2d 611 (1970).

For a charge of resisting arrest, a complaint stated in statutory language was sufficient and no further facts were necessary. State v. Smith, 50 Wis. 2d 460, 184 N.W.2d 889 (1971).

체포에 저항하였다는 한 개의 고발을 위하여, 제정법 상의 문언으로 서술된 소추청구장은 이로써 충분한 것이었고 더 이상의 사실관계는 필요하지 아니하였다. State v. Smith, 50 Wis. 2d 460, 184 N.W.2d 889 (1971).

A complaint is sufficient as to reliability of hearsay information if the officer making it states that it is based on a written statement of the minor victim of the offense charged. State v. Knudson, 51 Wis. 2d 270, 187 N.W.2d 321 (1971).

전문(hearsay) 정보의 신빙성에 관하여, 그 고발되는 범죄의 미성년 피해자의 서면진술에 그것이 근거한 것임을 만약 그것을 작성하는 공무원이 진술하면, 이로써 소추청구장은 충분하다. State v. Knudson, 51 Wis. 2d 270, 187 N.W.2d 321 (1971).

A disorderly conduct complaint, which alleged that the defendant at a stated time and place violated s. 947.01 (1) by interfering with the police officer-complainant while he was taking another person into custody and that the charge was based on the complainant's personal observations, met the test of legal sufficiency and did not lack specificity so as to invalidate a conviction. State v. Becker, 51 Wis. 2d 659, 188 N.W.2d 449 (1971).

다른 사람을 경찰관 겸 소추청구인이 구금시키는 동안에 그를 방해함으로써 제947.01 (1)절을 특정의 시간에 및 장소에서 피고인이 위반하였음을, 소추청구인의 직접의 관찰사항들에 그 고발이 토대하는 것임을, 주장한 한 개의 치안문란 행위에 대한 소추청구장은 법적 충분성의 기준을 충족하였고, 따라서 유죄판정을 무효화할 만큼 명확성을 결여한 것이 아니었다. State v. Becker, 51 Wis. 2d 659, 188 N.W.2d 449 (1971).

A defendant waives objections to the sufficiency of a complaint by not objecting before or at the time of pleading to the information. Day v. State, 52 Wis. 2d 122, 187 N.W.2d 790 (1971).

검사 독자기소장에 대하여 주장하기 전에 또는 주장하는 당시에 이의하지 아니하면 이로써 소추청구장의 충분성에 대한 이의들을 피고인은 포기하는 것이 된다. Day v. State, 52 Wis. 2d 122, 187 N.W.2d 790 (1971).

A complaint is a self-contained charge, and it alone can be considered in determining probable cause. Facts that would lead a reasonable person to conclude that a crime was committed by the defendant must appear within the 4 corners of the document. State v. Haugen, 52 Wis. 2d 791, 191 N.W.2d 12 (1971).

소추청구장은 한 개의 독립적 고발이고, 따라서 상당한 이유를 판단함에 있어서 그것은 그 자체만으로 고려될 수 있다. 피고인에 의하여 한 개의 범죄가 저질러졌다고 결론짓도록 합리적인 사람을 이끌어 줄 만한 사실관계는 그 문서 네 모퉁이 안에 나타나 있지 않으면 안 된다. State v. Haugen, 52 Wis. 2d 791, 191 N.W.2d 12 (1971).

A complaint is not defective because, based on statements to an officer that cannot be admitted at the trial, Miranda warnings were not given. Such an objection is waived if not raised prior to trial. Gelhaar v. State, 58 Wis. 2d 547, 207 N.W.2d 88 (1973).

정식사실심리에서라면 증거로서 허용될 수 없는 한 명의 공무원에게 이루어진 진술들에 터잡았을 뿐 미란다 경고들이 주어지지 아니하였다는 이유로는 소추청구장은 결함 있는 것이 되지 아니한다. 그러한 이의는 정식 사실심리 전에 제기되지 아니하면 포기된다. Gelhaar v. State, 58 Wis. 2d 547, 207 N.W.2d 88 (1973).

To charge a defendant with the possession or sale of obscene materials, the complaint must allege that the defendant knew the nature of the materials; a charge of acting "feloniously" is insufficient to charge scienter. State v. Schneider, 60 Wis. 2d 563, 211 N.W.2d 630 (1973).

음란물들의 소지로 내지는 판매로 피고인을 고발하기 위하여는 그 자료들의 성격을 피고인이 알았음을 소추청구장은 주장하지 않으면 안 된다; "중죄적으로" 행동하였다는 고발은 고의를 고발하기에 불충분하다. State v. Schneider, 60 Wis. 2d 563, 211 N.W.2d 630 (1973).

A complaint based on a police officer's sworn statement of what the alleged victim described as having actually happened met the test of reliability of the informer and constituted probable cause for a magistrate to issue a warrant for the arrest of the defendant. Allison v. State, 62 Wis. 2d 14, 214 N.W.2d 437 (1974).

실제로 발생한 것으로 그 주장되는 피해자가 묘사한 바에 대한 경찰관의 선서진술에 근거한 소추청구장은 고발인의 신빙성의 기준을 충족하였고 따라서 피고인의 체포영장을 치안판사로 하여금 발부하도록 조치하게 만들 만한 상당한 이유를 그것은 구성하였다. Allison v. State, 62 Wis. 2d 14, 214 N.W.2d 437 (1974).

An absolute privilege attached to alleged defamatory statements made by the defendant about the plaintiff to an assistant district attorney in seeking the issuance of a criminal complaint. Bergman v. Hupy, 64 Wis. 2d 747, 221 N.W.2d 898 (1974).

형사적 소추청구장의 발부를 구함에 있어서 피고인에 의하여 재판구 지방검사보에게 이루어진 원고에 관한 그 주장된 명예훼손적 진술들에는 절대적 공개금지 특권이 붙었다. Bergman v. Hupy, 64 Wis. 2d 747, 221 N.W.2d 898 (1974).

A criminal complaint sufficiently alleges probable cause that the defendant has committed the alleged offense when it recites that a participant in the crime has admitted his own participation and implicates the defendant, since an inference may be reasonably drawn that the participant is telling the truth. Ruff v. State, 65 Wis. 2d 713, 223 N.W.2d 446 (1974).

그 자신의 가담을 범죄에의 한 명의 가담자가 시인하였음을 형사적 소추청구장이 상술하면 및 피고인을 관련시키면, 그 주장되는 범죄를 피고인이 저지른 터임에 관한 상당한 이유를 그 형사적 소추청구장은 충분히 주장하는 것이 되는바, 왜냐하면 진실을 가담자가 말하고 있다는 한 개의 추론이 합리적으로 도출될 수 있기 때문이다. Ruff v. State, 65 Wis. 2d 713, 223 N.W.2d 446 (1974).

A complaint, alleging that the defendant burglarized a trailer at a construction site, based in part upon the hearsay statements of the construction foreman that tools found in the defendant's automobile had been locked in the trailer, was sufficient to satisfy the two-pronged test of Aguilar. Anderson v. State, 66 Wis. 2d 233, 223 N.W.2d 879 (1974).

피고인의 자동차에서 발견된 공구들은 건축현장의 트레일러 안에 넣어두었던 것들이라는 건축소장의 전문진술들 위에 부분적으로 토대를 둔, 건축현장에서의 한 개의 트레일러를 피고인이 불법목적으로 침입하였음을 주장하는, 소추청구장은 Aguilar. Anderson v. State, 66 Wis. 2d 233, 223 N.W.2d 879 (1974) 판결의 두 겹의 기준을 충족하기에 충분하였다.

In determining the sufficiency of a complaint, the credibility of informants or witnesses is adequately tested by the 2-pronged Aguilar standard. State v. Marshall, 92 Wis. 2d 101, 284 N.W.2d 592 (1979).

소추청구장의 충분성을 판단함에 있어서, 신고자들의 내지는 증인의 신빙성은 두 겹의 Aguilar 기준에 의하여 적절히 판단된다. State v. Marshall, 92 Wis. 2d 101, 284 N.W.2d 592 (1979).

A criminal complaint may be attacked when there has been an omission of critical material when inclusion is necessary for an impartial judge to determine probable cause. State v. Mann, 123 Wis. 2d 375, 367 N.W.2d 209 (1985).

상당한 이유를 한 명의 공평한 판사가 판단하기 위하여 그 포섭이 불가결하였던 중요한 자료에 대한 한 개의 누락이 있었던 경우에 형사적 소추청구장은 공격될 수 있다. State v. Mann, 123 Wis. 2d 375, 367 N.W.2d 209 (1985).

Neither a presumption of prosecutor vindictiveness or actual vindictiveness was found when, following a mistrial resulting from a hung jury, the prosecutor filed increased charges and then offered to accept a plea bargain requiring a guilty plea to the original charges. Adding additional charges to obtain a guilty plea does no more than present the defendant with the alternative of forgoing trial or facing charges on which the defendant is subject to prosecution. State v. Johnson, 2000 WI 12, 232 Wis. 2d 679, 605 N.W.2d 846, 97-1360.

가중된 기소들을 배심의 평결 불성립으로부터 귀결된 심리무효의 선언 뒤에 검사가 제출한 경우에로서, 처음의 기소들에 대한 유죄답변을 요구하는 답변거래를 받아들이라고 그 뒤에 검사가 제의한 경우에, 검사의 보복에 대한 한 개의 추정은도 또는 실제의 보복은도 인정되지 아니하였다. 유죄답변을 얻기 위하여 추가적 기소들을 보태는 것은 정식사실심리를 포기하기의 및 소송추행에 처해질 기소들에 피고인이 맞닥뜨리기의 그 둘 사이의 선택권을 피고인에게 제공함에 지나지 아니한다. State v. Johnson, 2000 WI 12, 232 Wis. 2d 679, 605 N.W.2d 846, 97-1360.

The test of a complaint is of minimal adequacy in setting forth the essential facts establishing probable cause through a common sense, and not hypertechnical, evaluation. Only affidavits specifically incorporated into the complaint may be used to show probable cause, but the legal term of art, "incorporated by reference," need not be used; the term "attached" was sufficient. State v. Smaxwell, 2000 WI App 112, 235 Wis. 2d 230, 612 N.W.2d 756, 99-2261.

소추청구장의 기준은, 과도한 기술적 판단을이 아닌 한 개의 상식적 판단을 통하여 그 상당한 이유를 입증하는 필수적 사실관계를 제시함에 있어서의 최소한의 적절함의 기준이다. 상당한 이유를 증명하기 위하여는 오직 당해 소추청구장에 명확하게 통합된 선서진술서들만이 사용될 수 있는바, "언급에 의하여 통합된"이라는 법적 교양용어는 사용될 필요가 없다; "붙었다"는 용어는 충분하였다. State v. Smaxwell, 2000 WI App 112, 235 Wis. 2d 230, 612 N.W.2d 756, 99-2261.

A prosecutor has great discretion in charging decisions and generally answers to the public, not the courts, for those decisions. As such, courts review the prosecutor's charging decisions for an erroneous exercise of discretion. If there is a reasonable likelihood that a prosecutor's decision to bring additional charges was rooted in prosecutorial vindictiveness, a rebuttable presumption of vindictiveness applies. If there is no presumption of vindictiveness, the defendant must establish actual prosecutorial vindictiveness. The filing of additional charges during the give-and-take of pretrial plea negotiations does not warrant a presumption of vindictiveness. State v. Cameron, 2012 WI App 93, 344 Wis. 2d 101, 820 N.W.2d 433, 11-1368.

기소결정들에 있어서의 큰 재량권을 검사는 지니며, 그러한 결정들에 대하여는 일반적으로 법원들에게가 아니라 공중에게 책임을 진다. 그러한 것들로서 재량권의 오류적 행사를 찾아 검사의 기소결정들을 법원들은 검토한다. 만약 추가적 기소들을 제기하기로 한 검사의 결정이 검사의 보복에 토대를 둔 것이었을 합리적 가능성이 있으면, 보복에 의한 처분의 반박 가능한 추정이 적용된다. 보복의 추정이 없으면, 검사의 실제의 보복에 의한 처분임을 피고인은 증명하지 않으면 안 된다. 정식사실심리 전 답변거래들의 의견교환 동안의 추가적 기소들의 제출은 보복에 의한 처분의 추정을 뒷받침하지 아니한다. State v. Cameron, 2012 WI App 93, 344 Wis. 2d 101, 820 N.W.2d 433, 11-1368.

The state has discretion to charge a defendant with one continuing offense based on multiple criminal acts when the separately chargeable offenses are committed by the same person at substantially the same time and relating to one continued transaction. In that situation, the nature of the charge is a matter of election on the part of the state. Moreover, in s. 971.36 (3) (a) the legislature has explicitly provided prosecutors with discretion to charge multiple thefts as a single crime when the property belonged to the same owner and the thefts were committed pursuant to a single intent and design or in execution of a single deceptive scheme. State v. Jacobsen, 2014 WI App 13, 352 Wis. 2d 409, 842 N.W.2d 365, 13-0830.

동일한 사람에 의하여 실질적으로 동일한 시간에, 및 한 개의 계속되는 행위에 관련하여, 그 따로 따로 기소될 수 있는 범죄들이 저질러지는 경우에는, 복수의 범죄행위들에 토대한 지속되는 범죄로 피고인을 기소할 재량권을 주는 지닌다. 그러한 상황에서 기소의 성격은 주 쪽에서의 선택의 문제이다. 더욱이, 동일한 소유자에게 당해 재산이 속하는, 및 단일한 의도에 및 계획에 따라서 또는 단일한 기망적 계획의 실행 속에서 절도행위들이 저질러지는 경우에, 그 복수의 절도행위들을 한 개의 단일범죄로 기소할 재량권을 검사들에게 제971.36(3) (a)절에서 입법부는 명시적으로 부여하였다. State v. Jacobsen, 2014 WI App 13, 352 Wis. 2d 409, 842 N.W.2d 365, 13-0830.

Multiplicity arises when the defendant is charged in more than one count for a single offense. Challenges may arise when a single course of conduct is charged in multiple counts of the same statutory offense. Multiplicity claims are examined using a two-part test: 1) whether the charged offenses are identical in law and in fact, and 2) whether the legislature intended to authorize multiple punishments. If the first part of the test reveals that the charged offenses are not identical in law and in fact, a presumption arises that the legislature did not intend to preclude cumulative punishments. State v. Jacobsen, 2014 WI App 13, 352 Wis. 2d 409, 842 N.W.2d 365, 13-0830.

단일범죄에 대하여 한 개를 넘는 소인으로 피고인이 기소되는 경우에 다중소추는 발생한다. 동일한 제정법 상의 범죄에 대한 복수의 소인들로 한 개의 단일한 행동과정이 기소되는 경우에는 이의들이 제기될 수 있다. 두 부분으로 이루어진 기준을 사용함에 의하여 다중소추 주장들은 검토된다: 1) 기소되는 범죄들이 법에서와 사실에서 동일한 것들인지 여부, 및 2) 다중적 처벌들을 허용하고자 입법부가 의도하였는지 여부. 그 기소되는 범죄들이 법에서와 사실에서 동일한 것들이 아님을 만약 기준의 첫 번째 부분이 드러내면, 중복적 처벌들을 배제하기를 입법부가 의도하지 아니하였다는 한 개의 추정이 성립한다. State v. Jacobsen, 2014 WI App 13, 352 Wis. 2d 409, 842 N.W.2d 365, 13-0830.

While citation to a specific statute may be the preferred practice, failure to specifically cite to a statute in the information and complaint is harmless error when there is no prejudice to the defendant. State v. Elverman, 2015 WI App 91, 366 Wis. 2d 169, 873 N.W.2d 528, 14-0354.

특정 제정법에의 언급이 그 선호되는 업무처리 방식일 수 있는 한, 한 개의 제정법을 검사 독자기소장에서 및 소추청구장에서 구체적으로 인용하기에 대한 불이행은 피고인에게 불이익이 없는 경우에는 무해한 오류이다. State v. Elverman, 2015 WI App 91, 366 Wis. 2d 169, 873 N.W.2d 528, 14-0354.

Forms similar to the uniform traffic citations that are used as complaints to initiate criminal prose-cutions in certain misdemeanor cases are sufficient to confer subject matter jurisdiction on the court, but any conviction that results from their use in the manner described in the opinion is null and void; this section and ss. 968.02, 968.04, 971.01, 971.04, 971.05 and 971.08 are discussed. 63 Atty. Gen. 540.

특정 경죄사건들에서의 형사소추들을 개시하기 위한 소추청구장들로 사용되는 통일적인 교통범칙금 통고처분서들에 유사한 서식들은 소송물 관할을 법원에 부여하기에 충분하지만, 그 의견에서 설명된 방법 대로의 그것들의 사용으로부터 귀결되는 유죄판정은 무효이다; 이 절이 및 제968.02절이, 제968.04절이, 제971.01절이, 제971.04절이, 제971.05절이 및 제971.08절이 검토된다. 63 Atty. Gen. 540.

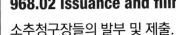

https://law.justia.com/codes/wisconsin/2019/chapter-968/section-968-02/

968.02 Issuance and filing of complaints.
소추청구장들의 발부 및 제출.

Universal Citation: WI Stat § 968.02 (2019)

일반적 인용: WI Stat § 968.02 (2019)

(1) Except as otherwise provided in this section, a complaint charging a person with an offense shall be issued only by a district attorney of the county where the crime is alleged to have been committed. A complaint is issued when it is approved for filing by the district attorney. The approval shall be in the form of a written endorsement on the complaint or the electronic signature of the district attorney as provided in s. 801.18 (12).

이 절에서 달리 규정되는 경우에를 제외하고는, 사람을 범죄로 고발하는 한 개의 소추청구장은 당해 범죄가 저질러졌다고 주장되는 카운티의 재판구 지방검사에 의하여서만 발부될 수 있다. 그 제출을 위하여 재판구 지방검사에 의하여 승인되는 때에 한 개의 소추청구장은 발부된다. 승인은 재판구 지방검사에 의한 당해 소추청구장 위에의 서면기입의 형식을 또는 제801.18 (12)절에 규정되는 재판구 지방검사의 전자적 서명의 형식을 취하여야 한다.

(2) After a complaint has been issued, it shall be filed with a judge and either a warrant or summons shall be issued or the complaint shall be dismissed, pursuant to s. 968.03. Such filing commences the action.

한 개의 소추청구장이 발부되고 난 뒤에 판사에게 그것은 제출되어야 하고 한 개의 영장이 발부되든지 또는 소환장이 발부되든지 하여야 하는바, 만약 그러한 제출이 또는 발부가 이루어지지 아니하면 제968.03절에 따라서 당해 소추청구장은 각하되어야 한다. 당해 소송을 그러한 제출은 개시한다.

(3) If a district attorney refuses or is unavailable to issue a complaint, a circuit judge may permit the filing of a complaint, if the judge finds there is probable cause to believe that the person to be charged has committed an offense after conducting a hearing. If the district attorney has refused to issue a complaint, he or she shall be informed of the hearing and may attend. The hearing shall be ex parte without the right of cross-examination.

소추청구장을 발부하기를 만약 재판구 지방검사가 거부하면 또는 그 업무에 재판구 지방검사가 동원될 수 없으면, 한 개의 범죄를 그 고발된 사람이 저지른 터라고 믿을 상당한 이유가 있음을 심문 수행 뒤에 순회구 지방법원 판사가 인정하는 경우에 소추청구장의 제출을 그 순회구 지방법원 판사는 허가할 수 있다. 소추청구장을 발부하기를 재판구 지방검사가 거부한 터이면, 그에게는 내지는 그녀에게는 심문이 고지되어야 하는바, 그 심문에 그는 내지는 그녀는 참석할 수 있다. 심문은 반대신문의 권리가 없는 일방절차에 의한다.

(4) If the alleged violator under s. 948.55 (2) or 948.60 (2) (c) is or was the parent or guardian of a child who is injured or dies as a result of an accidental shooting, the district attorney may consider, among other factors, the impact of the injury or death on the alleged violator when deciding whether to issue a complaint regarding the alleged violation. This subsection does not restrict the factors that a district attorney may consider in deciding whether to issue a complaint regarding any alleged violation.

만약 제948.55 (2)절 아래서의 내지는 제948.60 (2) (c)절 아래서의 주장되는 위반자가 총기사고의 결과로서 부상을 입은 또는 사망한 아동의 부모이면 내지는 후견인이면, 내지는 그 부모였으면 내지는 후견인이었으면, 그 주장되는 위반에 관하여 소추청구장을 발부할지 여부를 결정할 때에 여타의 요소들을에 더하여 그 주장되는 위반자에게 그 부상이 내지는 사망이 끼친 충격을, 재판구 지방검사는 고려할 수 있다. 그 주장되는 위반행위에 관하여 소추청구장을 발부할지 여부를 결정함에 있어서 재판구 지방검사가 고려할 수 있는 요소들을 이 소절은 제한하지 아니한다.

History: 1977 c. 449; 1991 a. 139; 1999 a. 185; Sup. Ct. Order No. 14-03, 2016 WI 29, 368 Wis. 2d xiii.

A judge abused his discretion in barring the public from a hearing under sub. (3). State ex rel. Newspapers v. Circuit Court, 124 Wis. 2d 499, 370 N.W.2d 209 (1985).

공중의 방청을 소절 (3) 아래서의 심문으로부터 배제함에 있어서 그의 재량권을 판사는 남용하였다. State ex rel. Newspapers v. Circuit Court, 124 Wis. 2d 499, 370 N.W.2d 209 (1985).

A judge's order under sub. (3) is not appealable. Gavcus v. Maroney, 127 Wis. 2d 69, 377 N.W.2d 201 (Ct. App. 1985).

소절 (3) 아래서의 판사의 명령은 항소 대상이 아니다. Gavcus v. Maroney, 127 Wis. 2d 69, 377 N.W.2d 201 (Ct. App. 1985).

Sub. (3) does not give a trial court authority to order a district attorney to file different or additional charges than those already brought. Unnamed Petitioner v. Walworth Circuit Ct., 157 Wis. 2d 157, 458 N.W.2d 575 (Ct. App. 1990).

이미 제출된 것들을 이외의 다른 또는 추가적인 공소사실들을 제출하도록 재판구 지방검사에게 명령할 권한을 정식사실심리 법원에 소절 (3)은 부여하지 아니한다. Unnamed Petitioner v. Walworth Circuit Ct., 157 Wis. 2d 157, 458 N.W.2d 575 (Ct. App. 1990).

Sub. (3) does not confer upon the person who is the subject of a proposed prosecution the right to participate in any way or to obtain reconsideration of the ultimate decision reached. A defendant named in a complaint issued pursuant to sub. (3) has the same opportunity to challenge in circuit court the legal and factual sufficiency of that complaint as a defendant named in a complaint issued pursuant to sub. (1). Kalal v. Dane County, 2004 WI 58, 271 Wis. 2d 633, 681 N.W.2d 110, 02-2490.

그 도달되는 궁극적 결정에 그 어떤 방법으로든 참여할 내지는 그 재검토를 얻을 권리를 그 제의된 소추의 대상인 사람에게 소절 (3)은 부여하지 아니한다. 소절 (3)에 따라서 발부된 소추청구장에서 거명된 피고인은 그 소추청구장의 법적 및 사실적 충분성을 순회구 지방법원에서 다툴, 소절 (1)에 따라서 발부되는 소추청구장에서 거명된 피고인의 기회에의 동일한 기회를 지닌다. Kalal v. Dane County, 2004 WI 58, 271 Wis. 2d 633, 681 N.W.2d 110, 02-2490.

A refusal to issue a complaint under sub. (3) may be proven directly or circumstantially, by inferences reasonably drawn from words and conduct. The refusal can be open and explicit or indirect and inferred. Inaction alone will ordinarily not support an inference of a refusal to prosecute. Kalal v. Dane County, 2004 WI 58, 271 Wis. 2d 633, 681 N.W.2d 110, 02-2490.

소절 (3) 아래서의 한 개의 소추청구장을 발부하기에 대한 거부는 말로부터 및 행위로부터 합리적으로 도출되는 추론들에 의하여 직접으로든 정황적으로든 증명될 수 있다. 거부는 공개의 및 명시의 것일 수도 또는 간접의 및 추론상의 것일 수도 있다. 소추하기에 대한 거부의 추론을 단지 부작위 자체는 일반적으로 뒷받침하지 아니하고는 한다. Kalal v. Dane County, 2004 WI 58, 271 Wis. 2d 633, 681 N.W.2d 110, 02-2490.

Forms similar to the uniform traffic citation that are used as complaints to initiate criminal prosecutions in certain misdemeanor cases are sufficient to confer subject matter jurisdiction on the court but any conviction that results from their use in the manner described in the opinion is null and void; this section and ss. 968.02, 968.04, 971.01, 971.04, 971.05, and 971.08 are discussed. 63 Atty. Gen. 540.

특정 경죄사건들에서의 형사소추들을 개시하기 위한 소추청구장들로 사용되는 통일적인 교통범칙금 통고처분서들에 유사한 서식들은 소송물 관할을 법원에 부여하기에 충분하지만, 그 의견에서 설명된 방법 대로의 그것들의 사용으로부터 귀결되는 유죄판정은 무효이다; 이 절이 및 제968.02절이, 제968.04절이, 제971.01절이, 제971.04절이, 제971.05절이 및 제971.08절이 검토된다. 63 Atty. Gen. 540.

Judicial scrutiny of prosecutorial discretion in decision not to file complaint. Becker. 71 MLR 749 (1988).

소추청구장을 제출하지 아니하기로 하는 결정에 있어서의 검사의 재량권에 대한 법원의 심사. Becker. 71 MLR 749 (1988).

968.06 Indictment by grand jury.
대배심 검사기소

Universal Citation: WI Stat § 968.06 (2019)

일반적 인용: WI Stat § 968.06 (2019)

968.06 Indictment by grand jury. Upon indictment by a grand jury a complaint shall be issued, as provided by s. 968.02, upon the person named in the indictment and the person shall be entitled to a preliminary hearing under s. 970.03, and all proceedings thereafter shall be the same as if the person had been initially charged under s. 968.02 and had not been indicted by a grand jury.

대배심 검사기소. 대배심 검사기소에 의하여 당해 대배심 검사기소장에서 거명되는 사람에 대한 한 개의 소추청구장이 제968.02절에 규정되는 바에 따라서 발부되어야 하는바, 제970.03절 아래서의 예비심문을 거칠 권리를 그 사람은 지니고, 그 뒤의 모든 절차들은 만약 그 사람이 대배심에 의하여 대배심 검사기소에 처해진 것이 아니라 처음부터 제968.02절에 따라서 기소되었더라면 취해졌을 절차에의 동일한 절차가 되어야 한다.

History: 1979 c. 291.

968.40 Grand jury.
대배심

Universal Citation: WI Stat § 968.40 (2019)

일반적 인용: WI Stat § 968.40 (2019)

(1) Selection of grand jury list. Any judge may, in writing, order the clerk of circuit court to select a grand jury list within a specified reasonable time. The clerk

shall select from the prospective juror list for the county the names of not fewer than 75 nor more than 150 persons to constitute the prospective grand juror list. The list shall be kept secret.

대배심 명부의 선정. 한 개의 대배심 명부를 명시되는 합리적 시간 내에 선정하도록 순회구 지방법원 서기에게 서면으로 판사 어느 누구든지는 명령할 수 있다. 대배심원 후보명부를 구성하기 위한 75명 이상 150명 이하의 사람들의 이름들을 당해 카운티를 위한 배심원 후보명부로부터 서기는 선정하여야 한다. 명부는 비밀리에 보관되어야 한다.

(3) Examination of prospective jurors. At the time set for the prospective grand jurors to appear, the judge shall and the district attorney or other prosecuting officer may examine the prospective jurors under oath or affirmation relative to their qualifications to serve as grand jurors and the judge shall excuse those who are disqualified, and may excuse others for any reason which seems proper to the judge.

배심원 후보들에 대한 신문. 배심원 후보들의 출석을 위하여 정해진 때에 배심원 후보들을 대배심원들로서 복무할 그들의 자격조건들에 관하여 선서 아래서 또는 무선서확약 아래서 판사는 신문하여야 하고 재판구 지방검사는 또는 그 밖의 검찰 측 공무원은 신문할 수 있는바, 자격이 불인정되는 사람들을 판사는 면제하여야 하고 나아가 그 밖의 사람들을 그 적절하다고 판사에게 여겨지는 어떤 이유에 따라서든지 판사는 면제할 수 있다.

(4) Additional grand jurors. If after such examination fewer than 17 grand jurors remain, additional prospective jurors shall be selected, summoned and examined until there are at least 17 qualified jurors on the grand jury.

추가적 대배심원들. 그러한 신문 뒤에 만약 17명 미만의 대배심원(후보)들이 남으면, 적어도 당해 대배심에 17명의 유자격 배심원들이 있게 될 때까지 추가적 배심원(후보)들이 선정되어야 하고, 소환되어야 하고 신문되어야 한다.

(6) Time grand jurors to serve. Grand jurors shall serve for a period of 31 consecutive days unless more days are necessary to complete service in a particular proceeding. The judge may discharge the grand jury at any time.

대배심원들의 복무기간. 한 개의 특정절차에서의 복무를 완수하기 위하여 더 많은 날들이 필요한 경우에를 제외하고는 31일의 연속적 기간 동안 대배심원들은 복무하여야 한다. 대배심의 임무를 언제든지 판사는 해제할 수 있다.

(7) Orders filed with clerk. All orders mentioned in this section shall be filed with the clerk of court.

명령들은 서기에게 하달되어야야 함. 이 절에서 언급되는 모든 명령들은 법원서기에게 하달되어야 한다.

(8) Intercounty racketeering and crime. When a grand jury is convened pursuant to this section to investigate unlawful activity under s. 165.70, and such activity involves more than one county, including the county where the petition for such grand jury is filed, then if the attorney general approves, all expenses of such proceeding shall be charged to the appropriation under s. 20.455 (1) (d).

여러 카운티들에 걸치는 갈취 및 범죄. 제165.70절 아래서의 불법적 활동을 조사하기 위하여 이 절에 따라서 한 개의 대배심이 소집되는 경우에, 그리고 그러한 대배심 청구가 제출된 카운티를을 포함하여 한 개를 넘는 카운티를 그러한 활동이 포함하는 경우에, 만약 검찰총장이 승인하면 그러한 절차의 모든 비용들은 제20.455 (1) (d)절에 따라서 세출예산에 청구되어야 한다.

History: 1971 c. 125 s. 522 (1); 1977 c. 29 s. 1656 (27); 1977 c. 187 ss. 95, 135; 1977 c. 318; 1977 c. 447 s. 210; 1977 c. 449; Stats. 1977 s. 756.10; 1991 a. 39; Sup. Ct. Order No. 96-08, 207 Wis. 2d xv (1997); Stats. 1997 s. 968.40.

A claim of grand jury discrimination necessitates federal habeas corpus review. Rose v. Mitchell, 443 U.S. 545 (1979).

대배심 차별의 주장은 연방 인신보호영장에 의한 검토를 요구한다. Rose v. Mitchell, 443 U.S. 545 (1979).

The grand jury in Wisconsin. Coffey, Richards, 58 MLR 518.

위스콘신주에서의 대배심. Coffey, Richards, 58 MLR 518.

https://law.justia.com/codes/wisconsin/2019/chapter-968/section-968-41/

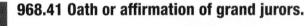

968.41 Oath or affirmation of grand jurors.
대배심원들의 선서 또는 무선서확약.

Universal Citation: WI Stat § 968.41 (2019)

일반적 인용: WI Stat § 968.41 (2019)

968.41 Oath or affirmation of grand jurors. Grand jurors shall, before they begin performance of their duties, solemnly swear or affirm that they will diligently inquire as to all matters and things which come before the grand jury; that they will keep all matters which come before the grand jury secret; that they will indict no person for envy, hatred or malice; that they will not leave any person unindicted for love, fear, favor, affection or hope of reward; and that they will indict truly, according to the best of their understanding.

대배심원들의 선서 또는 무선서확약. 당해 대배심 앞에 오는 모든 사안들을 및 사항들을 자신들이 근면하게 조사하겠음을; 당해 대배심 앞에 오는 모든 사안들을 비밀로 자신들은 간직하겠음을; 어느 누구를도 시기 때문에, 원한 때문에, 또는 악의 때문에 대배심 검사기소에 자신들은 처하지 아니하겠음을; 사랑에, 두려움에, 호의에 내지는 애정에 또는 보상의 기대에 기울어서는 어느 누구를도 고발되지 않는 채로 자신들은 남겨두지 아니하겠음을; 자신들의 최선껏의 이해에 따라서 진실하게 대배심 검사기소에 자신들은 처하겠음을 그들의 임무들의 수행을 시작하기 전에 대배심원들은 엄숙히 선서하여야 하거나 무선서로 확약하여야 한다.

History: 1975 c. 94 s. 91 (12); 1977 c. 187 s. 95; Stats. 1977 s. 756.11; Sup. Ct. Order No. 96-08,207 Wis. 2d xv (1997); Stats. 1997 s. 968.41.

https://law.justia.com/codes/wisconsin/2019/chapter-968/section-968-42/

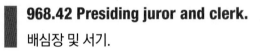

968.42 Presiding juror and clerk.
배심장 및 서기.

Universal Citation: WI Stat § 968.42 (2019)

일반적 인용: WI Stat § 968.42 (2019)

968.42 Presiding juror and clerk. The grand jury shall select from their number a presiding juror and a clerk. The clerk shall preserve the minutes of the proceedings before them and all exhibits.

배심장 및 서기. 한 명의 배심장을 및 한 명의 서기를 그들의 구성원 중에서 대배심은 선정하여야 한다. 그들 앞에서의 절차들의 의사록을 및 모든 증거물들을 서기는 보전하여야 한다.

History: 1977 c. 187 s. 95; Stats. 1977 s. 756.12; Sup. Ct. Order No. 96-08, 207 Wis. 2d xv (1997); Stats. 1997 s. 968.42.

https://law.justia.com/codes/wisconsin/2019/chapter-968/section-968-43/

968.43 Reporter; salary; assistant.
속기사; 급여; 보조자.

Universal Citation: WI Stat § 968.43 (2019)

일반적 인용: WI Stat § 968.43 (2019)

(1) Every grand jury shall when ordered by the judge ordering such grand jury, employ one or more reporters to attend their sessions and to make and transcribe a verbatim record of all proceedings had before them.

그들의 회합들에 참석할 및 그들 앞의 모든 절차들에 대한 축어적 기록을 작성할 및 이를 녹취할 한 명 이상의 속기사들을 판사에 의하여 명령되는 경우에 모든 대배심은 사용하여야 한다.

(2) Before assuming the duties under this section, each reporter shall make and file an oath or affirmation faithfully to record and transcribe all of the proceedings before the grand jury and to keep secret the matters relative to the proceedings. Each reporter shall be paid out of the county treasury of the county

in which the service is rendered such sum for compensation and expenses as shall be audited and allowed as reasonable by the court ordering the grand jury. Each reporter may employ on his or her own account a person to transcribe the testimony and proceedings of the grand jury, but before entering upon the duties under this subsection, the person shall be required to make and file an oath or affirmation similar to that required of each reporter.

대배심 앞에서의 절차들 전부를 진실하게 기록하겠다는 및 녹취하겠다는, 및 그 절차들에 관련되는 사안들을 비밀로 간직하겠다는, 한 개의 선서를 내지는 무선서확약을 이 절 아래서의 임무들에 착수하기 전에 개개 속기사는 하여야 하고 제출하여야 한다. 당해 대배심을 명령한 법원에 의하여 합리적인 것으로 승인되는 및 허용되는, 보수를 및 비용지출들을 위한 액수를 당해 복무가 제공되는 카운티의 재정회계로부터 개개 속기사는 지급받는다. 증언을 및 대배심 절차들을 녹취할 사람을 그 자신의 내지는 그녀 자신의 비용으로 개개 속기사는 사용할 수 있으나, 개개 속기사에게 요구되는 선서에 내지는 무선서확약에 유사한 선서를 내지는 무선서확약을 하도록 및 제출하도록 이 소절 아래서의 임무들에 들어가기 전에 그 사람은 요구되어야 한다.

(3) Any person who violates an oath or affirmation required by sub. (2) is guilty of a Class H felony.

소절 (2)에 의하여 요구되는 선서를 내지는 무선서확약을 위반하는 사람은 H급 중죄를 저지르는 것이 된다.

History: 1977 c. 187 s. 95; Stats. 1977 s. 756.13; Sup. Ct. Order No. 96-08, 207 Wis. 2d xv (1997); Stats. 1997 s. 968.43.; 1997 a. 283; 2001 a. 109.

---

https://law.justia.com/codes/wisconsin/2019/chapter-968/section-968-44/

 968.44 Witnesses.
증인들.

Universal Citation: WI Stat § 968.44 (2019)

일반적 인용: WI Stat § 968.44 (2019)

968.44 Witnesses. The presiding juror of every grand jury and the district attorney or other prosecuting officer who is before the grand jury may administer all oaths and affirmations in the manner prescribed by law to witnesses who appear before the jury for the purpose of testifying in any matter of which the witnesses have cognizance. At the request of the court, the presiding juror shall return to the court a list, under his or her hand, of all witnesses who are sworn before the grand jury. That list shall be filed by the clerk of circuit court.

증인들. 증인 자신들이 인지하는 사안에 대하여 증언하고자 배심 앞에 출석하는 증인들에 대하여 법에 의하여 규정되는 방법으로 모든 선서들을 및 무선서확약들을 모든 대배심의 배심장은 및 재판구 지방검사는 또는 대배심 앞의 그 밖의 검찰공무원은 실시할 수 있다. 대배심 앞에서 선서절차에 처해진, 그 자신의 내지는 그녀 자신의 소지 아래의 모든 증인들의 한 개의 목록을 법원의 요청에 따라서 법원에 배심장은 제출하여야 한다. 그 목록은 순회구 지방법원 서기에게 하달되어야 한다.

History: 1977 c. 187 s. 95; 1977 c. 449; Stats. 1977 s. 756.14; Sup. Ct. Order No. 96-08, 207 Wis. 2d xv (1997); Stats. 1997 s. 968.44.

https://law.justia.com/codes/wisconsin/2019/chapter-968/section-968-45/

968.45 Witness rights; transcripts.
증인의 권리; 녹취록들.

Universal Citation: WI Stat § 968.45 (2019)
일반적 인용: WI Stat § 968.45 (2019)

(1) Any witness appearing before a grand jury may have counsel present, but the counsel shall not be allowed to examine his or her client, cross-examine other witnesses or argue before the judge. Counsel may consult with his or her client while before a grand jury. If the prosecuting officer, attorney for a witness or a grand juror believes that a conflict of interest exists for an attorney or attorneys to represent more than one witness before a grand jury, the person

so believing may make a motion before the presiding judge to disqualify the attorney from representing more than one witness before the grand jury. A hearing shall be held upon notice with the burden upon the moving party to establish the conflict.

대배심 앞에 출석하는 증인 누구든지는 변호인을 출석시킬 수 있는바, 그러나 그의 내지는 그녀의 의뢰인을 신문하도록, 여타의 증인들을 반대신문하도록 내지는 판사 앞에서 주장하도록 변호인은 허용되지 아니한다. 대배심 앞에 있는 동안에, 그의 내지는 그녀의 의뢰인에게 변호인은 상의할 수 있다. 대배심 앞에의 한 명을 넘는 증인을 한 명의 변호사가 또는 변호사들이 대변함에 한 개의 이익충돌이 존재한다고 만약 검찰 측 공무원이, 증인 측 변호사가 또는 대배심원이 믿으면, 한 명을 초과하는 증인을 당해 대배심 앞에서 대변할 자격을 박탈하여 달라는 주재판사 앞에의 한 개의 신청을 그렇게 믿는 사람은 제기할 수 있다. 통지 위에서 한 개의 심문이 열려야 하는바, 충돌을 증명할 책임은 신청 측 당사자 위에 놓인다.

(2) No grand jury transcript may be made public until the trial of anyone indicted by the grand jury and then only that portion of the transcript that is relevant and material to the case at hand. This subsection does not limit the defendant's rights to discovery under s. 971.23.

당해 대배심에 의하여 대배심 검사기소에 처해진 어느 누구든지의 정식사실심리 때까지는 대배심 녹취록은 공개되어서는 안 되고, 어느 누구든지가 정식사실심리에 처해지는 때에는 녹취록 중 오직 바로 그 사건에 관련 있는 및 중요한 부분만이 공개되어야 한다. 제971.23절 아래서의 증거캐기를 누릴 피고인의 권리들을 이 소절은 제한하지 아니한다.

History: 1979 c. 291; Sup. Ct. Order No. 96-08, 207 Wis. 2d xv (1997); Stats. 1997 s. 968.45.

https://law.justia.com/codes/wisconsin/2019/chapter-968/section-968-46/

968.46 Secrecy.
비밀보장.

Universal Citation: WI Stat § 968.46 (2019)

일반적 인용: WI Stat § 968.46 (2019)

968.46 Secrecy. Notwithstanding s. 757.14, all motions, including but not limited to those for immunity or a privilege, brought by a prosecuting officer or witness appearing before a grand jury shall be made, heard and decided in complete secrecy and not in open court if the prosecuting officer or witness bringing the motion or exercising the immunity or privilege so requests.

비밀보장. 제757.14절에도 불구하고, 대배심 앞에 출석하는 검찰 측 공무원에 의하여 내지는 증인에 의하여 제기되는, 면제특권을 위한 신청들이를 또는 공개금지 특권들을 위한 신청들이를 포함하되 이에 한정되지 아니하는, 모든 신청들은, 만약 그 신청을 제기하는 또는 면제를 내지는 특권을 행사하는 검찰 측 공무원이 내지는 증인이 그렇게 요청하면, 공개법정에서가 아닌 완전한 비밀 속에서 이루어져야 하고 청취되어야 하고 결정되어야 한다.

History: 1979 c. 291; Sup. Ct. Order No. 96-08, 207 Wis. 2d xv (1997); Stats. 1997 s. 968.46.

---

https://law.justia.com/codes/wisconsin/2019/chapter-968/section-968-47/

 968.47 District attorney, when to attend.
재판구 지방검사는 언제 출석해야 하는가.

Universal Citation: WI Stat § 968.47 (2019)

일반적 인용: WI Stat § 968.47 (2019)

968.47 District attorney, when to attend. Whenever required by the grand jury it shall be the duty of the district attorney of the county to attend them for the purpose of examining witnesses in their presence or of giving them advice upon any legal matter, and to issue subpoenas and other process to bring up witnesses.

재판구 지방검사는 언제 출석해야 하는가. 증인들을 그들의 면전에서 신문하기 위하여 또는 법적 문제에 관하여 그들에게 조언하기 위하여, 그리고 증인들을 데려올 벌칙부소환장들을 내지는 여타의 영장을 발부하기 위하여 대배심에 의하여 요구되는 때에는 언제든지 대배심에 출석해야 함은 카운티의 재판구 지방검사의 의무이다.

History: 1977 c. 187 s. 95; Stats. 1977 s. 756.15; Sup. Ct. Order No. 96-08, 207 Wis. 2d xv (1997); Stats. 1997 s. 968.47.

---

https://law.justia.com/codes/wisconsin/2019/chapter-968/section-968-48/

968.48 Attendance; absence; excuse; number required for grand jury session; number required to concur in indictment.

출석; 결석; 면제; 대배심 회합을 위하여 요구되는 숫자; 대배심 검사기소에 찬성하기 위하여요구되는 숫자.

Universal Citation: WI Stat § 968.48 (2019)

일반적 인용: WI Stat § 968.48 (2019)

968.48 Attendance; absence; excuse; number required for grand jury session; number required to concur in indictment. Each grand juror shall attend every session of the grand jury unless excused by the presiding juror. The presiding juror may excuse a grand juror from attending a grand jury session only for a reason which appears to the presiding juror in his or her discretion as good and sufficient cause for the excuse. No business may be transacted at any session of the grand jury at which less than 14 members of the grand jury are in attendance and no indictment may be found by any grand jury unless at least 12 of their number shall concur in the indictment.

출석; 결석; 면제; 대배심 회합을 위하여 요구되는 숫자; 대배심 검사기소에 찬성하기 위하여 요구되는 숫자. 배심장에 의하여 면제에 처해지는 경우에를 제외하고는, 모든 대배심 회합에 개개 배심원은 출석하여야 한다. 오직 면제를 위한 타당한 및 충분한 사유라고 그의 내지는 그녀의 재량 내에서 배심장에게 여겨지는 사유가 있을 경우에만, 한 개의 대배심 회합에의 대배심원의 출석을 배심장은 면제할 수 있다. 대배심의 구성원들 중 14명 미만이 출석한 대배심의 어떤 회합에서도 업무는 처리될 수 없고, 대배심 검사기소에 그들의 숫자 중 적어도 12명이 찬성하는 경우에가 아니면, 어떤 대배심에 의하여도 대배심 검사기소는 평결될 수 없다.

History: 1977 c. 187 s. 95; Stats. 1977 s. 756.16; Sup. Ct. Order No. 96-08, 207 Wis. 2d xv (1997); Stats. 1997 s. 968.48.

https://law.justia.com/codes/wisconsin/2019/chapter-968/section-968-49/

968.49 Fine for nonattendance.
불출석에 대한 벌금.

Universal Citation: WI Stat § 968.49 (2019)

일반적 인용: WI Stat § 968.49 (2019)

968.49 Fine for nonattendance. Any person lawfully summoned to attend as a grand juror who fails to attend without any sufficient excuse shall pay a fine not exceeding $40, which shall be imposed by the court to which the person was summoned and shall be paid into the county treasury.

불출석에 대한 벌금. 대배심원으로서 출석하도록 적법하게 소환되고서도 그 출석하기를 충분한 이유 없이 불이행하는 사람은 40불 이하의 벌금을 물어야 하는바, 그것은 그 사람이 소환된 법원에 의하여 부과되어야 하고 카운티 재정회계에 납입되어야 한다.

History: Sup. Ct. Order No. 96-08, 207 Wis. 2d xv (1997).

https://law.justia.com/codes/wisconsin/2019/chapter-968/section-968-50/

968.50 Report progress and return indictments.
절차를 보고하기 및 대배심 검사기소장들을 제출하기.

Universal Citation: WI Stat § 968.50 (2019)

일반적 인용: WI Stat § 968.50 (2019)

968.50 Report progress and return indictments. A grand jury may report progress and return indictments to the court from time to time during its session and until discharged.

절차를 보고하기 및 대배심 검사기소장들을 제출하기. 자신의 회합 동안에 및 임무로부터 해제될 때까지, 수시로 법원에 대배심은 절차를 보고할 수 있고 대배심 검사기소장들을 제출할 수 있다.

History: 1977 c. 187 s. 95; Stats. 1977 s. 756.17; Sup. Ct. Order No. 96-08, 207 Wis. 2d xv (1997); Stats. 1997 s. 968.50.

A grand jury performs a judicial rather than a legislative function; therefore, a progress report unconnected to an indictment may not be made public. State ex rel. Caledonia v. Racine County Ct. 78 Wis. 2d 429, 254 N.W.2d 317 (1977).

입법적 기능을을보다는 사법적 기능을 대배심은 수행한다; 따라서 한 개의 대배심 검사기소에 연결되지 아니하는 한 개의 절차보고서는 공개되어서는 안 된다. State ex rel. Caledonia v. Racine County Ct. 78 Wis. 2d 429, 254 N.W.2d 317 (1977).

https://law.justia.com/codes/wisconsin/2019/chapter-968/section-968-505/

968.505 Procedure upon discharge of grand jury.
대배심의 임무해제에 따르는 절차.

Universal Citation: WI Stat § 968.505 (2019)

일반적 인용: WI Stat § 968.505 (2019)

968.505 Procedure upon discharge of grand jury. When the grand jury is discharged the clerk shall collect all transcripts of testimony, minutes of proceedings, exhibits and other records of the grand jury, and deliver them as the jury directs either to the attorney general or to the district attorney, or upon approval of the court deliver them to the clerk of the court who shall impound them subject to the further order or orders of the court.

대배심의 임무해제에 따르는 절차. 임무로부터 대배심이 해제되면 대배심의 모든 증언녹취록들을, 절차들의 의사록을, 증거물들을 및 그 밖의 기록들을 서기는 모아야 하고, 그것들을 배심이 명령하는 바에 따라서 검찰총장에게 또는 재판구 지방검사에게 인도하여야 하거나,

또는 그것들을 장차의 법원의 명령에 또는 명령들에 따라서 몰수하여야 할 법원서기에게 법원의 승인을 얻어 그것들을 인도하여야 한다.

History: 1977 c. 187 s. 95; Stats. 1977 s. 756.18; Sup. Ct. Order No. 96-08, 207 Wis. 2d xv (1997); Stats. 1997 s. 968.505; 1997 a. 35 s. 586.

https://law.justia.com/codes/wisconsin/2019/chapter-968/section-968-51/

968.51 Indictment not to be disclosed.
대배심 검사기소장은 공개되어서는 아니 됨.

Universal Citation: WI Stat § 968.51 (2019)
일반적 인용: WI Stat § 968.51 (2019)

968.51 Indictment not to be disclosed. No grand juror or officer of the court, if the court shall so order, shall disclose the fact that any indictment for a felony has been found against any person not in custody or under recognizance, otherwise than by issuing or executing process on such indictment, until such person has been arrested.

대배심 검사기소장은 공개되어서는 아니 됨. 구금되어 있지 아니한 내지는 서약보증서 아래에 있지 아니한 사람을 겨냥한 한 개의 중죄에 대한 대배심 검사기소가 평결되어 있다는 사실을, 그러한 대배심 검사기소에 터잡는 영장을 발부함에 내지는 집행함에 의하여를 제외하고는, 그러한 사람이 체포되고 났을 때까지 대배심원은 내지는 법원 공무원은, 법원이 그렇게 명령할 경우에, 공개하여서는 안 된다.

History: 1977 c. 187 s. 95; Stats. 1977 s. 756.19; Sup. Ct. Order, No. 96-08, 207 Wis. 2d xv (1997); Stats. 1997 s. 968.51.

https://law.justia.com/codes/wisconsin/2019/chapter-968/section-968-52/

968.52 Votes not to be disclosed.
투표행위들은 공개되어서는 아니 됨.

Universal Citation: WI Stat § 968.52 (2019)

일반적 인용: WI Stat § 968.52 (2019)

968.52 Votes not to be disclosed. No grand juror may be allowed to state or testify in any court in what manner he or she or any other member of the jury voted on any question before them, or what opinion was expressed by any juror in relation to the question.

투표행위들은 공개되어서는 아니 됨. 그들 앞의 문제에 관하여 어떤 방법으로 그가 또는 그녀가 또는 대배심의 여타 구성원이 투표하였는지를 내지는 그 문제에 관련하여 배심원 어느 누구든지에 의하여 어떠한 의견이 표명되었는지를 진술하도록 내지는 증언하도록 그 어떤 법원에서도 대배심원은 허용되지 아니한다.

History: 1977 c. 187 s. 95; Stats. 1977 s. 756.20; Sup. Ct. Order No. 96-08, 207 Wis. 2d xv (1997); Stats. 1997 s. 968.52.

https://law.justia.com/codes/wisconsin/2019/chapter-968/section-968-53/

968.53 When testimony may be disclosed.
증언이 공개될 수 있는 경우.

Universal Citation: WI Stat § 968.53 (2019)

일반적 인용: WI Stat § 968.53 (2019)

968.53 When testimony may be disclosed. Members of the grand jury and any grand jury reporter may be required by any court to testify whether the testimony of a witness examined before the jury is consistent with or different from the evidence given by the witness before the court; and they may also be required to disclose the testimony given before the grand jury by any person upon a complaint against the person for perjury, or upon trial for the offense. Any transcript of testimony taken before the grand jury and certified by a grand jury reporter to have been carefully compared by the reporter with his or her minutes of testimony so taken and to be a true and correct transcript of all or a specified portion of the transcript, may be received in evidence with the same effect as the oral testimony of the reporter to the facts so certified, but the reporter may be cross-examined by any party as to the matter.

증언이 공개될 수 있는 경우. 대배심 앞에서 신문된 한 명의 증인의 증언이 법원 앞에서의 당해 증인에 의하여 이루어진 증언에 일치하는지 다른지 여부를 증언하도록 어떤 법원에 의하여도 대배심의 구성원들은 및 대배심 속기사는 요구될 수 있다; 그리고 어느 누구든지에 의해서든 대배심 앞에서 이루어진 증언을 공개하도록 그 사람의 위증죄를 이유로 하는 소추청구장에 터잡아서 또는 그 범죄에 대한 정식사실심리에 터잡아서도 그들은 요구될 수 있다. 대배심 앞에서 청취된, 및 그의 내지는 그녀의 그렇게 청취된 증언 의사록에 대배심 속기사 자신에 의하여 주의 깊게 비교되었음이 및 당해 녹취록의 전부에 대한 내지는 특정된 일부에 대한 진실한 및 정확한 녹취록임이 그 속기사에 의하여 인증된, 증언의 녹취록은 그렇게 인증되는 사실관계에 대한 당해 속기사의 구두증언이 지니는 효력에의 동일한 효력을 지니고서 증거로서 수령될 수 있는바, 그러나 그 사항에 관하여 어느 당사자에 의하여든 반대신문에 그 속기사는 처해질 수 있다.

History: 1977 c. 187 s. 95; Stats. 1977 s. 756.21; Sup. Ct. Order No. 96-08, 207 Wis. 2d xv (1997); Stats. 1997 s. 968.53.

유타주
대배심 규정

유타주
대배심 규정

2019 Utah Code

Title 77 - Utah Code of Criminal Procedure

Chapter 10a - Grand Jury Reform
대배심 개혁법

- Section 1 - Definitions.

- Section 2 - Panel of judges -- Appointment -- Membership -- Ordering of grand jury.

- Section 3 - Scope of grand jury inquiry.

- Section 4 - Number of members -- Number required for indictment.

- Section 5 - Grand jurors -- Qualification and selection -- Limits on disclosure.

- Section 7 - Selection of grand jurors -- Notice -- Examination -- Qualification -- Alternates.

• Section 8 - Challenge of prospective grand jurors -- Failure to comply in selection of jurors -- Remedies.

• Section 9 - Oath for grand jurors.

• Section 10 - Charge of grand jury -- Rights and duties.

• Section 11 - Jury foreman -- Compensation of grand jurors.

• Section 12 - Representation of state -- Appointment and compensation of special prosecutor.

• Section 13 - Location -- Who may be present -- Witnesses -- Witnesses who are subjects -- Evidence -- Contempt -- Notice -- Record of proceedings -- Disclosure.

• Section 14 - Concurrence for indictment -- Proof -- Validity -- Disclosure.

• Section 15 - Return and transfer of indictment.

• Section 16 - Return of indictment -- Warrant of arrest -- Bail.

• Section 17 - Grand jury report on noncriminal misconduct -- Action on the report.

• Section 18 - Grand jury term of service -- Excusing a juror.

• Section 19 - Compensation for special prosecutors.

• Section 20 - Expenses of grand jury -- Appropriation -- Payment by state or county.

https://law.justia.com/codes/utah/2019/title-77/chapter-10a/section-1/

Section 1 - Definitions.
개념정의들.

Universal Citation: UT Code § 77-10a-1 (2019)
일반적 인용: UT Code § 77-10a-1 (2019)

77-10a-1. Definitions.
개념정의들.

As used in this chapter:

이 장에서 사용되는 것으로서의

(1) "Clerk of the court" means the state court administrator or his designee.

"법원서기"는 주 법원의 사무국장을 또는 그의 피지명자를 의미한다.

(2) "Managing judge" means the supervising judge when he retains authority to manage a grand jury, or the district court judge to whom the supervising judge delegates management of a grand jury.

"대배심 관리판사"는 한 개의 대배심을 관리할 권한을 보유하는 경우에의 감독판사를, 또는 한 개의 대배심의 관리를 감독판사가 위임하는 재판구 지방법원 판사를 의미한다.

(3) "Presiding officer" means the presiding officer of the Judicial Council.

"사법관회의 의장"은 사법관회의를 주재하는 의장을 의미한다.

(4) "Subject" means a person whose conduct is within the scope of the grand jury's investigation, and that conduct exposes the person to possible criminal prosecution.

"대상"은 그 행위가 대배심의 조사 범위 내에 있는, 및 그 자신을 그 있을 수 있는 형사소추에 그 행위가 노출시키는 사람을 의미한다.

(5) "Supervising judge" means the district court judge appointed by the presiding officer to supervise the five-judge grand jury panel.

다섯 명의 판사로 이루어지는 대배심 소집심사 합의부를 감독하도록 사법관회의 의장에 의하여 지명되는 재판구 지방법원 판사를 "감독판사"는 의미한다.

(6) "Target" means a person regarding whom the attorney for the state, the special prosecutor, or the grand jury has substantial evidence that links that person to the commission of a crime and who could be indicted or charged with that crime.

"표적"은 한 개의 범죄의 범행에 사람을 연결짓는 중대한 증거를 그 사람에 관련하여 검사(주 측 변호사)가, 특별검사가, 또는 대배심이 지니는, 그리하여 그 범죄로 대배심 검사기소에 처해질 수 있는 내지는 기소될 수 있는 사람을 의미한다.

(7) "Witness" means a person who appears before the grand jury either voluntarily or pursuant to subpoena for the purpose of providing testimony or evidence for the grand jury's use in discharging its responsibilities.

"증인"은 대배심의 책무사항들의 수행에 있어서의 대배심의 사용을 위한 증언을 내지는 증거를 제공하기 위하여 자발적으로든 또는 벌칙부소환장에 따라서든 대배심 앞에 출석하는 사람을 의미한다.

Enacted by Chapter 318, 1990 General Session. 1990년 일반회기 법률 제318장에 의하여 입법됨

https://law.justia.com/codes/utah/2019/title-77/chapter-10a/section-2/

Section 2 - Panel of judges -- Appointment -- Membership -- Ordering of grand jury.

판사들로 구성되는 대배심 소집심사 합의부 -- 지명 — 구성원 — 대배심 소환명령.

Universal Citation: UT Code § 77-10a-2 (2019)

일반적 인용: UT Code § 77-10a-2 (2019)

Effective 5/8/2018

발효 2018년 5월 8일

> **77-10a-2. Panel of judges -- Appointment -- Membership -- Ordering of grand jury.**
> 판사들로 구성되는 대배심 소집심사 합의부 -- 지명 — 구성원 — 대배심 소환명령.

(1) (a) The presiding officer of the Judicial Council shall appoint a panel of five judges from the district courts of the state to hear in secret all persons claiming to have information that would justify the calling of a grand jury. The presiding officer may appoint senior status district court judges to the panel. The presiding officer shall designate one member of the panel as supervising judge to serve at the pleasure of the presiding officer. The panel has the authority of the district court.

한 개의 대배심 소환을 정당화할 만한 정보를 자신들이 지닌다고 주장하는 모든 사람들을 비밀리에 청취하는, 주 재판구 지방법원들에 속하는 판사들 다섯 명으로 이루어지는 한 개의 대배심 소집심사 합의부를 사법관회의의 의장은 지명하여야 한다. 은퇴 이후에 위촉에 따라서 현역복귀의 지위에 있는 재판구 지방법원 판사들을 대배심 소집심사 합의부에 사법관회의 의장은 지명할 수 있다. 그 복무할 감독판사로 대배심 소집심사 합의부의 구성원 한 명을 사법관회의 의장의 재량에 따라서 사법관회의 의장은 지명하여야 한다. 재판구 지방법원의 권한을 대배심 소집심사 합의부는 지닌다.

(b) To ensure geographical diversity on the panel one judge shall be appointed from the first or second district for a five-year term, one judge shall be appointed from the third district for a four-year term, one judge shall be appointed from the fourth district for a three-year term, one judge shall be appointed from the fifth, sixth, seventh, or eighth districts for a two-year term, and one judge shall be appointed from the third district for a one-year term. Following the first term, all terms on the panel are for five years.

대배심 소집심사 합의부 위의 지역적 다양성을 확보하기 위하여 판사 한 명은 제1재판구로부터 또는 제2재판구로부터 5년의 임기로 지명되어야 하고, 판사 한 명은 제3재판구로부터 4년의 임기로 지명되어야 하며, 판사 한 명은 제4재판구로부터 3년의 임기로 임명되어야 하고, 판사 한 명은 제5, 6, 7, 8 재판구들로부터 2년의 임기로 임명되어야 하며, 판사 한 명은 제3재판구로부터 1년의 임기로 임명되어야 한다. 최초의 임기 뒤에는 대배심 소집심사 합의부 위의 모든 임기들은 5년씩이다.

(c) The panel shall schedule hearings in each judicial district at least once every three years and may meet at any location within the state. Three members of the panel constitute a quorum for the transaction of panel business. The panel shall act by the concurrence of a majority of members present and may act through the supervising judge or managing judge. The schedule for the hearings shall be set by the panel and published by the Administrative Office of the Courts. Persons who desire to appear before the panel shall schedule an appointment with the Administrative Office of the Courts at least 10 days in advance. If no appointments are scheduled, the hearing may be canceled. Persons appearing before the panel shall be placed under oath and examined by the judges conducting the hearings. Hearsay evidence may be presented at the hearings only under the same provisions and limitations that apply to preliminary hearings.

개개 재판구에서의 심문들을 위한 기일을 3년마다 적어도 한 번 대배심 소집심사 합의부는 지정하여야 하는바, 주 내의 어디서든지 대배심 소집심사 합의부는 회합할 수 있다. 대배심 소집심사 합의부의 업무의 처리를 위한 의사정족수를 세 명의 구성원들은 구성한다. 출석한 구성원들의 과반수 찬성에 의하여 대배심 소집심사 합의부는 행동하여야 하는바, 감독판사를 내지는 대배심 관리판사를 통하여 행동할 수 있다. 심문들을 위한 기일은 대배심 소집심사 합의부에 의하여 지정되어야 하고 법원사무처에 의하여 공표되어야 한다. 대배심 소집심사 합의부 앞에 출석하기를 원하는 사람들은 예약을 적어도 10일 전에 법원사무처에 하여야 한다. 만약 예약들이 이루어지지 아니하면, 심문기일은 취소될 수 있다. 대배심 소집심사 합의부 앞에 출석하는 사람들은 선서에 처해져야 하고 당해 심문들을 실시하는 판사들에 의하여 신문되어야 한다. 예비심문들에 적용되는 조건들에의 및 제한들에의 동일한 조건들 아래서만 및 제한들 아래서만 심문들에 전문증거는 제출될 수 있다.

(2) (a) If the panel finds good cause to believe a grand jury is necessary, the panel shall make its findings in writing and may order a grand jury to be summoned.

한 개의 대배심이 필요하다고 믿을 타당한 이유를 만약 대배심 소집심사 합의부가 인정하면 합의부는 자신의 판단사항들을 서면으로 작성하여야 하는바, 한 개의 대배심을 소환하도록 명령할 수 있다.

(b) The panel may refer a matter to the attorney general, county attorney, district attorney, or city attorney for investigation and prosecution. The referral shall contain as much of the information presented to the panel as the panel determines relevant. The attorney general, county attorney, district attorney, or city attorney shall report to the panel the results of any investigation and whether the matter will be prosecuted by a prosecutor's information. The report shall be filed with the panel within 120 days after the referral unless the panel provides for a different amount of time. If the panel is not satisfied with the action of the attorney general, county attorney, district attorney, or city attorney, the panel may order a grand jury to be summoned.

조사를 및 소추를 위하여 검찰총장에게, 카운티 검사에게, 재판구 지방검사에게, 또는 시티 검사에게 한 개의 사안을 대배심 소집심사 합의부는 위임할 수 있다. 대배심 소집심사 합의부 자신에게 제출된 정보 중에서 관련을 지니는 것으로 그 자신이 판단하는 만큼의 정보를 위임은 포함하여야 한다. 조사의 결과들을, 및 당해 사안이 한 개의 검사 독자기소장에 의하여 소추될 것인지 여부를 대배심 소집심사 합의부에게 검찰총장은, 카운티 검사는, 재판구 지방검사는 또는 시티 검사는 보고하여야 한다. 별도의 기한을 대배심 소집심사 합의부가 정하는 경우에를 제외하고는 위임 뒤 120일 내에 보고서는 대배심 소집심사 합의부에 제출되어야 한다. 검찰총장의, 카운티 검사의, 재판구 지방검사의, 또는 시티 검사의 처분을 대배심 소집심사 합의부가 납득하지 아니하면, 한 개의 대배심을 소환할 것을 대배심 소집심사 합의부는 명령할 수 있다.

(3) When the attorney general, a county attorney, a district attorney, municipal attorney, or a special prosecutor appointed under Section 77-10a-12 certifies in writing to the supervising judge that in his judgment a grand jury is necessary because of criminal activity in the state, the panel shall order a grand jury to be summoned if the panel finds good cause exists.

주 내의 범죄활동으로 인하여 한 개의 대배심이 필요하다는 것이 자신의 판단임을 감독판사에게 검찰총장이, 카운티 검사가, 재판구 지방검사가, 시군 자치체 검사가, 또는 제77-10a-12절에 의하여 지명되는 특별검사가 서면으로 보증하면, 한 개의 대배심을 소환할 것을, 그 타당한 이유가 존재한다고 당해 대배심 소집심사 합의부가 인정하는 경우에, 대배심 소집심사 합의부는 명령하여야 한다.

(4) In determining whether good cause exists under Subsection (3), the panel shall consider, among other factors, whether a grand jury is needed to help maintain public confidence in the impartiality of the criminal justice process.

소절 (3) 아래서의 타당한 이유가 존재하는지 여부를 판단함에 있어서는, 여타의 요소들을 중에서도 특히, 형사 사법절차의 공정성에 대한 공중의 신뢰를 유지하도록 조력하기 위하여 한 개의 대배심이 요구되는지 여부를 대배심 소집심사 합의부는 고려하여야 한다.

(5) A written certification under Subsection (3) shall contain a statement that in the prosecutor's judgement a grand jury is necessary, but the certification need not contain any information which if disclosed may create a risk of:

소절 (3) 아래서의 서면보증은 한 개의 대배심이 필요하다는 것이 당해 검사의 판단임에 대한 서술을 포함하여야 하지만, 만약 그 공개될 경우에는 아래의 위험을 빚을 수 있는 정보를 그것은 포함할 필요가 없다:

(a) destruction or tainting of evidence;

증거의 파괴 또는 오염;

(b) flight or other conduct by the subject of the investigation to avoid prosecution;

소추를 회피하기 위한 조사의 대상에 의한 도주 내지는 그 밖의 행동;

(c) damage to a person's reputation or privacy;

사람의 명성에의 내지는 프라이버시에의 침해;

(d) harm to any person; or

어느 누구에게인지를 막론한 사람에게의 위해; 또는

(e) a serious impediment to the investigation.

조사에의 중대한 방해.

(6) A written certification under Subsection (3) shall be accompanied by a statement of facts in support of the need for a grand jury.

소절 (3) 아래서의 서면보증에는 한 개의 대배심의 필요성을 뒷받침하는 사실관계에 대한 진술서가 첨부되어야 한다.

(7) The supervising judge shall seal any written statement of facts submitted under Subsection (6).

사실관계에 대한 소절 (6) 아래서 제출되는 어떤 서면 진술서를이든지 감독판사는 봉인하여야 한다.

(8) The supervising judge may at the time the grand jury is summoned:

아래의 조치를 대배심이 소환되는 때에 감독판사는 취할 수 있다:

(a) order that it be drawn from the state at large as provided in this chapter or from any district within the state; and

이 장에 규정되는 바에 따라서 주 전체로부터 자유로이, 또는 이 주 내의 특정지구 어디든지로부터든, 당해 대배심이 추출되게 하도록 명령하는 조치; 그리고

(b) retain authority to supervise the grand jury or delegate the supervision of the grand jury to any judge of any district court within the state.

대배심을 감독할 권한을 보유하는 조치, 내지는 대배심의 감독을 주 내의 어디든지의 재판구 지방법원 판사에게 위임하는 조치.

(9) If after the certification under Subsection (3) the panel does not order the summoning of a grand jury or the grand jury does not return an indictment regarding the subject matter of the certification, the prosecuting attorney may release to the public a copy of the written certification if in the prosecutor's judgment the release does not create a risk as described in Subsection (5).

한 개의 대배심의 소환을 소절 (3) 아래서의 보증 뒤에 대배심 소집심사 합의부가 만약 명령하지 아니하면, 내지는 당해 보증의 계쟁물에 관한 한 개의 대배심 검사기소장을 당해 대배심이 제출하지 아니하면, 소절 (5)에 규정된 한 개의 위험을 그 공개가 빚지 아니한다는 것이 당해 검사의 판단인 경우에는 당해 서면보증서의 등본을 검사는 공개할 수 있다.

Amended by Chapter 25, 2018 General Session. 2018년 일반회기 법률 제25장에 의하여 개정됨

Section 3 - Scope of grand jury inquiry.

대배심 조사의 범위.

Universal Citation: UT Code § 77-10a-3 (2019)

일반적 인용: UT Code § 77-10a-3 (2019)

77-10a-3. Scope of grand jury inquiry.

대배심 조사의 범위.

Any grand jury summoned under this chapter may inquire into and indict for any criminal activity occurring within the state.

이 주 내에서 발생하는 어떤 범죄활동을이든 이 장 아래서 소환되는 대배심은 파헤칠 수 있고 대배심 검사기소에 처할 수 있다.

Enacted by Chapter 318, 1990 General Session. 1990년 일반회기 법률 제318장에 의하여 입법됨

Section 4 - Number of members -- Number required for indictment.

구성원들의 숫자 -- 대배심 검사기소에 요구되는 숫자.

77-10a-4. Number of members -- Number required for indictment.
구성원들의 숫자 -- 대배심 검사기소에 요구되는 숫자.

(1) Any grand jury summoned under this chapter shall consist of not fewer than nine or more than 15 members.

이 장 아래서 소환되는 대배심은 9명 이상 15명 이하로 구성되어야 한다.

(2) The grand jury may return an indictment only if at least three-fourths of the members, or the next highest whole number, vote in favor of the indictment.

대배심 검사기소에 적어도 4분의 3에 해당하는 숫자의 구성원들이, 또는 그 다음 번으로 큰 자연수에 해당하는 숫자의 구성원들이 찬성하는 경우에만 한 개의 대배심 검사기소장을 대배심은 제출할 수 있다.

Enacted by Chapter 318, 1990 General Session. 1990년 일반회기 법률 제318장에 의하여 입법됨

https://law.justia.com/codes/utah/2019/title-77/chapter-10a/section-5/

Section 5 - Grand jurors -- Qualification and selection -- Limits on disclosure.
대배심원들 -- 자격조건 및 선정 -- 공개의 제한들.

Universal Citation: UT Code § 77-10a-5 (2019)

일반적 인용: UT Code § 77-10a-5 (2019)

Effective 5/9/2017

발효일 2017년 5월 9일

77-10a-5. Grand jurors -- Qualification and selection -- Limits on disclosure.
대배심원들 -- 자격조건 및 선정 -- 공개의 제한들.

(1) Grand jurors shall meet the qualifications provided for jurors generally in Title 78B, Chapter 1, Part 1, Jury and Witness Act. Grand jurors shall be selected from the prospective jury list as provided in Section 78B-1-107.

배심원들을 위하여 제78B편 제1장 제1부 배심및증인법에서 일반적으로 규정되는 자격조건들을 대배심원들은 충족하여야 한다. 제78B-1-107절에 규정되는 배심원후보 명부로부터 대배심원들은 선정되어야 한다.

(2) The names of grand jurors are classified as protected records under Title 63G, Chapter 2, Government Records Access and Management Act.

대배심원(후보)들의 이름들은 제63G편 제2장 정부기록접근및관리법 아래서의 보호되는 기록들로서의 비밀자료로 취급되어야 한다.

Amended by Chapter 115, 2017 General Session. 2017년 일반회기 법률 제115장에 의하여 개정됨

https://law.justia.com/codes/utah/2019/title-77/chapter-10a/section-7/

Section 7 - Selection of grand jurors -- Notice -- Examination -- Qualification -- Alternates.
대배심원들의 선정 -- 통지 -- 신문 -- 자격심사 -- 예비배심원들.

Universal Citation: UT Code § 77-10a-7 (2019)

일반적 인용: UT Code § 77-10a-7 (2019)

77-10a-7. Selection of grand jurors -- Notice -- Examination -- Qualification — Alternates.
대배심원들의 선정 -- 통지 -- 신문 -- 자격심사 -- 예비배심원들.

(1) When the supervising judge orders that a grand jury be summoned, the managing judge shall direct the clerk to select at random from the master list the number of names determined by the managing judge to ensure that the required number of grand jurors under this chapter may be qualified to constitute the grand jury.

한 개의 대배심을 소환하도록 감독판사가 명령하는 경우에 당해 대배심을 구성할 자격이 인정되는 이 장 아래서의 요구되는 숫자의 대배심원들을 확보할 수 있을 것으로 대배심 관리판사에 의하여 판단되는 숫자의 이름들을 종합명부로부터 무작위로 선정하도록 서기에게 대배심 관리판사는 명령하여야 한다.

(2) (a) The managing judge may direct the clerk to draw additional names from the master list so alternate grand jurors may be designated at the time the grand jury is selected.

대배심이 선정되는 때에 예비 대배심원들이 지명될 수 있게끔 추가적 이름들을 종합명부로부터 추출하도록 서기에게 대배심 관리판사는 명령할 수 있다.

(b) Alternate grand jurors shall be drawn in the same manner and have the same qualifications as the regular grand jurors. If impanelled, they are subject to the same challenges, shall take the same oath, and have the same functions, powers, facilities, and privileges as the regular jurors.

정규 대배심원들이 추출되는 방법에의 동일한 방법으로 예비 대배심원들은 추출되어야 하고 정규 대배심원들이 갖춰야 할 자격조건들에의 동일한 자격조건들을 예비 대배심원들은 갖춰야 한다. 만약 대배심에 충원되면, 정규 대배심원들이 종속되는 기피사유들에의 동일한 기피사유들에 그들은 종속되고 정규 대배심원들이 하여야 하는 선서에의 동일한 선서를 그들은 하여야 하며, 정규 대배심원들이 지니는 임무들에의, 권한들에의, 편의들에의, 특권들에의 동일한 임무들을, 권한들을, 편의들을, 특권들을 그들은 지닌다.

(3) The clerk shall cause each person drawn for service on the grand jury or as an alternate to be notified of when and where to report for service. Notice may be given by telephone or by service of a summons, either personally or by first class mail addressed to the prospective juror's current residence, place of business, or post office box.

대배심에의 복무를 위하여 추출되는 또는 예비배심원으로서 추출되는 개개 사람에게 그 복무를 위하여 언제 어디에 출석해야 하는지에 관하여 통지가 이루어지도록 서기는 조치하여야 한다. 전화에 의하여 또는 소환장의 송달에 의하여, 직접적으로든 또는 당해 대배심원후보의 현재의 주소지 앞으로의, 영업장소 앞으로의, 또는 사서함 앞으로의 일급우편에 의하여든, 통지는 부여될 수 있다.

(4) The names of those drawn for service on the grand jury or as alternates and the contents of all grand juror questionnaires may not be made available to the public.

대배심에의 복무를 위하여 추출되는 내지는 예비배심원들로서 추출되는 사람들의 이름들은 및 대배심원 자격심사 질문서들의 내용들은 공중에게 제공되어서는 안 된다.

(5) (a) At the time and place specified for the appearance of the persons summoned to serve as grand jurors and alternates, the managing judge shall examine the prospective grand jurors and alternates. Before accepting any person as a grand juror or alternate, the managing judge shall be satisfied that the person has no bias or prejudice that would prevent him from fairly and dispassionately considering the matters presented to the grand jury.

대배심원들로서 및 예비배심원들로서 복무하도록 소환되는 사람들의 출석을 위하여 명시된 시간에 및 장소에서 대배심원후보들을 및 예비배심원후보들을 대배심 관리판사는 신문하여야 한다. 어느 누구를이든 한 명의 대배심원으로서 내지는 예비배심원으로서 받아들이기 위하여는 그 전에, 대배심에 제출되는 사안들을 공정하게 및 냉정하게 검토하지 못하도록 그 사람을 방해할 만한 편견을 내지는 선입견을 그 사람이 지니지 아니함을 대배심 관리판사는 납득하여야 한다.

(b) When drawn and qualified, the person shall be accepted for service unless the managing judge in his discretion and on the application of the juror excuses him from service before he is sworn.

그 사람이 추출되고서 자격이 인정되면, 선서절차에 그 사람이 처해지고 나기 전에 그 사람을 대배심 관리판사가 그의 재량 내에서 및 당해 배심원(후보)의 신청에 따라서 복무로부터 면제시키는 경우에를 제외하고는, 복무를 위하여 그 사람은 받아들여져야 한다.

(6) The managing judge may dismiss the grand jury panel if he finds there has been a material departure from the methods prescribed for the selecting, drawing, and return of the grand jury, or if there has been an intentional omission by the proper officer to summon one or more of the grand jurors drawn.

대배심의 선정을 위하여, 추출을 위하여, 그리고 선출을 위하여 규정되는 방법들로부터의 중대한 이탈이 있었음을 대배심 관리판사가 인정하면, 또는 그 추출된 배심원(후보) 한 명 이상에 대한 담당 공무원에 의한 의도적 소환 누락이 있었으면, 당해 대배심원단을 대배심 관리판사는 해임할 수 있다.

(7) When 15 of the persons summoned as grand jurors who are qualified and not excused remain, they are the grand jury. If more than 15 qualified persons remain, their names shall be written by the clerk on separate slips, folded to conceal the names, and placed in a box. The clerk shall then draw 15 slips, and the persons whose names are drawn are the grand jury.

대배심원(후보)들로서 소환된 및 자격을 갖춘 및 면제되지 아니한 15명이 남으면, 그들이 대배심이다. 만약 그 남아 있는 유자격자들이 15명을 초과하면, 따로따로의 종이조각들 위에 서기에 의하여 그들의 이름들이 기재되어야 하고, 종이조각들은 그들의 이름들을 가리도록 접혀져야 하며, 한 개의 상자 안에 넣어져야 한다. 그 뒤에 15개의 종이조각들을 서기는 추출하여야 하는바, 그 이름들이 추출되는 사람들이 대배심이다.

(8) (a) When the number of persons to be designated as alternate grand jurors who are qualified and not excused remain, they are the alternate grand jurors.

예비 대배심원들로서 지명되어야 할 숫자의 자격을 갖춘 및 면제되지 아니한 사람들이 남으면 그들이 예비 대배심원들이다.

(b) If more than the number of alternate grand jurors designated by the managing judge remain, their names shall be written by the clerk on separate slips, folded to conceal the names, and placed in a box. The clerk shall then draw slips until the designated number of alternate grand jurors are selected.

대배심 관리판사에 의하여 지정된 숫자를 그 남아 있는 예비 대배심원들의 숫자가 만약 넘으면, 그들의 이름들이 서기에 의하여 따로따로의 종이조각들 위에 기재되어야 하고, 종이조각들은 그들의 이름들을 가리도록 접혀져야 하며, 한 개의 상자 안에 넣어져야 한다. 그 뒤에 그 지정된 숫자의 예비 대배심원들이 선정될 때까지 종이조각들을 서기는 추출하여야 한다.

Enacted by Chapter 318, 1990 General Session. 1990년 일반회기 법률 제318장에 의하여 입법됨

https://law.justia.com/codes/utah/2019/title-77/chapter-10a/section-8/

Section 8 - Challenge of prospective grand jurors -- Failure to comply in selection of jurors -- Remedies.

대배심원후보들에 대한 기피 -- 배심원들의 선정에 있어서의 준수불이행 -- 구제들.

Universal Citation: UT Code § 77-10a-8 (2019)

일반적 인용: UT Code § 77-10a-8 (2019)

77-10a-8. Challenge of prospective grand jurors -- Failure to comply in selection of jurors -- Remedies.

대배심원후보들에 대한 기피 -- 배심원들의 선정에 있어서의 준수불이행 -- 구제들.

(1) The attorney general, county attorney, district attorney, or special prosecutor may challenge:

검찰총장은, 카운티 검사는, 재판구 지방검사는, 또는 특별검사는:

(a) the array of grand jurors on the ground the grand jury was not selected, drawn, or summoned in accordance with law; and

법에의 부합 속에서 당해 대배심이 선정되지, 추출되지, 또는 소환되지 아니하였음을 이유로 하여 당해 대배심원단을 기피할 수 있다; 그리고

(b) an individual juror on the ground the juror is not legally qualified.

법적으로 자격조건을 당해 배심원이 갖추지 아니하였음을 이유로 하여 개개 배심원을 기피할 수 있다.

(2) Challenges shall be made before the administration of the oath to the jurors and shall be tried to the court managing the grand jury.

기피들은 선서절차의 배심원들에게의 실시 전에 신청되어야 하고 당해 대배심을 관리하는 법원의 심리에 부쳐져야 한다.

(3) A motion to dismiss the indictment may be based on objections to the array or on the lack of legal qualification of an individual juror, if not previously determined upon challenge.

대배심 검사기소장을 각하하여 달라는 신청은 그 근거를 배심원단에 대한 이의들에 또는 개개 배심원의 법적 자격조건의 결여에 둘 수 있는바, 기피의 심리에서 그것들이 미리 판단된 바 없는 경우에 한한다.

(4) In criminal cases the defendant or attorney for the state may move to dismiss the indictment or stay the proceedings on the ground of substantial failure to comply with this chapter in selecting the grand jury. However, he must do so before the voir dire examination begins or within seven days after the defendant or attorney for the state discovered or could have discovered the grounds

by the exercise of diligence, whichever is earlier, or the motion is considered waived.

대배심을 선정함에 있어서의 이 장을 준수하기에 대한 중대한 불이행을 이유로, 대배심 검사기소장을 각하할 것을 내지는 절차들을 중지할 것을 형사사건들에서 피고인은 또는 검사(주 측 변호사)는 신청할 수 있다. 그러나 배심원자격 예비심문이 시작되기 전에, 또는 그 사유들을 피고인이 내지는 검사(주 측 변호사)가 발견한 날 뒤의, 내지는 근면의 행사에 의하여 발견할 수 있었을 날 뒤의, 둘 중에서 더 빠른 날 뒤의 7일 내에, 그는 그렇게 하지 않으면 안 되는바, 만약 그렇게 그가 하지 아니하면 당해 신청은 포기된 것으로 간주된다.

(5) (a) Any motion filed under Subsection (1), (3), or (4) must contain a sworn statement of facts which, if true, would constitute a substantial failure to comply with the provisions of this chapter. The moving party may present in support of the motion the testimony of the clerk if he is available, any relevant records and papers used by the clerk that were not made public or otherwise available, and any other relevant evidence.

이 장의 규정들을 준수하기에 대한 한 개의 중대한 불이행을 그 진실이라면 구성할 만한 사실관계에 대한 한 개의 선서진술서를 소절 (1) 아래서, (3) 아래서, 또는 (4) 아래서 제출되는 신청은 포함하지 않으면 안 된다. 서기가 동원될 수 있을 경우에의 서기의 증언을, 그리고 공개되지 아니한 내지는 달리 입수될 수 없는, 서기에 의하여 이용된 관련 있는 기록들을 및 서류들을, 그리고 그 밖의 관련 있는 증거를, 신청의 근거로서 신청 측 당사자는 제출할 수 있다.

(b) If the managing judge determines there has been a substantial failure to comply with the provisions of this chapter in selecting the grand jury, he shall stay the proceedings pending the selection of a grand jury in conformity with this chapter or dismiss the indictment, whichever is appropriate.

대배심을 선정함에 있어서의 이 장의 규정들을 준수하기에 대한 중대한 불이행이 있었다고 만약 대배심 관리판사가 판단하면, 이 장에의 부합 속에서의 대배심의 선정이 있기까지 절차들을 정지시키는 조치를의, 대배심 검사기소장을 각하하는 조치를의 그 둘 중에서 어느 쪽을이든 적합한 쪽을 그는 취하여야 한다.

(6) (a) The procedures prescribed by this section are the exclusive means by which a party accused of a crime or an attorney for the state may challenge any grand jury on the ground it was not selected in conformity with this chapter.

이 절에 의하여 규정되는 절차들은 이 장에의 부합 속에서 대배심이 선정되지 아니하였음을 이유로 그 대배심을 한 개의 범죄의 범인이라고 주장되는 당사자가 또는 검사(주 측 변호사)가 기피할 수 있는 배타적 수단이다.

(b) An indictment may not be dismissed in any case on the ground that one or more members of the grand jury that returned the indictment were not legally qualified if it appears from the record kept by the grand jury that eight or more jurors, after deducting the number not qualified, concurred in finding the indictment.

대배심 검사기소를 평결함에 결격자들의 숫자를 빼고서도 여덟 명 이상의 배심원들이 찬성하였음이 대배심에 의하여 보관되는 기록으로부터 드러나는 경우에는, 한 개의 대배심 검사기소장을 제출한 대배심의 한 명 이상의 구성원들이 법적으로 결격이었음을 이유로 하여서는 어떤 경우에도 당해 대배심 검사기소장은 각하되어서는 안 된다.

Amended by Chapter 38, 1993 General Session.1993년 일반회기 법률 제38장에 의하여 개정됨

---

https://law.justia.com/codes/utah/2019/title-77/chapter-10a/section-9/

Section 9 - Oath for grand jurors.
대배심원들의 선서.

Universal Citation: UT Code § 77-10a-9 (2019)

일반적 인용: UT Code § 77-10a-9 (2019)

77-10a-9. Oath for grand jurors.
대배심원들의 선서.

Grand jurors and those selected as alternates shall take the following oath:

"Do you, and each of you, solemnly swear that you will diligently inquire into and make true presentment or indictment of all matters and things as are given you in charge or otherwise come to your knowledge, touching upon your grand jury service; to keep secret the counsel of the state, your fellows, and yourselves; to not present or indict any person through hatred, malice, or ill will; to not leave any person unpresented or unindicted through fear, favor, or affection, nor for any reward, or hope or promise thereof; but in all your investigations, presentments, and indictments to seek and present the truth, the whole truth and nothing but the truth, to the best of your skill and understanding? If so, answer 'I do.'"

아래의 선서를 대배심원들은 및 예비배심원들로서 선정된 사람들은 하여야 한다:

"귀하들의 대배심 복무에 관련하여 귀하들에게 맡겨지는 내지는 여타의 경로로 귀하들의 지식 내에 들어오는 모든 사안들을 및 사항들을 귀하들은 근면하게 파헤치겠음을 및 그것들에 대한 진실한 대배심 독자고발을 내지는 대배심 검사기소를 귀하들은 하겠음을; 주(state)의, 귀하들의 동료들의, 그리고 귀하들 자신들의 의논을 비밀로 귀하들은 간직하겠음을; 어느 누구를이라도 원한에, 악의에, 또는 해의에 편승하여 대배심 독자고발에 또는 대배심 검사기소에 귀하들은 처하지 아니하겠음을; 두려움을, 호의를, 또는 애정을 못 이기고서 또는 보상을 바라고서 내지는 보상의 기대를 내지는 약속을 바라고서 어느 누구를이라도 대배심 독자고발 되지 아니한 상태로 또는 대배심 검사기소 되지 아니한 상태로 귀하들은 남겨두지 아니하겠음을; 귀하들의 모든 조사들에 있어서, 대배심 독자고발장들에 있어서, 대배심 검사기소장들에 있어서 귀하들의 최선껏의 기량에 및 이해에 따라서 진실을, 온전한 진실을 및 오직 진실만을 귀하들은 추구하겠음을 및 고발하겠음을 귀하들은 및 귀하들 각자는 엄숙히 선서합니까? 맞다면, '선서합니다.'라고 답변하십시오."

Enacted by Chapter 318, 1990 General Session. 1990년 일반회계 법률 제318장에 의하여 입법됨

Section 10 - Charge of grand jury -- Rights and duties.
대배심에 대한 임무설명 -- 권리들 및 의무들.

Universal Citation: UT Code § 77-10a-10 (2019)
일반적 인용: UT Code § 77-10a-10 (2019)

77-10a-10. Charge of grand jury -- Rights and duties.
대배심에 대한 임무설명 -- 권리들 및 의무들.

Upon impanelment of each grand jury, the judge managing the grand jury shall charge the grand jury and inform it of:

개개 대배심의 충원구성 즉시로 당해 대배심을 관리하는 판사는 당해 대배심에게 임무를 설명하여야 하고 아래 사항을 고지하여야 한다:

(1) its duty to inquire into offenses against the criminal laws alleged to have been committed within the jurisdiction;

그 관할 내에서 저질러진 것으로 주장되는 형사법들에 대한 범죄들을 파헤칠 대배심의 의무;

(2) its independent right to call and interrogate witnesses;

증인들을 소환할 및 신문할 대배심의 독립적 권리;

(3) its right to request the production of documents or other evidence, including exculpatory evidence;

문서들의 제출을 요청할, 또는 무죄임을 해명하여 주는 증거의를 포함하는 내지는 여타의 증거의 제출을 요청할, 대배심의 권리;

(4) the necessity of finding credible evidence of each material element of any crime charged before returning an indictment;

기소되는 범죄의 개개의 중요 요소에 대한 신빙성 있는 증거를, 한 개의 대배심 검사기소장을 제출하기에 앞서서 확인할 필요성;

(5) the need to be satisfied that clear and convincing evidence exists that tends to show that a crime was committed by the person or persons accused before returning an indictment;

범인이라고 주장되는 사람에 내지는 사람들에 의하여 한 개의 범죄가 저질러졌음을 증명하는 데 도움이 되는 명백한 및 설득력 있는 증거가 존재함을, 한 개의 대배심 검사기소장을 제출하기에 앞서서 납득할 필요성;

(6) its right to have the prosecutor present it with draft indictments for less serious charges than those originally requested by the prosecutor;

검사에 의하여 당초에 요청된 공소사실들에보다도 덜 중대한 공소사실에 대한 대배심 검사기소장안들을 자신에게 검사로 하여금 제출하게 할 대배심의 권리;

(7) the obligation of secrecy; and

비밀준수 의무; 그리고

(8) other duties and rights as the court finds advisable.

그 조언할 만함을 법원이 인정하는 여타의 의무들 및 권리들.

Enacted by Chapter 318, 1990 General Session. 1990년 일반회기 법률 제318장에 의하여 입법됨

Section 11 - Jury foreman -- Compensation of grand jurors.
배심장 — 대배심원들의 보수

Universal Citation: UT Code § 77-10a-11 (2019)
일반적 인용: UT Code § 77-10a-11 (2019)

77-10a-11. Jury foreman -- Compensation of grand jurors.
배심장 ― 대배심원들의 보수

(1) The managing judge shall appoint one of the jurors to be foreman and another to be deputy foreman. The foreman may administer oaths and affirmations and shall sign all indictments. The foreman or another juror designated by him shall keep record of the number of jurors concurring in the finding of every indictment and shall file the record with the clerk of the court. The record may not be made public except on order of the managing judge.

배심원들 중 한 명을 배심장으로 그리고 다른 한 명을 부배심장으로 대배심 관리판사는 지명하여야 한다. 배심장은 선서들을 및 무선서 확약들을 실시할 수 있고 모든 대배심 검사기소장들에 서명하여야 한다. 배심장은 또는 배심장에 의하여 지명되는 다른 배심원은 모든 대배심 검사기소장의 평결의 경우에 이에 찬성하는 배심원들 숫자의 기록을 보관하여야 하고 그 기록을 법원서기에게 제출하여야 한다. 대배심 관리판사의 명령에 따라서를 제외하고는 그 기록은 공개되어서는 안 된다.

(2) During the absence of the foreman the deputy foreman shall act as foreman.

배심장의 부재 동안에는 부배심장이 배심장을 대행한다.

(3) A grand juror shall be compensated at the same rate as a juror in a state district court for each day of service.

주 재판구 지방법원에서의 배심원이 복무 하루마다에 대하여 수령하는 요율에의 동일 요율에 따라서 보수를 대배심원은 수령해야 한다.

Enacted by Chapter 318, 1990 General Session. 1990년 일반회기 법률 제318장에 의하여 입법됨

Section 12 - Representation of state -- Appointment and compensation of special prosecutor.

주(state)의 대변 -- 특별검사의 지명 및 보수

Universal Citation: UT Code § 77-10a-12 (2019)

일반적 인용: UT Code § 77-10a-12 (2019)

Effective 5/12/2015

2015년 5월 12일 발효

77-10a-12. Representation of state -- Appointment and compensation of special prosecutor.

주(state)의 대변 -- 특별검사의 지명 및 보수

(1) The state may be represented before any grand jury summoned in the state by:

주 내에서 소환되는 어떤 대배심 앞에서도 아래 사람들에 의하여 주는 대변될 수 있다:

(a) the attorney general or any assistant attorney general;

검찰총장 또는 검찰총장보;

(b) a county attorney or any deputy county attorney;

카운티 검사 또는 카운티 부검사;

(c) a district attorney or any deputy district attorney;

재판구 지방검사 또는 재판구 부지방검사;

(d) a municipal attorney or any deputy municipal attorney; or

시군자치체 검사 또는 시군자치체 부검사; 또는

(e) special prosecutors appointed under this chapter and their assistants.

이 장 아래서 지명되는 특별검사들 및 그들의 보조자들.

(2) The supervising judge shall determine if a special prosecutor is necessary. A special prosecutor may be appointed only upon good cause shown and after the supervising judge makes a written finding that a conflict of interest exists in the Office of the Attorney General, the office of the county attorney, district attorney, or municipal attorney who would otherwise represent the state before the grand jury.

한 명의 특별검사가 필요한지를 감독판사는 판단하여야 한다. 증명되는 타당한 이유 위에서만, 및 당해 대배심 앞에서 주를 여타의 경우라면 대변하였을 검찰총장 사무소 내에, 카운티 검사 사무소 내에, 재판구 지방검사 사무소 내에, 또는 시군자치체 검사 사무소 내에 이익충돌이 존재한다는 한 개의 확인서면을 감독판사가 작성한 뒤에만, 한 명의 특별검사는 지명될 수 있다.

(3) In selecting a special prosecutor, the supervising judge shall give preference to the attorney general and assistant attorneys general, county attorneys, district attorneys, or municipal attorneys and their deputies.

한 명의 특별검사를 선정함에 있어서는 그 우선순위를 검찰총장에게 및 검찰총장보들에게, 카운티 검사들에게, 재판구 지방검사들에게, 시군자치체 검사들에게 및 그들의 부관들에게 감독판사는 부여하여야 한다.

(4) (a) The compensation of a special prosecutor appointed under this chapter who is an employee of the Office of the Attorney General, the office of a county attorney, district attorney, or municipal attorney is only the current compensation received in that office.

검찰총장 사무소의, 카운티 검사 사무소의, 재판구 지방검사 사무소의, 시군자치체 검사 사무소의 피용자인 이 장 아래서 지명되는 특별검사의 보수는 그 사무소에서 수령되는 현행의 보수에 한한다.

(b) The compensation for an appointed special prosecutor who is not an employee of a prosecutorial office under Subsection (4)(a) shall be comparable to the compensation of a deputy or assistant attorney general having similar experience to that of the special prosecutor.

소절 (4)(a) 아래서의 검사 사무소의 피용자가 아니면서 지명되는 특별검사의 보수는 당해 특별검사의 경력에의 유사한 경력을 지니는 검찰부총장의 내지는 검찰총장보의 보수에 상응하는 것이 되어야 한다.

(5) The attorney general, county attorney, district attorney, or municipal attorney may elect to have a special prosecutor appointed by the supervising judge at the expense of the governmental entity supporting the electing prosecutor. Upon receipt of written notice from the prosecutor of that election, the supervising judge shall appoint a special prosecutor in accordance with this section. The electing prosecutor's supporting governmental entity shall reimburse the state for expenses incurred in appointment and compensation of the special prosecutor.

감독판사에 의하여 지명되는 한 명의 특별검사를 제공받기로 검찰총장은, 카운티 검사는, 재판구 지방검사는, 또는 시군자치체 검사는 결정할 수 있는바, 그 비용은 그러한 결정을 내리는 측 검사를 지원하는 정부기관의 부담으로 한다. 그 결정에 대한 당해 검사로부터의 통지서의 수령 즉시로 한 명의 특별검사를 이 절에의 부합 속에서 감독판사는 지명하여야 한다. 그러한 결정을 내리는 측 검사를 지원하는 정부기관은 특별검사의 지명에서 및 보수에서 초래되는 비용들을 주에게 변상하여야 한다.

Amended by Chapter 258, 2015 General Session. 2015년 일반회기 법률 제258장에 의하여 개정됨

Section 13 - Location -- Who may be present -- Witnesses -- Witnesses who are subjects -- Evidence -- Contempt -- Notice -- Record of proceedings -- Disclosure.

장소 -- 누가 출석할 수 있는가 -- 증인들 -- 대상들로서의 증인들 -- 증거 -- 법원모독 -- 통지 -- 절차들의 녹음 -- 공개.

Universal Citation: UT Code § 77-10a-13 (2019)

일반적 인용: UT Code § 77-10a-13 (2019)

Effective 5/8/2018

2018년 5월 8일 발효

> **77-10a-13. Location -- Who may be present -- Witnesses -- Witnesses who are subjects -- Evidence -- Contempt -- Notice -- Record of proceedings -- Disclosure.**
>
> 장소 -- 누가 출석할 수 있는가 -- 증인들 -- 대상들로서의 증인들 -- 증거 -- 법원모독 -- 통지 -- 절차들의 녹음 -- 공개.

(1) The managing judge shall designate the place where the grand jury meets. The grand jury may, upon request and with the permission of the managing judge, meet and conduct business any place within the state. Subject to the approval of the managing judge the grand jury shall determine the times at which it meets.

대배심이 회합할 장소를 대배심 관리판사는 지정하여야 한다. 대배심은 대배심 관리판사의 요청에 따라서 및 허가를 얻어서 주 내의 어디서든 회합할 수 있고 업무를 수행할 수 있다. 자신이 회합할 시간들을 대배심 관리판사의 승인을 얻어서 대배심은 정하여야 한다.

(2) (a) Attorneys representing the state, special prosecutors appointed under Section 77-10a-12, the witness under examination, interpreters when needed,

counsel for a witness, and a court reporter or operator of a recording device to record the proceedings may be present while the grand jury is in session.

검사(주를 대변하는 변호사)들은, 제77-10a-12절 아래서 지명되는 특별검사들은, 신문에 놓이는 증인은, 그 필요한 경우의 통역인들은, 증인 측 변호사는, 그리고 법원 속기사는 또는 절차들을 녹음하는 녹음장비 운전기사는 대배심이 착석 중인 동안에 출석해 있을 수 있다.

(b) No person other than the jurors may be present while the grand jury is deliberating.

대배심이 숙의 중인 동안에는 배심원들이를 제외한 어느 누구가도 출석해 있어서는 안 된다.

(3) (a) The attorneys representing the state and the special prosecutors may subpoena witnesses to appear before the grand jury and may subpoena evidence in the name of the grand jury without the prior approval or consent of the grand jury or the court. The jury may request that other witnesses or evidence be subpoenaed.

검사(주를 대변하는 변호사)들은 및 특별검사들은, 대배심의 또는 법원의 사전승인 없이 내지는 사전동의 없이, 및 대배심의 이름으로, 증인들을 대배심 앞에 출석하도록 벌칙부로 소환할 수 있고 증거를 제출하도록 벌칙부로 요구할 수 있다. 여타의 증인들을 및 증거를 벌칙부로 소환하도록 배심은 요청할 수 있다.

(b) Subpoenas may be issued in the name of the grand jury to any person located within the state and for any evidence located within the state or as otherwise provided by law.

주 내에 소재하는 어느 누구에게든 및 주 내에 소재하는 어떤 증거를 위해서든 또는 그 밖에 법률에 의하여 규정되는 방법에 따라서 대배심의 이름으로 벌칙부소환장들은 발부될 수 있다

(c) Except as provided in Subsection (3)(d), a subpoena requiring a minor, who is a victim of a crime, to testify before a grand jury may not be served less than 72 hours before the victim is required to testify.

소절 (3)(d)에 규정되는 바에 따라서를 제외하고는, 대배심 앞에서 증언하도록 범죄피해자인 미성년자에게 요구하는 벌칙부소환장은 그 증언하도록 피해자가 요구되는 시각 전에 72시간 이상의 여유를 두지 아니하고서는 발부되어서는 안 된다.

(d) A subpoena may be served **upon** a minor less than 72 hours before the minor is required to testify if the managing judge makes a factual finding that the minor was intentionally concealed to prevent service or that a shorter period is reasonably necessary to prevent:

송달을 방해하기 위하여 미성년자가 의도적으로 숨겨졌다는 사실판단을, 또는 아래의 것들을 방지하기 위하여 더 짧은 기간이 합리적으로 필요하다는 사실판단을, 대배심 관리판사가 내리는 경우에는, 그 증언하도록 당해 미성년자가 요구되는 시각 전에 72시간 미만의 여유를 두고서도 그 미성년자에게 벌칙부소환장은 송달될 수 있다:

(i) a risk to the minor's safety;

당해 미성년자의 안전에의 위험;

(ii) the concealment or removal of the minor from the jurisdiction;

관할로부터의 미성년자의 은닉 또는 이동;

(iii) intimidation or coercion of the minor or a family member of the minor; or

당해 미성년자에 대한 또는 당해 미성년자의 가족구성원에 대한 협박 또는 강요; 또는

(iv) undue influence on the minor regarding the minor's testimony.

당해 미성년자의 증언에 관하여 당해 미성년자에게 가해지는 부당한 영향력.

(e) The service requirement in Subsection (3)(c) may be asserted only by or on behalf of the minor and is not a basis for invalidation of the minor's testimony or any indictment issued by the grand jury.

소절 (3)(c)에서의 송달요구는 당해 미성년자에 의해서만 내지는 당해 미성년자를 위해서만 주장될 수 있으며 따라서 그것은 당해 미성년자의 증언의 내지는 당해 대배심에 의하여 발부된 대배심 검사기소장의 무효화 조치를 위한 근거가 되지 아니한다.

(f) The service requirement of Subsection (3)(d) may be asserted by a parent or legal guardian of the minor on the minor's behalf.

소절 (3)(d)의 송달요구는 당해 미성년자의 부모에 의하여 또는 법적 후견인에 의하여 당해 미성년자를 위하여 주장될 수 있다.

(g) If the managing judge finds it necessary to prevent any of the actions enumerated in Subsections (3)(d)(i) through (iv) or to otherwise protect the minor, the judge may appoint a guardian ad litem to receive service on behalf of the minor, to represent the minor, and to protect the interests of the minor.

소절 (3)(d)(i)에서부터 (iv)에까지에 걸쳐 열거된 행위들 중 어느 것을이든 방지하기 위하여 또는 그 밖에 당해 미성년자를 보호하기 위하여 필요하다고 만약 대배심 관리판사가 판단하면, 당해 미성년자를 대신하여 송달을 수령할, 당해 미성년자를 대변할, 및 당해 미성년자의 이익들을 보호할, 소송을 위한 후견인을 판사는 지명할 수 있다.

(h) If the minor served under Subsection (3)(d) has no parent, legal guardian, or guardian ad litem with whom to confer prior to the grand jury hearing, the managing judge shall appoint legal counsel to represent the minor at the hearing.

대배심 심문 전에 더불어 의논할 부모를, 법적 후견인을, 또는 소송을 위한 후견인을 소절 (3)(d) 아래서 송달되는 미성년자가 가지고 있지 아니하면, 당해 미성년자를 심문에서 대변할 변호인을 대배심 관리판사는 지명하여야 한다.

(i) For any minor served with a subpoena under this section, attorneys representing the state, or special prosecutors appointed under Section 77-10a-12, shall interview and prepare the minor in the presence of the minor's parent or legal guardian and their attorney, or a guardian ad litem at least 24 hours prior to the time the minor is required to testify. The provisions of this subsection requiring the presence of the minor's parent do not apply if:

이 절 아래서의 벌칙부소환장을 송달받은 미성년자를 위하여 검사(주를 대변하는 변호사)들은, 또는 제77-10a-12절 아래서 지명되는 특별검사들은 그 증언하도록 당해 미성년자가 요구되는 시각의 적어도 24시간 전에 당해 미성년자를, 그 미성년자의 부모의 또는 법적 후견인의 및 그들의 변호사의, 또는 소송을 위한 후견인의 출석 가운데서, 면담하여야 하고 준비시켜야 한다. 미성년자의 부모의 출석을 요구하는 이 소절의 규정들은 아래의 경우에는 적용되지 아니한다:

(i) the parent is the subject of the grand jury investigation; or

부모가 당해 대배심 조사의 대상인 경우; 또는

(ii) the parent is engaged in frustrating, or conspires with another to frustrate, the protections and purposes of Subsection (3)(d).

소절 (3)(d)의 보호들을 및 목적들을 좌절시키는 데 부모가 관여하는 경우 내지는 그것들을 좌절시키기 위하여 타인에 더불어 부모가 공모하는 경우.

(j) The managing judge may enter any order necessary to secure compliance with any subpoena issued in the name of the grand jury.

대배심의 이름으로 발부되는 벌칙부소환장에 대한 복종을 확보하는 데 필요한 어떤 명령을이든지 대배심 관리판사는 기입할 수 있다.

(4) (a) Any witness who appears before the grand jury shall be advised, by the attorney for the state or the special prosecutor, of his right to be represented by counsel.

대배심 앞에 출석하는 증인 누구나에게는 변호인의 대변을 누릴 그의 권리에 관하여 검사(주 측 변호사)에 의하여 내지는 특별검사에 의하여 고지가 이루어져야 한다.

(b) A witness who is also a subject as defined in Section 77-10a-1 shall, at the time of appearance as a witness, be advised:

제77-10a-1절에 개념정의 되는 것으로서의 한 명의 대상이기도 한 증인에게는 증인으로서의 그의 출석 때에 아래 사항에 관하여 그에게 고지가 이루어져야 한다:

(i) of his right to be represented by counsel;

변호인의 대변을 누릴 그의 권리;

(ii) that he is a subject;

그가 한 명의 대상이라는 것;

(iii) that he may claim his privilege against self-incrimination; and

그의 자기부죄 금지특권을 그는 주장할 수 있다는 것; 그리고

(iv) of the general scope of the grand jury's investigation.

당해 대배심 조사의 일반적 범위.

(c) A witness who is also a target as defined in Section 77-10a-1 shall, at the time of appearance as a witness, be advised:

제77-10a-1절에 개념정의된 것으로서의 한 명의 표적이기도 한 증인에게는 증인으로서의 그의 출석 때에 아래 사항에 관하여 고지가 이루어져야 한다:

(i) of his right to be represented by counsel;

변호인의 대변을 누릴 그의 권리;

(ii) that he is a target;

그가 한 명의 표적이라는 것;

(iii) that he may claim his privilege against self-incrimination;

그의 자기부죄 금지특권을 그는 주장할 수 있다는 것; 그리고

(iv) that the attorney for the state, the special prosecutor, or the grand jury is in possession of substantial evidence linking him to the commission of a crime for which he could be charged; and

그가 기소될 수도 있는 한 개의 범죄의 범행에 그를 연결시켜 주는 중대한 증거를 검사(주 측 변호사)가, 특별검사가, 또는 당해 대배심이 소지하고 있다는 것; 그리고

(v) of the general nature of that charge and of the evidence that would support the charge.

고발의 및 당해 고발을 뒷받침하는 증거의 일반적 성격.

(d) This Subsection (4) does not require the attorney for the state, the special prosecutor, or the grand jury to disclose to any subject or target the names or identities of witnesses, sources of information, or informants, or disclose information in detail or in a fashion that would jeopardize or compromise any ongoing criminal investigation or endanger any person or the community.

증인들의, 정보원들의, 또는 신고자들의 이름들을 내지는 신원들을 대상 어느 누구에게라도 또는 표적 어느 누구에게라도 공개하도록은, 내지는 진행 중인 범죄조사를 위태롭게 할 만큼의 내지는 손상할 만큼의 내지는 사람 어느 누구를이든 또는 공동체를 위험에 빠뜨릴 만큼의 상세함 속에서 내지는 방법 속에서 정보를 공개하도록은, 검사(주 측 변호사)에게, 특별검사에게, 또는 대배심에게 이 소절 (4)는 요구하지 아니한다.

(5) (a) The grand jury shall receive evidence without regard for the formal rules of evidence, except the grand jury may receive hearsay evidence only under the same provisions and limitations that apply to preliminary hearings.

증거를 정식의 증거규칙들에 구애됨이 없이 대배심은 수령하여야 하는바, 다만 예비심문에 적용되는 조건들에의 및 제한들에의 동일한 조건들 아래서만 및 제한들 아래서만 전문증거를 대배심은 수령할 수 있다.

(b) Any person, including a witness who has previously testified or produced books, records, documents, or other evidence, may present exculpatory evidence to the attorney representing the state or the special prosecutor and request that it be presented to the grand jury, or request to appear personally before the grand jury to testify or present evidence to that body. The attorney for the state or the special prosecutor shall forward the request to the grand jury.

이전에 증언한 바 있는 내지는 장부들을, 기록들을, 문서들을, 또는 여타의 증거를 제출한 바 있는 증인이를 포함하여 사람 누구든지는 무죄임을 해명하여 주는 증거를 검사(주를 대변하는 변호사)에게 또는 특별검사에게 제출하면서 그것들을 대배심에 제출하여 달라고 요청할 수 있고, 또는 증언하기 위하여 또는 증거를 대배심에 제출하기 위하여 대배심 앞에 직접 출석하겠다고 요청할 수 있다. 그 요청을 대배심에 검사(주측 변호사)는 또는 특별검사는 제출하여야 한다.

(c) When the attorney for the state or the special prosecutor is personally aware of substantial and competent evidence negating the guilt of a subject or target that might reasonably be expected to lead the grand jury not to indict, the attorney or special prosecutor shall present or otherwise disclose the evidence to the grand jury before the grand jury is asked to indict that person.

대배심 검사기소에 처하지 아니하는 쪽으로 대배심을 이끌 것으로 합리적으로 기대되는, 한 명의 대상의 내지는 표적의 범행을 부정하여 주는 중요한 및 자격 있는 증거를 검사(주 측 변호사)가 또는 특별검사가 직접적으로 아는 경우에는, 그 사람을 대배심 검사기소에 처하여 달라고 대배심에게 요청하기 전에 그 증거를 대배심에게 그 검사는 내지는 특별검사는 제출하여야 하거나 또는 다른 방법으로 공개하여야 한다.

(6) (a) The managing judge has the contempt power and authority inherent in the court over which the managing judge presides and as provided by statute.

대배심 관리판사가 주재하는 법원에 고유한, 및 제정법에 의하여 규정되는 것으로서의, 법원모독에 처할 권한을 및 권위를 대배심 관리판사는 지닌다.

(b) When a witness in any proceeding before or ancillary to any grand jury appearance refuses to comply with an order from the managing judge to testify or provide other information, including any book, paper, document, record, recording, or other material without having a recognized privilege, the attorney for the state or special prosecutor may apply to the managing judge for an order directing the witness to show cause why the witness should not be held in contempt.

증언하라는, 내지는 그 승인되는 공개금지 특권을 지니지 아니하는 장부를을, 서류를을, 문서를을, 기록을을, 녹음물을을, 또는 여타의 자료를을 포함하는 여타의 정보를 제공하라는, 대배심 관리판사로부터의 명령에 복종하기를 대배심 출석 전에 또는 이에 부수하여 한 명의 증인이 거부하면, 법원모독으로 그 자신이 붙들려서는 안 될 이유를 제시하도록 그 증인에게 지시하는 명령을 대배심 관리판사에게 검사(주 측 변호사)는 또는 특별검사는 신청할 수 있다.

(c) After submission of the application and a hearing at which the witness is entitled to be represented by counsel, the managing judge may hold the witness in contempt and order that the witness be confined, upon a finding that the refusal was not privileged.

신청서의 제출 뒤에 및 변호인의 대변을 누릴 권리를 그 증인이 지니는 한 개의 심문 뒤에, 그 거부가 증거캐기 금지특권의 보호대상이 아니라는 판단이 내려지면, 대배심 관리판사는 그 증인을 법원모독으로 붙들 수 있고 그 증인을 구금할 것을 명령할 수 있다.

(d) A hearing may not be held under this part unless 72 hours' notice is given to the witness who has refused to comply with the order to testify or provide other information, except a witness may be given a shorter notice if the managing judge upon a showing of special need so orders.

증언하라는 내지는 여타의 정보를 제공하라는 명령에 복종하기를 거부한 증인에게 72 시간의 통지가 부여되는 경우에를 제외하고는 이 부 아래서의 심문은 실시되어서는 안 되는바, 다만 특별한 필요의 증명에 따라서 대배심 관리판사가 명령하면 더 짧은 통지가 증인에게 부여될 수 있다.

(e) Any confinement for refusal to comply with an order to testify or produce other information shall continue until the witness is willing to give the testimony or provide the information. A period of confinement may not exceed the term of the grand jury, including extensions, before which the refusal to comply with the order occurred. In any event the confinement may not exceed one year.

증언하라는 내지는 여타의 정보를 제공하라는 명령에의 복종 거부를 이유로 하는 구금은 증인이 증언하겠다고 내지는 정보를 제공하겠다고 할 때까지 계속되어야 한다. 구금기간은 명령에의 복종거부가 발생한 당해 대배심의 복무기한을, 그 연장된 기한들을을 포함하여, 초과할 수 없다. 어떤 경우에도 구금은 1년을 초과할 수 없다.

(f) A person confined under this Subsection (6) for refusal to testify or provide other information concerning any transaction, set of transactions, event, or events may not be again confined under this Subsection (6) or for criminal contempt for a subsequent refusal to testify or provide other information concerning the same transaction, set of transactions, event, or events.

어떤 행위에 관하여든, 어떤 일련의 행위들에 관하여든, 어떤 사건의 경과에 내지는 경과들에 관하여든 증언하기에 대한 내지는 여타의 정보를 제공하기에 대한, 거부를 이유로 이 소절 (6) 아래서 구금된 사람은, 이 소절 (6)에 따라서는, 또는 동일한 행위에, 동일한 일련의 행위들에, 동일한 사건의 경과에 내지는 경과들에 관하여 증언하기에 대한 내지는 여타의 정보를 제공하기에 대한 추후의 거부로 인한 형사 법원모독을 이유로 하여서는, 다시 구금될 수 없다.

(g) Any person confined under this section may be admitted to bail or released in accordance with local procedures pending the determination of an appeal taken by the person from the order of the person's confinement unless the appeal affirmatively appears to be frivolous or taken for delay. Any appeal from an order of confinement under this section shall be disposed of as soon as practicable, pursuant to an expedited schedule and in no event more than 30 days from the filing of the appeal.

이 절에 따라서 구금된 사람은, 그 사람의 구금명령에 대하여 그 사람에 의하여 제기된 항소에 대한 결정이 있기까지, 그 항소가 무의미한 것임이 또는 지연을 위하여 제기된 것임이 단정적으로 드러나는 경우에를 제외하고는, 지역절차들에의 부합 속에서 보석에 처해질 수 있거나 또는 석방될 수 있다. 이 절 아래서의 구금명령에 대한 항소는 가능한 한 가장 신속하게 처리되어야 하는바, 그것은 급속처리 절차에 따라서 이루어져야 하고 또한 어떤 경우에도 항소장 제출로부터 30일을 초과하여서는 안 된다.

(7) (a) All proceedings, except when the grand jury is deliberating or voting, shall be recorded stenographically or by an electronic recording device. An unintentional failure of any recording to reproduce all or any portion of a proceeding does not affect the validity of any prosecution or indictment. The recording or reporter's notes or any transcript prepared from them shall remain in the custody or control of the attorney for the state or the special prosecutor unless otherwise ordered by the managing judge in a particular case.

대배심이 숙의 중인 내지는 표결 중인 경우에를 제외하고는 모든 절차들은 속기적 방법으로 또는 전자적 녹음장비에 의하여 녹음되어야 한다. 한 개의 절차의 전부를 또는 일부를 재생하기 위한 녹음의 비의도적 불이행은 소추의 내지는 대배심 검사기소의 유효성에 영향을 주지 아니한다. 한 개의 특정의 사건에서 대배심 관리판사에 의하여 다르게 명령되는 경우에를 제외하고는, 녹음물은 내지는 속기사의 기록들은 또는 그것들로부터 작성되는 어떤 녹취록이든지는 검사(주 측 변호사)의 또는 특별검사의 보관 내에 또는 통제 내에 남아 있어야 한다.

(b) A grand juror, an interpreter, a court reporter, an operator of a recording device, a typist who transcribes recorded testimony, an attorney for the state or special prosecutor, or any person to whom disclosure is made under the provisions of this section may not disclose matters occurring before the grand jury except as otherwise provided in this section. A knowing violation of this provision may be punished as a contempt of court.

대배심원은, 통역인은, 법원속기사는, 또는 녹음장비 운전기사는, 녹음된 증언을 녹취하는 타이피스트는, 검사(주 측 변호사)는 또는 특별검사는, 또는 이 절의 규정들 아래서 공개를 제공받는 어느 누구든지는 대배심 앞에서 발생하는 사안들을, 이 절에서 달리 규정되는 경우에를 제외하고는, 공개하여서는 안 된다. 이 절에 대한 고의의 위반은 법원모독으로 처벌될 수 있다.

(c) Disclosure otherwise prohibited by this section of matters occurring before the grand jury, other than its deliberations and the vote of any grand juror, may be made to:

대배심의 숙의들의를 및 대배심원 어느 누구든지의 투표의를 제외한, 대배심 앞에서 발생하는 사안들의, 이 절에 의하여 여타의 경우에라면 금지되는 공개는 아래 사람들에게 이루어질 수 있다:

(i) an attorney for the state or a special prosecutor for use in the performance of that attorney's duty; and

검사(주 측 변호사)의 또는 특별검사의 임무수행에 있어서의 사용을 위한 경우에의 그 검사들; 그리고

(ii) government personnel, including those of state, local, and federal entities and agencies, as are considered necessary by the attorney for the state or special prosecutor to assist the attorney in the performance of the attorney's duty to enforce the state's criminal laws.

검사(주 측 변호사) 자신을 또는 특별검사 자신을 주 형사법들을 시행할 그 자신들의 임무수행에 있어서 조력하게 하기 위하여 필요하다고 그 검사들에 의하여 간주되는 주 (state)의, 지방의, 및 연방의 법주체들의를 및 기관들의를 포함하는 정부의 직원.

(d) Any person to whom matters are disclosed under this section may not utilize that grand jury material for any purpose other than assisting the attorney for the state or the special prosecutor in performance of that attorney's duty to enforce the state's criminal laws. An attorney for the state or the special prosecutor shall promptly provide the managing judge with the names of the persons to whom the disclosure has been made and shall certify that the attorney has advised the person of the person's obligation of secrecy under this section.

주 형사법들을 시행할 검사(주 측 변호사)의 또는 특별검사의 임무수행에 있어서 그 검사를 조력함이라는 목적 이외의 목적을 위하여 그 대배심 자료를, 이 절에 따라서 사안들의 공개를 받는 사람은 사용하여서는 안 된다. 공개가 제공된 사람들의 이름들을 대배심 관리판사에게 검사(주 측 변호사)는 또는 특별검사는 신속하게 제공하여야 하고 그 사람의 이 절 아래서의 비밀준수 의무에 관하여 그 사람에게 자신이 고지한 터임을 그 검사는 보증하여야 한다.

(e) Disclosure otherwise prohibited by this section of matters occurring before the grand jury may also be made when:

대배심 앞에서 발생하는 사안들에 대한, 이 절에 의하여 여타의 경우에라면 금지되는 공개는 아래의 경우에도 이루어질 수 있다:

(i) directed by the managing judge or by any court before which the indictment that involves matters occurring before the grand jury that are subject to disclosure is to be tried, preliminary to or in connection with a judicial proceeding;

대배심 관리판사에 의하여, 또는 대배심 앞에서 발생한 그 공개에 놓여야 할 사안들을 포함하는 대배심 검사기소장이 정식사실심리 되는 법원에 의하여, 한 개의 사법절차에의 준비로서 또는 그 연관 속에서 명령되는 경우;

(ii) permitted by the managing judge at the request of the defendant, upon a showing that grounds may exist for a motion to dismiss the indictment because of matters occurring before the grand jury;

대배심 검사기소장을 당해 대배심 앞에서 발생한 사안들을 이유로 각하하여 달라는 신청을 위한 사유들이 존재할 수 있음에 대한 증명 위에서의 피고인의 요청에 따라서 대배심 관리판사에 의하여 허가되는 경우;

(iii) the disclosure is made by an attorney for the state or the special prosecutor to another state or local grand jury or a federal grand jury;

검사(주 측 변호사)에 의하여 또는 특별검사에 의하여 다른 주 대배심에게 또는 지역 대배심에게 또는 연방 대배심에게 공개가 이루어지는 경우;

(iv) permitted by the managing judge at the request of an attorney for the state or the special prosecutor, upon a showing that the matters may disclose a violation of federal criminal law, to an appropriate official of the federal government for the purpose of enforcing federal law; or

한 개의 연방 형사법 위반을 그 사안들이 드러내 줄 수 있음에 대한 증명 위에서의 검사(주 측 변호사)의 또는 특별검사의 요청에 따라서 연방법의 시행을 목적으로 하는 연방정부의 적절한 공무원에게의 공개가 대배심 관리판사에 의하여 허가되는 경우;

(v) showing of special need is made and the managing judge is satisfied that disclosure of the information or matters is essential for the preparation of a defense.

당해 정보의 내지는 사안들의 공개가 방어의 준비에 불가결함에 대한 특별한 필요의 증명이 이루어지는 경우에서 이를 대배심 관리판사가 납득하는 경우.

(f) When the matters are transcripts of testimony given by witnesses the state or special prosecutor intends to call in the state's case in chief in any trial upon an indictment returned by the grand jury before which the witnesses testified, the attorney for the state or the special prosecutor shall, no later than 30 days before trial, provide the defendant with access to the transcripts. The attorney for the state or the special prosecutor shall at the same time provide the defendant with access to all exculpatory evidence presented to the grand jury prior to indictment.

당해 증인들이 그 앞에서 증언한 바 있는 당해 대배심에 의하여 제출된 대배심 검사기소장에 대한 정식사실심리에서의 주 측의 주된 주장증거로서 주가 또는 특별검사가 소환하고자 의도하는 증인들에 의하여 이루어진 증언의 녹취록들이 그 공개대상인 사안들인 경우에, 당해 녹취록들에의 접근을 정식사실심리 전에 30일 이상의 여유를 두고서 피고인에게 검사(주 측 변호사)는 내지는 특별검사는 제공하여야 한다. 대배심 검사기소에 앞서서 당해 대배심에 제출된 무죄임을 해명하여 주는 모든 증거에의 접근을 동시에 피고인에게 검사(주 측 변호사)는 또는 특별검사는 제공하여야 한다.

(g) When the managing judge orders disclosure of matters occurring before the grand jury, disclosure shall be made in a manner, at a time, and under conditions the managing judge directs.

대배심 앞에서 발생한 사안들의 공개를 대배심 관리판사가 명령하는 경우에, 대배심 관리판사가 명령하는 방법으로, 때에, 그리고 조건들 아래서 공개는 이루어져야 한다.

(h) A petition for disclosure made under Subsection (7)(e)(ii) shall be filed with the managing judge. Unless the hearing is ex parte, the petitioner shall serve written notice upon the attorney for the state or the special prosecutor, the parties to the judicial proceeding if disclosure is sought in connection with the proceeding, and other persons as the managing judge directs. The managing judge shall afford those persons a reasonable opportunity to appear and be heard.

소절 (7)(e)(ii) 아래서의 공개 청구서는 대배심 관리판사에게 제출되어야 한다. 심문이 일방절차인 경우에를 제외하고는, 검사(주 측 변호사)에게의 또는 특별검사에게의, 당해 사법절차에의 연관 속에서 공개가 청구되는 경우이면 당해 절차에의 당사자들에게의, 그리고 대배심 관리판사가 명령하는 여타의 사람들에게의, 서면통지를 청구인은 송달하여야 한다. 출석할 및 심문에 참여할 합리적 기회를 그 사람들에게 대배심 관리판사는 제공하여야 한다.

(8) Records, orders, and subpoenas relating to grand jury proceedings shall be kept under seal to the extent and so long as necessary to prevent disclo-

sure of matters occurring before the grand jury other than as provided in this section.

대배심 절차들에 관련되는 기록들은, 명령들은, 그리고 벌칙부소환장들은, 이 절에서 규정되는 사항들의를 제외한 대배심 앞에서 발생한 사안들의, 공개를 방지하기 위하여 필요한 정도만큼 및 기간만큼 봉인 아래에 보관되어야 한다.

(9) Subject to any right to an open hearing in contempt proceedings, the managing judge shall order a hearing on matters affecting a grand jury proceeding to be closed to the extent necessary to prevent disclosure of matters occurring before a grand jury.

법원모독 절차들에서의 공개심문을 누릴 권리의 적용을 받는 한도 내에서, 대배심 앞에서 발생한 사안들의 공개를 방지함에 필요한 정도껏 비공개로, 대배심 절차에 영향을 미치는 사안들의 심문이 이루어지도록 대배심 관리판사는 명령하여야 한다.

Amended by Chapter 281, 2018 General Session. 2018년 일반회기 법률 제281장에 의하여 개정됨

https://law.justia.com/codes/utah/2019/title-77/chapter-10a/section-14/

Section 14 - Concurrence for indictment -- Proof -- Validity -- Disclosure.

대배심 검사기소에 필요한 찬성표 -- 증거 -- 유효성 — 공개.

Universal Citation: UT Code § 77-10a-14 (2019)

일반적 인용: UT Code § 77-10a-14 (2019)

Effective 5/8/2018

2018년 5월 8일 발효

77-10a-14. Concurrence for indictment -- Proof -- Validity — Disclosure.

대배심 검사기소에 필요한 찬성표 -- 증거 -- 유효성 — 공개.

(1) An indictment may be found only upon the concurrence of at least three-fourths, or the next highest whole number, of the grand jurors.

대배심원들의 적어도 4분의 3의, 또는 또는 그 다음 번으로 큰 자연수에 해당하는 숫자의, 찬성 위에서만 대배심 검사기소는 평결될 수 있다.

(2) An indictment may not be found unless the grand jurors who vote in favor of the indictment find there is clear and convincing evidence to believe the crime to be charged was committed and the person to be indicted committed the crime. An indictment may not be returned solely on the basis of incompetent hearsay.

기소대상 범죄가 저질러졌다고 및 그 범죄를 그 대배심 검사기소에 처해지는 사람이 저질렀다고 믿을 명백한 및 설득력 있는 증거가 있음을 대배심 검사기소에 찬성투표를 한 대배심원들이 인정하는 경우에를 제외하고는 한 개의 대배심 검사기소는 평결될 수 없다. 자격 없는 전문증거의 근거만에 터잡아서는 한 개의 대배심 검사기소장은 제출되어서는 안 된다.

(3) To be valid, the indictment shall be signed by the foreman and then returned to the managing judge in open court. The clerk of the managing court shall file the indictment upon receipt.

대배심 검사기소장이 유효하기 위하여는 그것은 배심장에 의하여 서명되어야 하고 대배심 관리판사에게 공개법정에서 제출되어야 한다. 대배심관리 법원의 서기는 대배심 검사기소장을 그 수령 즉시로 편철하여야 한다.

(4) (a) The managing judge who takes the return of the indictment may direct that the indictment be kept secret until the defendant is in custody or has been released pending trial.

피고인이 구금되고 났을 때까지 또는 정식사실심리를 기다리는 동안의 석방에 처해지고 났을 때까지 대배심 검사기소장을 비밀리에 간수되게 하도록 그 제출을 받는 대배심 관리판사는 명령할 수 있다.

(b) The clerk shall then seal the indictment and, except for transferring the indictment to the appropriate court for trial as provided by this chapter, may not permit any person to disclose the return of the indictment except when necessary for the issuance and execution of a warrant or summons.

대배심 검사기소장을 서기는 그 뒤에 봉인하여야 하는바, 이 장에 의하여 규정되는 바에 따라서 정식사실심리를 위한 적절한 법원에의 이송을 위한 경우에를 제외하고는, 그리고 영장의 내지는 소환장의 발부를 및 집행을 위하여 필요한 경우에가 아닌 한, 대배심 검사기소장의 제출을 공개하도록 어느 누구에게도 서기는 허가하여서는 안 된다.

Amended by Chapter 30, 2018 General Session. 2018년 일반회기 법률 제30장에 의하여 개정됨

---

https://law.justia.com/codes/utah/2019/title-77/chapter-10a/section-15/

Section 15 - Return and transfer of indictment.
대배심 검사기소장의 제출 및 이송.

Universal Citation: UT Code § 77-10a-15 (2019)
일반적 인용: UT Code § 77-10a-15 (2019)

77-10a-15. Return and transfer of indictment.
대배심 검사기소장의 제출 및 이송.

Immediately upon the return of an indictment the managing judge shall enter an order transferring the indictment to a court with appropriate jurisdiction and proper venue under Section 76-1-202 to try the matter.

당해 사건을 정식사실심리 할 적절한 관할을 및 제76-1-202절 아래서의 정당한 재판지를 지니는 법원에, 대배심 검사기소장을 이송하는 명령을 대배심 검사기소장의 제출 즉시로 대배심 관리판사는 기입하여야 한다.

Enacted by Chapter 318, 1990 General Session. 1990년 일반회기 법률 제318장에 의하여 입법됨

---

https://law.justia.com/codes/utah/2019/title-77/chapter-10a/section-16/

Section 16 - Return of indictment -- Warrant of arrest -- Bail.
대배심 검사기소장의 제출 -- 체포영장 -- 보석.

Universal Citation: UT Code § 77-10a-16 (2019)

일반적 인용: UT Code § 77-10a-16 (2019)

77-10a-16. Return of indictment -- Warrant of arrest — Bail.
대배심 검사기소장의 제출 -- 체포영장 -- 보석.

(1) The managing judge may upon return of an indictment, when the defendant is not in custody, cause a warrant to be issued for the arrest of the defendant charged and shall fix an appropriate bail.

피고인이 구금되어 있지 아니하는 경우에는 피고인의 체포를 위한 영장이 발부되도록 대배심 검사기소장의 제출 즉시로 대배심 관리판사는 조치하여야 하고 적절한 보석금을 정하여야 한다.

(2) Return of any warrant of arrest shall be in the court to which the indictment is transferred for trial. The court to which the return is made may review bail and any conditions of detention or release.

체포영장의 반환은 정식사실심리를 위하여 대배심 검사기소장이 이송되는 법원에게 이루어져야 한다. 그 반환이 이루어지는 법원은 보석금을 및 구금의 내지는 석방의 조건들을 검토할 수 있다.

Enacted by Chapter 318, 1990 General Session. 1990년 일반회기 법률 제318장에 의하여 임법됨

https://law.justia.com/codes/utah/2019/title-77/chapter-10a/section-17/

Section 17 - Grand jury report on noncriminal misconduct -- Action on the report.

비범죄적 위법행위에 대한 대배심 보고서 — 보고서에 근거한 조치.

Universal Citation: UT Code § 77-10a-17 (2019)

일반적 인용: UT Code § 77-10a-17 (2019)

> **77-10a-17. Grand jury report on noncriminal misconduct -- Action on the report.**
>
> 비범죄적 위법행위에 대한 대배심 보고서 — 보고서에 근거한 조치.

(1) A grand jury may upon completion of its original term or each extension, with the concurrence of a majority of its members, submit to the managing judge a report concerning noncriminal misconduct, malfeasance, or misfeasance in office as a basis for a recommendation of removal or disciplinary action against a public officer or employee.

한 명의 공무원에 내지는 공공 피용자에 대한 해임의 권고를 내지는 징계조치의 권고를 위한 한 개의 근거로서의 직무상의 비범죄적 위법행위에, 부정행위에, 또는 실당행위에 관한 보고서를 대배심 관리판사에게, 그 자신의 본래의 복무기한의 종료 때에 또는 매번의 연장된 기한의 종료 때에, 그 자신의 구성원들의 과반수의 찬성으로 대배심은 제출할 수 있다.

(2) The judge to whom the report is submitted shall examine it and the minutes of the grand jury. The judge shall make an order accepting and filing the re-

port as a public record, but only if the judge is satisfied that it complies with Subsection (1) and:

보고서를 제출받은 판사는 그것을 및 대배심의 의사록들을 검토하여야 한다. 보고서를 받아들이는 및 한 개의 공공기록으로서 편철하는 명령을 판사는 내려야 하는바, 다만 보고서가 소절 (1)에 부합됨을, 그리고 아래에 해당됨을, 판사가 납득하는 경우만에 한한다.

(a) the report is based on facts revealed during the grand jury's investigation and is supported by a preponderance of evidence; and

대배심 조사 동안에 드러난 사실관계에 보고서가 근거할 것 및 증거의 우세에 의하여 보고서가 뒷받침될 것; 그리고

(b) each person named and any reasonable number of witnesses on his behalf as designated by him to the foreman of the grand jury were afforded an opportunity to testify before the grand jury prior to the filing of the report.

대배심 앞에서 증언할 기회를, 그 거명된 개개 사람이, 그리고 그에 의하여 대배심의 배심장에게 제시된 그를 위한 상당한 숫자의 증인들이, 보고서의 제출 전에 부여받았을 것.

(3) An order accepting a report made under this section and the report itself shall be sealed by the managing judge and may not be filed as a public record or be subject to subpoena or otherwise made public until:

보고서를 받아들이는 이 절 아래서 이루어진 명령은 및 보고서 그 자체는 대배심 관리판사에 의하여 봉인되어야 하는바, 아래의 때까지는 그것은 한 개의 공공기록으로서 편철되어서는 내지는 벌칙부소환장의 대상이 되어서는 내지는 여타의 방법으로 공개되어서는 안 된다:

(a) at least 31 days after a copy of the order and report are served on each public officer or employee named and an answer has been filed;

거명된 개개 공무원에게 또는 공공 피용자에게 명령서의 및 보고서의 등본이 송달된 뒤 및 한 개의 답변서가 제출된 뒤 적어도 31일;

(b) the time for filing an answer has expired; or

답변을 제출할 기한이 종료된 때; 또는

(c) an appeal is taken or until all rights of review of the public officer or employee named have expired or terminated in an order accepting the report.

항소가 제기되는 때, 또는 재검토를 누릴 그 거명된 공무원의 내지는 공공 피용자의 모든 권리들이 소멸한 때, 또는 당해 보고서를 받아들이는 명령에서 그 권리들이 종결처리 된 때.

(4) (a) An order accepting the report may not be entered until 30 days after the delivery of the report to the public officer or body having jurisdiction, responsibility, or authority over each public officer or employee named in the report.

보고서에서 거명된 개개 공무원에 내지는 공공 피용자에 대한 관할권을, 책임을, 내지는 권한을 지니는 공무원에게의 내지는 기관에게의 보고서의 교부 뒤 30일까지는 보고서를 받아들이는 명령은 기입되어서는 안 된다.

(b) The managing judge may issue orders it finds necessary and appropriate to prevent unauthorized publication of a report. Unauthorized publication of a report may be punished as contempt of court.

보고서에 대한 허가 없는 공표를 방지하기 위하여 필요하다고 및 적절하다고 자신이 판단하는 명령들을 대배심 관리판사는 내릴 수 있다. 보고서의 허가 없는 공표는 법원모독으로 처벌될 수 있다.

(5) (a) A public officer or employee named in a report may file with the clerk a verified answer to the report not later than 20 days after service of the order and report upon him. Upon a showing of good cause, the managing judge may grant the public officer or employee an extension of time to file an answer and may authorize limited publication of the report as necessary to prepare an answer.

보고서에 대한, 진정성립이 증명되는 답변서를 명령의 및 보고서의 그에게의 송달 뒤 20일 내에 보고서에서 거명된 공무원은 내지는 공공 피용자는 서기에게 제출할 수 있다. 답변서를 제출할 기한의 연장을 타당한 이유의 증명 위에서 그 공무원에게 또는 공공 피용자에게 대배심 관리판사는 허가할 수 있고 답변서의 준비에 필요한 것으로서의 보고서의 한정된 공표를 대배심 관리판사는 허가할 수 있다.

(b) The answer shall plainly and concisely state the facts and law constituting the defense of the public officer or employee to the charges in the report. Except for those parts the managing judge determines have been inserted scandalously, prejudiciously, or unnecessarily, the answer becomes an appendix to the report.

보고서에서 고발들에 대한 당해 공무원의 내지는 공공 피용자의 방어를 구성하는 사실관계를 및 법을 답변서는 평이하게 및 간결하게 서술하여야 한다. 중상적으로, 편견에 따라서, 또는 불필요하게 삽입되었다고 대배심 관리판사가 판단하는 부분들이를 제외하고는, 답변서는 보고서의 부속물이 된다.

(6) Upon the submission of a report made under this section the managing judge shall order the report sealed if he finds the filing of the report as a public record may prejudice fair consideration of a pending criminal matter. The report may not be subject to subpoena or public inspection during the pendency of the criminal matter except upon order of the managing judge.

이 절에 따라서 작성된 보고서의 제출이 있으면, 계속 중인 한 개의 형사적 사안의 공정한 검토를 보고서의 한 개의 공공기록으로서의 편철이 손상시킬 수 있다고 그가 판단하는 경우에, 보고서를 봉인조치 하도록 대배심 관리판사는 명령하여야 한다. 당해 형사적 사안의 계속 동안에는 대배심 관리판사의 명령에 따라서를 제외하고는, 보고서는 벌칙부 소환장의 내지는 공중의 점검의 적용대상이 되어서는 안 된다.

(7) (a) When the managing judge to whom a report is submitted is not satisfied that the report complies with the provisions of this section, he may direct that additional testimony be taken before the same grand jury or he shall make an order sealing the report.

이 절의 규정들에 보고서가 부합됨을 보고서를 제출받는 대배심 관리판사가 납득하지 아니하는 경우에, 동일한 대배심 앞에서 추가적 증언이 청취되게 하도록 그는 명령할 수 있는바, 또는 보고서를 봉인하는 명령을 그는 내려야 한다.

(b) If the report is sealed, it may not be filed as a public record or be subject to subpoena or otherwise made public until the provisions of this section are met.

보고서가 봉인되면, 이 절의 규정들이 충족되기까지는 그것은 한 개의 공공기록으로서 편철되어서는 내지는 벌칙부소환장의 적용대상이 되어서는 내지는 여타의 방법으로 공개되어서는 안 된다.

(8) A grand jury's term may be extended by the managing judge so additional testimony may be taken or the provisions of this section met.

추가적 증언이 청취될 수 있도록 또는 이 절의 규정들이 충족되도록 대배심 관리판사에 의하여 대배심의 복무기한은 연장될 수 있다.

Enacted by Chapter 318, 1990 General Session. 1990년 일반회기 법률 제318장에 의하여 입법됨

https://law.justia.com/codes/utah/2019/title-77/chapter-10a/section-18/

Section 18 - Grand jury term of service -- Excusing a juror.
대배심의 복무기간 — 배심원에 대한 면제조치.

Universal Citation: UT Code § 77-10a-18 (2019)

일반적 인용: UT Code § 77-10a-18 (2019)

77-10a-18. Grand jury term of service -- Excusing a juror.
대배심의 복무기간 — 배심원에 대한 면제조치.

(1) A grand jury shall serve until discharged by the managing judge. However, a grand jury may not serve more than 18 months unless the managing judge extends the service of the grand jury, upon determining an extension is in the public interest. The extension may be no longer than a period of six months.

대배심 관리판사에 의하여 임무해제 될 때까지 대배심은 복무하여야 한다. 그러나 대배심 복무기간의 연장이 공공의 이익에 부합된다는 판단에 따라서 대배심 복무를 대배심

관리판사가 연장하는 경우에를 제외하고는, 한 개의 대배심은 18개월을 넘기도록 복무하여서는 안 된다. 그 연장은 6개월을 초과할 수 없다.

(2) The managing judge may at any time excuse a juror either temporarily or permanently for cause shown. If a juror is excused permanently, the managing judge may impanel another juror in his place.

한 명의 배심원을 그 증명되는 이유에 따라서 일시적으로든 영구적으로든 대배심 관리판사는 언제든지 면제시킬 수 있다. 만약 한 명의 배심원이 영구적으로 면제되면, 다른 배심원을 그의 대신으로 대배심 관리판사는 충원할 수 있다.

Enacted by Chapter 318, 1990 General Session. 1990년 일반회기 법률 제318장에 의하여 입법됨

https://law.justia.com/codes/utah/2019/title-77/chapter-10a/section-19/

Section 19 - Compensation for special prosecutors.
특별검사들의 보수.

Universal Citation: UT Code § 77-10a-19 (2019)
일반적 인용: UT Code § 77-10a-19 (2019)

77-10a-19. Compensation for special prosecutors.
특별검사들의 보수.

(1) Compensation for special prosecutors under this section shall be paid by the Judicial Council. For this purpose, there is appropriated from the General Fund to the Judicial Council $50,000 as a separate line item in the budget of the Judicial Council for the fiscal year 1989-1990. The line item shall be nonlapsing.

이 절 아래서의 특별검사들의 보수는 사법관회의에 의하여 지급되어야 한다. 이 목적을 위하여 1989년부터 1990년 회계연도를 위한 사법관회의 예산 내의 별도계열 항목으로 50,000불이 일반기금으로부터 사법관회의에 배정된다. 이 계열항목은 실효될 수 없다.

(2) (a) If during the fiscal year compensation of special prosecutors under this chapter exceeds $50,000, additional compensation shall be requested as a supplemental appropriation from the Legislature.

만약 당해 회계연도 동안에 이 장 아래서의 특별검사들의 보수가 50,000불을 초과하면, 추가적 보수는 추가경정 예산으로 입법부에게 요청되어야 한다.

(b) If during the fiscal year compensation of special prosecutors under this chapter is less than $50,000, the balance carries over to the next fiscal year, and the appropriation for that next fiscal year for prosecutor compensation shall be no more than the amount necessary to total $50,000 when added to the nonlapsing balance carried over from the prior fiscal year.

당해 회계연도 동안에 이 장 아래서의 특별검사들의 보수가 50,000불 미만이면, 차액은 차기 회계연도로 이월되고, 검사 보수를 위한 차기 회계연도 예산은 직전 회계연도로부터 이월되는 실효불능 차액에 합산하여 전체 50,000불이 되게 하는 데 필요한 액수 이하여야 한다.

Enacted by Chapter 318, 1990 General Session. 1990년 일반회기 법률 제318장에 의하여 입법됨

---

https://law.justia.com/codes/utah/2019/title-77/chapter-10a/section-20/

Section 20 - Expenses of grand jury -- Appropriation -- Payment by state or county.
대배심의 비용들 — 예산 — 주에 의한 또는 카운티에 의한 지급.

Universal Citation: UT Code § 77-10a-20 (2019)

일반적 인용: UT Code § 77-10a-20 (2019)

77-10a-20. Expenses of grand jury -- Appropriation -- Payment by state or county.

대배심의 비용들 — 예산 — 주에 의한 또는 카운티에 의한 지급.

(1) (a) The expenses of operation of a grand jury summoned under this chapter shall be paid by the Judicial Council, except under Subsection (2).

이 장 아래서 소환되는 대배심 운영의 비용들은 소절 (2) 아래서의 경우에를 제외하고는 사법관회의에 의하여 지급되어야 한다.

(b) Expenses include grand juror fees, rental of a facility, cost of transcripts, payment for a court reporter or electronic recording device, secretarial services, and investigation and recorder staff.

배심원 보수들을, 시설 임차료를, 녹취록 비용들을, 법원 속기사에 대한, 전자적 녹음장비에 대한, 사무적 업무들에 대한, 그리고 조사 및 녹음 담당 직원들에 대한 급여를 비용들은 포함한다.

(c) For this purpose, an appropriation of $25,000 is made from the General Fund to the Judicial Council as a separate line item in the budget of the Judicial Council.

이 목적을 위하여 일반기금으로부터 사법관회의에 25,000불의 예산이 사법관회의의 예산 내의 별도계열 항목으로서 배정된다.

(d) Any amount of this appropriation remaining at the end of the fiscal year lapses into the General Fund.

당해 회계연도 말에 남아 있는 예산액은 일반기금으로 넘어간다.

(2) (a) When a grand jury is summoned to investigate an allegation that is determined to be primarily a county-related issue, the expenses of the grand jury shall be paid by the county or counties involved.

주로 카운티에 관련되는 한 개의 쟁점인 것으로 판단되는 한 개의 주장을 조사하도록 한 개의 대배심이 소환되는 경우에, 그 대배심 비용들은 그 관련되는 카운티에 내지는 카운티들에 의하여 지급되어야 한다.

(b) The supervising judge shall determine before the grand jury is called if the allegations involve primarily the state or a county or counties for purposes of determining payment of expenses under this section.

이 절 아래서의 비용들의 지급을 결정하기 위하여, 주로 주를 또는 한 개의 카운티를 또는 카운티들을 주장들이 포함하는지를 대배심이 소환되기 전에 감독판사는 판정하여야 한다.

(3) The expenses of any grand jury and the compensation for any special prosecutor appointed under this chapter shall be reviewed and approved or disapproved by the clerk of the court under the direction of the managing judge.

대배심의 비용들은 및 이 장 아래서 지명되는 특별검사를 위한 보수는 대배심 관리판사의 명령 아래서 법원 서기에 의하여 검토되어야 하고 승인되거나 불승인되어야 한다.

Amended by Chapter 372, 1997 General Session. 997년 일반회기 법률 제372장에 의하여 개정됨

인디애나주
대배심 규정

인디애나주
대배심 규정

https://law.justia.com/codes/indiana/2019/title-35/article-34/chapter-1/section-35-34-1-1/

2019 Indiana Code

Title 35. Criminal Law and Procedure

Article 34. Bringing Criminal Charges

Chapter 1. Indictment and Information

2019년 인디애나주 법률집

제35편 형사법 및 형사절차

제34조 공소들의 제기

제1장 대배심 검사기소 및 검사 독자기소

IC 35-34-1-1 Commencement of prosecution; filing; sealing; violation

소추의 개시; 제출; 봉인; 위반

Universal Citation: IN Code § 35-34-1-1 (2019)

일반적 인용: : IN Code § 35-34-1-1 (2019)

Sec. 1. (a) All prosecutions of crimes shall be brought in the name of the state of Indiana. Any crime may be charged by indictment or information.

범죄들에 대한 모든 소추들은 인디애나주 이름으로 제기되어야 한다. 대배심 검사기소장에 또는 검사 독자기소장에 의하여 어떤 범죄이든 기소될 수 있다.

(b) Except as provided in IC 12-15-23-6(d), all prosecutions of crimes shall be instituted by the filing of an information or indictment by the prosecuting attorney, in a court with jurisdiction over the crime charged.

IC 12-15-23-6(d)에 규정되는 경우에를 제외하고는 검사 독자기소장을 내지는 대배심 검사기소장을 기소대상 범죄의 관할법원에 검사가 제출함에 의하여 범죄들의 모든 소추들은 시작되어야 한다.

(c) Whenever an indictment or information is filed, the clerk of the court shall:

아래의 조치를 대배심 검사기소장이 또는 검사 독자기소장이 제출되는 때에는 언제든지 법원서기는 취하여야 한다:

(1) mark the date of filing on the instrument;

제출일자를 문서 위에 기재하는 조치 ;

(2) record it in a record book; and

그것을 기록부에 기록하는 조치; 그리고

(3) upon request, make a copy of it available to the defendant or his attorney.

요청이 있으면 피고인에게 내지는 그의 변호사에게 그 등본을 제공하는 조치.

(d) The court, upon motion of the prosecuting attorney, may order that the indictment or information be sealed. If a court has sealed an indictment or information, no person may disclose the fact that an indictment or information is in existence or pending until the defendant has been arrested or otherwise brought within the custody of the court. However, any person may make any disclosure necessarily incident to the arrest of the defendant. A violation of this subsection is punishable as a contempt.

대배심 검사기소장을 내지는 검사 독자기소장을 봉인하도록 검사의 신청에 따라서 법원은 명령할 수 있다. 대배심 검사기소장을 내지는 검사 독자기소장을 만약 법원이 봉인한 상태이면, 한 개의 대배심 검사기소장이 내지는 검사 독자기소장이 존재한다는 내지는 계속되어 있다는 사실을 그 피고인이 체포되고 났을 때까지는 또는 달리 법원의 구금 내에 놓이고 났을 때까지는 어느 누구가도 공개할 수 없다. 그러나, 피고인의 체포에 불가결하게 부수되는 어떤 공개를이든지 누구든지는 할 수 있다. 이 소절의 위반은 법원모독으로 처벌될 수 있다.

As added by Acts 1981, P.L.298, SEC.3. Amended by Acts 1982, P.L.204, SEC.18; P.L.10-1994, SEC.7.

1981년도 제정제법률 공법 298호 제3절에 의하여 추가됨. 1982년도 제정제법률 공법 204호 제18절에 의하여 개정됨.

---

https://law.justia.com/codes/indiana/2019/title-35/article-34/chapter-2/

2019 Indiana Code

Title 35. Criminal Law and Procedure

Article 34. Bringing Criminal Charges

Chapter 2. Grand Jury and Special Grand Jury

2019년 인디애나주 법률집

제35편 형사법 및 형사절차

제34조 공소들의 제기

제2장 대배심 및 특별대배심

- 35-34-2-1. "Target" defined

- 35-34-2-2. Number; impaneling; scope of function and authority; convening

- 35-34-2-3. Drawing, selecting, and impaneling; discharge of panel or juror; grounds; foreman and clerk; minutes; record transcript; oath; instructions; report of offense

- 35-34-2-4. Conduct of proceedings

- 35-34-2-5. Subpoenas; contents; failure to obey; contempt

- 35-34-2-5.5. Target witnesses; right to counsel; removal of attorney

- 35-34-2-6. Motion to quash subpoena duces tecum; use immunity

- 35-34-2-7. Witnesses; refusal to answer; compelling testimony

- 35-34-2-8. Witnesses; use immunity

- 35-34-2-9. Right to testify before grand jury; target of investigation; notification; waiver of immunity; calling of witnesses

- 35-34-2-10. Unauthorized disclosure of grand jury information; offense; production of transcript

- 35-34-2-11. Access to local government facilities for care or custody of persons

- 35-34-2-12. Identification of target and offense; validity of indictment; concurrence of five grand jurors; signatures; endorsement

- 35-34-2-13. Extension of term; limitation

- 35-34-2-14. Special grand jury; powers and duties; term

- 35-34-2-15. Special grand jury; number and names to be drawn; investigation of panel; issuance of venires or summonses

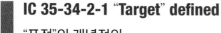
https://law.justia.com/codes/indiana/2019/title-35/article-34/chapter-2/section-35-34-2-1/

IC 35-34-2-1 "Target" defined
"표적"의 개념정의

Universal Citation: IN Code § 35-34-2-1 (2019)

일반적 인용: IN Code § 35-34-2-1 (2019)

Sec. 1. As used in this chapter:

제1절. 이 장에서 사용되는 것으로서의:

"Target" means a person who has been charged by information for an offense the grand jury is investigating, or who is a subject of the grand jury investigation.

"표적"은 당해 대배심이 조사하고 있는 범죄로 신고에 의하여 고발되어 있는 사람을, 내지는 대배심 조사의 대상인 사람을 의미한다.

As added by Acts 1981, P.L.298, SEC.3.

1981년도 제정법률집 공법 298호 제3절에 의하여 추가됨.

https://law.justia.com/codes/indiana/2019/title-35/article-34/chapter-2/section-35-34-2-2/

IC 35-34-2-2 Number; impaneling; scope of function and authority; convening
숫자; 충원구성; 기능의 및 권한의 범위; 소집

Universal Citation: IN Code § 35-34-2-2 (2019)

일반적 인용: IN Code § 35-34-2-2 (2019)

Sec. 2. (a) A grand jury shall consist of six (6) grand jurors and one (1) alternate and may be impaneled by the circuit court or a superior court with criminal jurisdiction. A grand jury shall hear and examine evidence concerning crimes and shall take action with respect to this evidence as provided by law.

한 개의 대배심은 6명의 대배심원들로 및 한 명의 예비 대배심원으로 구성되어야 하고, 형사재판 관할을 지니는 순회구 지방법원에 의하여 또는 상위 지방법원에 의하여 충원구성될 수 있다. 대배심은 범죄들에 관한 증거를 청취하여야 하고 조사하여야 하는바, 법에 규정되는 바에 따라서 이 증거에 관련한 조치를 취할 수 있다.

(b) The court shall call the grand jury into session at the request of the prosecuting attorney. The court may also convene the grand jury without a request from the prosecuting attorney. The grand jury shall be convened by the judge issuing an order requiring the jury to meet at a time specified.

대배심을 검사의 요청에 따라서 법원은 소환하여 개회에 들어가게 하여야 한다. 검사로부터의 요청 없이도 대배심을 법원은 소환할 수 있다. 특정의 때에 모이도록 요구하는 명령을 대배심에게 발령하는 판사에 의하여 그 대배심은 소환되어야 한다.

(c) A grand jury may not remain in session for more than six (6) months.

한 개의 대배심은 6개월을 초과하여 개회 상태에 남아 있어서는 안 된다.

(d) An alternate impaneled under this section shall appear and hear all evidence presented to the grand jury but may not comment, deliberate, or vote unless there is not a quorum of grand jurors for a particular session.

이 절에 따라서 대배심에 넣어지는 예비 대배심원은 출석하여야 하고 대배심에 제출되는 모든 증거를 청취하여야 하는바, 특정의 모임 때에 대배심원들의 의사정족수가 차 있지 아니하는 경우에를 제외하고는 의견을 말하여서는, 숙의하여서는, 표결하여서는 안 된다.

As added by Acts 1981, P.L.298, SEC.3. Amended by Acts 1982, P.L.204, SEC.23; P.L.4-1998, SEC.12.

1981년도 제정법률집 공법 298호 제3절에 의하여 추가됨. 1982년도 제정법률집 공법 204호 제23절에 의하여; 공법 4-1998호 제12절에 의하여 개정됨.

---

https://law.justia.com/codes/indiana/2019/title-35/article-34/chapter-2/section-35-34-2-3/

IC 35-34-2-3 Drawing, selecting, and impaneling; discharge of panel or juror; grounds; foreman and clerk; minutes; record transcript; oath; instructions; report of offense

추출하기, 선정하기, 그리고 충원구성하기; 대배심원(후보)단의 내지는 배심원(후보)의 임무해제; 사유들; 배심장 및 서기; 의사록; 녹취록; 선서; 지시사항들; 범죄의 신고

인디애나주 대배심 규정 _ 3035

Universal Citation: IN Code § 35-34-2-3 (2019)

일반적 인용: IN Code § 35-34-2-3 (2019)

Sec. 3. (a) The jurors on a grand jury and one (1) alternate shall be drawn, selected, and impaneled by the procedure set out in IC 33-28-5.

대배심에서 복무할 대배심원들은 및 한 명의 예비 대배심원은 IC 33-28-5에 정해진 절차에 의하여 추출되어야 하고, 선정되어야 하고, 충원되어야 한다.

(b) Whenever the court finds that the original panel was not selected in substantial conformity with the requirements of law for the selection of the panel, the court shall discharge the panel and summon another panel.

대배심원(후보)단의 선정을 위한 법의 요구들에의 실질적 부합 속에서 당초의 대배심원(후보)단이 선정되지 아니하였음을 법원이 인정하는 때에는 언제나 당해 대배심원(후보)단을 법원은 임무해제 할 수 있고 다른 대배심원(후보)단을 소환할 수 있다.

(c) Whenever the court finds that a grand juror:

한 명의 대배심원이:

(1) is disqualified from service under law;

법에 따라서 복무의 자격이 부정됨을;

(2) is incapable of performing the juror's duties because of bias or prejudice;

배심원으로서의 임무들을 편견으로 내지는 선입견으로 인하여 수행할 능력이 없음을;

(3) is guilty of misconduct in the performance of the juror's duties that might impair the proper functioning of the grand jury;

대배심의 정당한 기능을 손상시킬 수 있는 위법행위를 배심원으로서의 임무들의 수행에 있어서 저질렀음을;

(4) is under the age of eighteen (18) years;

18세 미만임을;

(5) is not a resident of the county;

카운티의 주민이 아님을;

(6) is an alien;

외국인임을;

(7) is a mentally incompetent person;

정신적으로 무능력인 사람임을;

(8) is a witness for the prosecution;

검찰 측 증인임을;

(9) has such a state of mind in reference to a target that the juror cannot act impartially and without prejudice to the substantial rights of that person;

표적에 관하여 공정하게 및 표적의 실질적 권리들에 대한 침해 없이 행동할 수 없는 마음상태를 지님을;

(10) holds a juror's place on the grand jury by reason of the corruption of the officer who selected and impaneled the grand jury; or

당해 대배심을 선정한 및 충원구성한 공무원의 부정행위에 힘입어 당해 대배심에서 한 명의 배심원으로서의 지위를 지니고 있음을;

(11) has requested or otherwise caused any officer or an officer's deputy to place the juror upon the grand jury;

자신을 당해 대배심에 넣도록 공무원 누구에게든지 내지는 공무원의 대리인 누구에게든지 청탁한 바 있음을 내지는 그 밖의 방법으로 야기한 바 있음을;

the court shall refuse to swear that grand juror or, if the juror has been sworn, shall discharge that grand juror and swear another grand juror.

법원이 인정하는 경우에는 언제나 법원은 그 대배심원(후보)를 선서절차에 처하기를 거부하여야 하고, 또는 만약 당해 대배심원(후보)이 선서한 상태이면 그 대배심원을 임무해제 하고 다른 대배심원(후보)을 선서절차에 처하여야 한다.

(d) After a grand jury has been impaneled, the court that called the grand jury shall appoint one (1) of the grand jurors as foreman and one (1) as clerk. During any absence of the foreman or clerk, the grand jury shall select one (1) of their number to act as foreman or clerk. The clerk shall keep minutes of the grand jury proceedings. The court shall supply a means for recording the evidence presented before the grand jury and all of the other proceedings that occur before the grand jury, except for the deliberations and voting of the grand jury and other discussions when the members of the grand jury are the only persons present in the grand jury room.

한 개의 대배심이 충원구성되고 난 뒤에 대배심원들 중 한 명을 배심장으로 및 한 명을 서기로 당해 대배심을 소집한 법원은 지명하여야 한다. 배심장을 내지는 서기를 배심장의 내지는 서기의 부재 동안에 대행하도록 자신들 중 한 명을 대배심은 선정하여야 한다. 서기는 대배심 절차들의 의사록을 관리하여야 한다. 대배심의 숙의들에 및 표결에 대하여를, 그리고 대배심의 구성원들이 대배심실에 출석해 있는 그 유일한 사람들인 때에의 여타의 의논들에 대하여를 제외하고는, 대배심 앞에 제출되는 증거를 및 대배심 앞에서 발생하는 여타의 절차들의 전부를 녹음할 수단을 법원은 제공하여야 한다.

The evidence and proceedings shall be recorded in the same manner as evidence and proceedings are recorded in the court that impaneled the grand jury. When ordered by the court, a transcript or a copy of the recording shall be prepared and supplied to the requesting party. If the transcript is supplied, it shall be at the cost of the party requesting it. If a copy of the recording is supplied, the party requesting it is responsible for the actual cost of reproduction. If a transcript has already been prepared, the requesting party is responsible for the actual cost of obtaining the copy. If the court finds the requesting party is an indigent defendant, the cost of the transcript or copy of the recording supplied to the defendant shall be paid by the county.

당해 대배심을 충원구성한 법원에서 증거가 및 절차들이 녹음되는 방법에의 동일 방법으로 증거는 및 절차들은 녹음되어야 한다. 법원에 의하여 명령되는 때에는 녹음의 녹취록이 내지는 등본이 작성되어야 하고 요청 당사자에게 제공되어야 한다. 만약 녹취록이 제공되면, 그 비용은 요청 당사자의 부담이 되어야 한다. 만약 녹음의 등본이 제공되면, 요청 당사자는 복제의 실제비용에 대하여 책임이 있다. 녹취록이 이미 작성되어 있으면, 요청 당사자는 그 등본을 얻는 데 소요되는 실제비용에 대하여 책임이 있다. 요청 당사자가 가난한 피고인임을 만약 법원이 인정하면, 그 피고인에게 제공되는 녹음물의 녹취록의 내지는 등본의 비용은 카운티에 의하여 지급되어야 한다.

(e) The following oath must be administered to the grand jury:

아래의 선서가 대배심에 대하여 실시되지 않으면 안 된다:

"You, and each of you, do solemnly swear or affirm that you will diligently inquire and make true presentment of all offenses committed or triable within this county, of which you have or can obtain legal evidence; that you will present no person through malice, hatred, ill will, nor leave any unpresented through fear, favor, or affection, or for any reward, or the promise or hope thereof, but in all your indictments you will present the truth, the whole truth, and nothing but the truth; that you will not disclose any evidence given or proceeding had before the grand jury; that you will keep secret whatever you or any other grand juror may have said or in what manner you or any other grand juror may have voted on a matter before the grand jury."

"이 카운티에서 저질러진 내지는 정식사실심리될 수 있는, 그 법적 증거를 귀하들이 지니는 내지는 얻을 수 있는 모든 범죄들을 귀하들은 근면하게 조사하기로 및 진실한 고발을 하기로; 어느 누구를이라도 악의를, 원한을, 해의를 통하여 귀하들은 고발하지 아니하기로, 어느 누구를이라도 두려움 때문에, 호의 때문에, 애정 때문에, 또는 보상을 위하여 내지는 그 약속 내지 기대 때문에 미고발 상태로 남겨두지 아니하기로, 진실을, 완전한 진실을, 그리고 오직 진실만을 귀하들의 모든 대배심 검사기소장들에서 귀하들은 고발하기로; 대배심 앞에 제출된 증거를 또는 취해진 절차를 귀하들은 공개하지 아니하기로; 귀하들이 내지는 여타의 배심원 어느 한 명이가라도 말한 바를 내지는 대배심 앞의 사안에 대하여 어떤 방법으로 귀하들이 내지는 여타의 배심원이 표결하였는지를 비밀로 귀하들은 간직하기로 귀하들은, 그리고 귀하들 각각은 엄숙히 선서하거나 무선서로 확약합니다."

(f) The court shall provide a printed copy of the provisions of this chapter to the grand jury upon the request of any member of the grand jury. In addition, the court shall give the grand jurors any instructions relating to the proper performance of their duties that the court considers necessary.

이 장의 규정들의 인쇄물 한 부를 대배심원의 구성원 어느 누구든지의 요청이 있으면 대배심에게 법원은 제공하여야 한다. 이에 더하여, 그 필요하다고 법원이 간주하는 그들의 임무사항들의 정확한 이행에 관련한 지시설명들을 대배심원들에게 법원은 제공하여야 한다.

(g) If a member of the grand jury has reason to believe that an offense has been committed which is triable in the county, the member may report this information to fellow jurors, who may then investigate the alleged offense.

카운티 내에서 정식사실심리될 수 있는 한 개의 범죄가 저질러져 있다고 믿을 이유를 만약 대배심 구성원이 지니면, 이 정보를 동료 배심원들에게 그 구성원은 신고할 수 있는바, 그 경우에 그 주장되는 범죄를 그들은 조사할 수 있다.

As added by Acts 1981, P.L.298, SEC.3. Amended by Acts 1982, P.L.204, SEC.24; P.L.320-1983, SEC.14; P.L.312-1985, SEC.3; P.L.169-1988, SEC.6; P.L.33-1989, SEC.124; P.L.4-1998, SEC.13; P.L.98-2004, SEC.144; P.L.118-2007, SEC.29.

1981년도 제정법률집 공법 298호 제3절에 의하여 추가됨. 1982년도 제정법률집 공법 204호 제24절에 의하여; 공법 320-1983 제14절에 의하여; 공법 312-1985 제3절에 의하여; 공법 169-1988 제6절에 의하여; 공법 33-1989 제124절에 의하여; 공법 4-1998 제13절에 의하여; 공법 98-2004 제144절에 의하여; 공법 118-2007 제29절에 의하여 개정됨.

https://law.justia.com/codes/indiana/2019/title-35/article-34/chapter-2/section-35-34-2-4/

IC 35-34-2-4 Conduct of proceedings
절차들의 수행

Universal Citation: IN Code § 35-34-2-4 (2019)

일반적 인용: IN Code § 35-34-2-4 (2019)

Sec. 4. (a) The proceedings of a grand jury are not valid unless at least five (5) of its members are present.

그 구성원들 중 적어도 5명이 출석하는 경우에를 제외하고는 대배심 절차들은 유효하지 아니하다.

(b) The foreman shall administer an oath to any witness appearing before the grand jury.

대배심 앞에 출석하는 증인 누구든지에 대하여 선서절차를 배심장은 실시하여야 한다.

(c) The prosecuting attorney, his staff and any witness the prosecuting attorney or the grand jury requests to be present may be present at any time during grand jury proceedings, except as provided in subsection (h).

검사는, 그의 직원은 및 그 출석하도록 검사가 또는 대배심이 요청하는 증인 누구든지는 대배심 절차들 동안에 언제든지 출석할 수 있는바, 소절 (h)에 규정된 바에 따르는 경우에를 제외한다.

(d) The grand jury may request assistance from a clerk, or other public servant, authorized by the court to assist the grand jury in the administrative conduct of its proceedings. Such a clerk or other public servant may be present during any grand jury proceedings, except as specified in subsection (h).

대배심 절차들의 행정적 조처에 있어서 대배심을 조력하도록 권한이 부여된 서기로부터의, 또는 여타의 공무원으로부터의 조력을 대배심은 요청할 수 있다. 대배심 절차들 동안의 어느 때든지 그러한 서기는 내지는 여타의 공무원은 출석할 수 있는바, 소절 (h)에 명시된 바에 따르는 경우에를 제외한다.

(e) The person recording the proceedings may be present during the proceedings except as specified in subsection (h).

절차들을 녹음하는 사람은 절차들 동안에 출석할 수 있는바, 소절 (h)에 명시된 바에 따르는 경우에를 제외한다.

(f) The grand jury may request the court to provide an interpreter to assist the grand jury in understanding the testimony of any witness, and the court shall provide an interpreter when requested. Before assuming his duties with the grand jury, an interpreter shall take an oath before the grand jury that he will faithfully interpret all testimony of the witness and that he will keep secret all matters before the grand jury that are within his knowledge. He may be present as requested by the grand jury, except as set out in subsection (h).

증인 누구든지의 증언을 이해하게끔 대배심을 조력하기 위한 한 명의 통역인을 제공하여 줄 것을 법원에게 대배심은 요청할 수 있고, 그 요청이 있으면 한 명의 통역인을 법원은 제공하여야 한다. 증인의 모든 증언을 충실하게 자신이 통역하겠다는 및 자신의 지식 내의 대배심 앞의 모든 사항들의 비밀을 자신이 지키겠다는 대배심 면전에서의 선서를 대배심에서의 그의 임무들에 착수하기 전에 통역인은 하여야 한다. 대배심에 의하여 요청되는 대로 그는 출석할 수 있는바, 소절 (h)에 규정된 바에 따르는 경우에를 제외한다.

(g) When a person held in official custody is a witness before the grand jury, a public servant assigned to guard him may accompany him in the grand jury room. However, before entering the grand jury room for that purpose, the public servant shall take an oath before the grand jury that he will keep secret all matters before the grand jury that are within his knowledge.

공식의 구금에 처해진 사람이 대배심 앞의 한 명의 증인인 경우에 그를 호송하도록 배정된 공무원은 그를 대배심실에 동행할 수 있다. 그러나, 그의 지식 내의 대배심 앞의 모든 사항들의 비밀을 자신이 지키겠다는 대배심 면전에서의 선서를 그 목적을 위하여 대배심실에 입실하기 전에 그 공무원은 하여야 한다.

(h) During the deliberations and voting of the grand jury, only the grand jurors may be present in the grand jury room.

대배심의 숙의들 동안에는 및 표결 동안에는 오직 대배심원들만이 대배심실에 출석해 있을 수 있다.

(i) Grand jury proceedings shall be secret, and no person present during a grand jury proceeding may, except in the lawful discharge of his duties or upon written order of the court impaneling the grand jury or the court trying the case on indictment presented by the grand jury, disclose:

대배심 절차들은 비밀이어야 하는바, 그의 임무들의 적법한 수행에서를 제외하고는 내지는 당해 대배심을 충원구성한 법원의 내지는 당해 사건을 대배심에 의하여 제출된 대배심 검사기소장에 터잡아 정식사실심리하는 법원의, 서면에 의한 명령에 따라서를 제외하고는, 아래 사항을 대배심 절차 동안에 출석해 있는 어느 누구가도 공개할 수 없다:

(1) the nature or substance of any grand jury testimony; or

대배심 증언의 성격 내지는 내용; 또는

(2) any decision, result, or other matter attending the grand jury proceeding.

대배심 절차에 수반된 결정, 결과, 또는 그 밖의 사항.

However, any court may require any person present during a proceeding to disclose the testimony of a witness as direct evidence in a prosecution for perjury.

그러나, 위증에 대한 소추에서의 직접적 증거로서의 한 명의 증인의 증언을 공개하도록 한 개의 절차들 동안에 출석한 사람 누구에게든지 법원은 요구할 수 있다.

(j) The grand jury shall be the exclusive judge of the facts with respect to any matter before it.

대배심은 자신 앞의 그 어떤 사항에 관하여도 사실관계에 대한 배타적 판단자이다.

(k) The court and the prosecuting attorney shall be the legal advisors of the grand jury, and the grand jury may not seek or receive legal advice from any other source.

법원은 및 검사는 대배심의 법적 조언자들이어야 하는바, 그 밖의 어떠한 원천으로부터의 법적 조언을도 대배심은 추구하여서는 내지는 수령하여서는 안 된다.

(l) The grand jury may not, without court permission, exercise any of its functions in any place other than that designated by the court.

자신의 권한들을 법원의 허가 없이 법원에 의하여 지정된 장소 이외의 장소에서 대배심은 행사하여서는 안 된다.

As added by Acts 1981, P.L.298, SEC.3.

1981년도 제정법률집 공법 298호 제3절에 의하여 추가됨.

---

https://law.justia.com/codes/indiana/2019/title-35/article-34/chapter-2/section-35-34-2-5/

IC 35-34-2-5 Subpoenas; contents; failure to obey; contempt
벌칙부소환장들; 내용들; 준수불이행; 법원모독

Universal Citation: IN Code § 35-34-2-5 (2019)

일반적 인용: IN Code § 35-34-2-5 (2019)

Sec. 5. (a) A subpoena duces tecum or subpoena ad testificandum summoning a witness to appear before the grand jury shall be issued by the clerk upon the request of the grand jury or prosecuting attorney. The subpoena must contain a statement of the general nature of the grand jury inquiry.

대배심 앞에 출석하도록 증인을 소환하는 문서제출명령 벌칙부소환장은 내지는 벌칙부 증인소환영장은 대배심의 내지는 검사의 요청에 따라서 서기에 의하여 발부되어야 한다. 당해 대배심 조사의 일반적 성격에 대한 서술을 당해 벌칙부소환장은 포함하지 않으면 안 된다.

(b) If the subpoena is issued to a target, the subpoena shall also contain a statement informing the target that:

한 명의 표적에 대하여 만약 당해 벌칙부소환장이 발부되면, 아래 사항들을 표적에게 고지하는 서술을 당해 벌칙부소환장은 아울러 포함하여야 한다.

(1) he is a subject of the grand jury investigation;

그가 대배심 조사의 대상이라는 것;

(2) he has the right to consult with an attorney and to be assisted by an attorney under section 13 of this chapter; and

이 장 제13절에 따라서 한 명의 변호사에게 상담할 및 한 명의 변호사의 조력을 받을 권리를 그가 지닌다는 것; 그리고

(3) if he cannot afford an attorney, the court inpaneling the grand jury will appoint one for him, upon request.

한 명의 변호사를 만약 그가 선임할 수 없으면, 요청이 있을 경우에 그를 위하여 한 명을 대배심을 충원구성한 법원이 지정하여 줄 것이라는 점.

(c) If a witness fails to appear at the time and place stated in the subpoena, the court may hold him in contempt of court, unless he had filed a motion to quash the subpoena and the motion has been granted or was pending at the time he was to have appeared.

벌칙부소환장에 명시된 시각에 및 장소에 만약 증인이 출석하지 않으면, 그를 법원 모독으로 법원은 구금할 수 있는바, 당해 벌칙부소환장에 대한 무효화 신청을 그가 제출해 놓은 경우에로서 그 신청이 인용되어 있는 경우에를 또는 그가 출석하였어야 할 시점 당시에 그 신청이 계속되어 있었던 경우에를 제외한다.

As added by Acts 1981, P.L.298, SEC.3. Amended by P.L.320-1983, SEC.15; P.L.170-1984, SEC.2.

1981년도 제정법률집 공법 298호 제3절에 의하여 추가됨. 공법 320-1983호 제15절에; 공법 170-1984호 제2절에 의하여 개정됨.

---

https://law.justia.com/codes/indiana/2019/title-35/article-34/chapter-2/section-35-34-2-5-5/

IC 35-34-2-5.5 Target witnesses; right to counsel; removal of attorney

표적증인들; 변호인의 조력을 받을 권리; 변호인의 배제

Sec. 5.5. (a) A target subpoenaed under section 5 of this chapter is entitled to the assistance of his attorney when the person is questioned in the grand jury room, subject to this section.

대배심실에서 자신이 신문될 때에 자신의 변호인의 조력을 받을 권리를 이장의 제5절에 따라서 벌칙부로 소환된 표적은 이 절의 적용 아래서 지닌다.

(b) The target's attorney:

표적의 변호인은:

(1) must take an oath of secrecy administered by the foreman;

배심장에 의하여 실시되는 비밀준수 선서를 하지 않으면 안 된다;

(2) while in the grand jury room may not, without first obtaining the consent of the prosecutor and the foreman:

대배심실에 있는 동안에 검사의 내지는 배심장의 동의를 먼저 얻지 아니하고는:

(A) address the grand jury or the prosecuting attorney;

대배심에게 또는 검사에게 말하여서는 안 된다;

(B) make objections or arguments;

이의들을 내지는 주장들을 제기하여서는 안 된다;

(C) question any person; or

어느 누구에게도 물어서는 안 된다; 또는

(D) otherwise participate in the proceeding; and

그 밖의 방법으로 절차에 개입하여서는 안 된다; 그리고

(3) may advise the client so long as the conversation is not overheard by any member of the grand jury.

대배심 구성원 어느 누구에게도 대화가 들리지 아니하는 범위 내에서 의뢰인을 조언할 수 있다.

(c) The court that impaneled the grand jury may remove any attorney from the grand jury room and may find him to be in contempt of court if the attorney has violated the requirements of subsection (b) or has otherwise disrupted or unnecessarily delayed the grand jury proceeding.

소절 (b)의 요구들을 만약 변호인 누구나가 위반한 터이면 내지는 대배심 절차를 그 밖의 방법으로 어지럽힌 터이면 내지는 불필요하게 지체시킨 터이면, 대배심을 충원구성한 법원은 그를 대배심실로부터 배제할 수 있고 법원모독으로 인정할 수 있다.

As added by P.L.170-1984, SEC.3.

공법 170-1984 제3절에 의하여 추가됨.

---

https://law.justia.com/codes/indiana/2019/title-35/article-34/chapter-2/section-35-34-2-6/

IC 35-34-2-6 Motion to quash subpoena duces tecum; use immunity
문서제출명령 벌칙부소환장 무효화 신청; 사용면제

Universal Citation: IN Code § 35-34-2-6 (2019)

일반적 인용: IN Code § 35-34-2-6 (2019)

Sec. 6. (a) Any witness may file a motion to quash a subpoena duces tecum directed to that witness. The motion must include a statement of the facts and grounds in support of the objection to the subpoena. The court shall:

자신에게 발부된 문서제출명령 벌칙부소환장에 대한 무효화 신청을 증인 누구든지는 제출할 수 있다. 당해 벌칙부소환장에 대한 이의를 뒷받침하는 사실관계의 및 이유들의 서술을 신청서는 포함하지 않으면 안 된다. 법원은:

(1) promptly conduct a hearing on the motion; and

신청에 대한 심문을 신속하게 실시하여야 한다; 그리고

(2) at the conclusion of the hearing, enter findings in support of its ruling.

자신의 결정의 근거인 판단사항들을 심문의 종결 때에 기입하여야 한다.

(b) A target who is subpoenaed may move to quash a subpoena based upon his privilege against self-incrimination. The court shall grant the motion, unless the prosecuting attorney makes a written request that the target be granted use immunity in accordance with section 8 of this chapter. Upon request by the prosecuting attorney, the court shall grant use immunity to the target and order him to comply with the subpoena.

벌칙부소환장을 무효화하여 줄 것을 벌칙부로 소환된 표적은 자신의 자기부죄 금지특권에 터잡아 신청할 수 있다. 이 장의 제8절에 부합되는 사용면제를 당해 표적에게 부여하여 달라는 서면요청을 검사가 제기하는 경우에가 아닌 한, 신청을 법원은 인용하여야 한다. 검사의 요청이 있으면 법원은 사용면제를 표적에게 부여하여야 하고 벌칙부소환장에 복종할 것을 그에게 명령하여야 한다.

As added by Acts 1981, P.L.298, SEC.3.

1981년 제정법률집 공법 298호 제3절에 의하여 추가됨.

https://law.justia.com/codes/indiana/2019/title-35/article-34/chapter-2/section-35-34-2-7/

IC 35-34-2-7 Witnesses; refusal to answer; compelling testimony
증인들; 답변거부; 증언강제

Universal Citation: IN Code § 35-34-2-7 (2019)

일반적 인용: IN Code § 35-34-2-7 (2019)

Sec. 7. (a) If a witness before the grand jury refuses to answer any question or produce any item, the prosecutor may inform the court, in writing, of the question asked or item sought and the reason given for the refusal. The court shall, after a hearing, decide whether the witness is required to answer the question or produce the item and the witness shall be informed immediately of the court's decision.

질문 한 가지에 대하여라도 그 답변하기를 또는 증거품목 한 개를이라도 그 제출하기를 만약 대배심 앞의 한 명의 증인이 거부하면, 검사는 그 물어진 질문을 내지는 그 요구된 품목을 및 거부의 제시된 이유를 서면으로 법원에 신고할 수 있다. 질문에 답변하도록 또는 증거품목을 제출하도록 증인이 요구되는지 여부를 법원은 심문 뒤에 결정할 수 있는바, 법원의 결정은 증인에게 즉시 고지되어야 한다.

(b) If the court determines that the witness must answer the question or produce the item and the witness continues to refuse, he shall be brought before the court and the court shall proceed as if the witness had refused in open court.

증인이 질문에 대하여 답변하지 않으면 안 된다고 내지는 증거품목을 제출하지 않으면 안 된다고 만약 법원이 판단하면, 그런데도 이를 거부하기를 증인이 고집하면, 법원 앞에 그는 데려다 놓여야 하고 공개법정에서 당해 증인이 거부하였을 경우에 진행하여야 할 절차를 법원은 진행하여야 한다.

(c) If the court determines that the witness may properly refuse to answer a question or produce an item based upon his privilege against self-incrimination, the prosecutor may request the court to grant use immunity to the witness under section 8 of this chapter.

질문에 답변하기를 내지는 증거품목을 제출하기를 그의 자기부죄 금지특권에 터잡아 증인이 정당하게 거부할 수 있다고 만약 법원이 판단하면, 이 장 제8절 아래서의 사용면제를 증인에게 부여하도록 법원에게 검사는 요청할 수 있다.

As added by Acts 1981, P.L.298, SEC.3.

1981년도 제정법률집 공법 298호 제3절에 의하여 추가됨.

IC 35-34-2-8 Witnesses; use immunity
증인들; 사용면제

Universal Citation: IN Code § 35-34-2-8 (2019)

일반적 인용: IN Code § 35-34-2-8 (2019)

Sec. 8. (a) Upon request by the prosecuting attorney, the court shall grant use immunity to a witness before the grand jury. The court shall instruct the witness by written order or in open court that any evidence the witness gives before the grand jury, or evidence derived from that evidence, may not be used in any criminal prosecution against that witness, unless the evidence is volunteered by the witness or is not responsive to a question by the grand jury or the prosecutor. The court shall then instruct the witness that the witness must answer the questions asked and produce the items requested.

검사의 요청이 있으면 사용면제를 대배심 앞의 증인에게 법원은 부여하여야 한다. 당해 증인에 의하여 당해 증거가 자발적으로 제출되는 경우에를 제외하고는 내지는 당해 증거의 제출이 대배심에 의한 내지는 검사에 의한 질문에 응한 것이 아닌 경우에를 제외하고는, 대배심 앞에서 당해 증인이 제공하는 그 어떤 증거는도 또는 그 증거로부터 파생되는 그 어떤 증거는도 당해 증인을 겨냥하는 어떤 형사절차 추행에서도 사용되어서는 안 된다는 점을 증인에게 서면에 의한 명령으로 또는 공개법정에서 법원은 지시설명하여야 한다. 당해 증인은 그 물어지는 질문들에 답변하지 않으면 안 됨을 및 그 요구되는 증거품목들을 제출하지 않으면 안 됨을 법원은 그 뒤에 지시설명하여야 한다.

(b) A grant of use immunity does not prohibit the use of evidence the witness gives in a prosecution for perjury under IC 35-44.1-2-1.

당해 증인이 제출하는 증거의, IC 35-44.1-2-1 아래서의 위증죄에 대한 소송추행에서의 사용을 사용면제의 부여는 금지하지 아니한다.

(c) If a witness refuses to give evidence after the witness has been granted use immunity, the witness shall be brought before the court and the court shall proceed as if the witness had refused in open court.

증거를 제공하기를 사용면제를 부여받고 나서도 만약 한 명의 증인이 거부하면, 그 증인은 법원 앞에 데려다 놓여야 하고 공개법정에서 당해 증인이 거부하였을 경우에 진행하였을 절차를 법원은 진행하여야 한다.

As added by Acts 1981, P.L.298, SEC.3. Amended by P.L.126-2012, SEC.48.

1981년도 제정법률집 공법 298호 제3절에 의하여 추가됨. 공법 126-2012 제48절에 의하여 개정됨.

https://law.justia.com/codes/indiana/2019/title-35/article-34/chapter-2/section-35-34-2-9/

IC 35-34-2-9 Right to testify before grand jury; target of investigation; notification; waiver of immunity; calling of witnesses

대배심 앞에서 증언할 권리; 조사의 표적; 고지; 면제의 포기; 증인들의 소환

Universal Citation: IN Code § 35-34-2-9 (2019)

일반적 인용: IN Code § 35-34-2-9 (2019)

Sec. 9. (a) Except as provided by subsection (b) of this section, no person has a right to appear as a witness before the grand jury or to present any evidence or information to the grand jury.

대배심 앞에 증인으로 출석할 권리를 내지는 증거를 내지는 정보를 대배심에 제출할 권리를 이 절의 소절 (b)에 규정되는 바에 따라서를 제외하고는 어느 누구는도 지니지 아니한다.

(b) A target of a grand jury investigation shall be given the right to testify before the grand jury, provided he signs a waiver of immunity. The prosecuting attorney shall notify a target of his opportunity to testify unless:

대배심 조사의 표적에게는 대배심 앞에서 증언할 권리가 부여되어야 하는바, 다만 면제 포기서에 그가 서명할 것을 조건으로 한다. 그의 증언할 기회를 아래의 경우에가 아닌 한 표적에게 검사는 고지하여야 한다:

(1) notification may result in flight or endanger other persons or obstruct justice; or

고지가 도주를 부를 수 내지는 타인들을 위험에 빠뜨릴 수 내지는 사법을 방해할 수 있는 경우; 또는

(2) the prosecutor is unable, with reasonable diligence, to notify him.

합리적 근면에도 불구하고 그에게 검사가 고지할 수 없는 경우.

(c) The prosecuting attorney or grand jury may call as a witness in a grand jury proceeding any person believed to possess relevant information or knowledge.

관련 있는 정보를 내지는 지식을 보유한다고 믿어지는 누구든지를 대배심 절차에서의 증인으로 검사는 내지는 대배심은 소환할 수 있다.

As added by Acts 1981, P.L.298, SEC.3.

1981년도 제정법률집 공법 298호 제3절에 의하여 추가됨.

IC 35-34-2-10 Unauthorized disclosure of grand jury information; offense; production of transcript

대배심 정보의 허가 없는 공개; 범죄 성립; 녹취록의 제출

Universal Citation: IN Code § 35-34-2-10 (2019)

일반적 인용: IN Code § 35-34-2-10 (2019)

Sec. 10. (a) Except when required to do so by law, a person who has been present at a grand jury proceeding and who knowingly or intentionally discloses:

공개하도록 법에 의하여 요구되는 경우에를 제외하고는, 대배심 절차에 출석한 바 있는 사람으로서 고의로 내지는 의도적으로:

(1) any evidence or testimony given or produced;

그 제공된 내지는 제출된 증거를 내지는 증언을;

(2) what a grand juror said; or

대배심원이 말한 바를; 또는

(3) the vote of any grand juror;

대배심원 어느 누구든지의 투표를;

to any other person, except to a person who was also present or entitled to be present at that proceeding or to the prosecuting attorney or his representative, commits unauthorized disclosure of grand jury information, a Class B misdemeanor.

그 절차에 마찬가지로 출석했던 내지는 출석할 권리를 지녔던 사람에게 이외의, 내지는 검사에게 이외의 또는 그의 대리인에게 이외의 어느 누구에게라도 공개하면 B급 경죄인 대배심 정보 무허가 공개죄를 범하는 것이 된다.

(b) The transcript of testimony of a witness before a grand jury may be produced only:

오직 아래의 경우들에만 대배심 앞에서의 증인의 증언녹취록은 제출될 수 있는바, 즉:

(1) for the official use of the prosecuting attorney; or

검사의 직무상의 사용을 위한 경우에이거나; 또는

(2) upon order of:

아래 기관의 명령에 의한 경우에이다:

(A) the court which impaneled the grand jury;

당해 대배심을 충원구성한 법원;

(B) the court trying a case upon an indictment of the grand jury; or

　　당해 대배심의 대배심 검사기소장에 따라서 사건을 정식사실심리 하는 법원; 또는

(C) a court trying a prosecution for perjury;

　　위증죄 소추를 정식사실심리 하는 법원;

　　but only after a showing of particularized need for the transcript.

　　그러나 이는 오직 그 녹취록에 대한 구체적 필요의 증명 뒤에라야 한다.

As added by Acts 1981, P.L.298, SEC.3. Amended by P.L.312-1985, SEC.4.

1981년도 제정법률집 공법 298호 제3절에 의하여 추가됨. 공법 312-1985 제4절에 의하여 개정됨.

---

https://law.justia.com/codes/indiana/2019/title-35/article-34/chapter-2/section-35-34-2-11/

IC 35-34-2-11 Access to local government facilities for care or custody of persons
사람들의 보호를 내지는 구금을 위한 지역정부 시설들에의 접근

Universal Citation: IN Code § 35-34-2-11 (2019)

일반적 인용: IN Code § 35-34-2-11 (2019)

Sec. 11. The grand jury shall have free access, at all reasonable times, to any county, city, or town facility where persons are held in care or custody of such county, city, or town, for the purpose of examining their condition and management.

카운티의, 시티의, 내지는 타운의 보호 안에 내지는 구금 안에 사람들이 수용되어 있는 카운티의, 시티의, 타운의 시설에의, 그들의 상태를 및 관리를 검사하기 위한 모든 합리적 시간대에의 자유로운 접근을 대배심은 누린다.

As added by Acts 1981, P.L.298, SEC.3.

1981년도 제정법률집 공법 298호 제3절에 의하여 추가됨.

https://law.justia.com/codes/indiana/2019/title-35/article-34/chapter-2/section-35-34-2-12/

IC 35-34-2-12 Identification of target and offense; validity of indictment; concurrence of five grand jurors; signatures; endorsement

표적의 및 범죄의 명시; 대배심 검사기소장의 유효성; 다섯 명의 대배심원들의 찬성; 서명들; 기입

Universal Citation: IN Code § 35-34-2-12 (2019)

일반적 인용: IN Code § 35-34-2-12 (2019)

Sec. 12. (a) Before the grand jury proceeds to deliberate on whether to issue an indictment, the prosecuting attorney shall, on the record:

대배심 검사기소장을 발부할지 여부에 관하여 숙의하는 데 대배심이 나아가기 전에 검사는 기록 위에:

(1) identify each target of the grand jury proceeding; and

당해 대배심 절차의 개개 표적을 확인하여야 하고; 그리고

(2) identify each offense that each target is alleged to have committed.

개개 표적이 위반한 것으로 주장되는 개개 범죄를 확인하여야 한다.

(b) Before an indictment is valid, at least five (5) grand jurors must concur in the finding of the indictment, and it must be:

한 개의 대배심 검사기소장이 유효하려면 대배심 검사기소의 평결에 적어도 다섯 명의 대배심원들이 찬성하지 않으면 안 되고 또한 그것은:

(1) signed by the prosecuting attorney or his deputy;

검사에 의하여 내지는 그의 대리인에 의하여 서명되지 않으면 안 되며;

(2) endorsed with the phrase "a true bill"; and

"기소평결부 대배심 검사기소장안"이라는 문구가 기입되지 않으면 안 되고; 그리고

(3) signed by the foreman of the grand jury or five (5) members of the grand jury.

대배심의 배심장에 의하여 내지는 대배심 구성원들 다섯 명에 의하여 서명되지 않으면 안 된다.

(c) An indictment is not valid unless the offense that the indictment charges the defendant committed is an offense that is contained on the record under subsection (a).

피고인이 저지른 것으로 대배심 검사기소장이 기소하는 범죄가 소절 (a) 아래서의 기록 위에 포함되어 있는 경우에를 제외하고는 한 개의 대배심 검사기소장은 유효하지 아니하다.

(d) An indictment is not valid if it indicts the target of a previous grand jury who:

아래에 해당하는 과거의 대배심의 표적을 한 개의 대배심 검사기소장이 기소하면 그것은 유효하지 아니하다:

(1) was identified under subsection (a)(1);

소절 (a)(1) 아래서 확인되었던 사람인 경우;

(2) was the target of a previous grand jury that proceeded to deliberate on whether to issue an indictment, and voted not to indict the defendant for the offense identified to the previous grand jury under subsection (a)(2); and

한 개의 대배심 검사기소장을 발부할지 여부에 대한 숙의에 과거의 대배심이 나아간, 및 당해 피고인을 소절 (a)(2)에 따라서 당해 과거의 대배심에게 확인된 범죄로 대배심 검사기소에 처하지 아니하기로 표결한 바 있는 당해 과거의 대배심의 표적이었던 사람인 경우; 그리고

(3) was alleged to have committed an offense identified to a previous grand jury under subsection (a)(2).

소절 (a)(2)에 따라서 과거의 대배심에게 확인된 한 개의 범죄를 저지른 것으로 주장되었던 경우.

However, if the prosecuting attorney shows that there is newly discovered material evidence that was not presented to the previous grand jury before the grand jury's failure to indict, then the indictment is not defective.

그러나, 당해 과거의 대배심의 불기소 처분이 있기 전에는 대배심에 제출되지 아니하였던, 새로이 발견된 중요한 증거가 있음을 만약 검사가 증명하면, 그 경우에는 그 대배심 검사기소장은 결격이 아니다.

As added by Acts 1981, P.L.298, SEC.3. Amended by P.L.312-1985, SEC.2.

1981년도 제정법률집 공법 298호 제3절에 의하여 추가됨. 공법 312-1985 제2절에 의하여 개정됨.

IC 35-34-2-13 Extension of term; limitation
기간의 연장; 제한

Universal Citation: IN Code § 35-34-2-13 (2019)

일반적 인용: IN Code § 35-34-2-13 (2019)

Sec. 13. The judge of any court having criminal jurisdiction may, upon due cause shown by petition of the prosecuting attorney of the judicial circuit, extend the terms of the members of a grand jury then convened for an additional term of three (3) months or more, as requested by the prosecuting attorney. The terms of the members of any grand jury may be so extended for successive periods of increments of three (3) months or more, to a total length of no more than two (2) years.

그 당시에 소환되어 있는 대배심의 구성원들의 복무기간들을 당해 법원 순회구의 검사의 청구에 의하여 소명되는 정당한 이유에 터잡아 검사에 의하여 요청되는 바대로 추가적 3개월 이상 동안 형사재판 관할을 지니는 법원의 판사는 연장할 수 있다. 3개월 이상 동안의 증대되는 연속적 기간들을 위하여 대배심 구성원들의 복무기간들은 연장될 수 있는바, 그리하여 그 전체기간은 2년까지에 이를 수 있다.

As added by P.L.171-1984, SEC.75.

공법 171-1984 제75절에 의하여 추가됨.

---

https://law.justia.com/codes/indiana/2019/title-35/article-34/chapter-2/section-35-34-2-14/

IC 35-34-2-14 Special grand jury; powers and duties; term
특별대배심; 권한들 및 임무들; 복무기간

Universal Citation: IN Code § 35-34-2-14 (2019)

일반적 인용: IN Code § 35-34-2-14 (2019)

Sec. 14. (a) The judge of any court having criminal jurisdiction may, upon due cause shown by petition of the prosecuting attorney of the judicial circuit, order the clerk of the courts, or jury administrator (as defined in IC 33-28-5-3) to draw the names of competent persons to be summoned to serve on a special grand jury, which shall serve in addition to the grand jury regularly summoned and convened pursuant to law.

한 개의 특별대배심에서 복무하게 하기 위하여 소환될 자격을 지닌 사람들의 이름들을 추출하도록 법원들의 서기에게 내지는 배심관리인에게 (IC 33-28-5-3에 개념정의 되는 바에 의함) 당해 법원 순회구의 검사의 청구서에 의하여 증명되는 정당한 이유에 터잡아 형사재판 관할을 지니는 법원의 판사는 명령할 수 있는바, 정규적으로 소환되는 및 법에 따라서 소집되는 대배심에 병행하여 특별대배심은 복무하여야 한다.

(b) A special grand jury has the powers and duties of a grand jury prescribed by law.

법에 의하여 규정되는 한 개의 대배심의 권한들을 및 임무들을 한 개의 특별대배심은 지닌다.

(c) The members of the special grand jury serve terms of three (3) months or more, as requested by the prosecuting attorney. The terms of members of a special grand jury shall be extended for the same period of time and in the same manner in which the terms of grand jury members may be extended under section 13 of this chapter.

검사에 의하여 요청되는 바에 따라서 3개월 이상 동안 특별대배심의 구성원들은 복무한다. 이 장의 제13절에 따라서 대배심 구성원들의 복무기간들이 연장될 수 있는 기간에의 동일 기간 동안 및 그 방법에의 동일 방법으로, 특별대배심의 구성원들의 복무기간들은 연장되어야 한다.

As added by P.L.171-1984, SEC.76. Amended by P.L.98-2004, SEC.145; P.L.118-2007, SEC.30.

공법 171-1984 제76절에 의하여 추가됨. 공법 98-2004 제145절에; 공법 118-2007 제30절에 의하여 개정됨.

https://law.justia.com/codes/indiana/2019/title-35/article-34/chapter-2/section-35-34-2-15/

IC 35-34-2-15 Special grand jury; number and names to be drawn; investigation of panel; issuance of venires or summonses

특별대배심; 추출되어야 할 숫자 및 이름들; 배심원(후보)단에 대한 조사; 배심원소집장들의 내지는 소환장들의 발부

Universal Citation: IN Code § 35-34-2-15 (2019)

일반적 인용: IN Code § 35-34-2-15 (2019)

Sec. 15. When names of grand jurors are ordered drawn to be summoned under section 14 of this chapter, the judge shall specify the number of names to be drawn, and shall enter an order in sufficient time before the grand jury session to permit counsel to know and investigate the panel of special grand jurors. The order of names listed in the panel and called for service and entered in the order book of the court shall be the same as that provided in IC 33-28-5. The clerk shall issue summonses for such jurors as the courts may direct. The sheriff or bailiff shall then call the special grand jurors to the jury box in the same order as that in which their names were drawn from the jury pool and certified thereto.

이 장의 제14절에 따라서 대배심원들의 이름들을 추출하도록 및 소환하도록 명령이 내려지는 경우에, 판사는 그 추출되어야 할 이름들의 숫자를 명시하여야 하고 특별대배심원들의 후보단을 당해 대배심의 개회에 앞서서 변호인으로 하여금 알도록 및 조사하도록 허용할 만큼 충분한 시간적 여유를 두고서 그 명령을 기입하여야 한다. 후보단에 오르는, 복무를 위하여 소환되는 및 법원의 명령장부에 기입되는 순서는 IC33-28-5에 규정되는 순서에 동일하다. 법원이 명령하는 배심원(후보)들을 위한 소환장들을 서기는 발부하여야 한다. 특별대배심원 (후보)들을, 배심풀로부터 추출된 및 이에 대하여 검정이 이루어진 순서에의 동일 순서에 따라서, 배심원후보상자로 집행관은 내지는 집행관보좌인은 그 뒤에 불러와야 한다.

As added by P.L.171-1984, SEC.77. Amended by P.L.98-2004, SEC.146; P.L.118-2007, SEC.31.

공법 171-1984 제77절에 의하여 추가됨. 공법 98-2004 제146절에; 공법 118-2007 제31절에 의하여 개정됨.

https://www.in.gov/judiciary/rules/jury/index.html

Indiana Rules of Court
인디애나주 법원규칙들

Jury Rules
배심규칙들

TABLE OF CONTENTS

- RULE 1. SCOPE

- RULE 2. JURY POOL

- RULE 3. RANDOM DRAW

- RULE 4. NOTICE OF SELECTION FOR JURY POOL AND SUMMONS FOR JURY SERVICE

- RULE 5. DISQUALIFICATION

- RULE 6. EXEMPTION

- RULE 7. DEFERRAL

- RULE 8. DOCUMENTATION

- RULE 9. TERM OF JURY SERVICE

- RULE 10. JUROR SAFETY AND PRIVACY

- RULE 11. JURY ORIENTATION

- RULE 12. RECORD SHALL BE MADE

- RULE 13. JURY PANEL: OATH OR AFFIRMATION BY PROSPECTIVE JURORS

- RULE 14. INTRODUCTION TO CASE

- RULE 15. EXAMINATION OF THE JURY PANEL

- RULE 16. NUMBER OF JURORS

- RULE 17. CHALLENGE FOR CAUSE

- RULE 18. NUMBER OF PEREMPTORY CHALLENGES

- RULE 19. OATH OR AFFIRMATION OF THE JURY

- RULE 20. PRELIMINARY INSTRUCTIONS

- RULE 21. OPENING STATEMENT

- RULE 22. PRESENTATION OF EVIDENCE

- RULE 23. JUROR TRIAL BOOKS

- RULE 24. PROCEDURE FOR JUROR WITH PERSONAL KNOWLEDGE IN CRIMINAL CASES

- RULE 25. JURY VIEW

- RULE 26. FINAL INSTRUCTIONS

- RULE 27. FINAL ARGUMENTS

- RULE 28. ASSISTING JURORS AT AN IMPASSE

- RULE 29. SEPARATION DURING DELIBERATION

- RULE 30. JUDGE TO READ THE VERDICT

RULE 1. SCOPE
범위

These rules shall govern petit jury assembly, selection, and management in all courts of the State of Indiana. Rules 2 through 10 shall govern grand jury assembly and selection.

이 규칙들은 인디애나주 모든 법원들에서의 소배심 소집을, 선정을, 그리고 운영을 규율한다. 규칙 2부터 10까지는 대배심의 소집을 및 선정을 규율한다.

RULE 2. JURY POOL
배심풀

The judges of the trial courts shall administer the jury assembly process. The judges may appoint clerical personnel to aid in the administration of the jury system. Any person appointed to administer the jury assembly process is a jury administrator. The jury administrator shall compile the jury pool annually by selecting names from lists approved by the Supreme Court. In compiling the jury pool, the jury administrator shall avoid duplication of names.

정식사실심리 법원들의 판사들은 배심소집 절차를 관리하여야 한다. 배심제도의 운영을 조력하기 위한 사무직 요원들을 판사들은 지명할 수 있다. 배심소집 절차를 관리하도록 지명되는 누구든지는 한 명의 배심관리인이다. 대법원에 의하여 승인된 명부들로부터 이름들을 선정함에 의하여 배심풀을 해마다 배심관리인은 조제하여야 한다. 배심풀을 조제함에 있어서 이름들의 중복을 배심관리인은 피하여야 한다.

RULE 3. RANDOM DRAW
무작위 추출

The jury administrator shall randomly draw names from the jury pool as needed to establish jury panels for jury selection. Prospective jurors shall not be drawn from bystanders or any source except the jury pool.

배심선정을 위한 배심원후보단들을 구성하기 위하여 필요한 만큼의 이름들을 배심풀로부터 무작위로 배심관리인은 추출하여야 한다. 배심원후보들은 구경꾼들로부터 또는 배심풀 이외의 여하한 원천으로부터도 추출되어서는 안 된다.

RULE 4. NOTICE OF SELECTION FOR JURY POOL AND SUMMONS FOR JURY SERVICE
배심풀을 위한 선정의 통지 및 배심복무를 위한 소환장

Not later than seven (7) days after the date of the drawing of names from the jury pool, the jury administrator shall mail to each person whose name is drawn a juror qualification form, and notice of the period during which any service may be performed. The judges of the courts of record in the county shall select, by local rule, one of the following procedures for summoning jurors:

배심원 자격심사 서식을, 그리고 복무가 수행될 수 있는 기간의 통지를 배심풀로부터의 이름들의 추출이 있는 날의 7일 내에 그 이름이 추출된 개개 사람에게 배심관리인은 우송하여야 한다. 배심원(후보)들을 소환하기 위한 아래의 절차들 중 한 개를 카운티 내의 정식기록 법원들의 판사들은 지역규칙에 의하여 선택하여야 한다:

(a) Single tier notice and summons. The jury administrator may send a summons at the same time the jury qualification form and notice is mailed. If so, the jury administrator shall send the jury qualification form and summons to prospective jurors at least six (6) weeks before jury service.

한 겹의 통지서 및 소환장. 배심 자격심사 서식이 및 통지서가 우송될 때에 그 동시에 소환장을 배심관리인은 발송할 수 있다. 만약 그렇게 하는 경우이면, 배심 자격심사 서식을 및 소환장을 배심원후보들에게 배심복무 전에 적어도 6주의 여유를 두고서 배심관리인은 발송하여야 한다.

(b) Two tier notice and summons. The jury administrator may send summons at a later time. If the jury administrator sends the jury qualification form and notice first, the jury administrator shall summon prospective jurors at least one (1) week before service.

두 겹의 통지서 및 소환장. 소환장을 더 나중에 배심관리인은 발송할 수 있다. 배심 자격심사 서식을 및 통지서를 만약 배심관리인이 먼저 발송하면, 배심원후보들을 복무일 전에 적어도 1주일의 여유를 두고서 배심관리인은 소환하여야 한다.

The summons shall include the following information: directions to court, parking, public transportation, compensation, court policies regarding the use of electronic communication devices (i.e. cell phones, PDAs, smart phones, etc.), attire, meals, and how to obtain auxiliary aids and services required by the Americans with Disabilities Act. The judge may direct the jury administrator to include a questionnaire to be completed by each prospective juror.

아래의 정보를 소환장은 포함하여야 한다: 법원에까지 오는 경로들, 주차, 대중교통, 보수, 전자적 통신장비들(즉 핸드폰들, 개인정보처리기들, 스마트폰들 등등)의 사용에 관한 법원의 정책들, 복장, 식사, 그리고 미국장애인법에 의하여 요구되는 보조적 조력들을 및 서비스들을 얻는 방법. 개개 배심원후보에 의하여 작성되어야 할 질문서를 포함시키도록 배심관리인에게 판사는 명령할 수 있다.

A judge may order prospective jurors to appear upon less notice when, in the course of jury selection, it becomes apparent that additional prospective jurors are required in order to complete jury selection.

배심선정을 완료하기 위하여 추가적 배심원후보들이 요구됨이 배심선정 과정에서 명백해질 경우에는 보다 더 짧은 기간의 통지로써 출석하도록 배심원후보들에게 판사는 명령할 수 있다.

A judge may authorize the jury administrator to use technological programs for receiving responses to juror qualification forms or to supplement information provided to jurors in the notice of selection and summons. The judge may authorize automated telephone services or web-based programs which include appropriate verification, such as juror identification numbers, PIN numbers, and passwords. The judge must ensure that jurors who are unable or unwilling to use these technological programs are able to complete the proper forms and receive the above-required information by contacting the jury administrator.

배심원 자격심사 서식들에의 응답들을 수령하기 위한 전문적 프로그램들을 사용하도록, 또는 선정의 통지에서 및 소환에서 배심원들에게 제공되는 정보를 보충하도록, 배심관리인에게 판사는 허가할 수 있다. 배심원 신분증번호들을, 인터넷 개인식별 번호들을, 그리고 비밀 번호들을 등 그 진정하게 작성된 것임에 대한 적절한 증명을 포함하는, 자동화된 전화서비스를 또는 웹 기반의 프로그램들을 판사는 허가할 수 있다. 이러한 전문적 프로그램들을 사용할 수 없는 내지는 사용하기를 꺼리는 배심원들로 하여금 배심관리인을 접촉함에 의하여 정확한 서식들을 완성시킬 수 있도록 및 위에서 요구되는 정보를 수령할 수 있도록 판사는 보장하지 않으면 안 된다.

 RULE 5. DISQUALIFICATION
결격

The court shall determine if the prospective jurors are qualified to serve, or, if disabled but otherwise qualified, could serve with reasonable accommodation. In order to serve as a juror, a person shall state under oath or affirmation that he or she is:

배심원후보들이 복무의 자격을 갖추고 있는지를, 만약 장애를 지니고 있으면서도 여타의 점에서 자격을 갖추었으면 적절한 편의의 제공을 받는 경우에는 복무할 수 있는지를 법원은 판단하여야 한다. 한 명의 배심원으로서 복무하기 위하여는 아래에 그 자신이 또는 그녀 자신이 해당함을 선서 아래서 또는 무선서확약 아래서 그 사람은 진술하여야 한다:

(a) a citizen of the United States;

합중국의 시민일 것;

(b) at least eighteen (18) years of age;

적어도 18세일 것;

(c) a resident of the summoning county;

소환하는 카운티의 거주자일 것;

(d) able to read, speak, and understand, the English language;

영어를 읽을 수, 말할 수, 그리고 이해할 수 있을 것;

(e) not suffering from a physical or mental disability that prevents him or her from rendering satisfactory jury service;

만족스러운 배심복무를 제공하지 못하도록 그를 내지는 그녀를 방해하는 신체적 내지는 정신적 장애를 지니지 않을 것;

(f) not under a guardianship appointment because of mental incapacity;

정신적 무능력으로 인한 후견인의 지정 아래에 놓여 있지 아니할 것;

(g) not a person who has had rights to vote revoked by reason of a felony conviction and whose rights to vote have not been restored; and

투표할 권리들을 중죄 유죄판정으로 인하여 상실한 및 그의 투표할 권리들이 회복되어 있지 아니한 사람이 아닐 것;

(h) not a law enforcement officer, if the trial is for a criminal case.

정식사실심리가 형사사건에 대한 것인 경우이면, 법집행 공무원이 아닐 것.

Persons who are not eligible for jury service shall not serve. Upon timely advance request from the prospective juror, the court may excuse from reporting for jury service any person whose bona fide religious conviction and affiliation with a religion prevents the prospective juror from performing jury service.

배심복무에 뽑힐 자격이 없는 사람들은 복무하여서는 안 된다. 배심복무를 수행함을 선의의 종교적 신념이 또는 종교에의 귀의가 방해하는 배심원후보에 대하여는 배심복무를 위한 출석을, 당해 배심원후보로부터의 적시의 사전의 요청에 따라서, 법원은 면제할 수 있다.

RULE 6. EXEMPTION
제외

A person may claim exemption from jury service only if the person (1) has completed a term of jury service in the twenty-four (24) months preceding the date of the person's summons, or (2) is exempt from jury service pursuant to an exemption expressly provided by statute.

(1) 자신의 소환장의 날짜 전 24개월 내에 배심복무기간을 완료한 사람은, 또는 (2) 제정법에 의하여 명시적으로 규정된 제외조항에 따라서 배심복무로부터 제외되는 사람은, 배심복무로부터의 제외를 주장할 수 있다.

RULE 7. DEFERRAL
연기

The judge or judge's designee may authorize deferral of jury service for up to one (1) year upon a showing of hardship, extreme inconvenience, or necessity.

배심복무의 1년까지의 연기를 곤경에 대한, 극도의 불편에 대한, 또는 필요성에 대한 증명 위에서 판사는 또는 판사의 피지명자는 허가할 수 있다.

RULE 8. DOCUMENTATION
문서화

The facts supporting juror disqualifications, exemptions, and deferrals shall be recorded under oath or affirmation. No disqualification, exemption, or deferral shall be authorized unless the facts support it. These records shall be kept for a minimum of two (2) years.

배심원 결격사유들을, 제외사유들을, 그리고 연기사유들을 뒷받침하는 사실관계는 선서 아래서 또는 무선서확약 아래서 기록되어야 한다. 결격을, 제외를, 또는 연기를 당해 사실관계가 뒷받침하는 경우에를 제외하고는 결격은, 제외는, 또는 연기는 허가되어서는 안 된다. 이 기록들은 적어도 2년 동안 보존되어야 한다.

RULE 9. TERM OF JURY SERVICE
배심복무 기간

(a) A person who appears for service as a petit juror serves until the conclusion of the first trial in which the juror is sworn, regardless of the length of the trial or the manner in which the trial is disposed. A person who appears for service by reporting to the courthouse and being recorded as present for jury service and not deferred but is not selected and sworn as a juror completes the person's service when jury selection is completed; provided, however, jurors who are called for jury service are eligible to serve in any court in that county on the day summoned.

한 명의 소배심원으로서의 복무를 위하여 출석하는 사람은 그가 선서절차에 처해진 최초의 정식사실심리의 종결 때까지 복무하여야 하는바, 당해 정식사실심리의 길이에는 또는 당해 정식사실심리가 처리되는 방법에는 상관이 없다. 법원청사에 출두함에 의하여 복무를 위하여 출석한, 그리하여 배심복무를 위하여 출석한 것으로 기록되는, 그런데 배심복무가 연기되지 아니한 채로 배심원으로서 선정되지도 선서절차에 처해지지도 아니한 사람은 당해 배심선정이 완료하는 때에 배심복무를 완료한다; 다만, 배심복무를 위하여 소환되는 배심원(후보)들은 그 소환되는 날의 당해 카운티 내의 어느 법원에서든지 복무하도록 결정될 수 있다.

(b) A person who:

(1) serves as a juror; or

배심원으로 복무하는 사람은; 또는

(2) serves until jury selection is completed, but is not chosen to serve as a juror;

배심선정이 완료되는 때까지 복무하는, 그러나 한 명의 배심원으로서 선정되지 아니하는 사람은

may not be selected for another jury panel until all nonexempt persons in the jury pool for that year have been called for jury duty.

당해연도를 위한 배심풀 내의 제외되지 아니한 모든 사람들이 배심의무를 위하여 소환되고 났을 때까지는 다른 배심원단을 위하여 선정되어서는 안 된다.

(c) A person who serves until jury selection is completed, but is not chosen to serve as a juror may be placed back in the jury pool and eligible for additional terms of service upon making a written request to the court.

배심선정이 완료될 때까지 복무하는, 그러나 한 명의 배심원으로서 복무하도록 선정되지 아니하는 사람은 법원에의 서면요청을 제출함에 의하여 배심풀에 되돌려질 수 있고 추가적 복무기간들을 위하여 선정될 수 있다.

RULE 10. JUROR SAFETY AND PRIVACY
배심원 안전 및 프라이버시

Personal information relating to a juror or prospective juror not disclosed in open court is confidential, other than for the use of the parties and counsel. The court shall maintain that confidentiality to an extent consistent with the constitutional and statutory rights of the parties.

공개법정에서 공개되지 아니한 배심원에 내지는 배심원후보에 관한 개인적 정보는 당사자들의 및 변호사의 사용을 위하여를 제외하고는 비밀의 것들이다. 당사자들의 헌법적 및 제정법적 권리들에 부합하는 한도껏 비밀성을 법원은 유지하여야 한다.

조지아주
대배심 규정

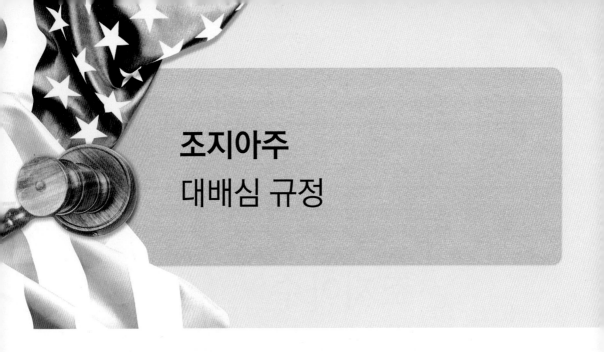

조지아주
대배심 규정

https://codes.findlaw.com/ga/constitution-of-the-state-of-georgia/ga-const-art-1-sect-1-xi.html

Constitution of the State of Georgia Art. I, § 1, ¶ XI
조지아주 헌법 제1조 제1항 제11단락

(a) The right to trial by jury shall remain inviolate, except that the court shall render judgment without the verdict of a jury in all civil cases where no issuable defense is filed and where a jury is not demanded in writing by either party. In criminal cases, the defendant shall have a public and speedy trial by an impartial jury; and the jury shall be the judges of the law and the facts.

배심에 의한 정식사실심리의 권리는 불가침으로 남는바, 다만 쟁점이 될 만한 항변이 없는 및 어느 쪽 당사자에 의하여도 서면으로 배심이 요구되지 아니하는 민사사건들에서는 판결주문을 배심의 평결 없이 법원은 내려야 한다. 공평한 배심에 의한 공개의 신속한 정식사실심리를 형사사건들에서 피고인은 누린다; 배심은 법의 및 사실관계의 판단자들이다.

(b) A trial jury shall consist of 12 persons; but the General Assembly may prescribe any number, not less than six, to constitute a trial jury in courts of limited jurisdiction and in superior courts in misdemeanor cases.

정식사실심리 배심은 12명으로 구성된다; 그러나 제한된 관할의 법원들에서는 및 경죄 사건들에서의 상위 지방법원들에서는 정식사실심리 배심을 구성하는 숫자를 6명 이상의 어느 숫자로든 국회는 규정할 수 있다

(c) The General Assembly shall provide by law for the selection and compensation of persons to serve as grand jurors and trial jurors.

대배심원들로서 및 정식사실심리 배심원들로서 복무할 사람들의 선정을 및 보수를 법으로 국회는 정해야 한다.

https://codes.findlaw.com/ga/title-15-courts/ga-code-sect-15-7-46.html

Georgia Code Title 15. Courts § 15-7-46

The accused in criminal proceedings in a state court shall not have the right to indictment by the grand jury of the county.

주 법원에서의 형사절차들에서의 피고인은 카운티 대배심에 의한 대배심 검사기소장을 누릴 권리를 지니지 아니한다.

https://codes.findlaw.com/ga/title-15-courts/ga-code-sect-15-12-1.html

Georgia Code Title 15. Courts § 15-12-1

As used in this chapter, the term:

이 장에서 사용되는 것으로서의:

(1) "Array" means the body of persons subject to voir dire from which the final jury and alternate jurors are selected.

"소집대상 배심원후보단"은 최종의 배심이 및 예비배심원들이 선발되는 모집단이 되는, 배심원 자격 예비심문에 처해지는 사람들의 집단을 의미한다.

(2) "Choose" or "chosen" means the act of randomly selecting potential jurors from the county master jury list in a manner that does not deliberately or systematically exclude identifiable and distinct groups from the venire.

"선발하다" 또는 "선발된"은 확인 가능한 및 특별한 그룹들을 배심원 소집으로부터 의도적으로 내지는 체계적으로 배제하지 아니하는 방법으로 잠재적 배심원들을 카운티 종합 배심명부로부터 무작위로 선정하는 행위를 의미한다.

(3) "Clerk" means the clerk of the superior court or a jury clerk if one is appointed pursuant to subsection (a) of Code Section 15-12-11 or Code Section 15-12-12.

"서기"는 상위 지방법원의 서기를 또는 주 법률집 제15-12-11절의 소절(a)에 또는 주 법률집 제15-12-12절에 따라서 배심서기가 지명되는 경우에의 그 배심서기를 의미한다.

(4) "Council" means The Council of Superior Court Clerks of Georgia.

"심의회"는 조지아주 상위 지방법원 서기들의 심의회를 의미한다.

(5) "County master jury list" means a list compiled by the council of names of persons, including their addresses, city of residence, dates of birth, and gender, eligible for trial or grand jury service.

"카운티 종합 배심명부"는 심의회에 의하여 조제된, 정식사실심리 배심에서의 내지는 대배심에서의 복무를 위하여 뽑힐 수 있는 사람들의 주소들을, 거주 시를, 생년월일을, 그리고 성별을 포함하는 이름들의 명부를 의미한다.

(6) "Defer" means a postponement of a person's jury service until a later date.

"연기하다"는 추후의 날까지로의 사람의 배심복무의 연기를 의미한다.

(7) "Excuse" means the grant of a person's request for temporary exemption from jury service.

"면제하다"는 배심복무로부터의 일시적 제외를 위한 사람의 요청에 대한 승인을 의미한다.

(8) "Inactivate" means removing a person's name and identifying information who

has been identified on the county master jury list as a person who is permanently prevented from being chosen as a trial or grand juror because such person is statutorily ineligible or incompetent to serve as a juror.

"비활성으로 하다"는 제정법 상으로 배심원으로 선발될 수 없음으로 인하여 또는 배심원으로 복무할 능력이 없음으로 인하여 정식사실심리 배심원으로 또는 대배심원으로 선발됨으로부터 영구적으로 금지되는 사람으로서 카운티 종합 배심명부 위에 확인되어 있는 사람의 이름을 및 신원확인 정보를 삭제함을 의미한다.

(9) "State-wide master jury list" means a comprehensive master list that identifies every person of this state who can be determined to be prima facie qualified to serve as a trial or grand juror.

"주 전체 종합 배심명부"는 정식사실심리 배심원으로서 또는 대배심원으로서 복무할 자격이 일응 인정된다고 판정될 수 있는 이 주의 모든 사람을 담은 포괄적 종합 명부를 의미한다.

(10) "Venire" means the list of persons summoned to serve as trial or grand jurors for a particular term of court.

"소집된 배심원후보단"은 법원의 특정의 개정기에 정식사실심리 배심원들로서 또는 대배심원들로서 복무하도록 소집된 사람들의 명부를 의미한다.

https://codes.findlaw.com/ga/title-15-courts/ga-code-sect-15-12-1-1.html

Georgia Code Title 15. Courts § 15-12-1.1

(a) (1) Any person who shows that he or she will be engaged during his or her term of jury duty as a trial or grand juror in work necessary to the public health, safety, or good order or who shows other good cause why he or she should be exempt from jury duty may have his or her jury service deferred or excused by the judge of the court to which he or she has been summoned or by some other person who has been duly appointed by order of the chief judge to excuse jurors. Such a person may exercise such authority only after the establishment by court order of guidelines governing excuses. Any order of appointment shall provide that, except for permanently mentally or physically disabled persons, all excuses shall be deferred to a date and time certain within that term or the next succeeding term or shall be deferred as set forth in the court order. It shall be the duty of the court to provide affidavits for the purpose of requesting a deferral of or excusal from jury service pursuant to this subsection.

정식사실심리 배심원으로서의 내지는 대배심원으로서의 그의 또는 그녀의 배심의무 기간 중에 공중의 보건에, 안전에 또는 사회질서에 필수인 업무에 그가 또는 그녀가 종사하게 될 것임을 증명하는 사람은, 또는 배심의무로부터 그가 또는 그녀가 제외되어야 할 그 밖의 상당한 이유를 증명하는 사람은 누구든지, 그의 내지는 그녀의 배심복무를 그가 또는 그녀가 소환되어 있는 법원의 판사로부터, 또는 배심원들을 면제하도록 법원장의 명령에 의하여 적법하게 지명되어 있는 그 밖의 다른 사람으로부터, 연기받을 수 내지는 면제받을 수 있다. 면제들을 규율하는 지침들의 법원명령에 의한 수립 뒤에만 그러한 권한을 그러한 사람은 행사할 수 있다. 영구적으로 정신적 내지는 육체적 장애를 지닌 사람들의 경우에를 제외하고는 모든 면제들에 의하여 복무는 당해 개정기 내의 또는 차회 개정기 내의 특정의 날짜로 및 시간으로 연기되어야 함을, 내지는 법원명령에 규정된 대로 연기되어야 함을, 지명명령은 규정하여야 한다. 이 소절에 따르는 배심복무의 연기를 요청하기 위한 내지는 배심복무로부터의 면제를 요청하기 위한 선서진술서 양식들을 제공함은 법원의 의무이다.

(2) Notwithstanding paragraph (1) of this subsection, any person who is a full-time student at a college, university, vocational school, or other postsecondary school who, during the period of time the student is enrolled and taking classes or exams, requests to be excused or deferred from jury duty shall be excused or deferred from jury duty.

이 소절의 단락 (1)에도 불구하고 대학에서의, 대학교에서의, 직업학교에서의, 또는 그 밖의 중등과정 후 학교의 전일제 학생인 사람으로서 그가 등록되어 있는 및 수업들을 듣는 내지는 시험들을 보는 기간 동안 배심복무로부터 면제받고자 내지는 연기받고자 요청하는 사람은 누구든지 배심의무로부터 면제되어야 하거나 연기되어야 한다.

(3) Notwithstanding paragraph (1) of this subsection, any person who is the primary caregiver having active care and custody of a child six years of age or younger, who executes an affidavit on a form provided by the court stating that such person is the primary caregiver having active care and custody of a child six years of age or younger and stating that such person has no reasonably available alternative child care, and who requests to be excused or deferred shall be excused or deferred from jury duty.

이 소절의 단락 (1)에도 불구하고, 6세 이하의 아동에 대한 현역으로서의 돌봄을 및 보호를 제공하는 주된 돌보미인 사람으로서 자신이 6세 미만의 아동에 대한 현역으로서의 돌봄을 및 보호를 제공하는 주된 돌보미임을 진술하는 및 아동을 돌볼 합리적으로 이용 가능한 대체수단을 자신이 지니지 아니함을 진술하는 선서진술서를 법원에 의하여 제공되는 선서진술서 양식 위에 작성하는 및 그 면제받기를 내지는 연기받기를 요청하는 사람은 누구든지 배심의무로부터 면제되어야 하고 연기되어야 한다.

(4) Notwithstanding paragraph (1) of this subsection, any person who is a primary teacher in a home study program as defined in subsection (c) of Code Section 20-2-690 who, during the period of time the person is teaching, requests to be excused or deferred from jury duty and executes an affidavit on a form provided by the court stating that such person is the primary teacher in a home study program and stating that such person has no reasonably available alternative for the child or children in the home study program shall be excused or deferred from jury duty.

이 소절의 단락 (1)에도 불구하고, 주 법률집 제20-2-690 소절 (c)에 규정된 홈스터디 프로그램에서의 초등교사인 사람으로서 자신이 가르치고 있는 동안에 배심의무로부터 면제받기를 내지는 연기받기를 요청하면서, 자신이 홈스터디 프로그램에서의 초등교사임을 밝히는 및 그 홈스터디 프로그램에서의 아동을 내지는 아동들을 위한 합리적으로 이용 가능한 대체수단을 자신이 지니지 아니함을 밝히는 선서진술서를 법원에 의하여 제공되는 양식 위에 작성하는 사람은, 배심복무로부터 면제되어야 하거나 연기되어야 한다.

(5) Notwithstanding paragraph (1) of this subsection, any person who is the primary unpaid caregiver for a person over the age of six; who executes an affidavit on a

form provided by the court stating that such primary caregiver is responsible for the care of a person with such physical or cognitive limitations that he or she is unable to care for himself or herself and cannot be left unattended and that the primary caregiver has no reasonably available alternative to provide for the care; and who requests to be excused or deferred shall be excused or deferred from jury duty. Any person seeking the exemption shall furnish to the court, in addition to the aforementioned affidavit, a statement of a physician, or other medical provider, supporting the affidavit's statements related to the medical condition of the person with physical or cognitive limitations.

이 소절의 단락 (1)에도 불구하고, 6세 초과인 사람을 위한 주된 무보수 돌보미인 사람으로서; 신체 상의 내지는 인식력 상의 제약들을 지닌, 그리하여 그 스스로를 또는 그녀 스스로를 돌 볼 수 없는, 그리하여 보살핌 없이 남겨질 수 없는 사람의 돌봄을 그 주된 돌보미인 자신이 책임지고 있음을 및 그 돌봄을 제공할 합리적으로 이용 가능한 대체수단을 주된 돌보미 자신이 지니지 아니함을 진술하는 선서진술서를 법원에 의하여 제공되는 양식 위에 작성하면서 그 면제받기를 내지는 연기받기를 요청하는 사람은 누구든지 배심의무로부터 면제되어야 하거나 연기되어야 한다. 제외를 구하는 사람은 당해 신체 상의 내지는 인식력 상의 제약들을 지닌 사람의 의학적 상태에 관련하여 그 선서진술서의 진술들을 뒷받침하는 의사의, 또는 여타의 의료 제공자의 진술서를, 위에 언급된 선서진술서를에 더하여, 법원에 제공하여야 한다.

(b) Any person who is 70 years of age or older shall be entitled to request that the clerk excuse such person from jury service in the county. Upon such request, the clerk shall inactivate such person. The request for excusal shall be made to the clerk in writing and shall be accompanied by an affidavit providing the person's name, age, and such other information as the clerk may require. The clerk shall make available affidavit forms for the purposes of this subsection.

카운티에서의 배심복무로부터 서기더러 면제시켜 달라고 요청할 권리를 70세 이상인 사람은 누구든지 지닌다. 그러한 요청이 있으면, 그 사람을 비활성으로 서기는 만들어야 한다. 면제요청은 서기에게 서면으로 이루어져야 하고 그 사람의 이름을, 나이를, 그리고 서기가 요구할 수 있는 여타의 정보를 제공하는 선서진술서가 첨부되어야 한다. 이 소절의 목적들을 위한 선서진술서 양식들을 서기는 제공할 수 있다.

(c) (1) As used in this subsection, the term:

이 소절에서 사용되는 것으로서의:

(A) "Ordered military duty" means any military duty performed in the service of the state or of the United States, including, but not limited to, attendance at any service school or schools conducted by the armed forces of the United States which requires a service member to be at least 50 miles from his or her home.

"명령된 병역의무"는 주 시설에서 또는 합중국 시설에서 수행되는 병역의무를 의미하는바, 그의 내지는 그녀의 주거로부터 적어도 50마일 떨어져 있도록 당해 복무자에게 요구하는, 합중국 군대들에 의하여 관리되는 시설 학교에의 내지는 학교들에의 출근을 포함하되 이에 한정되지 아니한다.

(B) "Service member" means an active duty member of the regular or reserve component of the United States armed forces, the United States Coast Guard, the Georgia National Guard, or the Georgia Air National Guard who was on ordered federal duty for a period of 90 days or longer.

"복무자"는 90일 이상 동안 명령에 의한 연방법 상의 의무에 놓인 합중국 군대의, 합중국 해안경비대의, 조지아주 방위군의, 또는 조지아주 공중방위군의 정규부대의 내지는 예비부대의 현역으로서의 복무자를 의미한다.

(2) Any service member on ordered military duty or the spouse of any such service member who requests to be excused or deferred shall be excused or deferred from jury duty upon presentation of a copy of a valid military identification card and execution of an affidavit in the form required by the court for deferral or excusal under this paragraph.

면제받기를 내지는 연기받기를 요청하는 명령된 병역의무 복무자는 내지는 그러한 복무자의 배우자는, 유효한 군인 신분증 사본의 제출에 따라서 및 이 단락 아래서의 연기를 내지는 면제를 위하여 법원에 의하여 요구되는 양식의 선서진술서의 작성에 따라서 배심의무로부터 면제되어야 하거나 연기되어야 한다.

(d) The court shall notify the clerk of its excuse or deferment of a person's jury service.

사람의 배심복무에 대한 자신의 면제조치를 내지는 연기조치를 서기에게 법원은 통지하여야 한다.

https://codes.findlaw.com/ga/title-15-courts/ga-code-sect-15-12-2.html

Georgia Code Title 15. Courts § 15-12-2

Any person summoned to serve as a juror in any court of this state shall be excused from such service during his attendance as a legislator in the General Assembly.

이 주의 어느 법원에서든 배심원으로서 복무하도록 소환되는 사람은 국회에서의 입법자로서의 그의 출석 동안에 그러한 복무로부터 면제되어야 한다.

https://codes.findlaw.com/ga/title-15-courts/ga-code-sect-15-12-3.html

Georgia Code Title 15. Courts § 15-12-3

No person shall be allowed to serve on the trial jury of the superior court or on any trial jury in other courts for more than four weeks in any one year unless he or she is actually engaged in the trial of a case when the four weeks expire, in which case he or she shall be discharged as soon as the case is decided.

상위 지방법원의 정식사실심리 배심에서 내지는 그 밖의 법원들에서의 정식사실심리 배심에서 1년에 4주를 초과하여 복무하도록은 어느 누구도 허용되지 아니하되, 한 개의 사건에 대한 정식사실심리를 그 4주가 경과하는 당시에 그가 또는 그녀가 실제로 맡고 있는 경우에를 제외하는바, 그 경우에는 그 사건이 판결되는 즉시로 그는 또는 그녀는 임무해제 되어야 한다.

https://codes.findlaw.com/ga/title-15-courts/ga-code-sect-15-12-4.html

Georgia Code Title 15. Courts § 15-12-4

(a) Any person who has served as a trial or grand juror at any session of the superior or state courts shall be ineligible for duty as a juror until the next succeeding county master jury list has been received by the clerk.

상위 지방법원의 내지는 주 법원들의 어느 개정기에든 정식사실심리 배심원으로서 내지는 대배심원으로서 복무하고 난 사람은 누구든지 다음 번 카운티 종합 배심명부가 서기에 의하여 수령되고 났을 때까지 배심원으로서의 임무를 위하여 선발될 수 없다.

(b) In addition to any other qualifications provided under this chapter, no person shall be qualified to serve as a juror under this chapter unless that person is a citizen of the United States.

이 장 아래서 규정되는 여타의 자격조건들을 갖추어야 함에 추가하여 사람은, 만약 그가 합중국 시민이 아니면, 이 장 아래서의 배심원으로서 복무할 자격이 인정되지 아니한다.

https://codes.findlaw.com/ga/title-15-courts/ga-code-sect-15-12-5.html

Georgia Code Title 15. Courts § 15-12-5

Whenever a term of court is not held because of the nonattendance of the judge or for some other cause, the jurors summoned for such term of court shall serve at the next succeeding term.

판사의 불출석으로 또는 여타의 원인으로 인하여 법원의 개정기가 열리지 아니하는 때에는 언제나, 그러한 법원 개정기를 위하여 소환된 배심원들은 바로 이어지는 개정기에 복무하여야 한다.

https://codes.findlaw.com/ga/title-15-courts/ga-code-sect-15-12-6.html

Georgia Code Title 15. Courts § 15-12-6

In all cases in the superior, state, or city courts in which services are performed by a special criminal bailiff of any of such courts, the same fees shall be charged as costs as are provided by law for similar services when performed by a sheriff. When collected, the fees shall be paid by the officer collecting the same into the treasury of the county in which the court is held.

해당 법원 특별형사 집행관보좌인에 의하여 업무들이 수행되는 상위 지방법원들에서의, 주 법원들에서의, 시티 법원들에서의 모든 사건들에서, 집행관에 의하여 수행되는 유사한 업무들을 위하여 법에 의하여 규정되는 보수들에의 동등한 보수들이 비용들로서 청구되어야 한다. 그 보수들이 징수되면, 당해 법원이 열리는 카운티의 재정회계에 징수 공무원에 의하여 그 보수들은 입금되어야 한다.

https://codes.findlaw.com/ga/title-15-courts/ga-code-sect-15-12-7.html

Georgia Code Title 15. Courts § 15-12-7

(a) The first grand jury impaneled at the fall term of the superior courts of the several counties shall fix:

아래 사항들을 여러 카운티들의 상위 지방법원들의 가을 개정기에 충원구성되는 최초의 대배심은 정하여야 한다:

(1) The compensation of court bailiffs in the superior courts of such counties for the

next succeeding year, such compensation not to be less than $5.00 per diem. The same compensation shall be allowed to bailiffs of the several state courts and special courts as is allowed bailiffs in the superior court of the county in which the state or special court is located;

다음 연도 중의 그러한 카운티들의 상위 지방법원들에서의 법원 집행관보좌인들의 보수 – 단, 그러한 보수는 하루 당 5불 미만이어서는 안 된다. 여러 주 법원들의 및 특별법원들의 집행관보좌인들에게는 당해 주 법원이 내지는 특별법원이 소재하는 카운티의 상위 지방법원에서의 집행관보좌인들에게 지급되는 보수에의 동일한 보수가 지급되어야 한다;

(2) An expense allowance for trial or grand jurors in the superior courts of such counties for the next succeeding year not to be less than $5.00 nor to exceed $50.00 per diem. The same expense allowance shall be allowed to jurors of the several state courts and special courts as is allowed jurors in the superior court of the county in which the state or special court is located; and

다음 연도 중의 그러한 카운티들의 상위 지방법원들에서의 정식사실심리 배심원들을 내지는 대배심원들을 위한 하루 당 5불 이상의 및 50불 이하의 실비수당. 여러 주 법원들의 및 특별법원들의 배심원들에게는 당해 주 법원이 내지는 특별법원이 소재하는 카운티의 상위 지방법원에서의 배심원들에게 지급되는 실비수당에의 동일한 실비수당이 지급되어야 한다; 그리고

(3) An expense allowance for grand jurors, such expense allowance not to be less than $5.00 nor to exceed $50.00 per diem.

대배심원들을 위한 실비수당 – 단, 그러한 실비수당은 하루 당 5불 미만이어서는 안 되고 50불을 초과해서는 안 된다.

(b) Any increase in the compensation of court bailiffs or increases in expense allowances for jurors fixed by a grand jury shall be subject to the approval of the governing authority of the county.

법원 집행관보좌인들의 보수에 있어서의 인상은 내지는 대배심에 의하여 정해진 배심원들을 위한 실비수당에 있어서의 인상은 카운티 관리당국의 승인을 얻어야 한다.

Georgia Code Title 15. Courts § 15-12-8

If in any county no grand jury is impaneled in the fall of any year, then, as to such county, the expense allowance provided for in Code Section 15-12-7 shall remain as fixed by the grand jury for the preceding year.

어느 해에든 어떤 카운티에서든 가을에 대배심이 충원구성되지 아니하면, 그 경우에 주 법률집 제15-7-7절에 규정되는 실비수당은 그러한 카운티에 관하여 전년도를 위하여 대배심에 의하여 정해진 것으로 남는다.

Georgia Code Title 15. Courts § 15-12-9

The persons who appear in answer to the summons for trial or grand jury service shall receive the expense allowance for the day of their appearance even if they are not sworn as jurors.

정식사실심리 배심에의 내지는 대배심에의 복무를 위한 소환장에 응하여 출석하는 사람들은 그들이 배심원들로서 선서절차에 처해지지 아니하는 경우에도 그들의 출석의 날에 대한 실비수당을 수령하여야 한다.

Georgia Code Title 15. Courts § 15-12-10

If any person is duly summoned to appear as a trial or grand juror at court and neglects or refuses to appear, or if any juror absents himself or herself without leave of the court, such neglect, refusal, or absence may, after notice and hearing, be punished as contempt of court.

정식사실심리 배심원으로서 내지는 대배심원으로서 법원에 출석하도록 적법하게 소환되고서도 그 출석하기를 어느 누구가든 태만히 하면 내지는 거부하면, 또는 그 자신을 내지는 그녀 자신을 법원의 허가 없이 자리에서 배심원 어느 누구가든 비우면, 그러한 태만은, 거부는, 또는 비우기는 통지 뒤에 및 심문 뒤에 법원모독으로 처벌될 수 있다.

https://codes.findlaw.com/ga/title-15-courts/ga-code-sect-15-12-11.html

Georgia Code Title 15. Courts § 15-12-11

(a) In all counties having a population of 600,000 or more according to the United States decennial census of 1990 or any future such census, the judges of the superior court of such counties, by a majority vote of all of them, shall have the power to appoint a jury clerk and such other personnel as may be deemed necessary or advisable to dispatch the work of the court. The appointments to such positions and the compensation therefor shall be determined by the judges without regard to any other system or rules, such personnel to serve at the pleasure of the judges. The salaries and expenses of the personnel and any attendant expense of administration of the courts are determined to be contingent expense of court and shall be paid as provided by law for the payment of contingent expenses. The duties of the personnel shall be as prescribed by the judges.

1990년에 실시된 10년마다의 연방 인구조사 통계에 따른 또는 그러한 장래의 인구조사 통계에 따른 인구 600,000명 이상인 모든 카운티들에서, 그러한 카운티들의 상위 지방법원 판사들은 한 명의 배심서기를 및 법원의 업무를 신속히 처리함에 필요하다고 및 타당하다고 인정되는 여타의 직원진을 그들 전원의 과반수 찬성에 의하여 지명할 권한을 지닌다. 그러한 지위들에의 지명들은 및 이에 대한 보수는 여타의 제도에 대한 내지는 규칙들에 대한, 그 복무할 직원진에 대한 고려 없이 판사들에 의하여 판사들의 희망대로 결정되어야 한다. 직원진의 봉급들은 및 비용들은 및 법원들의 운영의 부수적 비용은 법원의 임시비로 판단되어야 하고 임시비들의 지급을 위한 법에 의하여 규정된 대로 지급되어야 한다. 직원진의 임무들은 판사들에 의하여 규정되어야 한다.

(b) Prospective trial and grand jurors in all counties may be required to answer written questionnaires, as may be determined and submitted by the judges of such counties, concerning their qualifications as jurors. In propounding the court's questions, the court may consider the suggestions of counsel. In the court's questionnaire and during voir dire examination, judges should ensure that the privacy of prospective jurors is reasonably protected and that the questioning by counsel is consistent with the purpose of the voir dire process.

모든 카운티들에서의 정식사실심리 배심원 후보들은 및 대배심원 후보들은 그러한 카운티들의 판사들에 의하여 결정되는 및 제공되는 그들의 배심원들로서의 자격사항들에 관련되는 질문서들에 답변하도록 요구될 수 있다. 법원의 질문들을 제기함에 있어서 변호인의 제의들을 법원은 고려할 수 있다. 배심원후보들의 프라이버시가 정당하게 보호되어야 함을 및 배심원자격 예비심문 절차의 목적에 변호인에 의한 질문이 부합되어야 함을 법원의 질문서 안에서 그리고 배심원자격 예비심문 동안에 판사들은 확실히 하여야 한다.

(c) Juror questionnaires shall be confidential and shall be exempt from public disclosure pursuant to Article 4 of Chapter 18 of Title 50; provided, however, that jury questionnaires shall be provided to the court and to the parties at any stage of the proceedings, including pretrial, trial, appellate, or postconviction proceedings, and shall be made a part of the record under seal. The information disclosed to a party pursuant to this subsection shall only be used by the parties for purposes of pursuing a claim, defense, or other issue in the case.

배심원 질문서들은 비밀이어야 하고 제50편 제18장 제4조에 따라서 공중에게의 공개로부터 제외되어야 한다; 그러나, 배심 질문서들은 정식사실심리 전 절차들에서를, 정식사실심리 절차들에서를, 항소심 절차들에서를, 또는 유죄판정 사후절차들에서를 포함하여 절차들의 어느 단계에서든지 법원에 및 당사자들에게 제공되어야 하고, 봉인에 놓이는 기록의 일부가 되어야 한다. 이 소절에 따라서 당사자에게 공개되는 정보는 당해 사건에서의 청구를, 항변을, 또는 여타의 쟁점을 주장하기 위하여 당사자들에 의하여서만 사용되어야 한다.

(d) In the event any prospective juror fails or refuses to answer the questionnaire, the clerk shall report the failure or refusal to the court together with the facts concerning the same, and the court shall have such jurisdiction as is provided by law for subpoena, attachment, and contempt powers.

질문서에 답변하기를 배심원후보가 불이행하면 내지는 거부하면, 그 불이행을 내지는 거부를 그 사실관계들을 더불어 법원에 서기는 보고하여야 하는바, 벌칙부소환장을 위한, 수감을 위한, 및 법원모독 권한들을 위한 관할권을 법에 의하여 규정되는 바에 따라서 법원은 지닌다.

(e) This Code section shall be supplemental to other provisions of law, with a view toward efficient and orderly handling of jury selection and the administration of justice.

이 절은 여타의 법 규정들에의 보충적인 것인바, 배심선정의 및 사법운영의 효율적인 및 질서정연한 처리를 목적으로 한다.

https://codes.findlaw.com/ga/title-15-courts/ga-code-sect-15-12-12.html

Georgia Code Title 15. Courts § 15-12-12

(a) In all counties of this state where the chief superior court judge of the county had the power to appoint a jury clerk on January 1, 2011, the chief judge of the superior court of such counties shall continue to have the power to appoint a jury clerk and such other personnel as may be deemed necessary or advisable to dispatch the work of the court, and the appointments to such positions and the compensation therefor shall be determined by such judge without regard to any other system or rules, such personnel to serve at the pleasure of such judge, and the salaries and expenses thereof and any attendant expenses of administration of the courts are determined to be contingent expenses of court and shall be paid as provided by law for the payment of contingent expenses. The duties of such personnel shall be as prescribed by such judge.

배심서기를 지명할 권한을 2011년 1월 1일에 해당 카운티의 상위 지방법원장이 지닌 이 주의 모든 카운티들에서, 배심서기를 지명할 및 법원의 업무를 신속히 처리함에 필요하다고 내지는 타당하다고 간주되는 그 밖의 여타의 직원진을 지명할 권한을 지니기를 그러한 카운티들의 상위 지방법원의 법원장 판사는 지속하는바, 그러한 지위들에의 지명들은 및 이에 대한 보수는 여타의 제도에 대한 내지는 규칙들에 대한, 그 복무할 직원진에 대한 고려 없이 법원장 판사에 의하여 법원장 판사의 희망대로 결정되어야 하며, 그 봉급들은 및 비용들은 및 법원들의 운영의 부수적 비용들은 법원의 임시비들로 판단되어야 하고 임시비들의 지급을 위한 법에 의하여 규정된 대로 지급되어야 한다. 그러한 직원진의 임무들은 법원장 판사에 의하여 규정되는 바에 따라야 한다.

(b) All prospective jurors in such counties shall be required to answer questionnaires as may be determined and submitted by the chief superior court judge of such counties concerning their qualifications as jurors.

그러한 카운티들의 상위 지방법원장 판사에 의하여 결정되는 및 제공되는 그들의 배심원들로서의 자격사항들에 관련되는 질문서들에 답변하도록 그러한 카운티들에서의 모든 배심원 후보들은 요구되어야 한다.

(c) In the event any such person fails or refuses to answer such questionnaire, the clerk shall report such failure or refusal to the court, together with the facts concerning the same, and the court shall have such jurisdiction as is now provided by law for subpoena, attachment, and contempt powers.

그러한 질문서에 답변하기를 그러한 사람이 불이행하면 내지는 거부하면, 그러한 불이행을 내지는 거부를 그것들에 관련되는 사실관계들을에 더불어 법원에 서기는 보고하여야 하는바, 벌칙부소환장을 위한, 수감을 위한, 및 법원모독 권한들을 위한 관할권을 법에 의하여 지금 규정되는 바에 따라서 법원은 지닌다.

(d) This Code section shall be in addition and supplemental to other provisions provided by law, with a view toward efficient and orderly handling of jury selection and the administration of justice.

이 절은 법에 의하여 규정되는 여타의 규정들에의 추가적인 및 보충적인 것인바, 배심선정의 및 사법운영의 효율적인 및 질서정연한 처리를 목적으로 한다.

https://codes.findlaw.com/ga/title-15-courts/ga-code-sect-15-12-40.html

Georgia Code Title 15. Courts § 15-12-40

Any person who has been convicted of a felony in a state or federal court who has not had his or her civil rights restored and any person who has been judicially determined to be mentally incompetent shall not be eligible to serve as a trial juror.

주 법원에서 또는 연방법원에서 중죄로 유죄판정을 받고서 그의 내지는 그녀의 공민권들을 회복하지 못한 터인 사람은 및 정신적으로 무능력인 것으로 사법적으로 판단되어 있는 사람은 정식사실심리 배심원으로서 복무하도록 선발될 수 없다.

https://codes.findlaw.com/ga/title-15-courts/ga-code-sect-15-12-40-1.html

Georgia Code Title 15. Courts § 15-12-40.1

(a) After July 1, 2011, the council shall compile a state-wide master jury list.

2011년 7월 1일 뒤로는 주 전체 종합 배심명부를 심의회는 조제해야 한다.

(b) On and after July 1, 2017, upon the council's request, the Department of Driver Services shall provide the council data showing the full name of all persons who are at least 18 years of age and residents of this state who have been issued a driver's license or personal identification card pursuant to Chapter 5 of Title 40. In addition to the person's full name, the Department of Driver Services shall include the person's address, city of residence, date of birth, gender, driver's license or personal identification card number, and, whenever racial information is collected by the Department of Driver Services, racial information. The Department of Driver Services shall provide the document issue date and document expiration date; shall indicate whether the document is a driver's license or a personal identification card; and shall exclude persons whose driver's license has been suspended or revoked due to a felony conviction, whose driver's license has been expired for more than 730 days, or who have been identified as not being citizens of the United States. Such data shall also include a secure unique identifier, determined according to the specifications of the council in consultation with the Department of Driver Services, which shall be a representation of the last four digits of the social security number associated with each driver's license or personal identification card holder. The council shall provide the Department of Driver Services with the software required to generate such secure unique identifier. The Department of Driver Services shall also provide the names and identifying information specified by this subsection of persons convicted in this state or in another state of driving without a license. Such data shall be in electronic format as required by the council.

운전면허증을 또는 개인 신분증을 제40편 제5장에 따라서 발부받은 상태의 적어도 18세인 및 이 주의 주민들인 모든 사람들의 완전한 이름을 증명하는 데이터를, 2017년 7월 1일에 및 그 뒤에 심의회의 요청이 있으면, 심의회에 운전면허 관리국은 제공하여야 한다. 그 사람의 완전한 이름을에 더하여 그 사람의 주소를, 거주지 시티를, 생년월일을, 성별을, 운전면허 번호를 또는 개인 신분증 번호를, 그리고 운전면허 관리국에 의하여 인종적 정보가 수집되는 경우에는 언제든지 인종적 정보를 운전면허관리국은 포함시켜야 한다. 운전면허관리국은 그 문서의 발부일자를 및 그 문서의 실효일자를 제공하여야 하고; 당해 문서가 운전면허증인지 개인 신분증인지 여부를 표시하여야 하며; 운전면허가 중죄 유죄판정에 따라서 정지되어 있는 내지는 취소되어 있는, 730일을 넘는 기간 동안 운전면허가 실효되어 있는, 또는 합중국 시민들이 아닌 것으로 확인되어 있는 사람들을 배제하여야 한다. 안전한 특유의 식별자를 그러한 데이터는 또한 포함하여야 하되, 운전면허관리국에의 협의를 거친 심의회의 시방서들에 따라서 그것은 결정되어야 하는바, 그것은 개개 운전면허증 보유자에 내지는 개인 신분증 보유자에 관련되는 사회보장 등록번호의 끝자리 네 숫자들의 표시여야 한다. 그러한 안전한 유일의 식별자를 생산함에 요구되는 소프트웨어를 운전면허관리국에 심의회는 제공하여야 한다. 무면허 운전으로 이 주에서 또는 다른 주에서 유죄로 판정된 사람들의 이름들을 및 이 소절에 의하여 규정되는 신원확인 정보를 운전면허관리국은 또한 제공하여야 한다. 그러한 자료는 심의회에 의하여 요구되는 바에 따라서 전자포맷으로 이루어져야 한다.

(c) (1) On and after July 1, 2017, upon request by the council, the Secretary of State shall provide to the council, without cost, data showing:

아래의 사항들을 증명하는 자료를 2017년 7월 1일에 및 그 뒤에 심의회의 요청에 따라서 심의회에 무료로 국무장관은 제공하여야 한다:

(A) The list of registered voters, including the voter's date of birth, address, gender, driver's license number, and when it is available, the voter's race. Such list shall exclude persons whose voting rights have been removed; and

유권자의 생년월일을, 주소를, 성별을, 운전면허 번호를, 그리고 입수 가능한 경우에의 당해 유권자의 인종을 포함하는 등록 유권자들의 명부. 투표권들이 박탈되어 있는 사람들을 그러한 명부는 배제하여야 한다; 그리고

(B) The full name, date of birth, address, gender, and, when such information is available, the race of any individual declared as mentally incompetent within the information collected by the Secretary of State under subsection (b) of Code Section 21-2-231.

주 법률집 제21-2-231절의 소절 (b)에 따라서 국무장관에 의하여 수집된 정보 내의 정신적으로 무능력임이 선언된 개인의 완전한 이름, 생년월일, 주소, 성별, 그리고 그러한 정보가 입수 가능한 경우에의 인종.

(2) The data provided to the council pursuant to this subsection shall also include a secure unique identifier, determined according to the specifications of the council in consultation with the Secretary of State, which shall be a representation of the last four digits of the social security number associated with each voter. The council shall provide the Secretary of State with the software required to generate such secure unique identifier.

안전한 특유의 식별자를 이 소절에 따라서 심의회에 제공되는 자료는 아울러 포함하여야 하되, 국무장관에게의 협의를 거친 심의회의 시방서들에 따라서 그것은 결정되어야 하는바, 그것은 개개 유권자에 관련되는 사회보장 등록번호의 끝자리 네 숫자들의 표시여야 한다. 그러한 안전한 특유의 식별자를 생산함에 요구되는 소프트웨어를 국무장관에게 심의회는 제공하여야 한다.

(d) On and after July 1, 2014, each clerk shall obtain its county master jury list from the council. The council shall disseminate, in electronic format, a county master jury list to the respective clerk once each calendar year. The council shall determine the fee to be assessed each county for such list, provided that such fee shall not exceed 3¢ per name on the list. The council shall invoice each clerk upon the delivery of the county master jury list, and the recipient county shall remit payment within 30 days of the invoice.

자신의 카운티의 종합 배심명부를 심의회로부터 2014년 7월 1일에 및 그 뒤에 개개 서기는 얻어야 한다. 카운티 종합 배심명부를 전자포맷으로 각각의 서기에게 1역년에 한 차례 심의회는 배포하여야 한다. 그러한 명부를 위하여 개개 카운티에 부과되어야 할 수수료를 심의회는 결정하여야 하는바, 다만 명부 위의 이름 한 개당 3센트를 그러한 수수료는 초과하여서는 안 된다. 카운티 종합 배심명부의 교부 때에 청구서를 개개 서기에게 심의회는 작성해 주어야 하고, 이를 수령하는 카운티는 그 지급금액을 청구서 수령일로부터 30일 내에 보내야 한다.

(e) On and after July 1, 2017, upon request by the council, the Department of Public Health shall provide to the council, without cost, data relating to death certificates for residents of this state for the 15 year period preceding the date of the request. In addition to the deceased person's full name, the data shall include the person's address, including the county of residence and ZIP Code, date of birth, gender, county in which the person died, and, when such information is available, the person's race. Such data shall also include a secure unique identifier, determined according to the specifications of the council in consultation with the Department of Public Health, which shall be a representation of the last four digits of the social security number associated with each deceased person. The council shall provide the Department of Public Health with the software required to generate such secure unique identifier. Such data shall be in electronic format as required by the council.

요청일로부터 15년 이내의 기간 동안의 이 주 주민들을 위한 사망증명서들에 관련되는 자료를 2017년 7월 1일에 및 그 뒤에 심의회의 요청에 따라서 심의회에 무료로 공중보건국은 제공하여야 한다. 망인의 완전한 이름을에 추가하여 거주지의 카운티를을 및 우편번호를을 포함하는 그 사람의 주소를, 생년월일을, 성별을, 그 사람이 사망한 카운티를, 그리고 그러한 정보가 입수될 수 있는 경우에는 인종을 자료는 포함하여야 한다. 안전한 특유의 식별자를 또한 그러한 자료는 포함하여야 하되, 공중보건국에의 협의를 거친 심의회의 시방서들에 따라서 그것은 결정되어야 하는바, 그것은 개개 사망자에 관련되는 사회보장 등록번호의 끝자리 네 숫자들의 표시여야 한다. 그러한 안전한 특유의 식별자를 생산함에 요구되는 소프트웨어를 공중보건국에 심의회는 제공하여야 한다. 그러한 자료는 심의회에 의하여 요구되는 바에 따라서 전자포맷으로 이루어져야 한다.

(f) On and after July 1, 2017, upon request by the council, the Department of Corrections shall provide to the council, without cost, data showing a list of the names of all persons who have been convicted of a felony in this state. In addition to the convicted person's full name, the data shall include the person's address, including the county of residence and ZIP Code, date of birth, gender, and, when such information is available, the convicted person's race. Such data shall also include a secure unique identifier, determined according to the specifications of the council in consultation with the Department of Corrections, which shall be a representation of the last four digits of the social security number associated with each convicted person. The council shall provide the Department of Corrections with the software required to generate such secure unique identifier. Such data shall be in electronic format as required by the council.

이 주에서 중죄에 대하여 유죄로 판정되어 있는 모든 사람들의 이름들의 명부를 증명하는 자료를 2017년 7월 1일에 및 그 뒤에 심의회의 요청에 따라서 심의회에 무료로 교정국은 제공하여야 한다. 유죄로 판정된 사람의 완전한 이름을에 추가하여 거주지의 카운티를을 및 우편번호를을 포함하는 그 사람의 주소를, 생년월일을, 성별을, 그리고 그러한 정보가 입수될 수 있는 경우에는 그 유죄로 판정된 사람의 인종을 자료는 포함하여야 한다. 안전한 특유의 식별자를 또한 그러한 자료는 포함하여야 하되, 교정국에의 협의를 거친 심의회의 시방서들에 따라서 그것은 결정되어야 하는바, 그것은 유죄로 판정된 개개 사람에 관련되는 사회보장 등록번호의 끝자리 네 숫자들의 표시여야 한다. 그러한 안전한 특유의 식별자를 생산함에 요구되는 소프트웨어를 교정국에 심의회는 제공하여야 한다. 그러한 자료는 심의회에 의하여 요구되는 바에 따라서 전자포맷으로 이루어져야 한다.

(g) On and after July 1, 2017, upon request by the council, the State Board of Pardons and Paroles shall provide to the council, without cost, data showing a list of the names of all persons who have had his or her civil rights restored. In addition to the person's full name, the data shall include the person's address, including the county of residence and ZIP Code, date of birth, gender, and, when such information is available, the person's race. Such data shall also include a secure unique identifier, determined according to the specifications of the council in consultation with the State Board of Pardons and Paroles, which shall be a representation of the last four digits of the social security number associated with each person. The council shall provide the State Board of Pardons and Paroles with the software required to generate such secure unique identifier. Such data shall be in electronic format as required by the council.

그의 내지는 그녀의 공민권들을 회복받은 상태인 모든 사람들의 이름들의 명부를 증명하는 자료를 심의회의 요청에 따라서 2017년 7월 1일에 및 그 뒤에 무료로 주 사면및가석방위원회는 제공하여야 한다. 거주 카운티를을 및 우편번호를을 포함하는 그 사람의 주소를, 생년월일을, 성별을, 그리고 그러한 정보가 입수될 수 있는 경우에는 그 사람의 인종을 그 사람의 완전한 이름에 추가하여 자료는 포함하여야 한다. 안전한 특유의 식별자를 또한 그러한 자료는 포함하여야 하되, 그것은 주 사면및가석방위원회에의 협의를 거친 심의회의 명세서들에 따라서 결정되어야 하는바, 그것은 개개 사람에 관련되는 사회보장 등록번호의 끝자리 네 숫자들의 표시여야 한다. 그러한 안전한 특유의 식별자를 생산함에 요구되는 소프트웨어를 주 사면및가석방위원회에 심의회는 제공하여야 한다. 그러한 자료는 심의회에 의하여 요구되는 바에 따라서 전자포맷으로 이루어져야 한다.

(h) On or after July 1, 2017, in each county the clerk shall choose a random list of persons from the county master jury list to comprise the venire.

소집대상 배심원후보단을 구성할 사람들의 무작위 명부를 카운티 종합 배심명부로부터 2017년 7월 1일에 및 그 뒤에 개개 카운티의 서기는 채택하여야 한다.

(i) The Supreme Court may establish, by rules, reasonable standards for the preparation, dissemination, and technological improvements of the state-wide master jury list and county master jury lists.

주 전체 종합 배심명부의 및 카운티 종합 배심명부들의 작성을, 배포를, 그리고 기술적 개선들을 위한 합리적 표준들을 대법원은 규칙들에 의하여 정할 수 있다.

https://codes.findlaw.com/ga/title-15-courts/ga-code-sect-15-12-43-1.html

Georgia Code Title 15. Courts § 15-12-43.1

On and after July 1, 2012, upon the request of a party or his or her attorney, the clerk shall make available for review by such persons the county master jury list.

2012년 7월 1일에 및 그 뒤에, 당사자의 또는 그의 내지는 그녀의 변호사의 요청에 따라서 그러한 사람들에 의한 검토를 위하여 카운티 종합 배심명부가 제공되도록 서기는 만들어야 한다.

Georgia Code Title 15. Courts § 15-12-44.1

The state-wide master jury lists and county master jury lists shall be safeguarded against catastrophic, routine, or any other form of loss or destruction, and on and after July 1, 2012, the council shall develop, implement, and provide a state-wide system to ensure that jury data for all counties of this state shall be systematically preserved in perpetuity and that all jury list data can be restored in the event of loss.

재해에 의한, 일상적인, 또는 여타 형태의, 망실에 내지는 파괴에 대처하여 안전하도록 주 전체 종합 배심명부들은 및 카운티 종합 배심명부들은 관리되어야 하고, 이 주의 모든 카운티들을 위한 배심자료가 체계적으로 보전되도록 및 망실의 경우에 모든 배심명부 자료가 회복될 수 있도록 보장하기 위하여 2012년 7월 1일에 및 그 뒤에 주 전체에 적용되는 제도를 심의회는 개발하여야 하고 실행하여야 하고 제공하여야 한다.

Georgia Code Title 15. Courts § 15-12-46

If juries have not been chosen for any regular term of the superior court and there is not sufficient time for choosing and summoning prospective trial and grand jurors to serve at the regular term, the judge of the superior court for the county in which the failure has occurred, by order passed at chambers, may adjourn the court to another day, may require the requisite number of prospective trial and grand jurors to be summoned, and may enforce their attendance at the term so called.

만약 상위 지방법원의 정규 개정기를 위한 배심들이 선발되어 있지 아니하면, 그리고 그 정규 개정기에 복무할 정식사실심리 배심원후보들을 및 대배심원 후보들을 선발할 및 소환할 시간이 충분하지 아니하면, 그러한 상황이 발생해 있는 카운티 관할의 상위 지방법원 판사는 판사실들에서 내려지는 명령에 의하여 법정을 다른 날로 연기할 수 있고, 필요한 숫자의 정식사실심리 배심원 후보들이 및 대배심원 후보들이 소환되게끔 조치하도록 요구할 수 있으며, 그렇게 소환되는 개정기에의 그들의 출석을 강제할 수 있다.

https://codes.findlaw.com/ga/title-15-courts/ga-code-sect-15-12-60.html

Georgia Code Title 15. Courts § 15-12-60

(a) Any citizen of this state 18 years of age or older who has resided in the county for at least six months preceding the time of service shall be eligible and liable to serve as a grand juror.

복무 개시 이전의 적어도 6개월 이상을 카운티에서 거주해 온 18세 이상인 이 주의 시민 누구나는 대배심원으로서 복무하도록 선발될 자격이 있고 그 복무할 의무가 있다.

(b) Any person who holds any elective office in state or local government or who has held any such office within a period of two years preceding the time of service as a grand juror shall not be eligible to serve as a grand juror.

주 정부에서의 또는 지방정부에서의 선출공직을 보유하는 사람 누구나는 또는 그러한 공직을 대배심원으로서의 복무 개시 이전 2년 내에 보유한 바 있는 사람 누구나는 대배심원으로서 선발될 수 없다.

(c) The following individuals shall not be eligible to serve as a grand juror:

아래의 개인들은 대배심원으로서 복무하도록 선발될 수 없다:

(1) Any individual who has been convicted of a felony in a state or federal court who has not had his or her civil rights restored;

주 법원에서 내지는 연방법원에서 중죄로 유죄판정된 바 있는 개인으로서 그의 내지는 그녀의 공민권들을 회복하지 못한 사람;

(2) Any individual who has been judicially determined to be mentally incompetent;

정신적으로 무능력임이 사법적으로 판정되어 있는 개인;

(3) Any individual charged with a felony offense and who is in a pretrial release program, a pretrial release and diversion program, or a pretrial intervention and diversion program, as provided for in Article 4 of Chapter 18 of Title 15 or Article 5 of Chapter 8 of Title 42 or pursuant to Uniform Superior Court Rule 27, a similar diversion program from another state, or a similar federal court diversion program for a felony offense;

중죄로 공소제기 되어 있는 사람으로서 제15편 제18장 제4조에 내지는 제42편 제8장 제5조에 규정된 바에 따라서 또는 상위 지방법원 통일규칙 Rule 27에 따라서 정식사실심리 전 석방 처우과정에 있는, 정식사실심리 전 석방 및 선도 처우과정에 있는, 정식사실심리 전 교육 및 선도 처우과정에 있는, 내지는 여타의 주 법원의 유사한 선도 처우과정에 있는 내지는 중죄에 대한 유사한 연방법원의 선도 처우과정에 있는 사람;

(4) Any individual sentenced for a felony offense pursuant to Code Section 16-13-2 who has not completed the terms of his or her sentence;

주 법률집 제16-13-2절에 따라서 중죄로 형을 선고받은 개인으로서 그의 내지는 그녀의 형기를 마치지 아니한 사람;

(5) Any individual serving a sentence for a felony offense pursuant to Article 3 of Chapter 8 of Title 42 or serving a first offender sentence for a felony offense pursuant to another state's law; and

제42편 제8장 제3조에 따라서 중죄에 대한 형기를 복무 중인 내지는 초범으로서의 중죄에 대한 형기를 다른 주 법에 따라서 복무 중인 개인; 그리고

(6) Any individual who is participating in a drug court division, mental health court division, veterans court division, a similar court program from another state, or a similar federal court program for a felony offense.

법원의 마약부 처우과정에, 법원의 정신건강부 처우과정에, 법원의 제대군인들 처

우과정에, 여타의 주로부터의 유사한 법원의 처우과정에 또는 중죄에 대한 연방법원의 유사한 처우과정에 참가하고 있는 개인.

(d) If an indictment is returned, and a grand juror was ineligible to serve as a grand juror pursuant to subsection (c) of this Code section, such indictment shall not be quashed solely as a result of such ineligibility.

만약 한 개의 대배심 검사기소장이 제출되면, 한 명의 대배심원이 이 절의 소절 (c) 에 따라서 대배심원으로서 뽑힐 자격이 없는 자였더라도, 그러한 무자격만을 이유로 해서는 그러한 대배심 검사기소장은 무효화되지 아니한다.

https://codes.findlaw.com/ga/title-15-courts/ga-code-sect-15-12-61.html

Georgia Code Title 15. Courts § 15-12-61

(a) A grand jury shall consist of not less than 16 nor more than 23 persons. The votes of at least 12 grand jurors shall be necessary to find a bill of indictment or to make a presentment. Three alternate grand jurors may be sworn and, subject to the maximum number fixed in this subsection, may serve when any grand juror dies, is discharged for any cause, becomes ill, or is for other cause absent during any sitting. Alternate grand jurors may serve as members of inspection and examination committees with the same authority and responsibilities as grand jurors and without regard to the maximum limitation on the number of grand jurors fixed herein. However, nothing in this Code section shall limit the authority of a judge of the superior court to replace a grand juror.

16명 이상으로 및 23명 이하로 대배심은 구성된다. 대배심 검사기소장안을 기소평결하기 위하여는 내지는 대배심 독자고발장을 작성하기 위하여는 적어도 12명의 대배심원들의 찬성이 필요하다. 세 명의 예비 대배심원들이 선서절차에 처해질 수 있고, 대배심원 어느 누구가라도 사망하는 경우에, 어떤 이유로든 해임되는 경우에, 질병에 걸린 경우에, 또는 착석 도중의 여타의 원인으로 결석하는 경우에 이 소절에 규정되는 최대한도의 숫자까지가 복무할 수 있다. 예비 대배심원들은 조사 및 점검 위원회들의 대배심원들이 지니는 권한에의 및 책임에의 동일한 권한을 및 책임들을 지니는 구성원들로서, 여기에 규정되는 대배심원들의 숫자에 대한 최대한도에 상관없이, 복무할 수 있다. 그러나 대배심원을 교체할 상위 지방법원 판사의 권한을 이 법전 내의 것은 제한하지 아니한다.

(b) The grand jury shall be authorized to request the foreperson of the previous grand jury to appear before it for the purpose of reviewing and reporting the actions of the immediately preceding grand jury if the succeeding grand jury determines that such service would be beneficial. While serving a succeeding grand jury, the foreperson of the immediately preceding grand jury shall receive the same compensation as other members of the grand jury. Any person serving as foreperson of a grand jury and then requested to report to an immediately succeeding grand jury shall not be eligible to again serve as a grand juror for one year following the conclusion of such earlier service.

직전 대배심의 활동들을 검토하기 위하여 및 보고하기 위하여 직전 대배심의 배심장으로 하여금 자신 앞에 출석하도록 요청할 권한을, 그러한 조력이 유익할 것으로 그 뒤잇는 대배심이 만약 판단하면, 그 대배심은 지닌다. 뒤잇는 대배심의 여타 구성원들이 수령하는 보수에의 동일한 보수를, 그 뒤잇는 대배심을 조력하는 동안에 직전 대배심의 배심장은 수령하여야 한다. 대배심의 배심장으로서 복무한, 그 뒤에 직후의 뒤잇는 대배심에게 보고하도록 요청되는 사람은 그러한 더 먼저의 복무의 종료 뒤 1년 동안은 대배심원으로서 다시 복무하도록 뽑힐 수 없다.

https://codes.findlaw.com/ga/title-15-courts/ga-code-sect-15-12-62-1.html

Georgia Code Title 15. Courts § 15-12-62.1

The clerk shall choose a sufficient number of persons to serve as grand jurors from the county master jury list in the same manner as trial jurors are chosen. The clerk, not less than 20 days before the commencement of each term of court at which a regular grand jury is impaneled, shall issue summonses by mail to the persons chosen for grand jury service.

대배심원들로서 복무할 충분한 숫자의 사람들을 정식사실심리 배심원들이 선발되는 방법에의 동일한 방법으로 카운티 종합 배심명부로부터 서기는 선발하여야 한다. 대배심 복무를 위하여 선발된 사람들에게 소환장들을 정규 대배심이 충원구성되는 법원의 개개 개정기 시작의 적어도 20일 전에 우편으로 서기는 발부하여야 한다.

https://codes.findlaw.com/ga/title-15-courts/ga-code-sect-15-12-63.html

Georgia Code Title 15. Courts § 15-12-63

In any term of court when the public interest requires it, the court, on application of the district attorney, may empanel one or more concurrent grand juries.

법원의 어떤 개정기에든, 공공의 이익이 요구하는 경우에는, 한 개 이상의 동시적 대배심들을 재판구 지방검사의 신청에 따라서 법원은 충원구성할 수 있다.

https://codes.findlaw.com/ga/title-15-courts/ga-code-sect-15-12-65-1.html

Georgia Code Title 15. Courts § 15-12-65.1

On and after July 1, 2012, the clerk shall be authorized to mail all summonses by first-class mail addressed to the prospective jurors' most notorious places of abode at least 25 days prior to the date of the court the prospective jurors shall attend. Failure to receive the notice personally shall be a defense to a contempt citation.

모든 소환장들을, 당해 배심원후보들이 출석하여야 할 법원 날짜의 적어도 25일 전에, 당해 배심원후보의 가장 널리 알려진 거주장소들로 보내지는 1급우편에 의하여 발송할 권한을 2012년 7월 1일에 및 그 뒤에 서기는 지닌다. 통지서를 직접 수령하지 못하였음은 법원모독 출정통고서에 대한 한 개의 항변이 된다.

Georgia Code Title 15. Courts § 15-12-66

(a) Prior to empaneling, swearing, and charging the grand jury, the presiding judge and the district attorney may examine prospective grand jurors as to their qualifications to serve as provided in Code Sections 15-12-4 and 15-12-60. Such examination shall be conducted after the administration of the preliminary oath set forth in subsection (b) of this Code section. Any prospective grand juror who is not qualified to serve shall be excused by the presiding judge.

대배심을 충원구성함에 앞서서, 선서절차에 처함에 앞서서, 그리고 대배심에게 임무를 설명함에 앞서서, 배심원후보들을 주 법률집 제15-12-4절에 및 15-12-60절에 규정된 대로의 그들의 자격조건들에 관하여 주재판사는 및 재판구 지방검사는 신문할 수 있다. 이 절의 (b)에 규정된 예비적 선서의 실시 뒤에 그러한 신문은 실시되어야 한다. 복무자격이 인정되지 아니하는 대배심원후보는 주재판사에 의하여 면제되어야 한다.

(b) Prior to examination, the presiding judge, the district attorney, or the clerk shall administer the following oath or affirmation to prospective grand jurors:

아래의 선서를 내지는 무선서확약을 대배심원후보들에게 신문에 앞서서 주재판사는, 재판구 지방검사는, 또는 서기는 실시하여야 한다:

"You shall give true answers to all questions as may be asked by the court or the district attorney concerning your qualifications to serve as a grand juror."

"대배심원으로서 복무할 귀하의 자격조건들에 관하여 법원에 또는 재판구 지방검사에 의하여 물어질 수 있는 모든 문제들에 대하여 진실한 답변들을 귀하는 하여야 합니다."

Georgia Code Title 15. Courts § 15-12-66.1

When from challenge or from any other cause there are not a sufficient number of persons in attendance to complete the empaneling of grand jurors, the presiding judge shall order the clerk to choose at random from the names of persons summoned as trial jurors a sufficient number of prospective grand jurors necessary to complete the grand jury. Nothing in this Code section shall be construed as barring the court from taking any action against a person who has been summoned to appear as a juror as provided in Code Section 15-12-10.

기피로 인하여 또는 그 밖의 원인으로 인하여 대배심원들의 충원구성을 완성짓기 위한 충분한 숫자의 사람들이 출석해 있지 아니한 경우에, 대배심을 채움에 필요한 충분한 숫자의 대배심원후보들을 정식사실심리 배심원들로서 소환된 사람들의 이름들 중에서 서기로 하여금 무작위로 선발하도록 주재판사는 명령하여야 한다. 배심원으로 출석하도록 소환된 사람에 대하여 조치를 주 법률집 제15-12-10절에 규정된 바에 따라서 취하지 못하도록 법원을 금지하는 것으로 이 법전 내의 것은 해석되지 아니한다.

Georgia Code Title 15. Courts § 15-12-67

(a) The judge of the superior court may appoint the foreman of the grand jury or may direct the grand jury to elect its own foreman. The foreman of the grand jury may administer the oath prescribed by law to all witnesses required to testify before the grand jury and may also examine such witnesses.

상위 지방법원의 판사는 대배심의 배심장을 지명할 수 있고 또는 대배심으로 하여금 그 자신의 배심장을 뽑도록 명령할 수 있다. 대배심의 배심장은 법에 의하여 규정되는 선서를 대배심 앞에서 증언하도록 요구되는 모든 증인들에게 실시할 수 있고 또한 그러한 증인들을 신문할 수 있다.

(b) The following oath shall be administered to the foreperson and to each member of the grand jury:

배심장에게 및 당해 대배심의 개개 구성원에게 아래의 선서가 실시되어야 한다:

"You, as foreperson (or member) of the grand jury for the County of _____, shall diligently inquire and true presentment make of all such matters and things as shall be given you in the court's charge or shall come to your knowledge touching the present service; and you shall keep the deliberations of the grand jury secret unless called upon to give evidence thereof in some court of law in this state. You shall present no one from envy, hatred, or malice, nor shall you leave anyone unpresented from fear, favor, affection, reward, or the hope thereof, but you shall present all things truly and as they come to your knowledge. So help you God."

"귀하는 ----- 카운티 대배심의 배심장으로서 (또는 구성원으로서) 현재의 복무에 관하여 법원의 임무설명에서 귀하에게 부여되는 및 귀하의 지식 내에 오게 되는 모든 사안들을 및 사항들을 근면하게 조사해야 하고 진실한 고발을 하여야 합니다; 대배심의 숙의들을, 그것들에 관하여 이 주 내의 보통법 법원에서 증언하도록 귀하가 소환되는 경우에를 제외하고는, 비밀의 것으로 귀하는 간직하여야 합니다; 귀하는 사람을 시기 때문에, 원한 때문에, 또는 악의 때문에 고발하여서는 안 되고, 사람을 두려움 때문에, 편애 때문에, 호의 때문에, 보상 때문에 내지는 보상의 기대 때문에 미고발 상태로 남겨두어서는 안 되는바, 귀하는 모든 사항들을 진실하게 및 그것들이 귀하의 지식에 들어오는 대로 고발하여야 합니다. 그러하오니 신께서는 귀하를 도우소서."

https://codes.findlaw.com/ga/title-15-courts/ga-code-sect-15-12-68.html

Georgia Code Title 15. Courts § 15-12-68

(a) The following oath shall be administered to all witnesses in criminal cases before the grand jury:

대배심 앞의 형사사건들에서의 모든 증인들에게 아래의 선서가 실시되어야 한다:

"Do you solemnly swear or affirm that the evidence you shall give the grand jury on this bill of indictment or presentment shall be the truth, the whole truth, and nothing but the truth? So help you God."

"이 대배심 검사기소장안 위에서 내지는 대배심 독자고발장안 위에서 대배심에게 귀하가 하게 될 증언은 진실임을, 전적인 진실임을, 오직 진실뿐임을 귀하는 엄숙히 선서합니까 또는 무선서로 확약합니까? 그러하오니 신께서는 귀하를 도우소서."

(b) Any oath given that substantially complies with the language in this Code section shall subject the witness to the provisions of Code Section 16-10-70.

대체적으로 이 절에 부합하도록 이루어지는 선서는 증인을 주 법률집 제16-10-70절의 규정들에 종속시킨다.

https://codes.findlaw.com/ga/title-15-courts/ga-code-sect-15-12-69.html

Georgia Code Title 15. Courts § 15-12-69

The following oath shall be administered to all bailiffs attending grand juries:

대배심원들을 시중드는 모든 집행관보좌인들에게 아래의 선서가 실시되어야 한다:

"You do solemnly swear that you will diligently attend the grand jury during the present term and carefully deliver to that body all such bills of indictment or other things as shall be sent to them by the court without alteration, and as carefully return all such as shall be sent by that body to the court. So help you God."

"대배심을 현재의 개정기 동안에 근면하게 시중들겠음을 및 법원에 의하여 대배심에 보내지는 모든 대배심 검사기소장안들을 내지는 여타의 것들을 변개 없이 주의 깊게 전달하겠음을 및 대배심에 의하여 법원에 보내지는 모든 것들을 마찬가지로 주의 깊게 제출하겠음을 귀하는 엄숙히 선서합니다. 그러하오니 신께서는 귀하를 도우소서."

Georgia Code Title 15. Courts § 15-12-70

All grand jurors in the courts of this state shall be disqualified to act or serve in any case or matter when such jurors are related by consanguinity or affinity to any party interested in the result of the case or matter within the third degree as computed according to the civil law. Relationship more remote shall not be a disqualification.

사건의 내지는 사안의 결과에 이해관계를 지니는 어느 당사자에게든지, 민사법에 따라서 계산되는 3촌 이내의 혈족관계에 의하여 내지는 인척관계에 의하여 그러한 대배심원들이 관련되는 경우에는 이 주의 법원들에서의 그러한 모든 대배심원들은 그 행동할 내지는 복무할 자격이 어떤 사건에서도 내지는 사안에서도 부정되어야 한다. 더 먼 촌수는 결격사유가 되지 아니한다.

Georgia Code Title 15. Courts § 15-12-71

(a) The duties of a grand jury shall be confined to such matters and things as it is required to perform by the Constitution and laws or by order of any superior court judge of the superior court of the county.

그 수행하도록 헌법에 의하여 및 법들에 의하여 또는 카운티의 상위 지방법원 판사 아무나의 명령에 의하여 요구되는 사안들에 및 사항들에 대배심의 임무들은 한정되어야 한다.

(b) (1) The grand jury shall at least once in each calendar year inspect the condition and operations of the county jail. The grand jury shall at least once in every three calendar years inspect and examine the offices and operations of the clerk of superior court, the judge of the probate court, and the county treasurer or county depository. If the office of the district attorney is located in the county in which the grand jury is impaneled, the grand jury shall inspect and examine the offices of the district attorney at least once in every three calendar years. If the offices of the district attorney are located in a county other than the county in which the grand jury is impaneled, the grand jury may inspect the offices of the district attorney as the grand jury deems necessary or desirable.

카운티 감옥의 상황을 및 기능들을 1역년에 적어도 한 번 대배심은 점검하여야 한다. 상위 지방법원 서기의, 유언검인 법원 판사의, 그리고 카운티 회계출납관의 내지는 카운티 공탁소의 사무소들을 및 기능들을 매 3역년에 적어도 한 번 대배심은 검사하여야 하고 조사하여야 한다. 당해 대배심이 충원구성되는 카운티 내에 만약 재판구 지방검사의 사무소가 소재하면, 재판구 지방검사의 사무소들을 매 3역년에 적어도 한 번 그 대배심은 점검하여야 하고 조사하여야 한다. 당해 대배심이 충원구성되는 카운티 이외의 카운티에 설령 재판구 지방검사의 사무소들이 소재하더라도, 그 필요하다고 및 바람직하다고 당해 대배심이 간주하는 재판구 지방검사의 사무소들을 당해 대배심은 점검할 수 있다.

(2) In addition to the inspections provided for in paragraph (1) of this subsection, the grand jury shall, whenever deemed necessary by eight or more of its members, appoint a committee of its members to inspect or investigate any county office or county public building or any public authority of the county or the office of any county officer, any court or court official of the county, the county board of education, or the county school superintendent or any of the records, accounts, property, or operations of any of the foregoing.

그 필요하다고 대배심의 구성원들 중 8명 이상에 의하여 간주되는 때에는 언제든지, 이 소절 단락 (1)에 규정되는 점검들을에 추가하여, 카운티 사무소 어디든지를 내지는 카운티의 공공건물 어디든지를 내지는 카운티의 공공기관 어디든지를 또는 카운티 공무원 누구든지의 사무소를, 카운티의 어느 법원이든지의 또는 카운티의 법원 공무원 누구든지의 사무소를, 카운티 교육위원회를, 또는 카운티 학교 감독자를 또는 위의 것들의 기록들의, 회계들의, 재산의, 또는 업무수행들의 어느 것이든지를 점검하도록 내지는 조사하도록, 자신의 구성원들로 구성되는 한 개의 위원회를 대배심은 지명할 수 있다.

(3) The grand jury may prepare reports or issue presentments based upon its inspections as provided for in this subsection, and any such presentments shall be subject to publication as provided for in Code Section 15-12-80.

이 소절에 규정된 점검들에 토대하여 대배심은 보고서들을 작성할 수 있고 대배심 독자고발장들을 낼 수 있는 바, 주 법률집 제15-12-80절에 규정된 바에 따라서 그러한 대배심 독자고발장들은 공표되어야 한다.

(4) The grand jury may appoint one citizen of the county to provide technical expertise to the grand jury in connection with inspections provided for in this Code section. Such citizen shall be compensated at the same rate that a grand juror is compensated.

이 절에 규정된 점검들에 관련한 전문적 기술을 대배심에 제공하도록 카운티의 시민 한 명을 대배심은 지명할 수 있다. 대배심원에게 보수로 지급되는 요율에의 동일한 요율에 의한 보수가 그러한 시민에게는 지급되어야 한다.

(5) (A) As used in this paragraph, the term "serious bodily injury" means bodily harm which deprives a person of a member of his or her body, which renders a member of such person's body useless, or which seriously disfigures such person's body or a member thereof.

그의 내지는 그녀의 신체의 구성부분을 사람에게서 박탈하는, 그리하여 그러한 사람의 신체의 구성부분을 쓸모없는 것으로 만드는, 내지는 그러한 사람의 신체를 또는 신체의 구성부분을 중대하게 손상시키는 신체적 손상을 이 단락에서 사용되는 것으로서의 "중대한 신체적 손상"이라는 용어는 의미한다.

(B) The grand jury, whenever deemed necessary by eight or more of its members or at the request of the district attorney, shall conduct a review of any incident in which a peace officer's use of deadly force resulted in death or serious bodily injury to another. Except when requested by the district attorney, such review shall only be conducted after the investigative report of the incident has been completed and submitted to the district attorney. The district attorney shall begin assisting the grand jury in its review no later than one year from the date of the incident or, if an attorney was appointed under Code Section 15-18-5, one year from the date of such appointment. A review shall not be conducted pursuant to this paragraph in any case in which the district attorney informs the grand jury that a bill of indictment or special presentment will be presented to a grand jury charging such peace officer with a criminal offense in conjunction with, or arising out of, the incident in which such peace officer's use of deadly force resulted in death or serious bodily injury to another.

타인의 사망에 또는 중대한 신체적 손상에 경찰관의 폭력의 사용이 귀결된 사건에 대한 재조사를, 그 필요하다고 구성원들 중 여덟 명 이상에 의하여 간주되는 때에는 언제든지 또는 재판구 지방검사의 요청이 있으면 언제든지, 대배심은 실시하여야 한다. 재판구 지방검사에 의하여 요청되는 경우에를 제외하고는 오직 당해 사건의 조사보고서가 완성되어 재판구 지방검사에게 제출된 뒤에만 그러한 재조사는 실시되어야 한다. 대배심을 그 재조사에서 조력하기를, 당해 사건의 발생일로부터 1년 이내에, 또는 주법률집 제15-18-5절에 따라서 검사가 지명된 경우에는 그러한 지명일로부터 1년 이내에 재판구 지방검사는 시작하여야 한다. 타인의 사망에 또는 중대한 신체적 손상에 그러한 경찰관의 폭력의 사용이 귀결된 당해 사건에 관련되는, 또는 그러한 사건으로부터 도출되는 그러한 경찰관을 범죄로 고발하는 대배심 검사기소장안이 또는 특별 대배심 독자고발장안이 대배심에 제출될 것임을 대배심에 재판구 지방검사가 고지하는 사건에서는 이 단락에 따른 재검사는 실시되어서는 안 된다.

(C) Not less than 20 days prior to the date upon which the grand jury shall begin hearing evidence in its review, the chief executive officer of the law enforcement agency and the peace officer shall be notified of such date and the time and place of the grand jury meeting, provided that nothing in this paragraph shall require either officer to make a presentation to the grand jury unless requested by the grand jury to do so.

자신의 재조사에서의 증거청취를 대배심이 시작할 날짜 전에 20일 이상의 여유를 두고서, 법집행 기관의 최고책임자에게 및 당해 경찰관에게 대배심 회합의 날짜가 및 시간이 및 장소가 고지되어야 하는바, 다만 대배심에 의하여 요구되는 경우에를 제외하고는, 의견제출을 대배심에 하도록 그들 누구에게도 이 단락 내의 것은 요구하지 아니한다.

(D) When the grand jury is conducting a review pursuant to this paragraph, the testimony of any witness appearing before it and any argument or legal advice provided to the grand jury by the prosecuting attorney shall be recorded by a court reporter. The cost of conducting such review, including, but not limited to, the cost of any recordation and transcription of testimony, shall be paid out of the county treasury, upon the certificate of the judge of the superior court, as other court expenses are paid.

이 단락에 따른 재조사를 대배심이 실시하는 중인 때에는, 대배심 앞에 출석하는 증인 누구든지의 증언은 및 검사에 의하여 대배심에 제공되는 주장 어느 것이든지는 또는 법적 조언 어느 것이든지는 법원 속기사에 의하여 녹음되어야 한다. 그러한 재조사를 실시함에 소요되는 비용은 여타의 법원 비용들이 지불되는 경우에처럼 상위 지방법원 판사의 증명서에 따라서 카운티 재정회계로부터 지불되어야 하는바, 증언에 대한 모든 녹음의 및 녹취의 비용들을 그 비용은 포함하되 이에 한정되지 아니한다.

(E) Prior to the introduction of any evidence or the first witness being sworn, the district attorney shall advise the grand jury of the laws applicable to the conduct of such review. In particular, the grand jury shall be advised of Code Sections 16-3-20, 16-3-21, 16-3-23.1, and 17-4-20.

증거의 소개에 앞서서 또는 최초의 증인이 선서절차에 처해지기에 앞서서, 그러한 재조사의 실시에 적용되는 법들에 관하여 대배심에게 재판구 지방검사는 조언하여야 한다. 특별히 주 법률집 제16-3-20절에, 제16-3-21절에, 제16-3-23.1절에, 및 제17-4-20절에 관하여 조언을 대배심은 받아야 한다.

(c) Any grand jury or any committee thereof which has undertaken to conduct an inspection or investigation as provided in subsection (b) of this Code section shall have the right to examine any papers, books, records, and accounts, to compel the attendance of witnesses, and to hear evidence. If any public officer, agent, or employee refuses to produce any such papers, books, records, and accounts, any superior court judge of the superior court of the county, upon evidence being adduced, may enforce this Code section by mandamus or attachment as the case may require. If any public officer, agent, or employee fails or refuses to exhibit to the grand jury or its committee the funds on hand or claimed by them to be on hand upon presentation of that fact to any superior court judge of the superior court the judge may by mandamus or attachment compel the delivery of the funds to the grand jury or the committee for the purpose of counting.

서류들을, 장부들을, 기록들을 및 회계들을 점검할 권리를, 증인들의 출석을 강제할 권리를 및 증언을 청취할 권리를 이 절의 소절 (b)에 규정된 대로의 점검의 내지는 조사의 실시에 착수한 터인 대배심은 내지는 그 위원회는 지닌다. 그러한 서류들을, 장부들을, 기록들을 및 회계들을 제출하기를 공무원이, 공무소의 직원이 또는 공공피용자가 거부하면, 그 제출되는 증거에 따라서 카운티의 상위 지방법원 판사 누구든지는 사건이 요구하는 바대로 직무집행 영장에 또는 수감영장에 의하여 이 절을 시행할 수 있다. 마침 갖고 있는 또는 그 갖고 있을 것이 그들에 의하여 요구되는 공금을 대배심에게 또는 대배심의 위원회에게 제시하기를 공무원이, 공무소의 직원이, 또는 공공피용자가 불이행하거나 거부하면, 그 사실의 상위 지방법원 판사 누구에게든지의 제출에 따라서 회계목적을 위하여 그 공금의 대심에게의 또는 위원회에게의 인도를 직무집행 영장에 의하여 또는 수감영장에 의하여 그 판사는 강제할 수 있다.

(d) The judge charging the grand jury shall inform the grand jury of the provisions of subsections (b) and (c) of this Code section.

대배심에게 임무를 설명하는 판사는 이 절의 소절 (b)의 및 (c)의 규정들에 관하여 대배심에게 고지하여야 한다.

(e) (1) If the grand jury conducts a review pursuant to paragraph (5) of subsection (b) of this Code section, and the grand jury does not request that the district attorney create a bill of indictment or special presentment, the grand jury shall prepare a report or issue a general presentment based upon its inspection, and any such report or presentment shall be subject to publication as provided for in Code Section 15-12-80.

이 절의 소절 (b)의 단락 (5)에 따른 재조사를 만약 대배심이 실시하고서도 대배심 검사기소장안을 또는 대배심 독자 특별고발장안을 작성하도록 재판구 지방검사에게 대배심이 요청하지 아니하면, 그 자신의 점검에 토대하여 대배심은 보고서를 작성하여야 하거나 일반적 대배심 독자고발장을 발부하여야 하고, 그러한 보고서는 또는 대배심 독자고발장은 주 법률집 제15-12-80에 규정되는 바에 따른 공표에 처해져야 한다.

(2) Such report or general presentment shall include a summary of the evidence considered by the grand jury and the grand jury's findings of the facts regarding the incident.

당해 사건에 관련하여 대배심에 의하여 검토된 증거에 관한, 및 사실관계에 대한 대배심의 조사결과에 관한, 한 개의 요약을 그러한 보고서는 또는 일반적 대배심 독자고발장은 포함하여야 한다.

(3) Such report or general presentment shall be returned to the court by the grand jury and published in open court, and the report or general presentment shall be filed with the clerk.

그러한 보고서는 내지는 일반적 대배심 독자고발장은 대배심에 의하여 법원에 제출되어야 하고 공개법정에서 공표되어야 하며, 그 보고서는 내지는 일반적 대배심 독자고발장은 서기에게 하달되어야 한다.

(4) If the grand jury does not request that the district attorney create a bill of indictment or special presentment, the district attorney shall, upon the release of such report or general presentment and unless otherwise ordered by the court, make available for inspection or copying any evidence considered by the grand jury during such review and the transcripts of the testimony of the witnesses who testified during the review no later than the end of the following term of court or six months, whichever is later. On motion of the district attorney, the court shall order the redaction of any part of the evidence or transcripts which contains matters subject to a statutory privilege, the names of the grand jurors, or information contained therein that may be exempt from disclosure pursuant to Code Section 50-18-72.

대배심 검사기소장안을 또는 대배심 독자 특별고발장안을 작성하도록 재판구 지방검사에게 대배심이 요청하지 아니하면, 그러한 보고서의 내지는 일반적 대배심 독자 특별고발장안의 공개에 따라서, 그리고 법원에 의하여 달리 명령되는 경우에를 제외하고는, 그러한 재조사 동안에 대배심에 의하여 검토된 증거가, 및 재조사 동안에 증언한 증인들의 증언의 녹취록들이, 점검을 및 복사를 위하여, 법원의 차회 개정기의 종기 이내의 또는 6개월 이내의 둘 중에서 더 늦은 쪽 이내에 제공되도록, 재판구 지방검사는 조치하여야 한다. 제정법 상의 공개금지 특권의 적용을 받는 사항들을 포함하는, 대배심원들의 이름들을 포함하는, 또는 그 안에 담긴 주 법률집 제50-18-72절에 따라서 공개로부터 제외될 수 있는 정보를 포함하는 증거 부분의 내지는 녹취록들 부분의 가림을 재판구 지방검사의 요청에 따라서, 법원은 명령하여야 한다.

(5) Any person requesting copies of such report, copies of any evidence considered by the grand jury during such review, or the transcripts of the testimony of the witnesses who testified during the review may be charged a reasonable fee for the cost of the redaction, reproduction, copying, and delivery of such report, evidence, or transcripts as provided in Code Section 50-18-71. Such costs shall be paid before such material is provided.

그러한 보고서의 등본들을, 그러한 재조사 동안에 대배심에 의하여 검토된 증거의 등본들을, 내지는 그 재조사 동안에 증언한 증인들의 증언의 녹취록들의 등본을 요청하는 사람에게는 주 법률집 제50-18-71절에 규정되는 바에 따른 그러한 보고서에 대한, 증거에 대한, 또는 녹취록들에 대한 가리기의, 복제의, 복사의, 그리고 인도의 비용을 위한 합리적인 수수료가 부과될 수 있다. 그러한 비용들은 그러한 자료가 제공되기 전에 지불되어야 한다.

(f) If the grand jury requests that the district attorney create a bill of indictment or special presentment against the peace officer, the transcript of the testimony of the witnesses who testified during the review, together with any other evidence presented to the grand jury, shall not be disclosed, except as provided in Code Section 15-12-72 and in compliance with Article 1 of Chapter 16 of Title 17. If the bill of indictment or special presentment is to be presented to another grand jury, the district attorney shall transfer such transcripts and evidence to the grand jury considering the bill of indictment or special presentment.

경찰관을 겨냥하는 대배심 검사기소장안을 또는 대배심 독자 특별고발장안을 작성해 달라고 재판구 지방검사에게 만약 대배심이 요청하면, 주 법률집 제15-12-72절에 규정되는 경우에를 및 제17편 제16장 제1조에의 부합 속에서의 경우에를 제외하고는, 재조사 동안에 증언한 증인들의 증언의 녹취록은 대배심에 제출된 여타의 증거가에 더불어, 공개되어서는 안 된다. 다른 대배심에게 만약 그 대배심 검사기소장안이 또는 대배심 특별 독자고발장안이 제출되어야 할 경우이면, 그 대배심 검사기소장안을 내지는 대배심 특별 독자고발장안을 검토하는 대배심에게 그러한 녹취록들을 및 증거를 재판구 지방검사는 이송하여야 한다.

https://codes.findlaw.com/ga/title-15-courts/ga-code-sect-15-12-72.html

Georgia Code Title 15. Courts § 15-12-72

Grand jurors shall disclose everything which occurs in their service whenever it becomes necessary in any court of record in this state.

그들의 복무에서 발생하는 모든 것을, 이 주 내에서의 정식기록 법원 어디에서든 그것이 필요하게 되는 경우에는 언제든지 대배심원들은 공개하여야 한다.

https://codes.findlaw.com/ga/title-15-courts/ga-code-sect-15-12-73.html

Georgia Code Title 15. Courts § 15-12-73

Admissions and communications among grand jurors are excluded as evidence on grounds of public policy.

대배심원들 사이의 승인들은 및 의사소통들은 공공정책을 그 사유들로 하여 증거에서 배제된다.

Georgia Code Title 15. Courts § 15-12-74

(a) Grand jurors have a duty to examine or make presentments of such offenses as may or shall come to their knowledge or observation after they have been sworn. Additionally, they have the right and power and it is their duty as jurors to make presentments of any violations of the laws which they may know to have been committed at any previous time which are not barred by the statute of limitations.

선서절차에 그들이 처해지고 난 뒤에 그들의 지식 내에 내지는 주목 내에 들어올 수 있는 내지는 들어오게 될 범죄들에 대하여 조사할 내지는 고발들을 제기할 의무를 대배심원들은 지닌다. 이에 더하여, 공소시효에 의하여 저지되지 아니하는 범위 내에서 이전에 저질러져 있음을 그들이 알 수 있는, 법들에 대한 모든 위반행위들을 고발할 권리를 및 권한을 그들은 지니며 또한 그렇게 함은 배심원들로서의 그들의 의무이다.

(b) If a true bill is returned by the grand jury on any count of an indictment or special presentment, the indictment or special presentment shall be published in open court. If a no bill is returned by the grand jury on all counts of an indictment or special presentment, the prosecuting attorney shall file such indictment or special presentment with the clerk.

한 개의 대배심 검사기소장안의 내지는 대배심 특별 독자고발장안의 소인 어떤 것에 대하여라도 대배심에 의하여 만약 기소평결이 제출되면, 그 대배심 검사기소장은 내지는 대배심 특별 독자고발장은 공개 법정에서 공표되어야 한다. 한 개의 대배심 검사기소장안의 내지는 대배심 특별 독자고발장안의 모든 소인들에 대하여 대배심에 의하여 만약 불기소평결이 제출되면, 그러한 대배심 검사기소장안을 내지는 대배심 특별 독자고발장안을 서기에게 검사는 제출하여야 한다.

Georgia Code Title 15. Courts § 15-12-78

Grand juries shall carefully inspect the sanitary condition of the jails of their re-spective counties at each regular inspection provided for in Code Section 15-12-71 and in their general presentments shall make such recommendations to the county governing authorities as may be necessary to provide for the proper heat-ing and ventilation of the jails, which recommendations the county governing authorities shall strictly enforce. The grand juries shall also make such present-ments as to the general sanitary condition of the jails and the treatment of the inmates as the facts may justify.

대배심들은 그들의 각각의 카운티들의 감옥들의 위생상태를 주 법률집 제15-12-71절에 규정된 매 정규점검에서 주의 깊게 점검하여야 하고 감옥들의 적정한 난방을 및 환풍을 위하여 규정하는 그 필요할 수 있는 권고들을 카운티 관리당국에게 그들의 일반적 대배심 독자고발장들에서 하여야 하는바, 그 권고들을 카운티 관리당국은 엄격하게 시행하여야 한다. 감옥들의 일반적 위생상태에 관하여 및 재소자들의 처우에 관하여 사실관계가 정당화할 수 있는 대배심 독자고발들을 대배심들은 아울러 할 수 있다.

Georgia Code Title 15. Courts § 15-12-80

Grand juries are authorized to recommend to the court the publication of the whole or any part of their general presentments and to prescribe the manner of publication. When the recommendation is made, the judge shall order the publi-cation as recommended. Reasonable charges therefor shall be paid out of the county treasury, upon the certificate of the judge, as other court expenses are paid.

자신들의 일반적 대배심 독자고발장들의 전부에 대한 내지는 일부에 대한 공표를 법원에 권고할 및 공표의 방법을 규정할 권한을 대배심들은 지닌다. 권고가 이루어질 경우에, 그 권고된 대로의 공표를 판사는 명령하여야 한다. 여타의 법원비용들이 지불되는 방법에의 동일한 방법으로 이를 위한 정당한 요금들이 판사의 증명서에 따라서 카운티 재정회계로부터 지불되어야 한다.

https://codes.findlaw.com/ga/title-15-courts/ga-code-sect-15-12-81.html

Georgia Code Title 15. Courts § 15-12-81

(a) Whenever it is provided by law that the grand jury of any county shall elect, select, or appoint any person to any office, notice thereof shall be given in the manner provided in subsection (b) of this Code section.

어느 카운티에서든지를 막론하고 카운티의 대배심이 누구든지를 어떤 공직에든 선출하도록, 선정하도록, 또는 지명하도록 법에 의하여 규정되는 경우에는 언제든지, 이에 대한 통지가 이 절의 소절 (b)에 규정되는 방법으로 부여되어야 한다.

(b) It shall be the duty of any board, authority, or entity whose members are elected, selected, or appointed by the grand jury of a county to notify the clerk of superior court in writing, at least 90 days prior to an upcoming election, selection, or appointment by the grand jury, that the grand jury shall elect, select, or appoint a person to the office held by such member at the time of notice; except where a vacancy has been created by death, resignation, or removal from office, in which case notice shall be given within ten days of the creation of the vacancy. It shall be the duty of the clerk of superior court, upon receiving notice of the upcoming appointment, to publish in the official organ of the county a notice that certain officers are to be elected, selected, or appointed by the grand jury of the county. The publication shall be once a week for two weeks during a period not sooner than 60 days prior to the election, selection, or appointment, except, where a vacancy has been created by death, resignation, or removal, notice shall be published once a week for two weeks during a period not sooner than ten days prior to the election, selection, or appointment. The cost of advertisement shall be paid from the funds of the county. It shall be the duty of the governing authority of the county to pay the cost promptly upon receiving a bill for the advertisement.

카운티의 대배심에 의하여 그 구성원들이 선출되는, 선정되는, 또는 지명되는 위원회의, 당국의, 또는 법주체의 경우에, 그러한 구성원에 의하여 후술의 통지 당시에 보유되는 당해 공직에 한 명을 대배심이 선출하게, 선발하게 내지는 지명하게 됨을 대배심에 의한 그 다가오는 선출에, 선정에, 또는 지명에 앞서서 적어도 90일의 시간적 여유를 두고서 서면으로 상위 지방법원 서기에게 통지함은 그러한 위원회의, 당국의, 또는 법주체의 의무이다; 다만, 사망으로, 사임으로, 또는 해임으로 인하여 궐석이 빚어져 있는 경우에는 그러하지 아니한바, 그러한 경우들에서는 궐석의 발생일로부터 10일 내에 통지가 부여되어야 한다. 카운티의 대배심에 의하여 특정 공무원들이 선출되게, 선정되게, 또는 지명되게 된다는 통지를 그 다가오는 지명에 대한 통지의 수령 즉시로 카운티의 공식의 기관지에 공표함은 상위 지방법원 서기의 의무이다. 공표는 그 선출 전의, 선정 전의, 또는 지명 전의 60일 이상의 여유를 둔 기간 중의 2주일 동안 일주일에 한 번 이루어져야 하는바, 다만 사망으로, 사임으로, 또는 해임으로 인하여 궐석이 빚어져 있는 경우에는 그 선출 전의, 선정 전의, 내지는 지명 전의 10일 이상의 여유를 둔 기간 중의 2주일 동안 1주일에 한 번 이루어져야 한다. 광고의 비용은 카운티 기금으로부터 지불되어야 한다. 광고비 청구서의 수령에 따라서 신속하게 비용을 지불함은 카운티 관리당국의 의무이다.

https://codes.findlaw.com/ga/title-15-courts/ga-code-sect-15-12-82.html

Georgia Code Title 15. Courts § 15-12-82

(a) The judges of the superior courts are authorized and empowered to transfer the investigation by a grand jury from the county where the crime was committed to the grand jury in any other county in this state when it appears that a qualified grand jury cannot be had for the purpose of such investigation in the county where the crime was committed. The county master jury list shall be exhausted in trying to secure a qualified jury before a transfer of the investigation shall be made, unless the accused consents to a transfer.

범죄가 저질러진 카운티로부터 선정된 대배심에 의한 조사를 이 주 내의 다른 카운티 내의 대배심에게로 이관할 권한을 및 권력을, 범죄가 저질러진 카운티 내에서는 그러한 조사를 위한 자격을 지닌 대배심이 구성될 수 없는 것으로 드러나는 경우에는, 상위 지방법원들의 판사들은 지닌다. 한 개의 조사의 이관이 이루어지기 위하여는, 그 이관에 범인으로 주장되는 사람이 동의하는 경우를 제외하고는, 자격을 지닌 배심을 확보하기 위하여 시도함에 있어서 그 카운티의 종합 배심명부가 소진되어야 한다.

(b) In order to secure a transfer under this Code section, the district attorney shall file a written motion asking for the transfer, stating the reason for transfer, and naming the day and hour when the motion is to be heard. He shall serve the accused with a copy of the motion at least one day before the hearing of the motion if the accused is in the custody of the officers of the court. In the event the accused is not in the custody of the officers of the court, service may be perfected in any manner reasonably calculated to give notice to the accused. In the event that the accused cannot be located, notice by publication may be used, as ordered by the court.

이 절 아래서의 이관을 확보하기 위하여는, 이관을 요청하는 신청서를 재판구 지방검사는 제출하여야 하는바, 신청서는 이관의 이유를 밝혀야 하고 신청에 대하여 심문이 이루어져야 할 날짜를 및 시간을 특정하여야 한다. 범인으로 주장되는 사람이 법원 공무원들의 구금 속에 있으면, 범인으로 주장되는 사람에게 신청서 등본을 신청에 대한 심문이 있기 적어도 하루 전에 그는 송달하여야 한다. 범인으로 주장되는 사람이 법원 공무원들의 구금 속에 있지 아니한 경우에는 통지를 그 범인으로 주장되는 사람에게 부여할 것으로 합리적으로 예상되는 여하한 방법에 의하여도 송달은 완료될 수 있다. 범인으로 주장되는 사람의 소재가 확인되지 아니하는 경우에는, 법원에 의하여 명령되는 바에 따라서 공고에 의한 통지가 사용될 수 있다.

(c) The district attorney and the counsel for the accused may, by agreement, determine the county to which the transfer of the investigation shall be made, but in the event they do not agree it shall be the duty of the presiding judge to name the county to which the transfer shall be made.

조사가 이관되어 옮겨갈 카운티를 재판구 지방검사는 및 범인으로 주장되는 사람의 변호인은 합의에 의하여 결정할 수 있으나, 그들이 합의하지 아니하는 경우에는 조사가 이관되어 옮겨갈 카운티를 지정함은 주재판사의 의무이다.

(d) The sheriff and the clerk of the county in which the crime was committed shall be qualified and authorized to perform the duties of such officers in the same manner as if there had been no change of venue. Any order or summons issued in connection with the investigation or trial shall be as binding as if no change of venue had been made.

범죄가 저질러진 카운티의 집행관에게는 및 서기에게는 그러한 공무원들의 임무들을 재판지의 변경이 있지 아니한 경우였더라면 사용되었을 방법에의 동일한 방법으로 수행할 자격이 및 권한이 부여되어야 한다. 조사에의 내지는 정식사실심리에의 연관 속에서 발부되는 명령은 내지는 소환장은 재판지의 변경이 있지 아니하였더라면 지녔을 구속력에의 동일한 구속력을 지닌다.

(e) The expenses of the investigation and trial shall be paid by the county in which the crime was committed, and no greater amount shall be paid as per diem or for mileage than would have been paid in the event the investigation and trial had been in the county where the crime was committed. However, no change of venue shall be had for the trial of the accused except as provided by law, unless by consent of the accused.

조사의 및 정식사실심리의 비용들은 범죄가 저질러진 카운티에 의하여 지불되어야 하는 바, 범죄가 저질러진 카운티 내에서 조사가 및 정식사실심리가 이루어졌을 경우에라면 지급되었을 액수를 초과한 금액이 일당으로서 또는 여비수당으로서 지불되어서는 안 된다. 그러나, 범인으로 주장되는 사람의 동의에 의하는 경우에를 제외하고는, 법에 의하여 규정되지 아니하는 한, 범인으로 주장되는 사람의 정식사실심리를 위한 재판지의 변경이 있어서는 안 된다.

Georgia Code Title 15. Courts § 15-12-83

(a) Upon the request of the district attorney or when the grand jury proceedings are in accordance with Code Section 17-7-52, a court reporter shall be authorized to be present and shall attend such proceedings. Before attending the grand jury proceedings, the court reporter shall take the following oath:

재판구 지방검사의 요청에 따라서, 또는 대배심 절차들이 주 법률집 제17-7-52절에 따른 것들인 경우에, 그러한 절차들에 출석할 권한이 법원 속기사에게 부여되며, 그러한 절차들에 그는 출석하여야 한다. 아래의 선서를 대배심 절차들에 출석하기 전에 법원 속기사는 하여야 한다:

"I do solemnly swear that I will keep secret all things and matters coming to my knowledge while in attendance upon the grand jury, so help me God."

"대배심에의 출석 내에 있는 동안에 저의 지식에 들어오는 모든 사항들의 및 사안들의 비밀을 저는 지킬 것임을 저는 엄숙히 선서합니다. 그러하오니 신께서는 저를 도우소서."

(b) The district attorney of the circuit in which the county is located shall appoint the court reporter and, notwithstanding any law to the contrary, fix the compensation therefor, and such compensation, including the cost of transcripts, shall be paid by the county.

카운티가 소재하는 순회구의 재판구 지방검사는 법원 속기사를 지명하여야 하고, 이에 대한 보수를, 그 반대로 규정하는 여하한 법에도 불구하고, 정하여야 하는바, 그러한 보수는 녹취록들의 비용이를 포함하여 카운티에 의하여 지불되어야 한다.

(c) The court reporter shall take and transcribe the testimony of any witness appearing before the grand jury and any argument or legal advice provided to the grand jury by the prosecuting attorney and shall furnish such transcript to the district attorney.

법원 속기사는 대배심 앞에 출석하는 그 어떤 증인의 증언이든지를 및 검사에 의하여 대배심에 제공되는 어떤 논의이든지를 내지는 법적 조언이든지를 속기하여야 하고 녹취하여야 하며 그러한 녹취록을 재판구 지방검사에게 제공하여야 한다.

(d) When a witness testifies pursuant to a grant of immunity as provided in Code Section 24-5-507, such testimony shall be transcribed, a copy of the transcript shall be provided to the district attorney, and the original transcript shall be filed under seal in the office of the clerk.

주 법률집 제24-5-507절에 규정된 면제부여에 따라서 증인이 증언하는 경우에, 그러한 증언은 녹취되어야 하고, 녹취록 등본이 재판구 지방검사에게 제공되어야 하며, 녹취록 원본은 봉인 아래서 서기의 사무소에 제출되어야 한다.

(e) The court reporter shall be incompetent to testify at any hearing or trial concerning any matter or thing coming to the knowledge of the court reporter while in attendance upon the grand jury.

법원 속기사는 대배심에의 출석 상태에 있는 동안에 그의 지식 내에 들어오는 사안에 내지는 사항에 관련한 그 어떤 심문에서도 내지는 정식사실심리에서도 증언할 자격이 없다.

(f) Except as otherwise provided in this Code section, a recording, any court reporter's notes, and any transcript prepared from such recording or notes shall be provided solely to the district attorney, who shall retain control of such recording, notes, and transcript. The district attorney may use such materials to the extent such use is appropriate to the proper performance of his or her official duties, including compliance with Article 1 of Chapter 16 of Title 17.

이 절에서 달리 규정되는 경우에를 제외하고는, 종류 여하를 불문하고 녹음물은, 법원 속기사의 메모들은, 그러한 녹음물로부터 내지는 메모들로부터 작성되는 녹취록은 오직 재판구 지방검사에게만 제공되어야 하는바, 그러한 녹음물에 대한, 메모들에 대한, 및 녹취록에 대한 통제를 재판구 지방검사는 유지하여야 한다. 제17편 제16장 제1조에의 준수에를 포함하는 그의 내지는 그녀의 공무상의 임무들의 적정한 수행에 그러한 자료들의 사용이 적합한 한도로까지, 그러한 자료들을 재판구 지방검사는 사용할 수 있다.

Georgia Code Title 15. Courts § 15-12-100

(a) The chief judge of the superior court of any county to which this part applies, on his or her own motion, on motion or petition of the district attorney, or on petition of any elected public official of the county or of a municipality lying wholly or partially within the county, may request the judges of the superior court of the county to impanel a special grand jury for the purpose of investigating any alleged violation of the laws of this state or any other matter subject to investigation by grand juries as provided by law.

조금이라도 주장되는 이 주의 법에 대한 위반행위를 조사함을 내지는 법에 의하여 규정되는 바에 따라서 대배심들의 조사에 종속되는 여타의 사항을 조사함을 목적으로 하는 한 개의 특별대배심을 충원구성하여 주도록 카운티의 상위 지방법원 판사들에게, 이 부가 적용되는 카운티 어디든지의 상위 지방법원의 법원장은 그의 내지는 그녀의 발의로, 재판구 지방검사의 신청에 내지는 청구에 따라서, 또는 카운티의 내지는 전체로든 부분으로든 카운티 내에 소재하는 자치체의 선출직 공무원 어느 누구든지의 청구에 따라서, 요청할 수 있다.

(b) Until July 1, 2012, the chief judge of the superior court of the county shall submit the question of impaneling a special grand jury to the judges of the superior court of the county and, if a majority of the total number of the judges vote in favor of impaneling a special grand jury, the members of a special grand jury shall be drawn in the manner prescribed by Code Section 15-12-62. On and after July 1, 2012, the chief judge of the superior court of the county shall submit the question of impaneling a special grand jury to the judges of the superior court of the county and, if a majority of the total number of the judges vote in favor of impaneling a special grand jury, the members of a special grand jury shall be chosen in the manner prescribed by Code Section 15-12-62.1. Any special grand jury shall consist of not less than 16 nor more than 23 persons. The foreperson of any special grand jury shall be selected in the manner prescribed by Code Section 15-12-67.

한 개의 특별대배심을 충원구성하는 문제를 카운티 상위 지방법원 판사들에게 2012년 7월 1일까지 카운티의 상위 지방법원의 법원장은 회부하여야 하고, 한 개의 특별대배심을 충원구성함에 만약 그 판사들 전체 숫자의 과반수가 찬성하면, 주 법률집 제15-12-62절에 규정된 대로의 방법에 따라서 한 개의 특별대배심의 구성원들이 추출되어야 한다. 2012년 7월 1일에는 및 그 뒤에는 한 개의 특별대배심을 충원구성하는 문제를 카운티 상위 지방법원 판사들에게 카운티 상위 지방법원의 법원장은 회부하여야 하고, 한 개의 특별대배심을 충원구성함에 만약 그 판사들 전체 숫자의 과반수가 찬성하면, 주 법률집 제15-12-62.1절에 규정된 대로의 방법에 따라서 한 개의 특별대배심의 구성원들이 선출되어야 한다. 16명 이상 23명 이하의 사람들로 특별대배심은 구성되어야 한다. 주 법률집 제15-12-67절에 의하여 규정되는 대로의 방법에 따라서 특별대배심의 배심장은 선정되어야 한다.

(c) While conducting any investigation authorized by this part, investigative grand juries may compel evidence and subpoena witnesses; may inspect records, documents, correspondence, and books of any department, agency, board, bureau, commission, institution, or authority of the state or any of its political subdivisions; and may require the production of records, documents, correspondence, and books of any person, firm, or corporation which relate directly or indirectly to the subject of the investigation being conducted by the investigative grand jury.

이 부에 의하여 권한이 부여되는 조사를 수행하는 동안에 조사대배심들은 증언을 강제할 수 있고 증인들을 벌칙부로 소환할 수 있으며; 주(state)의 내지는 주(state) 정치적 하부 단위들의 부서의, 기관의, 청의, 사무국의, 위원회의, 시설의, 또는 당국의 기록들을, 문서들을, 통신을, 그리고 장부들을 점검할 수 있고; 또한 당해 조사대배심에 의하여 수행되는 조사의 주제에 직접으로든 간접으로든 관련되는 사람의, 회사의, 또는 법인의 기록들의, 문서들의, 통신의, 그리고 장부들의 제출을 요구할 수 있다.

Georgia Code Title 15. Courts § 15-12-101

(a) When a special grand jury is impaneled pursuant to Code Section 15-12-100, the chief judge of the superior court of the county shall assign a judge of the superior court of the county to supervise and assist the special grand jury in carrying out its investigation and duties. The judge so assigned shall charge the special grand jury as to its powers and duties and shall require periodic reports of the special grand jury's progress, as well as a final report.

주 법률집 제15-12-100절에 따라서 한 개의 특별대배심이 충원구성되는 경우에, 그 특별대배심을 그 조사의 및 임무들의 수행에 있어서 감독하도록 및 조력하도록 카운티 상위 지방법원의 판사 한 명을 카운티 상위 지방법원의 법원장은 배정할 수 있다. 그렇게 배정되는 판사는 특별대배심에게 그 권한들에 및 의무들에 관하여 설명하여야 하고 한 개의 최종보고를에 아울러 그 특별대배심의 진행경과에 대한 정기적 보고들을 요구하여야 한다.

(b) When the judge assigned to a special grand jury decides that the special grand jury's investigation has been completed or on the issuance of a report by the special grand jury of the matter investigated by it reporting that the investigation has been completed, the judge so assigned shall recommend to the chief judge of the superior court that the special grand jury be dissolved. The chief judge shall report the recommendation to the judges of the superior court of the county and, upon a majority thereof voting in favor of the dissolution of the special grand jury, the special grand jury shall stand dissolved. If a majority of the judges do not vote in favor of the dissolution of the special grand jury, the chief judge shall instruct and charge the special grand jury as to the particular matters to be investigated; and the special grand jury shall be required to investigate further and establish a period of time within which the investigation shall be completed. At the expiration of the period of time, the special grand jury shall be dissolved.

특별대배심의 조사가 완료되어 있다고 특별대배심에 배정된 판사가 판단하는 경우에, 또는 특별대배심에 의하여 조사된 사안에 대한, 그 조사가 완료되어 있다는 취지의 특별대배심에 의한 보고서의 제출이 있는 경우에, 그 특별대배심이 해산되게끔 조치하도록 상위 지방법원의 법원장에게 그렇게 배정된 판사는 권고하여야 한다. 그 권고를 카운티 상위 지방법원 판사들에게 법원장은 보고하여야 하고, 특별대배심의 해산에 대한 그 판사들 과반수의 찬성에 의하여 특별대배심은 해산되어야 한다. 특별대배심의 해산에 만약 판사들 과반수가 찬성하지 않으면, 그 조사되어야 할 특정사항들에 관하여 특별대배심에게 법원장은 지시하여야 하고 설명하여야 하는바; 더욱 멀리껏 조사하도록 및 그 조사가 마쳐질 기한을 설정하도록 특별대배심은 요구된다. 그 기한의 종료 때에 특별대배심은 해산되어야 한다.

https://codes.findlaw.com/ga/title-15-courts/ga-code-sect-15-12-102.html

Georgia Code Title 15. Courts § 15-12-102

This part shall apply only to all counties and consolidated city-county governments of this state. Except as otherwise provided by this part, Part 1 of this article shall apply to the grand juries authorized by this part.

이 부는 오직 이 주의 모든 카운티들에게 및 시티-카운티 통합정부들에게 적용된다. 이 부에 의하여 달리 규정되는 경우를 제외하고는, 이 부에 의하여 허용되는 대배심들에 이 조 제1부는 적용된다.

https://codes.findlaw.com/ga/title-15-courts/ga-code-sect-15-18-6.html

Georgia Code Title 15. Courts § 15-18-6

The duties of the district attorneys within their respective circuits are:

그들 각자의 순회구들 내에서의 재판구 지방검사들의 임무들은 이러하다:

(1) To attend each session of the superior courts unless excused by the judge thereof and to remain until the business of the state is disposed of;

상위 지방법원 판사에 의하여 면제되는 경우에를 제외하고 상위 지방법원들의 개개 개정법정에 출석하여 주(state) 업무가 처리될 때까지 머무는 것;

(2) To attend on the grand juries, advise them in relation to matters of law, and swear and examine witnesses before them;

대배심들의 시중을 드는 것, 법 문제들에 관련하여 그들에게 조언하는 것, 그리고 그들 앞의 증인들을 선서에 처하고 신문하는 것;

(3) To administer the oaths the laws require to the grand and trial jurors and to the bailiffs or other officers of the court and otherwise to aid the presiding judge in organizing the courts as he may require;

대배심원들에게 및 소배심원들에게 및 집행관보좌인들에게 내지는 여타의 법원 공무원들에게 법들이 요구하는 선서들을 실시하는 것 및 그 밖에 주재판사가 요구하는 대로 법정들을 준비함에 있어서 주재판사를 조력하는 것;

(4) To draw up all indictments or presentments, when requested by the grand jury, and to prosecute all indictable offenses;

대배심에 의하여 요구되는 경우에의 모든 대배심 검사기소장들을 내지는 대배심 독자고발장들을 초안하는 것 및 모든 대배심 검사기소 대상 범죄들에 대하여 소송을 추행하는 것;

(5) To prosecute civil actions to enforce any civil penalty set forth in Code Section 40-6-163 and to prosecute or defend any other civil action in the prosecution or defense of which the state is interested, unless otherwise specially provided for;

달리 명시적으로 규정되는 경우에를 제외하고는, 주 법률집 제40-6-163절에 규정된 민사적 벌칙을 시행하기 위하여 민사소송들을 추행하는 것 및 소송추행에서의 내지는 방어에서의 이해관계를 주가 지니는 여타의 민사소송을 추행하고 방어하는 것;

(6) To attend before the appellate courts when any criminal case emanating from their

respective circuits is tried, to argue the same, and to perform any other duty therein which the interest of the state may require;

그들 각자의 순회구들로부터 발생하는 형사사건이 심리되는 경우에 항소법원들 앞에 출석하는 것 및 주 이익이 요구하는 사항을 주장하는 것 및 거기에서의 여타의 의무를 수행하는 것;

(7) To advise law enforcement officers concerning the sufficiency of evidence, warrants, and similar matters relating to the investigation and prosecution of criminal offenses;

증거의 충분성에 관하여, 영장들의 충분성에 관하여, 및 범죄들의 수사에 및 소추에 관련되는 유사한 사항들의 충분성에 관하여 법집행 공무원들에게 조언하는 것;

(8) To collect all money due the state in the hands of any escheators and to pay it over to the educational fund, if necessary, compelling payment by rule or order of court or other legal means;

주에게 납부되어야 할 모든 돈을, 법원의 규칙에 내지는 명령에 의하여 또는 그 밖의 법적 수단에 의하여 지불을 강제함으로써 관리관들의 관리 안에 징수하는 것 및 그것을 그 필요한 경우에 교육기금에 지급하는 것;

(9) To collect all claims of the state which they may be ordered to collect by the state revenue commissioner and to remit the same within 30 days after collection; and on October 1 of every year to report to the state revenue commissioner the condition of the claims in their hands in favor of the state, particularly specifying:

그 징수하도록 주 세입위원에 의하여 그들이 명령될 수 있는 주(state)의 모든 청구권들을 징수하는 것 및 징수 뒤 30일 내에 그것을 송금하는 것; 그리고 주를 위하여 그들의 관리 아래에 있는 청구권들의 상황을, 특히 아래 사항들을 명시하여, 매년 10월 1일에 주 세입위원에게 보고하는 것:

(A) The amounts collected and paid, from what sources received and for what purposes, and to whom paid;

징수된 및 지불된 액수들, 어떤 원천들로부터 어떤 목적으로 수령되었는지, 그리고 누구에게 지급되었는지;

(B) What claims are unpaid and why;

어떤 청구권들이 미지불인지 및 그 이유는 무엇인지;

(C) What judgments have been obtained, when, and in what court; and

어떤 판결주문들이, 언제, 어느 법원에서 얻어져 있는지; 그리고

(D) What actions are instituted, in what courts, and their present progress and future prospects;

어떤 소송들이 어떤 법원들에서 착수되었는지, 그리고 그것들의 현재의 진행정도 및 장래의 전망들;

(10) To assist victims and witnesses of crimes through the complexities of the criminal justice system and ensure the victims of crimes are apprised of the rights afforded them under the law; and

형사사법 제도의 복잡성들을 통과하도록 피해자들을 및 증인들을 조력하는 것 및 범죄 피해자들에게 법 아래서 제공되는 권리들에 관하여 그들이 통지받도록 보장하는 것; 그리고

(11) To perform such other duties as are or may be required by law or which necessarily appertain to their office.

법에 의하여 요구되는 내지는 요구될 수 있는 내지는 그들의 임무에 필수적으로 부속하는 여타의 임무들을 수행하는 것.

https://codes.findlaw.com/ga/title-15-courts/ga-code-sect-15-21-10.html

Georgia Code Title 15. Courts § 15-21-10

In cases where a bill of indictment is preferred and not found true by the grand jury, where a defendant is acquitted by a jury, or where persons liable by law for the payment of costs are unable to pay the same, the officers severally entitled to such costs may present an account therefor to the judge of the court in which the prosecutions were pending, which, after being examined and allowed by him, he shall order to be paid in the manner prescribed by law. The account and order shall be entered on the minutes of the court.

대배심 검사기소장안이 제출되는, 그러나 대배심에 의하여 기소평결되지 아니하는 사건들에서, 배심에 의하여 피고인이 무죄방면되는 사건들에서, 또는 비용들의 지급에 대한 책임을 법에 의하여 지는 사람들이 그것을 지급할 수 없는 사건들에서, 그러한 비용들을 징수할 권한을 저마다 지니는 공무원들은 이에 대한 보고서를 그 소송추행들이 걸려 있는 법원의 판사에게 제출할 수 있는바, 그것들이 법에 의하여 규정되는 방법대로 지불되어야 함을 법원의 판사에 의하여 검토된 및 인용된 뒤에 판사는 명령하여야 한다. 보고서는 및 명령은 법원 의 사록에 기입되어야 한다.

https://codes.findlaw.com/ga/title-16-crimes-and-offenses/ga-code-sect-16-10-93.html

Georgia Code Title 16. Crimes and Offenses § 16-10-93

(a) A person who, with intent to deter a witness from testifying freely, fully, and truthfully to any matter pending in any court, in any administrative proceeding, or before a grand jury, communicates, directly or indirectly, to such witness any threat of injury or damage to the person, property, or employment of the witness or to the person, property, or employment of any relative or associate of the witness or who offers or delivers any benefit, reward, or consideration to such witness or to a relative or associate of the witness shall, upon conviction thereof, be punished by imprisonment for not less than one nor more than five years.

법원에, 행정절차에, 또는 대배심 앞에 걸려 있는 사항에 대하여 증인으로 하여금 자유로이 완전하게 및 진실되게 증언하지 못하도록 방해할 의도로써 당해 증인의 신체에의, 재산에의, 또는 고용관계에의 내지는 그 증인의 친척의 내지는 동료의 신체에의, 재산에의, 내지는 고용관계에의 위해의 내지는 손해의 위협을 그러한 증인에게 직접으로든 간접으로든 전달하는 사람은 내지는 이익을, 보상을, 또는 대가를 그러한 증인에게 내지는 그 증인의 친척에게 내지는 동료에게 제의하는 내지는 제공하는 사람은 이에 대한 유죄판정에 따라서 1년 이상의 및 5년 이하의 구금에 의하여 처벌된다.

(b) (1) It shall be unlawful for any person knowingly to use intimidation, physical force, or threats; to persuade another person by means of corruption or to attempt to do so; or to engage in misleading conduct toward another person with intent to:

아래의 목적을 가지고서 누구든지가 고의로 위협을, 신체적 폭력을, 또는 협박들을 사용함은; 타인을 부패행위에 의하여 설득함은 내지는 그렇게 하고자 시도함은; 또는 타인을 향하여 그릇 인도하는 행위에 관계함은 불법이다:

(A) Influence, delay, or prevent the testimony of any person in an official proceeding;

공식의 절차에서의 사람의 증언에 영향을 미치려는 내지는 사람의 증언을 지연시키려는 또는 방해하려는 목적;

(B) Cause or induce any person to:

어느 누군가로 하여금 아래의 행위를 하도록 야기하려는 목적:

(i) Withhold testimony or a record, document, or other object from an official proceeding;

증인을 또는 기록을, 문서를, 또는 여타의 물건을 공식의 절차로부터 보류시키는 행위;

(ii) Alter, destroy, mutilate, or conceal an object with intent to impair the object's integrity or availability for use in an official proceeding;

공식의 절차에서의 사용을 위한 물건의 본래의 모습을 내지는 유효성을 손상시킬 의도를 지니고서 물건을 변개하는, 파괴하는, 절단하는, 또는 은닉하는 행위;

(iii) Evade legal process summoning that person to appear as a witness or to produce a record, document, or other object in an official proceeding; or

공식의 절차에서 증인으로서 출석하도록 또는 기록을, 문서를, 또는 여타의 물건을 제출하도록 소환하는 적법한 영장을 회피하는 행위; 또는

(iv) Be absent from an official proceeding to which such person has been summoned by legal process; or

적법한 영장에 의하여 그러한 사람이 소환되어 있는 공식의 절차에 결석하는 행위; 또는

(C) Hinder, delay, or prevent the communication to a law enforcement officer, prosecuting attorney, or judge of this state of information relating to the commission or possible commission of a criminal offense or a violation of conditions of probation, parole, or release pending judicial proceedings.

범죄의 범행에 내지는 범행 가능성에 관련 있는 정보의, 또는 보호관찰 조건의, 또는 가석방 조건의 또는 사법절차들의 계속 도중의 석방 조건의 위반에 관련 있는 정보의 이 주 법 집행 공무원에게의, 검사에게의, 또는 판사에게의 전달을, 방해하는, 지연시키는, 내지는 막는 행위.

(2) Any person convicted of a violation of this subsection shall be guilty of a felony and, upon conviction thereof, shall be punished by imprisonment for not less than two nor more than ten years or by a fine of not less than $10,000.00 nor more than $20,000.00, or both.

이 소절의 위반에 대하여 유죄로 판정되는 사람 누구나는 중죄에 대하여 유죄이고, 이에 대한 유죄판정에 따라서 2년 이상의 및 10년 이하의 구금에 의하여 또는 10,000불 이상의 및 20,000불 이하의 벌금에 의하여 또는 그 병과에 의하여 처벌된다.

(3) (A) For the purposes of this Code section, the term "official proceeding" means any hearing or trial conducted by a court of this state or its political subdivisions, a grand jury, or an agency of the executive, legislative, or judicial branches of government of this state or its political subdivisions or authorities.

이 주의 또는 그 정치적 하부단위들의 법원에 의하여, 대배심에 의하여, 또는 이 주 정부의 내지는 그 정치적 하부단위들의 내지는 당국의 행정부서의, 입법부서의, 또는 사법부서의 기관에 의하여 실시되는 심문을 내지는 정식사실심리를 이 절의 목적상으로 "공식의 절차"라 함은 의미한다.

(B) An official proceeding need not be pending or about to be instituted at the time of any offense defined in this subsection.

한 개의 공식의 절차는 이 소절에서 정해지는 범죄의 시점 당시에 계속 중이어야 할, 또는 막 개시되려고 해야 할 필요가 없다.

(C) The testimony, record, document, or other object which is prevented or impeded or attempted to be prevented or impeded in an official proceeding in violation of this Code section need not be admissible in evidence or free of a claim of privilege.

공식의 절차에서 이 절에의 위반 속에서 저지되는 내지는 방해되는 또는 저지되게 하고자 내지는 방해되게 하고자 시도되는 증언은, 기록은, 문서는, 또는 그 밖의 물건은 증거능력이 있어야 할 또는 공개금지 특권의 적용대상이 아니어야 할 필요가 없다.

(D) In a prosecution for an offense under this Code section, no state of mind need be proved with respect to the circumstance:

이 절 아래서의 범죄에 대한 소송추행에서 아래의 상황에 관련되는 마음의 상태는 증명되어야 할 필요가 없다:

(i) That the official proceeding before a judge, court, magistrate, grand jury, or government agency is before a judge or court of this state, a magistrate, a grand jury, or an agency of state or local government; or

한 명의 판사 앞에서의, 한 개의 법원 앞에서의, 한 명의 치안판사 앞에서의, 한 개의 대배심 앞에서의, 또는 한 개의 정부기관 앞에서의 당해 공식의 절차가 이 주의 한 명의 판사 앞에서의 내지는 한 개의 법원 앞에서의, 주 정부의 내지는 지역정부의 한 명의 치안판사 앞에서의, 한 개의 대배심 앞에서의 내지는 한 개의 기관 앞에서의 것이라는 점; 또는

(ii) That the judge is a judge of this state or its political subdivisions or that the law enforcement officer is an officer or employee of the State of Georgia or a political subdivision or authority of the state or a person authorized to act for or on behalf of the State of Georgia or a political subdivision or authority of the state.

그 판사가 이 주의 내지는 그 정치적 하부단위들의 한 명의 판사라는 점 또는 그 법 집행 공무원이 조지아주의 내지는 그 주 정치적 하부단위의 내지는 당국의 한 명의 공무원이라는 점 내지는 피용자라는 점, 또는 조지아주를 내지는 그 주 정치적 하부단위를 내지는 당국을 위하여 또는 대표하여 행동하도록 권한이 부여된 사람이라는 점.

(E) A prosecution under this Code section may be brought in the county in which the official proceeding, whether or not pending or about to be instituted, was intended to be affected or in the county in which the conduct constituting the alleged offense occurred.

공식의 절차가 의도된 카운티에, 그 계속 중인지 아닌지 여부에 또는 그 막 개시되려고 하는 상태인지 아닌지 여부에 상관없이 이 절 아래서의 소추는 제기될 수 있고, 또는 그 주장되는 범죄를 구성하는 행위가 이루어진 카운티에, 이 절 아래서의 소추는 제기될 수 있다.

(c) Any crime committed in violation of subsection (a) or (b) of this Code section shall be considered a separate offense.

이 절의 소절 (a)의 또는 (b)의 위반 속에서 저질러진 범죄는 별개의 범죄로 간주되어야 한다.

https://codes.findlaw.com/ga/title-16-crimes-and-offenses/ga-code-sect-16-11-7.html

Georgia Code Title 16. Crimes and Offenses § 16-11-7

The Governor, with the concurrence of the Attorney General, is authorized and directed to appoint a special assistant attorney general for investigating and prosecuting subversive activities, whose responsibility it shall be, under the supervision of the Attorney General, to assemble, arrange, and deliver to the district attorney of any county, together with a list of necessary witnesses for presentation to the next grand jury in the county, all information and evidence of matters within the county which have come to his or her attention relating in any manner to the acts prohibited by this part and relating generally to the purpose, processes, and activities of subversive organizations, associations, groups, or persons. Such evidence may be presented by the Attorney General or the special assistant attorney general to the grand jury of any county directly, and he or she may represent the state on the trial of such a case, should he or she feel the ends of justice would be best served thereby, and the special assistant attorney general may testify before any grand jury as to matters referred to in this part as to which he or she may have information.

파괴적 활동들을 조사하기 위한 및 소추하기 위한 한 명의 특별 검찰총장보를 검찰총장의 동의를 얻어 지명할 권리를 주지사는 지니며 그렇게 하도록 그는 명령되는바, 특별 검찰총장보의 책임은 이 부에 의하여 금지되는 행위들에 어떤 방법으로든 관련하여 및 일반적으로 그 목적에 관련하여 그의 내지는 그녀의 주목 아래에 들어오는 카운티 내의 사항들에 대한, 파괴적 조직들의, 사단들의, 집단들의, 또는 사람들의 경과들에 대한 및 활동들에 대한 모든 정보를 및 증거를 카운티 내의 차회 대배심에의 제출을 위하여 필요한 증인들의 목록을에 아울러, 검찰총장의 감독 아래서 모으는 것이고, 정리하는 것이고, 카운티의 재판구 지방검사에게 인도하는 것이다. 그러한 증거는 검찰총장에 의하여 또는 특별 검찰총장보에 의하여 어느 카운티 대배심에든 직접 제출될 수 있는바, 그러한 사건의 정식사실심리에서 주를 그가 또는 그녀가 대변함이 사법의 목적들이 가장 잘 촉진되는 방법이라고 그가 또는 그녀가 여길 경우에는 그렇게 그는 내지는 그녀는 할 수 있으며, 나아가 특별 검찰총장보는 그가 또는 그녀가 정보를 지니는 이 부에서 언급되는 사안들에 관하여 어느 대배심 앞에서든 증언할 수 있다.

https://codes.findlaw.com/ga/title-17-criminal-procedure/ga-code-sect-17-5-30.html

Georgia Code Title 17. Criminal Procedure § 17-5-30

(a) A defendant aggrieved by an unlawful search and seizure may move the court for the return of property, the possession of which is not otherwise unlawful, and to suppress as evidence anything so obtained on the grounds that:

불법적 수색에 및 압수에 의하여 피해를 입은 피고인은 여타의 점에서 그 점유가 불법이 아닌 재산의 반환을 및 그렇게 얻어진 것의 증거로부터의 배제를 아래의 사유들에 터잡아 법원에 신청할 수 있다:

(1) The search and seizure without a warrant was illegal; or

영장 없이 이루어진 수색이 및 압수가 불법이었을 것; 또는

(2) The search and seizure with a warrant was illegal because the warrant is insufficient on its face, there was not probable cause for the issuance of the warrant, or the warrant was illegally executed.

그 문면 상으로 영장이 불충분한 것이었음으로 인하여, 영장의 발부를 위한 상당한 이유가 있지 아니하였음으로 인하여, 또는 영장이 불법적으로 집행되었음으로 인하여 영장을 동반한 수색이 및 압수가 불법이었을 것.

(b) The motion shall be in writing and state facts showing that the search and seizure were unlawful. The judge shall receive evidence out of the presence of the jury on any issue of fact necessary to determine the motion; and the burden of proving that the search and seizure were lawful shall be on the state. If the motion is granted the property shall be restored, unless otherwise subject to lawful detention, and it shall not be admissible in evidence against the movant in any trial.

신청은 서면에 의한 것이어야 하고 수색이 및 압수가 불법이었음을 소명하는 사실관계를 서술하는 것이어야 한다. 신청을 판단하기 위하여 필요한 사실의 쟁점에 관한 증거를 배심의 출석이 없는 상태에서 판사는 수령하여야 하며; 수색이 및 압수가 적법이었음을 증명할 책임은 주 위에 놓인다. 만약 신청이 인용되면 달리 적법한 유치에 처해지는 경우에를 제외하고는 그 재산은 회복되어야 하는바, 신청인에게 불리한 증거로서는 그것은 어떤 정식사실심리에서도 받아들여져서는 안 된다.

(c) The motion shall be made only before a court with jurisdiction to try the offense. If a criminal accusation is filed or if an indictment or special presentment is returned by a grand jury, the motion shall be made only before the court in which the accusation, indictment, or special presentment is filed and pending.

오직 당해 범죄를 정식사실심리 할 관할을 지니는 법원 앞에 신청은 제기되어야 한다.

만약 한 개의 형사 기소고발장이 제출되면 또는 대배심에 의하여 한 개의 대배심 검사기소장이 또는 대배심 특별 독자고발장이 제출되면, 오직 그 기소고발장이, 대배심 검사기소장이 또는 대배심 특별 독자고발장이 제출되어 계속 중인 법원 앞에 신청은 제기되어야 한다.

https://codes.findlaw.com/ga/title-17-criminal-procedure/ga-code-sect-17-7-50.htm

Georgia Code Title 17. Criminal Procedure § 17-7-50

Any person who is arrested for a crime and who is refused bail shall, within 90 days after the date of confinement, be entitled to have the charge against him or her heard by a grand jury having jurisdiction over the accused person; provided, however, that if the person is arrested for a crime for which the death penalty is being sought, the superior court may, upon motion of the district attorney for an extension and after a hearing and good cause shown, grant one extension to the 90 day period not to exceed 90 additional days; and, provided, further, that if such extension is granted by the court, the person shall not be entitled to have the charge against him or her heard by the grand jury until the expiration of such extended period. In the event no grand jury considers the charges against the accused person within the 90 day period of confinement or within the extended period of confinement where such an extension is granted by the court, the accused shall have bail set upon application to the court.

범죄로 체포되어 보석이 불허되는 사람은 구금 뒤 90일 내에 그 자신에 내지는 그녀 자신에 대한 고발로 하여금 그 관할권을 지니는 대배심에 의하여 심리되게 할 권리를 지닌다; 다만, 만약 사형이 추구되는 범죄로 그 사람이 체포되면, 연장을 구하는 재판구 지방검사의 신청에 따라서 및 이에 대한 심문을 거쳐 타당한 이유가 소명되고 난 뒤에, 추가적으로 90일을 초과하지 아니하는 범위 내에서 그 90일 기간에 대한 한 번의 연장을 상위 지방법원은 허가할 수 있다; 그리고 더 나아가, 법원에 의하여 만약 그러한 연장이 허가되면, 그 자신에 내지는 그녀 자신에 대한 고발로 하여금 대배심에 의하여 심리되게 할 권리를 그 연장된 기간의 종료 시점까지 그 사람은 지니지 아니한다. 범인으로 주장되는 사람에 대한 고발들을, 구금으로부터 90일 내에 또는 법원에 의하여 기간의 연장이 허가된 경우에의 그 연장된 기간 내에, 대배심이 검토하지 아니하면, 범인으로 주장되는 사람은 법원에의 신청에 따라서 보석에 처해져야 한다.

https://codes.findlaw.com/ga/title-17-criminal-procedure/ga-code-sect-17-7-51.html

Georgia Code Title 17. Criminal Procedure § 17-7-51

All special presentments by the grand jury charging defendants with violations of the penal laws shall be treated as indictments. It shall not be necessary for the clerk of the court to enter the special presentments in full upon the minutes, but only the statement of the case and finding of the grand jury as in cases of indictments. It shall not be necessary for the district attorney to frame bills of indictment on the special presentments, but he may arraign defendants upon the special presentments and put them on trial in like manner as if the presentments were bills of indictment.

형사법들에 대한 위반행위들로 피고인들을 고발하는 대배심에 의한 모든 대배심 특별 독자고발장들은 대배심 검사기소장들로서 취급되어야 한다. 대배심 특별 독자고발장 전체를 의사록에 법원서기가 기입함은 필요하지 아니하며 대배심 검사기소장들에 기입하는 방법에의 동일한 방법으로 사건의 서술을 및 대배심의 기소평결을 그는 기입하면 된다. 대배심 특별 독자고발장들에 터잡는 대배심 검사기소장안들을 재판구 지방검사가 작성함은 필요하지 아니한바, 그 대배심 독자고발장들이 대배심 검사기소장들이었을 경우에 기소인부 신문하였을 방법에의 동일한 방법으로 대배심 특별 독자고발장들에 터잡아 피고인들을 재판구 지방검사는 기소인부 신문할 수 있고 정식사실심리에 처할 수 있다.

https://codes.findlaw.com/ga/title-17-criminal-procedure/ga-code-sect-17-7-52.html

Georgia Code Title 17. Criminal Procedure § 17-7-52

(a) Before a bill of indictment or special presentment against a present or former peace officer charging the officer with a crime which is alleged to have occurred while he or she was in the performance of his or her duties is presented to a grand jury, the officer shall be given a copy of the proposed bill of indictment or special presentment and notified in writing of the contemplated action by the prosecuting attorney. Such notice and a copy of the proposed bill of indictment or special presentment shall be provided to such officer not less than 20 days prior to the date upon which a grand jury will begin hearing evidence, and such notice shall inform such officer:

현직의 또는 전직의 경찰관의 임무수행 중에 발생한 것으로 주장되는 한 개의 범죄로 그를 내지는 그녀를 고발하는 한 개의 대배심 검사기소장안이 또는 대배심 특별 독자고발장안이 대배심에 제출되기 위하여는 이에 앞서 그 제의되는 대배심 검사기소장안의 내지는 특별 독자고발장안의 등본이 그 경찰관에게 교부되어야 하고 검사에 의하여 예정되는 처분에 관하여 그 경찰관에게 서면으로 통지가 이루어져야 한다. 증거청취를 대배심이 시작하게 될 날짜 전에 20일 이상의 여유를 두고서 그러한 경찰관에게 그러한 통지는 및 제의되는 대배심 검사기소장안의 내지는 특별 독자고발장안의 등본은 제공되어야 하는 바; 아래 사항을 그러한 경찰관에게 그러한 통지는 알려야 한다:

(1) That the grand jury is investigating such officer's conduct to determine if there is probable cause to conclude that he or she has violated one or more laws of this state;

이 주의 한 개 이상의 법들을 그가 내지는 그녀가 위반하였다고 결론지을 만한 상당한 이유가 있는지를 판단하기 위하여 그러한 경찰관의 행위를 대배심이 조사하는 중이라는 것;

(2) Of the date upon which the grand jury will begin hearing testimony on the proposed bill of indictment or special presentment and the location of the hearing;

그 제의되는 대배심 검사기소장안에 내지는 특별 독자고발장안에 대한 증거청취를 대배심이 시작하게 될 날짜 및 청취의 장소;

(3) That he or she may request, but cannot be compelled, to testify as a witness before the grand jury regarding his or her conduct; and

그는 내지는 그녀는 그의 내지는 그녀의 행위에 관하여 대배심 앞에서 한 명의 증인으로서 증언하기를 요청할 수 있다는 것 및 그러나 증언하도록 강제되지 아니한다는 것; 그리고

(4) That, if such officer requests to testify before the grand jury, he or she will be permitted to do so at the conclusion of the presentation of the state's case-in-chief and that he or she may be questioned by the prosecuting attorney or members of the grand jury as are any other witnesses.

대배심 앞에서 증언하기를 만약 그러한 경찰관이 요청하면, 주 측의 주요주장의 제시의 종결 때에 그렇게 하도록 그는 내지는 그녀는 허용될 것이라는 것 및 검사에 의하여 내지는 대배심 구성원들에 의하여 여타의 증인들이 신문되는 경우에의 동일한 방법으로 그는 내지는 그녀는 신문될 수 있다는 것.

(b) If the officer requests to appear as a witness, he or she shall notify the prosecuting attorney any time prior to the date the grand jury will begin hearing testimony in such investigation. The prosecuting attorney shall, after consulting with the grand jury, inform the officer in writing of the date and time when he or she shall be present in order to testify and of the procedure that the grand jury will follow pursuant to subsection (c) of this Code section. The prosecuting attorney shall further advise the grand jury that an officer has the right to appear and testify or not to appear and testify and that, if the officer chooses not to testify, the grand jury shall not consider that in any way in making its decision.

한 명의 증인으로서 출석하기를 만약 경찰관이 요청하면 그러한 조사에서의 증거청취를 대배심이 시작하게 될 날짜 전에 언제든지 검사에게 그는 내지는 그녀는 통지하여야 한다. 대배심에게의 협의 뒤에, 그 증언하기 위하여 그가 내지는 그녀가 출석해야 할 날짜에 및 시간에 관하여 및 이 절의 소절 (c)에 따라서 대배심이 밟게 될 절차에 관하여 경찰관에게 서면으로 검사는 알려야 한다. 출석할 및 증언할 권리를 또는 출석하지 아니할 및 증언하지 아니할 권리를 경찰관은 지님을, 및 설령 증언하지 않는 쪽을 그 경찰관이 선택하더라도 대배심 자신의 결정을 내리는 데 있어서 그 점을 대배심은 고려하여서는 안 됨을, 더 나아가 대배심에게 검사는 조언하여야 한다.

(c) Prior to the introduction of any evidence or the first witness being sworn, the prosecuting attorney shall advise the grand jury of the laws applicable to the conduct of such proceedings, all relevant sections of the Code relating to the crime or crimes alleged in the bill of indictment, and any Code section that excuses or justifies such conduct. In particular, the grand jury shall be advised of Code Sections 16-3-20, 16-3-21, 16-3-23.1, and 17-4-20.

그러한 절차들의 수행에 적용되는 법들에 관하여, 대배심 검사기소장안에서 주장되는 범죄에 내지는 범죄들에 관련되는 주 법률집의 모든 절들에 관하여, 그리고 그러한 행위를 면제시키는 내지는 정당화하는 법률집의 모든 절에 관하여 증거의 제출 전에 내지는 최초의 증인이 선서에 처해지기 전에, 대배심에게 검사는 조언하여야 한다. 특히 제16-3-21절에, 제16-3-23.1절에, 그리고 제17-4-20절에 관하여 대배심은 조언되어야 한다.

(d) If the officer requests to testify before the grand jury and appears at the date and time specified, the case shall proceed as in any other criminal case heard by a grand jury, except that the officer shall be permitted to testify at the conclusion of the presentation of the state's case-in-chief and that he or she shall only be present in the grand jury room while he or she is testifying. Such officer may be questioned by the prosecuting attorney or members of the grand jury as are any other witnesses. After the officer has been sworn as a witness and prior to any testimony by the officer, the prosecuting attorney shall advise the officer substantially of the following:

만약 경찰관이 대배심 앞에서 증언하기를 요청하면 및 그 특정된 날짜에 및 시간에 출석하면, 대배심에 의하여 심리되는 여타의 형사사건에서 진행되어야할 방법에의 동일한 방법으로 사건은 진행되어야 하는바, 다만 주 측의 주요주장 제시의 종결 때에 경찰관은 증언하도록 허용되어야 하고 그가 내지는 그녀가 증언하는 동안에만 그는 내지는 그녀는 대배심실에 출석해 있어야 한다. 검사에 의하여 내지는 대배심 구성원들에 의하여 여타의 증인들이 신문될 수 있는 방법에의 동일한 방법으로 그러한 경찰관은 신문될 수 있다. 한 명의 증인으로서 그 경찰관이 선서에 처해지고 난 뒤에 및 경찰관에 의한 증언이 있기에 앞서서, 대체로 아래 사항들을 경찰관에게 검사는 고지하여야 한다:

(1) The officer's appearance before the grand jury is voluntary, and he or she cannot be compelled to appear as a witness;

대배심 앞에의 경찰관의 출석은 임의적인 것이고 따라서 그는 또는 그녀는 증인으로서 출석하도록 강제되지 아니한다는 것;

(2) By agreeing to be sworn as a witness on the bill of indictment or special presentment that will be laid before the grand jury, he or she will be asked to testify and answer questions and may be asked to produce records, documents, or other physical evidence;

대배심 앞에 제출될 대배심 검사기소장안에 또는 특별 독자고발장안에 대한 증인으로서의 선서절차에 처해지는 데 동의함에 의하여, 그는 내지는 그녀는 증언하도록 및 질문들에 답변하도록 요구될 것이라는 것 및 기록들을, 문서들을, 또는 기타의 물적 증거를 제출하도록 요구될 수 있다는 것;

(3) The officer may refuse to answer any question or to produce records, documents, and other physical evidence if a truthful answer to the question or producing such records, documents, or other physical evidence would tend to incriminate the officer or would tend to bring infamy, disgrace, or public contempt upon the officer;

질문에 대한 진실한 답변이 또는 기록들의, 문서들의, 그리고 여타의 물적 증거의 제출이 경찰관 자신에게 유죄를 씌울 성싶은 것이면 내지는 수치를, 불명예를, 또는 공중의 모멸을 경찰관 자신에게 불러올 성싶은 것이면, 어떤 질문에 대하여도 답변하기를 내지는 기록들을, 문서들을, 그리고 기타의 물적 증거를 제출하기를 그 경찰관은 거부할 수 있다는 것;

(4) Any testimony given by the officer may be used against him or her by the grand jury or in a subsequent legal proceeding; and

경찰관 자신에 의하여 이루어지는 증언은 그 어떤 것이든 그 자신에게 내지는 그녀 자신에게 불리하게 대배심에 의하여 내지는 추후의 법적 절차에서 사용될 수 있다는 것; 그리고

(5) If the officer is represented by an attorney, the attorney shall have the right to be present in the grand jury room while the officer is testifying, and the officer will be

permitted reasonable opportunity to consult with his or her attorney outside the grand jury room.

만약 경찰관이 변호사에 의하여 대변되고 있으면, 경찰관의 증언 동안에 대배심실에 출석할 권리를 변호사는 지닌다는 것, 그리고 대배심실 밖에서 그의 내지는 그녀의 변호사에게 상의할 합리적 기회가 경찰관에게 허용될 것이라는 것.

(e) After being sworn as a witness but prior to being asked any questions by the prosecuting attorney or the grand jurors, the officer may make such sworn statement as he or she shall desire. The officer's attorney shall not propound questions to the officer nor object to questions propounded to the officer on evidentiary grounds.

한 명의 증인으로서의 선서절차에 처해지고 난 뒤에 그러나 검사에 의하여 내지는 대배심원들에 의하여 질문들이 제기되기 전에, 그 자신이 내지는 그녀 자신이 원하는 선서진술을 경찰관은 할 수 있다. 경찰관의 변호사는 질문들을 경찰관에게 제기하여서도 안 되고 경찰관에게 제기되는 질문들에 대하여 증거 상의 이유들을 들어 이의하여서도 안 된다.

(f) At the conclusion of the officer's testimony, if any, the prosecuting attorney may present rebuttal evidence and advise the grand jury on matters of law.

그 있을 경우에의 경찰관의 증언의 종결 때에 검사는 반박증거를 제출할 수 있고 법 문제에 대하여 대배심에게 조언할 수 있다.

(g) At any time during the presentation of evidence or during deliberations, the grand jury may amend the bill of indictment or special presentment or instruct the prosecuting attorney to cause a new bill of indictment or special presentment to be created as in any other case. When a bill of indictment or special presentment is amended or newly created, the accused peace officer and his or her attorney shall be provided a copy of it.

증거의 제시 도중의 내지는 숙의들 도중의 어느 때든 대배심은 대배심 검사기소장안을 내지는 특별 독자고발장안을 변경할 수 있고 또는 한 개의 새로운 대배심 검사기소장안이 내지는 특별 독자고발장안이, 여타의 사건에서 작성되듯이 작성되게끔 조치하도록 검사에게 명령할 수 있다. 대배심 검사기소장안이 또는 특별 독자고발장안이 변경되는 경우에 내지는 새롭게 작성되는 경우에, 범인으로 주장되는 경찰관에게 및 그의 내지는 그녀의 변호사에게 그 등본이 제공되어야 한다.

(h) No individual other than the jurors, and any interpreter needed to assist a hearing impaired or speech impaired juror, shall be present while the grand jury is deliberating or voting.

대배심이 숙의 중인 내지는 표결 중인 동안에는, 배심원들이를 제외한 및 청각장애의 내지는 언어장애의 배심원을 조력하기 위하여 필요한 통역인이를 제외한 개인은 어느 누구도 출석하여서는 안 된다.

(i) (1) As used in this subsection, the term "nonserious traffic offense" means any offense in violation of Title 40 which is not prohibited by Article 15 of Chapter 6 of Title 40.

제40편 제6장 제15조에 의하여 금지되지 아니하는 제40편 위반의 범죄를 이 소절에서 사용되는 것으로서의 "중대하지 아니한 교통범죄"라 함은 의미한다.

(2) The requirements of this Code section shall apply to all prosecutions, whether for felonies or misdemeanors, other than nonserious traffic offenses, and no such prosecution shall proceed either in state or superior court without a grand jury indictment or special presentment.

중죄들의를 또는 경죄들의를 막론하고 중대하지 아니한 교통범죄들의 이외의 모든 범죄들의 소송추행들에 이 절의 요구들은 적용되며, 대배심 검사기소장 없이는 또는 대배심 특별 독자고발장 없이는 주 법원에서도 상위 지방법원에서도 그러한 소송추행은 진행되어서는 안 된다.

https://codes.findlaw.com/ga/title-36-local-government/ga-code-sect-36-1-7.html

Georgia Code Title 36. Local Government § 36-1-7

(a) The judges of the probate courts, county treasurers, clerks of the superior courts, and sheriffs of the various counties shall make a return, under oath, to the grand juries of their respective counties on the first day of each term of the superior court. The return shall set forth a just and true statement of the amount of money belonging to the county which was received by them and the source from which the money was received, along with their expenditures, accompanied by a copy of the most recent financial statement or annual audit of the financial affairs of the county offices subject to this Code section.

상위 지방법원의 매 개정기의 첫째 날에 유언검인 법원들의 판사들은, 카운티 회계출납 관들은, 상위 지방법원들의 서기들은, 그리고 다양한 카운티들의 집행관들은 선서 아래 서의 보고를 그들 각각의 카운티들의 대배심들에게 하여야 한다. 자신들에 의하여 수령 된 카운티에 속하는 돈의 액수에 대한 및 그 돈이 수령된 원천에 대한 정확한 및 진실한 서술을, 그것들의 지출사항들을에 더불어, 이 절의 적용을 받는 카운티 사무소들의 가장 최근의 재무제표 등본이 내지는 재정상황에 관한 연례 감사보고서 등본이 첨부된 상태로 보고는 제공하여야 한다.

(b) When the returns provided for in subsection (a) of this Code section have been made, the grand jury shall examine the same. If the returns are found to be correct, the grand jury shall endorse its approval thereon and attach the same to its general presentments, to be filed in the office of the clerk of the superior court. If the returns are found to be incorrect, the grand jury, through its foreman, shall return them to the officer making the same, shall plainly and distinctly set forth in writing the grounds of its disapproval, and shall require the officer to appear before the jury and explain the errors.

이 절의 소절 (a)에 규정된 보고들이 이루어지고 나면, 그것들을 대배심은 검사하여야 한 다. 보고들이 정확한 것으로 드러나면, 자신의 승인을 그 위에 대배심은 기입하여야 하고 그것을 자신의 일반적 제출물들에 첨부하여 상위 지방법원의 서기 사무소에 제출되게 하 여야 한다. 만약 보고들이 부정확한 것으로 드러나면, 그것들을 작성한 공무원에게 자신 의 배심장을 통하여 그것들을 대배심은 돌려보내야 하고, 자신의 불승인의 이유들을 서 면으로 명백히 똑똑하게 지적하여야 하며, 그 공무원으로 하여금 배심 앞에 출석하여 오 류들을 설명하도록 요구하여야 한다.

(c) Should any officer fail or refuse to make the return required by subsection (a) of this Code section, the foreman of the grand jury shall immediately notify the presiding judge of such failure. The judge shall issue an order requiring the delinquent officer to come forward and make the return required or, in default thereof, to be attached for contempt.

이 절의 소절 (a)에 의하여 요구되는 보고를 하기를 공무원이 불이행하면 내지는 거부하면, 그러한 불이행에 관하여 주재판사에게 배심장은 즉시 통지하여야 한다. 그 게으른 공무원더러 앞으로 나오도록 그리고 그 요구되는 보고를 하도록, 또는 그 불이행의 경우에는 법원모독으로 구금되도록 요구하는 명령을 판사는 발부하여야 한다.

Georgia Code Title 17. Criminal Procedure § 17-7-70

(a) In all felony cases, other than cases involving capital felonies, in which defendants have been bound over to the superior court, are confined in jail or released on bond pending a commitment hearing, or are in jail having waived a commitment hearing, the district attorney shall have authority to prefer accusations, and such defendants shall be tried on such accusations, provided that defendants going to trial under such accusations shall, in writing, waive indictment by a grand jury.

사형에 해당하는 중죄들을 포함하는 사건들에서를 제외한, 피고인들이 구금결정 심문을 기다리는 동안 상위 지방법원에 구금되어 넘어가 있는, 감옥에 구금되어 있는 내지는 출석담보금증서 위에서 석방되어 있는, 내지는 구금신문을 포기한 채로 감옥에 있는 모든 중죄 사건들에서, 기소고발장들을 제출할 권한을 재판구 지방검사는 지니는바, 그러한 기소고발장들에 따라서 그러한 피고인들은 정식사실심리 되어야 하되, 다만 그러한 기소고발장들에 따라서 정식사실심리에 들어가는 피고인들은 대배심 검사기소를 서면으로 포기하여야 한다.

(b) Judges of the superior court may open their courts at any time without the presence of either a grand jury or a trial jury to receive and act upon pleas of guilty in misdemeanor cases and in felony cases, except those punishable by death or life imprisonment, when the judge and the defendant consent thereto. The judge may try the issues in such cases without a jury upon an accusation filed by the district attorney where the defendant has waived indictment and consented thereto in writing and counsel is present in court representing the defendant either by virtue of his employment or by appointment by the court.

사형에 의하여 또는 종신형에 의하여 처벌될 수 있는 중죄사건들에서를 제외하고는, 판사가 및 피고인이 동의하는 경우에는, 경죄 사건들에서의 및 중죄사건들에서의 유죄답변들을 수령하기 위하여 및 그 답변들 위에서 처분하기 위하여 대배심의 내지는 정식사실심리 배심의 출석 없이 그들의 법정들을 언제든지 상위 지방법원 판사들은 개정할 수 있다. 대배심 검사기소를 피고인이 포기하고서 서면으로 이에 동의한 경우에로서 피고인의 선임에 의하여든 또는 법원에 의한 지명에 의하여든 피고인을 대변하는 변호인이 법정에 출석해 있는 경우에는, 그러한 사건들에서의 쟁점들을 재판구 지방검사에 의하여 제출되는 기소고발장에 터잡아 배심 없이 판사는 정식사실심리 할 수 있다.

https://codes.findlaw.com/ga/title-17-criminal-procedure/ga-code-sect-17-7-54.html

Georgia Code Title 17. Criminal Procedure § 17-7-54

(a) Every indictment of the grand jury which states the offense in the terms and language of this Code or so plainly that the nature of the offense charged may easily be understood by the jury shall be deemed sufficiently technical and correct. The form of every indictment shall be substantially as follows:

범죄를 이 법률집의 용어들로써 내지는 문구로써, 내지는 그 기소되는 범죄의 성격이 배심에 의하여 쉽게 이해될 수 있도록 평이하게, 서술하는 모든 대배심 검사기소장은 충분히 전문화된 것으로 및 올바른 것으로 간주된다. 모든 대배심 검사기소장의 형식은 대체로 아래 같아야 한다:

Georgia, _____ County.

The grand jurors selected, chosen, and sworn for the County of _____, to wit: _____, in the name and behalf of the citizens of Georgia, charge and accuse (name of the accused) of the county and state aforesaid with the offense of _____; for that the said (name of the accused) (state with sufficient certainty the offense and the time and place of committing the same), contrary to the laws of said state, the good order, peace, and dignity thereof.

조지아주 --- 카운티

상기 주(state)의 및 카운티의 아무개(피고인의 이름)를 --- 범죄로 --- 카운티를 위하여 선정된, 선발된, 그리고 선서를 거친 대배심원들은, 즉 --- 은 조지아주 시민들의 이름으로 및 그들을 대표하여 기소하고 고발한다; 즉 상기 주의 법들에, 공서양속에, 평온에 및 존엄에 거슬러 상기의 사람(피고인의 이름)은 여차여차 하였다 (범죄를 그리고 그것을 저지른 시간을 및 장소를 충분한 확실성을 지니고서 서술할 것).

(b) If there should be more than one count, each additional count shall state:

만약 소인들이 한 개를 넘으면, 아래 사항을 개개 추가되는 소인은 서술하여야 한다:

And the jurors aforesaid, in the name and behalf of the citizens of Georgia, further charge and accuse (name of the accused) with having committed the offense of _____; for that the said (name of the accused) (state with sufficient certainty the offense and the time and place of committing the same) contrary to the laws of said state, the good order, peace, and dignity thereof.

그리고 --- 범죄를 아무개(피고인의 이름)가 저지른 것으로 상기의 배심원들은 조지아주 시민들의 이름으로 및 그들을 대표하여 추가로 기소하고 고발한다; 즉 상기 주의 법들에, 공서양속에, 평온에 및 존엄에 거슬러 상기의 사람(피고인의 이름)은 여차여차 하였다 (범죄를 그리고 그것을 저지른 시간을 및 장소를 충분한 확실성을 지니고서 서술할 것).

Georgia Code Title 17. Criminal Procedure § 17-7-90

(a) A bench warrant may be issued by a judge for the arrest of a person:

구인장은 아래 사람의 체포를 위하여 판사에 의하여 발부될 수 있다;

(1) Accused of a crime by a grand jury;

대배심에 의하여 범죄로 기소된 사람;

(2) Except as otherwise provided in Code Section 17-6-11, charged with a crime who has failed to appear in court after:

주 법률집 제17-6-11절에 달리 규정되는 경우에를 제외하고는, 범죄로 기소되고서 아래의 사항이 이루어진 뒤에 법원에 출석하지 아니한 사람:

(A) Actual notice of the time and place to appear to the person in open court;

출석할 시간에 및 장소에 대한 공개법정에서의 그 사람에게의 실제의 통지;

(B) Notice of the time and place to appear to the person by mailing a notice to such person's last known address; or

통지서를 그 사람의 알려진 최후의 주소로 그 사람에게 우송함에 의한, 출석할 시간에 및 장소에 대한 통지; 또는

(C) The person has otherwise been notified of the time and place to appear personally, in writing, by a court official or officer of the court;

출석할 시간에 및 장소에 관하여 그 밖에도 그 사람에게 법원 공무원에 내지는 법원직원에 의하여 직접, 서면으로, 통지되었을 것;

(3) Charged with a crime upon the filing by the prosecutor of an accusation supported by affidavit; or

선서진술서에 의하여 뒷받침되는 기소고발장의 검사에 의한 제출에 따라서 범죄로 기소된 사람; 또는

(4) Who failed to dispose of his or her charges or waive arraignment and plead not guilty after the expiration of the 30 day period set forth in subsection (b) of Code Section 17-6-11.

주 법률집 제17-6-11절의 소절 (b)에 정해진 30일의 기간의 종료 뒤에까지 그의 내지는 그녀의 혐의들을 처리하지 아니한, 또는 기소인부 신문을 포기하지 아니하고 무죄답변을 하지 아니한 사람.

(b) Every officer is bound to execute a bench warrant within his or her jurisdiction, and every person so arrested shall be committed to jail until bail is tendered. Any judicial officer or the sheriff of the county where the charge was returned may receive the bail, fix the amount of the bond, and approve the sureties unless it is a case that is bailable only before some particular judicial officer.

그의 내지는 그녀의 관할 내의 구인장을 집행할 의무를 모든 공무원은 지는바, 그렇게 체포되는 모든 사람은 보석금이 제공될 때까지 감옥에 구금되어야 한다. 상당한 특정의 사법관 앞에서의 보석만이 가능한 사건에서를 제외하고는, 공소장이 제출된 카운티의 사법관은 내지는 집행관은 보석금을 수령할 수 있고, 출석담보금증서의 액수를 정할 수 있고, 보증인들을 승인할 수 있다.

https://codes.findlaw.com/ga/title-17-criminal-procedure/ga-code-sect-17-7-190.html

Georgia Code Title 17. Criminal Procedure § 17-7-190

When any person accused of a criminal offense before a court of inquiry is bound over or committed for trial in superior court, the judicial officer holding the court of inquiry shall, at the time of the commitment hearing, give a subpoena to all material witnesses examined for the state to appear and testify before the grand jury at the term to which the defendant is committed or bound to appear; and, after the hearing and commitment or binding over, the prosecutor may apply to the clerk of the superior court and obtain a subpoena for any person deemed by him to be a material witness for the state before the grand jury. The subpoenas issued under this Code section shall be effectual in compelling the attendance of the witnesses to appear and give evidence before the grand jury. The judicial officer holding the court of inquiry and the clerk of the superior court shall, on the first day of the term of court to which the defendant is committed or bound to appear, furnish the prosecuting officers with a complete list of all persons so subpoenaed.

범죄로 군인예심재판소 앞에 고발된 사람이 상위 지방법원에서의 정식사실심리를 위하여 구금되는 내지는 감금되는 경우에의 그 구금결정 심문에서는, 그 출석하도록 피고인이 구금되는 내지는 감금되는 대상 개정기 때에 대배심 앞에, 주 측을 위하여 신문된 모든 중요증인들로 하여금 출석하여 증언하도록 벌칙부소환장을 그 중요증인들에게 군인예심재판소를 관장하는 사법관은 교부하여야 한다; 그리고 심문 뒤에 및 구금 내지 감금 뒤에, 대배심 앞의 주 측을 위한 한 명의 중요증인이라고 자신에 의하여 간주되는 사람을 위한 벌칙부소환장을 상위 지방법원 서기에게 검사는 신청할 수 있고 얻을 수 있다. 대배심 앞에 출석하여 증언하여야 할 증인들의 출석을 강제함에 있어서 이 절 아래서 발부되는 벌칙부소환장들은 유효하다. 그렇게 벌칙부로 소환되는 모든 사람들의 완전한 목록을 그 출석하도록 피고인이 구금되는 내지는 감금되는 법원 개정기의 첫째 날에 검사들에게 군인예심재판소를 관장하는 사법관은 및 상위 지방법원의 서기는 제공하여야 한다.

https://codes.findlaw.com/ga/title-17-criminal-procedure/ga-code-sect-17-7-53-1.html

Georgia Code Title 17. Criminal Procedure § 17-7-53.1

If, upon the return of two "true bills" of indictments or presentments by a grand jury on the same offense, charge, or allegation, the indictments or presentments are quashed for the second time, whether by ruling on a motion, demurrer, special plea or exception, or other pleading of the defendant or by the court's own motion, such actions shall be a bar to any future prosecution of such defendant for the offense, charge, or allegation.

동일한 범죄에, 혐의에, 또는 주장에 대한 두 개의 대배심 검사기소장안들의 내지는 대배심 독자고발장안들의 "기소평결들"의 제출의 경우에, 대배심 검사기소장들이 내지는 대배심 독자고발장들이 신청에 대한, 주장불충분 항변에 대한, 개별적 항변에 내지는 이의에 대한, 또는 피고인의 그 밖의 주장에 대한 결정에 의하여든 내지는 법원의 직권에 의하여든 두번째로 무효로 되면, 그러한 처분들은 그러한 그 범죄에, 혐의에 내지는 주장에 근거한 피고인에 대한 장래의 소추를 막는 장해사유가 된다.

https://codes.findlaw.com/ga/title-17-criminal-procedure/ga-code-sect-17-11-4.html

Georgia Code Title 17. Criminal Procedure § 17-11-4

(a) The prosecutor's name shall be endorsed on every indictment, and he shall be compelled to pay all costs and jail fees upon the acquittal or discharge of the person accused when:

모든 대배심 검사기소장에는 검사의 이름이 기입되어야 하는바, 고발된 사람의 무죄방면의 또는 석방의 경우에 아래의 사유가 있으면 모든 비용들을 및 감옥요금들을 지불하도록 그는 강제된다:

(1) The grand jury, by its foreman, on returning "no bill," expresses as its opinion that the prosecution was unfounded or malicious;

대배심이 "불기소 평결"을 제출하면서 절차추행이 근거를 결여하였음을 또는 악의적이었음을 자신의 의견으로서 배심장을 통하여 표명하는 경우;

(2) A jury on the trial of the prosecution finds it to be malicious; or

소송추행에 대한 정식사실심리를 맡은 배심이 그것을 악의적인 것으로 판단하는 경우; 또는

(3) The prosecution is abandoned before trial. When it is thus abandoned, the officer who issued the warrant shall enter a judgment against the prosecutor for all the costs and enforce it by an execution in the name of the state or by an attachment for contempt.

정식사실심리 전에 소송추행이 포기되는 경우. 소송추행이 이렇게 포기되면 모든 비용들의 검사 부담을 명하는 판결주문을 그 영장을 발부한 공무원은 기입하여야 하고 주(state) 이름으로의 강제집행에 의하여 또는 법원모독을 이유로 하는 수감에 의하여 그것을 그는 집행하여야 한다.

(b) A magistrate may, in his discretion, assess costs and jail fees against the person who instigated the prosecution when, at a committal hearing, the action is dismissed for want of probable cause and the magistrate finds that the complaint was unfounded and malicious. This subsection shall not apply to law enforcement personnel.

구금결정 심문에서 상당한 이유의 결여로 인하여 당해 소송이 각하되는 경우에서로서 소추청구장이 근거 없는 것이었음을 내지는 악의적이었음을 및 치안판사가 인정하는 경우에는, 소송추행을 부추긴 사람이 부담할 비용들을 및 감옥요금들을 그의 재량으로 치안판사는 사정할 수 있다. 법 집행 요원에게 이 소절은 적용되지 아니한다.

https://codes.findlaw.com/ga/title-24-evidence/ga-code-sect-24-13-21.html

Georgia Code Title 24. Evidence § 24-13-21

(a) As used in this Code section, the term "subpoena" includes a witness subpoena and a subpoena for the production of evidence.

증인에 대한 벌칙부소환장을 위한 및 증거의 제출을 위한 벌칙부소환장을 이 절에서 사용되는 것으로서의 "벌칙부소환장"이라 함은 포함한다.

(b) A subpoena shall state the name of the court, the name of the clerk, and the title of the proceeding and shall command each person to whom it is directed to attend and give testimony or produce evidence at a time and place specified by the subpoena.

법원의 명칭을, 서기의 이름을, 그리고 절차의 제목을 벌칙부소환장은 서술하여야 하고 벌칙부소환장에 명시된 때에 및 장소에 출석하도록 및 증언하도록 또는 증거를 제출하도록 그 대상으로 삼는 개개 사람에게 그것은 명령하여야 한다.

(c) The clerk of court shall make subpoenas in blank available on demand by electronic or other means to parties or their counsel or to the grand jury.

수요가 있는 대로 전자적 방법에 내지는 기타의 방법에 의하여 당사자들에게 또는 그들의 변호인단에게 또는 대배심에게 이용될 수 있도록 백지로 벌칙부소환장들을 법원서기는 작성하여야 한다.

(d) An attorney who is counsel of record in a proceeding may issue and sign a subpoena obtained by electronic or other means from the clerk of court as an officer of a court for any deposition, hearing, or trial held in conjunction with such proceeding.

법원의 사법관으로서의 법원서기로부터 전자적 방법에 내지는 기타의 방법에 의하여 얻어진 한 개의 벌칙부소환장을, 한 개의 절차에서의 정식기록 변호인인 변호사는, 그러한 절차에의 관련 속에서 열리는 법정외 증언녹취를 위하여, 심문을 위하여 내지는 정식사실심리를 위하여, 발부할 수 있고 서명할 수 있다.

(e) A district attorney may issue, and upon the request of the grand jury shall issue, a subpoena in grand jury proceedings.

대배심 절차들에서의 벌칙부소환장을 재판구 지방검사는 발부할 수 있고, 그리고 대배심의 요청이 있으면 이를 그는 발부하여야 한다.

(f) A subpoena shall be completed prior to being served.

벌칙부소환장은 송달되기 전에 완성되어야 한다.

(g) Subpoenas are enforceable as provided in Code Section 24-13-26.

주 법률집 제24-13-26절에 규정되는 바에 따라서 벌칙부소환장들은 집행될 수 있다.

(h) If an individual misuses a subpoena, he or she shall be subject to punishment for contempt of court and shall be punished by a fine of not more than $300.00 or not more than 20 days' imprisonment, or both.

한 개의 벌칙부소환장을 개인이 남용하면 그는 또는 그녀는 법원모독으로 처벌되어야 하는바, 300불 이하의 벌금에 또는 20일 이하의 구금에 또는 그 병과에 의하여 처벌된다.

https://codes.findlaw.com/ga/title-42-penal-institutions/ga-code-sect-42-4-8.html

Georgia Code Title 42. Penal Institutions § 42-4-8

It shall be the duty of the grand jury, at each term of the superior court held in the county, to inquire into the contents of the record kept by the sheriff as required by Code Section 42-4-7. If the record is not kept or is incorrectly kept, the grand jury shall so report to the court. Upon the report's being made, the judge presiding shall cause the district attorney to have the sheriff served with a rule requiring him to show cause why he should not be punished for contempt. The judge shall inquire into the facts and, if he finds that Code Section 42-4-7 has not been complied with, he shall impose a fine of not less than $25.00 nor more than $50.00 for the first offense and not more than $100.00 and not less than $50.00 for each subsequent offense. The fines shall be enforced and collected by attachment, as in other cases of attachments against sheriffs.

주 법률집 제42-4-7절에 의하여 요구되는 집행관에 의하여 보관되는 기록의 내용들을 카운티에서 열리는 상위 지방법원의 개개 개정기에 조사함은 대배심의 의무이다. 만약 기록이 보관되어 있지 않으면 내지는 부정확하게 보관되어 있으면, 법원에 그렇게 대배심은 보고하여야 한다. 보고서가 작성되면, 법원모독으로 집행관 자신이 처벌되어서는 안 되는 이유를 제시하도록 그에게 요구하는 명령이 집행관에게 송달되게 하도록 재판구 지방검사에게 주 재판사는 조치하여야 한다. 사실관계를 판사는 조사하여야 하고, 주 법률집 제42-4-7절이 준수되어 있지 아니함을 그가 인정하면, 25불 이상의 및 50불 이하의 벌금을 최초의 위반에 대하여, 그리고 100불 이하의 및 50불 이상의 벌금을 그 다음의 개개 위반에 대하여마다 그는 부과하여야 한다. 집행관들을 상대로 실시되는 여타의 경우들의 압류들에서 이루어지는 방법에의 동일한 방법으로, 그 벌금들은 압류로써 집행되어야 하고 징수되어야 한다.

Georgia Code Title 51. Torts § 51-7-46

(a) No member of a grand jury shall be subject to an action for malicious prosecution based upon a presentment made by the grand jury.

대배심에 의하여 작성된 대배심 독자고발장에 터잡는 악의의 소추를 원인으로 하여서는 소송에 대배심 구성원은 처해지지 아니한다.

(b) If a presentment is made at the instigation of a third person, from malice on his part and without probable cause, he shall be liable to an action for malicious prosecution just as if he were named as prosecutor.

제3자 쪽에서의 악의에 따라서 그의 부추김에 의하여 상당한 이유 없이 만약 한 개의 대배심 독자고발장이 작성되면, 그가 검사로서 지명되었을 경우에 처해지는 방법에의 동일한 방법으로 악의의 소추를 원인으로 하는 소송에 그는 처해질 수 있다.

콜럼비아 특별구
배심 규정

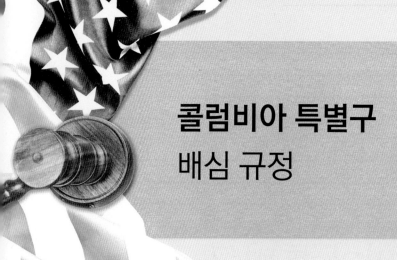

콜럼비아 특별구
배심 규정

https://codes.findlaw.com/dc/division-ii-judiciary-and-judicial-procedure/dc-code-sect-11-1901.html

District of Columbia Code Division II. Judiciary and Judicial Procedure § 11-1901 Declaration of policy.
원칙의 선언.

A jury selection system is hereby established for the Superior Court of the District of Columbia. All litigants entitled to trial by jury shall have the right to grand and petit juries selected at random from a fair cross section of the residents of the District of Columbia. In accordance with the provisions of this chapter, all qualified individuals shall have the opportunity to be considered for service on grand and petit juries in the District of Columbia and shall be obligated to serve as jurors when summoned for that purpose.

콜럼비아 특별구 상위 지방법원을 위한 배심선정 업무기준은 이로써 정해진다. 콜럼비아 특별구 거주자들의 한 개의 공평한 횡단면으로부터 무작위로 선정되는 대배심을 및 소배심을 누릴 권리를, 배심에 의한 정식사실심리를 누릴 권리를 지니는 모든 소송인들은 지닌다. 콜럼비아 특별구에서의 대배심에서의 및 소배심에서의 복무를 위하여 검토받을 기회를 이 장의 규정들에의 부합 속에서 모든 자격 있는 개인들은 지니며, 그 목적을 위하여 소환될 경우에 배심원들로서 복무할 의무를 그들은 진다.

District of Columbia Code Division II. Judiciary and Judicial Procedure § 11-1902 Definitions.

개념정의들.

For purposes of this chapter, the following terms have the following meanings:

아래의 의미들을 이 장의 목적상으로 아래의 용어들은 지닌다:

(1) The term "Board of Judges" means the chief judge and the associate judges of the Superior Court of the District of Columbia.

콜럼비아 특별구 상위 지방법원의 법원장 판사를 및 배석판사들을 "판사회의"라는 용어는 의미한다.

(2) The term "chief judge" means the chief judge of the Superior Court of the District of Columbia.

콜럼비아 특별구 상위 지방법원의 법원장 판사를 "법원장 판사"라는 용어는 의미한다.

(3) The term "clerk" means the clerk of the Superior Court of the District of Columbia or any deputy clerk.

콜럼비아 특별구 상위 지방법원의 서기를 내지는 부서기 누구든지를 "서기"라는 용어는 의미한다.

(4) The term "Court" means the Superior Court of the District of Columbia and may include any judge of the Court acting in an official capacity.

콜럼비아 특별구의 상위 지방법원을 "법원"이라는 용어는 의미하는바, 공무상의 자격으로 행동하는 법원의 판사 누구든지를 그것은 포함할 수 있다.

(5) The term "juror" means (A) any individual summoned to Superior Court for the purpose of serving on a jury; (B) any individual who is on call and available to

report to Court to serve on a jury upon request; and (C) any individual whose service on a jury is temporarily deferred.

(A) 한 개의 배심에서 복무하게 할 목적으로 상위 지방법원에 소환되는 개인 누구든지를; (B) 요청이 있으면 배심 복무에 출석하고자 대기 상태에 있는 및 이에의 전념이 가능한 개인 누구든지를; 그리고 (C) 배심복무가 일시적으로 연기되는 개인 누구든지를, "배심원"이라는 용어는 의미한다.

(6) The term "jury" includes a grand or petit jury.

한 개의 대배심을 또는 소배심을 "배심"이라는 용어는 의미한다.

(7) The term "jury system plan" means the plan adopted by the Board of Judges of the Court, consistent with the provisions of this chapter, to govern the administration of the jury system.

배심제도의 운영을 규율하기 위한, 이 장의 규정들에 부합되는 것으로서의 법원의 판사회의에 의하여 채택되는 계획을 "배심운용계획"이라는 용어는 의미한다.

(8) The term "master juror list" means the consolidated list or lists compiled and maintained by the Board of Judges of the District of Columbia Courts which contains the names of prospective jurors for service in the Superior Court of the District of Columbia.

콜럼비아 특별구 상위 지방법원에서의 복무를 위한 배심원후보들의 이름들을 포함하는, 콜럼비아 특별구 법원들의 판사회의에 의하여 조제되는 및 유지되는 통합된 명부를 내지는 명부들을 "종합 배심원명부"라는 용어는 의미한다.

(9) The term "random selection" means the selection of names of prospective jurors in a manner immune from the purposeful or inadvertent introduction of subjective bias, so that no recognizable class of the individuals on the list or lists from which the names are being selected can be purposefully or inadvertently included or excluded.

주관적 편견의 고의에 의한 내지는 부주의에 의한 이입이 배제되게끔, 그리하여 그 이름들의 선정의 모집단인 명부 위의 내지는 명부들 위의 개인들의, 인식 가능한 그 어떤 부류(class)가도 고의로 내지는 부주의하게 이에 포함되는 일이 내지는 배제되는 일이 없게끔 보장하는, 한 가지 방법에 의한 배심원후보들의 이름들의 선정을 "무작위 선정"이라는 용어는 의미한다.

(10) The term "resident of the District of Columbia" means an individual who has resided or has been domiciled in the District of Columbia for not less than six months.

콜럼비아 특별구에 6개월 이상 거주해 온 내지는 주소를 정해 놓은 개인을 "콜럼비아 특별구의 거주자"라는 용어는 의미한다.

https://codes.findlaw.com/dc/division-ii-judiciary-and-judicial-procedure/dc-code-sect-11-1903.html

District of Columbia Code Division II. Judiciary and Judicial Procedure § 11-1903 Prohibition of discrimination.
차별금지.

A citizen of the District of Columbia may not be excluded or disqualified from jury service as a grand or petit juror in the District of Columbia on account of race, color, religion, sex, national origin, ancestry, economic status, marital status, age, or (except as provided in this chapter) physical handicap.

인종을, 피부색을, 종교를, 성별을, 출신국가를, 조상을, 경제적 지위를, 혼인 여부를, 연령을, 또는 (이 장에 규정되는 바에 따라서를 제외하고는) 신체장애를 이유로, 콜럼비아 특별구에서의 대배심원으로서의 내지는 소배심원으로서의 배심복무로부터 콜럼비아 특별구의 시민은 배제되어서는 내지는 결격처리 되어서는 안 된다.

https://codes.findlaw.com/dc/division-ii-judiciary-and-judicial-procedure/dc-code-sect-11-1904.html

District of Columbia Code Division II. Judiciary and Judicial Procedure § 11-1904 Jury system plan.
배심운용계획.

(a) The Board of Judges shall adopt, implement, and as necessary modify, a written jury system plan for the random selection and service of grand and petit jurors in the Superior Court consistent with the provisions of this chapter. The adopted plan and any modifications shall be subject to a 30-day period of review by Congress in the manner provided for an act of the Council under section 602(c)(1) of the District of Columbia Home Rule Act. The plan shall include --

상위 지방법원에서의 대배심원들의 및 소배심원들의 무작위 선정을 및 복무를 위한, 이 장의 규정들에 부합되는 한 개의 서면에 의한 배심운용계획을 판사회의는 채택하여야 하고 시행하여야 하며 필요에 따라서 변경하여야 한다. 채택되는 계획은 및 이에 가해지는 변경들은, 콜럼비아 특별구 자치규칙법 제602(c)(1)절 아래서의 심의회의 행위를 위하여 규정되는 방법 속에서의 연방의회에 의한 30일 동안의 검토에 처해져야 한다. 아래 사항을 계획은 포함하여야 한다 --

(1) detailed procedures to be followed by the clerk of the Court in the random selection of names from the master juror list;

이름들의 종합 배심원명부로부터의 무작위 선정에 있어서 법원서기에 의하여 준수되어야 할 세부절차들;

(2) provisions for a master jury wheel (or other device of like purpose and function) which shall be emptied and refilled at specified intervals, not to exceed 24 months;

24개월을 초과하지 아니하는 일정한 시간간격들을 두고서 비워져야 할 및 다시 채워져야 할 한 개의 종합 배심원후보 명부 저장장치(또는 유사한 목적을 및 기능을 지니는 그 밖의 장치)를 위한 규정들;

(3) provisions for the disclosure to the parties and the public of the names of individuals selected for jury service, except in cases in which the chief judge determines that confidentiality is required in the interest of justice; and

사법의 이익을 위하여 비밀이 요구된다고 법원장 판사가 판단하는 경우들에서를 제외한, 배심복무를 위하여 선정되는 개인들의 이름들의 당사자들에게의 및 공중에게의 공개를 위한 규정들; 그리고

(4) procedures to be followed by the clerk of the Court in assigning individuals to grand and petit juries.

개인들을 대배심에 및 소배심에 배정함에 있어서 법원서기에 의하여 준수되어야 할 절차들.

(b) The jury system plan shall be administered by the clerk of the Court under the supervision of the Board of Judges.

판사회의의 감독 아래서 법원서기에 의하여 배심운용계획은 시행되어야 한다.

https://codes.findlaw.com/dc/division-ii-judiciary-and-judicial-procedure/dc-code-sect-11-1905.html

District of Columbia Code Division II. Judiciary and Judicial Procedure § 11-1905 Master juror list.
종합 배심원명부.

(a) The jury system plan shall provide for the compilation and maintenance by the Board of Judges of a master juror list from which names of prospective jurors shall be drawn. Such master juror list shall consist of the list of District of Columbia voters, and names from such other appropriate sources and lists as may be provided in the jury system plan.

배심원후보들의 이름들이 추출되는 모집단이 되는 한 개의 종합 배심원명부의 판사회의에 의한 조제를 및 유지를 배심운용계획은 규정하여야 한다. 콜럼비아 특별구 유권자들의 명부로, 그리고 배심운용계획에 규정되는 그 밖의 적절한 원천들로부터의 및 명부들로부터의 이름들로, 그러한 종합 배심원명부는 구성되어야 한다.

(b) Notwithstanding any other provision of law, upon request of the Board of Judges any person having custody, possession, or control of any list required under subsection (a) shall provide such list to the Court, at cost, at all reasonable times. Each list shall contain the names and addresses of individuals on the list. Any list obtained by the Court under the provisions of this chapter may be used by the Court only for the selection of jurors pursuant to this chapter.

여타의 법 규정에도 불구하고 판사회의의 요청이 있으면, 소절 (a) 아래서 요구되는 그어떤 명부를이라도 보관하는, 소지하는, 또는 통제하는 사람 누구든지는 그러한 명부를자기 비용으로 모든 합리적인 시간대에 법원에 제공하여야 한다. 명부 위의 개인들의 이름들을 및 주소들을 개개 명부는 포함하여야 한다. 이 장의 규정들 아래서 법원에 의하여입수되는 명부는 오직 이 장에 따른 배심원들의 선정을 위하여서만 법원에 의하여 사용될 수 있다.

https://codes.findlaw.com/dc/division-ii-judiciary-and-judicial-procedure/dc-code-sect-11-1906.html

District of Columbia Code Division II. Judiciary and Judicial Procedure § 11-1906 Qualification of jurors.
배심원들에 대한 자격심사.

(a) The jury system plan shall provide for procedures for the random selection and qualification of grand and petit jurors from the master juror list. Such plan may provide for separate or joint qualification and summoning processes.

종합 배심원명부로부터의 대배심원들의 및 소배심원들의 무작위 선정을 위한 및 그 자격심사를 위한 절차들을 배심운용계획은 규정하여야 한다. 자격심사의 및 소환의 개별적절차를 또는 통합적 절차를 그러한 계획은 규정할 수 있다.

(b) (1) An individual shall be qualified to serve as a juror if that individual --

아래에 해당하는 개인은 배심원으로서 복무할 자격이 있다 --

(A) is a resident of the District of Columbia;

콜럼비아 특별구의 주민일 것;

(B) is a citizen of the United States;

합중국 시민일 것;

(C) has attained the age of 18 years; and

18세에 달하였을 것; 그리고

(D) is able to read, speak, and understand the English language.

영어를 읽을 수, 말할 수, 그리고 이해할 수 있을 것.

(2) An individual shall not be qualified to serve as a juror --

아래에 해당하는 개인은 배심원으로서 복무할 자격을 지니지 아니한다 --

(A) if determined to be incapable by reason of physical or mental infirmity of render-
ing satisfactory jury service; or

만족스러운 배심복무를 신체적 내지는 정신적 장애로 인하여 제공할 수 없다고 판단되
는 경우; 또는

(B) if that individual has been convicted of a felony or has a pending felony or misde-
meanor charge, except that an individual disqualified for jury service by reason of
a felony conviction may qualify for jury service not less than one year after the
completion of the term of incarceration, probation, or parole following appropri-
ate certification under procedures set out in the jury system plan.

중죄 유죄판정으로 인하여 배심복무에 결격인 개인이 배심운용계획에 정해진 절차들
아래서의 적절한 증명에 따라서 구금기간의, 보호관찰 기간의, 또는 가석방 기간의 만
료 뒤 1년 내에 배심복무의 자격을 지닐 수 있음을 제외하고, 그 개인이 중죄로 유죄판
정을 받은 바 있는 경우 내지는 그 개인에게 걸려 있는 중죄의 내지는 경죄의 고발이
있는 경우.

(3) Any determination regarding qualification for jury service shall be made on the
basis of information provided in the juror qualification form and any other com-
petent evidence.

배심복무를 위한 자격인정에 관한 결정은 배심원 자격심사 서식에 제공된 정보에
및 그 밖의 자격 있는 증거에 터잡아서 내려져야 한다.

(4) An individual who is blind may not be disqualified from serving as a juror solely
on the basis of blindness, but may be disqualified from serving as a juror in a par-

ticular case if the individual's blindness makes the individual incapable of rendering satisfactory jury service in that case.

앞을 못 보는 개인은 그 장님이라는 점만을 이유로 하여서는 배심원으로서의 복무로부터 결격처리 될 수 없으나, 특정의 사건에서의 만족스러운 배심복무를 그 개인으로 하여금 제공할 수 없도록 그 개인의 장님이라는 점이 만들면, 그 사건에서의 배심원으로서의 복무자격이 부정될 수 있다.

(c) (1) The jury system plan shall provide that a juror qualification form be mailed to each prospective juror. The form and content of such juror qualification form shall be determined under the plan. Notarization of the juror qualification form shall not be required.

배심원후보에게마다 한 개의 배심원 자격심사 서식이 우송되어야 함을 배심운용계획은 규정하여야 한다. 그러한 배심원 자격심사 서식의 형식은 및 내용은 배심운용계획에 따라서 결정되어야 한다. 배심원 자격심사 서식에 대한 공증은 요구되지 아니한다.

(2) An individual who fails to return a completed juror qualification form as instructed may be ordered by the Court to appear before the clerk to fill out such form, to appear before the Court and show cause why he or she should not be held in contempt for failure to submit the qualification form, or both. An individual who fails to show good cause for such failure, or who without good cause fails to appear pursuant to a Court order, may be punished by a fine of not more than $300, by imprisonment for not more than seven days, or both.

그 지시되는 대로의 완성된 배심원 자격심사 서식을 제출하기를 불이행하는 개인은 서기 앞에 출석하여 그 서식을 채우도록, 법원 앞에 출석하여 그 자격심사 서식을 제출하기에 대한 불이행에 따라서 법원모독으로 그가 또는 그녀가 붙들려서는 안 될 이유를 제시하도록, 또는 그 두 가지 모두를 하도록, 법원에 의하여 명령될 수 있다. 그러한 불이행을 위한 타당한 이유를 제시하기를 불이행하는 개인은, 또는 법원의 명령에 따라서 출석하기를 타당한 이유 없이 불이행하는 개인은 300불 이하의 벌금에 의하여, 7일 이하의 구금에 의하여, 또는 그 병과에 의하여 처벌될 수 있다.

(d) An individual who intentionally misrepresents a material fact on a juror quali-
fication form for the purpose of avoiding or securing service as a juror may be
punished by a fine of not more than $300, by imprisonment for not more than
90 days, or both.

배심원으로서의 복무를 회피하기 위하여 또는 확보하기 위하여 배심원 자격심사 서식 위
의 중요한 사실을 의도적으로 부실기재 하는 개인은 300불 이하의 벌금에 의하여, 90일
이하의 구금에 의하여, 또는 그 병과에 의하여 처벌될 수 있다.

https://codes.findlaw.com/dc/division-ii-judiciary-and-judicial-procedure/dc-code-sect-11-
1907.html

District of Columbia Code Division II. Judiciary and Judicial Proce-dure § 11-1907 Summoning of prospective jurors.
배심원후보들의 소환.

(a) At such times as are determined under the jury system plan, the Court shall
summon or cause to be summoned from among qualified individuals under
section 11-1906 sufficient prospective jurors to fulfill requirements for petit
and grand jurors for the Court. A summons shall require a prospective juror
to report for possible jury service at a specified time and place unless advised
otherwise by the Court. Service of prospective jurors may be made personal-
ly or by first-class, registered, or certified mail as determined under the plan.

제11-1906절 아래서의 자격이 인정되는 개인들 중에서 법원을 위한 소배심원들에 대한
및 대배심원들에 대한 요구들을 채우기에 충분한 숫자의 배심원후보들을 배심운용계획
에 따라서 정해지는 때에 법원은 소환하여야 하거나 그들로 하여금 소환되도록 조치하여
야 한다. 법원에 의하여 달리 고지되는 경우에를 제외하고는, 그 있을 수 있는 배심복무를
위하여 특정의 시간에 및 장소에 출석하도록 배심원후보에게 소환장은 요구하여야 한다.
배심원후보에게의 송달은 배심운용계획 아래서 정해지는 바에 따라서 직접 또는 1급우
편에 의하여, 또는 등기우편에 의하여 또는 배달증명 우편에 의하여 이루어질 수 있다.

(b) A prospective juror who fails to appear for jury duty may be ordered by the Court to appear and show cause why he or she should not be held in contempt for such failure to appear. A prospective juror who fails to show good cause for such failure, or who without good cause fails to appear pursuant to a Court order, may be punished by a fine of not more than $300, by imprisonment for not more than seven days, or both.

배심의무를 위하여 출석하기를 불이행하는 배심원후보에게는, 출석하라는 및 그 출석 불이행에 따라서 법원모독으로 그가 내지는 그녀가 붙들려서는 안 될 이유를 제시하라는 명령이 법원에 의하여 내려질 수 있다. 그러한 불이행을 위한 타당한 이유를 제시하기를 불이행하는 배심원후보는 300불 이하의 벌금에 의하여, 7일 이하의 구금에 의하여, 또는 그 병과에 의하여 처벌될 수 있다.

District of Columbia Code Division II. Judiciary and Judicial Procedure § 11-1908 Exclusion from jury service.

배심복무로부터의 배제.

(a) Subject to the provisions of this section and of sections 11-1903, 11-1906, and 11-1909, no individual or class of individuals may be disqualified, excluded, excused, or exempt from service as a juror.

이 절의 및 제11-1903절의, 제11-1906절의, 그리고 제11-1909절의 규정들의 적용을 받는 가운데서, 배심원으로서의 복무로부터 어떤 개인이도 내지는 어떤 부류의 개인들이도 결격처리 될 수, 배제될 수, 면제될 수, 또는 제외될 수 없다.

(b) An individual summoned for jury service may be: (1) excluded by the Court on the ground that that individual may be unable to render impartial jury service or that his or her service as a juror would be likely to disrupt the proceedings; (2) excluded upon peremptory challenge as provided by law; (3) excluded pursuant to the procedure specified by law upon a challenge by any party for good cause shown; or (4) excluded upon determination by the Court that his or her service as a juror would be likely to threaten the secrecy of the proceedings, or otherwise adversely affect the integrity of jury deliberations. No person shall be excluded under clause (4) of this subsection unless the judge, in open Court, determines that such exclusion is warranted and that exclusion of that individual will not be inconsistent with sections 11-1901 and 11-1903 of this chapter.

배심복무를 위하여 소환되는 개인은: (1) 공평한 배심복무를 당해 개인이 제공할 수 없을 가망이 있음을 이유로, 내지는 배심원으로서의 그의 내지는 그녀의 복무가 절차들을 어지럽힐 가능성이 있음을 이유로 법원에 의하여 배제될 수 있거나; (2) 법에 규정되는 대로의 무이유부 기피에 터잡아서 배제될 수 있거나; (3) 증명되는 타당한 이유에 기한 당사자 어느 누구든지의 기피에 터잡아서 법에 의하여 규정되는 절차에 따라서 배제될 수 있거나; 또는 (4) 배심원으로서의 그의 내지는 그녀의 복무가 절차들의 비밀을 위협할 가능성이 있다는, 또는 달리 배심숙의들의 성실성에 해롭게 영향을 미칠 가능성이 있다는 법원에 의한 판단에 터잡아서 배제될 수 있다. 그러한 배제가 정당화된다고 및 그 개인의 배제가 이 장의 제11-1901절에 및 제11-1903절에 배치되지 않는다고 판사가 공개법정에서 결정하는 경우에를 제외하고는, 이 소절의 조목 (4) 아래서 아무가도 배제되어서는 안 된다.

(c) An individual excluded from a jury shall be eligible to sit on another jury if the basis for the initial exclusion would not be relevant to his or her ability to serve on such other jury. The procedures for challenges to and review of exclusions from jury service shall be set forth in the jury system plan.

한 개의 배심으로부터 배제되는 개인은, 그 당초의 배제의 이유가 여타의 배심에 복무할 그의 내지는 그녀의 능력에 관련되지 아니하는 것이면, 그러한 다른 배심에 착석할 자격이 있다. 배심복무에의 기피들을 위한 절차들은 및 배심복무로부터의 배제들에 대한 심사를 위한 절차들은 배심운용계획에 규정되어야 한다.

District of Columbia Code Division II. Judiciary and Judicial Procedure § 11-1909 Deferral from jury service.
배심복무의 연기.

A qualified prospective juror may be deferred from jury service only upon a showing of undue hardship, extreme inconvenience, public necessity, or temporary physical or mental disability which would affect service as a juror. The procedure for requesting a deferral from jury service and the procedure and basis for granting a deferral shall be set forth in the master jury plan.

자격이 인정되는 배심원후보의 배심복무는 부당한 곤경의, 극도의 불편의, 공중의 필요의, 또는 배심원으로서의 복무에 영향을 미칠 만한 일시적인 신체적 내지는 정신적 장애의, 증명 위에서만 연기될 수 있다. 배심복무의 연기를 요청하는 절차는 및 한 개의 연기를 허가하기 위한 절차는 및 근거는 종합 배심운용계획에 규정되어야 한다.

District of Columbia Code Division II. Judiciary and Judicial Procedure § 11-1910 Challenging compliance with selection procedures.
선정절차들의 준수를 다투기.

(a) A party may challenge the composition of a jury by a motion for appropriate relief. A challenge shall be brought and decided before any individual juror is examined, unless the Court orders otherwise. The motion shall be in writing, supported by affidavit, and shall specify the facts constituting the grounds for the challenge. If the Court so determines, the motion may be decided on the basis of the affidavits filed with the challenge. If the Court orders trial of the challenge, witnesses may be examined on oath by the Court and may be so examined by either party.

적절한 구제를 구하는 신청에 의하여 한 개의 배심의 구성을 당사자는 다툴 수 있다. 법원이 달리 명령하는 경우에를 제외하고는, 개인 배심원 어느 누구가라도 신문되기 전에 기피는 제기되어야 하고 결정되어야 한다. 신청은 서면으로 이루어져야 하고, 선서진술서에 의하여 뒷받침되어야 하며, 기피의 사유들을 구성하는 사실관계를 명시하여야 한다. 그렇게 하기로 만약 법원이 결정하면, 기피에 더불어 첨부된 선서진술서들의 토대 위에서 신청은 결정될 수 있다. 기피에 대한 정식사실심리를 만약 법원이 명령하면, 법원에 의하여 선서 위에서 증인들이 신문될 수 있고 어느 쪽 당사자에 의하여든 그렇게 신문될 수 있다.

(b) If the Court determines that in selecting a grand or petit jury there has been a substantial failure to comply with this chapter, the Court shall stay the proceedings pending the selection of a jury in conformity with this chapter, quash the indictment, or grant other appropriate relief.

대배심을 내지는 소배심을 선정함에 있어서 이 장을 준수하기에 대한 중대한 불이행이 있었다고 만약 법원이 판단하면, 법원은 이 장에의 부합 속에서의 한 개의 배심의 선정을 기다리는 동안 절차들을 정지시킬 수 있고, 대배심 검사기소장을 무효화시킬 수 있고, 또는 여타의 적절한 구제를 부여할 수 있다.

(c) The procedures prescribed by this section are the exclusive means by which a person accused of a crime, the District of Columbia, the United States, or a party in a civil case may challenge a jury on the ground that the jury was not selected in conformity with this chapter. Nothing in this section shall preclude any person from pursuing any other remedy, civil or criminal, which may be available for the vindication or enforcement of any law prohibiting discrimination on account of race, color, religion, sex, national origin, economic status, marital status, age, or physical handicap in the selection of individuals for service on grand or petit juries.

이 절에 의하여 규정되는 절차들은, 이 장에의 부합 속에서 한 개의 배심이 선정되지 아니하였음을 이유로 그 배심을, 한 개의 범죄로 고발된 사람이, 콜럼비아 특별구가, 합중국이, 또는 민사사건에서의 당사자가 기피할 수 있는 배타적 수단들이다. 대배심에의 내지는 소배심에의 복무를 위한 개인들의 선정에 있어서의 인종을, 피부색을, 종교를, 성별을, 출신 국가를, 경제적 지위를, 혼인 여부를, 또는 신체적 장애를 이유로 하는 차별을 금지하는 법의 옹호를 내지는 시행을 위하여 활용 가능한, 민사적인 것을이든 형사적인 것을이든 그 밖의 구제를, 추구하지 못하도록 어느 누구를도 이 절 안의 것은 금지하지 아니한다.

https://codes.findlaw.com/dc/division-ii-judiciary-and-judicial-procedure/dc-code-sect-11-1911.html

District of Columbia Code Division II. Judiciary and Judicial Procedure § 11-1911 Length of service.
복무기간.

The length of service for grand and petit jurors shall be determined by the master jury plan. In any twenty-four month period an individual shall not be required to serve more than once as a grand or petit juror except as may be necessary by reason of the insufficiency of the master juror list or as ordered by the Court.

대배심원들을 및 소배심원들을 위한 복무기간은 종합 배심운용계획에 의하여 결정되어야 한다. 종합 배심원명부의 불충분으로 인하여 필요한 경우에를 내지는 법원에 의하여 달리 명령되는 경우에를 제외하고는, 24개월 기간 내에 한 번을 초과하여 대배심원으로서 내지는 소배심원으로서 복무하도록 개인은 요구되어서는 안 된다.

https://codes.findlaw.com/dc/division-ii-judiciary-and-judicial-procedure/dc-code-sect-11-1912.html

District of Columbia Code Division II. Judiciary and Judicial Procedure § 11-1912 Juror fees.
배심원 보수들.

(a) Notwithstanding section 602(a) of the District of Columbia Home Rule Act, grand and petit jurors serving in the Superior Court shall receive fees and expenses at rates established by the Board of Judges of the Superior Court, except that such fees and expenses may not exceed the respective rates paid to such jurors in the Federal system.

상위 지방법원 판사회의에 의하여 정해지는 요율에 따르는 보수들을 및 지출경비들을, 콜럼비아 특별구 자치규칙법 제602(a)절에도 불구하고, 상위 지방법원에 복무하는 대배심원들은 및 소배심원들은 수령하여야 하는바, 다만 연방제도 내에서의 그러한 배심원들에게 지급되는 각각의 요율들을 그러한 보수들은 및 지출경비들은 초과할 수 없다.

(b) A petit or grand juror receiving benefits under the laws of employment security of the District of Columbia shall not lose such benefits on account of performance of juror service.

콜럼비아 특별구 고용보장 관련법들 아래서의 급부금들을 수령하는 소배심원은 내지는 대배심원은 그러한 급부금들을 배심복무의 수행을 이유로 상실하지 아니한다.

(c) Employees of the United States or of any State or local government who serve as grand or petit jurors and who continue to receive regular compensation during the period of jury service shall not be compensated for jury service. Amounts representing reimbursement of expenses incurred in connection with jury service may be paid to such employees to the extent provided in the jury system plan.

대배심원으로서 내지는 소배심원으로서 복무하는 및 정규의 보수를 배심복무 기간 동안 지속적으로 수령하는 합중국의 내지는 그 어떤 주(state)의든 내지는 지방정부의든 피용자들에게는 배심복무에 대한 보수가 지급되어서는 안 된다. 배심복무에의 연결 속에서 초래되는 비용들에 대한 변상액에 상응하는 액수들은 배심운용계획에 규정되는 한도 내에서 그러한 피용자들에게 지급될 수 있다.

https://codes.findlaw.com/dc/division-ii-judiciary-and-judicial-procedure/dc-code-sect-11-1913.html

District of Columbia Code Division II. Judiciary and Judicial Procedure § 11-1913 Protection of employment of jurors.
배심원들의 고용관계의 보호.

(a) An employer shall not deprive an employee of employment, threaten, or otherwise coerce an employee with respect to employment because the employee receives a summons, responds to a summons, serves as a juror, or attends Court for prospective jury service.

피용자가 소환장을 수령함을 이유로, 소환장에 응답함을 이유로, 배심원으로 복무함을 이유로, 또는 그 예상되는 배심복무를 위하여 법원에 출석함을 이유로 고용주는 고용을 피용자에게서 박탈하여서는, 피용자를 고용에 관련하여 위협하여서는, 또는 그 밖의 방법으로 강요하여서는 안 된다.

(b) An employer who violates subsection (a) is guilty of criminal contempt. Upon a finding of criminal contempt an employer may be fined not more than $300, imprisoned for not more than 30 days, or both, for a first offense, and may be fined not more than $5,000, imprisoned for not more than 180 days, or both, for any subsequent offense.

소절 (a)를 위반하는 고용주는 형사적 법원모독을 범하는 것이 된다. 형사적 법원모독의 인정 위에서 고용주는 첫 번째 범행에 대하여는 300불 이하의 벌금에, 30일 이하의 구금에, 또는 두 가지의 병과에 처해질 수 있고, 그 뒤의 범행에 대하여는 5,000불 이하의 벌금에, 180일 이하의 구금에, 또는 그 병과에 처해질 수 있다.

(c) If an employer discharges an employee in violation of subsection (a), the employee within 9 months of such discharge may bring a civil action for recovery of wages lost as a result of the violation, for an order of reinstatement of employment, and for damages. If an employee prevails in an action under this subsection, that employee shall be entitled to reasonable attorney fees fixed by the court.

한 명의 피용자를 소절 (a)의 위반 속에서 만약 고용주가 해고하면, 그 위반의 결과로서 상실된 임금의 회복을 구하는, 고용에의 복직의 명령을 구하는, 그리고 손해배상을 구하는 한 개의 민사소송을 그러한 해고로부터 9개월 내에 피용자는 제기할 수 있다. 이 소절 아래서의 소송에서 만약 피용자가 승소하면, 법원에 의하여 정해지는 합리적 변호사 보수를 수령할 권리를 그 피용자는 지닌다.

District of Columbia Code Division II. Judiciary and Judicial Procedure § 11-1914 Preservation of records.
기록들의 보전

(a) All records and lists compiled and maintained in connection with the selection and service of jurors shall be preserved for the length of time specified in the jury system plan.

배심원들의 선정에의 및 복무에의 관련 속에서 편제되는 및 보관되는 모든 기록들은 및 명부들은 배심운용계획에 명시된 기간 동안 보전되어야 한다.

(b) The contents of any records or lists used in connection with the selection process shall not be disclosed, except in connection with the preparation or presentation of a motion under § 11-1910, or until all individuals selected to serve as grand or petit jurors from such lists have been discharged.

선정절차에의 연관 속에서 사용된 기록들의 내지는 명부들의 내용들은, 제11-1910절 아래서의 신청서의 작성에의 내지는 제출에의 연관 속에서를 제외하고는, 또는 대배심원으로 내지는 소배심원으로 복무하도록 그러한 명부들로부터 선정되는 모든 개인들이 임무해제 되고 났을 때까지는, 공개되어서는 안 된다.

District of Columbia Code Division II. Judiciary and Judicial Procedure § 11-1915 Fraud in the selection process.
선정절차들에서의 기망.

An individual who commits fraud in the processing or selection of jurors or prospective jurors, either by causing any name to be inserted into any list maliciously or by causing any name to be deleted from any list maliciously (including malicious data entry or the altering of any data processing machine or any set of instructions or programs which control data processing equipment for such malicious purpose), is guilty of the crime of jury tampering, and, upon conviction, may be punished by a fine of not more than $10,000, imprisonment for not more than two years, or both. This section shall not limit any other provisions of law concerning the crime of jury tampering.

어떤 이름을이든 어떤 명부 안에든 삽입되도록 악의적으로 조치함에 의하여, 내지는 어떤 이름을이든 어떤 명부로부터든 삭제되도록 악의적으로 조치함에 의하여(그러한 악의적 목적을 위한, 악의적인 데이터 기입을, 내지는 데이터 처리장치의 변경을, 내지는 데이터 처리장치를 통제하는 일련의 명령들의 내지는 프로그램들의 변경을, 포함함), 배심원들의 내지는 배심원후보들의 처리에 있어서의 내지는 선정에 있어서의 기망을 저지르는 개인은 배심매수죄를 저지르는 것이 되고, 유죄판정에 따라서 10,000불 이하의 벌금에, 2년 이하의 구금에, 또는 그 병과에 처해질 수 있다. 배심매수의 범죄에 관련되는 여타의 법 규정들을 이 절은 제한하지 아니한다.

District of Columbia Code Division II. Judiciary and Judicial Procedure § 11-1916 Grand jury; additional grand jury.

대배심; 추가적 대배심.

(a) A grand jury serving in the District of Columbia may take cognizance of all matters brought before it regardless of whether an indictment is returnable in the Federal or District of Columbia courts.

자신 앞에 제기되는 모든 사안들을, 연방법원들에 또는 콜럼비아 특별구 법원들에 한 개의 대배심 검사기소장이 제출될 수 있는지 여부에 상관없이, 콜럼비아 특별구에서 복무하는 한 개의 대배심은 심리할 수 있다.

(b) If the United States Attorney for the District of Columbia certifies in writing to the chief judge that an additional grand jury is required, the judge may in his or her discretion order an additional grand jury summoned which shall be drawn at such time as he or she designates. Unless discharged by order of the judge, the additional grand jury shall serve until the end of the term for which it is drawn.

한 개의 추가적 대배심이 요구됨을 법원장 판사에게 만약 콜럼비아 특별구 관할 합중국 검사가 서면으로 증명하면, 법원장 판사는 그 자신이 또는 그녀 자신이 지정하는 때에 추출되는 한 개의 추가적 대배심을 소환하도록 그의 내지는 그녀의 재량으로 명령할 수 있다. 판사의 명령에 의하여 임무해제 되는 경우에를 제외하고는, 그 추출의 복무대상 기간의 만료 때까지 그 추가적 대배심은 복무하여야 한다.

https://codes.findlaw.com/dc/division-ii-judiciary-and-judicial-procedure/dc-code-sect-11-1917.html

District of Columbia Code Division II. Judiciary and Judicial Procedure § 11-1917 Coordination and cooperation of courts.
법원들의 조정 및 협력.

To the extent feasible, the Superior Court and the United States District Court shall consider the respective needs of each court in the qualification, selection, and service of jurors. Nothing in this chapter shall be construed to prevent such courts from entering into any agreement for sharing resources and facilities (including automated data processing and hardware and software, forms, postage, and other resources).

배심원들의 자격심사에 있어서의, 선정에 있어서의, 및 복무에 있어서의 개개 법원의 각각의 필요들을, 가능한 한도껏, 상위 지방법원은 및 합중국 재판구 지방법원은 고려하여야 한다. (자동화 데이터 처리를 및 하드웨어를 및 소프트웨어를, 형식들을을, 유편요금을을, 그리고 그 밖의 자원들을을 포함하여) 자원들을 및 시설들을, 공유함을 위한 합의에 그러한 법원들로 하여금 들어가지 못하도록 금지하는 것으로는 이 장 안의 것은 해석되지 아니한다.

District of Columbia Code Division II. Judiciary and Judicial Procedure § 11-1918 Effect of invalidity.
무효인 경우의 효과.

If any provision of this Act [chapter] or the application of that provision is held invalid, such invalidity shall not affect any other provision or application of this Act [chapter] which can be given effect without the invalid provision or application.

만약 이 법의 [장의] 규정 어느 것이든지가 또는 그 규정의 적용이 무효로 판정되면, 그러한 무효는 그러한 무효인 규정 없이 내지는 적용 없이 실시될 수 있는 이 법의 [장의] 여타의 규정에 내지는 적용에 영향을 미치지 아니한다.

Super. Ct. Crim. R. 6
상위지방법원 형사규칙 6

Rule 6 - The Grand Jury
대배심

(a) SUMMONING A GRAND JURY.

대배심의 소환.

(1) In General. When the public interest so requires, the Chief Judge or an associate judge designated by the Chief Judge must order one or more grand juries to be summoned. A grand jury must have 16 to 23 members, and the Chief Judge or an associate judge designated by the Chief Judge must order that enough legally qualified persons be summoned to meet this requirement.

총칙. 공공의 이익이 요구하는 경우에, 한 개 이상의 대배심들이 소환되게 하도록 법원장 판사는 내지는 법원장 판사에 의하여 지명된 배석판사는 명령하지 않으면 안 된다. 한 개의 대배심은 16명부터 23명까지로 구성되지 않으면 안 되고, 이 요구를 충족하기에 충분한 숫자의 법적으로 자격을 갖춘 사람들이 소환되게 하도록 법원장 판사는 내지는 법원장 판사에 의하여 지명된 배석판사는 명령하지 않으면 안 된다.

(2) Alternate Jurors. When a grand jury is selected, the court may also select alternate jurors. Alternate jurors must have the same qualifications and be selected in the same manner as any other juror. Alternate jurors replace jurors in the same sequence in which the alternates were selected. An alternate juror who replaces a juror is subject to the same challenges, takes the same oath, and has the same authority as the other jurors.

예비배심원들. 한 개의 대배심이 선정되는 때에 예비배심원들을 또한 법원은 선정할 수 있다. 예비배심원들은 여타의 배심원 어느 누구든지가 지니는 자격조건들에의 동일한 자격조건들을 갖추지 않으면 안 되고 그 선정되는 방법에의 동일한 방법으로 선정되지 않으면 안 된다. 예비배심원들이 선정된 순서에의 동일한 순서에 따라서 배심원들을 예비배심원들은 대체한다. 한 명의 배심원을 대체하는 한 명의 예비배심원은 여타의 배심원들이 받는 기피사유들에의 동일한 기피사유들의 적용을 받고, 여타의 배심원들이 하는 선서에의 동일한 선서를 하며, 여타의 배심원들이 지니는 권한에의 동일한 권한을 지닌다.

(b) OBJECTION TO THE GRAND JURY OR TO A GRAND JUROR.

대배심에 대한 내지는 한 명의 대배심원에 대한 이의.

(1) Challenges. Either the government or a defendant may challenge the grand jury on the ground that it was not lawfully drawn, summoned, or selected, and may challenge an individual juror on the ground that the juror is not legally qualified.

기피들. 정부는이든 피고인은이든 대배심이 적법하게 추출되지, 소환되지, 또는 선정되지 아니하였음을 이유로 대배심을 기피할 수 있고, 한 명의 개별적 배심원이 적법하게 자격을 갖추지 아니하였음을 이유로 당해 배심원을 기피할 수 있다.

(2) Motion to Dismiss an Indictment. A party may move to dismiss the indictment based on an objection to the grand jury or on an individual juror's lack of legal qualification, unless the court has previously ruled on the same objection under Rule 6(b)(1). The motion to dismiss is governed by D.C. Code § 11-1910 (2012 Repl.). The court must not dismiss the indictment on the ground that a grand juror was not legally qualified if the record shows that at least 12 qualified jurors concurred in the indictment.

대배심 검사기소장을 각하하여 달라는 신청. 대배심에 대한 이의에 터잡아서, 또는 한 명의 개별 배심원의 법적 자격조건의 결여에 터잡아서, 대배심 검사기소장을 각하하여 달라고, 그 동일한 이의사유에 대하여 Rule 6(b)(1)에 따라서 법원이 미리 판단한 바 있는 경우에를 제외하고는, 당사자는 신청할 수 있다. 각하신청은 콜럼비아 특별구 법률집 제11-1910절(2012년 교체됨)에 의하여 규율된다. 적어도 열두 명의 자격이 인정된 배심원들이 대배심 검사기소에 찬성하였음을 기록이 증명하면, 한 명의 대배심원이 법적으로 자격을 갖추지 아니하였음을 이유로 하여서는 대배심 검사기소장을 법원은 각하하여서는 안 된다.

(c) FOREPERSON AND DEPUTY FOREPERSON. The summoning judge or, in the summoning judge's absence or disability, the Chief Judge or a judge designated by the Chief Judge will appoint one juror as the foreperson and another as the deputy foreperson. In the foreperson's absence, the deputy foreperson will act as the foreperson. The foreperson may administer oaths and affirmations and will sign all indictments. The foreperson-or another juror designated by the foreperson-will record the number of jurors concurring in every indictment and will file the record with the clerk, but the record may not be made public unless the court so orders.

배심장 및 부배심장. 대배심을 소환한 판사는, 또는 그 소환한 판사의 부재의 내지는 복무불능의 경우에 법원장 판사는 내지는 법원장 판사에 의하여 지명된 판사는, 한 명의 배심원을 배심장으로 그리고 다른 한 명을 부배심장으로 지명하여야 한다. 배심장의 부재 시에 부배심장은 배심장을 대행한다. 배심장은 선서들을 및 무선서확약들을 실시하여야 하고 모든 대배심 검사기소장들에 서명하여야 한다. 대배심 검사기소장마다에 대하여 그 찬성하는 배심원들의 숫자를 배심장은 - 또는 배심장에 의하여 지명된 다른 사람은 - 기록하여야 하고 그 기록을 서기에게 제출하여야 하는바, 그러나 법원이 명령하는 경우에를 제외하고는 그 기록은 공개되어서는 안 된다.

(d) WHO MAY BE PRESENT.

출석해 있을 수 있는 사람.

(1) While the Grand Jury Is in Session. The following persons may be present while the grand jury is in session: attorneys for the government, the witness being questioned, interpreters when needed, and a court reporter or an operator of a recording device.

대배심이 회합 중인 동안. 대배심이 회합 중인 동안에 아래 사람들은 출석해 있을 수 있다: 검사(정부 측 변호사)들, 신문대상인 증인들, 필요한 경우의 통역인들, 그리고 법원속기사 및 녹음장비 기사.

(2) During Deliberations and Voting. No person other than the jurors, and any interpreter needed to assist a hearing-impaired or speech-impaired juror, may be present while the grand jury is deliberating or voting.

숙의들 동안 및 표결 동안. 대배심이 숙의 중인 내지는 표결 중인 동안에는 배심원들이 이외의, 그리고 청각장애의 내지는 언어장애의 배심원을 조력하기 위하여 요구되는 통역인이 이외의 어느 누구가도 출석해 있어서는 안 된다.

(e) RECORDING AND DISCLOSING THE PROCEEDINGS.

절차들의 기록 및 공개.

(1) Recording the Proceedings. Except while the grand jury is deliberating or voting, all proceedings must be recorded by a court reporter or by a suitable recording device. But the validity of a prosecution is not affected by the unintentional failure to make a recording. Unless the court orders otherwise, an attorney for the government will retain control of the recording, the reporter's notes, and any transcript prepared from those notes.

절차들의 기록. 대배심이 숙의 중인 내지는 표결 중인 경우에를 제외하고는 모든 절차들은 법원속기사에 의하여 내지는 적절한 녹음장비에 의하여 기록되지 않으면 안 된다. 그러나 기록을 작성하기에 대한 비의도적 불이행에 의하여 절차추행의 유효성은 영향을 받지 아니한다. 법원이 달리 명령하는 경우에를 제외하고는, 기록에 대한, 속기사의 메모들에 대한, 그리고 그 메모들로부터 작성되는 모든 속기록에 대한 통제를 검사(정부 측 변호사)는 보유한다.

(2) Secrecy.

비밀성.

(A) No obligation of secrecy may be imposed on any person except in accordance with Rule 6(e)(2)(B).

Rule 6(e)(2)(B)에의 부합 속에서는 제외하고는 어느 누구에게도 비밀의무는 부과되어서는 안 된다.

(B) Unless these rules provide otherwise, the following persons must not disclose a matter occurring before the grand jury:

이 규칙들이 달리 규정하는 경우에를 제외하고는, 대배심 앞에서 발생하는 사안을 아래 사람들은 공개하여서는 안 된다:

(i) a grand juror;

대배심원;

(ii) an interpreter;

통역인;

(iii) a court reporter;

법원속기사;

(iv) an operator of a recording device;

녹음장비 기사;

(v) a person who transcribes recorded testimony;

녹음된 증언을 녹취하는 사람;

(vi) an attorney for the government; or

검사(정부 측 변호사); 또는

(vii) a person to whom disclosure is made under Rule 6(e)(3)(A)(ii) or (iii).

Rule 6(e)(3)(A)(ii) 아래서 또는 (iii) 아래서 공개를 제공받는 사람.

(3) Exceptions.

예외들.

(A) Disclosure of a grand-jury matter-other than the grand jury's deliberations or any grand juror's vote-may be made to:

대배심의 숙의들의를 및 대배심원 어느 누구든지의 투표의를 제외한 대배심 사안의, 공개는 아래의 사람에게 이루어질 수 있다:

(i) an attorney for the government for use in performing that attorney's duty;

한 명의 검사(정부 측 변호사)의 의무 수행에 있어서의 사용을 위하여 그 검사(정부 측 변호사)에게 이루어지는 경우;

(ii) any government personnel-including those of a state, state subdivision, Indian tribe, or foreign government-that an attorney for the government considers necessary to assist in performing that attorney's duty to enforce federal and District of Columbia criminal law; or

연방의 및 콜럼비아 특별구의 형사법을 시행하여야 할 검사(정부 측 변호사) 자신의 의무의 수행을 조력하는 데 필요하다고 검사(정부 측 변호사)가 간주하는, 한 개의 주 정부의를, 주 하부단위 정부의를, 인디언 부족의를, 또는 외국 정부의를 포함하여 정부의, 직원에게 이루어지는 경우; 또는

(iii) a person authorized by 18 U.S.C. § 3322.

합중국 법률집 제18편 제3322절에 의하여 허가되는 사람에게 이루어지는 경우.

(B) A person to whom information is disclosed under Rule 6(e)(3)(A)(ii) may use that information only to assist an attorney for the government in performing that attorney's duty to enforce federal and District of Columbia criminal law. An attorney for the government must promptly provide the Superior Court with the names of all persons to whom a disclosure has been made, and must certify that the attorney has advised those persons of their obligation of secrecy under this rule.

Rule 6(e)(3)(A)(ii)에 따라서 정보를 공개받는 사람은 오직 연방의 내지는 콜럼비아 특별구의 형사법을 시행할 검사(정부 측 변호사)의 의무의 수행에 있어서의 그 검사(정부 측 변호사)를 조력하기 위하여서만 그 정보를 사용할 수 있다. 공개가 제공된 바 있는 모든 사람들의 이름들을 상위 지방법원에 검사(정부 측 변호사)는 신속하게 제공하지 않으면 안 되고, 그 사람들의 이 규칙 아래서의 비밀준수 의무에 관하여 그들에게 자신이 고지한 터임을 검사(정부 측 변호사)는 보증하지 않으면 안 된다.

(C) An attorney for the government may disclose any grand-jury matter to another grand jury in the District of Columbia.

어떤 대배심 사안을이라도 콜럼비아 특별구 내의 다른 대배심에게 검사(정부 측 변호사)는 공개할 수 있다.

(D) An attorney for the government may disclose any grand-jury matter involving foreign intelligence, counterintelligence (as defined in 50 U.S.C. § 3003), or foreign intelligence information (as defined in Rule 6(e)(3)(D) (iii)) to any federal law enforcement, intelligence, protective, immigration, national defense, or national security official to assist the official receiving the information in the performance of that official's duties. An attorney for the government may also disclose any grand jury matter involving, within the United States or elsewhere, a threat of attack or other grave hostile acts of a foreign power or its agent, a threat of domestic or international sabotage or terrorism, or clandestine intelligence gathering activities by an intelligence service or network of a foreign power or by its agent, to any appropriate federal, state, state subdivision, Indian tribal, or foreign government official, for the purpose of preventing or responding to such threat or activities.

국외정보를, 방첩활동을(합중국 법률집 제50편 제3003절에 개념정의된 것을 말함), 또는 국외정보 관련의 정보를 (Rule 6(e)(3)(D) (iii)에 개념정의 된 것을 말함) 포함하는 어떤 대배심 사안을이라도 그 어떤 연방 법 집행 공무원에게도, 정보담당 공무원에게도, 방호 담당 공무원에게도, 이민 담당 공무원에게도, 국방 담당 공무원에게도, 또는 안보 담당 공무원에게도, 그 정보를 수령하는 당해 공무원을 당해 공무원의 의무들의 수행에 있어서 조력하기 위하여, 검사(정부 측 변호사)는 공개할 수 있다. 합중국 내에서의 또는 그 밖의 곳에서의 외부세력의 내지는 그 대리인의 공격의, 내지는 그 밖의 중대한 적대행위들의 위협을, 내지는 국내적 내지는 국제적 파괴행위의 내지는 테러행위의 위협을 포함하는, 또는 외부세력의 정보기관에 의한 내지는 정보망에 의한 내지는 그 대리인에 의한 은밀한 정보수집 활동들을 포함하는, 어떤 대배심 사안을이라도 그러한 위협의 내지는 활동들의 방지를 위하여 내지는 이에의 대응을 위하여 적절한 연방의, 주의, 주 하부단위의, 인디언 부족의, 또는 외국정부의 공무원에게 검사(정부 측 변호사)는 또한 공개할 수 있다.

(i) Any official who receives information under Rule 6(e)(3)(D) may use the information only as necessary in the conduct of that person's official duties subject to any limitations on the unauthorized disclosure of such information. Any state, state subdivision, Indian tribal, or foreign government official who receives information under Rule 6(e)(3)(D) may use the information only in a manner consistent with any guidelines issued by the Attorney General and the Director of National Intelligence.

조금이라도 Rule 6(e)(3)(D)에 따라서 정보를 수령하는 공무원은 오직 그 자신의 공무상의 의무들의 수행에 필요한 경우에만 그 정보를 사용할 수 있는바, 조금이라도 그러한 정보의 허가 없는 공개에 대한 제한사항들을 그는 준수해야 한다. 조금이라도 Rule 6(e)(3)(D)에 따라서 정보를 수령하는 주(state)의 공무원은, 주(state) 하부단위의 공무원은, 인디언 부족의 공무원은, 또는 외국정부의 공무원은 오직 검찰총장에 의하여 및 국가정보원장에 의하여 발령되는 지침들에 부합되는 방법으로만 그 정보를 사용할 수 있다.

(ii) Within a reasonable time after disclosure is made under Rule 6(e)(3)(D), an attorney for the government must file, under seal, a notice with the court stating that such information was disclosed and the departments, agencies, or entities to which the disclosure was made.

그러한 정보가 공개되었음을 및 그 공개를 제공받은 부서들을, 기관들을, 또는 법주체들을 서술하는 통지서를 Rule 6(e)(3)(D)에 따라서 공개가 이루어진 뒤 합리적인 시간 내에 봉인 상태로 법원에 검사(정부 측 변호사)는 제출하지 않으면 안 된다.

(iii) As used in Rule 6(e)(3)(D), the term "foreign intelligence information" means:

이하의 것들을 Rule 6(e)(3)(D)에서 사용되는 것으로서의 "국외정보 관련의 정보"라는 용어는 의미한다:

(a) information, whether or not it concerns a United States person, that relates to the ability of the United States to protect against-

합중국 국민에 대하여 관련을 지니는 정보인지 아닌지 여부에 상관없이, 아래 사항에 대처할 합중국의 능력에 관련되는 정보—

. actual or potential attack or other grave hostile acts of a foreign power or its agent;

외부세력의 또는 그 대리인의 실제적 내지는 잠재적 공격 또는 그 밖의 중대한 적대행위들;

. sabotage or international terrorism by a foreign power or its agent; or

외부세력에 또는 그 대리인에 의한 파괴활동 또는 국제적 테러행위; 또는

. clandestine intelligence activities by an intelligence service or network of a foreign power or by its agent; or

외부세력의 정보기관에 또는 정보망에 의한 내지는 그 대리인에 의한 은밀한 정보 활동들; 또는

(b) information, whether or not it concerns a United States person, with respect to a foreign power or foreign territory that relates to-

합중국 국민에 대하여 관련을 지니는 정보인지 아닌지 여부에 상관없이, 아래 사항에 관련되는 외부세력에 또는 외국영토에 관한 정보—

. the national defense or the security of the United States; or

합중국의 국방 또는 안보; 또는

. the conduct of the foreign affairs of the United States.

합중국의 외교업무의 수행.

(E) The court may authorize disclosure-at a time, in a manner, and subject to any other conditions that it directs-of a grand-jury matter:

아래의 경우에는 자신이 지시하는 때에의, 방법으로의, 그리고 조금이라도 그 밖의 조건들에 따라서의 대배심 사안의 공개를 법원은 허가할 수 있다:

(i) preliminarily to or in connection with a judicial proceeding;

사법절차에 앞서서 예비적으로 또는 사법절차에의 연관 속에서 허가하는 경우;

(ii) at the request of a defendant who shows that a ground may exist to dismiss the indictment because of a matter that occurred before the grand jury;

대배심 앞에서 발생한 사안을 이유로 당해 대배심 검사기소장을 각하할 사유가 존재할 수 있음을 증명하는 피고인의 요청에 따라서 허가하는 경우;

(iii) at the request of the government, when sought by a foreign court or prosecutor for use in an official criminal investigation;

공식의 범죄수사에서의 사용을 위하여 외국의 법원에 또는 검사에 의하여 요청됨에 따른 정부의 요청에 따라서 허가하는 경우;

(iv) at the request of the government if it shows that the matter may disclose a violation of state, Indian tribal, or foreign criminal law, as long as the disclosure is to an appropriate state, state-subdivision, or Indian tribal, or foreign government official for the purpose of enforcing that law; or

주(State)의 형사법에 대한, 인디언 부족의 형사법에 대한, 또는 외국의 형사법에 대한 위반을 그 사안이 밝혀줄 수 있음을 정부가 증명하는 경우에로서 그 법을 시행함을 목적으로 적절한 주(state) 공무원에게, 주(state) 하부단위의 공무원에게, 인디언 부족의 공무원에게, 또는 외국정부의 공무원에게 그 공개가 이루어지는 한도 내에서 정부의 요청에 따라서 허가하는 경우; 또는

(v) at the request of the government if it shows that the matter may disclose a violation of military criminal law under the Uniform Code of Military Justice, as long as the disclosure is to an appropriate military official for the purpose of enforcing that law.

통일군사법원법 아래서의 군(軍)형사법에 대한 위반을 사안이 밝혀줄 수 있음을 정부가 증명하는 경우에로서 그 법을 시행함을 목적으로 적절한 군(軍) 공무원에게 그 공개가 이루어지는 한도 내에서 정부의 요청에 따라서 허가하는 경우.

(F) A petition to disclose a grand-jury matter under Rule 6(e)(3)(E)(i) must be filed with the clerk of the court. Unless the hearing is ex parte-as it may be when the government is the petitioner-the petitioner must serve the petition on, and the court must afford a reasonable opportunity to appear and be heard to:

대배심 사안을 Rule 6(e)(3)(E)(i)에 따라서 공개하라는 청구서는 법원서기에게 제출되지 않으면 안 된다. 청구에 대한 심리가 일방절차인 경우에를 제외하고는 — 정부가 청구인인 경우에는 일방절차일 수 있다 — 청구서를 아래 사람들에게 청구인은 송달하지 않으면 안 되고, 출석할 및 심문에 참여할 합리적 기회를 아래 사람들에게 법원은 부여하지 않으면 안 된다:

(i) an attorney for the government;

검사(정부 측 변호사);

(ii) the parties to the judicial proceeding; and

당해 사법절차에의 당사자들; 그리고

(iii) any other person whom the court may designate.

조금이라도 법원이 지명하는 여타의 사람.

(4) Sealed Indictment. The judge to whom an indictment is returned may direct that the indictment be kept secret until the defendant is in custody or has been released pending trial. The clerk must then seal the indictment, and no person may disclose the indictment's existence except as necessary to issue or execute a warrant or summons.

대배심 검사기소장의 봉인. 대배심 피고인이 구금될 때까지 또는 정식사실심리 전 석방에 처해지고 났을 때까지 대배심 검사기소장이 비밀리에 간수되게 하도록 그 기소장을 제출받는 판사는 명령할 수 있다. 그 경우에 그 대배심 검사기소장을 서기는 봉인하지 않으면 안 되고, 영장을 또는 소환장을 발부하기 위하여 또는 집행하기 위하여 필요한 경우에를 제외하고는 대배심 검사기소장의 존재를 어느 누구가도 공개해서는 안 된다.

(5) Closed Hearing. Subject to any right to an open hearing in a contempt proceeding, the court must close any hearing to the extent necessary to prevent disclosure of a matter occurring before a grand jury.

심문의 비공개. 조금이라도 법원모독죄 절차들에서의 공개된 심문의 권리를 적용하는 가운데서, 대배심 앞에서 발생하는 사안의 공개를 방지하기 위하여 필요한 정도껏 비공개로 심문을 법원은 진행하지 않으면 안 된다.

(6) Sealed Records. Records, orders, and subpoenas relating to grand-jury proceedings must be kept under seal to the extent and as long as necessary to prevent the unauthorized disclosure of a matter occurring before a grand jury.

기록들의 봉인. 대배심 절차들에 관련되는 기록들은, 명령들은, 그리고 벌칙부소환장들은 대배심 앞에서 발생하는 사안의 허가 없는 공개를 방지하기 위하여 필요한 정도껏 및 필요한 기간껏 봉인상태로 보관되지 않으면 안 된다.

(7) Contempt. A knowing violation of Rule 6, or of guidelines jointly issued by the Attorney General and the Director of National Intelligence under Rule 6, may be punished as a contempt of court.

법원모독. Rule 6에 대한, 또는 Rule 6 아래서 검찰총장에 및 국가정보원장에 의하여 합동으로 발령되는 지침들에 대한 고의의 위반은 법원모독으로 처벌될 수 있다.

(f) INDICTMENT AND RETURN. A grand jury may indict only if at least 12 jurors concur. The grand jury-or its foreperson or deputy foreperson-must return the indictment to a judge in open court. To avoid unnecessary cost or delay, the judge may take the return by video teleconference. If a complaint or information is pending against the defendant and 12 jurors do not concur in the indictment, the foreperson must promptly and in writing report the lack of concurrence to the judge.

대배심 검사기소장 및 제출. 적어도 12명의 배심원들이 찬성할 경우에만 대배심 검사기소에 대배심은 처할 수 있다. 대배심 검사기소장을 공개법정에서 판사에게 대배심은 —또는 그 배심장은 내지는 부배심장은 — 제출하지 않으면 안 된다. 불필요한 비용을 내지는 지체를 피하기 위하여, 그 제출을 원격화상회의(video tele-conference)에 의하여 판사는 받을 수 있다. 피고인에 대하여 소추청구장(a complaint)이 또는 검사 독자기소장(information)이 걸려 있는 경우에 대배심 검사기소에 찬성하는 배심원들이 12명에 달하지 아니하면, 그 찬성의 결여를 판사에게 배심장은 신속하게 및 서면으로 보고하지 않으면 안 된다.

(g) DISCHARGING THE GRAND JURY. A grand jury must serve until discharged by the Chief Judge or other judge designated by the Chief Judge; but no grand jury may serve more than 18 months unless the Chief Judge or designee extends the service of the grand jury for a period of 6 months or less upon determination that such extension is in the public interest.

대배심의 임무해제. 법원장 판사에 의하여 또는 법원장 판사의 지명을 받은 여타의 판사에 의하여 임무해제 될 때까지 대배심은 복무하지 않으면 안 된다; 그러나 복무기간의 연장이 공익에 부합된다는 판단 위에서 대배심의 복무를 6개월 동안 또는 그 이하의 기간 동안 법원장 판사가 또는 그 피지명자가 연장하는 경우에를 제외하고는 18개월을 초과하여 대배심은 복무할 수 없다.

(h) EXCUSING A JUROR. At any time, for good cause, the Chief Judge or other judge designated by the Chief Judge may excuse a juror either temporarily or permanently, and if permanently, the Chief Judge or designee may impanel an alternate juror in place of the excused juror.

배심원의 면제. 타당한 이유가 있으면 언제든지 한 명의 배심원을 일시적으로 또는 영구적으로 법원장 판사는 내지는 법원장 판사에 의하여 지명된 여타의 판사는 면제할 수 있는바, 영구적으로 면제하는 경우이면 그 면제되는 배심원에 갈음하여 예비배심원을 법원장 판사는 내지는 그 피지명자는 충원할 수 있다.

(i) "INDIAN" TRIBE DEFINED. "Indian tribe" means an Indian tribe recognized by the Secretary of the Interior on a list published in the Federal Register under 25 U.S.C. § 5131.

"인디언 부족"의 개념정의. 25 U.S.C. §5131(합중국 법률집 제25편 제5131절)에 따른 연방관보에 공표되는 목록에서 내무장관에 의하여 인정되는 인디언 부족을 "인디언 부족"은 의미한다.

Super. Ct. Crim. R. 6
상위 지방법원 형사규칙 6.

Last amended by Order dated March 29, 2017, effective May 1, 2017.
명령에 의한 최종개정은 2017년 3월 29일에 있었으며, 2017년 5월 1일에 발효함.

- -

COMMENT TO 2017 AMENDMENTS
2017년 개정들에 대한 주해

Section (f) has been amended to conform to the 2011 amendments to the federal rule. It permits the court to take an indictment return by video teleconference to avoid unnecessary cost or delay.

연방규칙에 대하여 이루어진 2011년 개정들에 일치시키기 위하여 (f)절은 개정된 터이다. 불필요한 비용을 및 지체를 회피하기 위하여 대배심 검사기소장의 제출을 원격화상회의에 의하여 법원으로 하여금 수령하도록 그것은 허용한다.

- -

COMMENT TO 2016 AMENDMENTS
2016년 개정들에 대한 주해

This rule has been redrafted to conform to the general restyling of the federal rules in 2002, and to the minor stylistic changes made in 2006. It differs from the federal rule in several respects. Paragraphs (a), (c) (g), and (h) provide that the Chief Judge (or his or her designee), rather than the court in general, controls the summoning, discharging, and excusing of jurors and the appointing of the foreperson and deputy foreperson. Subparagraph (b)(2), concerning motions to dismiss the indictment, refers to D.C. Code § 11-1910 (2012 Repl.), rather than to the federal statute, 28 U.S.C. § 1867(e).

2002년의 연방규칙들의 전체적 재구성에, 그리고 2006년에 이루어진 소소한 문체 상의 변경들에, 부합되게 하기 위하여 이 규칙은 다시 쓰였다. 몇 가지 점들에서 연방규칙에 그것은 차이가 난다. 배심원들의 소환을, 임무해제를, 그리고 제외조치를, 그리고 배심장의 및 부배심장의 지명을, 일반적으로 법원이가 아니라 법원장 판사가 (또는 그의 내지는 그녀의 피지명자가) 통제함을 단락 (a)는, (c)는 (g)는, 그리고 (h)는 규정한다. 연방 제정법인 합중국 법률집 제28편 제1867(e)절을이 아닌 콜럼비아 특별구 법률집 제11-1910절(2012년 교체됨)을, 대배심 검사기소장을 각하하여 달라는 신청들에 관련되는 소단락 (b)(2)는 인용한다.

The contempt provision, formerly the last sentence of subparagraph (e)(2), is now subparagraph (e)(7). Subparagraph (e)(3) contains several new provisions.

이전의 소단락 (e)(2)의 마지막 문장이었던 법원모독 규정은 지금은 소단락 (e)(7)이다. 몇 가지 새로운 규정들을 소단락 (e)(3)은 포함한다.

First, subparagraph (e)(3)(A)(ii) recognizes the sovereignty of Indian tribes and the possibility that it would be necessary to disclose grand-jury information to appropriate tribal officials in order to enforce the law. Similar language has been added to Rule 6(e)(3)(E)(iv).

인디언 부족들의 주권을 및 법을 시행하기 위하여 대배심 정보를 적절한 부족 공무원들에게 공개할 필요가 있을 가능성을, 첫째로 소단락 (e)(3)(A)(ii)는 인정한다. Rule 6(e)(3)(E)(iv)에 그 유사한 문구가 추가되어 있다.

Second, subparagraph (e)(3)(A)(iii) recognizes that disclosure may be made to a person under 18 U.S.C. § 3322 (authorizing disclosures to an attorney for the government and banking regulators for enforcing civil forfeiture and civil banking laws).

합중국 법률집 제18편 제3322절 (민사적 몰수를 및 민사적 은행법들을 시행하기 위한 검사(정부 측 변호사)에게의 및 은행감독인들에게의 공개들을 허가함) 아래의 사람에게 공개가 이루어질 수 있음을, 둘째로 소단락 (e)(3)(A)(iii)는 인정한다.

Third, subparagraph (e)(3)(E)(v) addresses disclosure of grand-jury information to armed forces personnel where the disclosure is for the purpose of enforcing military criminal law under the Uniform Code of Military Justice, 10 U.S.C. §§ 801-946.

공개가 합중국 법률집 제10편 제801절부터 제946절까지의 통일군사법원법 아래서의 군 형사법을 시행하기 위한 것인 경우에의 대배심 정보의 군대요원에게의 공개를, 셋째로 소단락 (e)(3)(E)(v)는 다룬다.

Fourth, subparagraph (e)(3)(D) reflects changes made to Rule 6 by Section 203 of the Uniting and Strengthening America by Providing Appropriate Tools Required to Intercept and Obstruct Terrorism (USA PATRIOT ACT) Act of 2001 (Pub. L. No. 107-56; 115 Stat. 272) and by Section 6501 of the Intelligence Reform and Terrorism Prevention Act (IRTPA) of 2004 (Pub. L. No. 108-458; 118 Stat. 3638).

2001년의 테러행위의 적발에 및 방지에 요구되는 적절한 수단들을 제공함에 의한 미국 통합강화법 (합중국애국법)(Pub. L. No. 107-56; 115 Stat. 272) 제203절에 의하여, 그리고 2004년의 정보개혁 및 테러방지법 (IRTPA) (Pub. L. No. 108-458; 118 Stat. 3638) 제6501절에 의하여, Rule 6에 가해진 변경들을, 넷째로 소단락 (e)(3)(D)는 반영한다.

The USA PATRIOT Act provision permits an attorney for the government to disclose grand-jury matters involving foreign intelligence or counterintelligence to other federal officials, in order to assist those officials in performing their duties. The term "foreign intelligence information" is defined in Rule 6(e)(3)(D) (iii). The IRTPA provision permits an attorney for the government to disclose grand jury matters involving, within the United States or elsewhere, threats of attack, sabotage, terrorism and clandestine intelligence gathering activities to appropriate federal, state, Indian tribal, or foreign government officials, in order to assist those officials in preventing or responding to such threats or activities. Under Rule 6(e)(3)(D)(i), the federal official receiving the information may only use the information as necessary and may be otherwise limited in making further disclosures. Any disclosures made under this provision must be reported under seal, within a reasonable time, to the court.

그들의 의무들의 수행에 있어서의 여타의 연방 공무원들을 조력하기 위하여, 국외정보를 내지는 방첩활동을 포함하는 대배심 사안들을 그 여타의 연방 공무원들에게 공개하도록, 검사(정부 측 변호사)에게 합중국애국법 규정은 허용한다. "국외정보 관련의 정보"라는 용어의 개념은 Rule 6(e)(3)(D) (iii)에서 정의된다. 합중국 내에서의든 또는 그 밖의 곳에서의든 공격의 위협들을, 파괴활동의 위협들을, 테러행위의 위협들을 및 은밀한 정보수집 활동들을 방지함에 있어서의, 내지는 그러한 위협들에 내지는 활동들에 대응함에 있어서의, 적절한 연방의, 주(state)의, 인디언 부족의, 또는 외국정부의 공무원들을 조력하기 위하여, 그러한 위협들을 내지는 활동들을 포함하는 대배심 사안들을 그러한 공무원들에게 검사(정부 측 변호사)로 하여금 공개하도록, 정보개혁 및 테러방지법(IRTPA) 규정은 허용한다. Rule 6(e)(3)(D)(i) 아래서 정보를 수령하는 연방 공무원은 오직 그 필요한 경우에만 그 정보를 사용할 수 있고, 나아가 더 이상의 공개들을 행함에 있어서도 여타의 방법으로 제한될 수 있다. 이 규정에 따라서 이루어지는 그 어떤 공개들은이든 합리적 시간 내에 봉인 아래서 법원에 보고되지 않으면 안 된다.

Finally, subparagraph (e)(3)(E)(iii) is a new provision adtded by the IRTPA. It permits the court, on motion of the government, to authorize disclosures sought by a foreign court or prosecutor for use in an official criminal investigation.

끝으로, 소단락 (e)(3)(E)(iii)는 정보개혁 및 테러방지법(IRTPA)에 의하여 추가된 새로운 규정이다. 공식의 범죄수사에서의 사용을 위하여 외국의 법원에 의하여 또는 검사에 의하여 요청되는 공개를 정부의 신청이 있을 경우에 법원으로 하여금 허가하도록 그것은 허용한다.

Subparagraph (e)(3)(B) differs from the federal rule in two ways.

소단락 (e)(3)(B)는 연방규칙에 두 가지 점에서 차이 난다.

First, it retains a reference to the government attorney's duty to enforce both local and federal criminal law. Second, it retains a requirement that the attorney for the government provide disclosure notice to "the Superior Court" rather than to "the court that impaneled the grand jury." Subparagraph (e)(3)(C) consists of language formerly found in subparagraph (e)(3)(C)(iii). It retains language permitting the attorney for the government to disclose a "grand-jury matter to another grand jury in the District of Columbia", rather than to a federal grand jury.

첫째로, 지방의 및 연방의 형사법을 다 같이 시행할 검사(정부 측 변호사)의 의무에의 언급을 그것은 존속시킨다. 둘째로, 공개 통지를 "당해 대배심을 충원구성한 법원"에게가 아니라 "상위 지방법원"에게 검사(정부 측 변호사)가 제공하여야 함에 대한 요구를 그것은 존속시킨다. 과거에는 소단락 (e)(3)(C)(iii)에 들어 있던 문언으로 소단락 (e)(3)(C)는 구성된다. "대배심 사안을" 한 개의 연방 대배심에게가 아니라 "콜럼비아 특별구 내의 다른 대배심에게" 검사(정부 측 변호사)로 하여금 공개하도록 허용하는 문구를 그것은 존속시킨다.

Similarly, subparagraph (e)(3)(F) retains language, formerly in subparagraph (e)(3)(D), requiring that a disclosure petition be filed "with the clerk of the court" rather than "in the district where the grand jury convened."

"대배심이 소집된 재판구"에가 아닌 "법원서기에게" 공개청구가 제출되도록 요구하는, 과거에는 소단락 (e)(3)(D)에 들어 있던 문구를, 마찬가지로 소단락 (e)(3)(F)는 존속시킨다.

Subparagraph (e)(3)(G) of the federal rule, concerning a disclosure petition "aris[ing] out of a judicial proceeding in another district," has been omitted as not applicable to Superior Court practice.

"다른 재판구에서의 사법절차에서 발생하[는]" 한 개의 공개청구에 관련되는 연방규칙의 소단락 (e)(3)(G)는 상위 지방법원의 업무처리에는 적용되지 아니하는 것으로서 삭제되어 있다.

Subparagraph (e)(4) is the same as the federal rule except that this rule refers to the "judge" rather than to the "magistrate judge to whom an indictment is returned."

소단락 (e)(4)는 연방규칙에 동일한바, 다만 "대배심 검사기소장이 제출되는 수권보조판사"를이 아닌 "판사"를 이 규칙은 언급한다.

Similarly, paragraph (f) refers twice to "judge" rather than to "magistrate judge."

마찬가지로 "수권보조판사"를이 아닌 "판사"를 단락 (f)는 두 번 언급한다.

Paragraphs (g) and (h) ("Discharging the Grand Jury" and "Excusing a Juror," respectively) consist of language that was previously found in paragraph (g) ("Discharge and Excuse"). Paragraph (g) differs from the federal rule by omitting the phrase "except as otherwise provided by statute," which refers to the locally inapplicable 18 U.S.C. § 3331.

단락 (g) ("대배심의 임무해제") 는 및 (h) ("배심원의 면제")는 과거에는 단락 (g)("임무해제 및 면제")에 들어 있던 문언으로 구성된다. 지방에는 적용될 수 없는 합중국 법률집 제18편 제3331절을 가리키는 "제정법에 의하여 달리 규정되는 경우에를 제외하고는"을 삭제함으로써, 단락 (g)는 연방규칙에 차이가 난다.

콜로라도주
대배심 규정

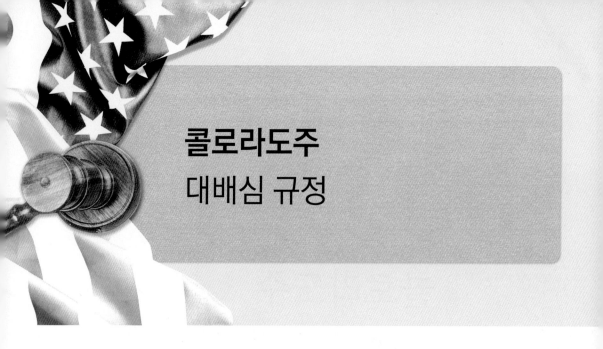

https://law.justia.com/codes/colorado/2018/title-13/juries-and-jurors/article-71/
section-13-71-120/

2018 Colorado Revised Statutes
Title 13 - Courts and Court Procedure
Juries and Jurors
Article 71 - Colorado Uniform Jury Selection and Service Act

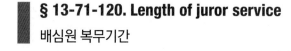 **§ 13-71-120. Length of juror service**
배심원 복무기간

Universal Citation: CO Rev Stat § 13-71-120 (2018)

일반적 인용: CO Rev Stat § 13-71-120 (2018)

Trial juror service shall be for a one-day term unless a juror is assigned to or im-
paneled on an incompleted trial when the one-day term ends, or unless the court
orders otherwise. Nothing shall prevent a trial juror from serving on more than
one jury or participating in more than one trial during the term; except that a trial

juror whose deliberation ended with a verdict shall not be required to participate in a second trial even though the juror may not have completed the first day of juror service at the time of the commencement of the second trial. Jurors awaiting assignment to a trial shall be discharged as early as possible after it has been determined that their services will not be needed. Grand juror service shall be for a term of twelve months unless the court discharges the jurors earlier or enlarges such term upon a finding that the efficient administration of justice so requires; except that in no event shall a grand jury serve for longer than eighteen months.

하루의 복무기간이 종료되었을 때 마무리되지 못한 한 개의 정식사실심리에 한 명의 정식사실심리 배심원이 배정되는 경우에를 내지는 그 배심원단에 충원되는 경우에를 제외하고는, 내지는 법원이 달리 명령하는 경우에를 제외하고는, 정식사실심리 배심원의 복무는 하루의 기간 동안이다. 그 복무기간 중 한 개를 넘는 배심에 복무하지 못하도록 내지는 한 개를 넘는 정식사실심리에 참여하지 못하도록 정식사실심리 배심원을 금지하는 것은 없다; 다만 한 개의 평결로써 그 숙의가 종결된 정식사실심리 배심원은 설령 첫째 날의 배심복무를 두 번째 정식사실심리 시작 당시에 당해 배심원이 끝마치지 아니한 경우에도 그 두 번째 정식사실심리에 참여하도록 요구되지 아니한다. 정식사실심리에의 배정을 기다리는 배심원들은 그들의 복무들이 필요하지 아니할 것으로 결정되고 난 뒤에 가능한 한 일찍 해임된다. 대배심원들의 복무는 12개월인바, 다만 배심원들을 더 일찍 해임하도록 내지는 그 기간을 연장하도록 사법의 효율적 운영이 요구한다는 판단에 터잡아 그렇게 법원이 조치하는 경우에를 제외한다; 그러나 어떤 경우에도 18개월을 대배심 복무는 초과하여서는 안 된다.

https://law.justia.com/codes/colorado/2018/title-13/juries-and-jurors/article-72/section-13-72-101/

§ 13-72-101. Grand jurors - term - additional juries
대배심원들 – 복무기간 – 추가적 배심들

Universal Citation: CO Rev Stat § 13-72-101 (2018)
일반적 인용: CO Rev Stat § 13-72-101 (2018)

(1) Grand juries shall not be drawn, summoned, or required to attend the sitting of any court in any county in this state unless specially ordered by the court having jurisdiction to make such an order and except as provided in subsection (2) of this section. The length of term served by a grand jury shall be as provided in section 13-71-120.

그 명령할 관할권을 지니는 법원에 의하여 특별히 명령되는 경우에를 제외하고는 및 이 절의 소절 (2)에 규정되는 바에 따라서를 제외하고는, 대배심들은 추출되지도, 소환되지도, 또는 이 주 내의 그 어느 카운티의 그 어느 법원의 개정법정에도 출석하도록 요구되지도 아니한다. 대배심의 복무기간은 제13-71-120절에 규정되는 바에 따른다.

(2) In counties with a population of one hundred thousand persons or more, according to the latest federal census, a grand jury shall be drawn and summoned by the court to attend the sitting of said court at the first term of such court in each year.

직전의 연방 인구조사 통계에 따른 인구 10만 이상인 카운티들에서 한 개의 대배심은 매년 위에서 말한 법원의 첫 번째 개정기에 출석하도록 위에서 말한 법원에 의하여 추출되어야 하고 소환되어야 한다.

(3) In all other counties, the grand jury shall be called and shall sit at such times and for such periods as the court may order on its own motion or upon motion by the district attorney of the judicial district in which the county is located.

그 밖의 모든 카운티들에서는 법원 자신의 발의에 따라서 내지는 카운티가 소재하는 재판구 지방검사의 신청에 따라서 법원이 명령하는 때에 및 기간 동안 대배심은 소환되어야 하고 착석하여야 한다.

(4) Upon motion of the district attorney and for good cause shown, the court may cause to be drawn and summoned an additional grand jury.

한 개의 추가적 대배심이 추출되도록 및 소환되도록 재판구 지방검사의 신청에 따라서 및 소명되는 상당한 이유에 터잡아 법원은 조치할 수 있다.

(5) A grand jury shall be impaneled, sworn and charged in, and report to such court, as the judges of the judicial district among themselves agree or as they may by rule provide.

재판구 지방법원 판사들이 그들 사이에서 동의하는 바에 따라서 내지는 그들이 규칙으로 규정하는 바에 따라서 한 개의 대배심은 충원구성되어야 하고 선서절차에 처해져야 하며 임무가 부여되어야 하고 그러한 법원에 출석하여야 한다.

https://law.justia.com/codes/colorado/2018/title-13/juries-and-jurors/article-72/section-13-72-102/

 § 13-72-102. Number of jurors
배심원들의 숫자

Universal Citation: CO Rev Stat § 13-72-102 (2018)
일반적 인용: CO Rev Stat § 13-72-102 (2018)

A grand jury shall consist of twelve persons, and the assent of nine jurors shall be necessary for the returning of a true bill; but, upon motion of the district attorney and for good cause shown, the court may cause to be convened, impaneled, and sworn a grand jury consisting of twenty-three members, and the assent of twelve members shall be necessary for the returning of a true bill when said grand jury consists of twenty-three members. At any meeting of the grand jury at least nine grand jurors shall constitute a quorum.

열두 명으로 대배심은 구성되고 기소평결부 대배심 검사기소장안의 제출을 위하여는 대배심원들 아홉 명의 동의가 필요하다; 그러나 스물세 명으로 구성되는 한 개의 대배심이 소집되도록, 충원구성되도록, 선서절차에 처해지도록 재판구 지방검사의 신청에 및 소명되는 상당한 이유에 따라서 법원은 조치할 수 있고, 스물세 명으로 대배심이 구성되는 경우에는 기소평결부 대배심 검사기소장안의 제출을 위하여 열두 명의 동의가 필요하다. 대배심의 모든 회합에서 적어도 아홉 명의 대배심원들이 의사정족수를 구성한다.

§ 13-72-103. Selection of jury panel
배심원단의 선정

Universal Citation: CO Rev Stat § 13-72-103 (2018)
일반적 인용: CO Rev Stat § 13-72-103 (2018)

In drawing the list of jurors, the court shall select from no less than seventy-five names thereon and from such additional lists of names as the court may order, or from such lesser number as may be called to serve as jurors, the names of either twelve or twenty-three persons who shall constitute a grand jury and four alternate grand jurors. The members of the county grand jury shall be selected by the chief judge with the advice of the district attorney. The court may close to the public part or all of the selection process when reasonably necessary to protect the grand jury process or the security of the grand jurors. The length of term served by a county grand jury shall be as provided in section 13-71-120. The court, upon its own motion or at the request of the district attorney, shall enter an order to preserve the confidentiality of all information that might identify grand jurors when reasonably necessary to protect the grand jury process or the security of the grand jurors. In the absence of such an order, upon request, the jury commissioner shall make available for inspection by members of the public a list of grand jurors containing only the grand jurors' names and juror numbers. The court may strike the name of any juror who appears to the court to be incompetent or unqualified to serve.

배심원들의 명부를 추출함에 있어서는 대배심을 구성할 12명의 또는 23명의 이름들을 및 4명의 예비 대배심원들을 그 위의 75명 이상의 이름들로부터 및 법원의 명령하는 이름들의 추가적 명부들로부터, 또는 배심원들로 복무하게 하기 위하여 소환되는 더 적은 숫자로부터 법원은 선정하여야 한다. 카운티 대배심의 구성원들은 재판구 지방검사의 조언을 참고하여 법원장에 의하여 선정되어야 한다. 대배심 절차를 내지는 대배심원들의 안전을 보호하기 위하여 합리적으로 필요한 경우에 법원은 선정 절차의 일부를 내지는 전부를 공중에게 비공개의 것으로 할 수 있다. 카운티 대배심의 복무기간은 제13-71-120절에 규정되는 바에 의한다. 대배심원들의 신원을 드러낼 수 있는 모든 정보의 비밀을 보전하기 위한 명령을, 대배심절차를 내지는 대배심원들의 안전을 보호하기 위하여 합리적으로 필요한 경우에 그 자신의 발의에 터잡아 또는 재판구 지방검사의 요청에 따라서 법원은 기입하여야 한다. 그러한 명령이 없으면, 오직 대배심원들의 이름들만을 및 배심원 번호들만을 포함하는 대배심원 명부가 공중의 구성원들에 의한 점검을 위하여 제공되도록 배심위원은 그 요청이 있을 경우에 조치하여야 한다. 법원의 견지에서 그 복무할 능력을 내지는 자격을 결여하는 것으로 여겨지는 이름을 법원은 삭제할 수 있다.

 § 13-72-104. Foreman appointed - duties
배심장의 지명 – 임무사항들

Universal Citation: CO Rev Stat § 13-72-104 (2018)
일반적 인용: CO Rev Stat § 13-72-104 (2018)

Before a grand jury at any term of court is sworn or affirmed, the court shall appoint a foreman of such jury and an alternate foreman to act in the absence of the foreman, and such foreman or alternate foreman has power to administer an oath or affirmation to any and all witnesses who may be required to testify before such jury. He shall also endorse upon every bill that may be presented to a grand jury the finding of such jury that the same is "a true bill" or "not a true bill", as the case may be, and sign his name thereto before the same is returned into court.

법원 개정기 어느 때의이든 대배심이 선서절차에 내지는 무선서확약 절차에 처해지기에 앞서서 당해 대배심의 배심장 한 명을 및 배심장의 부재 중에 배심장을 대행할 예비배심장 한 명을 법원은 지명하여야 하는바, 선서를 내지는 무선서확약을 그러한 대배심 앞에서 증언하도록 요구될 수 있는 모든 증인들에게 실시할 권한을 그러한 배심장은 내지는 예비배심장은 지닌다. 그것이 "기소평결부 대배심 검사기소장안"이라는 또는 "불기소평결부 대배심 검사기소장안"이라는 확인을 대배심에 제출될 수 있는 모든 기소장안 위에 사안에 따라서 그는 또한 기입하여야 하고 그것이 법원에 제출되기 전에 그의 이름을 거기에 그는 서명하여야 한다.

https://law.justia.com/codes/colorado/2018/title-13/juries-and-jurors/article-72/section-13-72-105/

§ 13-72-105. Oath of foreman - jurors
배심장의 선서 – 배심원들

Universal Citation: CO Rev Stat § 13-72-105 (2018)

일반적 인용: CO Rev Stat § 13-72-105 (2018)

(1) Before a grand jury enters upon its duties, an oath or affirmation shall be administered to the foreman, as follows:

자신의 임무들에 한 개의 대배심이 착수하기에 앞서서 배심장에게 한 개의 선서가 또는 무선서확약이 실시되어야 하는바, 아래에 따른다:

"You, as foreman of this inquest, do solemnly swear or affirm that you will diligently inquire into, and true presentment make, of all such matters and things as shall be given you in charge, or shall otherwise come to your knowledge touching the present service; you will present no person through malice, hatred, or ill will, and that you will leave no one unpresented through fear, favor, or affection, or for any fee or reward or the hope or promise thereof; that you will keep secret your own counsel and that of your fellows touching the present service, and that in all your presentments, you will present the truth, the whole truth, and nothing but the truth, according to the best of your skill and understanding, so help you God."

"귀하들에게 맡겨지는 내지는 현재의 복무에 관련하여 귀하들의 지식 내에 들어오는 모든 사안들을 및 사항들을 근면하게 조사해 들어가겠음을 및 그것들에 관한 진실한 고발을 하겠음을; 어느 누구를이라도 악의를, 원한을, 또는 해의를 통하여 귀하는 고발하지 아니하겠음을, 및 어느 누구를이라도 두려움 때문에, 호의 때문에,

애정 때문에, 또는 보수를 내지는 보상을 바라고서 내지는 그 기대를 지니고서 내지는 약속을 받고서 미고발 상태로 귀하는 남겨두지 아니하겠음을; 현재의 복무에 관련한 귀하 자신의 의논을 및 귀하의 동료들의 의논을 비밀로 귀하는 유지하겠음을, 및 진실을, 완전한 진실을, 그리고 오직 진실만을 귀하의 모든 고발들에서 귀하의 최선껏의 기량에 및 이해에 따라서 귀하는 고발하겠음을 이 대배심의 배심장으로서 귀하는 엄숙히 선서하거나 무선서로 확약하는바, 그러하오니 신께서는 귀하를 도우소서."

(2) An oath or affirmation shall be administered to the other grand jurors as follows:

나머지 배심원들에게는 아래의 선서가 또는 무선서확약이 실시되어야 한다:

"You and each of you do solemnly swear or affirm that you will well and truly keep and observe the oath that" A.B.,"your foreman, has just taken before you, so help you God."

"귀하들의 배심장인" A.B.가 "방금 귀하들 앞에서 한 그 선서를 지키겠음을 및 준수하겠음을 귀하들은 및 귀하들 각자는 엄숙히 선서하거나 무선서로 확약합니다. 그러하오니 신께서는 귀하들을 도우소서."

https://law.justia.com/codes/colorado/2018/title-13/juries-and-jurors/article-72/section-13-72-106/

§ 13-72-106. Attendance excused - discharged - prospective jurors
출석면제-해임-배심원후보들

Universal Citation: CO Rev Stat § 13-72-106 (2018)
일반적 인용: CO Rev Stat § 13-72-106 (2018)

At any time for cause shown, the court may excuse a grand juror permanently and, if so excused, the court shall select a replacement grand juror from one of the four alternate grand jurors chosen pursuant to section 13-72-103. The excuse or discharge of a grand juror shall be in accordance with the procedures specified in the "Colorado Uniform Jury Selection and Service Act", article 71 of this title. The discharge of any such grand juror shall in no way or manner affect any indictment found by the grand jury as it was composed either before or after such charge.

한 명의 대배심원을 그 증명되는 이유에 따라서 언제든지 영구적으로 법원은 면제할 수 있는 바, 만약 그렇게 그가 면제되면, 제13-72-103절에 따라서 선발되어 있는 네 명의 예비 대배심원들 중의 한 명을 교체 대배심원으로 법원은 선정하여야 한다. 대배심원의 면제는 내지는 해임은 이 편 제71조인 "콜로라도주 배심선정 및 복무 통일법"에 부합되는 것이어야 한다. 당해 대배심에 의하여 평결된 대배심 검사기소장에 그 어떤 방법으로도 영향을, 그러한 대배심원의 해임은 미치지 아니하는바, 그러한 교체충원 전에 그것이 작성되었든 또는 그러한 충원 뒤에 그것이 작성되었든 상관이 없다.

https://law.justia.com/codes/colorado/2018/title-13/juries-and-jurors/article-72/section-13-72-107/

 § 13-72-107. Juror giving information - oath
정보를 제공하는 배심원 – 선서

Universal Citation: CO Rev Stat § 13-72-107 (2018)
일반적 인용: CO Rev Stat § 13-72-107 (2018)

When any member of a grand jury gives information touching any matter pending before such jury, he shall take an oath or affirmation in the same manner as other witnesses.

한 개의 대배심 앞에 계속 중인 사안에 관련한 정보를 그러한 대배심의 한 명의 배심원이 제공하는 경우에, 한 개의 선서를 내지는 무선서확약을, 여타의 증인들이 하는 방법에의 동일한 방법으로 그는 하여야 한다.

§ 13-72-108. Sealing of indictment
대배심 검사기소장의 봉인

Universal Citation: CO Rev Stat § 13-72-108 (2018)

일반적 인용: CO Rev Stat § 13-72-108 (2018)

The court, upon motion of the district attorney, shall order the indictment to be sealed and no person may disclose the existence of the indictment until the defendant is in custody or has been admitted to bail except when necessary for the issuance or execution of a warrant or summons.

대배심 검사기소장을 봉인조치 하도록 재판구 지방검사의 신청에 따라서 법원은 명령하여야 하는바, 그 경우에는 영장의 내지는 소환장의 발부를 내지는 집행을 위하여 필요한 경우에를 제외하고는 그 대배심 검사기소장의 존재를 피고인이 구금될 때까지 내지는 보석에 처해지고 났을 때까지 어느 누구가도 공개하여서는 안 된다.

§ 13-72-109. Impaneling of judicial district grand jury - county grand jury unnecessary
재판구 전체관할 대배심의 충원구성 – 카운티 대배심은 불필요함

Universal Citation: CO Rev Stat § 13-72-109 (2018)

일반적 인용: CO Rev Stat § 13-72-109 (2018)

If a judicial district grand jury is impaneled pursuant to article 74 of this title, there is no need to impanel a county grand jury pursuant to this article.

이 편 제74조에 따라서 한 개의 재판구 전체관할 대배심이 충원구성되면, 이 조에 따르는 카운티 대배심을 충원구성함은 필요하지 아니하다.

https://law.justia.com/codes/colorado/2018/title-13/juries-and-jurors/article-73/

2018 Colorado Revised Statutes
Title 13 - Courts and Court Procedure
Juries and Jurors
Article 73 - Statewide Grand Juries
주 전체관할 대배심들

- § 13-73-101. Petition for impaneling - determination by chief judge

- § 13-73-102. Powers and duties - applicable law - rules and regulations

- § 13-73-103. List of prospective jurors - selection - membership - term

- § 13-73-104. Summoning of jurors

- § 13-73-105. Judicial supervision

- § 13-73-106. Presentation of evidence

- § 13-73-107. Return of indictment or presentment - designation of venue - consolidation of indictments - sealing of indictment

- § 13-73-108. Costs and expenses

https://law.justia.com/codes/colorado/2018/title-13/juries-and-jurors/article-73/section-13-73-101/

§ 13-73-101. Petition for impaneling - determination by chief judge
충원구성의 청구 - 법원장에 의한 결정

Universal Citation: CO Rev Stat § 13-73-101 (2018)

일반적 인용: CO Rev Stat § 13-73-101 (2018)

(1) The general assembly finds that the state grand jury exists because of the need to investigate and prosecute crime without regard to county or judicial district boundaries in cases involving organized crime, criminal activity in more than one judicial district, or unusual difficulties in the investigation or adjudication of a matter or cases in which the attorney general has authority to prosecute. The state grand jury is intended, therefore, to be a law enforcement tool with statewide jurisdiction.

조직적 범죄를 포함하는, 한 개를 넘는 재판구에서의 범죄활동을 포함하는, 또는 한 개의 사안에 대한 조사에서의 내지는 판단에서의 특별한 어려움들을 포함하는 사건들에서, 또는 소추권한을 검찰총장이 지니는 사건들에서, 카운티 경계선들에 내지는 재판구 경계선들에 상관없이 범죄를 조사할 및 소추할 필요로 인하여 스테이트 대배심이 존재함을 의회는 확인한다. 주 전체에 걸치는 관할권을 지니는 법집행 도구가 되게하려는 데에, 그러므로 스테이트 대배심의 의도는 있다.

(2) When the attorney general deems it to be in the public interest to convene a grand jury that has jurisdiction extending beyond the boundaries of any single county, the attorney general may petition the chief judge of any district court for an order in accordance with the provisions of this article. Said chief judge may, for good cause shown, order the impaneling of a state grand jury that shall have statewide jurisdiction. In making a determination as to the need for impaneling a state grand jury, the judge shall require a showing that the matter cannot be effectively handled by a grand jury impaneled pursuant to article 72 or 74 of this title, such grand juries being referred to in this article as a "county grand jury" or a "judicial district grand jury", respectively.

단일 카운티의 경계선들 너머에까지 미치는 관할권을 지니는 한 개의 대배심을 소집함이 공익에 부합한다고 검찰총장이 간주하는 경우에는, 이 조항의 규정들에 부합되는 한 개의 명령을 어느 재판구 법원장에게든 검찰총장은 청구할 수 있다. 주 전체에 대한 관할권을 지니는 한 개의 스테이트 대배심의 충원구성을 그 증명되는 타당한 이유에 따라서 그 법원장은 명령할 수 있다. 이 편 제72조에 내지는 제74조에 따라서 충원구성되는, 이 조항에서 "카운티 대배심"이라고 또는 "재판구 전체관할 대배심"이라고 각각 칭해지는 한 개의 대배심에 의하여서는 당해 사안이 효율적으로 다루어질 수 없음에 대한 소명을 한 개의 스테이트 대배심을 충원구성할 필요에 관한 판단을 내림에 있어서 법원장은 요구하여야 한다.

§ 13-73-102. Powers and duties - applicable law - rules and regulations
권한들 및 임무들 – 준거법 – 규칙들 및 규정들

Universal Citation: CO Rev Stat § 13-73-102 (2018)

일반적 인용: CO Rev Stat § 13-73-102 (2018)

A state grand jury shall have the same powers and duties and shall function in the same manner as a county grand jury, except that its jurisdiction shall extend throughout the state. The law applicable to county grand juries shall apply to state grand juries except when such law is inconsistent with the provisions of this article. The supreme court may promulgate such procedural rules as it deems necessary to govern the procedures of state grand juries.

스테이트 대배심은 카운티 대배심이 지니는 권한들에의 및 임무들에의 동일한 권한들을 및 임무들을 지니고 카운티 대배심이 작동하는 방법에의 동일한 방법으로 작동하는바, 다만 그 관할권은 주 전체에 걸쳐서 미친다. 카운티 대배심들에 적용되는 준거법은 이 조항의 규정들에 어긋나지 아니하는 한 스테이트 대배심들에 적용된다. 스테이트 대배심들의 절차들을 규율함에 필요하다고 자신이 간주하는 절차규칙들을 대법원은 공포할 수 있다.

§ 13-73-103. List of prospective jurors - selection - membership - term

배심원후보 명부 – 선정 – 구성원 – 복무기간

Universal Citation: CO Rev Stat § 13-73-103 (2018)

일반적 인용: CO Rev Stat § 13-73-103 (2018)

The state court administrator, upon receipt of an order of a chief judge of the district court granting a petition to impanel a state grand jury, shall prepare a list of prospective state grand jurors drawn from existing jury lists of the several counties. In preparing the list of prospective state grand jurors, the state court administrator need not include names of jurors from every county within the state, but the state court administrator may select jurors from counties near the county in which the chief judge requesting the list presides. The chief judge granting the order shall impanel the state grand jury from the list compiled by the state court administrator. A state grand jury shall be composed of twelve or twenty-three members, as provided in section 13-72-102, but not more than one-fourth of the members of the state grand jury shall be residents of any one county. The members of the state grand jury shall be selected by the chief judge with the advice of the attorney general. The chief judge may close to the public part or all of the selection process when reasonably necessary to protect the grand jury process or the security of the grand jurors. The length of term served by a state grand jury shall be as provided in section 13-71-120. The court, upon its own motion or at the request of the attorney general, shall enter an order to preserve the confidentiality of all information that might identify state grand jurors when reasonably necessary to protect the state grand jury process or the security of the state grand jurors. In the absence of such an order, upon request, the state court administrator shall make available for inspection by members of the public a list of state grand jurors containing only the state grand jurors' names and juror numbers.

여러 카운티들의 기존의 배심명부들로부터 추출되는 한 개의 스테이트 대배심원 후보명부를, 한 개의 스테이트 대배심을 충원구성하기 위한 청구를 허가하는 재판구 법원장의 명령의 수령 즉시로 주 법원사무국장은 작성하여야 한다. 스테이트 대배심원 후보명부를 작성함에 있어서 주 내의 모든 카운티로부터의 배심원들의 이름들을 주 법원사무국장은 포함시킬 필요가 없고, 그 명부를 요청하는 법원장의 주재 카운티에 가까운 카운티들로부터 배심원들을 주 법원사무국장은 선정할 수 있다. 명령을 내리는 법원장은 스테이트 대배심을 주 법원사무국장에 의하여 조제된 명부로부터 충원구성하여야 한다. 제13-72-102절에 규정된 바대로의 열두 명으로 또는 스물세 명으로 스테이트 대배심은 구성되어야 하는바, 다만 스테이트 대배심 구성원들의 4분의 1을 넘는 숫자가 동일 카운티의 주민들이어서는 안 된다. 스테이트 대배심의 구성원들은 검찰총장의 조언을 참고하여 법원장에 의하여 선정되어야 한다. 선정절차의 일부로 내지는 전부로 하여금 공중에게 비공개의 것이 되도록, 대배심 절차를 내지는 대배심원들의 안전을 보호하기 위하여 합리적으로 필요한 경우에 법원장은 조치할 수 있다. 스테이트 대배심의 복무기간은 제13-71-120절에 규정되는 바에 의한다. 스테이트 대배심원들의 신원을 드러낼 수 있는 모든 정보의 비밀을 유지하라는 명령을, 스테이트 대배심 절차를 내지는 스테이트 대배심원들의 안전을 보호하기 위하여 합리적으로 필요한 경우에 그 자신의 발의에 터잡아 또는 검찰총장의 요청에 따라서 법원은 기입하여야 한다. 그러한 명령이 없으면, 오직 스테이트 대배심원들의 이름들만을 및 배심원 번호들만을 포함하는 스테이트 대배심원 명부가 공중의 구성원들에 의한 점검을 위하여 제공되도록 그 요청이 있을 경우에 주 법원사무국장은 조치하여야 한다.

https://law.justia.com/codes/colorado/2018/title-13/juries-and-jurors/article-73/section-13-73-104/

§ 13-73-104. Summoning of jurors
배심원들의 소환

Universal Citation: CO Rev Stat § 13-73-104 (2018)
일반적 인용: CO Rev Stat § 13-73-104 (2018)

The jury commissioner of the court in which the petition for impaneling the state grand jury is filed shall cause said prospective jurors to be summoned for service in the manner provided in section 13-71-110.

스테이트 대배심의 충원구성을 위한 청구가 제출되는 법원의 배심위원은 제13-71-110절에 규정되는 방법으로 복무를 위하여 당해 배심원후보들이 소환되도록 조치하여야 한다.

https://law.justia.com/codes/colorado/2018/title-13/juries-and-jurors/article-73/section-13-73-105/

§ 13-73-105. Judicial supervision
법원의 감독

Universal Citation: CO Rev Stat § 13-73-105 (2018)

일반적 인용: CO Rev Stat § 13-73-105 (2018)

Judicial supervision of the state grand jury shall be maintained by the chief judge who issued the order impaneling such grand jury, and all indictments, reports, and other formal returns of any kind made by such grand jury shall be returned to that judge.

스테이트 대배심에 대한 법원의 감독은 그러한 대배심을 충원구성하는 명령을 발령한 법원장에 의하여 지속되어야 하는바, 그러한 대배심에 의하여 작성되는 모든 대배심 검사기소장들은, 보고서들은, 그리고 종류 여하를 불문한 그 밖의 공식의 보고들은 그 법원장에게 제출되어야 한다.

https://law.justia.com/codes/colorado/2018/title-13/juries-and-jurors/article-73/section-13-73-106/

§ 13-73-106. Presentation of evidence
증거의 제출

Universal Citation: CO Rev Stat § 13-73-106 (2018)

일반적 인용: CO Rev Stat § 13-73-106 (2018)

The presentation of the evidence must be made to the state grand jury by the attorney general or his or her designee.

증거의 제출은 검찰총장에 또는 그의 내지는 그녀의 피지명자에 의하여 스테이트 대배심에 이루어지지 않으면 안 된다.

https://law.justia.com/codes/colorado/2018/title-13/juries-and-jurors/article-73/section-13-73-107/

§ 13-73-107. Return of indictment or presentment - designation of venue - consolidation of indictments - sealing of indictment

대배심 검사기소장의 내지는 대배심 독자고발장의 제출 – 재판지의 지정 – 대배심 검사기소장들의 병합 – 대배심 검사기소장의 봉인

Universal Citation: CO Rev Stat § 13-73-107 (2018)

일반적 인용: CO Rev Stat § 13-73-107 (2018)

(1) Any indictment by a state grand jury shall be returned to the chief judge who is supervising the statewide grand jury without any designation of venue. Thereupon, the chief judge shall, by order, designate any county in the state as the county of venue for the purpose of trial. Once venue is designated by the chief judge, a change of venue may be granted only as provided by article 6 of title 16, C.R.S. The chief judge may, by order, direct the consolidation of an indictment returned by a county grand jury with an indictment returned by a state grand jury and fix venue for trial.

스테이트 대배심에 의한 대배심 검사기소장은 당해 주 전체관할 대배심을 감독하는 법원장에게 재판지의 특정 없이 제출되어야 한다. 이에 따라서 정식사실심리를 위한 재판지 카운티로서의 주 내의 카운티 어디든지를 법원장은 명령에 의하여 지정하여야 한다. 일

단 법원장에 의하여 재판지가 지정되면, 오직 콜로라도주 현행 제정법집 제16편 제6조에 의하여 규정되는 바에 따라서만 재판지 변경은 허가될 수 있다. 카운티 대배심에 의하여 제출된 대배심 검사기소장의 스테이트 대배심에 의하여 제출된 대배심 검사기소장에의 병합을 법원장은 명령으로 지시할 수 있고 정식사실심리를 위한 재판지를 법원장은 정할 수 있다.

(2) The court, upon motion of the attorney general, shall order the indictment to be sealed and no person may disclose the existence of the indictment until the defendant is in custody or has been admitted to bail except when necessary for the issuance or execution of a warrant or summons.

대배심 검사기소장을 봉인조치 하도록 검찰총장의 신청에 따라서 법원은 명령하여야 하는바, 그 경우에는 영장의 내지는 소환장의 발부를 내지는 집행을 위하여 필요한 경우에를 제외하고는 그 대배심 검사기소장의 존재를 피고인이 구금될 때까지 내지는 보석에 처해지고 났을 때까지 어느 누구가도 공개하여서는 안 된다.

§ 13-73-108. Costs and expenses
비용들 및 지출경비들

Universal Citation: CO Rev Stat § 13-73-108 (2018)

일반적 인용: CO Rev Stat § 13-73-108 (2018)

The costs and expenses incurred in impaneling a state grand jury and in the performance of its functions and duties shall be paid by the state out of funds appropriated to the judicial department.

한 개의 스테이트 대배심을 충원구성함에 있어서 및 그 기능들의 및 임무들의 수행에 있어서 발생하는 비용들은 및 지출경비들은 사법부에게 배정된 기금으로부터 주에 의하여 지불되어야 한다.

2018 Colorado Revised Statutes
Title 13 - Courts and Court Procedure
Juries and Jurors
Article 74 - Judicial District Grand Juries
재판구 전체관할 대배심들

- § 13-74-101. Petition for impaneling - determination by chief judge

- § 13-74-102. Powers and duties - applicable law - rules and regulations

- § 13-74-103. List of prospective jurors - selection - membership - term

- § 13-74-104. Summoning of jurors

- § 13-74-105. Judicial supervision

- § 13-74-106. Presentation of evidence

- § 13-74-107. Return of indictment - designation of venue - consolidation of indictments - sealing of indictments

- § 13-74-108. Costs and expenses

- § 13-74-109. Applicability

- § 13-74-110. Procedural matters

§ 13-74-101. Petition for impaneling - determination by chief judge
충원구성의 청구 – 법원장에 의한 결정

Universal Citation: CO Rev Stat § 13-74-101 (2018)

일반적 인용: CO Rev Stat § 13-74-101 (2018)

When the district attorney deems it to be in the public interest to convene a grand jury which has jurisdiction extending beyond the boundaries of any single county, he may petition the chief judge of any district court for an order in accordance with the provisions of this article. Said chief judge shall, for good cause shown, order the impaneling of a judicial district grand jury which shall have judicial districtwide jurisdiction. If a judicial district grand jury is impaneled pursuant to this article, there is no need to impanel a county grand jury pursuant to article 72 of this title.

단일 카운티의 경계선들 너머에까지 미치는 관할권을 지니는 한 개의 대배심을 소집함이 공익에 부합한다고 재판구 지방검사가 간주하는 경우에는, 이 조의 규정들에 부합되는 한 개의 명령을 어느 재판구 법원장에게든 그는 청구할 수 있다. 재판구 전체에 대한 관할권을 지니는 한 개의 재판구 전체관할 대배심의 충원구성을 그 증명되는 타당한 이유에 따라서 그 법원장은 명령하여야 한다. 만약 이 조에 따라서 한 개의 재판구 전체관할 대배심이 충원구성되면, 이 편 제72조에 따르는 카운티 대배심은 충원구성될 필요가 없다.

https://law.justia.com/codes/colorado/2018/title-13/juries-and-jurors/article-74/section-13-74-102/

§ 13-74-102. Powers and duties - applicable law - rules and regulations

권한들 및 임무들 - 준거법 - 규칙들 및 규정들

Universal Citation: CO Rev Stat § 13-74-102 (2018)

일반적 인용: CO Rev Stat § 13-74-102 (2018)

A judicial district grand jury shall have the same powers and duties and shall function in the same manner as a county grand jury; except that its jurisdiction shall extend throughout the judicial district. The law applicable to county grand juries shall apply to judicial district grand juries except when such law is inconsistent with the provisions of this article. The supreme court may promulgate such procedural rules as it deems necessary to govern the procedures of judicial district grand juries.

재판구 전체관할 대배심은 카운티 대배심이 지니는 권한들에의 및 임무들에의 동일한 권한들을 및 임무들을 지니고 카운티 대배심이 작동하는 방법에의 동일한 방법으로 작동하는바; 다만 그 관할권은 재판구 전체에 걸쳐서 미친다. 카운티 대배심들에 적용되는 준거법은 이 조항의 규정들에 어긋나지 아니하는 한 재판구 전체관할 대배심들에 적용된다. 재판구 전체관할 대배심들의 절차들을 규율함에 필요하다고 자신이 간주하는 절차규칙들을 대법원은 공포할 수 있다.

https://law.justia.com/codes/colorado/2018/title-13/juries-and-jurors/article-74/section-13-74-103/

§ 13-74-103. List of prospective jurors - selection - membership - term

배심원후보 명부 - 선정 - 구성원 - 복무기간

Universal Citation: CO Rev Stat § 13-74-103 (2018)

일반적 인용: CO Rev Stat § 13-74-103 (2018)

The state court administrator, upon receipt of an order of a chief judge of the district court granting a petition to impanel a judicial district grand jury, shall prepare a list of prospective judicial district grand jurors drawn from existing jury lists of the several counties within the district. In preparing the list of prospective judicial district grand jurors, the state court administrator need not include names of jurors from every county within the district, but the state court administrator may select jurors from counties near the county in which the chief judge requesting the list presides. The chief judge granting the order shall impanel the judicial district grand jury from the list compiled by the state court administrator.

A judicial district grand jury shall be composed of twelve or twenty-three members, as provided in section 13-72-102. The members of the judicial district grand jury shall be selected by the chief judge with the advice of the district attorney. The chief judge may close to the public part or all of the selection process when reasonably necessary to protect the grand jury process or the security of the grand jurors. The length of term served by a judicial district grand jury shall be as provided in section 13-71-120. The court, upon its own motion or at the request of the district attorney, shall enter an order to preserve the confidentiality of all information that might identify judicial district grand jurors when reasonably necessary to protect the judicial district grand jury process or the security of the judicial district grand jurors. In the absence of such an order, upon request, the state court administrator shall make available for inspection by members of the public a list of judicial district grand jurors containing only the judicial district grand jurors' names and juror numbers.

재판구 내의 여러 카운티들의 기존의 배심명부들로부터 추출되는 한 개의 재판구 전체관할 대배심원 후보명부를, 한 개의 재판구 전체관할 대배심을 충원구성하기 위한 청구를 허가하는 재판구 법원장의 명령의 수령 즉시로 주 법원사무처장은 작성하여야 한다. 재판구 전체관할 대배심원 후보명부를 작성함에 있어서 재판구 내의 모든 카운티로부터의 배심원들의 이름들을 주 법원사무처장은 포함시킬 필요가 없고, 그 명부를 요청하는 법원장의 주재 카운티에 가까운 카운티들로부터 배심원들을 주 법원사무처장은 선정할 수 있다. 명령을 내리는 법원장은 재판구 전체관할 대배심을 주 법원사무처장에 의하여 조제된 명부로부터 충원구성하여야 한다. 제13-72-102절에 규정된 바대로의 열두 명으로 또는 스물세 명으로 주 전체관할 대배심은 구성되어야 한다. 재판구 전체관할 대배심의 구성원들은 재판구 지방검사의 조언을 참고하여 법원장에 의하여 선정되어야 한다. 선정절차의 일부로 내지는 전부로 하여금 공중에게 비공개의 것이 되도록, 대배심 절차를 내지는 대배심원들의 안전을 보호하기 위하여 합리적으로 필요한 경우에 법원장은 조치할 수 있다. 재판구 전체관할 대배심의 복무기간은 제13-71-120절에 규정되는 바에 의한다. 재판구 전체관할 대배심원들의 신원을 드러낼 수 있는 모든 정보의 비밀을 유지하라는 명령을, 재판구 전체관할 대배심 절차를 내지는 재판구 전체관할 대배심원들의 안전을 보호하기 위하여 합리적으로 필요한 경우에 그 자신의 발의에 터잡아 또는 재판구 지방검사의 요청에 따라서 법원은 기입하여야 한다. 그러한 명령이 없으면, 오직 재판구 전체관할 대배심원들의 이름들만을 및 배심원 번호들만을 포함하는 재판구 전체관할 대배심원 명부가 공중의 구성원들에 의한 점검을 위하여 제공되도록 그 요청이 있을 경우에 주 법원사무국장은 조치하여야 한다.

https://law.justia.com/codes/colorado/2018/title-13/juries-and-jurors/article-74/section - 13-74-104/

 § 13-74-104. Summoning of jurors
배심원들의 소환

Universal Citation: CO Rev Stat § 13-74-104 (2018)

일반적 인용: CO Rev Stat § 13-74-104 (2018)

The jury commissioner of the court in which the petition for impaneling the judicial district grand jury is filed shall cause said prospective jurors to be summoned for service in the manner provided in section 13-71-110.

재판구 전체관할 대배심의 충원구성을 위한 청구가 제출되는 법원의 배심위원은 제 13-71-110절에 규정되는 방법으로 복무를 위하여 당해 배심원후보들이 소환되도록 조치하여야 한다.

https://law.justia.com/codes/colorado/2018/title-13/juries-and-jurors/article-74/section- 13-74-105/

 § 13-74-105. Judicial supervision
법원의 감독

Universal Citation: CO Rev Stat § 13-74-105 (2018)

일반적 인용: CO Rev Stat § 13-74-105 (2018)

Judicial supervision of the judicial district grand jury shall be maintained by the chief judge who issued the order impaneling such grand jury, and all indictments, reports, and other formal returns of any kind made by such grand jury shall be returned to that judge.

재판구 전체관할 대배심에 대한 법원의 감독은 그러한 대배심을 충원구성하는 명령을 발령한 법원장에 의하여 지속되어야 하는바, 그러한 대배심에 의하여 작성되는 모든 대배심 검사기소장들은, 보고서들은, 그리고 종류 여하를 불문한 그 밖의 공식의 보고들은 그 법원장에게 제출되어야 한다.

https://law.justia.com/codes/colorado/2018/title-13/juries-and-jurors/article-74/section-13-74-106/

 § 13-74-106. Presentation of evidence
증거의 제출

Universal Citation: CO Rev Stat § 13-74-106 (2018)

일반적 인용: CO Rev Stat § 13-74-106 (2018)

The presentation of the evidence shall be made to the judicial district grand jury by the district attorney or his designee.

증거의 제출은 재판구 지방검사에 또는 그의 피지명자에 의하여 재판구 전체관할 대배심에 이루어져야 한다.

https://law.justia.com/codes/colorado/2018/title-13/juries-and-jurors/article-74/section-13-74-107/

§ 13-74-107. Return of indictment - designation of venue - consolidation of indictments - sealing of indictments
대배심 검사기소장의 제출 – 재판지의 지정 – 대배심 검사기소장들의 병합 – 대배심 검사기소장들의 봉인

Universal Citation: CO Rev Stat § 13-74-107 (2018)

일반적 인용: CO Rev Stat § 13-74-107 (2018)

(1) Any indictment by a judicial district grand jury shall be returned to the chief judge without any designation of venue. Thereupon, the judge shall, by order, designate the county of venue for the purpose of trial. The judge may, by order, direct the consolidation of an indictment returned by a county grand jury with an indictment returned by a judicial district grand jury and fix venue for trial.

재판구 전체관할 대배심에 의한 대배심 검사기소장은 법원장에게 재판지의 특정 없이 제출되어야 한다. 이에 따라서 정식사실심리를 위한 재판지 카운티를 법원장은 명령에 의하여 지정하여야 한다. 카운티 대배심에 의하여 제출된 대배심 검사기소장의 재판구 전체관할 대배심에 의하여 제출된 대배심 검사기소장에의 병합을 법원장은 명령으로 지시할 수 있고 정식사실심리를 위한 재판지를 법원장은 정할 수 있다.

(2) The court, upon motion of the district attorney, shall order the indictment to be sealed and no person may disclose the existence of the indictment until the defendant is in custody or has been admitted to bail except when necessary for the issuance or execution of a warrant or summons.

대배심 검사기소장을 봉인조치 하도록 재판구 지방검사의 신청에 따라서 법원은 명령하여야 하는바, 그 경우에는 영장의 내지는 소환장의 발부를 내지는 집행을 위하여 필요한 경우에를 제외하고는 그 대배심 검사기소장의 존재를 피고인이 구금될 때까지 내지는 보석에 처해지고 났을 때까지 어느 누구가도 공개하여서는 안 된다.

https://law.justia.com/codes/colorado/2018/title-13/juries-and-jurors/article-74/section-13-74-108/

§ 13-74-108. Costs and expenses
비용들 및 지출경비들

Universal Citation: CO Rev Stat § 13-74-108 (2018)

일반적 인용: CO Rev Stat § 13-74-108 (2018)

The costs and expenses incurred in impaneling a judicial district grand jury and in the performance of its functions and duties shall be paid by the state out of funds appropriated to the judicial department.

한 개의 재판구 전체관할 대배심을 충원구성함에 있어서 및 그 기능들의 및 임무들의 수행에 있어서 발생하는 비용들은 및 지출경비들은 사법부에게 배정된 기금으로부터 주에 의하여 지불되어야 한다.

https://law.justia.com/codes/colorado/2018/title-13/juries-and-jurors/article-74/section-13-74-109/

 ### § 13-74-109. Applicability
적용범위

Universal Citation: CO Rev Stat § 13-74-109 (2018)

일반적 인용: CO Rev Stat § 13-74-109 (2018)

The provisions of this article shall apply to all judicial districts.

이 조의 규정들은 모든 재판구들에 적용된다.

https://law.justia.com/codes/colorado/2018/title-13/juries-and-jurors/article-74/section-13-74-110/

 ### § 13-74-110. Procedural matters
절차적 사항들

Universal Citation: CO Rev Stat § 13-74-110 (2018)

일반적 인용: CO Rev Stat § 13-74-110 (2018)

Procedural matters not specifically addressed by the provisions of this article shall be governed by the provisions of article 72 of this title and other applicable

Colorado statutes and by the Colorado rules of criminal procedure relating to grand juries.

이 조의 규정들에 의하여 명시적으로 다루어지지 아니한 절차적 사항들은 이 편 제72조의 및 여타의 적용 가능한 콜로라도주 제정법들의 규정들에 의하여 및 대배심들에 관련되는 콜로라도주 형사절차 규칙들에 의하여 규율된다.

https://casetext.com/rule/colorado-court-rules/colorado-rules-of-criminal-procedure/indictment-and-information/rule-6-grand-jury-rules

Colo. R. Crim. P. 6
콜로라도주 형사절차 규칙

Rule 6 - Grand Jury Rules
대배심 규칙들

(a) The chief judge of the district court in each county or a judge designated by him may order a grand jury summoned where authorized by law or required by the public interest.

법에 의하여 허용되는 경우에 내지는 공공의 이익에 의하여 요구되는 경우에, 한 개의 대배심이 소환되게끔 조치하도록 개개 카운티의 재판구 지방법원의 법원장 판사는 내지는 그에 의하여 지명된 판사는 명령할 수 있다.

(b) The grand jury shall hear witnesses as may be determined by the grand jury and may find an indictment on the sworn testimony of one witness only, except in cases of perjury, when at least two witnesses to the same fact shall be necessary. An indictment may also be found upon the information of two of their own body.

대배심 자신에 의하여 결정되는 대로 증인들을 대배심은 청취하여야 하고, 위증의 사건들에서를 제외하고는 한 명의 증인의 선서증언만에 터잡아서도 한 개의 대배심 검사기소를 대배심은 평결할 수 있는바, 다만 위증의 사건들에서는 바로 그 사실에 대한 두 명의 증인들이 필요하다. 대배심 자신의 구성원 두 명의 정보에 터잡아서도 대배심 검사기소는 평결될 수 있다.

(c) The foreman of the grand jury may swear or affirm all witnesses who may come before the grand jury.

대배심의 배심장은 대배심 앞에 오는 모든 증인들을 선서절차에 또는 무선서확약 절차에 처할 수 있다.

Colo. R. Crim. P. 6

Annotation Law reviews. For article, "State Grand Juries in Colorado: Understanding the Process and Attacking Indictments", see 34 Colo. Law. 63 (April 2005). Grand jury proceedings have been traditionally free of technical rules. People ex rel. Dunbar v. District Court, 179 Colo. 321, 500 P.2d 819 (1972). Applied in Thomas v. County Court, 198 Colo. 87, 596 P.2d 768 (1979); People v. District Court, 199 Colo. 398, 610 P.2d 490 (1980).

논문 "State Grand Juries in Colorado: Understanding the Process and Attacking Indictments"를 위하여는 34 Colo. Law. 63 (April 2005)를 보라. 대배심 절차들은 전통적으로 기술적 규칙들로부터 자유로운 것이 되어 왔다. People ex rel. Dunbar v. District Court, 179 Colo. 321, 500 P.2d 819 (1972). Applied in Thomas v. County Court, 198 Colo. 87, 596 P.2d 768 (1979); People v. District Court, 199 Colo. 398, 610 P.2d 490 (1980).

텍사스주
대배심 규정

텍사스주
대배심 규정

https://law.justia.com/codes/texas/2019/code-of-criminal-procedure/

2019 Texas Statutes

Code of Criminal Procedure

• Title 1 - Code of Criminal Procedure

• Title 2 - Code of Criminal Procedure

https://law.justia.com/codes/texas/2019/code-of-criminal-procedure/title-1/chapter-19a/

Chapter 19A - Grand Jury Organization

• Subchapter A. General Provisions

• Subchapter B. Selection and Summons of Prospective Grand Jurors

• Subchapter C. Grand Juror Qualifications; Excuses From Service

• Subchapter D. Challenge to Array or Grand Juror

- Subchapter E. Impaneling of Grand Jury

- Subchapter F. Organization and Term of Grand Jury

- Subchapter G. Bailiffs

H.B. No. 4173
하원법률안 제4173호

AN ACT

relating to the nonsubstantive revision of certain provisions of the Code of Criminal Procedure, including conforming amendments.

이 형사소송법 개정법률에 일치시키기 위한 타법 조항들의 개정사항들을 포함하는, 형사소송법의 일정한 규정들의 비실체적 개정에 관련한 한 개의 법률

BE IT ENACTED BY THE LEGISLATURE OF THE STATE OF TEXAS:

텍사스주 입법부에 의하여 아래의 것이 입법됨:

ARTICLE 1. NONSUBSTANTIVE REVISION OF CERTAIN PROVISIONS OF THE CODE OF CRIMINAL PROCEDURE

형사소송법의 일정한 규정들의 비실체적 개정

SECTION 1.03. Title 1, Code of Criminal Procedure, is amended by adding Chapter 19A to read as follows:

아래의 제19A장을 추가함에 의하여 형사소송법 제1편은 개정된다:

CHAPTER 19A. GRAND JURY ORGANIZATION

대배심의 구성

SUBCHAPTER A. GENERAL PROVISIONS
총칙

Art. 19A.001. DEFINITIONS
개념정의들

SUBCHAPTER B. SELECTION AND SUMMONS OF PROSPECTIVE GRAND JURORS
대배심원후보들의 선정 및 소환

Art. 19A.051. SELECTION AND SUMMONS OF PROSPECTIVE GRAND JURORS
대배심원후보들의 선정 및 소환

Art. 19A.052. QUALIFIED PERSONS SUMMONED
유자격자들을 소환할 의무

Art. 19A.053. ADDITIONAL QUALIFIED PERSONS SUMMONED
유자격자들의 추가소환

Art. 19A.054. FAILURE TO ATTEND
출석 불이행의 경우

SUBCHAPTER C. GRAND JUROR QUALIFICATIONS; EXCUSES FROM SERVICE
대배심원들의 자격조건들; 복무로부터의 면제사유들

Art. 19A.101. GRAND JUROR QUALIFICATIONS
대배심원 자격조건들

Art. 19A.102. TESTING QUALIFICATIONS OF PROSPECTIVE GRAND JURORS

대배심원후보들에 대한 자격심사

Art. 19A.103. QUALIFIED GRAND JURORS ACCEPTED

자격을 갖춘 배심원(후보)만이 받아들여질 수 있음

Art. 19A.104. PERSONAL INFORMATION CONFIDENTIAL

개인적 정보의 비밀성

Art. 19A.105. EXCUSES FROM GRAND JURY SERVICE

대배심 복무로부터의 면제사유들

SUBCHAPTER D. CHALLENGE TO ARRAY OR GRAND JUROR

대배심원(후보)단에 대한 또는 대배심원(후보)에 대한 기피

Art. 19A.151. ANY PERSON MAY CHALLENGE

기피는 어느 누구가든지 할 수 있음

Art. 19A.152. CHALLENGE TO ARRAY

배심원후보단에 대한 기피

Art. 19A.153. CHALLENGE TO GRAND JUROR

대배심원(후보)에 대한 기피

Art. 19A.154. DETERMINATION OF VALIDITY OF CHALLENGE

기피의 타당성에 대한 판정

Art. 19A.155. ADDITIONAL PROSPECTIVE GRAND JURORS SUMMONED FOLLOWING CHALLENGE

기피에 따르는 추가적 대배심원후보들의 소환

SUBCHAPTER E. IMPANELING OF GRAND JURY

대배심의 충원구성

Art. 19A.201. GRAND JURY IMPANELED

대배심의 충원구성

Art. 19A.202. OATH OF GRAND JURORS

대배심원들의 선서

Art. 19A.203. FOREPERSON

배심장

Art. 19A.204. COURT INSTRUCTIONS

법원의 지시사항들

SUBCHAPTER F. ORGANIZATION AND TERM OF GRAND JURY

대배심의 구성 및 복무기간

Art. 19A.251. QUORUM

의사정족수

Art. 19A.252. DISQUALIFICATION OR UNAVAILABILITY OF GRAND JUROR

대배심원의 결격 및 복무불능

Art. 19A.253. RECUSAL OF GRAND JUROR

대배심원의 회피

Art. 19A.254. REASSEMBLY OF GRAND JURY

대배심의 재소집

Art. 19A.255. EXTENSION OF TERM

복무기간의 연장

SUBCHAPTER G. BAILIFFS

집행관보좌인들

Art. 19A.301. BAILIFFS APPOINTED; COMPENSATION

집행관보좌인들의 지명; 보수

Art. 19A.302. BAILIFF'S DUTIES

집행관보좌인의 의무사항들

Art. 19A.303. BAILIFF'S VIOLATION OF DUTY

집행관보좌인의 의무위반의 경우

CHAPTER 19A. GRAND JURY ORGANIZATION

대배심의 구성

SUBCHAPTER A. GENERAL PROVISIONS

총칙

Art. 19A.001. DEFINITIONS.

개념정의들.

In this chapter:

이 장에서:

(1) "Array" means the whole body of persons summoned to serve as grand jurors before the grand jurors have been impaneled.

"배심원후보단"은 대배심에 그들이 충원구성되고 나기 전의, 대배심원들로서 복무하도록 소환된 사람들의 집단 전체를 의미한다.

(2) "Panel" means the whole body of grand jurors.

"배심원(후보)단"은 대배심원(후보)들의 집단전체를 의미한다.

(Code Crim. Proc., Arts. 19.28, 19.29 (part).)

SUBCHAPTER B. SELECTION AND SUMMONS OF PROSPECTIVE GRAND JURORS
대배심원후보들의 선정 및 소환

Art. 19A.051. SELECTION AND SUMMONS OF PROSPECTIVE GRAND JURORS.
대배심원후보들의 선정 및 소환

(a) The district judge shall direct that the number of prospective grand jurors the judge considers necessary to ensure an adequate number of grand jurors under Article 19A.201 be selected and summoned, with return on summons.

제19A.201조 아래서의 충분한 숫자의 대배심원들을 확보함에 필요하다고 자신이 간주하는 숫자의 대배심원후보들이 선정되게 및 소환장에 응하여 소환되게 할 것을 재판구 지방법원 판사는 명령하여야 한다.

(b) The prospective grand jurors shall be selected and summoned in the same manner as for the selection and summons of panels for the trial of civil cases in the district courts.

재판구 지방법원들에서의 민사사건들의 정식사실심리를 위한 배심원단들의 선정을 및 소환을 위한 방법에의 동일한 방법에 따라서, 대배심원후보들은 선정되어야 하고 소환되어야 한다.

(c) The judge shall test the qualifications for and excuses from service as a grand juror and impanel the completed grand jury as provided by this chapter.

판사는 한 명의 대배심원(후보)의 자격조건들을 및 배심복무로부터의 면제사유들을 심사하여야 하고 이 장에 의하여 규정되는 대로 그 채워진 대배심을 충원구성하여야 한다.

(Code Crim. Proc., Art. 19.01.)

Art. 19A.052. QUALIFIED PERSONS SUMMONED.
유자격자들을 소환할 의무.

On directing the sheriff to summon grand jurors, the court shall instruct the sheriff to not summon a person to serve as a grand juror who does not possess the qualifications prescribed by law.

대배심원(후보)들을 소환하도록 집행관에게 명령할 경우에 법에 의하여 규정되는 자격조건들을 갖추지 아니한 사람을 대배심원(후보)로 소환하지 말도록 집행관에게 법원은 명령하여야 한다.

(Code Crim. Proc., Art. 19.20.)

Art. 19A.053. ADDITIONAL QUALIFIED PERSONS SUMMONED.
유자격자들의 추가소환.

(a) If fewer than 16 persons summoned to serve as grand jurors are found to be in attendance and qualified to serve, the court shall order the sheriff to summon an additional number of persons considered necessary to constitute a grand jury of 12 grand jurors and four alternate grand jurors.

대배심원들로서 복무하도록 소환된 사람들 중에서 16명 미만이 출석해 있음이 및 복무자격을 지님이 확인되면, 열두 명의 대배심원들로 및 네 명의 예비배심원들로 구성되는 한 개의 대배심을 구성함에 필요하다고 간주되는 추가적 숫자의 사람들을 소환하도록 집행관에게 법원은 명령하여야 한다.

(b) The sheriff shall summon the additional prospective grand jurors under Sub-section (a) in person to attend before the court immediately.

소절 (a) 아래서의 추가적 대배심원후보들로 하여금 법원 앞에 즉시 출석하도록 직접 집행관은 소환하여야 한다.

(Code Crim. Proc., Arts. 19.18, 19.19.)

Art. 19A.054. FAILURE TO ATTEND.
출석 불이행의 경우.

The court, by an order entered on the record, may impose a fine of not less than $100 and not more than $500 on a legally summoned grand juror who fails to attend without a reasonable excuse.

적법하게 소환되고서도 그 출석하기를 정당한 이유 없이 불이행하는 대배심원(후보)에 대하여는 기록에 기입되는 법원의 명령에 의하여 100불 이상의 및 500불 이하의 벌금을 법원은 부과할 수 있다.

(Code Crim. Proc., Art. 19.16.)

SUBCHAPTER C. GRAND JUROR QUALIFICATIONS; EXCUSES FROM SERVICE
대배심원 자격조건들; 복무로부터의 면제사유들

Art. 19A.101. GRAND JUROR QUALIFICATIONS.
대배심원 자격조건들.

A person may be selected or serve as a grand juror only if the person:
오직 아래에 해당되는 사람만이 대배심원으로서 선정될 수 있거나 복무할 수 있다:

(1) is at least 18 years of age;

적어도 18세에 달하였을 것;

(2) is a citizen of the United States;

합중국 시민일 것;

(3) is a resident of this state and of the county in which the person is to serve;

이 주의, 그리고 그 사람이 복무하여야 할 카운티의 주민일 것;

(4) is qualified under the constitution and other laws to vote in the county in which the grand jury is sitting, regardless of whether the person is registered to vote;

당해 대배심이 착석하는 카운티에서 투표할 자격을, 그 사람이 투표권자로 등록되어 있는지 여부에 상관없이, 헌법에 및 여타의 법들에 따라서 지닐 것;

(5) is of sound mind and good moral character;

건전한 마음의 및 훌륭한 품행의 소유자일 것;

(6) is able to read and write;

읽을 수 있고 쓸 수 있을 것;

(7) has not been convicted of misdemeanor theft or a felony;

경절도죄로 또는 중죄로 유죄판정 받은 바 있지 아니할 것;

(8) is not under indictment or other legal accusation for misdemeanor theft or a felony;

경절도죄로 또는 중죄로 대배심 검사기소장 아래에 또는 그 밖의 법적 기소고발장 아래에 놓여 있지 아니할 것;

(9) is not related within the third degree by consanguinity or second degree by affinity, as determined under Chapter 573, Government Code, to any person selected to serve or serving on the same grand jury;

동일한 대배심에 복무하도록 선정된 또는 복무하는 중인 사람 어느 누구에 대하여도, 정부기본법 제573장에 의하여 정해지는 것으로서의 3촌 이내의 혈족관계에 또는 2촌 이내의 인척관계에 있지 아니할 것;

(10) has not served as a grand juror in the year before the date on which the term of court for which the person has been selected as a grand juror begins; and

그 사람이 대배심원(후보)으로 선정된 복무대상인 법원 개정기의 개시일 전 1년 내에 한 명의 대배심원으로서 복무한 바 있지 아니할 것;

(11) is not a complainant in any matter to be heard by the grand jury during the term of court for which the person has been selected as a grand juror. (Code Crim. Proc., Art. 19.08.)

그 사람이 한 명의 대배심원으로 선정된 복무대상인 법원 개정기 중에 당해 대배심에 의하여 심리될 사안에 있어서의 고발인이 아닐 것. (Code Crim. Proc., Art. 19.08.)

(Code Crim. Proc., Art. 19.08.)

Art. 19A.102. TESTING QUALIFICATIONS OF PROSPECTIVE GRAND JURORS.
대배심원후보들에 대한 자격심사.

(a) When at least 14 persons summoned to serve as grand jurors are present, the court shall test the qualifications of the prospective grand jurors to serve as grand jurors.

대배심원들로서 복무하도록 소환된 사람들 중 적어도 14명이 출석하면, 당해 대배심원 후보들의 대배심원들로서 복무할 자격조건들을 법원은 심사하여야 한다.

(b) Before impaneling a grand juror, the court or a person under the direction of the court must interrogate under oath each person who is presented to serve as a grand juror regarding the person's qualifications.

한 명의 대배심원을 충원하기 전에, 대배심원으로서 복무하도록 출석에 처해진 개개 사람을 그 사람의 자격조건들에 관하여 선서 아래서 법원은 또는 법원의 명령을 받은 사람은 신문하지 않으면 안 된다.

(c) In testing the qualifications of a person to serve as a grand juror, the court or a person under the direction of the court shall ask:

대배심원으로서 복무할 사람의 자격조건들을 심사함에 있어서 법원은 또는 법원의 명령을 받은 사람은 아래의 질문을 하여야 한다:

(1) "Are you a citizen of this state and county, and qualified to vote in this county, under the constitution and laws of this state?";

"귀하는 이 주의 및 이 카운티의 시민이며 이 카운티에서 투표할 자격을 이 주의 헌법 아래서 및 법들 아래서 지닙니까?"

(2) "Are you able to read and write?";

"귀하는 읽을 수 있고 쓸 수 있습니까?"

(3) "Have you ever been convicted of misdemeanor theft or any felony?"; and

"귀하는 한 번이라도 경절도죄로 또는 중죄로 유죄판정을 받은 바 있습니까?"; 그리고

(4) "Are you under indictment or other legal accusation for misdemeanor theft or for any felony?".

"귀하는 경절도죄로 또는 중죄로 대배심 검사기소장 아래에 또는 그 밖의 법적 기소고발장 아래에 놓여 있습니까?"

(Code Crim. Proc., Arts. 19.21, 19.22, 19.23.)

 ## Art. 19A.103. QUALIFIED GRAND JURORS ACCEPTED.
자격을 갖춘 배심원(후보)만이 받아들여질 수 있음.

If, by the person's answer, it appears to the court that the person is a qualified grand juror, the court shall accept the person as a grand juror unless it is shown that the person:

그가 한 명의 자격 있는 배심원(후보)임이 그 사람의 답변에 의하여 법원에 만약 드러나면, 아래의 한 가지에 그 사람이 해당함이 증명되는 경우에를 제외하고는, 한 명의 대배심원으로서 그를 법원은 받아들여야 한다.

(1) is not of sound mind or of good moral character; or

건전한 마음의 또는 훌륭한 품행의 소유자가 아닌 경우; 또는

(2) is in fact not qualified to serve as a grand juror.

한 명의 대배심원으로서 복무할 자격을 실제로는 지니지 아니하는 경우.

(Code Crim. Proc., Art. 19.24.)

Art. 19A.104. PERSONAL INFORMATION CONFIDENTIAL.
개인적 정보의 비밀성.

(a) Except as provided by Subsection (c), information collected by the court, court personnel, or prosecuting attorney during the grand jury selection process about a person who serves as a grand juror is confidential and may not be disclosed by the court, court personnel, or prosecuting attorney.

소절 (c)에 의하여 규정되는 경우에를 제외하고는, 대배심 선정절차 동안에 법원에 의하여, 법원 직원에 의하여, 또는 검사에 의하여 한 명의 대배심원으로 복무하는 사람에 관하여 수집되는 그 사람의 정보는 비밀의 것이고, 따라서 법원에 의하여, 법원 직원에 의하여, 또는 검사에 의하여 공개되어서는 안 된다.

(b) Information that is confidential under Subsection (a) includes a person's:

소절 (a) 아래서 비밀이 보장되는 정보는 그 사람의 아래의 것들을 포함한다:

(1) home address;

집주소;

(2) home telephone number;

집 전화번호;

(3) social security number;

사회보장 등록번호;

(4) driver's license number; and

운전면허 번호; 그리고

(5) other personal information.

그 밖의 개인적 정보.

(c) On a showing of good cause, the court shall permit disclosure of the information sought to a party to the proceeding.

타당한 이유의 증명이 있으면, 당해 절차에의 한 명의 당사자에 의하여 요구되는 정보의 그에게의 공개를 법원은 허가하여야 한다.

(Code Crim. Proc., Art. 19.42.)

Art. 19A.105. EXCUSES FROM GRAND JURY SERVICE.
복무로부터의 면제들.

(a) The court shall excuse from serving any summoned person who does not possess the requisite qualifications.

소환되고서도 그 필요한 자격조건들을 보유하지 아니하는 사람을 복무로부터 법원은 면제하여야 한다.

(b) The following qualified persons may be excused from grand jury service:

아래의 유자격자들은 대배심 복무로부터 면제될 수 있다:

(1) a person older than 70 years of age;

70세가 넘은 사람;

(2) a person responsible for the care of a child younger than 18 years of age;

18세 미만의 아동의 보호를 책임지는 사람;

(3) a student of a public or private secondary school;

공립의 또는 사립의 중등과정 학교의 학생;

(4) a person enrolled in and in actual attendance at an institution of higher education; and

고등교육 기관에 등록된 및 실제의 출석 상태에 있는 사람; 그리고

(5) any other person the court determines has a reasonable excuse from service.

복무를 면제받을 상당한 이유를 지닌다고 법원이 판단하는 그 밖의 사람.

(Code Crim. Proc., Art. 19.25.)

SUBCHAPTER D. CHALLENGE TO ARRAY OR GRAND JUROR
배심원(후보)단에 또는 배심원에 대한 기피

Art. 19A.151. ANY PERSON MAY CHALLENGE.
기피는 어느 누구가든지 할 수 있음.

(a) Before the grand jury is impaneled, any person may challenge the array of grand jurors or any person presented as a grand juror. The court may not hear objections to the qualifications and legality of the grand jury in any other way.

대배심이 충원구성 되고 나기 전에는 당해 배심원후보단을 내지는 한 명의 대배심원(후보)으로서 출석에 처해진 어느 누구든지를, 어느 누구든지는 기피할 수 있다. 대배심의 자격조건들에 대한 및 적법성에 대한 이의들을 그 밖의 어떤 방법으로도 법원은 심리하여서는 안 된다.

(b) A person confined in jail in the county shall, on the person's request, be brought into court to make a challenge described by Subsection (a).

카운티 감옥에 구금된 어느 누구든지는 그의 요청이 있을 경우에 소절 (a)에 규정되는 기피를 하도록 법정 안에 데려다 놓여야 한다.

Art. 19A.152. CHALLENGE TO ARRAY.
배심원후보단에 대한 기피.

(a) A challenge to the array may be made only for the following causes:

배심원후보단에 대한 기피는 아래의 사유들만을 이유로 제기될 수 있다:

(1) that the persons summoned as grand jurors are not in fact the persons selected by the method provided by Article 19A.051; or

대배심원(후보)들로서 소환된 사람들이 제19A.051조에 규정된 방법에 의하여 실제로 선정되지 아니하였을 것; 그리고

(2) that the officer who summoned the grand jurors acted corruptly in summoning any grand juror.

당해 대배심원(후보)들을 소환한 공무원이 그들 중 어느 누구를이라도 소환함에 있어서 부정하게 행동하였을 것.

(b) A challenge to the array must be made in writing.

배심원후보단에 대한 기피는 서면으로 신청되지 않으면 안 된다.

Art. 19A.153. CHALLENGE TO GRAND JUROR.
대배심원(후보)에 대한 기피.

(a) A challenge to a grand juror may be made orally for any of the following causes:

대배심원(후보)에 대한 기피는 아래의 사유들 중 어느 것을 이유로 하여서든 구두로 제기될 수 있다:

(1) that the grand juror is insane;

당해 배심원(후보)이 정신이상인 경우;

(2) that the grand juror has a defect in the organs of feeling or hearing, or a bodily or mental defect or disease that renders the grand juror unfit for grand jury service, or that the grand juror is legally blind and the court in its discretion is not satisfied that the grand juror is fit for grand jury service in that particular case;

한 명의 대배심원(후보)을 대배심 복무에 부적합하게 만드는 감각의 내지는 청각의 기관들에 있어서의 결함을 내지는 신체적 또는 정신적 결함을 내지는 질환을 그 배심원(후보)이 지니고 있는 경우, 또는 당해 대배심원(후보)이 법적으로 맹인이면서 나아가 당해 특정의 사건에서의 대배심 복무에 그 대배심원(후보)이 적합함을 법원이 그 재량 내에서 납득하지 못하는 경우;

(3) that the grand juror is a witness in or a target of an investigation of a grand jury;

당해 대배심원(후보)이 한 개의 대배심 조사에서의 한 명의 증인안 경우 또는 한 명의 표적인 경우;

(4) that the grand juror served on a petit jury in a former trial of the same alleged conduct or offense that the grand jury is investigating;

당해 대배심이 조사하는 중인 그 주장되는 행위에의 내지는 범죄에의 동일한 행위에 대한 내지는 범죄에 대한 과거의 정식사실심리에서의 한 개의 소배심에서 당해 대배심원(후보)이 복무한 경우;

(5) that the grand juror has a bias or prejudice in favor of or against the person accused or suspected of committing an offense that the grand jury is investigating;

당해 대배심이 조사하는 중인 한 개의 범죄를 저지른 것으로 고발되어 있는 내지는 의심받고 있는 사람에게 유리한 내지는 불리한 편견을 내지는 선입견을 당해 대배심원(후보)이 지니는 경우;

(6) that from hearsay, or otherwise, there is established in the mind of the grand juror a conclusion as to the guilt or innocence of the person accused or suspected of

committing an offense that the grand jury is investigating that would influence the grand juror's vote on the presentment of an indictment;

당해 대배심이 조사하는 중인 한 개의 범죄를 저지른 것으로 고발되어 있는 내지는 의심받고 있는 사람의 유죄에 또는 무죄에 관한, 한 개의 대배심 검사기소장의 제출에 대한 당해 대배심원(후보)의 투표에 영향을 미칠 만한, 한 개의 결론이 전문으로부터 또는 여타의 경로에 의하여 당해 대배심원(후보)의 마음 속에 확립되어 있는 경우.

(7) that the grand juror is related within the third degree by consanguinity or affinity, as determined under Chapter 573, Government Code, to a person accused or suspected of committing an offense that the grand jury is investigating or to a person who is a victim of an offense that the grand jury is investigating;

당해 대배심이 조사하는 중인 한 개의 범죄를 저지른 것으로 고발되어 있는 내지는 의심받는 사람에게, 또는 당해 대배심이 조사하는 중인 범죄의 피해자인 사람에게, 정부기본법 제573장에 의하여 정해지는 것으로서의 3촌 이내의 혈족관계로 또는 인척관계로 당해 대배심원(후보)이 연결되어 있는 경우;

(8) that the grand juror has a bias or prejudice against any phase of the law on which the state is entitled to rely for an indictment;

한 개의 대배심 검사기소의 근거로서 의존할 권리를 주가 지니는, 당해 법의 여하한 측면에 대하여든 불리한 편견을 내지는 선입견을 당해 대배심원(후보)이 지니는 경우;

(9) that the grand juror is not a qualified grand juror; or

당해 대배심원(후보)이 한 명의 자격을 지니는 대배심원(후보)이 아닌 경우; 그리고

(10) that the grand juror is the prosecutor on an accusation against the person making the challenge.

당해 대배심원(후보)이 기피 신청인에 대한 한 개의 고발에 있어서의 고발자인 경우.

(b) A challenge under Subsection (a)(3) may be made ex parte. The court shall review and rule on the challenge in an in camera proceeding. The court shall seal any record of the challenge.

소절 (a)(3) 아래서의 기피는 일방절차로 이루어질 수 있다. 그 기피를 법원은 비공개 절차로 검토하여야 하고 결정하여야 한다. 기피의 기록을 법원은 봉인하여야 한다.

(c) In this article, "legally blind" has the meaning assigned by Article 35.16(a).

제35.16(a)조에 의하여 그 문구에 부여되는 의미를 이 조에서의 "법적으로 맹인인"은 지닌다.

(Code Crim. Proc., Art. 19.31.)

Art. 19A.154. DETERMINATION OF VALIDITY OF CHALLENGE.
기피의 타당성에 대한 판정.

When a person challenges the array or a grand juror, the court shall hear proof and decide in a summary manner whether the challenge is well founded.

배심원후보단을 내지는 배심원(후보) 개인을 사람이 기피하는 경우에, 충분한 근거를 당해 기피가 지니는지에 관하여 법원은 증거를 청취하여야 하고 약식의 방법으로 결정하여야 한다.

(Code Crim. Proc., Art. 19.32.)

Art. 19A.155. ADDITIONAL PROSPECTIVE GRAND JURORS SUMMONED FOLLOWING CHALLENGE.
기피에 따르는 추가적 대배심원후보들의 소환.

(a) If the court sustains a challenge to the array, the court shall order another grand jury to be summoned.

배심원후보단에 대한 기피를 만약 법원이 인용하면, 다른 대배심을 소환하도록 법원은 명령하여야 한다.

(b) If, because of a challenge to any particular grand juror, fewer than 12 grand jurors remain, the court shall order the panel to be completed.

만약 특정의 대배심원 어느 누구든지에 대한 기피로 인하여 잔여 대배심원들의 숫자가 12명 미만으로 줄어들면, 당해 배심원단을 채우도록 법원은 명령하여야 한다.

(Code Crim. Proc., Art. 19.33.)

SUBCHAPTER E. IMPANELING OF GRAND JURY
대배심의 충원구성

Art. 19A.201. GRAND JURY IMPANELED.
대배심의 충원구성.

(a) When at least 16 qualified grand jurors are found to be present, the court shall select 12 fair and impartial persons as grand jurors and 4 additional persons as alternate grand jurors to serve on disqualification or unavailability of a grand juror during the term of the grand jury. The grand jurors and the alternate grand jurors must be randomly selected from a fair cross section of the population of the area served by the court.

자격이 인정되는 적어도 열여섯 명의 대배심원(후보)들이 출석하였음이 확인되면, 열두 명의 공정한 및 공평한 사람들을 대배심원들로서, 그리고 당해 대배심의 복무기간 도중의 한 명의 대배심원의 결격의 또는 복무불능의 경우에 복무할 예비 대배심원들로서 네 명의 추가적 사람들을, 법원은 선정하여야 한다. 당해 법원의 관할지역 인구의 공정한 횡단면으로부터 무작위로 대배심원들은 및 예비 대배심원들은 선정되어야 한다.

(b) The court shall impanel the grand jurors and alternate grand jurors, unless a challenge is made to the array or to a particular person presented to serve as a grand juror or an alternate grand juror.

배심원(후보)단에 대하여든 또는 한 명의 대배심원으로서 또는 한 명의 예비 대배심원으로서 복무하도록 출석에 처해진 어느 특정인에 대하여든 기피가 제기되는 경우에를 제외하고는, 그 대배심원(후보)들을 법원은 충원하여야 한다.

(c) A grand juror is considered to be impaneled after the grand juror's qualifications have been tested and the grand juror has been sworn.

한 명의 대배심원은 당해 대배심원의 자격조건들에 대한 심사가 거쳐진 뒤에 및 당해 대배심원이 선서절차에 처해지고 난 뒤에 충원된 것으로 간주된다.

(Code Crim. Proc., Arts. 19.26(a), (b) (part), 19.29 (part).)

 Art. 19A.202. OATH OF GRAND JURORS.
대배심원들의 선서.

The court or a person under the direction of the court shall administer the following oath to the grand jurors when the grand jury is completed: "You solemnly swear that you will diligently inquire into, and true presentment make, of all such matters and things as shall be given you in charge; the State's counsel, your fellows and your own, you shall keep secret, unless required to disclose the same in the course of a judicial proceeding in which the truth or falsity of evidence given in the grand jury room, in a criminal case, shall be under investigation. You shall present no person from envy, hatred or malice; neither shall you leave any person unpresented for love, fear, favor, affection or hope of reward; but you shall present things truly as they come to your knowledge, according to the best of your understanding, so help you God."

대배심이 채워지면 법원은 또는 법원의 명령을 받은 사람은 아래의 선서를 대배심원들에게 실시하여야 한다: "귀하들에게 맡겨지는 모든 사안들을 및 사항들을 귀하들은 근면하게 파헤치기로 및 그것들에 관하여 진실한 고발을 하기로; 주(State)의 의논을, 귀하들의 동료들의 및 귀하들 자신의 의논을 공개하도록, 한 개의 형사사건에서의 대배심실에서 이루어진 증언의 진실함이 또는 허위임이 조사에 놓이는 한 개의 사법절차의 과정에서 귀하들이 요구되는 경우에를 제외하고는, 그것들을 비밀로 간직하기로 귀하들은 엄숙하게 선서합니다. 어느 누구를이라도 시기심에, 원한에 또는 악의에 휩쓸려서 귀하들은 고발하여서도 안 되고, 어느 누구를이라도 사랑에, 두려움에, 호의에, 애정에 또는 보상의 기대에 편승하여 미고발 상태로 귀하들은 남겨두어서도 안 되며; 귀하들의 지식에 들어오는 대로 귀하들의 최선껏의 이해에 따라서 진실하게 사항들을 귀하들은 고발하여야 하는바, 하오니 신께서는 귀하들을 도우소서."

(Code Crim. Proc., Art. 19.34 (part).)

Art. 19A.203. FOREPERSON.
배심장.

(a) When the grand jury is completed, the court shall appoint one of the grand jurors as foreperson.

대배심이 채워지면 대배심원들 중 한 명을 배심장으로 법원은 지명하여야 한다.

(b) If the foreperson is for any cause absent or unable or disqualified to act, the court shall appoint another grand juror as foreperson.

만약 배심장이 어떤 이유로든 결석이면 또는 복무할 수 없으면 또는 결격사유에 해당되게 되면, 다른 대배심원을 배심장으로 법원은 지명하여야 한다.

(Code Crim. Proc., Arts. 19.34 (part), 19.39.)

Art. 19A.204. COURT INSTRUCTIONS.
법원의 지시사항들.

The court shall instruct the grand jury regarding the grand jurors' duty.

대배심원들의 의무에 관하여 대배심에게 법원은 지시하여야 한다.

(Code Crim. Proc., Art. 19.35.)

SUBCHAPTER F. ORGANIZATION AND TERM OF GRAND JURY

대배심의 구성 및 복무기간

Art. 19A.251. QUORUM.

의사정족수.

Nine grand jurors constitute a quorum for the purpose of discharging a duty or exercising a right properly belonging to the grand jury.

대배심에게 적법하게 속하는 의무를 이행함을 위하여는 내지는 권리를 행사함을 위하여는 아홉 명의 대배심원들이 의사정족수를 구성한다.

(Code Crim. Proc., Art. 19.40.)

Art. 19A.252. DISQUALIFICATION OR UNAVAILABILITY OF GRAND JUROR.

대배심원들의 결격 또는 복무불능.

(a) On learning that a grand juror has become disqualified or unavailable during the term of the grand jury, the attorney representing the state shall prepare an order for the court:

당해 대배심의 복무기간 중에 한 명의 대배심원이 결격사유에 해당되게 되었음을 또는 복무불능 상태가 되었음을 검사(주를 대변하는 변호사)가 알게 되면, 법원을 위한 아래의 명령서를 검사는 작성하여야 한다:

(1) identifying the disqualified or unavailable grand juror;

그 결격사유에 해당되게 된 또는 복무불능이 된 당해 배심원을 특정할 것;

(2) stating the basis for the disqualification or unavailability;

당해 결격의 내지는 복무불능의 사유를 서술할 것;

(3) dismissing the disqualified or unavailable grand juror from the grand jury; and

당해 결격사유에 해당되게 된 또는 복무불능이 된 배심원을 당해 대배심으로부터 해임할 것; 그리고

(4) naming one of the alternate grand jurors as a member of the grand jury.

예비 대배심원들 중 한 명을 당해 대배심의 구성원으로 지명할 것.

(b) The procedure established by this article may be used on disqualification or unavailability of a second or subsequent grand juror during the term of the grand jury.

당해 대배심의 복무기간 동안의 두 번째의 또는 그 뒤의 대배심원의 결격사유 해당의 내지는 복무불능의 경우에 이 조에 의하여 규정되는 절차는 사용될 수 있다.

(c) For purposes of this article, a grand juror is unavailable if the grand juror is unable to participate fully in the duties of the grand jury because of:

아래의 사유들로 인하여 당해 대배심의 임무들에 한 명의 배심원이 완전히 참여할 수 없으면, 이 조의 목적상으로 그 대배심원은 복무불능 상태에 있다:

(1) the death of the grand juror;

당해 대배심원의 사망;

(2) a physical or mental illness of the grand juror; or

당해 대배심원의 신체적 또는 정신적 질병; 또는

(3) any other reason the court determines constitutes good cause for dismissing the grand juror.

당해 대배심원을 해임할 타당한 이유를 구성한다고 법원이 판정하는 그 밖의 사유.

(Code Crim. Proc., Art. 19.26(b) (part).)

Art. 19A.253. RECUSAL OF GRAND JUROR.
대배심원(후보)의 회피.

(a) A grand juror who, during the course of the grand juror's service on the grand jury, determines that the grand juror could be subject to a valid challenge for cause under Article 19A.153, shall recuse himself or herself from grand jury service until the cause no longer exists.

당해 대배심에서의 자신의 복무 도중에 제19A.153조 아래서의 타당한 이유부 기피에 자신이 처해질 수 있다고 판단하는 대배심원은, 그 사유가 더 이상 존재하지 아니하게 될 때까지 그 자신을 내지는 그녀 자신을 당해 대배심 복무로부터 기피시켜야 한다.

(b) A grand juror who knowingly fails to recuse himself or herself under Subsection (a) may be held in contempt of court.

그 자신을 내지는 그녀 자신을 소절 (a)에 따라서 기피시키기를 고의로 불이행하는 대배심원은 법원모독으로 판정될 수 있다.

(c) A person authorized to be present in the grand jury room shall report a known violation of Subsection (a) to the court.

소절 (a)에 대한 고의의 위반을 대배심실에 출석해 있을 권한이 부여되는 사람은 법원에 신고하여야 한다.

(d) The court shall instruct the grand jury regarding the duty imposed by this article.

이 조에 의하여 부과되는 의무에 관하여 대배심에게 법원은 지시하여야 한다.

(Code Crim. Proc., Art. 19.315.)

Art. 19A.254. REASSEMBLY OF GRAND JURY.
대배심의 재소집.

A grand jury discharged by the court for the term may be reassembled by the court at any time during the term.

당해 개정기를 위한 법원에 의하여 임무해제 된 한 개의 대배심은 당해 개정기 동안에는 언제든지 재소집 될 수 있다.

(Code Crim. Proc., Art. 19.41.)

 Art. 19A.255. EXTENSION OF TERM.
복무기간의 연장.

(a) If, before the expiration of the term for which the grand jury was impaneled, the foreperson or a majority of the grand jurors declares in open court that the grand jury's investigation of the matters before the grand jury cannot be concluded before the expiration of the term, the judge of the district court in which the grand jury was impaneled may, by an order entered on the minutes of the court, extend, from time to time, the period during which the grand jury serves, for the purpose of concluding the investigation of matters then before the grand jury.

당해 대배심이 소집충원된 복무대상인 개정기의 만료 전에는 그 자신 앞의 사안들에 대한 대배심의 조사가 종결될 수 없음을 당해 개정기의 만료 전에 공개법정에서 만약 배심장이 또는 대배심원 과반수가 선언하면, 당해 대배심이 충원구성된 복무대상인 재판구 지방법원의 판사는, 그 시점에서의 대배심 앞에 있는 사안들의 조사를 종결짓게 하기 위하여 당해 대배심으로 하여금 복무하게 할 기간을, 당해 법원 의사록에 기입되는 명령에 의하여 수시로, 연장할 수 있다.

(b) The extended period during which the grand jury serves under Subsection (a) may not exceed a total of 90 days after the expiration date of the term for which the grand jury was impaneled.

당해 대배심이 소집충원된 복무대상 기간의 만료일 뒤 전부 90일을, 소절 (a)에 따라서 당해 대배심이 복무하도록 연장되는 기간은 초과할 수 없다.

(c) All indictments pertaining to the investigation for which the extension was granted returned by the grand jury during the extended period are as valid as if returned before the expiration of the term.

당해 연장된 기간 내에 당해 대배심에 의하여 제출되는 당해 연장의 허가 대상인 당해 조사에 속하는 모든 대배심 검사기소장들은 개정기 만료 전에 제출된 것들이 유효하듯이 똑같이 유효하다.

(Code Crim. Proc., Art. 19.07.)

SUBCHAPTER G. BAILIFFS
집행관보좌인들

Art. 19A.301. BAILIFFS APPOINTED; COMPENSATION.
집행관보좌인들의 지명; 보수.

(a) The court and the district attorney may each appoint one or more bailiffs to attend to the grand jury.

대배심을 수행할 한 명 이상의 집행관보좌인들을 법원은 및 재판구 지방검사는 각각 지명할 수 있다.

(b) The court, or a person under the direction of the court, shall administer the following oath to each bailiff at the time of appointment: "You solemnly swear that you will faithfully and impartially perform all the duties of bailiff of the grand jury, and that you will keep secret the proceedings of the grand jury, so help you God."

아래의 선서를 그 지명 때에 집행관보좌인 각자에게 법원은 또는 법원의 명령 아래의 사람은 실시하여야 한다: "대배심 집행관보좌인의 모든 임무들을 충실하게 및 공평하게 수행하겠음을, 그리고 대배심의 절차들을 비밀로 간직하겠음을 귀하들은 엄숙히 선서하는 바, 하오니 신께서는 귀하들을 도우소서."

(c) Bailiffs appointed under this article shall be compensated in an amount set by the applicable county commissioners court.

이 조에 따라서 지명되는 집행관보좌인들에게는 당해 카운티 위원회에 의하여 정해지는 액수의 보수가 지급되어야 한다.

(Code Crim. Proc., Art. 19.36.)

Art. 19A.302. BAILIFF'S DUTIES.
집행관보좌인들의 의무사항들.

(a) A bailiff shall:

집행관보좌인은:

(1) obey the instructions of the foreperson;

배심장의 지시들에 복종하여야 한다;

(2) summon all witnesses; and

모든 증인들을 소환하여야 한다; 그리고

(3) perform all duties the foreperson requires of the bailiff.

그에게 배심장이 요구하는 모든 의무들을 이행하여야 한다.

(b) One bailiff shall always be with the grand jury if two or more bailiffs are appointed.

만약 두 명 이상의 집행관보좌인들이 지명되면 한 명의 집행관보좌인은 항상 대배심에 더불어 있어야 된다.

(Code Crim. Proc., Art. 19.37.)

Art. 19A.303. BAILIFF'S VIOLATION OF DUTY.
집행관보좌인의 의무위반.

(a) A bailiff may not:

아래의 행위를 집행관보좌인은 하여서는 안 된다:

(1) take part in the discussions or deliberations of the grand jury; or

대배심의 의논들에 내지는 숙의들에 가담하는 행위; 또는

(2) be present when the grand jury is discussing or voting on a question.

한 개의 문제에 대하여 대배심이 의논 중인 또는 표결 중인 때에 출석해 있는 행위.

(b) The grand jury shall report to the court any violation of duty by a bailiff. The court may punish the bailiff for the violation as for contempt.

집행관보좌인의 어떤 의무위반을이든 법원에 대배심은 신고하여야 한다. 그 위반에 대하여 집행관보좌인을 법원모독으로 법원은 처벌할 수 있다.

(Code Crim. Proc., Art. 19.38.)

SECTION 1.04. Title 1, Code of Criminal Procedure, is amended by adding Chapter 20A to read as follows:

형사소송법 제1편은 아래의 제20A장을 추가함에 의하여 개정된다:

CHAPTER 20A. GRAND JURY PROCEEDINGS

대배심 절차들

SUBCHAPTER A. GENERAL PROVISIONS

총칙

Art. 20A.001. DEFINITIONS

개념정의들

SUBCHAPTER B. DUTIES OF GRAND JURY AND GRAND JURORS

대배심의 및 대배심원들의 의무들

Art. 20A.051. DUTIES OF GRAND JURY

대배심의 의무들

Art. 20A.052. DUTIES AND POWERS OF FOREPERSON

배심장의 의무들 및 권한들

Art. 20A.053. MEETING AND ADJOURNMENT

회합 및 휴회

SUBCHAPTER C. GRAND JURY ROOM; PERSONS AUTHORIZED TO BE PRESENT

대배심실; 출석해 있을 권한을 지니는 사람들

Art. 20A.101. GRAND JURY ROOM
대배심실

Art. 20A.102. PERSONS WHO MAY BE PRESENT IN GRAND JURY ROOM
대배심실에 출석해 있을 수 있는 사람들

Art. 20A.103. ATTORNEY REPRESENTING STATE ENTITLED TO APPEAR
검사(주를 대변하는 변호사)의 출석권한

Art. 20A.104. PERSONS WHO MAY ADDRESS GRAND JURY
대배심에게 말할 수 있는 사람들

SUBCHAPTER D. ADVICE TO GRAND JURY

대배심에게의 조언

Art. 20A.151. ADVICE FROM ATTORNEY REPRESENTING STATE

검사(주를 대변하는 변호사)로부터의 조언

Art. 20A.152. ADVICE FROM COURT

법원으로부터의 조언

SUBCHAPTER E. RECORDING AND DISCLOSURE OF GRAND JURY PROCEEDINGS

대배심 절차들의 녹음 및 공개

Art. 20A.201. RECORDING OF ACCUSED OR SUSPECTED PERSON'S TESTIMONY; RETENTION OF RECORDS

범인이라고 주장되는 사람의 또는 의심되는 사람의 증언의 녹음; 기록들의 보관

Art. 20A.202. PROCEEDINGS SECRET

절차들의 비밀성

Art. 20A.203. DISCLOSURE BY PERSON IN PROCEEDING PROHIBITED

절차들에 출석한 사람에 의한 공개의 금지

Art. 20A.204. DISCLOSURE BY ATTORNEY REPRESENTING STATE

검사(주를 대변하는 변호사)에 의한 공개

Art. 20A.205. PETITION FOR DISCLOSURE BY DEFENDANT

공개를 피고인이 청구하는 경우

SUBCHAPTER F. WITNESSES

증인들

Art. 20A.251. IN-COUNTY WITNESS

카운티 내에 소재하는 증인의 경우

Art. 20A.252. OUT-OF-COUNTY WITNESS

카운티 바깥에 소재하는 증인의 경우

Art. 20A.253. EXECUTION OF PROCESS

영장의 집행

Art. 20A.254. EVASION OF PROCESS

영장을 빠져나가는 사람의 경우

Art. 20A.255. WITNESS REFUSAL TO TESTIFY

증인의 증언거부의 경우

Art. 20A.256. WITNESS OATH

증인선서

Art. 20A.257. EXAMINATION OF WITNESSES

증인들의 신문

Art. 20A.258. EXAMINATION OF ACCUSED OR SUSPECTED PERSON

범인이라고 주장되는 사람에 대한 또는 의심되는 사람에 대한 신문

Art. 20A.259. PEACE OFFICER TESTIMONY BY VIDEO TELECONFERENCING

원격지 간 화상회의에 의한 경찰관의 증언

SUBCHAPTER G. INDICTMENT

대배심 검사기소장

Art. 20A.301. VOTING ON INDICTMENT

대배심 검사기소에 대한 표결

Art. 20A.302. PREPARATION OF INDICTMENT

대배심 검사기소장의 작성

Art. 20A.303. PRESENTMENT OF INDICTMENT

대배심 검사기소장의 제출

Art. 20A.304. PRESENTMENT OF INDICTMENT ENTERED IN RECORD

대배심 검사기소장 제출의 기록에의 기입

CHAPTER 20A. GRAND JURY PROCEEDINGS
대배심 절차들

SUBCHAPTER A. GENERAL PROVISIONS
총칙

Art. 20A.001. DEFINITIONS.
개념정의들.

In this chapter:

이 장에서:

(1) "Attorney representing the state" means the attorney general, district attorney, criminal district attorney, or county attorney.

"검사(주를 대변하는 변호사)"는 검찰총장을, 재판구 지방검사를, 형사 재판구 지방검사를, 카운티 검사를 의미한다.

(2) "Foreperson" means the foreperson of the grand jury appointed under Article 19A.203.

"배심장"은 제19A.203조에 따라서 지명되는 대배심의 배심장을 의미한다.

(Code Crim. Proc., Art. 20.03 (part); New.)

SUBCHAPTER B. DUTIES OF GRAND JURY AND GRAND JURORS
대배심의 및 대배심원들의 의무들

Art. 20A.051. DUTIES OF GRAND JURY.
대배심의 의무들.

The grand jury shall inquire into all offenses subject to indictment of which any grand juror may have knowledge or of which the grand jury is informed by the attorney representing the state or by any other credible person.

그 지식을 대배심원 어느 누구든지가 지니는, 내지는 검사(주를 대변하는 변호사)에 의하여 또는 그 밖의 믿을 만한 사람에 의하여 당해 대배심에게 고지되는, 대배심 검사기소 대상인 모든 범죄들을 대배심은 파헤쳐야 한다.

(Code Crim. Proc., Art. 20.09.)

Art. 20A.052. DUTIES AND POWERS OF FOREPERSON.
배심장의 의무들 및 권한들.

(a) The foreperson shall:

배심장은:

(1) preside over the grand jury's sessions; and

당해 대배심의 회합들을 주재하여야 한다; 그리고

(2) conduct the grand jury's business and proceedings in an orderly manner.

당해 대배심의 업무를 및 절차들을 질서정연한 방법으로 지휘하여야 한다.

(b) The foreperson may appoint one or more of the grand jurors to act as clerks for the grand jury.

한 명 이상의 대배심원들을 당해 대배심의 서기로서 복무하도록 배심장은 지명할 수 있다.

(Code Crim. Proc., Art. 20.07.)

 ## Art. 20A.053. MEETING AND ADJOURNMENT.
회합 및 휴회.

The grand jury shall meet and adjourn at times agreed on by a majority of the grand jury, except that the grand jury may not adjourn for more than three consecutive days unless the court consents to the adjournment. With the court's consent, the grand jury may adjourn for a longer period and shall conform the grand jury's adjournments as closely as possible to the court's adjournments.

대배심 과반수에 의하여 합의된 때에 대배심은 회합하여야 하고 휴회하여야 하는바, 다만 법원이 동의하는 경우에를 제외하고는 3 연속일을 초과하여 대배심은 휴회하지 못한다. 법원의 동의가 있으면 대배심은 더 오랜 기간 동안 휴회할 수 있는바, 대배심의 휴정들을 법원의 휴정들에 가능한 한 밀접하게 일치시켜야 한다.

(Code Crim. Proc., Art. 20.08.)

SUBCHAPTER C. GRAND JURY ROOM; PERSONS AUTHORIZED TO BE PRESENT
대배심실; 출석해 있을 권한을 지니는 사람들

Art. 20A.101. GRAND JURY ROOM.
대배심실.

After the grand jury is organized, the grand jury shall discharge the grand jury's duties in a suitable place that the sheriff shall prepare for the grand jury's sessions.

대배심이 구성되고 난 뒤에는 대배심의 회합들을 위하여 집행관이 마련한 적합한 장소에서 자신의 의무들을 대배심은 이행하여야 한다.

(Code Crim. Proc., Art. 20.01.)

Art. 20A.102. PERSONS WHO MAY BE PRESENT IN GRAND JURY ROOM.
대배심실에 출석해 있을 수 있는 사람들.

(a) While the grand jury is conducting proceedings, only the following persons may be present in the grand jury room:

절차들을 대배심이 수행하고 있는 동안에 대배심실에는 오직 아래의 사람들만이 출석해 있을 수 있다:

(1) a grand juror;

대배심원;

(2) a bailiff;

집행관보좌인;

(3) the attorney representing the state;

검사(주를 대변하는 변호사);

(4) a witness:

증인;

(A) while the witness is being examined; or

　당해 증인이 신문되는 동안; 또는

(B) when the witness's presence is necessary to assist the attorney representing the state in examining another witness or presenting evidence to the grand jury;

　다른 증인을 신문함에 있어서 또는 증거를 대배심에 제출함에 있어서 검사(주를 대변하는 변호사)를 조력하기 위하여 당해 증인의 출석이 필요한 경우;

(5) an interpreter, if necessary;

　필요한 경우에의 통역인;

(6) a stenographer or a person operating an electronic recording device, as provided by Article 20A.201; and

　제20A.201조에 의하여 규정되는 속기사 또는 전자적 녹음장비를 작동하는 사람; 그리고

(7) a person operating a video teleconferencing system for use under Article 20A.259.

　제20A.259조 아래서의 사용을 위한 원격지 간 화상회의 장치를 작동시키는 사람.

(b) While the grand jury is deliberating, only a grand juror may be present in the grand jury room.

　대배심이 숙의 중인 동안에 대배심실에는 대배심원만이 출석해 있을 수 있다.

(Code Crim. Proc., Art. 20.011.)

 ### Art. 20A.103. ATTORNEY REPRESENTING STATE ENTITLED TO APPEAR.
검사(주를 대변하는 변호사)의 출석권한.

The attorney representing the state is entitled to appear before the grand jury and inform the grand jury of offenses subject to indictment at any time except when the grand jury is discussing the propriety of finding an indictment or is voting on an indictment.

한 개의 대배심 검사기소를 평결함의 타당성을 대배심이 논의 중인 경우에를 내지는 한 개의 대배심 검사기소를 대배심이 표결 중인 경우에를 제외하고는 언제든지, 대배심 앞에 출석할 권한을 및 대배심 검사기소 대상인 범죄들을 대배심에게 고지할 권한을 검사(주를 대변하는 변호사)는 지닌다.

(Code Crim. Proc., Art. 20.03 (part).)

Art. 20A.104. PERSONS WHO MAY ADDRESS GRAND JURY.
대배심에게 말할 수 있는 사람들.

No person may address the grand jury about a matter before the grand jury other than the attorney representing the state, a witness, or the accused or suspected person or the attorney for the accused or suspected person if approved by the attorney representing the state.

대배심 앞의 사안에 관하여 검사(주를 대변하는 변호사)가 이외에는, 또는 증인이 이외에는, 범인으로 주장되는 사람이 이외에는, 내지는 의심받는 사람이 이외에는, 검사(주를 대변하는 변호사)에 의하여 승인되는 경우에의 범인으로 주장되는 사람의 내지는 의심되는 사람의 변호사가 아외에는, 어느 누구가도 대배심에게 말하여서는 안 된다.

(Code Crim. Proc., Art. 20.04 (part).)

SUBCHAPTER D. ADVICE TO GRAND JURY
대배심에게의 조언

Art. 20A.151. ADVICE FROM ATTORNEY REPRESENTING STATE.
검사(주를 대변하는 변호사)로부터의 조언.

The grand jury may send for the attorney representing the state and ask the attorney's advice on any matter of law or on any question regarding the discharge of the grand jury's duties.

검사(주를 대변하는 변호사)를 대배심은 부르러 보낼 수 있고 어떠한 법 문제에 대하여도 또는 당해 대배심의 의무들의 이행에 관련한 어떤 문제에 대하여도 검사의 조언을 대배심은 요청할 수 있다.

(Code Crim. Proc., Art. 20.05.)

 Art. 20A.152. ADVICE FROM COURT.
법원으로부터의 조언.

(a) The grand jury may seek and receive advice from the court regarding any matter before the grand jury. For that purpose, the grand jury shall go into court in a body.

자신 앞의 어떠한 사항에 관하여도 조언을 법원으로부터 대배심은 구할 수 있고 수령할 수 있다. 그 목적을 위하여서는 대배심은 일단이 된 상태로 법정에 들어가야 한다.

(b) The grand jury shall ensure that the manner in which the grand jury's questions are asked does not divulge the particular accusation pending before the grand jury.

자신 앞에 걸려 있는 특정의 고발을 자신의 질문들의 물어지는 방법이 노출시키지 아니하게끔 대배심은 보장하여야 한다.

(c) The grand jury may submit questions to the court in writing. The court may respond to those questions in writing.

법원에 대한 질문들을 서면으로 대배심은 제출할 수 있다. 그 질문들에 대하여 서면으로 법원은 응답할 수 있다.

(Code Crim. Proc., Art. 20.06.)

SUBCHAPTER E. RECORDING AND DISCLOSURE OF GRAND JURY PROCEEDINGS
대배심 절차들의 녹음 및 공개

Art. 20A.201. RECORDING OF ACCUSED OR SUSPECTED PERSON'S TESTIMONY; RETENTION OF RECORDS.
범인이라고 주장되는 사람의 또는 의심되는 사람의 증언의 녹음; 기록들의 보관.

(a) The examination of an accused or suspected person before the grand jury and that person's testimony shall be recorded by a stenographer or by use of an electronic device capable of recording sound.

범인이라고 주장되는 사람의 내지는 의심되는 사람의 대배심 앞에서의 신문은 및 그 사람의 증언은 속기사에 의하여 또는 음향을 녹음할 수 있는 전자적 장비에 의하여 녹음되어야 한다.

(b) The validity of a grand jury proceeding is not affected by an unintentional failure to record all or part of the examination or testimony under Subsection (a).

소절 (a) 아래서의 신문의 내지는 증언의 녹음하기에 대한 전부의 또는 일부의 비의도적 불이행에 영향을 대배심 절차의 유효성은 받지 않는다.

(c) The attorney representing the state shall maintain possession of all records other than stenographer's notes made under Subsection (a) and any typewritten transcription of those records, except as otherwise provided by this subchapter.

소절 (a) 아래서 작성된 속기메모들에 대하여를 제외한 모든 기록들에 대한 및 그 기록들의 타이핑된 녹취록에 대한 점유를, 이 소장에 의하여 달리 규정되는 경우에를 제외하고는, 검사(주를 대변하는 변호사)는 유지하여야 한다.

(Code Crim. Proc., Art. 20.012.)

Art. 20A.202. PROCEEDINGS SECRET.
절차들의 비밀성.

(a) Grand jury proceedings are secret.

대배심 절차들은 비밀이다.

(b) A subpoena or summons relating to a grand jury proceeding or investigation must be kept secret to the extent and for as long as necessary to prevent the unauthorized disclosure of a matter before the grand jury. This subsection may not be construed to limit a disclosure permitted by Article 20A.204(b), (c), or (d) or 20A.205(a) or (b).

한 개의 대배심 앞의 사항의 권한 없는 공개를 방지함에 필요한 한도껏 및 동안껏, 비밀로 당해 대배심 절차에 내지는 조사에 관련되는 벌칙부소환장은 내지는 소환장은 간직되지 않으면 안 된다. 제20A.204조 (b)에, (c)에, 또는 (d)에, 또는 제20A.205조 (a)에 또는 (b)에 의하여 허용되는 공개를 제한하는 것으로 이 소절은 해석되어서는 안 된다.

(Code Crim. Proc., Arts. 20.02(a), (h).)

Art. 20A.203. DISCLOSURE BY PERSON IN PROCEEDING PROHIBITED.
절차들에 출석한 사람에 의한 공개의 금지.

(a) A grand juror, bailiff, interpreter, stenographer or person operating an electronic recording device, person preparing a typewritten transcription of a stenographic or electronic recording, or person operating a video teleconferencing system for use under Article 20A.259 who discloses anything transpiring before the grand jury in the course of the grand jury's official duties, regardless of whether the thing transpiring is recorded, may be punished by a fine not to exceed $500, as for contempt of court, by a term of confinement not to exceed 30 days, or both.

대배심의 공식적 의무들의 과정에서 당해 대배심 앞에서 발생하는 어떤 사항을이든, 그 발생하는 사항이 녹음되는지 여부에 상관없이, 공개하는, 대배심원은, 집행관보좌인은, 통역인은, 속기사는, 또는 전자적 녹음장비를 작동시키는 사람은, 속기적 녹음의 또는 전자적 녹음의 타이핑된 녹취록을 작성하는 사람은, 또는 제20A.259조 아래서의 사용을 위한 원격지 간 화상회의 장치를 작동시키는 사람은 500불 이하의 벌금으로써 또는 30일을 초과하지 아니하는 기간의 구금으로써 또는 그 병과로써, 법원모독의 경우에 준하여 처벌될 수 있다.

(b) A witness who reveals any matter about which the witness is examined or that the witness observes during a grand jury proceeding, other than when the witness is required to give evidence on that matter in due course, may be punished by a fine not to exceed $500, as for contempt of court, and by a term of   confinement not to exceed six months.

대배심 절차 동안에 자신이 신문에 처해지는 또는 자신이 관찰하는 어떤 사항을이든, 그 사항에 관하여 증언하도록 정당한 절차에서 당해 증인이 요구되는 경우 이외에 폭로하는 증인은 500불 이하의 벌금으로써 그리고 6월을 초과하지 아니하는 기간의 구금으로써, 법원모독의 경우에 준하여 처벌될 수 있다.

(Code Crim. Proc., Arts. 20.02(b), 20.16(b).)

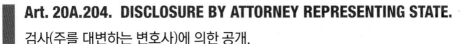

Art. 20A.204. DISCLOSURE BY ATTORNEY REPRESENTING STATE.
검사(주를 대변하는 변호사)에 의한 공개.

(a) The attorney representing the state may not disclose anything transpiring before the grand jury except as permitted by this article or Article 20A.205(a) or (b).

이 조에 의하여 또는 제20A.205조 (a)에 또는 (b)에 의하여 허용되는 경우에를 제외하고는, 대배심 앞에서 발생하는 어떤 사항을이라도 검사(주를 대변하는 변호사)는 공개하여서는 안 된다.

(b) In performing the attorney's duties, the attorney representing the state may disclose or permit a disclosure of a record made under Article 20A.201 or a typewritten transcription of that record, or may make or permit a disclosure otherwise prohibited by Article 20A.203, to a grand juror serving on the grand jury before which the record was made, another grand jury, a law enforcement agency, or a prosecuting attorney, as the attorney representing the state determines is necessary to assist the attorney in the performance of the attorney's duties.

자신의 의무들을 수행함에 있어서 검사(주를 대변하는 변호사)는, 그 자신의 의무들의 수행에 있어서의 그 자신을 조력하기 위하여 필요하다고 그 자신이 판단하는 바에 따라서, 제20A.201조 아래서 작성된 녹음을 또는 그 녹음의 타이핑된 녹취록을 그 녹음이 이루어진 당해 대배심에 복무하는 대배심원에게, 다른 대배심에게, 법집행 기관에게 또는 소추검사에게, 공개할 수 있고 또는 그 공개를 허가할 수 있으며, 제20A.203조에 의하여 여타의 경우에는 금지되는 공개를 그 녹음이 이루어진 당해 대배심에 복무하는 대배심원에게, 다른 대배심에게, 법집행 기관에게 또는 소추검사에게 할 수 있고 또는 그 공개를 허가할 수 있다.

(c) The attorney representing the state shall warn any person authorized to receive information under Subsection (b) of the person's duty to maintain the secrecy of the information.

당해 정보의 비밀을 유지할 그 사람의 의무에 관하여 소절 (b)에 따라서 정보를 수령함이 허용되는 사람 누구나에게 검사(주를 대변하는 변호사)는 경고하여야 한다.

(d) A person who receives information under Subsection (b) and discloses that information for purposes other than those permitted by that subsection may be punished for contempt in the same manner as a person who violates Article 20A.203(a).

소절 (b)에 따라서 정보를 수령하고서 그 소절에 의하여 허용되는 목적들 이외의 목적들을 위하여 그 정보를 공개하는 사람은 제20A.203조 (a)를 위반하는 사람이 처벌되는 방법에의 동일한 방법으로 법원모독으로 처벌될 수 있다.

Art. 20A.205. PETITION FOR DISCLOSURE BY DEFENDANT.
공개를 피고인이 청구하는 경우.

(a) The defendant may petition a court to order the disclosure of information made secret by Article 20A.202, 20A.203(a), or 20A.204, including a recording or typewritten transcription under Article 20A.201, as a matter preliminary to or in connection with a judicial proceeding. The court may order disclosure of the information if the defendant shows a particularized need.

제20A.202조에, 제20A.203조 (a)에, 또는 제20A.204조에 의하여 비밀의 것으로 규정된 정보의 공개를, 제20A.201조 아래서의 녹음의 내지는 타이핑된 녹취록의 공개를을 포함하여, 한 개의 사법적 절차에의 한 개의 예비적 사항으로서 또는 이에의 연관되는 사항으로서, 명령할 것을 법원에 피고인은 청구할 수 있다. 구체적 필요를 피고인이 증명하면, 그 정보의 공개를 법원은 명령할 수 있다.

(b) A petition for disclosure under Subsection (a) must be filed in the district court in which the case is pending. The defendant must also file a copy of the petition with the attorney representing the state, the parties to the judicial proceeding, and any other person the court requires. Each person who receives a copy of the petition under this subsection is entitled to appear before the court. The court shall provide interested parties with an opportunity to appear and present arguments for or against the requested disclosure.

소절 (a) 아래서의 공개청구는 사건이 계속되어 있는 재판구 지방법원에 제출되지 않으면 안 된다. 청구서 사본을 검사(주를 대변하는 변호사)에게, 당해 사법절차의 당사자들에게, 그리고 법원이 요구하는 그 밖의 사람에게 아울러 피고인은 제출하지 않으면 안 된다. 법원 앞에 출석할 권리를 이 소절 아래서 사본을 수령하는 개개 사람은 지닌다. 출석할, 및 그 요청되는 공개에 대하여 찬성하는 내지는 반대하는 주장들을 제출할, 기회를 이해당사자들에게 법원은 제공하여야 한다.

(c) A person who receives information under this article and discloses that information may be punished for contempt in the same manner as a person who violates Article 20A.203(a).

이 조에 따라서 정보를 수령하고서 그 정보를 공개하는 사람은 제20A.203조 (a)를 위반하는 사람이 처벌되는 방법에의 동일한 방법으로 법원모독으로 처벌될 수 있다.

(Code Crim. Proc., Arts. 20.02(d), (e), (f).)

SUBCHAPTER F. WITNESSES
증인들

Art. 20A.251. IN-COUNTY WITNESS.
카운티 내에 소재하는 증인의 경우.

(a) In term time or vacation, the foreperson or the attorney representing the state may issue a summons or attachment for any witness in the county in which the grand jury sits.

당해 대배심이 착석하는 카운티 내의 어떤 증인을 위하여도 소환장을 내지는 법정출석영장을 개정기 때에든 또는 폐정기 때에든 배심장은 내지는 검사(주를 대변하는 변호사)는 발부할 수 있다.

(b) A summons or attachment issued under Subsection (a) may require the witness to appear before the grand jury at a specified time, or immediately, without stating the matter under investigation.

특정의 때에 또는 즉시로, 대배심 앞에 출석하도록, 그 조사대상인 사항을 밝힘이 없이 당해 증인에게 소절 (a) 아래서 발부되는 소환장은 내지는 법정출석영장은 요구할 수 있다.

(Code Crim. Proc., Art. 20.10.)

Art. 20A.252. OUT-OF-COUNTY WITNESS.

카운티 바깥에 소재하는 증인의 경우.

(a) The foreperson or the attorney representing the state may cause a subpoena or attachment for a witness to be issued to any county in the state by submitting a written application to the district court stating the name and residence of the witness and that the witness's testimony is believed to be material.

한 명의 증인의 이름을 및 주거지를 명시하는 및 그 증인의 증언이 중요하다고 믿어짐을 서술하는 서면신청을 재판구 지방법원에 제출함에 의하여, 주 내의 어느 카운티에게든 그 증인을 위한 한 개의 벌칙부소환장이 또는 법정출석영장이 발부되도록 배심장은 또는 검사(주를 대변하는 변호사)는 조치할 수 있다.

(b) A subpoena or attachment issued under this article:

이 조에 따라서 발부되는 벌칙부소환장은 내지는 법정출석영장은:

(1) is returnable to the grand jury in session or to the next grand jury for the county in which the subpoena or attachment was issued, as determined by the applicant; and

당해 벌칙부소환장의 또는 법정출석영장의 발부 측 카운티를 위한 회기 중의 대배심에 또는 차기 대배심에, 신청인에 의하여 결정되는 바에 따라서 반환될 수 있다; 그리고

(2) shall be served and returned in the manner prescribed by Chapter 24.

제24장에 규정되는 방법으로 송달되어야 하고 반환되어야 한다.

(c) A subpoena issued under this article may require the witness to appear and produce records and documents.

출석하도록 및 기록들을 및 문서들을 제출하도록 이 조 아래서 발부되는 벌칙부소환장은 요구할 수 있다.

(d) A witness subpoenaed under this article shall be compensated as provided by this code.

이 조 아래서의 벌칙부소환장이 발부되는 증인에게는 이 법에 규정되는 보수가 지급되어야 한다.

(e) An attachment issued under this article must command the sheriff or any constable of the county in which the witness resides to serve the witness and to bring the witness before the grand jury at a time and place specified in the attachment.

당해 증인이 거주하는 카운티의 집행관으로 하여금 또는 보안관 어느 누구든지로 하여금 당해 증인에게 송달하도록 및 당해 증인을 당해 법정출석영장에 명시된 때에 및 장소에 대배심 앞에 데려오도록 이 조에 따라서 발부되는 법정출석영장은 명령하지 않으면 안 된다.

(f) The attorney representing the state may cause an attachment to be issued under this article in term time or vacation.

개정기 중에 또는 폐정기 중에 이 조 아래서의 법정출석영장이 발부되도록 검사(주를 대변하는 변호사)는 조치할 수 있다.

(Code Crim. Proc., Arts. 20.11, 20.12.)

Art. 20A.253. EXECUTION OF PROCESS.
영장의 집행.

(a) A bailiff or other officer who receives process to be served from the grand jury shall immediately execute the process and return the process to:

송달되어야 할 영장을 대배심으로부터 수령하는 집행관보좌인은 또는 그 밖의 공무원은 당해 영장을 즉시 집행하여야 하고 그 영장을 아래 사람에게 반환하여야 한다:

(1) the foreperson, if the grand jury is in session; or

대배심이 회합 중에 있으면 배심장; 또는

(2) the district clerk, if the grand jury is not in session.

만약 대배심이 회합 중에 있지 아니하면 재판구 지방법원의 서기.

(b) If the process is returned unexecuted, the return must state why the process was not executed.

만약 영장이 집행되지 아니한 채로 반환되면, 당해 영장이 어째서 집행되지 아니하였는 지를 그 보고서는 명시하지 않으면 안 된다.

(Code Crim. Proc., Art. 20.13.)

Art. 20A.254. EVASION OF PROCESS.

영장을 빠져나가는 사람의 경우.

If the court determines that a witness for whom an attachment has been issued to appear before the grand jury is in any manner wilfully evading the service of the summons or attachment, the court may fine the witness, as for contempt, in an amount not to exceed $500.

대배심 앞에 출석하도록 법정출석영장이 발부된 대상인 한 명의 증인이 당해 소환장의 내지 는 법정출석영장의 송달을 어떤 방법으로든 고의적으로 회피하고 있다고 만약 법원이 판단하 면, 법원모독의 경우에 준하여 500불 이하의 벌금을 당해 증인에게 법원은 부과할 수 있다.

(Code Crim. Proc., Art. 20.14.)

Art. 20A.255. WITNESS REFUSAL TO TESTIFY.

증인의 증언거부의 경우.

(a) If a witness brought in any manner before a grand jury refuses to testify, the witness's refusal shall be communicated to the attorney representing the state or to the court.

그 증언하기를 만약 한 개의 대배심 앞에 어떤 방법으로든 데려다 놓여진 증인이 거부하 면, 검사(주를 대변하는 변호사)에게 또는 법원에게 그 증인의 거부는 통지되어야 한다.

(b) The court may compel a witness described by Subsection (a) to answer a proper question by imposing a fine not to exceed $500 and by committing the witness to jail until the witness is willing to testify.

소절 (a)에 규정되는 증인을 500불 이하의 벌금에 처함에 의하여 또는 그 증언하겠다고 그 증인이 표명할 때까지 감옥에 구금함에 의하여, 그 증인으로 하여금 정당한 질문에 답변하도록 법원은 강제할 수 있다.

(Code Crim. Proc., Art. 20.15.)

Art. 20A.256. WITNESS OATH.
증인선서.

Before each witness is examined, the foreperson or a person under the foreperson's direction shall administer the following oath to the witness: "You solemnly swear that you will not reveal, by your words or conduct, and will keep secret any matter about which you may be examined or　that you have observed during the proceedings of the grand jury, and that you will answer truthfully the questions asked of you by the grand jury, or under its direction, so help you God."

개개 증인이 신문에 처해지기 전에 그 증인에게 배심장은 또는 배심장의 명령을 받은 사람은 아래의 선서를 실시하여야 한다: "대배심 절차들 동안에 귀하가 신문되는 사항을 내지는 귀하의 목격한 사항을 귀하의 말로써 또는 행동으로써 공개하지 아니하기로 및 비밀로 간직하기로, 그리고 대배심에 의하여 또는 대배심의 명령 아래서, 귀하에게 물어지는 질문들에 대하여 진실되게 답변하기로 귀하는 엄숙히 선서하는바, 하오니 신께서는 귀하를 도우소서."

(Code Crim. Proc., Art. 20.16(a).)

Art. 20A.257. EXAMINATION OF WITNESSES.
증인들의 신문.

(a) Only a grand juror or the attorney representing the state may examine a witness before the grand jury.

대배심 앞의 증인을 대배심원만이 또는 검사(주를 대변하는 변호사)만이 신문할 수 있다.

(b) The attorney representing the state shall advise the grand jury regarding the proper mode of examining a witness.

증인을 신문하는 적절한 방법에 관하여 검사(주를 대변하는 변호사)는 대배심에게 조언하여야 한다.

(c) If a felony has been committed in any county in the grand jury's jurisdiction, and the name of the offender is known or unknown or if it is uncertain when or how the felony was committed, the grand jury shall first state the subject matter under investigation to a witness called before the grand jury and may then ask questions relevant to the transaction in general terms and in a manner that enables a determination as to whether the witness has knowledge of the violation of any particular law by any person, and if so, by what person.

당해 대배심의 관할인 어느 카운티 내에서든 만약 한 개의 중죄가 저질러져 있으면, 및 범인의 이름이 알려져 있으면 또는 알려져 있지 않으면 또는 언제 어떻게 그 중죄가 저질러진 것인지 불확실하면, 조사 대상인 소송물을 당해 대배심 앞에 소환된 증인에게 대배심은 먼저 설명하여야 하는바, 그 행위에 관련되는 질문들을 일반적 용어로, 및 어떤 사람의 위반에 대하여든 특정의 법 위반에 대한 지식을 당해 증인이 지니는지 여부에 관한 판단을 가능하게 하여 줄 만한 방법으로, 그리고 만약 그 지식을 증인이 지닌다면 어느 누구에 의한 위반인지에 관한 판단을 가능하게 하여 줄 만한 방법으로, 그 뒤에 대배심은 물을 수 있다.

(Code Crim. Proc., Arts. 20.04 (part), 20.18.)

Art. 20A.258. EXAMINATION OF ACCUSED OR SUSPECTED PERSON.

범인이라고 주장되는 사람에 대한 또는 의심되는 사람에 대한 신문.

(a) Before the examination of an accused or suspected person who is subpoenaed to appear before the grand jury, the person shall be:

대배심 앞에 출석하도록 벌칙부로 소환된 범인이라고 주장되는 사람에 대한 또는 의심되는 사람에 대한 신문 전에, 그 사람에게는

(1) provided the warnings described by Subsection (b) orally and in writing; and

소절 (b)에 의하여 규정되는 경고들이 구두로 및 서면으로 제공되어야 한다; 그리고

(2) given a reasonable opportunity to:

아래의 행위를 할 합리적 기회가 부여되어야 한다:

(A) retain counsel or apply to the court for an appointed attorney; and

변호인을 선임하는 행위 또는 변호인을 지정해 달라고 법원에 신청하는 행위; 그리고

(B) consult with counsel before appearing before the grand jury.

대배심에 출석하기 전에 변호인을 상담하는 행위.

(b) The warnings required under Subsection (a)(1) must consist of the following:

소절 (a)(1)에 따라서 요구되는 경고들은 아래의 것들로 이루어지지 않으면 안 된다:

"Your testimony before this grand jury is under oath. Any material question that is answered falsely before this grand jury subjects you to being prosecuted for aggravated perjury. You have the right to refuse to make answers to any question, the answer to which would incriminate you in any manner. You have the right to have a lawyer present outside this chamber to advise you before making answers to questions you feel might incriminate you. Any testimony you give may be used against you at any subsequent proceeding. If you are unable to employ a lawyer, you have the right to have a lawyer appointed to advise you before making an answer to a question, the answer to which you feel might incriminate you."

"이 대배심 앞에서의 귀하의 증언은 선서 아래서의 것입니다. 중요한 질문 어느 것에 대하여든 이 대배심 앞에서 허위로 귀하가 답변하면 가중위증죄로 귀하는 소추되게 됩니다. 귀하에게 유죄를 어떤 방법으로든 그 답변이 씌울 만한 질문에 대하

여는 답변을 거부할 권리를 귀하는 지닙니다. 귀하에게 유죄를 씌울 성싶다고 귀하가 생각하는 질문들에 대하여 답변을 하기 전에 귀하를 조언할 한 명의 변호사를 이 방 바깥에 출석시킬 권리를 귀하는 지닙니다. 귀하가 하게 되는 그 어떤 증언이든지는 추후의 어떤 절차에서도 귀하에게 불리하게 사용될 수 있습니다. 만약 변호사를 귀하가 선임할 수 없으면, 귀하에게 유죄를 그 답변이 씌울 수도 있다고 귀하가 생각하는 질문에 대하여 답변을 하기 전에 귀하를 조언할 한 명의 변호사를 지정받을 권리를 귀하는 지닙니다."

(c) In examining an accused or suspected person, the grand jury shall:

범인이라고 주장되는 내지는 의심되는 사람을 신문함에 있어서 대배심은:

(1) first state:

아래의 것들을 먼저 설명하여야 한다:

(A) the offense of which the person is accused or suspected;

범인이라고 그 사람이 주장되는 내지는 의심되는 당해 범죄;

(B) the county in which the offense is alleged to have been committed; and

당해 범죄가 저질러진 장소라고 주장되는 카운티; 그리고

(C) as closely as possible, the time the offense was committed; and

당해 범죄가 저질러진 시간에의 가능한 한 가장 근접한 시간; 그리고

(2) direct the examination to the offense under investigation.

조사 대상인 범죄에 대한 신문을 명령하여야 한다.

(Code Crim. Proc., Art. 20.17.)

Art. 20A.259. PEACE OFFICER TESTIMONY BY VIDEO TELECONFERENCING.

원격지 간 화상회의에 의한 경찰관의 증언.

(a) With the consent of the foreperson and the attorney representing the state, a peace officer summoned to testify before the grand jury may testify through the use of a closed circuit video teleconferencing system that provides a simultaneous, encrypted, compressed full motion video and interactive communication of image and sound between the officer, the grand jury, and the attorney representing the state.

대배심 앞에서 증언하도록 소환된 경찰관은, 배심장의 및 검사(주를 대변하는 변호사)의 동의를 얻어서, 동시적인, 암호화된, 압축의 완전한 동영상을 제공하는 및 당해 경찰관의, 대배심의, 그리고 검사(주를 대변하는 변호사)의 셋 사이의 영상의 및 음향의 쌍방향 의사소통을 제공하는 폐쇄회로 원격지 간 화상회의 장치의 사용을 통하여 증언할 수 있다.

(b) In addition to being administered the oath required under Article 20A.256, before being examined, a peace officer testifying through the use of a closed circuit video teleconferencing system under this article shall affirm that the officer's testimony:

이 조에 따라서 폐쇄회로 원격지 간 화상회의 장치의 사용을 통하여 증언하는 경찰관은, 제20A.256조에 따라서 요구되는 선서에 그 자신이 처해짐에 더하여, 자신의 증언이 아래에 해당됨을 신문의 실시에 앞서서 확실히 하여야 한다:

(1) cannot be heard by any person other than a person in the grand jury room; and

대배심실 내의 사람 이외의 다른 어느 누구에 의하여도 청취될 수 없을 것; 그리고

(2) is not being recorded or otherwise preserved by any person at the location from which the officer is testifying.

당해 경찰관이 증언하는 장소에서 어느 누구에 의하여도 녹음되지도 다른 방법으로 보전되지도 아니할 것.

(c) Testimony received from a peace officer under this article shall be recorded in the same manner as other testimony taken before the grand jury and shall be preserved.

대배심 앞에서 청취되는 여타의 증언이 녹음되는 방법에의 동일한 방법으로, 이 조에 따라서 경찰관으로부터 수령되는 증언은 녹음되어야 하는바, 또한 그것은 보전되어야 한다.

(Code Crim. Proc., Art. 20.151.)

SUBCHAPTER G. INDICTMENT
대배심 검사기소장

Art. 20A.301. VOTING ON INDICTMENT.
대배심 검사기소에 대한 표결.

After all the testimony accessible to the grand jury has been given with respect to any criminal accusation, the grand jury shall vote on the presentment of an indictment. If at least nine grand jurors concur in finding the bill, the foreperson shall make a memorandum of the vote with any information enabling the attorney representing the state to prepare the indictment.

형사고발에 관련하여 대배심에게 접근될 수 있는 모든 증거가 제공되고 난 뒤에, 한 개의 대배심 검사기소장의 제출에 관하여 대배심은 표결하여야 한다. 대배심 검사기소장을 평결함에 적어도 아홉 명의 대배심원들이 만약 찬성하면, 대배심 검사기소장을 검사(주를 대변하는 변호사)로 하여금 작성할 수 있게 하여 줄 정보를 첨부한 표결의 기록을, 배심장은 작성하여야 한다.

(Code Crim. Proc., Art. 20.19.)

Art. 20A.302. PREPARATION OF INDICTMENT.
대배심 검사기소장의 작성.

(a) The attorney representing the state shall prepare, with as little delay as possible, each indictment found by the grand jury and shall deliver the indictment to the foreperson. The attorney shall endorse on the indictment the name of each witness on whose testimony the indictment was found.

검사(주를 대변하는 변호사)는 대배심에 의하여 평결된 개개의 대배심 검사기소장을 가능한 한 지체 없이 작성하여야 하고 그 대배심 검사기소장을 배심장에게 교부하여야 한다. 당해 대배심 검사기소 평결의 근거가 된 증언을 한 개개 증인의 이름을 대배심 검사기소장에 검사는 기입하여야 한다.

(b) The foreperson shall officially sign each indictment prepared and delivered under Subsection (a).

소절 (a)에 따라서 작성된 및 교부된 개개 대배심 검사기소장에 배심장은 정식으로 서명하여야 한다.

(Code Crim. Proc., Art. 20.20.)

 **Art. 20A.303. PRESENTMENT OF INDICTMENT.**
대배심 검사기소장의 제출.

When an indictment is ready to be presented, the grand jury shall, through the foreperson, deliver the indictment to the judge or court clerk. At least nine grand jurors must be present to deliver the indictment.

한 개의 대배심 검사기소장이 제출될 준비가 갖추어지면, 배심장을 통하여 판사에게 또는 법원서기에게 그 대배심 검사기소장을 대배심은 교부하여야 한다. 대배심 검사기소장을 제출하기 위하여는 적어도 아홉 명의 대배심원들이 출석해 있지 않으면 안 된다.

(Code Crim. Proc., Art. 20.21.)

Art. 20A.304. PRESENTMENT OF INDICTMENT ENTERED IN RECORD.
대배심 검사기소장 제출의 기록에의 기입.

(a) If the defendant is in custody or under bond at the time the indictment is pre-sented, the fact of the presentment shall be entered in the court's record, noting briefly the style of the criminal action, the file number of the indict-ment, and the defendant's name.

대배심 검사기소장이 제출되는 때에 피고인이 구금되어 있으면 내지는 서약보증서 아래에 있으면, 법원의 기록에 그 제출의 사실은 기입되어야 하는바, 당해 범죄행위의 유형을, 당해 대배심 검사기소장의 문서번호를, 그리고 피고인의 이름을 간략하게 기재하여야 한다.

(b) If the defendant is not in custody or under bond at the time the indictment is presented, the indictment may not be made public and the entry in the court's record relating to the indictment must be delayed until the capias is served and the defendant is placed in custody or under bond.

대배심 검사기소장이 제출되는 때에 만약 피고인이 구금되어 있지도 서약보증서 아래에 있지도 아니하면, 당해 대배심 검사기소장은 공개되어서는 안 되고 당해 대배심 검사기소장에 관련한 법원 기록에의 기입은 구인영장이 송달되어 구금에 내지는 서약보증서 아래에 피고인이 놓일 때까지 보류되지 않으면 안 된다.

(Code Crim. Proc., Art. 20.22.)

ARTICLE 3. REPEALER
폐지조항

SECTION 3.01. The following provisions of the Code of Criminal Procedure are repealed:

형사소송법의 아래 규정들은 폐지된다:

(1) Articles 6.08 and 6.09; and

　　제6.08조 및 제6.09조; 그리고

(2) Chapters 7A, 19, 20, 54, 56, 57, 57A, 57B, 57C, and 57D.

제7A장, 제19장, 제20장, 제54장, 제56장, 제57장, 제57A장, 제57B장, 제57C장, 그리고 제57D장.

ARTICLE 4. GENERAL MATTERS
일반적 사항들

SECTION 4.01. This Act is enacted under Section 43, Article III, Texas Constitution. This Act is intended as a codification only, and no substantive change in the law is intended by this Act.

텍사스주 헌법 제3조 제43절에 따라서 이 법률은 제정된다. 한 개의 성문화만의 의도를 이 법률은 지니는바, 따라서 법에 있어서의 실체적 변경은 이 법률에 의하여 의도되지 아니한다.

SECTION 4.02. (a) Chapter 311, Government Code (Code Construction Act), applies to the construction of each provision in the Code of Criminal Procedure that is enacted under Section 43, Article III, Texas Constitution (authorizing the continuing statutory revision program), in the same manner as to a code enacted under the continuing statutory revision program, except as otherwise expressly provided by the Code of Criminal Procedure.

텍사스주 헌법 제3조 제43절 – 지속적인 제정법 개정사업 시행의 권한을 그것은 부여한다 – 에 따라서 입법되는 형사소송법 개개 조항의 해석에는, 형사소송법에 의하여 명시적으로 달리 규정되는 경우에를 제외하고는, 정부기본법 제311장 (법전해석법)이, 그 지속적인 제정법 개정사업 실시에 따라서 입법되는 한 개의 법률에 적용되는 방법에의 동일한 방법으로 적용된다.

(b) A reference in a law to a statute or a part of a statute in the Code of Criminal Procedure enacted under Section 43, Article III, Texas Constitution (authorizing the continuing statutory revision program), is considered to be a reference to the part of that code that revises that statute or part of that statute.

텍사스주 헌법 제3조 제43절 - 지속적인 제정법 개정사업 시행의 권한을 그것은 부여한다 - 에 따라서 입법된 형사소송법 내에서의 한 개의 제정법에 대한 내지는 한 개의 제정법 일부에 대한 한 개의 법률에서의 언급은 그 제정법을 또는 그 제정법의 일부를 개정하는 법률의 해당부분에 대한 언급으로 간주된다.

SECTION 4.03. This Act takes effect January 1, 2021.

이 법률은 2021. 1. 1.에 발효한다.

연방 법무부
검찰업무 편람

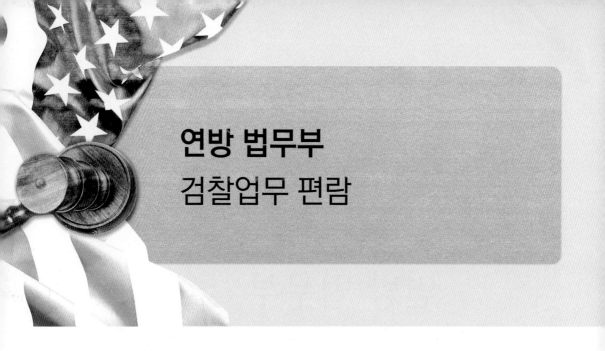

연방 법무부
검찰업무 편람

The United States Department of Justice

합중국 법무부

Justice Manual

검찰업무 편람

Title 9: Criminal

제9편: 형사

9-11.000 - Grand Jury
대배심

9-11.010 – Introduction
머리말

This chapter contains the Department's policy on grand jury practice.

대배심 업무처리에 관한 법무부의 정책을 이 장은 포함한다.

In dealing with the grand jury, the prosecutor must always conduct himself or herself as an officer of the court whose function is to ensure that justice is done and that guilt shall not escape nor innocence suffer. The prosecutor must recognize that the grand jury is an independent body, whose functions include not only the investigation of crime and the initiation of criminal prosecution but also the protection of the citizenry from unfounded criminal charges. The prosecutor's responsibility is to advise the grand jury on the law and to present evidence for its consideration. In discharging these responsibilities, the prosecutor must be scrupulously fair to all witnesses and must do nothing to inflame or otherwise improperly influence the grand jurors.

대배심 업무를 처리함에 있어서, 정의가 관철되게 함을, 범죄자가 빠져나가지 못하게 함을 및 죄 없는 자가 처벌을 받지 아니하게 함을 보장함이 그 임무인 한 명의 법원직원으로서 검사는 항상 그 스스로 내지는 그녀 스스로 처신하지 않으면 안 된다. 대배심은 한 개의 독립의 기관임을, 범죄의 조사를만이 및 범죄소추의 개시를만이 아니라 부당한 형사고발들로부터의 시민의 보호를까지 그 임무들은 포함함을 검사는 인식하지 않으면 안 된다. 검사의 책임은 대배심을 법에 관하여 조언하는 것이고 대배심의 검토를 위하여 증거를 제시하는 것이다. 이 책임들을 이행함에 있어서 검사는 모든 증인들에게 빈틈없이 공정하지 않으면 안 되고 대배심원들을 자극하는 내지는 달리 부당하게 그들에게 영향을 끼치는 그 어떤 것을도 하여서는 안 된다.

[updated January 2020]
[2020년 1월 수정]

9-11.101 - Powers and Limitations of Grand Juries—The Functions of a Grand Jury

대배심들의 권한들 및 제한들–대배심의 임무들

While grand juries are sometimes described as performing accusatory and investigatory functions, the grand jury's principal function is to determine whether or not there is probable cause to believe that one or more persons committed a certain Federal offense within the venue of the district court. Thus, it has been said that a grand jury has but two functions—to indict or, in the alternative, to return a "no-bill." See Wright, Federal Practice and Procedure, Criminal Section 110.

탄핵적 및 조사적 임무들을 수행하는 것으로 대배심들은 때때로 설명됨에도 불구하고, 재판구 지방법원의 재판지 내의 한 개의 특정의 연방범죄를 한 명 이상의 사람들이 저질렀다고 믿을 상당한 이유가 있는지 없는지 여부를 판정하는 데 대배심의 주된 임무는 있다. 그러므로 두 가지 기능들만을 - 대배심 검사기소에 처하는, 또는 그 아닌 경우에 "불기소평결"을 제출하는 - 지니는 것으로 대배심은 말해져 왔다. Wright, Federal Practice and Procedure, Criminal Section 110을 보라.

At common law, a grand jury enjoyed a certain power to issue reports alleging non-criminal misconduct. A special grand jury impaneled under Title 18 U.S.C. § 3331 is authorized, on the basis of a criminal investigation (but not otherwise), to fashion a report, potentially for public release, concerning either organized crime conditions in the district or the non-criminal misconduct in office of appointed public officers or employees. This is discussed at JM 9-11.300 and JM 9-11.330. See Jenkins v. McKeithen, 395 U.S. 411, 430 (1969); Hannah v. Larche, 363 U.S. 420 (1960). Whether a regular grand jury enjoys a comparable authority to issue a report is a difficult and complex question. Cf. United States v. Briggs, 514 F.2d 794 (5th Cir. 1975). The Criminal Division of the Department of Justice should be consulted before any grand jury report is initiated, whether by a regular or special grand jury. See also JM 9-11.330.

비범죄적 위법행위를 주장하는 보고서들을 발부할 일정한 권한을 보통법에서 대배심은 향유하였다. 재판구 내의 조직범죄 상황들에 관한 내지는 임명직 공무원들의 내지는 피용자들의 직무상의 비범죄적 위법행위에 관한, 잠재적으로 공중에의 공개를 위한 한 개의 보고서를 만들어낼 권한을 범죄조사의 기초 위에서 (여타의 기초 위에서는 아님) 합중국 법률집 제18편 제3331절 아래서 충원구성되는 한 개의 특별 대배심은 지닌다. 이것은 JM 9-11.300에서 및 JM 9-11.330에서 논의된다. Jenkins v. McKeithen, 395 U.S. 411, 430 (1969)를; Hannah v. Larche, 363 U.S. 420 (1960)을 보라. 한 개의 보고서를 발부할 이에 필적할 만한 권한을 정규 대배심이 향유하는지 여부는 어렵고도 복잡한 문제이다. United States v. Briggs, 514 F.2d 794 (5th Cir. 1975)를 비교하라. 정규 대배심에 의하여든 특별 대배심에 의하여든 대배심 보고서가 제의되기에 앞서서 법무부 형사과에 의견이 문의되어야 한다. 아울러 JM 9-11.330을 보라.

[updated January 2020] [cited in JM 9-69.400]
[2020년 1월 수정][JM 9-69.400에서 인용됨]

9-11.120 - Power of a Grand Jury Limited by Its Function
그 자신의 임무에 의하여 제한되는 대배심의 권한

The grand jury's power, although expansive, is limited by its function toward possible return of an indictment. Costello v. United States, 350 U.S. 359, 362 (1956). Accordingly, the grand jury cannot be used solely to obtain additional evidence against a defendant who has already been indicted. United States v. Woods, 544 F.2d 242, 250 (6th Cir. 1976), cert. denied sub nom., Hurt v. United States, 429 U.S. 1062 (1977). Nor can the grand jury be used solely for pre-trial discovery or trial preparation. United States v. Star, 470 F.2d 1214 (9th Cir. 1972). After indictment, the grand jury may be used if its investigation is related to a superseding indictment of additional defendants or additional crimes by an indicted defendant. In re Grand Jury Subpoena Duces Tecum, Dated January 2, 1985, 767 F.2d 26, 29-30 (2d Cir. 1985); In re Grand Jury Proceedings, 586 F.2d 724 (9th Cir. 1978).

대배심의 권한은 비록 광대함에도 불구하고 대배심 검사기소장의 제출 가능성을 목표로 하는 대배심 자신의 임무에 의하여 그것은 제한된다. Costello v. United States, 350 U.S.

359, 362 (1956). 따라서 이미 대배심 검사기소에 처해져 있는 피고인에게 불리한 추가적 증거를 얻음만을 위해서는 대배심은 사용될 수 없다. United States v. Woods, 544 F.2d 242, 250 (6th Cir. 1976), cert. denied sub nom., Hurt v. United States, 429 U.S. 1062 (1977). 또한 오직 정식사실심리 전 증거캐기만을 위하여도 내지는 정식사실심리 준비만을 위하여도 대배심은 사용될 수 없다. United States v. Star, 470 F.2d 1214 (9th Cir. 1972). 대배심 검사기소 뒤에는 추가적 피고인들에 대한, 내지는 대배심 검사기소 되어 있는 피고인의 추가적 범죄들에 대한, 대체적인(superseding) 대배심 검사기소에 만약 그 조사가 관련되는 경우이면 대배심은 사용될 수 있다. In re Grand Jury Subpoena Duces Tecum, Dated January 2, 1985, 767 F.2d 26, 29–30 (2d Cir. 1985); In re Grand Jury Proceedings, 586 F.2d 724 (9th Cir. 1978).

A. Approval Required Prior to Resubmission of Same Matter to Grand Jury: Once a grand jury returns a no-bill or otherwise acts on the merits in declining to return an indictment, the same matter (i.e., the same transaction or event and the same putative defendant) should not be presented to another grand jury or resubmitted to the same grand jury without first securing the approval of the responsible United States Attorney.

동일한 사안의 대배심에의 재제출에 앞서서 요구되는 승인: 일단 한 개의 불기소평결을 대배심이 제출하면, 내지는 본안에 관하여 대배심 검사기소장을 제출하기를 대배심이 거부하여 여타의 방법으로 처분하면, 그 동일한 사안은 (즉 그 동일한 행위는 내지는 사건은 및 그 추정상의 동일한 피고인은) 책임 있는 합중국 검사의 승인을 먼저 얻음이 없이는 별개의 대배심에게 제출되어서는 내지는 같은 대배심에게 재제출되어서는 안 된다.

B. Use of Grand Jury to Locate Fugitives: It is improper to utilize the grand jury solely as an investigative aid in the search for a fugitive in whose testimony the grand jury has no interest. In re Pedro Archuleta, 432 F. Supp. 583 (S.D.N.Y. 1977); In re Wood, 430 F. Supp. 41 (S.D.N.Y. 1977), aff'd sub nom In re Cueto, 554 F.2d 14 (2d Cir. 1977). However, if the grand jury has a legitimate interest in the testimony of a fugitive, it may subpoena other witnesses and records in an effort to locate the fugitive. Wood, supra, citing Hoffman v. United States, 341 U.S. 479 (1951). If the present whereabouts of a fugitive is related to a legitimate grand jury investigation of offenses such as harboring, 18 U.S.C. §§ 1071, 1072, 1381, misprision of felony, 18 U.S.C. § 4, accessory after the fact, 18 U.S.C. § 3, escape from custody, 18 U.S.C. §§ 751, 752, or failure to appear, 18 U.S.C. § 3146, the gran d jury properly may inquire as to the fugitive's whereabouts. See In re Grusse, 402 F. Supp. 1232 (D.Conn. 1975). Unless such collateral interests are present, the grand jury should not be employed in locating fugitives in bail-jumping and escape cases since, as a rule, those offenses relate to the circumstances of defendant's disappearance rather than his or her current whereabouts.

도망자들의 소재확인을 위한 대배심의 사용: 한 명의 도망자의 증언에 아무런 이익을 대배심이 지니지 아니하는 경우에 대배심을 그 도망자의 소재탐색에 있어서의 한 개의 수사적 조력수단으로서만 사용함은 부적절하다. In re Pedro Archuleta, 432 F. Supp. 583 (S.D.N.Y. 1977); In re Wood, 430 F. Supp. 41 (S.D.N.Y. 1977), aff'd sub nom In re Cueto, 554 F.2d 14 (2d Cir. 1977). 그러나, 적법한 이익을 한 명의 도망자의 증언에 만약 대배심이 지니면, 그 도망자의 소재를 밝히기 위한 노력의 일환으로서 여타의 증인들을 및 기록들을 대배심은 벌칙부로 소환할 수 있다. Wood, supra, citing Hoffman v. United States, 341 U.S. 479 (1951). 범인은닉의, 18 U.S.C. §§ 1071, 1072, 1381, 범죄은닉의, 18 U.S.C. § 4, 사후공범의, 18 U.S.C. § 3, 탈옥의, 18 U.S.C. §§ 751, 752, 또는 출석 불이행의, 18 U.S.C. § 3146, 등 범죄들에 대한 적법한 대배심 조사에 만약 한 명의 도망자의 현재의 소재들이 관련되어 있으면, 그 도망자의 소재들에 관하여 대배심은 정당하게 조사할 수 있다. In re Grusse, 402 F. Supp. 1232 (D.Conn. 1975)를 보라. 그러한 부수적 이익들이 현존하는 경우에를 제외하고는, 보석으로 석방된 피고인들의 불출석 도주 사건들에서의 도망자들의 소재를 파악하는 데에 대배심이 사용되어서는 안 되는바, 왜냐하면 한 개의 원칙으로서 그 범죄들은 그의 내지는 그녀의 현재의 소재들에 관련되기보다는 피고인의 잠적이라는 상황들에 관련되기 때문이다.

Generally, grand jury subpoenas should not be used to locate fugitives in investigations of unlawful flight to avoid prosecution. 18 U.S.C. § 1073. Normally an unlawful flight complaint will be dismissed when a fugitive is apprehended and turned over to State authorities to await extradition. Prosecutions for unlawful flight are rare and the statute requires prior written approval of the

Attorney General, the Deputy Attorney General, the Associate Attorney General, or an Assistant Attorney General. See JM 9-69.460 (containing prior approval requirement for § 1073 indictments). Since indictments for unlawful flight are rarely sought, it would be improper to routinely use the grand jury in an effort to locate unlawful flight fugitives.

소추를 피하기 위한 불법도주의 조사들에 있어서의 도망자들의 소재를 파악함을 위하여는 일반적으로 대배심의 벌칙부소환장들은 사용되어서는 안 된다. 18 U.S.C. § 1073. 한 명의 도망자가 체포되어 범인인도를 기다리기 위하여 주 당국에 넘겨지는 경우에 통상적으로 한 개의 불법도주 소추청구장은 각하되고는 한다. 불법도주에 대한 소추들은 드물고 또한 검찰총장의, 부검찰총장의, 검찰총장 배석의 내지는 검찰총장보의 사전의 서면승인을 제정법은 요구한다. JM 9-69.460 (제1073절의 대배심 검사기소장을 위한 사전승인의 요구를 포함함)을 보라. 불법도주에 대한 대배심 검사기소장들이 추진되는 사례들이 드문 만큼, 불법도망자들의 소재를 파악하기 위한 노력의 일환으로서 대배심을 일반적으로 사용함은 부적절하다.

C. Obtaining Records to Aid in Location of Federal Fugitives: Alternatives to Grand Jury Subpoenas: Since the enactment of the Electronic Communications Privacy Act of 1986, law enforcement access to telephone records is covered by Federal statute. See 18 U.S.C. § 2703. Pursuant to 18 U.S.C. §§ 2703(c)(1)(B) and 2703(c)(2) the government may obtain a "record or other information pertaining to a subscriber" (telephone toll records) without notice to the subscriber by obtaining: (1) an administrative or grand jury subpoena; (2) a search warrant pursuant to State or Federal law; or (3) a court order pursuant to 18 U.S.C. § 2703(d) based on a finding that the information is relevant to a legitimate law enforcement inquiry. See JM 9-7.000 et seq. for information regarding the Electronic Communications Privacy Act of 1986.

연방법 도망자들의 소재파악에 있어서의 조력을 위한 기록들의 입수: 대배심의 벌칙부소환장들에 대한 대체수단들: 1986년 전자통신 비밀보호법의 제정 이래로 전화기록들에의 법집행 기관의 접근은 연방제정법의 적용 대상이다. 18 U.S.C. § 2703을 보라. 아래의 것들을 얻음에 의하여 "가입자에 관련되는 기록을 내지는 여타의 정보를" (전화요금기록들을) 가입자에게의 통지 없이 18 U.S.C. §§ 2703(c)(1)(B)에 및 2703(c)(2)에 따라서 정부는 얻을 수 있다: (1) 행정기관의 내지는 대배심의 벌칙부소환장; (2) 주 법에 내지는 연방법에 따른 수색영장; (3) 적법한 법 집행기관의 조사에 당해 정보가 관련이 있다는 판단에 근거한 18 U.S.C. § 2703(d)에 따른 법원명령. 1986년 전자통신 비밀보호법에 관련되는 정보를 위하여는 JM 9-7.000 et seq.을 보라.

Occasionally, there may be records other than telephone toll records which might be useful in a fugitive investigation but which cannot be obtained by grand jury subpoena, administrative subpoena, or search warrant. In such instances, it is appropriate to seek a court order for production of the records under the All Writs Act, 28 U.S.C. § 1651. The All Writs Act provides: The Supreme Court and all courts established by the Act of Congress may issue all writs necessary or appropriate in aid of their respective jurisdictions and agreeable to the usages and principles of law. The United States Supreme Court has recognized the power of a Federal court to issue orders under the All Writs Act "as may be necessary or appropriate to effectuate and prevent the frustration of orders it has previously issued in the exercise of its jurisdiction." See United States v. New York Telephone Co., 434 U.S. 159, 172 (1977).

경우에 따라서는 도망자 조사에 유용한, 그러나 대배심 벌칙부소환장에 의하여, 행정기관의 벌칙부소환장에 의하여, 내지는 수색영장에 의하여 입수될 수 없는 전화요금 기록들 이외의 기록들이 있을 수 있다. 그러한 경우들에는 영장권한 통합법, 28 U.S.C. § 1651, 아래서의 기록들의 제출을 위한 법원명령을 구함이 적절하다. 영장권한 통합법은 규정한다: 그들의 각각의 재판권들의 행사에 있어서의 조력에 필요한 내지는 적절한 및 법의 관행들에 및 원칙들에 조화되는 모든 영장들을 대법원은 및 연방의회 법률에 의하여 설치되는 모든 법원들은 발부할 수 있다. "자신의 재판권의 행사에 있어서 자신이 미리 발령해 놓은 명령들을 실현시키기 위하여 내지는 그 차질을 방지하기 위하여 필요한 내지는 적절한 대로의" 영장권한 통합법 아래서의 명령들을 발령할 연방법원의 권한을 합중국 대법원은 인정해 왔다. United States v. New York Telephone Co., 434 U.S. 159, 172 (1977)을 보라.

Because the purpose of the All Writs Act is to aid the court in the exercise of its jurisdiction, an application for an order under the act must be sought only from the United States District Court in which the complaint or indictment is pending.

법원의 재판권의 행사에 있어서의 법원을 조력하는 데에 영장권한 통합법의 목적이 있음으로 인하여, 그 법 아래서의 명령을 구하는 신청은 당해 소추청구장이 내지는 대배심 검사기장이 걸려 있는 합중국 재판구 지방법원로부터만 제기되지 않으면 안 된다.

The use of the All Writs Act to obtain records in a fugitive investigation is not a procedure to be used in every fugitive case. The willingness of courts to issue such orders may depend on the selectivity with which such applications are made, and the courts will not condone a wholesale use of the act for this purpose. Thus, the procedure should be used only in extraordinary cases where a strong showing can be made that the records are likely to lead to ascertaining the whereabouts of the fugitive.

도망자 조사에 있어서의 기록들을 얻기 위한 영장권한 통합법의 사용은 모든 도망자 사건에서 사용될 수 있는 절차인 것은 아니다. 그러한 명령들을 발부하고자 하는 법원들의 의지는 그러한 신청들의 제기에 수반되는 선별성에 좌우될 수 있고 당해 법률의 이 목적을 위한 무차별 식의 사용을 법원들은 용서하지 아니하고자 한다. 그러므로 오직 도망자의 소재들의 확인에게로 그 기록들이 데려다 줄 가능성이 있다는 점에 대한 강력한 증명이 이루어질 수 있는 특별한 경우들에서만 그 절차는 사용되어야 한다.

[cited in JM 9-69.400]
[JM 9-69.400에서 인용됨]

9-11.121 - Venue Limitations
재판지에 의한 제한들

A case should not be presented to a grand jury in a district unless venue for the offense lies in that district.

한 개의 사건은 그 범죄의 재판지가 속하는 재판구의 대배심에를 제외하고는 제출되어서는 안 된다.

9-11.130 - Limitation on Naming Persons as Unindicted Co-Conspirators
사람들을 대배심 검사기소에 처해지지 아니하는 공모자들로서 거명함에 대한 제한

In the absence of some significant justification, federal prosecutors generally should not identify unindicted co-conspirators in conspiracy indictments. The practice of naming individuals as unindicted co-conspirators in an indictment charging a criminal conspiracy has been severely criticized in United States v. Briggs, 514 F.2d 794 (5th Cir. 1975).

공모에 대한 대배심 검사기소장들에서 대배심 검사기소에 처해지지 아니하는 공모자들의 신원을 상당히 뚜렷한 이유 없이 연방검사들은 일반적으로 특정하여서는 안 된다. 범죄적 공모를 기소하는 대배심 검사기소장에서 대배심 검사기소에 처해지지 아니하는 공모자들로서 개인들을 거명하는 업무처리 방식은 United States v. Briggs, 514 F.2d 794 (5th Cir. 1975)에서 호되게 비판된 바 있다.

Ordinarily, there is no need to name a person as an unindicted co-conspirator in an indictment in order to fulfill any legitimate prosecutorial interest or duty. For purposes of indictment itself, it is sufficient, for example, to allege that the defendant conspired with "another person or persons known." In any indictment where an allegation that the defendant conspired with "another person or persons known" is insufficient, some other generic reference should be used, such as "Employee 1" or "Company 2". The use of non-generic descriptors, like a person's actual initials, is usually an unnecessarily-specific description and should not be used.

적법한 소추적 이익을 내지는 의무를 충족시키기 위하여 한 명을 한 개의 대배심 검사기소장에서 대배심 검사기소에 처해지지 아니하는 공모자로서 거명할 필요는 일반적으로 없다. 대배심 검사기소 자체의 목적을 위하여는 예컨대, "알려져 있는 다른 사람이에 내지는 사람들이에" 더불어 피고인이 공모하였음을 주장하면 이로써 충분하다. "알려져 있는 다른 사람이에 내지는 사람들이에" 더불어 피고인이 공모하였다는 주장으로는 불충분한 경우에의 대배심 검사기소장에서는, 가령 "피용자 1"이 내지는 "회사 2"가 등 모종의 별도의 일반적 지칭

이 사용되어야 한다. 사람의 실제의 머리글자의 등 비일반적 서술자들의 사용은 대개는 불필요하게 구체성을 띠는 설명이 되고 따라서 그것은 사용되어서는 안 된다.

If identification of the person is required, it can be supplied, upon request, in a bill of particulars. See JM 9-27.760. With respect to the trial, the person's identity and status as a co-conspirator can be established, for evidentiary purposes, through the introduction of proof sufficient to invoke the co-conspirator hearsay exception without subjecting the person to the burden of a formal accusation by a grand jury.

만약 사람의 신원의 특정이 요구되면, 그것은 요청에 따라서 공소사실 명세서에서 제공될 수 있다. JM 9-27.760을 보라. 정식사실심리에 관하여, 입증의 목적들을 위한 것으로서의 한 명의 공모자로서의 그 사람의 동일성은 및 지위는, 그 공모자를 대배심에 의한 정식의 기소의 부담에 처함이 없이도 전문진술 법칙에 대한 예외를 그 공모자에게 적용하기에 충분한 증거의 제출을 통하여 증명될 수 있다.

The prohibition against naming unindicted co-conspirators should not extend to persons who have otherwise been charged with the same conspiracy, by way of unsealed criminal complaint or information. In the absence of some significant justification, federal prosecutors generally should not identify unindicted co-conspirators in conspiracy indictments. See JM 9-16.500; 9-27.760.

대배심 검사기소에 처해지지 아니하는 공모자들에 대한 거명의 금지는 봉인되지 아니한 형사 소추청구장에 내지는 검사 독자기소장에 등 여타의 경로에 의하여 바로 그 공모행위로 기소되어 있는 사람들에게는 적용되지 아니한다. 공모에 대한 대배심 검사기소장들에서 대배심 검사기소에 처해지지 아니하는 공모자들의 신원을 상당한 뚜렷한 이유 없이 연방검사들은 일반적으로 특정하여서는 안 된다. JM 9-16.500; 9-27.760을 보라.

[updated April 2018] [cited in JM 9-16.500]
[2018년 4월 수정] [JM 9-16.500에서 인용됨]

 9-11.140 - Limitation on Grand Jury Subpoenas
대배심의 벌칙부소환장들에 가해지는 제한

Subpoenas in Federal proceedings, including grand jury proceedings, are governed by Rule 17 of the Federal Rules of Criminal Procedure. Grand jury subpoenas may be served at any place within the United States. Under Rule 17(g) of the Federal Rules of Criminal Procedure, a failure by a person without adequate excuse to obey a subpoena served upon him or her may be deemed a contempt of the court.

대배심 절차들에서의를 포함하여 연방절차들에서의 벌칙부소환장들은 연방 형사소송법 Rule 17에 의하여 규율된다. 합중국 내의 어디서든 대배심의 벌칙부소환장들은 송달될 수 있다. 연방 형사소송법 Rule 17(g) 아래서는 그에게 내지는 그녀에게 송달된 벌칙부소환장에 복종하기를 적절한 이유 없이 불이행함은 그 사람에 의한 법원모독으로 간주될 수 있다.

There are special considerations involved when evidence sought by United States investigators and prosecutors is located in a foreign country. Before initiating any process to obtain testimony or evidence from abroad, prior consultation with the Criminal Division is required pursuant to JM 9-13.500. Inquiries should be directed to the Office of International Affairs. See JM 9-13.500.

합중국 조사관들에 내지는 검사들에 의하여 추구되는 증거가 외국에 소재하는 경우에는 특별한 고려요소들이 포함된다. 조금이라도 외국으로부터의 증언을 내지는 증거를 얻기 위한 절차에 착수하려면 이에 앞서서 형사과에의 사전의 협의가 JM 9-13.500에 따라서 요구된다. 문의들은 국제업무실에 접수되어야 한다. JM 9-13.500을 보라.

"Forthwith" subpoenas should be used only when an immediate response is justified and then only with the prior approval of the United States Attorney.

오직 즉시의 응답이 정당화되는 경우에만 및 그 위에 합중국 검사의 사전승인이 있을 때에만 "즉시집행" 벌칙부소환장은 사용되어야 한다.

Policies regarding the issuance of subpoenas to members of the news media and the issuance of subpoenas for telephone toll records of members of the news media are discussed elsewhere in the JM. See JM 9-13.400 (prior approval required).

뉴스 매체 구성원들에게의 벌칙부소환장들의 발부에 관한 및 뉴스 매체 구성원들의 전화요금 기록들을 위한 벌칙부소환장들의 발부에 관한 정책들은 편람의 다른 곳에서 논의된다. JM 9-13.400 (사전승인이 요구됨)을 보라.

9-11.141 - Fair Credit Reporting Act and Grand Jury Subpoenas
공정신용정보법 및 대배심 벌칙부소환장들

Disclosure of consumer credit information is controlled by the Fair Credit Reporting Act, 15 U.S.C. § 1681. The Fair Credit Reporting Act, 15 U.S.C. § 1681(b), has been amended to permit prosecutors to obtain consumer credit report records by using a federal grand jury subpoena without applying to the district court for an order. Regarding access, disclosure and transfer of financial records, see JM 9-13.800.

소비자의 신용정보의 공개는 공정신용정보법, 15 U.S.C. § 1681, 에 의하여 통제된다. 재판구 지방법원에 명령을 신청함이 없이도 연방 대배심의 벌칙부소환장을 사용함에 의하여 소비자 신용정보 기록들을 검사들로 하여금 얻도록 허용하는 것으로 공정신용정보법 15 U.S.C. § 1681(b)는 개정되었다. 회계기록들에의 접근에, 공개에 및 이송에 관하여는 JM 9-13.800을 보라.

9-11.142 - Grand Jury Subpoenas for Financial Records
회계기록들을 위한 대배심 벌칙부소환장들

A bank depositor lacks the necessary Fourth Amendment interest to challenge a subpoena duces tecum issued to a bank for its records of the depositor's transactions. United States v. Miller, 425 U.S. 435 (1976). Because of procedures imposed by the Right to Financial Privacy Act of 1978, it is important, nevertheless, that United States Attorneys exercise close control over the process of obtaining for law enforcement purposes business records of banks and other financial institutions.

예금주의 거래들에 관한 기록들을 요구하여 은행에 대하여 발부된 문서제출명령 벌칙부소환장에 이의하는 데에 필요한 연방헌법 수정 제4조의 이익을 예금주는 결여한다. United States v. Miller, 425 U.S. 435 (1976). 이에도 불구하고, 법 집행 목적들을 위하여 은행들의 및 여타의 금융기관들의 업무기록들을 확보하는 절차에 대한 면밀한 통제를 합중국 검사들이 행사함은 1978년 금융 프라이버시 보호법에 의하여 부과되는 절차들로 인하여 중요하다.

Sound grand jury practice requires that:

아래의 사항들을 올바른 대배심 업무지침은 요구한다:

- The prosecutor personally authorize the issuance of a subpoena duces tecum to obtain financial institution account records to avoid any appearance that the matter was left to the discretion of an investigative agent serving the subpoena;

  문서제출명령 벌칙부소환장을 송달하는 수사요원의 재량에 당해 사안이 맡겨져 있었다는 외양을 피하기 위하여, 금융기관 회계기록들을 확보하기 위한 당해 명령장의 발부를 검사가 직접 허가할 것;

- The subpoena be returnable on a date when the grand jury is in session and the subpoenaed records be produced before the grand jury unless the grand jury itself has previously agreed upon some different course, see United States v. Hilton, 534 F.2d 556, 564, 565 (3d Cir.1976), cert. denied, 429 U.S. 828; and

  대배심이 회합 중인 날에 그 벌칙부소환장이 반환될 것 및 모종의 별도의 경로에 대하여 대배심 자신이 사전에 동의하여 놓은 경우에를 제외하고는, 벌칙부소환장에 의하여 제출된 기록들이 대배심 앞에 제출될 것, see United States v. Hilton, 534 F.2d 556, 564, 565 (3d Cir.1976), cert. denied, 429 U.S. 828; 그리고

- If, for the sake of convenience and economy, the subpoenaed party is permitted voluntarily to relinquish the records to the government agent serving the subpoena, a formal return of the records be made in due course to the grand jury.

  벌칙부소환장을 송달하는 정보요원에게 기록들을 자발적으로 넘겨주도록, 편의를 및 경제를 위하여 만약 그 명령을 받은 당사자가 허용되는 경우이면, 기록들의 정식의 제출은 적정한 경로로 대배심에게 이루어질 것.

Every recipient of a grand jury subpoena for financial institution records who might be subject to the disclosure penalties should be made aware that civil and criminal penalties exist for making certain disclosures involving (FIF) offenses regarding the subpoena. The notice may be provided by way of an attachment to the subpoena setting forth the disclosure prohibitions and the penalties for disclosure. The prohibited notifications and applicable penalties are set out in 12 U.S.C. § 3402(b) and 18 U.S.C. § 1510(b), respectively. The criminal penalties include fines and a maximum prison term of five years if an officer of a financial institution (as defined in 18 U.S.C. § 1510(b)) notifies, directly or indirectly, any person regarding the existence or contents of this subpoena with the intent to obstruct a judicial proceeding. In addition, fines and a maximum prison term of one year may be imposed if the notification is made, directly or indirectly, to a customer of the financial institution whose records are sought by the subpoena or to any other person named in the subpoena. Section 3420(b) of the Right to Financial Privacy Act contains a provision to be read in pari materia with 18 U.S.C. § 1510(b) under which civil penalties may also be imposed. See also JM 9-13.800 et seq.

당해 벌칙부소환장에 관한 일정한 공개들을 행함에 따르는 (금융기관 사기) 범죄들이를 포함하는 민사적 및 형사적 벌칙들이 존재함을, 금융기관 기록들을 요구하는 대배심의 벌칙부소환장의 수령자로서 그 공개에 따르는 벌칙들에 처해질 수 있는 모든 수령자로 하여금 알도록 조치가 취해져야 한다. 공개금지 사항들을 및 공개에 따르는 벌칙들을 설명하는 당해 벌칙부소환장에의 첨부물에 의하여 고지는 제공될 수 있다. 금지되는 통지들은 및 적용되는 벌칙들은 12 U.S.C. § 3402(b)에 및 18 U.S.C. § 1510(b)에 각각 규정되어 있다. 사법절차를 방해할 의도로써 이 벌칙부소환장의 존재에 내지는 내용사항들에 관하여 어느 누구에게라도 직접으로든 간접으로든 만약 금융기관의 직원(18 U.S.C. § 1510(b)에 정의된 바에 따름)이 통지하면, 벌금들을 및 최대 5년의 감옥형을 이에 대한 형사벌칙들은 포함한다. 이에 더하여, 만약 당해 명령장에 의하여 그 기록들이 요구되는 당해 금융기관의 소비자에게 내지는 당해 명령장에서 거명되는 여타의 어느 누구에게라도 직접으로든 간접으로든 그 통지가 이루어지면 이에 대하여 벌금들이 및 최대 1년의 감옥형이 부과될 수 있다. 민사적 벌칙들이 아울러 부과될 수 있는 근거인 합중국 법률집 제18편 제1510(b)절에 더불어 상호연관 속에서 해석되어야 할 한 개의 규정을 금융 프라이버시 보호법 3420(b)절은 포함한다. JM 9-13.800 et seq.을 보라.

[updated April 2018]
[2018년 4월 수정]

 9-11.150 - Subpoenaing Targets of the Investigation
조사의 표적들을 벌칙부로 소환하기

A grand jury may properly subpoena a subject or a target of the investigation and question the target about his or her involvement in the crime under investigation. See United States v. Wong, 431 U.S. 174, 179 n. 8 (1977); United States v. Washington, 431 U.S. 181, 190 n. 6 (1977); United States v. Mandujano, 425 U.S. 564, 573-75 and 584 n. 9 (1976); United States v. Dionisio, 410 U.S. 1, 10 n. 8 (1973). However, in the context of particular cases such a subpoena may carry the appearance of unfairness. Because the potential for misunderstanding is great, before a known "target" (as defined in JM 9-11.151) is subpoenaed to testify before the grand jury about his or her involvement in the crime under investigation, an effort should be made to secure the target's voluntary appearance. If a voluntary appearance cannot be obtained, the target should be subpoenaed only after the United States Attorney or the responsible Assistant Attorney General have approved the subpoena. In determining whether to approve a subpoena for a "target," careful attention will be paid to the following considerations:

대배심은 당연히 조사의 대상을 내지는 표적을 벌칙부로 소환할 수 있고 조사대상인 범죄에의 그의 내지는 그녀의 관여에 관하여 그 표적을 신문할 수 있다. United States v. Wong, 431 U.S. 174, 179 n. 8 (1977)을; United States v. Washington, 431 U.S. 181, 190 n. 6 (1977)을; United States v. Mandujano, 425 U.S. 564, 573-75 and 584 n. 9 (1976)을; United States v. Dionisio, 410 U.S. 1, 10 n. 8 (1973)을 보라. 그러나 불공정의 외양을 특정 사건들의 맥락에서 그러한 벌칙부소환장은 동반할 수 있다. 조사대상인 범죄에의 그의 내지는 그녀의 관여에 관하여 대배심 앞에서 증언하도록 한 명의 알려진

"표적" (JM 9-11.151에 정의된 바에 의함)이 벌칙부로 소환되기 전에, 오해의 가능성이 크다는 점에 비추어, 그 표적의 자발적 출석을 확보하기 위한 노력이 이루어져야 한다. 설령 자발적 출석이 얻어질 수 없더라도, 당해 표적이 벌칙부로 소환되려면 오직 당해 벌칙부소환장을 합중국 검사가 내지는 담당 검찰총장보가 승인하고 난 뒤에라야 한다. "표적"을 위한 벌칙부소환장을 승인할지 여부를 판단함에 있어서, 아래의 고려사항들에 대한 신중한 주의가 기울여져야 한다:

- The importance to the successful conduct of the grand jury's investigation of the testimony or other information sought;

  그 얻고자 하는 증언의 내지는 여타의 정보의 대배심의 조사의 성공적 수행에의 중요성;

- Whether the substance of the testimony or other information sought could be provided by other witnesses; and

  그 얻고자 하는 증언의 내지는 여타의 정보의 실체가 여타의 증인들에 의하여 제공될 수 있었는지 여부; 및

- Whether the questions the prosecutor and the grand jurors intend to ask or the other information sought would be protected by a valid claim of privilege.

  검사가 및 대배심원들이 묻고자 하는 질문들이 내지는 그 얻고자 하는 여타의 정보가 공개금지 특권에 대한 유효한 주장에 의하여 저지될 만한 것인지 여부.

[cited in JM 9-11.153] [updated April 2018]
[JM 9-11.153에서 인용됨] [2018년 4월 수정됨]

9-11.151 - Advice of "Rights" of Grand Jury Witnesses
대배심 증인들의 "권리사항들"의 고지

It is the policy of the Department of Justice to advise a grand jury witness of his or her rights if such witness is a "target" or "subject" of a grand jury investigation.
한 명의 대배심 증인이 대배심 조사의 "표적"인 내지는 "대상"인 경우이면, 그 대배심 증인에게 그의 내지는 그녀의 권리들에 관하여 고지함은 법무부의 정책이다.

A "target" is a person as to whom the prosecutor or the grand jury has substantial evidence linking him or her to the commission of a crime and who, in the judgment of the prosecutor, is a putative defendant. An officer or employee of an organization which is a target is not automatically considered a target even if such officer's or employee's conduct contributed to the commission of the crime by the target organization. The same lack of automatic target status holds true for organizations which employ, or employed, an officer or employee who is a target.

그를 내지는 그녀를 범죄의 범행에 연결시켜 주는 실질적 증거를 검사가 내지는 대배심이 지니는 및 검사의 판단으로 한 명의 추정적 피고인이 되는 사람을 "표적"이라 함은 가리킨다. 한 개의 표적인 기관의 임원은 내지는 피용자는, 설령 그 표적인 기관에 의한 범죄의 범행에 그러한 임원의 내지는 피용자의 행위가 기여한 경우에도, 자동적으로 한 명의 표적으로 간주되는 것은 아니다. 한 명의 표적인 임원을 내지는 피용자를 고용하는 내지는 고용한 기관들에 대하여도 자동적 표적으로서의 지위의 동일한 부존재는 적용된다.

A "subject" of an investigation is a person whose conduct is within the scope of the grand jury's investigation.

그의 행위가 대배심의 조사의 범위 내에 있는 사람을 한 개의 조사에서의 한 명의 "대상"이라 함은 가리킨다.

The Supreme Court declined to decide whether a grand jury witness must be warned of his or her Fifth Amendment privilege against compulsory self-incrimination before the witness's grand jury testimony can be used against the witness. See United States v. Washington, 431 U.S. 181, 186 and 190-191 (1977); United States v. Wong, 431 U.S. 174 (1977); United States v. Mandujano, 425 U.S. 564, 582 n. 7. (1976). In Mandujano the Court took cognizance of the fact that Federal prosecutors customarily warn "targets" of their Fifth Amendment rights before grand jury questioning begins. Similarly, in Washington, the Court pointed to the fact that Fifth Amendment warnings were administered as negating "any possible compulsion to self-incrimination which might otherwise exist" in the grand jury setting. See Washington, at 188.

한 명의 증인의 대배심 증언이 그 증인에게 불리하게 사용될 수 있으려면 그 전에 그의 내지는 그녀의 연방헌법 수정 제5조 상의 강제적 자기부죄 금지특권에 관하여 그 증인에게 경고가 이루어지지 않으면 안 되는지 여부를 판단하기를 연방 대법원은 거부하였다. United States v. Washington, 431 U.S. 181, 186 and 190-191 (1977)을; United States v. Wong, 431 U.S. 174 (1977)을; United States v. Mandujano, 425 U.S. 564, 582 n. 7. (1976)을 보라. 대배심 신문이 시작되기 전에 그들의 연방헌법 수정 제5조 상의 권리들에 관하여 "표적들"에게 연방검사들이 통례적으로 경고한다는 사실을 Mandujano 판결에서 연방 대법원은 인정하였다. "여타의 경우에라면 존재하였을지도 모르는 자기부죄에의 조금이나마의 강제 가능성"을 당해 대배심 배경에서 부정하여 주는 것으로서 연방헌법 수정 제5조에 관한 경고들이 실시된 사실을 마찬가지로 Washington 판결에서 연방 대법원은 지적하였다. Washington, at 188을 보라.

Notwithstanding the lack of a clear constitutional imperative, it is the policy of the Department that an "Advice of Rights" form be appended to all grand jury subpoenas to be served on any "target" or "subject" of an investigation. See advice of rights below.

조사의 "표적" 누구에게든 내지는 "대상" 누구에게든 송달되는 모든 대배심 벌칙부소환장들에 "권리사항들의 고지" 서식이 첨부되어야 함은 이에 대한 명백한 헌법적 명령의 부재에도 불구하고 법무부의 정책이다. 후술의 권리사항들의 고지를 보라.

In addition, these "warnings" should be given by the prosecutor on the record before the grand jury and the witness should be asked to affirm that the witness understands them.

이에 더하여, 이 "경고들"은 대배심 앞에서 검사에 의하여 기록상으로 제공되어야 하고 그것들을 그 자신이 이해함을 확인하도록 당해 증인은 요청되어야 한다.

Although the Court in Washington, supra, held that "targets" of the grand jury's investigation are entitled to no special warnings relative to their status as "potential defendant(s)," the Department of Justice continues its longstanding policy to advise witnesses who are known "targets" of the investigation that their conduct is being investigated for possible violation of Federal criminal law. This supplemental advice of status of the witness as a target should be repeated on the record when the target witness is advised of the matters discussed in the preceding paragraphs.

"잠재적 피고인(들)"로서의 그들의 지위에 관련한 특별한 경고들을 제공받을 권리를 대배심 조사의 "표적들"은 지니지 아니함을 Washington, supra에서 대법원은 판시하였음에도 불구하고, 연방 형사법에 대한 있을 수 있는 위반을 찾아내고자 그들의 행위가 조사되고 있음을 조사의 "표적들"로 알려진 증인들에게 조언하는 자신의 오래 묵은 정책을 법무부는 지속한다. 앞 단락들에서 논의된 사항들에 관하여 당해 표적 증인에게 고지가 이루어질 때, 한 명의 표적으로서의 그 증인의 지위에 대한 이 보충적 조언은 기록상으로 반복되어야 한다.

When a district court insists that the notice of rights not be appended to a grand jury subpoena, the advice of rights may be set forth in a separate letter and mailed to or handed to the witness when the subpoena is served.

대배심 벌칙부소환장에 권리사항들의 고지가 첨부되게 하지 말도록 재판구 지방법원이 요구하는 경우에, 권리사항들의 고지는 별도의 종이에 설명될 수 있고 그 증인에게 당해 벌칙부소환장이 송달될 때 우송되거나 교부될 수 있다.

Advice of Rights
권리사항들의 고지

- The grand jury is conducting an investigation of possible violations of Federal criminal laws involving: (State here the general subject matter of inquiry, e.g., conducting an illegal gambling business in violation of 18 U.S.C. § 1955).

  아래의 것들에를 포함하는 연방 형사법들에 대한 있을 수 있는 위반행위들의 조사를 대배심은 실시하고 있습니다: (예컨대 8 U.S.C. § 1955에 대한 위반 속에서의 불법적 도박사업을 행한 행위를 등 조사의 일반적 소송물을 여기에 서술할 것).

- You may refuse to answer any question if a truthful answer to the question would tend to incriminate you.

  만약 진실한 답변이 조금이라도 귀하에게 유죄를 씌울 성싶은 질문에 대하여는 답변하기를 귀하는 거부할 수 있습니다.

- Anything that you do say may be used against you by the grand jury or in a subsequent legal proceeding.

  귀하가 말하는 것은 그 무엇이든 대배심에 의하여 또는 추후의 법 절차에서 귀하에게 불리하게 사용될 수 있습니다.

- If you have retained counsel, the grand jury will permit you a reasonable opportunity to step outside the grand jury room to consult with counsel if you so desire.

  만약 귀하가 변호인을 선임하였으면, 귀하가 원할 경우에 대배심실 밖으로 나가서 변호인에게 상의할 합리적 기회를 귀하에게 대배심은 허용할 것입니다.

Additional Advice to be Given to Targets: If the witness is a target, the above advice should also contain a supplemental warning that the witness's conduct is being investigated for possible violation of federal criminal law.

표적에게 제공되어야할 추가적 고지: 만약 증인이 한 명의 표적이면, 연방 형사법에 대한 있을 수 있는 위반들을 찾아내고자 당해 증인의 행위가 조사되는 중이라는 한 개의 보충적 경고를 위 고지는 또한 포함하여야 한다.

[updated January 2020] [cited in JM 9-11.150]
[2020년 1월 수정됨] [JM 9-11.150에서 인용됨]

9-11.152 - Requests by Subjects and Targets to Testify Before the Grand Jury
대배심 앞에서 증언하고자 하는 대상들의 및 표적들의 요청들

It is not altogether uncommon for subjects or targets of the grand jury's investigation, particularly in white-collar cases, to request or demand the opportunity to tell the grand jury their side of the story. While the prosecutor has no legal obligation to permit such witnesses to testify, United States v. Leverage Funding System, Inc., 637 F.2d 645 (9th Cir. 1980), cert. denied, 452 U.S. 961 (1981); United States v. Gardner, 516 F.2d 334 (7th Cir. 1975), cert. denied, 423 U.S. 861 (1976)), a refusal to do so can create the appearance of unfairness. Accordingly, under normal circumstances, where no burden upon the grand jury or delay of its proceedings is involved, reasonable requests by a "subject" or "target" of an investigation, as defined above, to testify personally before the grand jury ordinarily should be given favorable consideration, provided that such witness explicitly waives his or her privilege against self-incrimination, on the record before the grand jury, and is represented by counsel or voluntarily and knowingly appears without counsel and consents to full examination under oath.

자신들 쪽의 줄거리를 대배심에게 말할 기회를, 특히 사무직 계층 사건들에서 대배심 조사의 대상들이 내지는 표적들이 요청함은 내지는 요구함은 전혀 드문 일이 아니다. 그러한 증인들로 하여금 증언하도록 허용할 법적 의무를 검사가 지는 것은 아니지만, United States v. Leverage Funding System, Inc., 637 F.2d 645 (9th Cir. 1980), cert. denied, 452 U.S. 961 (1981); United States v. Gardner, 516 F.2d 334 (7th Cir. 1975), cert. denied, 423 U.S. 861 (1976)), 불공정의 외양을 그 허용하기에 대한 거부는 빚을 수 있다. 따라서 대배심 위에의 부담이 내지는 대배심 절차들의 지연이 따르지 아니하는 일반적 상황들 아래서는, 대배심 앞에서 직접 증언하고자 하는 위에서 정의된 조사 "대상"의 내지는 "표적"의 합리적 요청들에 대하여는 일반적으로 호의적 검토가 부여되어야 하는바, 다만 그 자신의 내지는 그녀 자신의 자기부죄 금지특권을 대배심 앞에서 기록상으로 명시적으로 그러한 증인이 포기함을, 변호인에 의하여 그러한 증인이 대변됨을 내지는 자발적으로 및 제반 상황에 대한 이해 가운데서 변호인 없이 그러한 증인이 출석함을 및 선서 아래서의 완전한 신문에 그러한 증인이 동의함을 이는 조건으로 한다.

Such witnesses may wish to supplement their testimony with the testimony of others. The decision whether to accommodate such requests or to reject them after listening to the testimony of the target or the subject, or to seek statements from the suggested witnesses, is a matter left to the sound discretion of the grand jury. When passing on such requests, it must be kept in mind that the grand jury was never intended to be and is not properly either an adversary proceeding or the arbiter of guilt or innocence. See, e.g., United States v. Calandra, 414 U.S. 338, 343 (1974).

자신들의 증언을 다른 사람들의 증언으로써 보완하게 하여 주기를 그러한 증인은 원할 수 있다. 당해 표적의 내지는 대상의 증언을 청취한 뒤에 그러한 요청들을 수용할지 또는 그것들을 거부할지 여부의, 내지는 그 제의된 증인들로부터의 진술서들을 제출하게 할지 여부의 판단은 대배심의 전적인 재량에 맡겨져 있는 사항이다. 그러한 요청들에 대하여 판단할 경우에는, 대배심은 한 개의 대립당사자주의 절차로서도 또는 유·무죄의 심판자로서도 결코 의도된 바가 없었다는 점이, 및 그것은 그러한 절차인 것도 내지는 그러한 심판자인 것도 결코 아니라는 점이, 유념되지 않으면 안 된다. 예컨대, United States v. Calandra, 414 U.S. 338, 343 (1974)를 보라.

[cited in JM 9-11.153]
[JM 9-11.153에서 인용됨]

9-11.153 - Notification of Targets
표적들에게의 통지

When a target is not called to testify pursuant to JM 9-11.150, and does not request to testify on his or her own motion (see JM 9-11.152), the prosecutor, in appropriate cases, is encouraged to notify such person a reasonable time before seeking an indictment in order to afford him or her an opportunity to testify before the grand jury, subject to the conditions set forth in JM 9-11.152. Notification would not be appropriate in routine clear cases or when such action might jeopardize the investigation or prosecution because of the likelihood of flight, destruction or fabrication of evidence, endangerment of other witnesses, undue delay or otherwise would be inconsistent with the ends of justice.

그 증언하도록 JM 9-11.150에 따라서 한 명의 표적이 소환되지 아니하는 경우에, 및 그 증언하게 하여 달라고 그 자신의 내지는 그녀 자신의 발의에 따라서 표적이 요청하지 아니하는 경우에 (JM 9-11.152를 보라), 대배심 앞에서 증언할 기회를 그에게 내지는 그녀에게 제공하기 위하여 한 개의 대배심 검사기소를 구하기 전에 적절한 시간적 여유를 두고서 그러한 사람에게 통지하도록 적절한 사건들에서 검사는 권장되는바, 다만 JM 9-11.152에 규정된 조건들에 따라야 한다. 판에 박힌 명백한 사건들에서는, 또는 도주의, 증거파괴의 내지는 증거조작의, 다른 증인들에게 가해질 위험의, 부당한 지연의 등 가능성으로 인하여 조사를 내지는 소추를 위태롭게 그러한 조치가 만들 수 있음직한 경우에는, 내지는 그 밖의 이유로 인하여 사법의 목적들에 그것이 위배될 만한 경우에는, 통지는 적절하지 아니할 것이다.

9-11.154 - Advance Assertions of an Intention to Claim the Fifth Amendment Privilege Against Compulsory Self-Incrimination
강제적 자기부죄 금지의 연방헌법 수정 제5조 상의 특권을 요구하려는 의도에 대한 사전의 주장들

A question frequently faced by Federal prosecutors is how to respond to an assertion by a prospective grand jury witness that if called to testify the witness will refuse to testify on Fifth Amendment grounds. If a "target" of the investigation and his or her attorney state in a writing, signed by both, that the "target" will refuse to testify on Fifth Amendment grounds, the witness ordinarily should be excused from testifying unless the grand jury and the United States Attorney agree to insist on the appearance. In determining the desirability of insisting on the appearance of such a person, consideration should be given to the factors which justified the subpoena in the first place, i.e., the importance of the testimony or other information sought, its unavailability from other sources, and the applicability of the Fifth Amendment privilege to the likely areas of inquiry.

연방검사들에 의하여 빈번히 봉착되는 한 가지 문제는, 만약 그 증언하도록 자신이 소환된다면 그 증언하기를 연방헌법 수정 제5조의 사유들에 근거하여 자신은 거부할 것이라는 장차의 대배심 증인의 주장에 어떻게 응답하여야 하는가이다. 그 증언하기를 연방헌법 수정 제5조의 사유들에 근거하여 조사의 "표적"이 거부할 것임을 만약 그 "표적"이 및 그의 또는 그녀의 변호인이 그 쌍방에 의하여 서명된 서면으로써 진술하면, 그 출석을 강제하는 데에 대배심이 및 합중국 검사가 동의하는 경우에를 제외하고는, 일반적으로 그 증인은 증언의무로부터 면제되어야 한다. 그러한 사람의 출석을 요구함의 바람직함 여부를 판단함에 있어서는, 가령 그 얻고자 하는 증언의 내지는 여타의 정보의 중요성에, 그것의 여타의 원천들로부터의 입수의 불가능성에, 그리고 유사한 조사영역들에의 연방헌법수정 제5조 상의 특권의 적용가능성에 등 벌칙부소환장을 정당화한 요소들에 우선적으로 고려가 기울여져야 한다.

Some argue that unless the prosecutor is prepared to seek an order pursuant to 18 U.S.C. § 6003, the witness should be excused from testifying. However, such a broad rule would be improper and make it too convenient for witnesses to avoid testifying truthfully to their knowledge of relevant facts. Moreover, once compelled to appear, the witness may be willing and able to answer some or all of the grand jury's questions without incriminating himself or herself.

18 U.S.C. § 6003에 따르는 명령을 신청하기로 마음의 준비를 검사가 갖춘 경우에를 제외하고는 그 증인은 증언의무로부터 면제되어야 한다고 일부 사람들은 주장한다. 그러나, 그러한 노골적 규칙은 부적절할 것인바, 관련사실들에 관한 그들의 지식을 진실되게 증언할 의무를 증인들이 너무 쉽게 회피하도록 그것은 만들 것이다. 더욱이, 출석하도록 일단 강제되고 나면, 대배심의 질문들의 일부에 내지는 전부에 대하여 그 자신에게 내지는 그녀 자신에게 유죄를 씌움이 없이도 증인이 기꺼이 답변하고자 하는 경우가 및 답변할 수 있는 경우가 있을 수 있다.

9-11.155 - Notification to Targets when Target Status Ends
표적으로서의 지위가 종료되는 경우의 표적들에게의 통지

The United States Attorney has the discretion to notify an individual, who has been the target of a grand jury investigation, that the individual is no longer considered to be a target by the United States Attorney's Office. Such a notification should be provided only by the United States Attorney having cognizance over the grand jury investigation.

한 명의 개인이 더 이상 합중국 검사실에 의하여 표적으로 간주되지 아니함을 대배심 조사의 표적이 되어 온 그 개인에게 통지할 재량권을 합중국 검사는 지닌다. 오직 당해 대배심 조사에 대한 관할권을 지니는 합중국 검사에 의하여서만 그러한 통지는 제공되어야 한다.

Discontinuation of target status may be appropriate when:
표적으로서의 지위의 종료처분은 아래의 경우에 적절할 수 있다:

• The target previously has been notified by the government that he or she was a target of the investigation; and,

그가 또는 그녀가 조사의 표적임이 당해 표적에게 정부에 의하여 이전에 통지되어 있는 경우일 것; 그리고,

- The criminal investigation involving the target has been discontinued without an indictment being returned charging the target, or the government receives evidence in a continuing investigation that conclusively establishes that target status has ended as to this individual.

당해 표적을 기소하는 대배심 검사기소장의 제출 없이, 당해 표적을 포함하는 당해 범죄조사가 종료된 경우일 것, 또는 이 개인에 관련한 표적으로서의 지위가 종료된 상태임을 결정적으로 입증하는 증거를 그 진행되는 조사에서 정부가 수령하는 경우일 것.

The United States Attorney may decline to issue such notification if the notification would adversely affect the integrity of the investigation or the grand jury process, or for other appropriate reasons. No explanation need be provided for declining such a request.

당해 조사의 내지는 대배심 절차의 충실성에 악영향을 만약 그러한 통지서가 끼칠 만한 경우이면, 내지는 여타의 적절한 사유들에 따라서, 그러한 통지서를 발부하기를 합중국 검사는 거부할 수 있다. 그러한 요청을 거부하는 이유에 대한 설명은 제공될 필요가 없다.

If the United States Attorney concludes that the notification is appropriate, the language of the notification may be tailored to the particular case. In a particular case, for example, the language of the notification may be drafted to preclude the target from using the notification as a "clean bill of health" or testimonial.

통지가 적절하다고 만약 합중국 검사가 결론지으면 당해 특정사건에 맞도록 통지문언은 다듬어질 수 있다. 가령, 당해 통지서를 한 개의 "인물보증서"로서 내지는 표창장으로서 사용하지 못하도록 당해 표적을 금지하는 내용으로 특정의 사건에서 통지문언은 작성될 수 있다.

The delivering of such a notification to a target or the attorney for the target shall not preclude the United States Attorney's Office or the grand jury having cognizance over the investigation (or any other grand jury) from reinstituting such an investigation without notification to the target, or the attorney for the target, if, in the opinion of that or any other grand jury, or any United States Attorney's Office, circumstances warrant such a reinstitution.

만약 당해 대배심의 내지는 여타의 어느 대배심의든지의 내지는 합중국 검사실의 견지에서 그러한 조사의 재개를 제반상황들이 뒷받침하면, 당해 표적에게의, 당해 표적의 변호인에게의 통지 없이 당해 조사에 대한 관할권을 지니는 합중국 검사실로 하여금 내지는 대배심으로 하여금 (내지는 그 밖의 어느 대배심으로든지 하여금) 그러한 조사를 재개하지 못하도록, 그러한 통지서를 표적에게 내지는 당해 표적을 위한 변호사에게 교부함은 금지하지 아니한다.

9-11.160 - Limitation on Resubpoenaing Contumacious Witnesses Before Successive Grand Juries
반항적인 증인들을 연이은 대배심들 앞에 재소환함에 대한 제한

Witnesses who refuse to answer questions properly put to them by the grand jury may be held in contempt and either fined or imprisoned until they comply with the directions of the grand jury. The contempt may extend for the life of the grand jury.

대배심에 의하여 정당하게 자신들에게 제기되는 질문들에 답변하기를 거부하는 증인들은 법원모독으로 간주될 수 있고 벌금에 처해지든지 또는 대배심의 명령들에 순응할 때까지 구금되든지 할 수 있다. 그 법원모독은 당해 대배심의 존속기간 동안 미친다.

While the Supreme Court in Shillitani v. United States, 384 U.S. 364, 371 n. 8 (1963), appears to approve the reimposition of civil contempt sanctions in successive grand juries, it is the policy of the Department of Justice generally not to resubpoena a contumacious witness before successive grand juries for the purpose of instituting further contempt proceedings. Resubpoenaing a contumacious witness may be justified in certain circumstances, however, such as when the questions to be asked the witness relate to matters not covered in the previous proceedings or when there is an indication from the witness or the witness's counsel that the witness will testify if called before the new grand jury. If the prosecutor believes that the witness possesses information essential to the investigation, resubpoenaing the witness may also be justified when the witness himself or herself is involved to a significant degree in the criminality about which the witness can testify. Prior authorization must be obtained from the Assistant

Attorney General, Criminal Division, to resubpoena a witness before the successive grand jury as well as to seek civil contempt sanctions should the witness persist in his or her refusal to testify. To obtain approval, the prosecutor must show either: (a) that the witness is prepared to testify; or (b) that the appearance of the witness is justified since the witness possesses information essential to the investigation.

민사적 법원모독 제제들의 연이은 대배심들에서의 재부과를 Shillitani v. United States, 384 U.S. 364, 371 n. 8 (1963)에서 연방 대법원은 승인한 것으로 보임에도 불구하고, 추가적 법원모독 제재절차들을 개시함을 위하여 한 명의 반항적인 증인을 연이은 대배심들 앞에 일반적으로재소환하지는 아니함이 법무부의 정책이다. 그러나, 가령 당해 증인에게 물어져야 할 질문들이 이전의 절차들에서 다루어지지 아니한 사항들에 관련되는 경우에 또는 그 새로운 대배심 앞에 당해 증인이 소환된다면 증언하고자 함을 나타내는 당해 증인으로부터의 내지는 당해 증인의 변호인으로부터의 시사가 있는 경우에 등 일정한 상황들에서는 한 명의 반항적인 증인을 재소환함이 정당화될 수 있다. 조사에 불가결한 정보를 당해 증인이 보유한다고 만약 검사가 믿으면, 당해 증인이 증언할 수 있는 대상인 범죄행위에 상당한 정도로 당해 증인이 그 스스로 내지는 그녀 스스로 관련되어 있는 경우에 당해 증인을 재소환함은 마찬가지로 정당화될 수 있다. 그 자신의 내지는 그녀 자신의 증언거부를 당해 증인이 고집하는 경우에 민사적 법원모독 제제들을 구하기 위하여에 아울러 연이은 대배심 앞에 증인을 재소환하기 위하여도, 형사과 검찰총장보로부터의 사전의 허가가 얻어지지 않으면 안 된다. 승인을 얻으려면 아래의 둘 중 하나를 검사는 증명하지 않으면 안 된다: (a) 증언할 마음의 준비를 당해 증인이 갖추었다는 점; 또는 (b) 조사에 불가결한 정보를 당해 증인이 보유하고 있기에 당해 증인의 출석이 정당화된다는 점.

If the grand jury's term is about to expire, the Department recommends that a subpoena ordinarily should not be issued to a witness who has advised the prosecutor that he or she will refuse to testify before such grand jury. The coercive effect of a civil contempt adjudication is substantially diluted if a grand jury is approaching its expiration date. This is a matter within the discretion of the United States Attorney and there may well be situations when it is necessary to subpoena a witness and institute contempt proceedings for recalcitrance in such circumstances. In most situations, however, it would seem preferable to subpoena the witness before a new grand jury.

만약 대배심의 복무기간이 곧 종료되려고 하면, 그러한 대배심 앞에서 증언하기를 그 자신이 내지는 그녀 자신이 거부할 것임을 검사에게 고지한 한 명의 증인에게 벌칙부소환장은 일반적으로 발부되지 않게 할 것을 법무부는 권장한다. 한 개의 대배심이 그 복무기간의 종료기일에 근접하고 있으면 한 개의 민사적 법원모독 판결의 강제적 효과는 사실상 감쇄된다. 이것은 합중국 검사의 재량 내에 있는 사안이고 따라서 그러한 상황들에서의 반항을 이유로 한 명의 증인을 벌칙부로 소환함이 및 법원모독 제재절차들을 개시함이 필요한 상황들은 있을 수 있음도 당연하다. 그러나 대부분의 상황들에서는 그 증인을 새로운 대배심 앞에 벌칙부로 소환하는 쪽이 더 낫게 여겨질 것이다.

9-11.231 - Motions to Dismiss Due to Illegally Obtained Evidence Before a Grand Jury
대배심 앞의 불법적으로 얻어진 증거를 이유로 각하하여 달라는 신청들

A prosecutor should not present to the grand jury for use against a person whose constitutional rights clearly have been violated evidence which the prosecutor personally knows was obtained as a direct result of the constitutional violation.

개인의 헌법적 권리들에 대한 명백한 헌법적 침해의 직접적 결과로서 얻어졌음을 검사가 직접 아는 증거를, 그렇게 침해되어 있는 사람에게 불리하게 사용하기 위하여 대배심에 검사는 제출하여서는 안 된다.

9-11.232 - Use of Hearsay in a Grand Jury Proceeding
대배심 절차에서의 전문증거의 사용

As a general rule, it is proper to present hearsay to the grand jury, United States v. Calandra 414 U.S. 338 (1974). Each United States Attorney should be assured that hearsay evidence presented to the grand jury will be presented on its merits so that the jurors are not misled into believing that the witness is giving his or her personal account. See United States v. Leibowitz, 420 F.2d 39 (2d Cir. 1969); but see United States v. Trass, 644 F.2d 791 (9th Cir. 1981).

일반적 규칙으로서 전문증거를 대배심에 제출함은 적절하다. United States v. Calandra 414 U.S. 338 (1974). 대배심에 제출되는 전문증거는 당해 전문증거의 실체적 내용에 관련하여 제출됨을, 그리하여 그 자신의 내지는 그녀 자신의 직접적 설명을 당해 증인이 제공하고 있는 것으로 믿도록 배심원들을 당해 전문증거가 오도하여서는 안 됨을 개개 합중국 검사는 확실히 하여야 한다. See United States v. Leibowitz, 420 F.2d 39 (2d Cir. 1969); but see United States v. Trass, 644 F.2d 791 (9th Cir. 1981).

 ### 9-11.233 - Presentation of Exculpatory Evidence
무죄임을 해명하여 주는 증거의 제출

In United States v. Williams, 112 S.Ct. 1735 (1992), the Supreme Court held that the Federal courts' supervisory powers over the grand jury did not include the power to make a rule allowing the dismissal of an otherwise valid indictment where the prosecutor failed to introduce substantial exculpatory evidence to a grand jury. It is the policy of the Department of Justice, however, that when a prosecutor conducting a grand jury inquiry is personally aware of substantial evidence that directly negates the guilt of a subject of the investigation, the prosecutor must present or otherwise disclose such evidence to the grand jury before seeking an indictment against such a person. While a failure to follow the Department's policy should not result in dismissal of an indictment, appellate courts may refer violations of the policy to the Office of Professional Responsibility for review.

무죄임을 해명하여 주는 실질적인 증거를 대배심에 제출하기를 검사가 불이행한, 그러나 여타의 점에서는 유효한 한 개의 대배심 검사기소장의 각하를 허용하는 규칙을 제정할 권한을 대배심에 대한 연방법원들의 감독권한들은 포함하지 아니한다고 United States v. Williams, 112 S.Ct. 1735 (1992)에서 연방 대법원은 판시하였다. 그러나 조사 대상자의 범행을 직접적으로 부정하여 주는 실질적 증거를 대배심 조사를 지휘하는 검사가 직접적으로 아는 경우에, 그러한 사람을 겨냥한 한 개의 대배심 검사기소를 추구하려면 이에 앞서서 그러한 증거를 대배심에 검사는 제출하지 아니하면 안 됨이 내지는 여타의 방법으로 공개하지 아니하면 안 됨이 법무부의 정책이다. 법무부의 정책에 대한 준수 불이행은 대배심 검사 기소장의 각하에 귀결되어서는 안 되기는 하지만, 정책에 대한 위반들을 그 검토를 위하여 법조전문직 윤리책임 사무국에 항소법원들은 회부할 수 있다.

[cited in JM 9-5.001]
[JM 9-5.001에서 인용됨]

9-11.241 - Department of Justice Attorneys Authorized to Conduct Grand Jury Proceedings
대배심 절차들을 지휘하도록 권한이 부여되는 법무부 검사들

Federal Rule of Criminal Procedure 6(d) authorizes attorneys for the government to appear before the grand jury. For purposes of that rule, an "attorney for the government" is defined in Fed. R. Crim. P. 1(b) as the Attorney General, an authorized assistant of the Attorney General, a United States Attorney, an authorized assistant of a United States Attorney, and certain other persons in cases arising under the laws of Guam.

대배심 앞에 출석할 권한을 검사들(정부 측 변호사들)에게 연방 형사소송법 Rule 6(d)는 부여한다. 그 규칙의 목적들을 위하여 검찰총장으로, 그 권한이 위임된 검찰총장의 보조자로, 합중국 검사로, 그 권한이 위임된 합중국 검사의 보조자로 그리고 괌 법 아래서 발생하는 사건들에서의 그 밖의 특정의 사람들로 연방 형사소송법 1(b)에서 "검사(정부 측 변호사)"는 정의된다.

The authority for a United States Attorney to conduct grand jury proceedings is set forth in the statute establishing United States Attorney duties, 28 U.S.C. § 547. United States Attorneys are directed in that statute to "prosecute for all offenses against the United States." Assistant United States Attorneys similarly derive their authority to conduct grand jury proceedings in the district of their appointment from their appointment statute, 28 U.S.C. § 542.

대배심 절차들을 지휘할 합중국 검사의 권한은 합중국 검사의 임무사항들을 설정하는 제정법, 28 U.S.C. § 547, 에 규정된다. "합중국에 대한 모든 범죄들을 소추하"도록 그 제정법에서 합중국 검사들은 명령된다. 그들의 임명된 재판구에서의 대배심 절차들을 지휘할 자신들의 권한을 자신들의 임명관련 제정법, 28 U.S.C. § 542, 으로부터 합중국 검사보들은 마찬가지로 도출한다.

When a United States Attorney or Assistant United States Attorney needs to appear before a grand jury in a district other than the district in which he or she has been appointed, the United States Attorney for either the district of appointment or the district of the grand jury should complete an appointment letter, appointing the attorney as a Special Assistant United States Attorney (SAUSA). The United States Attorney's Office (USAO) completing the appointment letter should send a copy of the letter to the Executive Office for United States Attorneys, Personnel Office. USAOs should also send a copy of any letter extending the appointment of the SAUSA.

그가 또는 그녀가 임명되어 있는 재판구 이외의 재판구에서의 대배심 앞에 출석할 필요를 합중국 검사가 또는 합중국 검사보가 지니는 경우에, 당해 검사를 합중국 특별검사보(SAUSA)로 임명하는 임명장을 그의 임명 재판구의 내지는 대배심 재판구의 중 둘 중 한 곳의 합중국 검사는 작성하지 않으면 안 된다. 임명장을 작성하는 합중국 검사실(USAO)은 그 임명장 등본을 합중국 검찰 법집행지원실 인사부에 보내야 한다. SAUSA의 임명을 연장하는 임명장의 등본을 합중국 검사실들은 아울러 보내야 한다.

Departmental attorneys, other than United States Attorneys and AUSAs, may conduct grand jury proceedings when authorized to do so by the Attorney General or a delegate pursuant to 28 U.S.C. § 515(a). The Attorney General has delegated the authority to direct Department of Justice Attorneys to conduct grand jury proceedings to all Assistant Attorneys General and Deputy Assistant Attorneys General in matters supervised by them. (Order No. 725-77.) Requests in Criminal Division cases should be submitted to the supervising Deputy Assistant Attorney General.

합중국 검사들이를 및 합중국 검사보들이를 제외한 법무부 검사들은 대배심 절차들을 지휘하도록 28 U.S.C. § 515(a)에 따라서 검찰총장에 의하여 내지는 대리인에 의하여 권한이 부여되는 경우에 대배심 절차들을 지휘할 수 있다. 대배심 절차들을 지휘하도록 법무부 검사들에게 명령할 권한을, 검찰총장보들에 의하여 및 부검찰총장보들에 의하여 감독되는 사항들에 있어서 모든 검찰총장보들에게 및 부검찰총장보들에게 검찰총장은 위임해 놓았다. (Order No. 725-77.) 형사과 사건들에서의 요청들은 감독 담당 부검찰총장보에게 회부되어야 한다.

[updated June 2008]
[2008. 6월 수정됨]

9-11.242 - Non-Department of Justice Government Attorneys
법무부 소속 아닌 정부 측 변호사들

Federal Rule of Criminal Procedure 6(d) provides that the only prosecution personnel who may be present while the grand jury is in session are "attorneys for the government." Rule 1(b) defines attorney for the government for Federal Rules of Criminal Procedure purposes as the Attorney General, an authorized assistant of the Attorney General, a United States Attorney, an authorized assistant of a United States Attorney, and certain other persons in cases arising under the laws of Guam.

대배심의 개정 중인 동안에 출석할 수 있는 유일한 소추 측 인원은 "검사들(정부 측 변호사들)"임을 연방 형사소송법 Rule 6(d)는 규정한다. 연방 형사소송법 상의 목적들을 위한 것으로서의 검사(정부 측 변호사)를 검찰총장으로, 그 권한이 위임된 검찰총장보로, 합중국 검사로, 그 권한이 위임된 합중국 검사보로, 그리고 괌 법 아래서 발생하는 사건들에서의 그 밖의 일정한 사람들로 Rule 1(b)는 정의한다.

An agency attorney or other non-Department of Justice attorney must be appointed as a Special Assistant or a Special Assistant to the Attorney General, pursuant to 28 U.S.C. § 515, or a Special Assistant to a United States Attorney, pursuant to

28 U.S.C. § 543, in order to appear before a grand jury in the district of appointment. When the less common Special Assistant or Special Assistant to the Attorney General appointment is to be used in cases or matters within the jurisdiction of the Criminal Division, the Office of Enforcement Operations should be contacted for information.

기관 변호사가 내지는 그 밖의 비 법무부 소속 변호사가 그 임명 재판구에서의 대배심 앞에 출석하기 위하여는 28 U.S.C. § 515에 따라서 특별검사보로 또는 특별 검찰총장보로, 또는 28 U.S.C. § 543에 따라서 합중국 검사보로 임명되지 않으면 안 된다. 덜 일반적인 특별검사보에의 내지는 특별검찰총장보에의 임명이 형사과 관할 내의 사건들에 내지는 사안들에 사용되어야 할 경우에, 정보를 위하여 법집행지원실에 조회가 이루어져야 한다.

A letter of appointment is executed and the oath of office as a Special Assistant to a United States Attorney must be taken (see 28 U.S.C. §§ 515, 543 and 544). Requests for such appointments must be made in writing through the Director of the Executive Office for United States Attorneys and must include the following information:

임명장이 작성되면 합중국 검사를 조력하는 특별검사보로서의 취임선서가 이루어지지 않으면 안 된다(28 U.S.C. § 515를, § 543을 및 § 544를 보라). 그러한 임명들을 위한 요청들은 합중국 검찰 법집행지원실장을 통하여 서면으로 이루어지지 않으면 안 되고 아래의 정보를 포함하지 않으면 안 된다:

A. The facts and circumstances of the case;

　사건의 사실관계 및 상황들;

B. The reasons supporting the appointment;

　임명을 필요로 하는 이유들;

C. The duration and any special conditions of the appointment;

　임명의 기간 및 그 있을 경우의 특별한 조건들;

D. Whether the appointee may be called as a witness before the grand jury. If such a possibility exists, it ordinarily would be unwise to make the appointment;

피지명자가 대배심 앞의 한 명의 증인으로 소환될 수 있는지 여부. 만약 그러한 가능성이 존재하면, 임명을 행함은 일반적으로 적절하지 아니할 것이다.

E. How the attorney has been informed of the grand jury secrecy requirements in Federal Rule of Criminal Procedure 6(e).

연방 형사소송법 Rule 6(e)에서의 대배심 비밀 요구사항들에 관하여 당해 피지명 변호사에게 어떻게 고지되어 있는지.

F. If the appointee is an agency attorney, whether the agency from which the attorney comes is conducting or may conduct contemporaneous administrative or other civil proceedings. If so, a full description of the substance and status of such proceedings should be included; and

피지명자가 한 명의 기관 변호사이면, 동시의 행정적 내지는 민사적 절차들을 당해 변호사가 소속된 기관이 수행하고 있는 중인지 내지는 수행하게 될 가능성이 있는지 여부. 만약 그 경우이면, 그러한 절차들의 내용에 및 상태에 대한 완전한 설명이 포함되어야 한다; 그리고

G. If the appointee is an agency attorney, a full description of the arrangements that have been made to prevent the attorney's agency from obtaining access through the attorney to grand jury materials in the case.

만약 피지명자가 한 명의 기관 변호사이면, 당해 사건에서의 대배심 자료들에의 당해 변호사를 통한 접근을 얻지 못하도록 당해 변호사의 소속 기관을 금지하기 위하여 이루어져 있는 조치들에 대한 완전한 설명.

Finally, the request must contain the following statement, signed by the agency attorney:

궁극적으로, 당해 기관 변호사의 서명을 단 아래의 진술을 요청서는 포함하지 않으면 안 된다:

I understand the restrictions on the grand jury secrecy obligations of this appointment as a Special Assistant to the United States Attorney and do hereby certify that I will adhere to the requirements contained in this letter.

합중국 검사를 조력하는 특별검사보로서의 이 임명의 대배심 비밀의무들에 대한 제한들을 저는 이해하는바, 이 임명장에 포함된 요구사항들을 저는 준수할 것임을 저는 이에 보증합니다.

The use of agency attorneys as Special Assistants before the grand jury has been upheld by the courts. See United States v. Wencke, 604 F.2d 607 (9th Cir. 1979); United States v. Birdman, 602 F.2d 547 (3d Cir. 1979); In re Perlin, 589 F.2d 260 (7th Cir. 1978). The United States Attorney or Departmental attorney with responsibility for the case retains full responsibility, notwithstanding the participation of government attorneys from other agencies.

대배심 앞의 특별검사보들로서의 기관 변호사들의 사용은 법원들에 의하여 지지되어 왔다. United States v. Wencke, 604 F.2d 607 (9th Cir. 1979)를; United States v. Birdman, 602 F.2d 547 (3d Cir. 1979)를; In re Perlin, 589 F.2d 260 (7th Cir. 1978)을 보라. 여타의 기관들 소속의 정부 측 변호사들의 참여에도 불구하고, 완전한 책임을 당해 사건을 담당하는 합중국 검사는 내지는 법무부 검사는 진다.

[updated January 2020]
[2020. 1월 수정됨]

9-11.244 - Presence of an Interpreter

통역인의 출석

Attorneys for the government should ensure that any interpreter used in a grand jury proceeding is aware of his or her secrecy obligation, and that the interpreter has received the necessary security clearance and has been properly sworn.

그 자신의 내지는 그녀 자신의 비밀의무를 대배심 절차에 사용되는 통역인 누구나가 인식할 것을 그리고 필요한 보안허가를 당해 통역인이 수령한 상태일 것을 및 정당하게 선서절차를 당해 통역인이 거친 상태일 것을 검사(정부 측 변호사)들은 보장하여야 한다.

9-11.250 - Disclosure of matters occurring before the grand jury to Department of Justice attorneys and Assistant United States Attorneys
대배심 앞에서 발생한 사항들의 법무부 검사들에게의 및 합중국 검사보들에게의 공개

Disclosure of materials covered by Federal Rule of Criminal Procedure 6(e) may be made without a court order "to an attorney for the government for use in the performance of such attorney's duty." See Fed. R. Crim. P. 6(e)(3)(A)(i). "Attorney for the government" is defined in Fed. R. Crim. P. 1(b)(1). Further guidance on the definition of "attorney for the government," derived from the decision in United States v. Forman, 71 F.3d 1214 (6th Cir. 1996), is available to Department attorneys.

연방 형사소송법 Rule 6(e)가 적용되는 자료들의 공개는 "검사(정부 측 변호사)의 임무를 수행함에 있어서의 사용을 위한 경우에의 당해 검사 (정부 측 변호사)"에게 법원 명령 없이 이루어질 수 있다. Fed. R. Crim. P. 6(e)(3)(A)(i)를 보라. "검사(정부 측 변호사)"는 Fed. R. Crim. P. 1(b)(1)에 정의되어 있다. "검사(정부 측 변호사)"의 개념정의에 관한 United States v. Forman, 71 F.3d 1214 (6th Cir. 1996)에서의 결정으로부터 도출되는 추가적 지침은 법무부 검사들에게 유효하다.

[updated January 2020]
[2020. 1월 수정됨]

9-11.254 - Guidelines for Handling Documents Obtained by the Grand Jury
대배심에 의하여 얻어지는 문서들의 취급을 위한 지침들

In 1996, the Deputy Attorney General approved the following Guidelines for "Handling Documents Obtained by the Grand Jury." The Guidelines, written by a working group composed of representatives of each of the litigating Divisions, the Executive Office for United States Attorneys, and the Office of Information and Privacy, address the need to establish and follow proper recordkeeping procedures regarding evidence obtained by the grand jury.

아래의 "대배심에 의하여 얻어지는 문서들의 취급을 위한 지침들"을 1966년에 부검찰총장은 승인하였다. 송무과들의, 합중국 검찰 법집행지원실의, 그리고 개인정보 및 프라이버시 보호실의 각각의 대표들로 구성된 전문위원회에 의하여 작성된 지침들은 대배심에 의하여 얻어지는 증거에 관한 정확한 기록보관 절차들을 수립할 및 준수할 필요를 중점 두어 다룬다.

The Department of Justice routinely receives requests for access to documents from Congress, from individuals or entities filing requests pursuant to the Freedom of Information Act (FOIA), and from private and government lawyers engaged in civil litigation. Records retention practices can make it difficult to identify what evidence may properly be provided in response to a request and may hamper the proper use of non-grand jury information by civil attorneys of the Department. For example, if a file marked "Grand Jury" includes documents obtained by grand jury subpoena and documents otherwise obtained, it is difficult in some instances to determine whether the Rule 6 limitations on disclosure apply to certain documents in the file. The task is more difficult in those situations where the prosecutor who handled the grand jury matter is no longer in government service. The Guidelines, which apply to the United States Attorneys and to the litigating Divisions of the Department, will make it easier to determine those documents that reveal matters occurring before the grand jury and those that do not.

연방의회로부터, 정보자유법(FOIA)에 따른 요청들을 제출하는 개인들로부터 내지는 법주체들로부터, 그리고 민사소송에 종사하는 사적 변호사들로부터 및 정부 측 변호사들로부터 문서들에의 접근을 구하는 요청들을 법무부는 일상적으로 수령한다. 요청에 응하여 어떤 증거가 정당하게 제공될 수 있는지를 확인하기 어렵게끔 기록들의 보관업무 처리방법들은 만들 수 있고 따라서 법무부의 민사담당 검사들에 의한 대배심 사항 이외의 증거에 대한 정당한 사용을 그것들은 방해할 수 있다. 예를 들면, 대배심 벌칙부소환장에 의하여 얻어진 문서들을 및 여타의 방법으로 얻어진 문서들을 "대배심"이라고 표시된 한 개의 서류철이 만약 포함하면, 그 서류철 내의 특정의 문서들에 Rule 6의 공개제한들이 적용되는지 여부를 판단하기가 일정한 경우들에서는 곤란하다. 그 대배심 사안을 다루었던 검사가 더 이상 정부에서 근무하고 있지 아니하는 상황들에서는 그 일은 더욱 어렵다. 대배심 앞에서 발생하는 사안들을 노출시키는 문서들을 및 노출시키지 아니하는 문서들을 보다 더 쉽게 판정하도록 합중국 검사들에게 및 법무부 송무과들에게 적용되는 지침들은 만들어 줄 것이다.

Although local practice, local rules, and case law varies to some extent among the Circuits, every effort should be made to apply a consistent procedure that will maintain the integrity of evidence obtained by the grand jury and, at the same time, assist in identifying what are "matters occurring before a grand jury." This will enable a clear and proper determination of what material can and should be released to a FOIA requestor and what documents may be shared with attorneys for the government engaged in civil litigation. Generally, government attorneys who are handling only civil cases do not have automatic access to grand jury materials but may obtain access to such materials only upon court order issued pursuant to Fed. R. Crim. P. 6(e)(3)(C)(i). See United States v. Sells Engineering, Inc., 463 U.S. 418, 427 (1983). A specific exception has been created for certain banking financial matters. See 18 U.S.C. § 3322.

비록 지역의 업무처리 실무는, 지역의 규칙들은, 그리고 판례법은 순회구들에 따라서 상당히 다양함에도 불구하고, 대배심에 의하여 얻어진 증거의 본래의 모습을 유지하여 줄, 및 그 동시에 무엇이 "대배심 앞에서 발생한 사항들"인지를 확인하도록 조력해 줄 한 개의 일관된 절차를 적용하기 위한 모든 노력이 기울여져야 한다. 정보자유법(FOIA)을 원용하는 요청자에게 어떤 자료가 공개될 수 있는지 및 공개되어야 하는지에 대한 및 민사소송에 종사하는 정부 측 변호사들에 더불어 어떤 문서들이 공유될 수 있는지에 한 개의 명확한 및 정확한 판단을 이것은 가능하게 하여 줄 것이다. 일반적으로 오직 민사사건들만을 다루는 정부 측 변호사들은 대배심 자료들에의 자동적 접근권을 보유하지 아니하며 그러한 자료들에의 접근을 Fed. R. Crim. P. 6(e)(3)(C)(i)에 따라서 발령되는 법원 명령에 터잡아서만 얻을 수 있다. United States v. Sells Engineering, Inc., 463 U.S. 418, 427 (1983)을 보라. 은행의 일정한 금융관계 사항들을 위하여 한 개의 명시적 예외가 창설되어 있다.

Accordingly, whenever it is practicable to do so, prosecutors obtaining evidence in a criminal investigation should use the following procedures. These procedures supplement those described in the Department's Federal Grand Jury Practice Manual, January 1993, pages 106 through 120. The procedures do not create any rights in third parties:

따라서, 범죄수사에서 증거를 얻는 검사들은 아래의 절차들을 사용함이 가능한 때에는 언제든지 이를 사용하여야한다. 1993년 1월의 법무부 연방 대배심 업무편람 106쪽부터 120쪽까지에 설명된 절차들을 이 절차들은 보충한다. 제3자들을 위한 아무런 권리를도 그 절차들은 창설하지 아니한다:

Guidelines for Handling Documents Obtained by the Grand Jury
대배심에 의하여 얻어진 문서들의 취급을 위한 지침들

1. Consider Alternatives. Before issuing a grand jury subpoena, prosecutors should consider what evidence has already been collected through other means and whether a voluntary request, contractual obligation, inspector general subpoena, civil investigative demand or other compulsory process is available to obtain the information sought. Those methods may be just as effective as a grand jury subpoena in obtaining information but their use may avoid grand jury secrecy issues.

대체적 방법들을 검토할 것. 여타의 수단을 통하여 어떤 증거가 이미 수집되어 있는지를 및 그 얻고자 하는 정보를 얻기 위하여 임의적 요청이, 계약상의 의무가, 감사관 벌칙부소환장이, 민사적 조사요구가 또는 그 밖의 강제절차가 이용될 수 있는지 여부를 대배심 벌칙부소환장들을 발부하기 전에 검사들은 검토하여야 한다. 그 방법들은 정보를 얻는 데 있어서 바로 대배심 벌칙부소환장이만큼이나 효과적일 수 있으면서도 대배심 비밀의무의 문제들을 그것들의 사용은 회피시켜 줄 수 있다.

2. Identify a Custodian. As early as practicable, a prosecutor should determine who will have custody of original documents and real evidence, and where such documents and evidence will be maintained. If the case agent is to have custody, the grand jury should authorize him to maintain the evidence; but, unless required by local rule, the grand jury should not make him an "agent" of the grand jury. (As explained at footnote 234 on page 107 of the Federal Grand Jury Practice Manual, prosecutors are discouraged from swearing in an inves-

tigator as an agent of the grand jury). Prosecutors should not commingle original documents and real evidence obtained by grand jury subpoena with evidence obtained by other means.

보관자를 정할 것. 원본문서들을 및 실물증거를 누가 보관할 것인지를 및 어디에 그러한 문서들이 및 증거가 보관될 것인지를 가능한 한 이른 시점에 검사는 결정하여야 한다. 사건의 담당직원이 보관하여야 할 경우이면 증거를 보관하도록 권한을 그에게 대배심은 부여하여야 한다; 그러나 지역규칙에 의하여 요구되는 경우에를 제외하고는 그를 대배심의 "직원"으로 대배심은 만들어서는 안 된다. (연방 대배심 업무편람 107쪽 각주 234에 설명되어 있듯이, 한 명의 조사관을 대배심의 직원으로서 선서시킴으로부터 검사들은 저지된다). 대배심 벌칙부소환장에 의하여 얻어진 원본문서들을 및 실물증거를 여타의 방법에 의하여 얻어진 증거를에 더불어 검사들은 섞어서는 안 된다.

3.a. Create an Identification System. Upon receipt, prosecutors should number, then copy, documents and real evidence -- however they are obtained. The originals should then be secured. If the volume of documents is great, prosecutors should consider microfilming them. Numbering and securing the originals in the order in which they are obtained will facilitate access to the evidence and make it easier for prosecutors to create a record of how, and from whom, the evidence was obtained. For example, use of an identification system, such as a list of the documents by their identifying numbers under topic headings, permits the government to respond more efficiently to FOIA requests and better enables prosecutors to support a decision to withhold documents should a court demand an explanation of the basis for claiming that the documents are covered by Rule 6(e). See Church of Scientology International v. United States Dep't of Justice, 30 F.3d 224 (1st Cir. 1994). As the Federal Grand Jury Practice Manual explains (at pp. 157-59), documents not covered by Rule 6(e) include materials obtained or created independently of the grand jury, so long as their disclosure does not otherwise reveal what transpired before or at the direction of the grand jury, see In re Grand Jury Matter (Catania), 682 F.2d 61, 64 (3d Cir. 1982). Similarly, Rule 6(e) does not cover documents, even subpoenaed documents, that are sought for the information they contain, rather than to reveal the direction or strategy of the grand jury. See, e.g., DiLeo v. Commissioner of Internal Revenue, 959 F.2d 16, 19 (2d Cir. 1992). Accord Washington Post Co. v. United States Dep't of Justice, 863 F.2d 96, 100 (D.C. Cir. 1988); Senate of Puerto Rico v. United States Dep't of Justice, 823 F.2d 574, 582-84 (D.C. Cir. 1987).

동일성 확인체계를 만들 것. 그 얻어진 방법 여하에 상관없이 수령 즉시로, 검사들은 문서들에 및 실물증거에 번호를 붙여야 하고 그 다음에는 그것들을 복사하여야 한다. 그 뒤에 원본들은 안전한 곳에 보관되어야 한다. 만약 문서들의 분량이 크면 그것들을 마이크로필름으로 찍기를 검사들은 고려하여야 한다. 원본들에 그 얻어진 순서대로 번호를 붙임은 및 안전한 곳에 보관함은 당해 증거에의 접근을 용이하게 해 줄 것이고 어떻게, 누구로부터 당해 증거가 얻어졌는지에 관한 한 개의 기록을 검사들로 하여금 보다 쉽게 만들어 낼 수 있게 해 줄 것이다. 예를 들면, 제목 표제들 아래서의 문서들의 동일성 식별번호들에 의한 문서들의 목록의를 비롯한 동일성 확인체계의 사용은 FOIA(정보자유법)에 근거한 요청들에 대하여 정부로 하여금 보다 더 효율적으로 응답할 수 있도록 허용하여 주고, Rule 6(e)의 적용을 당해 문서들이 받는다고 주장하는 근거에 대한 설명을 법원이 요구할 경우에 당해 문서들을 계속 보유하기로 하는 결정을 검사들로 하여금 더 잘 뒷받침할 수 있게 하여 준다. Church of Scientology International v. United States Dep't of Justice, 30 F.3d 224 (1st Cir. 1994)를 보라. 연방 대배심 업무편람이 설명하듯이 (157쪽 – 59쪽), Rule 6(e)의 적용을 받지 아니하는 문서들은 대배심에 무관하게 독립적으로 얻어지는 내지는 창출되는 자료들을 – 대배심 앞에서 또는 대배심의 지시에 따라서 생겨난 사항을 그 자료들의 공개가 달리 폭로하지 아니하는 한 – 포함한다. In re Grand Jury Matter (Catania), 682 F.2d 61, 64 (3d Cir. 1982)를 보라. 대배심의 지시를 내지는 전략을 폭로하기 위하여 구해지는 문서들을이 아닌, 그 포함하는 정보를 위하여 구해지는 문서들을, 설령 그것들이 벌칙부소환장에 의한 것들이라 하더라도, 마찬가지로 Rule 6(e)은 취급하지 아니한다. 예컨대, DiLeo v. Commissioner of Internal Revenue, 959 F.2d 16, 19 (2d Cir. 1992)를 보라. 같은 취지의 것들로 Washington Post Co. v. United States Dep't of Justice, 863 F.2d 96, 100 (D.C. Cir. 1988)이; Senate of Puerto Rico v. United States Dep't of Justice, 823 F.2d 574, 582–84 (D.C. Cir. 1987)이 있다.

b. Make the System Simple. The identification system should be simple but it should permit the prosecutor to determine the source of the evidence and how it was obtained (i.e., whether the evidence was in response to a grand jury subpoena and, if so, which subpoena). The identification system also should permit the prosecutor to determine what use the grand jury made of the evidence: what evidence generally was made available to the grand jury, what evidence was physically offered and made available to the grand jury, and what evidence was entered as an exhibit or otherwise formally presented to the grand jury.

체계를 단순화할 것. 동일성 확인체계는 단순한 것이어야 하는바, 다만 당해 증거의 원천을 및 그것이 어떻게 얻어졌는지를 (즉, 당해 증거가 대배심 벌칙부소환장에 응한 것이었는지 여부를 및 만약 그 경우이면 어느 벌칙부소환장이었는지를) 검사로 하여금 판단하도록 허용할 만한 것이어야 한다. 당해 증거에 대하여 어떤 사용을 대배심이 하였는지를: 어떤 증거가 일반적으로 대배심에게 입수될 수 있게 만들어졌는지를, 어떤 증거가 물질적 형태로써 제의되었는지를 및 대배심에게 입수될 수 있게 만들어졌는지를, 그리고 어떤 증거가 한 개의 증거물로서 대배심에 넣어졌는지를 또는 그 밖의 방법으로 정식으로 대배심에게 제출되었는지를 검사로 하여금 판단하게끔 또한 그 동일성 확인체계는 허용할 만한 것이어야 한다.

4.At All Times, Maintain an Unmarked Set of Documents. Where appropriate, prosecutors should clearly mark the file cabinet, box or file in which subpoenaed evidence is maintained as containing grand jury subpoenaed records. But as the Department's Guide on Rule 6(e) advises, no grand jury marking or stamp should be affixed to the original documents themselves. See United States Department of Justice Guide on Rule 6(e) After Sells and Baggot, Jan. 1984, at 53. If a document is to be marked as an exhibit and presented to the grand jury, prosecutors should use a copy of the original or, if for some reason the original of a document must be entered as an exhibit before the grand jury, prosecutors should endeavor to place the exhibit sticker on a folder or an envelope containing the document and not on the document itself. (If a document is placed in an envelope, it should be adequately identified for the record.)

표시 없는 상태의 문서들 한 벌을 항상 보관할 것. 대배심 벌칙부소환장에 의한 기록들을 담는 것으로서의, 벌칙부소환장에 의하여 얻어진 증거가 보관되는 서류철 캐비넷을, 상자를 내지는 서류철을 적절한 경우에 검사들은 명확하게 표시하여야 한다. 그러나 Rule 6(e)에 대한 법무부 지침이 권장하듯이, 대배심 마크는 내지는 소인은 원본문서들 자체에 첨부되어서는 안 된다. United States Department of Justice Guide on Rule 6(e) After Sells and Baggot, Jan. 1984, at 53을 보라. 만약 한 개의 문서가 한 개의 증거물로서 표시되어 대배심에 제출되어야 하면, 원본의 등본을 검사들은 사용하여야 하는바, 또는 만약 상당한 이유에 따라서 문서의 원본이 대배심 앞에 제출되지 않으면 안 될 경우이면 당해 문서를 담은 폴더 위에 또는 봉투 위에 – 당해 문서 자체 위에가 아니라 – 당해 증거물 딱지를 붙이고자 검사들은 노력하여야 한다. (만약 한 개의 문서가 봉투 안에 넣어지는 경우이면, 그것은 당해 기록으로서 충분히 확인될 만한 것이어야 한다.)

5.The Security of Evidence Must be Maintained. Prosecutors should take whatever precautions are necessary to protect grand jury materials, including, generally, keeping them in a locked file cabinet in a locked room. If information from the documents is entered into a computer, the prosecutor should make sure that the data are secure or kept on a disc that can be secured.

증거의 안전은 유지되지 않으면 안 됨. 일반적으로 대배심 자료들을 자물쇠로 잠긴 방 안의 자물쇠로 잠긴 서류철 캐비넷에 보관하는 방법을을 포함하여, 대배심 자료들을 보호하기 위하여 필요한 모든 주의들을 검사들은 취하여야 한다. 만약 당해 문서들로부터 얻어지는 정보가 컴퓨터 안에 들어가게 되면, 그 자료가 안전함을 내지는 그 안전이 확보될 수 있는 디스크에 그것이 보관됨을 검사는 보증하여야 한다.

6.Informing the Grand Jury of Available Evidence. The practice of bringing all subpoenaed documents before the grand jury varies among jurisdictions. Providing notice to the grand jury that the custodian or case agent has reviewed the documents may be legally sufficient, regardless of local custom. At a minimum, however, prosecutors should keep the grand jury apprised of the location and organization of the documents.

입수 가능한 증거에 관하여 대배심에게 고지할 것. 벌칙부소환장에 의하여 입수되는 모든 문서들을 대배심 앞에 가져오는 업무방식에는 관할들마다 차이가 있다. 당해 문서들을 보관자가 내지는 사건 담당직원이 검토한 터임에 대한 고지를 대배심에게 제공하면 지역의 관례 여하에 상관없이 이로써 법적으로 충분할 수 있다. 그러나 대배심을 최소한 당해 문서들의 소재에 및 구성에 관하여 고지된 상태로 검사들은 유지시켜야 한다.

The foregoing procedures should help ensure that documents obtained during an investigation are maintained in a system that allows easy access to original documents, that clearly separates documents that were obtained by subpoena from those obtained by other means, and that enables identification of evidence the grand jury actually considered.

원본문서들에의 손쉬운 접근을 허용하는, 벌칙부소환장에 의하여 얻어진 문서들을 여타의 수단에 의하여 얻어진 문서들으로부터 명확하게 분리시키는, 그리고 대배심이 실제로 검토한 증거의 동일성 확인을 가능하게 하여 주는 한 개의 체계 내에서, 한 개의 조사 동안에 얻어지는 문서들이 보관됨이 보장되도록 이상의 절차들은 조력할 것이다.

9-11.255 - Prior Department of Justice Approval Requirements— Grand Jury Subpoenas to Lawyers and Members of the News Media
사전의 법무부 승인의 요구들 - 변호사들에 및 뉴스매체의 구성원들에 대한 대배심 벌칙부소환장들

Prior approval of the Assistant Attorney General or a Deputy Assistant Attorney General for the Criminal Division generally is required before a grand jury subpoena may be issued to an attorney for information relating to the representation of a client. See JM 9-13.410.

의뢰인의 대변에 관련되는 정보를 위한 대배심 벌칙부소환장이 변호사에게 발부될 수 있기 위하여는 형사과 담당 검찰총장보의 또는 부검찰총장보의 사전승인이 일반적으로 요구된다. JM 9-13.410을 보라.

Prior approval of the Attorney General generally is required before a grand jury subpoena may be issued to obtain information from, or records of, a member of the news media. See 28 C.F.R. § 50.10; JM 9-13.400.

뉴스매체 구성원으로부터의 정보를 내지는 기록들을 얻기 위한 대배심 벌칙부소환장이 발부될 수 있기 위하여는 검찰총장의 사전승인이 일반적으로 요구된다. 연방규정집(Code of Federal Regulations) 제8편 § 50.10을; JM 9-13.400을 보라.

[updated April 2016]
[2016. 4월 수정됨]

9-11.260 - Rule 6(e)(3)(E)(iv) Disclosure of Grand Jury Material to State and Local Law Enforcement Officials
주(State)의 및 지역의 법집행 공무원들에게의 대배심 자료의 공개

In 1985, the Supreme Court adopted an amendment to the Federal Rules of Criminal Procedure that added a new subdivision, 6(e)(3)(E)(iv). This change was for the stated purpose of eliminating "an unreasonable barrier to the effective enforcement of our two-tiered system of criminal laws (by allowing) a court to permit disclosure to a State or local official for the purpose of enforcing State law when an attorney for the government so requests and makes the requisite showing." (See the notes of the Advisory Committee on Criminal Rules of the Judicial Conference of the United States.) The subdivision now reads as follows:

새로운 소부 6(e)(3)(E)(iv)을 추가하는 연방 형사소송법 개정안을 1985년에 연방 대법원은 채택하였다. 이 개정은 "주 법의 시행을 위한 주(State)의 내지는 지역의 공무원에게의 공개를 허가하도록 검사(정부 측 변호사)가 요청하면서 그 필요한 증명을 하는 경우에 있어서의, 그러한 공개를 법원으로 하여금 허가하도록(허용함에 의한) 우리의 형사법들의 두 겹의 체계의 효율적 집행에의 부당한 장애를" 제거함이라는 그 공표된 목적을 위한 것이었다. (합중국 사법관회의의 형사규칙들에 대한 권고위원회의 주해들을 보라.) 그 소부는 지금 아래의 것으로 되어 있다:

(E) The court may authorize disclosure—at a time, in a manner, and subject to any other conditions that it directs—of a grand jury matter...

아래의 경우에는 자신이 지시하는 때에의, 방법으로의, 그리고 조금이라도 그 밖의 조건들에 따라서의 대배심 사안의 공개를 법원은 허가할 수 있다:

(iv) at the request of the government if it shows that the matter may disclose a violation of State, Indian tribal, or foreign criminal law, as long as the disclosure is to an appropriate state, state-subdivision, Indian tribal, or foreign government official for the purpose of enforcing that law.

주(State)의 형사법에 대한, 인디언 부족의 형사법에 대한, 또는 외국의 형사법에 대한 위반을 그 사안이 밝혀줄 수 있음을 정부가 증명하는 경우에로서 그 법을 시행함을 목적으로 적절한 주(state) 공무원에게, 주(state) 하부단위의 공무원에게, 인디언 부족의 공무원에게, 또는 외국정부의 공무원에게 그 공개가 이루어지는 한도 내에서 정부의 요청에 따라서 허가하는 경우.

It is both the intent of the amended rule, and the policy of the Department of Justice, to share grand jury information whenever it is appropriate to do so. Thus, the phrase "appropriate official of a State or subdivision of a State" shall be interpreted to mean any official whose official duties include enforcement of the State criminal law whose violation is indicated in the matters for which disclosure authorization is sought. This policy is, however, subject to the caution in the Advisory Committee notes that "(t)here is no intention to have Federal grand juries act as an arm of the State."

대배심 정보를 공유함이 적합한 경우에는 언제든지 이를 공유함이 개정규칙의 의도이면서 동시에 법무부의 정책이다. 그러므로 공개 허가가 신청되는 사안들에서 그 위반이 적시되는 당해 주 형사법의 시행을 그 공무상의 의무들이 포함하는 공무원 누구나를 "적절한 주(state) 공무원 내지는 주(state) 하부단위의 공무원"은 의미하는 것으로 해석되어야 한다. 그러나 "연방 대배심들로 하여금 주(State)의 팔로서 활동하게 하려는 의도는 전혀 없다."고 한 권고위원회의 주해들에서의 경고는 이 정책에 적용된다.

It is clear that the decision to release or withhold grand jury information may have a significant impact upon relations between Federal prosecutors and their state and local counterparts, and disclosure may raise issues that go to the heart of the Federal grand jury process. Accordingly, Federal prosecutors must request authorization to apply for an order permitting the disclosure of grand jury material to State or State subdivision authorities under Rule 6(e)(3)(E)(iv). In a matter being handled by a United States Attorney's Office, Assistant United States Attorneys must seek prior authorization from the United States Attorney (or a delegated Supervisory Assistant United States Attorney). In a matter being handled by a litigating Division within the Department, Federal prosecutors must seek prior authorization from the Assistant Attorney General of that Division (or a delegate). A form is available to Department attorneys for submitting requests to the Criminal Division for approval to disclose grand jury information under Rule 6(e)(3)(E)(iv).

연방검사들의 및 그들의 주(state)의 및 지역의 동등 자격자들의 그 양자 사이의 관계들에 중대한 영향을 대배심 정보를 공개하기로 하는 내지는 공개하지 아니하기로 하는 결정이 끼칠 수 있음은 명백하고, 또한 연방 대배심 절차의 핵심에 닿는 문제들을 공개는 제기할 수 있다. 그러므로 Rule 6(e)(3)(E)(iv) 아래서의 대배심 자료의 주(State)의 내지는 주 하부단위의 관헌들에게의 공개를 허가하는 명령을 신청하기 위한 권한위임을 연방검사들은 요청하지 않으면 안 된다. 합중국 검사로부터의 (또는 위임된 감독 담당 합중국 검사보로부터의) 사전의 권한위임을 한 개의 합중국 검사실에 의하여 다루어지는 중인 사안에서 합중국 검사보들은 구하지 않으면 안 된다. 법무부 내 송무과에 의하여 다루어지는 중인 사안에서 당해 과 담당의 검찰총장보로부터의 (또는 그 대리인으로부터의) 사전의 권한위임을 연방검사들은 구하지 않으면 안 된다. Rule 6(e)(3)(E)(iv) 아래서의 대배심 정보에 대한 공개의 승인을 구하는 형사과에의 요청들을 제출하기 위한 한 개의 서식이 법무부 검사들에게 이용될 수 있다.

Prosecutors are cautioned that in certain types of cases, particularly tax and tax-related cases, some grand jury information may also be subject to additional statutory and regulatory restrictions governing disclosure and sharing. See, e.g., 26 U.S.C. § 6103.

공개를 및 공유를 규율하는 추가적인 제정법 상의 내지는 규칙 상의 제한들에 일정한 대배심 정보는 마찬가지로 종속된다는 점에 관하여 일정 유형의 사건들에서, 특히 조세 사건들에서 내지는 조세 관련 사건들에서 검사들은 경고된다.

[updated January 2020]
[2020. 1월 수정됨]

9-11.300 - The Special Grand Jury—18 U.S.C. § 3331

특별대배심 —18 U.S.C. § 3331

Empanelment of Special Grand Juries for organized crime (18 U.S.C. § 3331) requires certification obtained through the Policy and Statutory Enforcement Unit of the Office of Enforcement Operations, (202) 305-4023 or PSEU@usdoj.gov (link sends e-mail).

법집행지원실 산하의 정책 및 제정법 검토반, (202) 305-4023 or PSEU@usdoj.gov (연결하고자 하면 이메일을 보낼 것), 을 통하여 얻어지는 보증을, 조직범죄를 위한 특별대배심들의 충원구성(18 U.S.C. § 3331) 은 요구한다.

[updated January 2020] [cited in JM 9-11.101]
[2020. 1월 수정됨] [JM 9-11.101에서 인용됨]

9-11.330 - Consultation With the Criminal Division About Reports Under 18 U.S.C. § 3333

18 U.S.C. § 3333 아래서의 보고서들에 관한 형사과에의 협의

If a special grand jury will be considering the issuance of a report under 18 USC § 3333 rather than an indictment; United States Attorneys are requested to notify the Chief of the Organized Crime and Gang Section. When providing such notice, United States Attorneys should indicate why an indictment cannot be found to obviate the issuance of a grand jury report. It should also be explained how the facts developed during a criminal investigation support one of the authorized types of reports. Before any draft report is furnished to the grand jury, it must be submitted to the Chief of the Organized Crime and Gang Section for approval. When a United States Attorney learns that a grand jury is preparing a report which he/she has not requested, he/she should advise the Criminal Division.

대배심 검사기소를보다는 18 USC § 3333 아래서의 보고서의 발행을 만약 한 개의 특별대배심이 검토하는 중이면; 이를 조직범죄 및 폭력단 취급반의 반장에게 통지하도록 합중국 검사들은 요청된다. 대배심 보고서의 발부를 피하기 위하여 대배심 검사기소가 평결될 수가 어

째서 없는지를 그러한 통지를 제공할 때에 합중국 검사들은 적시하여야 한다. 허용되는 보고서 유형들 중의 한 개를 범죄조사 동안에 드러난 사실관계가 뒷받침한다는 점이 또한 설명되어야 한다. 보고서 초안이 대배심에게 제공되기 전에 승인을 위하여 조직범죄 및 폭력단 취급반의 반장에게 그것은 제출되지 않으면 안 된다. 그가/그녀가 요청한 바 없는 한 개의 보고서를 대배심이 준비 중임을 합중국 검사가 알게 되는 경우에 그는/그녀는 형사과에 고지하여야 한다.

It is not clear what remedy the government would have if a court acted wrongly in sealing a special grand jury report and refusing to make it public. The Chief of the Organized Crime and Gang Section should be notified promptly if a court finally determines for any reason that a grand jury report is deficient or not proper to be released, so that consideration may be given to the possibility of taking the matter to the court of appeals.

특별 대배심 보고서를 봉인함에 있어서 및 그것을 공개의 것으로 만들기를 거부함에 있어서 만약 법원이 그릇되게 행동하였다면 어떤 구제수단을 정부가 지니게 될지는 명백하지 아니하다. 한 개의 대배심 보고서가 결함 있는 것으로 내지는 공개되기에 부적합한 것으로 어떤 이유에서든 만약 법원이 종국적으로 결정하면, 그 사안을 항소법원에 가져갈 가능성에 대한 검토가 부여될 수 있도록 조직범죄 및 폭력단 취급반의 반장에게 신속하게 통지가 이루어져야 한다.

[updated January 2020] [cited in JM 9-11.101]
[2020. 1월 수정됨] [JM 9-11.101에서 인용됨]

9-11.500 - Use of Asset Forfeiture in Connection with Structuring Offenses
금융거래 짜맞추기 범죄들에 관련한 자산몰수의 사용

Title 31, United States Code, section 5324(a) prohibits evasion of certain currency transaction reporting and record-keeping requirements, including structuring schemes. Generally speaking, structuring occurs when, instead of conducting a single transaction in currency in an amount that would require a report to be filed or record made by a domestic financial institution, the violator conducts a series of currency transactions, keeping each individual transaction at an amount below applicable thresholds to evade reporting or recording. The policies in this section apply to all federal seizures for civil or criminal forfeiture based on a violation of the structuring statute, except those occurring after an indictment or other criminal charging instrument has been filed. These policies apply to all structuring activity whether it constitutes "imperfect structuring" chargeable under 31 U.S.C. § 5324(a)(1) or "perfect structuring" chargeable under 31 U.S.C. § 5324(a)(3).

일정한 현금거래의 보고에 및 기록보관에 대한 요구들의 회피를 합중국 법률집 제31편 제5324(a)절은 금지하는바, 회피 책략들의 짜맞추기를 이는 포함한다. 일반적으로 말하여 국내 금융기관에 의하여 제출되어야 할 보고를 내지는 작성되어야 할 기록을 요구하게 될 만한 액수의 단일한 현금거래를 실행하지 아니하고서 그 대신에, 보고를 내지는 기록을 회피하기 위하여 그 적용되는 한계액수 미만의 액면으로 개개의 거래를 유지하면서 일련의 현금거래들을 위반자가 실행하는 경우에 금융거래 짜맞추기는 발생한다. 금융거래 짜맞추기 금지 제정법의 위반에 터잡는 민사적 내지는 형사적 몰수를 위한 모든 연방압류들에 이 절에서의 정책들은 적용되는바, 다만 대배심 검사기소장이 내지는 그 밖의 범죄기소장이 제출되고 난 뒤에 발생하는 것들에를 제외한다. 31 U.S.C. § 5324(a)(1) 아래서 기소될 수 있는 "불완전한 짜맞추기"를 그것이 구성하는지 또는 31 U.S.C. § 5324(a)(3) 아래서 기소될 수 있는 "완전한 짜맞추기"를 그것이 구성하는지 여부에 상관없이 모든 금융거래 짜맞추기 행위에 이 정책들은 적용된다.

A. Link to prior or anticipated criminal activity

이전의 또는 장래의 범죄행위에의 연결

If no criminal charge has been filed and a prosecutor has not obtained the approval identified below, a prosecutor shall not move to seize structured funds unless there is probable cause that the structured funds were generated by unlawful activity or that the structured funds were intended for use in, or to conceal or promote, ongoing or anticipated unlawful activity. For these purposes, "unlawful activity" includes instances in which the investigation revealed no known legitimate source for the funds being structured. Also for these purposes, the term "anticipated unlawful activity" does not include future Title 26 offenses. The basis for linking the structured funds to additional unlawful activity must receive appropriate supervisory approval and be memorialized in the prosecutor's records. In order to avoid prematurely revealing the existence of the investigation of the additional unlawful activity to the investigation's targets, there is no requirement that the evidence linking the structured funds to the additional unlawful activity be memorialized in the seizure warrant application.

만약 형사기소장이 제출되어 있지 아니하면 및 아래에서 인정되는 승인을 검사가 얻은 상태가 아니면, 금융거래 짜맞추기에 동원된 자금을 압류하고자 검사는 신청해서는 안 되는바, 다만 불법적 활동에 의하여 그 자금이 발생하였다고 내지는 진행 중인 내지는 장래의 불법적 활동에서의 사용을 위하여 또는 그러한 활동을 은닉하기 위하여 내지는 촉진하기 위하여 그 자금이 의도되었다고 판단할 상당한 이유가 있는 경우에를 제외한다. 짜맞추기에 동원되어 있는 자금을 위한 알려진 적법한 원천을 조사가 드러내주지 아니한 경우들을 이 목적 상으로 "불법적 활동"은 포함한다. 또한 장래의 제26편 범죄들을 이 목적 상으로 "장래의 불법적 활동"은 포함하지 아니한다. 짜맞추기에 동원된 자금을 추가적인 불법적 활동에 연결짓기 위한 근거는 적절한 감독자의 승인을 받지 않으면 안 되고 당해 검사의 기록들에 기입되지 않으면 안 된다. 추가적인 불법적 활동에 관한 당해 조사의 표적들에 대한 조사의 존재를 너무 일찍 노출시킴을 회피하기 위하여, 당해 짜맞추기에 동원된 자금을 당해 추가적인 불법적 활동에 연결시키는 증거가 압류영장 신청서에 기입되어야 한다는 요구는 없다.

Where the requirements of the above paragraph are not satisfied, unless criminal charges are filed, a warrant to seize structured funds may be sought from the court only upon approval from an appropriate official, as follows:

위 단락의 요구들이 충족되지 아니하는 경우에로서 만약 형사기소장들이 제출되는 경우에가 아니면, 짜맞추기에 동원된 자금을 압류하기 위한 영장은 아래의 적절한 공무원으로부터의 승인 위에서만 법원으로부터 추구될 수 있다:

For Assistant U.S. Attorneys ("AUSAs"), approval must be obtained from their respective U.S. Attorney. The U.S. Attorney may not delegate this approval authority. Although this authority is ordinarily non-delegable, if the U.S.

Attorney is recused from a matter or absent from the office, the U.S. Attorney may designate an Acting U.S. Attorney to exercise this authority, in the manner prescribed by regulation. See 28 C.F.R. § 0.136.

합중국 검사보들("AUSAs")을 위하여는, 그들 각각의 합중국 검사로부터 승인이 얻어지지 않으면 안 된다. 이 승인권한을 합중국 검사는 위임할 수 없다. 이 권한은 일반적으로 위임불가의 것임에도 불구하고, 만약 당해 합중국 검사가 한 개의 사안으로부터 기피되면 내지는 부재 중이면, 이 권한을 행사하도록 합중국 검사 대행을 규칙에 규정되는 대로의 방법에 따라서 당해 합중국 검사는 지명할 수 있다. 28 C.F.R. (연방규정집 제28편) § 0.136을 보라.

For Criminal Division trial attorneys or other Department components not partnering with a United States Attorney's Office ("USAO"), approval must be obtained from the Chief of the Money Laundering and Asset Recovery Section ("MLARS"). The Chief of MLARS may not delegate this approval authority.

한 개의 합중국 검사실("USAO")에 더불어 한동아리가 되어 있지 아니한 형사과 정식 사실심리 검사들을 내지는 그 밖의 법무부 구성부서들을 위하여는, 자금세탁 및 자산회수과("MLARS") 과장의 승인이 얻어지지 않으면 안 된다. 이 승인권한을 자금세탁 및 자산회수과 과장은 위임하여서는 안 된다.

The U.S. Attorney or Chief of MLARS may grant approval if there is a compelling law enforcement reason to seek a warrant, including, but not limited to, reasons such as: serial evasion of the reporting or record keeping requirements; the causing of domestic financial institutions to file false or incomplete reports; and violations committed, or aided and abetted, by persons who are owners, officers, directors, or employees of domestic financial institutions.

만약 영장을 추구하여야 할 법집행 상의 강제적인 이유가 있으면 승인을 합중국 검사는 내지는 자금세탁 및 자산회수과 과장은 부여할 수 있는바, 아래의 이유들을 이는 포함하되 이에 한정되지 아니한다: 보고 요구에 내지는 기록보관 요구에 대한 연속되는 회피; 허위의 내지는 불완전한 보고서들을 국내 금융기관들로 하여금 제출하도록 초래하기; 그리고 국내 금융기관들의 소유주들인, 임원들인, 이사들인, 내지는 피용자들인 사람들에 의하여 저질러진, 조력된 내지는 교사된 위반행위들.

If the U.S. Attorney or Chief of MLARS approves the warrant, the prosecutor must send a completed "Structuring Warrant Notification Form" to MLARS.

영장을 만약 합중국 검사가 또는 자금세탁 및 자산회수과 과장이 승인하면, "금융거래 짜맞추기 영장 통지서"를 자금세탁 및 자산회수과에 검사는 보내지 않으면 안 된다.

B.No Intent to Structure

짜맞추기 의도가 아닌 경우

There may be instances in which a prosecutor properly obtains a seizure warrant but subsequently determines that there is insufficient admissible evidence to prevail at either a civil or criminal trial for violations of the structuring statute or another federal crime for which forfeiture of the seized assets is authorized. In such cases, within seven (7) days of reaching this conclusion, the prosecutor must direct the seizing agency to return the full amount of the seized money. Once directed, the seizing agency will promptly initiate the process to return the seized funds.

압류영장을 검사가 정당하게 얻는 경우들 중에서도, 당해 압류된 자산들의 몰수가 허가된 근거인 금융거래 짜맞추기 금지 제정법 위반행위들에 대한 내지는 여타의 연방범죄에 대한 민사 정식사사실심리에서든 형사 정식사실심리에서든 승소하기에는 그 증거능력 있는 증거가 불충분함을 나중에 검사가 판단하는 경우들이 있을 수 있다. 그러한 경우들에서는 그 압류된 돈 전액을 반환하도록 이 결론에 도달한 날로부터 7일 내에 압류기관에게 검사는 명령하지 않으면 안 된다. 일단 그렇게 명령되면, 그 압류된 자금을 반환하기 위한 조치를 압류기관은 신속하게 취하여야 한다.

C.150-Day Deadline

150일 한도

Within 150 days of seizure based on structuring, if a prosecutor has not obtained the approval discussed below, a prosecutor must either file a criminal indictment or a civil complaint against the asset. This deadline does not apply to administrative cases governed by the independent time limits specified by the Civil Asset Forfeiture Reform Act. The criminal charge or civil complaint can be based on an offense other than structuring. If no criminal charge or civil complaint is filed within 150 days of seizure, then the prosecutor must direct the seizing agency to return the full amount of the seized money to the person from whom it was seized by no later than the close of the 150-day period. Once directed, the seizing agency will promptly initiate the process to return the seized funds.

아래에서 논의되는 승인을 금융거래 짜맞추기에 토대한 압류로부터 150일 내에 만약 검사가 얻지 못하였으면, 검사는 당해 자산에 대한 형사 대배심 검사기소장을 제출하든지 또는 민사소장을 제출하든지 하지 않으면 안 된다. 민사 재산몰수 개혁법에 의하여 규정되는 독립의 기한들에 의하여 규율되는 행정사건들에 이 기한은 적용되지 아니한다. 그 토대를 금융거래 짜맞추기 이외의 범죄에 형사기소장은 내지는 민사소장은 둘 수 있다. 만약 압류일로부터 150일 내에 형사기소장이 내지는 민사소장이 제출되지 아니하면, 그 압류된 돈 전액을 그것을 압류당한 사람에게 그 150일 기한에 늦지 않게 반환하도록 압류기관에게 검사는 명령하지 않으면 안 된다. 일단 그렇게 명령되면, 그 압류된 자금을 반환하기 위한 조치를 압류기관은 신속하게 취하여야 한다.

With the written consent of the claimant, the prosecutor can extend the 150-day deadline by 60 days. Further extensions, even with consent of the claimant, are not allowed, unless the prosecutor has obtained the approval discussed below.

150일 기한을 60일 한도로 권리주장자의 서면동의를 얻어서 검사는 연장할 수 있다. 더 이상의 연장들은 설령 권리주장자의 동의를 얻어서조차도 허용되지 아니하는바, 아래에서 논의되는 승인을 검사가 얻은 상태인 경우에를 제외한다.

An exception to this requirement is permissible only upon approval from an appropriate official as follows:

아래의 적절한 공무원으로부터의 승인 위에서만 이 요구에 대한 예외는 허용될 수 있다:

For AUSAs, approval must be obtained from their respective U.S. Attorney. The U.S. Attorney may not delegate this approval authority, except as discussed above.

합중국 검사보들을 위하여는, 그들 각각의 합중국 검사로부터 승인이 얻어지지 않으면 안 된다. 위에서 검토된 바에 따라서를 제외하고는 이 승인권한을 합중국 검사는 위임할 수 없다.

For Criminal Division trial attorneys or other Department components not partnering with a USAO, approval must be obtained from the Chief of MLARS. The Chief of MLARS may not delegate this approval authority.

한 개의 합중국 검사실에 더불어 한동아리가 되어 있지 아니한 형사과 정식사실심리 검사들을 내지는 그 밖의 법무부 구성부서들을 위하여는, 자금세탁 및 자산회수과 과장의 승인이 얻어지지 않으면 안 된다. 이 승인권한을 자금세탁 및 자산회수과 과장은 위임하여서는 안 된다.

If additional evidence becomes available after the seized money has been returned, an indictment or complaint can still be filed.

당해 압류된 돈이 반환되고 난 뒤에 만약 추가적 증거가 입수될 수 있으면, 대배심 검사기소장은 내지는 소장은 여전히 제출될 수 있다.

D.Settlement

합의

Settlements to forfeit and/or return a portion of any funds involved in a structuring investigation, civil action, or prosecution must comply with the requirements set forth in the Asset Forfeiture Policy Manual and the JM Chapter 9-113.000. In addition, settlements must be in writing, include all material terms, and be signed by a federal prosecutor. Informal settlements, including those negotiated between law enforcement and private parties, are expressly prohibited.

금융거래 짜맞추기 조사에, 민사소송에, 또는 소추에 포함된 자금의 일부를 몰수하기로 및/또는 반환하기로 하는 합의는 자산몰수정책 편람에 및 법무부 편람 9-113.000장에 규정된 요구들에 부합되지 않으면 안 된다. 이에 더하여, 합의들은 서면으로 이루어지지 않으면 안 되고, 모든 중요한 조건들을 포함하지 않으면 안 되며, 그리고 연방검사에 의하여 서명되지 않으면 안 된다. 법집행기관의 및 사적 당사자들의 양자 사이에 교섭된 합의들은을 포함하여 비공식의 합의들은 명시적으로 금지된다.

[added December 2017]
[2017. 12월 추가됨]

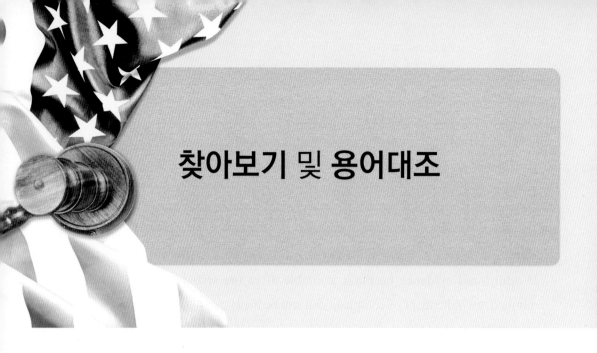

찾아보기 및 용어대조

ㄱ

가난한 피고인 indigent accused, indigent defendant / 2806, 3038, 3039

가리다, 가림처리(하다) redact, redaction / 2700, 3112, 3113

가석방 parole, supervised release / 2737, 3094, 3095, 3132, 3167

(사면 및) 가석방 위원회 Board of Pardons and Paroles / 3094, 3095

가정폭력 domestic violence / 1792, 2158, 2519, 2096, 2907

가중경죄 enhanced misdemeanor / 2006, 2007

가중위증죄 aggravated perjury / 3280

각하 abate, dismiss, dismissal / 1784, 1785, 1816, 1817, 1827, 1828, 1863, 1864, 1875, 1876, 1955, 1965, 1967, 1970, 1971, 2005, 2006, 2007, 2026, 2032, 2040, 2041, 2050, 2141, 2143, 2180, 2181, 2205, 2213, 2217, 2254, 2257, 2258, 2260, 2261, 2263, 2264, 2307, 2312, 2320, 2321, 2325, 2326, 2336, 2337, 2338, 2339, 2340, 2452, 2504, 2505, 2507, 2587, 2599, 2603, 2605, 2615, 2616, 2740, 2828, 2829, 2842, 2848, 2850, 2854, 2860, 2861, 2866, 2925, 2929, 2934, 2938, 2954, 2990, 2991, 2992, 3012, 3153, 3182, 3189, 3194, 3295, 3296, 3318, 3319, 3320

(합리적 시간)간격들 reasonable intervals / 1949, 1950

갈취, 공갈 extort, racketeer / 1891, 1892, 2279, 2281, 2817, 2959

감경 diminish, reduction / 1912, 2730, 2731

감옥 jail, prison / 1801, 1802, 1831, 1832, 1863, 1882, 1931, 1932, 1956, 2245, 2246, 2300, 2330, 2570, 2622, 2623, 2804, 2805, 2838, 2839, 2857, 2928, 3106, 3107, 3116, 3146, 3150, 3152, 3153, 3244, 3278, 3304

(정신적) 감정 mental examination / 2760

(혐의)감축 charge reduction / 1977

강간 rape / 1930, 1932, 2816

(흉기소지) 강도 armed robbery / 2410

강제적 사실조사 배심 jury of inquest / 2523, 2524, 2527, 2562, 2563

개봉 release, unlock / 2671, 2678, 2930

개시변론 opening / 2722, 2770

(특별) 개정기 special term / 2360, 2361, 2915, 2916, 2926, 2933

거짓되게 설명하다, 부실기재, 부실표시 misrepresent, misrepresentation / 1765, 1766, 2160, 2164, 2528, 2537, 2538, 2539, 2540, 2542, 2881, 3169

(무료의) 검사 examination without charge / 1802, 1882, 2330, 2570, 2620, 2805

검사 독자기소(장) information / 1781, 1782, 1790, 1801, 1842, 1860, 1881, 1897, 1898, 1906,

1908, 1909, 1910, 1913, 1914, 1955, 1960, 1961, 1962, 1963, 1964, 1965, 1969, 1970, 2215, 2216, 2217, 2219, 2220, 2226, 2233, 2305, 2505, 2506, 2507, 2508, 2511, 2513, 2514, 2515, 2586, 2604, 2605, 2606, 2607, 2608, 2624, 2630, 2631, 2632, 2633, 2634, 2635, 2636, 2637, 2639, 2641, 2750, 2828, 2850, 2944, 2945, 2948, 2952, 2980, 3030, 3031, 3032, 3191, 3192, 3300

(정식사실심리) 검사 독자기소장 trial information / 2630, 2631, 2632, 2633, 2641

검시관 coroner / 1837, 1838, 2325, 2346, 2527, 2709, 2736

검시배심 coroner's jury / 2233, 2709

검증 view / 2171, 2414, 2719, 2722, 2723, 2766, 2767, 2781, 3062

검찰총장 attorney general / 1815, 1816, 1818, 1885, 1886, 1892, 1893, 1895, 1896, 1897, 1928, 1944, 1972, 1975, 1976, 1986, 1987, 1989, 1990, 1991, 1992, 2003, 2032, 2033, 2034, 2035, 2061, 2063, 2074, 2075, 2076, 2077, 2079, 2082, 2083, 2175, 2176, 2206, 2438, 2439, 2440, 2442, 2448, 2449, 2450, 2451, 2452, 2454, 2455, 2456, 2457, 2458, 2459, 2460, 2462, 2463, 2464, 2465, 2466, 2467, 2468, 2469, 2470, 2471, 2474, 2475, 2478, 2631, 2789, 2806, 2812, 2813, 2815, 2819, 2820, 2822, 2823, 2827, 2843, 2844, 2846, 2847, 2848, 2849, 2862, 2864, 2865, 2866, 2867, 2959, 2968, 2979, 2980, 2990, 2997, 2998, 2999, 3134, 3135, 3187, 3191, 3211, 3213, 3214, 3216, 3217, 3262, 3296, 3305, 3306, 3317, 3320, 3321, 3322, 3323, 3326, 3327, 3334, 3335, 3337

검찰 측 증인 witness for the prosecution / 2028, 2152, 2154

격리, 격리조치 sequester, sequestration / 1996, 2028, 2073, 2154, 2155

결격, 부적격, 자격결여, 자격박탈, 자격불인정, 자격부정 disqualification → disqualification

(일반적) 결격사유 general disqualification / 2712

결석 absence, absent, default / 1905, 1910, 1912, 1913, 1914, 1943, 2518, 2654, 2744, 2745, 2781, 2917, 2921, 2966, 3099, 3132, 3251

(피고인의) 결석 absence of the defendant, defendant's absence / 1910, 1912, 2518, 2745

결석판결 default judgment / 1905

결원, 공석, 궐석, 궐위 vacancy → vacancy

경절도 misdemeanor theft, petit larceny / 2039, 3239, 3241

경정, 교정 correction / 1912, 2020, 2539, 2540, 2881

경제적 지위 economic status / 2013, 2099, 2530, 2873, 3163, 3173, 3174

(가중)경죄 enhanced misdemeanor / 2006, 2007

경죄 misdemeanor / 1766, 1777, 1779, 1780, 1817, 1908, 1937, 1969, 2001, 2002, 2003, 2006, 2007, 2044, 2165, 2216, 2218, 2249, 2283, 2292, 2297, 2299, 2396, 2411, 2471, 2526, 2540, 2542, 2608, 2624, 2648, 2657, 2684, 2690, 2694, 2711, 2743, 2745, 2752, 2764, 2765, 2777, 2778, 2779, 2834, 2882, 2908, 2919, 2928, 2945, 2953, 2956, 3053, 3073, 3144, 3147, 3167

경죄 정식사실심리들에서의 증인보수들의 제한 limitation of witness fees in misdemeanor trials / 2740, 2764

고등교육기관 institution of higher learning / 2392

고등학교 high school / 2121, 2392

고리대금업 loan sharking / 1892, 2817

고살 manslaughter / 2410

고용주 employer, master / 1777, 1778, 1779, 1941, 2028, 2029, 2030, 2121, 2160, 2161, 2232, 2450, 2555, 2556, 2657, 2709, 2932, 2933, 3176

곤경 hardship / 1751, 2024, 2025, 2134, 2548, 2896, 3067, 3172

공갈, 갈취 extort, racketeer → 갈취

공개법정 open court / 1819, 1935, 1957, 1975, 2008, 2051, 2053, 2084, 2188, 2258, 2290, 2315, 2339, 2372, 2500, 2526, 2613, 2622, 2670, 2671, 2677, 2678, 2680, 2748, 2751, 2801, 2811, 2862, 2941, 2965, 3015, 3049, 3050, 3051, 3069, 3112, 3115, 3149, 3171, 3192, 3255

공개적 행사 public event / 2351, 2352

공공건물들 public buildings / 2271

공공기관 public agency, public authority, public institution / 1822, 2811, 3107

공공기록 public record / 1802, 1807, 1809, 1882,

2053, 2246, 2330, 2570, 2621, 2805, 2830, 3019, 3021, 3022

공공 사무소, 공무상의 직위, 공적 직무, 공직 public office -〉 public office

공공의 이익, 공익, 공중의 이익 public interest → public interest

공공피용자, 공적 피용자 public employee / 2440, 2441, 2817

공공의 필요, 공익의 필요, 공중의 필요 public necessity -〉 public necessity

공동피고인 codefendant / 2219, 2220

공동피고인에 대한 공소취하 discharge of codefendant / 2219

공립학교 charter school /2392, 2393

공모 conspiracy → conspiracy

공무상의 직위, 공공 사무소, 공적 직무, 공직 public office -〉 public office

공무소, 관공서 public office → public office

공무원, 공직자 public officer, public official → public officer, public official

공문서, 공식기록, 공식의 기록 official record → official record

공범 accomplice / 2751, 2752, 3295

(사후)공범 accessory after the fact / 3295

공범의 증언 testimony of an accomplice / 2751, 2752

(새로운) 공소 new charge / 1957, 1958

공소사실 명세서 bill of particulars / 2043, 3300

공소시효 Statute of limitations / 1762, 3115

(공동피고인에 대한) 공소취하 discharge of codefendant / 2219

공소취하 nolle prosequi / 1919

공익, 공공의 이익, 공중의 이익 public interest → 공공의 이익

공적 직무, 공공 사무소, 공무상의 직위, 공직 public office -〉 public office

공적 피용자, 공공피용자 public employee / 2440, 2441, 2817

공중보건국 Department of Public Health / 3092, 3093

공중(의) 보건 public health / 3075, 3076

공중의 이익, 공공의 이익, 공익 public interest → 공공의 이익

공중의 점검 public inspection / 2201, 2528, 2533, 2534, 2667, 2668, 3021

공증, 공증인에게서 인증 받기 notarization, notarize / 2516, 2539, 2549, 2881, 3168

공직, 공적 직무, 공공 사무소, 공무상의 직위 public office → public office

공직부패 public corruption / 2435, 2439, 2440, 2443, 2444, 2813, 2814, 2817

공직자, 공무원, public officer, public official → public officer, public official

공탁소 depository / 3107

공표(되기) publication, be made public, public announcement, be published / 1819, 1820, 1896, 1897, 2597, 2667, 2668, 2979, 3020, 3108, 3111, 3112, 3115, 3115, 3117, 3118, 3193

과거의 소추 former prosecution / 2221, 2222, 2223, 2224, 2225

과반수 찬성 majority vote / 2591, 2814, 2815, 2927, 3085

과학적 시험 scientific test / 2760

관인, 봉인 seal, sealed, sealing → seal, sealed, sealing

괌 Guam / 3320, 3322

교도소 penitentiary / 2670, 2910

교도소장 warden / 2641

교사 teacher / 2392, 3077

교사하다 abet / 1892, 2437, 2443, 2444, 2445, 2446, 2447, 3342

교정, 경정 correction / 1912, 2020, 2539, 2540, 2881

교정국 Department of Corrections / 3093, 3094

교정시설 correctional facility, correctional institution / 1931, 1932, 2382

구경꾼 bystanders / 3063

구금 imprisonment / 1831. 1911, 1912, 1993, 1998, 1999, 2001, 2007, 2008, 2020, 2101, 2122, 2153, 2162, 2163, 2164, 2165, 2171, 2173, 2387, 2471, 2606, 2748, 2777, 2787, 2880, 2881, 2892, 2919, 3130, 3132, 3147, 3155, 3168, 3169, 3170, 3178

(1년 이상 5년 이하의) 구금 imprisonment for not less than one nor more than five years / 3130, 3132

(1년 이하의) 구금 imprisonment for not more than one year, Imprisonment Not Exceeding One Year, imprisonment of one year or less / 1912, 1993, 1998, 1999, 2001, 2165, 2471

(1년 초과의) 구금 imprisonment exceeding one year, imprisonment exceeding 1 year, imprisonment for more than 1 year, imprisonment in excess of one year / 1911, 2001, 2007, 2101, 2122, 2387, 2880, 2892

(2년 이상의 및 10년 이하의) 구금 imprisonment for not less than two nor more than ten years / 3132

(2년 이하의) 구금 imprisonment for not more than two years / 3178

(7일 이하의) 구금 imprisonment for not more than seven days / 3168, 3170

(30일 이하의) 구금 imprisonment not exceeding 30 days, imprisonment for not more than thirty days / 2162, 2165, 2881

(60일 이하의) 구금 imprisonment not exceeding 60 days / 2163

(90일 이하의) 구금 imprisonment for not more than 90 days / 3169,

구금신문 custodial interrogation / 1930, 1931, 1932, 1933, 1934, 1935, 1936, 3146

구금영장 warrant of commitment / 1831

구금 치안판사 committing magistrate / 2339, 2340, 2625

구두진술 oral statement / 2759

구술의 요약 oral summary / 2257

구인영장 capias / 1937, 2005, 3285

구타 beat / 2776, 2777

국가정보원장 Director of National Intelligence / 3187, 3191

국민간소송 법원 court of common pleas / 2347, 2348, 2351, 2352, 2357, 2360, 2361, 2363, 2369, 2373, 2374, 2375, 2385, 2402, 2403, 2417

국방 national defense / 3186, 3187, 3188

국선변호인 public defender / 1852, 2737

국외정보 관련의 정보 foreign intelligence information / 3186, 3187, 3188, 3195

군사법원 통일법전 Uniform Code of Military Justice / 2312, 3189, 3190, 3194, 3195

권고, 권고사항, 권유, 추천 recommendation → recommendation

권원 title / 2256, 2734

권유, 권고, 권고사항, 추천, recommendation → recommendation

권한, 능력, 자격 capacity -> capacity

권한개시(開示)영장 quo warranto / 2283, 2297

궐석, 궐위, 공석, 결원 vacancy → vacancy

귀가 먼, 청각상실의, 청각장애의 deaf, hard of hearing, hearing impaired / 2300, 2308, 2893, 2935, 3144, 3183

규제약물, 금제물, 마약 controlled substance → controlled substance

규칙위반 irregularity / 2370, 2412, 2413, 2528, 2549, 2550, 2680

근면, 근면하게 diligence, diligently / 1786, 1814, 1843, 1844, 1984, 1985, 2003, 2026, 2070, 2146, 2147, 2172, 2276, 2328, 2549, 2550, 2589, 2590, 2618, 2619, 2647, 2648, 2759, 2760, 2797, 2837, 2856, 2900, 2901, 2918, 2960, 2991, 2993, 3039, 3052, 3104, 3105, 3206, 3250

(정당한, 합리적) 근면 due diligence, reasonable diligence / 1814, 2759, 2760, 2900, 2901, 3052

금융기관 financial institution / 1793, 1794, 2720, 2734, 2735, 3302, 3303, 3304, 3340, 3342

급부(금) benefits / 1778, 2192, 2193, 2446, 3175

급속(처리)의, 급속으로, expedited, expeditiously / 1902, 1929, 2451, 2452, 2457, 2469, 3009

기대 hope → hope

기본 배심명부 base jury list / 2845

기소인부 신문 arraignment / 1808, 1898, 1911, 1912, 1965, 1971, 1995, 2006, 2043, 2304, 2410, 2493, 2504, 2512, 2513, 2514, 2515, 2516, 2517, 2519, 2763, 2830, 2831, 3138, 3150

기소평결, 기소평결부 대배심 검사기소장안, 대배심 검사기소평결 true bill → true bill

기판력의 불이익 없이, 불리한 기판력 없이, 권리들에 대한 침해 없이 without prejudice → without prejudice

(무이유부) 기피 peremptory challenge / 1995, 1999, 2129, 2136, 2152, 2153, 2177, 2178, 2410, 2411, 2467, 2690, 2701, 2703, 2704, 2707, 2710, 2711, 2712, 3061 3170, 3171

(이유부) 기피 challenge for cause / 1995, 2179, 2231, 2232, 2701, 2702, 2704, 2707, 2708, 2771, 3061, 3254

(변호인에 더불어 상담할 합리적) 기회 reasonable opportunity to consult with counsel / 2003

긴급(상황) emergencies, emergency / 1982, 1984

ㄴ

날인금전채무증서, 보증증서, 서약보증서, 출석 담보금증서 bond → bond

(방어 측) 내부문서 internal defense document / 2761

(주 측) 내부문서 internal state documents / 2760, 2761

녹음장비, 전자적 녹음장비 recording device, recording equipment, electronic recroding device, electronic recording equipment / 1920, 2033, 2034, 2181, 2211, 2309, 2332, 2337, 2465, 2858, 3009, 3184, 3266, 3271

녹음장비 기사 operator of a recording device, operator of a recording equipment / 2033, 2034, 2089, 2181, 2182, 2184, 2207, 2211, 2212, 2252, 2308, 2310, 2332, 2820, 2842, 2848, 2858, 2861, 2866, 2928, 2935, 2936, 3001, 3010, 3025, 3183, 3184

녹취(록), 녹취(서) transcript / 1803, 1807, 1808, 1809, 1827, 1847, 1848, 1849, 1850, 1878, 1879, 1884, 1890, 1891, 1951, 2055, 2148, 2149, 2150, 2182, 2183, 2185, 2186, 2211, 2226, 2254, 2263, 2279, 2280, 2282, 2309, 2311, 2312, 2315, 2316, 2465, 2466, 2502, 2504, 2567, 2586, 2587, 2596, 2597, 2758, 2759, 2805, 2806, 2807, 2858, 2936, 2963, 2964, 2968, 2970, 2971, 3009, 3010, 3012, 3013, 3025, 3032, 3033, 3035, 3038, 3039, 3052, 3053, 3054, 3110, 3112, 3113, 3114, 3121, 3122, 3183, 3269, 3270, 3271, 3272, 3273

뇌물 bribery / 2816

능력, 권한, 자격 capacity → capacity

ㄷ

다른 (별도의, 또 한 개의, 상이한) 대배심 another grand jury -〉 another grand jury

답변을 보류할 특권을 지닌, 증거캐기 금지특권 의 (보호, 적용)대상인, 증거캐기 금지특권을 지닌 privileged / 2574, 2575, 2576, 2584, 3007, 3008

답변합의 plea agreement / 2511

당해연도 배심명부 annual jury list / 2369

(다른, 별도의, 또 한 개의, 상이한) 대배심 another grand jury → another grand jury

(스테이트) 대배심 state grand jury / 1891, 1892, 1893, 1894, 1895, 1896, 1897, 2432, 2433, 2434, 2435, 2436, 2438, 2439, 2441, 2442, 2447, 2448, 2449, 2450, 2451, 2452, 2453, 2454, 2455, 2456, 2457, 2458, 2459, 2460, 2463, 2464, 2465, 2466, 2467, 2468, 2469, 2470, 2471, 2472, 2473, 2474, 2475, 2476, 2477, 2478, 2479, 2480, 2481, 2644, 2845, 2846, 2847, 2849, 2862, 2863, 2864, 2865, 2867, 3211, 3212, 3214, 3215, 3216, 3217

(조사)대배심 investigative grand jury / 1945, 1946, 1951, 3124

(주 전체관할) 대배심 statewide grand jury / 2074, 2075, 2076, 2077, 2078, 2079, 2080, 2081, 2847, 2865, 3210, 3216

(추가적) 대배심 additional grand jury / 1946, 3178, 3179, 3202,

대배심 검사기소(장을 누릴 권리에 대한) 포기 (서) waiver of indictment / 1961, 1962, 1963, 1970, 2007

대배심 검사기소장(을) 각하(하여 달라는) 신청 motion to dismiss an indictment / 2261, 2307, 2326, 2336, 2337, 2854, 3182

대배심 검사기소장(들)의) 봉인 sealed indictment(s) → sealed indictment(s)

대배심 검사기소평결, 기소평결, 기소평결부 대 배심 검사기소장안 true bill → true bill

대배심 녹취록(서) grand jury transcript / 1847, 2282, 2964

대배심 독자고발(장)(에 처하다) present, presentment / 1780, 1784, 1785, 1790, 1791, 1809, 1816, 1817, 1818, 1819, 1821, 1822, 1825, 1826, 1827, 1828, 1956, 1957, 1959, 1960, 1961, 1962,

1963, 1964, 1969, 2146, 2257, 2292, 2295, 2523, 2565, 2797, 2798, 2920, 2925, 2927, 2993, 3099, 3105, 3108, 3109, 3112, 3116, 3117, 3127, 3138, 3152, 3156, 3216

대배심 명부 grand jury list / 1893, 1894, 2250, 2251, 2262, 2269, 2270, 2617, 2957, 2958

대배심 보고서 grand jury report / 1847, 2975, 3018, 3292, 3293, 3338, 3339

대배심 비밀 grand-jury secrecy / 2007, 2089, 2165, 2187, 2313, 2939, 3324, 3325, 3329

(판사들의) 대배심 소집심사 합의부 panel of judges / 1944, 1945, 1951, 2974, 2976, 2977, 2978, 2979, 2980, 2981, 2982

대배심 속기사 grand jury reporter / 2970, 2971

대배심실 밖에서, 대배심실 밖으로 outside the grand jury room /3143

대배심실 밖으로 나가서 변호인 에게 상의할 합리적 기회, 대배심실을 떠날 권리 reasonable opportunity to step outside the grand jury room to consult with counsel, right to leave the grand jury room / 1949, 1950, 3310

대배심실에 출석하다 be present in the grand jury room / 1855, 1856, 1947, 2285, 2286, 2467, 2821, 3038, 3042, 3141, 3142, 3143, 3254, 3259, 3264, 3265, 3266

(스테이트) 대배심원(후보) state grand juror / 1894, 1897, 2458, 2459, 2460, 2467, 2468, 2471, 2472, 2474, 2475, 2863, 3213, 3214

(추가적) 대배심원(후보) additional (prospective) grand jurors, further number of grand jurors / 2069, 2145, 2613, 2958, 3233, 3238, 3248

대배심의 법적 조언자들 legal advisors of grand jury / 3043

대배심 특별 독자고발장 special presentment / 3113, 3114, 3115, 3136, 3137, 3138, 3139, 3144

대법원장 Chief Justice / 1841, 1842, 1944, 1945, 1951, 2174, 2356, 2812

대사(大赦) amnesty / 2387

대중교통 public transportation / 3064

대학 college / 2121, 2392, 3076

대학교 university / 3076

도망자 fugitive / 1813, 3294, 3295, 3296, 3297, 3298

도박 gambling / 1892, 2817, 3309

도주, 빠져나가기, 탈옥 escape, flight / 1813, 1901, 2744, 2745, 2981, 3052, 3295, 3296, 3312

도청 intercepted, interception / 1922, 1923, 1924, 1925, 1926, 1927, 1928, 1929

(주된) 돌보미 primary caregiver, primary caretaker / 1751, 2394, 2395, 2396, 3077, 3078

동일성 (동일인) 식별번호 identifying number / 2532, 2546, 2874, 2875, 2883, 2884, 2885, 2886, 3330

두 번째 심리 Second Hearing / 2913, 2920

등기우편에 의한 registered / 1758, 1760, 1761, 3169

(카운티의 부동산거래증명)등록관 county recorder / 1776

등록 유권자들 registered voters / 1763, 1764, 1837, 1839, 2349, 2350, 2528, 2533, 2534, 2663, 2664, 2665, 2670, 2671, 2678, 2692, 2696, 2678, 3091

또 한 개의 (다른, 별도의, 상이한) 대배심 another grand jury → another grand jury

Ⓜ

마그네틱 테이프 magnetic tape / 2889

마약 narcotic drug, narcotics / 1892, 1900, 2433, 2434, 2439, 2443, 3098

만장일치의 unanimous / 2525, 2526

매춘 prostitution / 1892

맹인인, 장님의 blind / 3167, 3168, 3246, 3248

(법적으로) 맹인인 legal blindness, legally blind / 3246, 3248

머리글자들 initials / 3299

(제한적) 면제 qualified immunity / 2231

면제명령 order of immunity / 1803, 1828, 1829

면제(특권) immunity / 1803, 1828, 1829, 1855, 1949, 1950, 1972, 1973, 1974, 1975, 1976, 1977, 1978, 1979, 2230, 2231, 2252, 2279, 2280, 2321, 2333, 2336, 2462, 2463, 2475, 2476, 2477, 2564, 2573, 2575, 2576, 2582, 2583, 2656, 2788, 2818, 2859, 2860, 2965, 3033, 3047, 3048, 3049, 3050, 3051, 3052, 3122

면제(특권)의 포기, 면제포기서 waiver of immu-
nity / 2321, 2333, 2475, 3033, 3051, 3052

면제(하다) excuse / 1750, 1751, 1752, 1754,
1755, 1756, 1825, 1879, 1942, 1946, 2018, 2021,
2024, 2025, 2048, 2049, 2098, 2116, 2128, 2134,
2135, 2136, 2138, 2188, 2202, 2205, 2234, 2243,
2244, 2260, 2273, 2274, 2277, 2316, 2321, 2341,
2354, 2355, 2360, 2361, 2379, 2387, 2390, 2391,
2394, 2395, 2396, 2397, 2398, 2399, 2420, 2421,
2427, 2428, 2429, 2458, 2459, 2460, 2476, 2484,
2485, 2486, 2487, 2541, 2544, 2545, 2547, 2548,
2593, 2612, 2613, 2617, 2618, 2654, 2655, 2672,
2673, 2675, 2676, 2686, 2687, 2688, 2689, 2715,
2788, 2797, 2826, 2852, 2853, 2871, 2872, 2882,
2889, 2892, 2895, 2896, 2909, 2941, 2958, 2966,
2988, 2989, 3023, 3067, 3074, 3075, 3076, 3077,
3078, 3079, 3080, 3102, 3127, 3141, 3170, 3192,
3197, 3207, 3230, 3232, 3233, 3236, 3237, 3238,
3243, 3244, 3313

명예훼손적인 defamatory / 2949

모살 murder / 1995, 1996, 2410, 2711, 2738, 2816

목사 Christian Science Practitioner / 2022, 2023

몫 quotient / 2885, 2886

몰수(당하다) forfeit, forfeiture / 1853, 2226, 2299,
2402, 2464, 2476, 2574, 2575, 2576, 2577, 2969,
3194, 3339, 3340, 3343, 3344, 3345

무능력 incapacity, incompetency/ 2913, 2925,
3066

무료의 검사 examination without charge / 1802,
1882, 2330, 2570, 2620, 2805

무선서확약(에 처하다) affirm, affirmation / 1785,
1842, 1843, 1844, 1845, 1848, 1853, 1861, 1883,
1923, 1924, 1947, 2033, 2051, 2071, 2082, 2083,
2205, 2206, 2171, 2172, 2173, 2181, 2280, 2307,
2326, 2327, 2412, 2466, 2467, 2494, 2495, 2588,
2591, 2592, 2837, 2840, 2856, 2859, 2894, 2934,
2935, 2958, 2960, 2961, 2962, 2963, 2996, 3061,
3065, 3066, 3068, 3102, 3182, 3205, 3206, 3207,
3208, 3227

무이유부 기피 peremptory challenge / 1995,
1999, 2129, 2136, 2152, 2153, 2177, 2178, 2410,
2411, 2467, 2690, 2701, 2703, 2704, 2707, 2710,
2711, 2712, 3061 3170, 3171

무이유부 삭제 peremptory strike / 2894

무작위 선정 random selection / 1753, 1754, 2201,
2351, 2352, 2662, 2664, 2667, 2670, 2671, 2680,
2681, 2871, 2883, 3162, 3163, 3164, 3166

무죄방면 acquit, acquittal / 1918, 1919, 2222,
2224, 2225, 2447, 2740, 2747, 2754, 2755, 2772,
2778, 3129, 3130, 3152

무죄임을 해명하여 주는 exculpatory / 1884,
2091, 2994, 3006, 3012, 3013, 3319

무해한 오류 harmless error / 2952

문서비방 libel / 2787

문서제출명령 벌칙부소환장 subpoena duces
tecum / 2462, 2463, 2600, 3033, 3044, 3047,
3293, 3294, 3302, 3303

문서제출명령 벌칙부소환장에 의하여 제출된 자
료 Subpoenaed material / 2923, 2924

문서증거 documentary evidence / 1790, 2567,
2625, 2803

물적 증거 physical evidence / 1808, 1809, 3142

미국 법률가협회 ABA / 2263

미성년(자) minor / 2792, 2947, 3002, 3003, 3004

미수 attempt / 1946, 2777

민사벌금, 민사적 벌칙 civil penalty → civil pen-
alty

민사적 법원모독 civil contempt / 2888, 2911,
2912, 2932, 2933, 3316, 3317, 3318

ⓗ

반대신문 cross examination / 1795, 2954, 2963,
2964, 2971

방어 측 내부문서 internal defense document /
2761

방첩활동 counterintelligence / 3186, 3187, 3195

방화 arson / 2410, 2777, 2816

배달증명우편에 의한 certified / 1758, 1760,
1761, 1766, 2384, 2538, 2539, 3169

배심관리인 jury administrator / 3058 3062, 3063,
3064, 3065

배심매수죄 jury tampering / 3178

(기본) 배심명부 base jury list / 2845

배심명부, (대)배심 명부 jury list / 1893, 1894, 2201, 2250, 2251, 2262, 2269, 2270, 2348, 2349, 2350, 2352, 2353, 2354, 2355, 2366, 2369, 2374, 2376, 2377, 2386, 2406, 2459, 2460, 2522, 2528, 2531, 2532, 2533, 2534, 2535, 2536, 2537, 2538, 2546, 2548, 2617, 2650, 2824, 2845, 2863, 2889, 2890, 2957, 2958, 2985, 3074, 3075, 3081, 3089, 3092, 3095, 3096, 3100, 3101, 3118, 3119, 3123, 3214, 3220, 3221

(주 전체 종합) 배심명부 state-wide master jury list / 3075, 3089, 3095, 3096

(추가적) 배심명부 additional jury list / 2406

(특별) 배심명부 special jury list / 2369, 2374, 2376, 2377

배심(원) 보수 juror fee, jury fee / 1897, 2559, 2905, 3025, 3174

배심비용 jury cost / 2904, 2905, 2906

배심(원) 소집, 배심(원) 소집(영)장, 소집된 배심원후보단 venire, venire facias → venire, venire facias

배심에 의하지 아니하는 정식사실심리 nonjury trial / 2223

배심에 의한 정식사실심리, 배심재판 jury trial, trial by jury / 1975, 1993, 1997, 1998, 2130, 2136, 2154, 2176, 2177, 2222, 2223, 2518, 2557, 2644, 2648, 2649, 2671, 2740, 2747, 2748, 2787, 2834, 3072, 3160

배심에 의한 정식사실심리를 누릴 권리 right to (a) jury trial, ~를 지니다 be entitled to trial by jury / 2518, 3160

배심원(후보)단 jury panel, panel / 1754, 1755, 1757, 1758, 1759, 1760, 1874, 1875, 1939, 1942, 2018, 2023, 2050, 2177, 2204, 2250, 2260, 2323, 2358, 2359, 2376, 2377, 2378, 2385, 2397, 2398, 2403, 2404, 2406, 2409, 2415, 2416, 2528, 2532, 2538, 2541, 2545, 2546, 2561, 2589, 2612, 2613, 2615, 2617, 2667, 2672, 2679, 2680, 2681, 2682, 2686, 2688, 2701, 2703, 2706, 2711, 2771, 2791, 2792, 2795, 2796, 2800, 2826, 2871, 2874, 2875, 2887, 2893, 2894, 2904, 2976, 2988, 3032, 3035, 3036, 3059, 3060, 3061, 3063, 3069, 3204, 3236, 3249

배심원(후보)단, 소집대상 (소집된) 배심원후보단 array / 1783, 1784, 1971, 2032, 2152, 2154, 2180, 2275, 2320, 2324, 2326, 2371, 2372, 2599, 2603, 2613, 2615, 2616, 2617, 2701, 2702, 2854, 2934, 2990, 3073, 3230, 3233, 3235, 3244, 3245, 3248, 3249

(특별) 배심원(후보)단 extra or special panel / 2378, 2385

배심원들에게의 급여 allowance to jurors / 2872, 2907

배심원 자격심사 서식 juror questionnaire form, qualification questionnaire form / 2115, 2134, 2528, 2537, 2538, 2539, 2540, 2541, 2542, 2543, 2544, 2545, 2546, 2547, 2548

배심원 자격 예비심문 voire dire / 2178, 2224, 2495, 2658, 2700, 3073, 3086

배심원(후보) 자격심사 질문서, 질문서 juror questionnaire, juror qualification questionnaire, questionnaire / 1756, 1757, 1759, 1760, 2128, 2130, 2134, 2681, 2700, 2882, 2914, 2930, 2987, 3064, 3086, 3087, 3088

배심원후보 prospective juror / 1751, 1752, 1777, 1778, 1920, 2014, 2015, 2018, 2020, 2021, 2022, 2023, 2024, 2098, 2100, 2109, 2111, 2118, 2119, 2120, 2121, 2123, 2495, 2528, 2532, 2537, 2538, 2539, 2540, 2541, 2542, 2543, 2544, 2545, 2546, 2547, 2588, 2589, 2661, 2663, 2665, 2666, 2667, 2669, 2670, 2671, 2674, 2686, 2691, 2692, 2693, 2694, 2695, 2696, 2697, 2699, 2700, 2714, 2715, 2716, 2717, 2823, 2824, 2825, 2874, 2875, 2876, 2878, 2880, 2881, 2882, 2883, 2885, 2888, 2890, 2891, 2892, 2895, 2896, 2904, 2958, 2987, 3061, 3063, 3064, 3065, 3067, 3069, 3086, 3087, 3088, 3101, 3162, 3165, 3168, 3169, 3170, 3172, 3177, 3178, 3207, 3210, 3213, 3215, 3218, 3220, 3222

(특별소집) 배심원후보단 special venire / 2371, 2376

배심원후보 명부 prospective jury list / 2650, 2985

(증강된) 배심원후보 명부 enhanced prospective jury list / 2650

배심원후보 명부 저장장치 jury wheel / 2015, 2018, 2023, 2645, 2662, 2668, 2670, 2671, 2677, 2678, 2679, 2680, 2685, 2686, 2825, 2871, 2874, 2883, 2884, 2885, 2886, 2887, 2891, 2895, 2902, 2903, 2910, 2916, 3164

(유자격) 배심원후보 명부 저장장치 qualified jury wheel / 2015, 2018, 2023

(종합) 배심원후보 명부 저장장치 master jury wheel / 3164

배심원후보상자 box, jury box / 2201, 2202, 2352, 2353, 2354, 2355, 2356, 2357, 2360, 2361, 2362, 2364, 2365, 2366, 2373, 2376, 2377, 2378, 2379, 2381, 2382, 2386, 2390, 2427, 2458, 2459, 2484, 2613, 2645, 2666, 2667, 2668, 2669, 2670, 2671, 2678, 2679, 2680, 2685, 2686, 2688, 2691, 2703, 2791, 2800, 2801, 2825, 2871, 2875, 2883, 2884, 2885, 2886, 2887, 2891, 2895, 2902, 2903, 2910, 2917, 3060

배심(원)(후보)풀 juror pool, jury pool / 2104, 2111, 2119, 2120, 2128, 2129, 2358, 2366, 2661, 2691, 2692, 2693, 2899, 2900, 3060, 3061, 3062, 3063, 3069

배심위원 jury commissioner / 2015, 2269, 2349, 2350, 2352, 2353, 2354, 2356, 2358, 2359, 2360, 2363, 2368, 2369, 2370, 2371, 2372, 2376, 2377, 2379, 2381, 2384, 2385, 2390, 2391, 2397, 2399, 2404, 2405, 2427, 2458, 2459, 2484

배심위원회 board of jury commissioners, jury commission / 1875, 2262, 2269, 2381, 2382, 2532, 2533, 2534, 2535, 2536, 2537, 2538, 2539, 2540, 2541, 2545, 2546, 2547, 2548, 2561, 2912

배심장 foreman, foreperson, presiding juror / 1785, 1802, 1811, 1819, 1842, 1843, 1844, 1845, 1851, 1853, 1862, 1863, 1876, 1889, 1894, 1943, 1947, 1953, 1957, 1963, 1972, 1976, 1985, 2003, 2033, 2040, 2050, 2051, 2053, 2054, 2082, 2083, 2087, 2088, 2105, 2113, 2114, 2171, 2174, 2181, 2188, 2205, 2206, 2209, 2215, 2216, 2217, 2243, 2244, 2258, 2276, 2277, 2278, 2279, 2280, 2281, 2285, 2286, 2287, 2291, 2292, 2293, 2294, 2295, 2307, 2308, 2315, 2320, 2326, 2327, 2328, 2329, 2340, 2413, 2421, 2430, 2431, 2452, 2461, 2466, 2467, 2494, 2497, 2498, 2499, 2500, 2501, 2502, 2506, 2563, 2566, 2567, 2590, 2593, 2595, 2596, 2598, 2599, 2600, 2602, 2617, 2618, 2620, 2621, 2622, 2625, 2626, 2627, 2669, 2672, 2723, 2728, 2675, 2676, 2677, 2686, 2687, 2688, 2689, 2724, 2728, 2775, 2796, 2797, 2798, 2802, 2826, 2828, 2830, 2836, 2837, 2840, 2843, 2855, 2856, 2859, 2862, 2918, 2921, 2934, 2935, 2940, 2941, 2949,

2960, 2961, 2963, 2966, 2975, 2995, 2996, 3015, 3019, 3032, 3035, 3038, 3041, 3046, 3056, 3100, 3103, 3104, 3124, 3145, 3146, 3152, 3182, 3183, 3191, 3192, 3194, 3205, 3206, 3207, 3227, 3234, 3251, 3255, 3257, 3259, 3263, 3264, 3274, 3275, 3276, 3278, 3282, 3283, 3284

(예비)배심장 alternate foreman / 3205

배심장부 jury book / 2669, 2672, 2675, 2676, 2677, 2686, 2687, 2688, 2689

배심 지시사항들 jury instructions / 2719, 2723, 2724

배심투표 조사집계 poll / 2727, 2728, 2729, 2740, 2779

배우자 spouse / 1919, 2122, 2879, 3079

배타적 판단자 exclusive judge / 1952, 3043

백지 blank / 3154

벌칙부소환장 subpoena / 1794, 1797, 1798, 1802, 1803, 1811, 1812, 1851, 1852, 1855, 1859, 1860, 1880, 1951, 1954, 2192, 2193, 2208, 2209, 2286, 2287, 2288, 2314, 2430, 2462, 2463, 2464, 2472, 2477, 2567, 2578, 2579, 2580, 2581, 2582, 2591, 2595, 2600, 2620, 2633, 2756, 2764, 2820, 2840, 2859, 2861, 2913, 2921, 2923, 2924, 2940, 2965, 2977, 3001, 3002, 3003, 3004, 3013, 3014, 3019, 3021, 3022, 3033, 3044, 3045, 3046, 3047, 3048, 3087, 3088, 3089, 3124, 3150, 3151, 3153, 3154, 3155, 3191, 3270, 3275, 3276, 3280, 3293, 3294, 3295, 3296, 3297, 3300, 3301, 3302, 3303, 3304, 3305, 3306, 3308, 3309, 3313, 3316, 3317, 3318, 3327, 3329, 3330, 3331, 3332, 3333, 3334, 3335

범인인도, 송환 extradition / 2473, 2737, 3295

범죄공모 criminal conspiracy / 2817

범죄등급 degree of offense / 2776

(조직(적)) 범죄활동 organized criminal activity / 2847, 2848, 2865

범행장소 place of commission / 2042

법(의, 적) 문제 legal matter, matters of law, point of law, questions of law / 1850, 2223, 2283, 2284, 2722, 2724, 2746, 2773, 3127, 3143, 3267, 3268

법원모독 contempt / 1752, 1817, 1829, 1831, 1857, 1858, 1891, 1938, 1949, 1950, 1973, 2029,

2030, 2031, 2034, 2054, 2055, 2207, 2212, 2241, 2314, 2335, 2388, 2452, 2462, 2463, 2471, 2472, 2497, 2498, 2528, 2537, 2538, 2541, 2556, 2574, 1575, 2576, 2577, 2580, 2597, 2616, 2656, 2675, 2788, 2795, 2807, 2819, 2820, 2821, 2841, 2859, 2860, 2861, 2867, 2888, 2908, 2911, 2912, 2932, 2933, 2936, 2940, 2975, 3000, 3007, 3008, 3009, 3010, 3014, 3020, 3031, 3032, 3033, 3044, 3045, 3047, 3085, 3087, 3088, 3089, 3101, 3146, 3152, 3153, 3155, 3168, 3170, 3176, 3191, 3194, 3254, 3258, 3270, 3271, 3272, 3274, 3277, 3301, 3316, 3317, 3318

(형사적) 법원모독 criminal contempt / 2029, 2030, 2031, 2471, 2528, 2537, 2538, 2556, 2819, 3008, 3009, 3176

법원사무국 Office of Court Administration / 2465, 2466

법원 사무국장 court administrator / 2017, 2248, 2249, 2976, 3213, 3214, 3220, 3221, 3222

법원사무처 Administrative Office of the Courts, / 2115, 2158, 2659, 2674, 2675, 2693, 2694, 2695, 2696, 2697, 2717, 2718, 2719, 2979

법원사무처장 Administrative Director of the Courts / 2559, 2823, 2824, 2825, 2826

법원 의사록 minutes of the court / 1913, 1914, 2375, 3130, 3255

법원장 chief justice / 2063, 2075, 2076, 2082

법의 쟁점들 issues of law / 2713, 2739, 2746

법인 corporation / 1777, 1910, 1913, 1914, 2041, 2640, 2753, 2944, 3124

법적으로 맹인인 legal blindness, legally blind / 3246, 3248

(대배심의) 법적 조언자들 legal advisors of grand jury / 3043

법정공휴일 legal holidays / 1873

법정 외 증언녹취(록, 서) deposition / 1790, 1791, 1884, 2209, 2226, 2227, 2567, 3154

법정을 떠나 있는 absent / 2772

법정출석영장 attachment / 3274, 3275, 3276, 3277

(최종)변론 final arguments / 2770

변상하다, 변상금 reimburse, reimbursement /

1897, 2028, 2132, 2158, 2240, 2241, 2533, 2557, 2558, 2559, 2714, 2716, 2717, 2718, 2719, 2827, 2871, 2872, 2880, 2884, 2885, 2892, 2900, 2903, 2904, 2907, 2908, 2909, 2925, 2926, 2999, 3175

(정식기록) 변호사, 정식기록 변호인 attorney of record, counsel of record / 1812, 1959, 2629, 2882, 2883, 3154

변호사가(변호인이) 지정되다 attorney be appointed, counsel be appointed / 1858, 2334, 2821

변호사 보수 attorney's fee, attorney fee / 1778, 2030, 2556, 2932, 3176

변호사-의뢰인 관계 attorney and client relationship, relation of attorney-client / 2232, 2470

변호사-의뢰인 특권 lawyer-client privilege / 2189, 2190

변호사의 배제 및 교체 removal and replacement of attorney / 2331, 2334, 2335

변호사의 출석 attorney's presence / 2252

변호인을(에 더불어) 상담(의)하다 consult with counsel / 2003, 2072, 3280, 3310

변호인을 출석시키다 have counsel present / 2072, 2073, 2499, 2963, 2964

변호인의 대변을 누리다 be represented by counsel, represented / 1857, 1858, 1912, 1959, 1960, 1961, 1977, 1978, 2582, 2859, 3004, 3005, 3007, 3008, 3142, 3311

변호인의 조력을 받을 권리 right to counsel / 1855, 1856, 1857, 1898, 2072, 2334, 2517, 2564, 2582, 3033, 3045, 3046

별개의 소인 separate count / 2043, 2044, 2218, 2508, 2607, 2608, 2634

별도의(다른, 또 한 개의, 상이한) 대배심 another grand jury → another grand jury

병가 sick leave / 1777, 1778, 2161, 2657

병합에 의한 정식사실심리 joint trial / 2637

보강(증거), 보강적인 corroboration, corroborating / 1762, 1978, 1979, 2751, 2752, 2754

보결배심원 talesman, talesmen / 1983

보결배심원후보상자 tales box / 2362, 2364, 2381

보석(금) bail / 1808, 1809, 1817, 1861, 1904, 1905, 1906, 1908, 1909, 1910, 1936, 1937, 1938,

1958, 2005, 2006, 2007, 2055, 2183, 2184, 2188, 2228, 2337, 2472, 2473, 2614, 2622, 2640, 2742, 2745, 2746, 2768, 2787, 2830, 2841, 2849, 2866, 2867, 3009, 3017, 3037, 3137, 3138, 3150, 3209, 3217, 3224, 3295

보석금 몰수 bail forfeiture / 1904, 1905

보석금의 해방 exoneration of bail / 1958, 2622

보석이 가능하지 아니한 not bailable / 1908

보석이 가능한 bailable / 1908, 2473, 3150

보증인 surety / 1903, 1904, 1905, 2905, 2906, 3150

보증증서, 날인금전채무증서, 서약보증서, 출석 담보금증서 bond → bond

보통법 common law / 1937, 2153, 2344, 2345, 2435, 2436, 2443, 2444, 3292

보호관찰 probation / 1937, 2737, 3132, 3167

복무기간 length of service, period of service, term, term of service, tenure, time / 1940, 1989, 2028, 2083, 2093, 2260, 2268, 2269, 2316, 2325, 2341, 2378, 2385, 2430, 2451, 2460, 2482, 2487, 2616, 2814, 2815, 2835, 2845, 2853, 2863, 2872, 2910, 2941, 2969, 3022, 3058, 3059, 3067, 3069, 3174, 3192, 3200, 3201, 3202, 3205, 3213, 3214, 3220, 3221, 3234, 3235, 3249, 3252, 3253, 3255, 3318

복무불능, 장애 disability → disability

복수카운티 관할 대배심 multicounty grand jury / 1983, 1986, 1987, 1988, 1989, 1990, 1991, 1992, 2239, 2810, 2811, 2812, 2813, 2814, 2815, 2816, 2817, 2818, 2819, 2820, 2821, 2822, 2823, 2824, 2825, 2826, 2827

복직 reinstatement / 1778, 2030, 2556, 2931, 2932, 3176

(대배심 검사기소장(들)의) 봉인 sealed indictment(s) → sealed indictment(s)

봉인, 관인 seal, sealed, sealing, → seal, sealed, sealing

봉인된 대배심 검사기소장 sealed indictment / 2314, 2474, 2855, 2939, 3190

부담보 collateral security / 1902

부당한 영향력 undue influence / 2089, 2253, 3002

(카운티의) 부동산거래증명등록관 county recorder / 1776

부모 parent / 2252, 2253, 2906, 2954, 2955, 3003, 3004

부배심장 deputy foreman, deputy foreperson, deputy presiding juror, vice foreman / 1785, 1802, 1876, 2033, 2087, 2088, 2181, 2188, 2307, 2315, 2326, 2327, 2461, 2593, 2856, 2935, 2996, 3182, 3191, 3192, 3194

부실기재, 부실표시, 거짓되게 설명하다 misrepresent, misrepresentation / 1765, 1766, 2160, 2164, 2528, 2537, 2538, 2539, 2540, 2542, 2881, 3169

부정(한, 행위) 부패(한, 행위), corrupt, corruption / 1830, 1882, 1892, 1893, 1895, 2246, 2435, 2439, 2440, 2443, 2444, 2577, 2578, 2580, 2581, 2789, 2805, 2811, 2812, 2813, 2814, 2817, 3037, 3131, 3245

부정행위 malfeasance / 2811, 3018

부죄적 증거, 부죄적 증언 incriminating evidence / 2564, 2573, 2574, 2575, 2576

부집행관 deputy sheriff / 2241, 2325

(공직)부패 public corruption / 2435, 2439, 2440, 2443, 2812, 2814, 2817

부패(한, 행위) 부정(한, 행위), corrupt, corruption / 1830, 1882, 1892, 1893, 1895, 2246, 2435, 2439, 2440, 2443, 2444, 2577, 2578, 2580, 2581, 2789, 2805, 2811, 2812, 2813, 2814, 2817, 3037, 3131, 3245

분리 separate, separation, sever, severance / 2154, 2155, 2480, 2508, 2509, 2510, 2154, 2480, 2509, 2510, 2719, 2726, 2743, 3334, 3062

불기소 평결, 불기소 평결된 (대배심 검사)기소 장안 ignoramus, no bill, no-bill, not a true bill, not found, no true bill / 1847, 1862, 1955, 1956, 1957, 1958, 2005, 2053, 2054, 2085, 2602, 2293, 2294, 2315, 2769, 2920, 2921, 3129, 3152, 3205, 3206, 3292, 3294

불리한 기판력 없이, 기판력의 불이익 없이, 권리 들에 대한 침해 없이 without prejudice → without prejudice

불법목적 침입 burglary / 2410, 2777

불필요한 문구 surplusage / 2042, 2217, 2606

불필요한 지체 unnecessary delay / 2766, 2767, 2850

불항쟁 답변 no contest / 1964, 2517, 2518

비공개(의, 의 것으로 하다) close, closed, closure, in camera, nondisclosure / 1784, 1814, 2186, 2206, 2207, 2228, 2229, 2314, 2588, 2620, 2861, 2940, 3014, 3191, 3204, 3205, 3213, 3214, 3221, 3248

비밀성, 비밀의무, 비밀준수 의무 confidentiality, obligation of secrecy, secrecy, secrecy obligation / 1815, 1817, 1845, 1886, 1895, 2007, 2034, 2035, 2054, 2056, 2084, 2182, 2184, 2188, 2195, 2212, 2258, 2309, 2311, 2337, 2467, 2470, 2496, 2572, 2597, 2599, 2620, 2838, 2841, 2842, 2843, 2847, 2849, 2857, 2860, 2861, 2865, 2866, 2867, 2928, 2936, 2937, 2995, 3011, 3069, 3184, 3186, 3233, 3242, 3260, 3270, 3324, 3325, 3329

비밀실 private room / 1877, 2051, 2244, 2329, 2799

비밀준수 서약서 nondisclosure statement / 2923, 2924,

비밀준수 의무, 비밀성, 비밀의무 confidentiality, obligation of secrecy, secrecy, secrecy obligation → 비밀성, 비밀의무, 비밀준수 의무 confidentiality, obligation of secrecy, secrecy, secrecy obligation

(ㅅ)

(통합형사)사건부 Unified Criminal Docket / 2185, 2186, 2197

사건일람표(에 등재하기), 심리예정표 docket / 1861, 1863, 2742

사단 association / 1777, 2817, 3135

사망, 사형 death, decease, die 사망, 사형 → death, decease, die

사망증명서 death certificate / 3092, 3093

사건일람표(에 등재하기), 심리예정표 docket / 1861, 1863, 2742

사면, 은사 pardon / 2101, 2122, 2123, 2124, 2387, 2651, 2695, 2696, 3094, 3095

사면 및 가석방 위원회 Board of Pardons and Paroles / 3094, 3095

(법원) 사무국장 court administrator / 2017, 2248, 2249, 2976

(주 법원) 사무처장 state court administrator / 3213, 3214, 3220, 3221, 3222

사법관 judicial officer, officer of a court / 3150, 3151, 3154

(합중국) 사법관회의 Judicial Conference of the United States / 3335

사법방해 obstruction of justice / 2243

사법심사 합의부 judicial review panel / 1924, 1925, 1928, 1929, 1944, 1945, 1951

사법의 목적 ends of justice / 3135, 3312

사법의 이익 interest(s) of justice / 1795, 1854, 1925, 1977, 1978, 2340, 2509, 2623, 2758, 2763, 3164

사실문제 matter of fact, questions of fact / 2523, 2653

사실의 쟁점들 issues of fact / 2713, 2746, 2747

사용·면제 use immunity / 1949, 1950, 2252, 3033, 3047, 3048, 3049, 3050, 3051

사형, 사망 death, decease, die 사망, 사형 → death, decease, die

(전기)사형 death by electrocution / 2748

사형에 해당하는 capital / 1961, 1996, 1997, 1998, 2711, 2777, 3146

사형에 해당하지 아니하는 noncapital / 2511

사회보장 등록번호 social security number / 2349, 2350, 3090, 3091, 3092, 3093, 3094, 3095, 3242

사후공범 accessory after the fact / 3295

(무이유부) 삭제 peremptory strike / 2894

삭제(하다) strike / 2136, 2137, 2138, 2217, 2403, 2406, 2407, 2408, 2411, 2606, 2653, 2691, 2704, 2758, 2894, 3204, 3205

(변호인에 더불어) 상담할 합리적 기회 reasonable opportunity to consult with counsel / 2003

상당한 이유 probable cause / 1799, 1846, 1847, 1863, 1864, 1919, 1925, 1928, 1929, 1933, 1945, 1955, 1956, 2003, 2047, 2048, 2053, 2088, 2089, 2091, 2221, 2257, 2339, 2474, 2475, 2496, 2504,

2505, 2507, 2566, 2595, 2601, 2602, 2603, 2947, 2948, 2949, 2950, 2951, 2954, 3076, 3136, 3139, 3153, 3156, 3202, 3203, 3244, 3292, 3333, 3340, 3341

상이한 (또 한 개의, 다른, 별도의) 대배심 another grand jury → another grand jury

새로운 공소 new charge / 1957, 1958

새로운 정식사실심리 new trial / 2418, 2720, 2732, 2733, 2734, 2740, 2780, 2782

새로이 설립된 사업체 newly established business / 2736, 2736

(배심원 자격심사) 서식 juror questionnaire form, qualification questionnaire form / 2115, 2134, 2528, 2537, 2538, 2539, 2540, 2541, 2542, 2543, 2544, 2545, 2546, 2547, 2548

서약보증서, 보증증서, 날인금전채무증서, 출석담보금증서 bond → bond

서약보증서, 출석담보금증서 recognizance → recognizance

석방 discharge, release / 1826, 1857, 1858, 1899, 1900, 1901, 1902, 1903, 1936, 1937, 1957, 1958, 1966, 1967, 1968, 2073, 2085, 2226, 2314, 2315, 2473, 2474, 2475, 2517, 2622, 2640, 2767, 2768, 2855, 2939, 2940, 3009, 3015, 3016, 3017, 3098, 3132, 3146, 3152, 3190

석방조건 conditions of release, release condition / 1899, 1900, 1901, 1902, 1903, 2517, 2640

(정식사실심리 전) 석방 처우과정 pretrial release program / 3098

선거관리위원회 Board of Elections, election commission /2103, 2349, 2350, 2352, 2353, 2383

선거법 election laws / 2436, 2437, 2439, 2444

(특정 사건을 위하여 선정된 배심원들의) 선서 oath of jurors chosen for particular case / 2320, 2324, 2325

(허위)선서 false swearing / 2574, 2575, 2575, 2577, 2880, 2892

선서증언 testimony under oath, sworn testimony / 1923, 1924, 2803, 3226

선서진술서 affidavit / 1749, 1750, 1761, 1762, 1763, 1764, 1765, 1769, 1770, 1791, 1792, 1793, 1794, 1795, 1903, 1945, 2026, 2140, 2142, 2229,

2230, 2356, 2377, 2395, 2396, 2445, 2516, 2550, 2577, 2743, 2901, 2951, 2991, 3076, 3077, 3078, 3079, 3080, 3149, 3172, 3173

선의의 매수인 bona fide purchaser / 2720, 2734

선임자(로서의) 지위, 선임자 서열 seniority / 1757, 1760, 1778

선입견, 편견 bias, prejudice / 2400, 2495, 2497, 2653, 2708, 2709, 2712, 2987, 3021, 3036, 3162, 3246, 3247

(실제의) 선입견 actual bias / 2708, 2712

(함축된) 선입견 implied bias / 2708, 2709, 2712

선출공직 elective office / 3097

선출직 공무원 elected official, elected public official / 2122, 2127, 3123

성범죄 sexual conduct, sexual offense, sex offense / 1791, 1792, 1930, 1932, 2410

성별 gender, sex / 1918, 2013, 2099, 2350, 2530, 2873, 2879, 2903, 3074, 3090, 3091, 3093, 3094, 3095, 3163, 3174

소년 juvenile / 1930, 1932, 2751

소득세 신고서 income tax return / 2876

소문 rumor / 2710, 2793

소배심 petit jury / 1754, 1920, 2372, 2654, 2655, 2715, 2850, 2900, 2901, 2904, 3062, 3162, 3173, 3246

소송구조 in forma pauperis / 1849

소유권 ownership / 2256

소장, 소추청구장 complaint / 1781, 1801, 1826, 1842, 1860, 1881, 2001, 2002, 2006, 2007, 2008, 2038, 2039, 2042, 2043, 2044, 2045, 2046, 2085, 2193, 2194, 2215, 2216, 2217, 2219, 2232, 2295, 2339, 2504, 2505, 2507, 2508, 2511, 2513, 2514, 2515, 2604, 2607, 2608, 2634, 2636, 2709, 2733, 2735, 2850, 2940, 2941, 2944, 2945, 2946, 2947, 2948, 2949, 2950, 2951, 2952, 2953, 2954, 2955, 2956, 2957, 2970, 2971, 3153, 3191, 3192, 3295, 3296, 3298, 3300, 3343, 3345

소집대상 (소집된) 배심원 후보단, 배심원(후보)단 array / 1783, 1784, 1971, 2032, 2152, 2154, 2180, 2275, 2320, 2324, 2326, 2371, 2372, 2599, 2603, 2613, 2615, 2616, 2617, 2701, 2702, 2854, 2934, 2990, 3073, 3230, 3233, 3235, 3244, 3245, 3248, 3249

(판사들의 대배심) 소집심사 합의부 panel, panel of judges / 1944, 1945, 1951, 2974, 2976, 2977, 2978, 2979, 2980, 2981, 2982

소추면제 immunity from prosecution / 2279, 2280, 2788

소추청구장, 소장 complaint / 1781, 1801, 1826, 1842, 1860, 1881, 2001, 2002, 2006, 2007, 2008, 2038, 2039, 2042, 2043, 2044, 2045, 2046, 2085, 2193, 2194, 2215, 2216, 2217, 2219, 2232, 2295, 2339, 2504, 2505, 2507, 2508, 2511, 2513, 2514, 2515, 2604, 2607, 2608, 2634, 2636, 2709, 2733, 2735, 2850, 2940, 2941, 2944, 2945, 2946, 2947, 2948, 2949, 2950, 2951, 2952, 2953, 2954, 2955, 2956, 2957, 2970, 2971, 3153, 3191, 3192, 3295, 3296, 3298, 3300, 3343, 3345

(증인을) 소환할 권리 right to call a witness / 1953

속기사 court reporter, reporter, stenographer, stenographic reporter / 1796, 1805, 1806, 1807, 1810, 1816, 1848, 1878, 1879, 1885, 1887, 1888, 1949, 1950, 1951, 2003, 2004, 2007, 2033, 2034, 2052, 2089, 2145, 2148, 2149, 2150, 2151, 2182, 2184, 2207, 2211, 2212, 2251, 2252, 2278, 2279, 2308, 2309, 2310, 2315, 2331, 2332, 2336, 2337, 2465, 2466, 2467, 2468, 2471, 2498, 2501, 2502, 2588, 2806, 2819, 2820, 2842, 2848, 2858, 2860, 2861, 2866, 2928, 2935, 2936, 2961, 2962, 2970, 2971, 3001, 3010, 3025, 3110, 3121, 3122, 3183, 3184, 3266, 3269, 3270, 3271

속달되다 be dispatched / 2673, 2674, 2675

송환, 범인인도 extradition / 2473, 2737, 3295

수감(영장) attachment / 2241, 3087, 3088, 3089, 3110, 3111, 3152, 3153

(연방의) 수권보조 판사 magistrate / 2042, 2045, 3197

수색영장 search warrant / 2229, 2230, 3296, 3297

수유 중인 breast-feeding / 2025, 2548

수표 check / 1794

수화 sign language / 1932, 1933, 2659, 2660, 2891

수화통역인 sign language interpreter / 2659, 2660

숙의 deliberation / 1806, 1810, 1814, 1815, 1844, 1847, 1849, 1885, 1886, 1896, 1920, 1947, 1948, 2033, 2034, 2052, 2054, 2085, 2088, 2089, 2092, 2137, 2182, 2183, 2187, 2207, 2212, 2247, 2252, 2253, 2258, 2259, 2262, 2308, 2309, 2310, 2328, 2332, 2336, 2337, 2415, 2465, 2467, 2499, 2501, 2503, 2587, 2594, 2596, 2599, 2660, 2661, 2719, 2723, 2724, 2725, 2726, 2728, 2772, 2773, 2794, 2819, 2820, 2839, 2842, 2848, 2858, 2860, 2865, 2866, 2894, 2928, 2929, 2935, 2936, 3001, 3009, 3010, 3035, 3038, 3042, 3055, 3056, 3062, 3104, 3143, 3144, 3171, 3183, 3184, 3185, 3201, 3258, 3266

스테이트 대배심 state grand jury / 제3,4권의 V, 1891, 1892, 1893, 1894, 1895, 1896, 1897, 2432, 2433, 2434, 2435, 2436, 2438, 2439, 2441, 2442, 2447, 2448, 2449, 2450, 2451, 2452, 2453, 2454, 2455, 2456, 2457, 2458, 2459, 2460, 2463, 2464, 2465, 2466, 2467, 2468, 2469, 2470, 2471, 2472, 2473, 2474, 2475, 2476, 2477, 2478, 2479, 2480, 2481, 2644, 2845, 2846, 2847, 2849, 2862, 2863, 2864, 2865, 2867, 3211, 3212, 3214, 3215, 3216, 3217

스테이트 대배심원(후보) state grand juror / 1894, 1897, 2458, 2459, 2460, 2467, 2468, 2471, 2472, 2474, 2475, 2863, 3213, 3214

시각 장애자 visually impaired / 2659

(합리적) 시간간격들 reasonable intervals / 1949, 1950

시간초과 주차위반 offense of overtime parking / 2655, 2656

시군 자치체 municipal corporation / 2897, 2898

시군 자치체 검사 municipal attorney / 2980, 2997, 2998, 2999

시기(심) envy / 1984, 1985, 2070, 2172, 2960, 3104, 3250, 3251

시티 검사 city attorney / 2979, 2980

(동일성, 동일인) 식별번호 identifying number / 2532, 2546, 2874, 2875, 2883, 2884, 2885, 2886, 3330

신고자 informant / 2950, 3005

신빙성 credibility, reliability, trustworthiness / 1933, 1979, 2091, 2751, 2947, 2949, 2950, 2995

신속한 정식사실심리 speedy trial / 3072

신원확인 정보 identifying information / 3074, 3075, 3090

신체적 장애 physical disability, physical handicap, physical infirmities / 1751, 2387, 2397, 2879, 2880, 3174

실당행위 misfeasance / 3018

실물증거 real evidence / 3329, 3330

실(제의)손해액 actual damages / 2437, 2447

실시간 자막제공 real-time captioning / 2659, 2660

실제의 선입견 actual bias / 2708, 2712

실질적 권리 substantial right / 2040, 2045, 2217, 2234, 2243, 2607, 2628, 2629, 2708, 2771, 2780, 3037

심리무효 mistrial / 2362, 2758, 2950

심리예정표, 사건일람표(에 등재하기) docket / 1861, 1863, 2742

ㅇ

아동 증인 child witness / 2090, 2252, 2253, 2598

아동학대 abuse of a child, child abuse / 1773, 1792

악의(의) malice, malicious / 1786, 1843, 1844, 1984, 1985, 2070, 2147, 2172, 2276, 2328, 2589, 2590, 2618, 2619, 2776, 2797, 2798, 2837, 2856, 2918, 2960, 2993, 3039, 3104, 3152, 3153, 3156, 3178, 3206, 3250, 3251

알려진 최후의 주소 last known address / 1905, 2514, 2668, 2669, 2677, 2678, 3149

알파벳 순서로, 알파벳 순서에 의한 alphabetical, alphabetizing, alphabetically / 2069, 2070, 2171, 2889, 2891

압류(영장) attachment / 2734, 3155

압류(하다), 압수(하다) seize, seizure / 2736, 2788, 3135, 3136, 3340, 3341, 3343, 3344, 3345

약식의 방법 summary manner / 2713, 3248

양형상의, 형선고 sentencing / 1911, 1912, 2511, 2512, 2516, 2518, 2737

어음 note / 2753

언어장애의 speech impaired / 2308, 2893, 2935, 3144, 3183,

업무기록 business record / 3302, 3303

여비수당 mileage / 1755, 1758, 1761, 2209, 2348, 2418, 2419, 2420, 2421, 2422, 2423, 2460, 2478, 2522, 2528, 2552, 2714, 2716, 2851, 2903, 2914, 2925, 2927, 3120

여행경비 travel expenses / 1771, 1773, 2533, 2552, 2851, 2903, 2925, 2926

연기속행(하다) continuance, continue / 1792, 1795, 1808, 2629, 2630, 2743, 2744, 2764

연방관보 Federal Register / 3193

연방 법무부 검찰업무 편람 Justice Manual / 3290

연방 형사소송법 Federal Rules of Criminal Procedure / 2190, 2194, 3301, 3320, 3322, 3324, 3326, 3335

연장된(되는) 기간 extended period of time / 2926, 3137, 3255, 3256

연장된 복무 extended service / 2270, 2271, 2451

열쇠 key / 2357, 2360, 2361, 2669

영구적으로 면제하다 excuse permanently / 1752, 1825, 1946, 2049, 2188, 2205, 2260, 2316, 2341, 2545, 2548, 2593, 2853, 2941, 3023, 3192, 3208

영구적으로 정신적 내지는 육체적 장애를 지닌, 영구적인 신체적 장애, 영구적인 신체적 내지는 정신적 장애 permanently mentally or physically disabled, permanent physical disability, permanent physical or mental disability / 1751, 1752, 3076, 2397

(법정출석)영장 attachment / 3274, 3275, 3276, 3277

영장권한 통합법 All Writs Act / 3297, 3298

(부당한) 영향력 undue influence / 2089, 2253, 3002

예비대배심원 alternate grand juror / 1757, 1758, 1759, 1760, 1761, 1788, 1825, 2144, 2268, 2269, 2270, 2429, 2430, 2486, 2487, 2687, 2689, 2800, 2801, 2916, 2917, 2986, 2988, 2989, 3034, 3035, 3036, 3099, 3100, 3204, 3207, 3208, 3237, 3249, 3253

예비배심장 alternate foreman / 3205

(배심원 자격) 예비심문 voire dire / 2178, 2224, 2495, 2658, 2700, 3073, 3086

예비심문 preliminary examination, preliminary hearing / 1798, 1799, 1828, 1881, 1890, 1891, 1912, 1913, 1934, 1935, 2226, 2228, 2339, 2507, 2511, 2597, 2603, 2802, 2803, 2957, 2979, 2991, 3006(구술의) 요약 oral summary / 2257

요약 의사록 brief minute / 2625

원격지 간 화상회의 video teleconferencing / 3261, 3266, 3270, 3271, 3281, 3282

원본문서 original document / 3329, 3330, 3332, 3333, 3334

원천명부 source list / 2014, 2015, 2017, 2018, 2020, 2668, 2876, 2877, 2878, 2889

원한 hatred / 1786, 1787, 1843, 1844, 1984, 1985, 2070, 2172, 2276, 2328, 2589, 2590, 2618, 2619, 2797, 2798, 2918, 2960, 2993, 3039, 3104, 3206, 3250, 3251

위법행위 misconduct / 1801, 1830, 1882, 1942, 2246, 2322, 2623, 2781, 2805, 2811, 3018, 3036, 3292, 3293

(카운티) 위원회 county commissioners court / 3257

위조 forgery / 2410

위증 / 2123, 2173, 2256, 2295, 2337, 2572, 2575, 2577, 2585, 2597, 2880, 2971, 3050, 3054, 3280

(가중)위증죄 aggravated perjury / 3280

위증(죄) perjury / 1796, 1829, 1830, 1846, 1853, 1887, 1888, 1950, 1973, 2123, 2173, 2247, 2248, 2256, 2295, 2336, 2337, 2410, 2443, 2468, 2475, 2476, 2564, 2572, 2573, 2574, 2575, 2576, 2584, 2585, 2592, 2597, 2808, 2809, 2816, 2880, 2892, 2970, 2971, 3043, 3050, 3054, 3226, 3280

위증교사 subornation of perjury / 2443

유괴 kidnapping / 2445

유권자, 투표권자 voter → voter

유도 solicitation / 1946, 2436, 2437, 2443, 2444, 2445, 2446, 2447

유언검인 법원 probate court / 3106, 3107, 3145

유언검인 판사 judge of probate, probate judge / 2348, 2388, 2389

유자격 배심원후보 명부 저장장치 qualified jury wheel / 2015, 2018, 2023

유죄판정 사후절차 postconviction proceeding / 3086

유형물 material object, tangible object / 1883, 1884, 2760, 2761

은사, 사면 pardon / 2101, 2122, 2123, 2124, 2387, 2651, 2695, 2696, 3094, 3095

(법원) 의사록 minutes of the court / 1913, 1914, 2375, 3130, 3255

의사록 minutes / 1849, 1875, 1878, 1879, 1913, 1914, 1982, 1986, 2051, 2175, 2176, 2244, 2277, 2278, 2327, 2375, 2502, 2504, 2621, 2625, 2626, 2627, 2630, 2631, 2632, 2794, 2799, 2961, 2968, 2970, 2971, 3018, 3019, 3032, 3035, 3038, 3130, 3138, 3255

의사정족수 quorum / 2238, 2251, 2321, 2338, 2339, 2441, 2442, 2560, 2561, 2587, 2853, 2913, 2917, 2933, 2978, 2979, 3035, 3203, 3234, 3252

(합리적) 의심 reasonable doubt / 2777, 2778

의회 Congress, General Assembly, House / 1781, 1831, 2434, 2435, 2436, 2437, 2438, 2439, 2478, 2479, 3211, 3297, 3327

(카운티) 의회 county quorum court / 2715, 2716, 2717

(진실한) 이름 true name / 2041

이민 immigration / 2446, 3186, 3187

이유를 제시하다 show cause / 1752, 1784, 1937, 2020, 2023, 2030, 2162, 2163, 2164, 2541, 2576, 2841, 2859, 2888, 2911, 2912, 3007, 3155, 3168, 3170

이유부 기피 challenge for cause / 1995, 2179, 2231, 2232, 2701, 2702, 2704, 2707, 2708, 2771, 3061, 3254

이유부 이의(들) objections for cause / 2405, 2406

(증명되는(된)) 이유에 따라서 for cause shown / 1825, 1946, 2049, 2188, 2205, 2260, 2341, 2394, 2395, 2821, 2853, 2941, 3207, 3208

이유제시 명령 show cause order / 1937

이익충돌 conflict of interest / 2456, 2457, 2963, 2964, 2998

이중위험 double jeopardy / 2787

이탈 departure / 2988

이혼 divorce / 2695

인신보호영장 habeas corpus / 1800, 1936, 2787, 2850, 2959

인종 race / 1918, 2013, 2099, 2349, 2350, 2530, 2873, 2879, 2902, 2903, 3090, 3091, 3093, 3094, 3095, 3163, 3174

인척관계 affinity, relationship / 2232, 2496, 2497, 2614, 2652, 2709, 3106, 3239, 3247

인터넷 Internet / 2193, 2194, 3065

일급우편 first-class mail / 2673, 2674, 2675, 2826, 2878, 2987, 3101

일당 per diem / 1771, 1772, 1773, 1897, 2028, 2118, 2155, 2156, 2157, 2158, 2159, 2348, 2418, 2419, 2431, 2460, 2461, 2478, 2479, 2528, 2533, 2552, 2714, 2715, 2716, 2717, 2827, 3083, 3120

일반적 결격사유 general disqualification / 2712

일반평결 general verdict / 2775

일방절차(로) ex parte / 1927, 2186, 2313, 2939, 2954, 3013, 3190, 3248

일요일 Sunday / 1771

일응-(의, 으로) prima facie / 3075

일주일 a week / 3118

임명직 공무원 appointed public officer / 3292, 3293

임무해제 discharge, dismiss, dismissal / 1755, 1756, 1773, 1784, 1825, 1832, 1861, 1873, 1875, 1890, 1942, 2408, 2051, 2063, 2071, 2085, 2086, 2175, 2176, 2177, 2178, 2180, 2205, 2213, 2233, 2243, 2244, 2260, 2273, 2277, 2280, 2291, 2292, 2316, 2323, 2341, 2362, 2366, 2378, 2416, 2420, 2422, 2451, 2486, 2487, 2503, 2591, 2604, 2616, 2617, 2618, 2673, 2687, 2689, 2710, 2720, 2723, 2724, 2725, 2727, 2728, 2729, 2749, 2767, 2768, 2769, 2772, 2774, 2780, 2792, 2796, 2797, 2800, 2801, 2810, 2814, 2826, 2835, 2845, 2852, 2853, 2863, 2864, 2896, 2897, 2927, 2941, 2968, 3022, 3035, 3036, 3037, 3080, 3081, 3117, 3179, 3192, 3193, 3194, 3197, 3255

임원 officer / 1778, 1785, 2497, 3307, 3342

입증책임 burden of proof / 2721, 2722, 2770

ㅈ

자격, 권한, 능력 capicity -〉 capacity

자격결여, 자격박탈, 자격불인정, 자격부정, 결격 (사유, 판정), 부적격(판정) disqualification → disqualification

(배심원) 자격심사 서식 juror questionnaire form, qualification questionnaire form / 2115, 2134, 2528, 2537, 2538, 2539, 2540, 2541, 2542, 2543, 2544, 2545, 2546, 2547, 2548

(배심원(후보)) 자격심사 질문서, 질문서 juror questionnaire, juror qualification questionnaire, questionnaire / 1756, 1757, 1759, 1760, 2128, 2130, 2134, 2681, 2700, 2882, 2914, 2930, 2987, 3064, 3086, 3087, 3088

자금세탁 money laundering / 2443, 2448, 2453, 3342

자금세탁방지법 Money Laundering Act / 2448, 2453

자기부죄 금지특권 privilege against self-incrimination / 1803, 1804, 1812, 1855, 1972, 1973, 1974, 1975, 1976, 2252, 2334, 2582, 2583, 2584, 3005, 3048, 3049, 3307, 3308, 3311, 3313

자녀들 children / 2879

자동차관리국 bureau of motor vehicles, Department of Motor Vehicles, Division of Motor Vehicles, Motor Vehicle Administration / 2103, 2110, 2349, 2350, 2874, 2876

(실시간) 자막제공 real-time captioning / 2659, 2660

자백의 증거능력 admissibility of a confession / 2747

자유로운 접근 free access / 1802, 1882, 2246, 2330, 2570, 2620, 2621, 2805, 3054

자유토지보유권자 freeholder / 2871, 2875, 2877, 2878

장님의, 맹인인 blind / 3167, 3168, 3246, 3248

장애, 복무불능 disability → disability

재무제표 financial statement / 3145

재정회계 treasure, treasury / 2028, 2029, 2425, 2552, 2903, 2904, 2907, 2908, 2909, 2927, 2961, 2962, 2967, 3082, 3110, 3116, 3117 / 2425, 2552, 2903, 2904, 2907, 2909, 2927, 2961, 2967, 3082, 3110, 3116

재판구 전체관할 대배심 judicial district grand jury / 3209, 3210, 3211, 3212, 3218, 3219, 3220, 3221, 3222, 3223, 3224, 3225

재판적, 재판지 venue / 1895, 1921, 1922, 1957, 1959, 1983, 1990, 1991, 2074, 2080, 2174, 2175, 2221, 2222, 2239, 2240, 2304, 2474, 2475, 2737, 2822, 2823, 2847, 2865, 3016, 3017, 3120, 3210, 3216, 3217, 3128, 3223, 3224, 3292, 3298

전기사형 death by electrocution / 2748

전문가 expert / 1791, 2193, 2194, 2210, 2214, 2255, 2256, 2431, 2432, 2471, 2479, 2850, 2851

전문가 증언 expert testimony / 2851

전문가 증인 expert witness / 1791, 2850, 2851

전문대학 technical college / 2392

전문증거 hearsay, hearsay evidence / 1791, 2091, 2255, 2567, 2947, 2949, 2950, 2979, 3006, 3015, 3246, 3247, 3300, 3318, 3319

전문진술 hearsay statement / 2949, 2950

전문적 기술 expertise / 2437, 2438, 3108

전자적 감시 electronic surveillance / 1925

전자적 녹음장비, 녹음장비, electronic recroding device, electronic recording equipment, recording device, recording equipment / 1920, 2033, 2034, 2181, 2211, 2309, 2332, 2337, 2465, 2858, 3009, 3025, 3184, 3266, 3270, 3271

전자적 서명 electronic signature / 2945, 2946, 2947, 2953

전자(적, 적인) 통신 / electronic communication / 1922, 1923, 1924, 1925, 1926, 1927, 1928, 1929, 3064, 3296, 3297

전화 telephone / 1907, 2121, 2390, 2391, 2555, 2674, 2675, 2700, 2701, 2946, 2987, 3065, 3242, 3296, 3297, 3302

전화대기 상태 telephone standby / 2555

(경)절도 misdemeanor theft, petit larceny / 2039, 3239, 3241

절도 larceny, theft / 2039, 2410, 2777, 2951, 2952, 3239, 3241

(중)절도 grand larceny / 2410

점검(하다) inspect, inspection / 1755, 1925, 1956. 2019, 2140, 2142, 2201, 2282, 2528, 2533, 2534, 2535, 2536, 2551, 2626, 2627, 2667, 2740, 2756, 2757, 2760, 2761, 2762, 2763, 2764, 2877, 2878, 3021, 3099, 3100, 3106, 3107, 3108, 3110, 3111, 3112, 3113, 3116, 3124, 3204, 3205, 3213,

3214, 3221, 3222, 3329

정규 개정기 regular term / 1836, 2360, 2361, 2741, 2914, 2915, 2916, 2926, 2933, 3096

정규 대배심 regular grand jury / 2081, 2082, 2087, 2270, 2687, 2689, 2986, 3101, 3292, 3293

정규우편 regular mail / 2538, 2539

정당한 근면, 합리적 근면 due diligence, reasonable diligence / 1814, 2759, 2760, 2900, 2901, 3052

정보원 source of information 3005, 3006

정부요원, 정부의 요원, 정부의 직원 government agent, government personnel / 2004, 2035, 2183, 2190, 2191, 2192, 2194, 2311, 3303, 3010, 3011, 3185

정식기록 법원 court of record / 1803, 1828, 2101, 2387, 2723, 2724, 2809, 2810, 2926, 3063, 3114

정식기록 변호사, 정식기록 변호인 attorney of record, counsel of record / 1812, 1959, 2629, 2882, 2883, 3154

(새로운) 정식사실심리 new trial / 2418, 2720, 2732, 2733, 2734, 2740, 2780, 2782

정식사실심리 검사 독자기소장 trial information / 2630, 2631, 2632, 2633, 2641

정식사실심리 전 석방 pretrial release, release before trial, release pending trial / 1899, 1958, 2474, 2475, 3098, 3190

정식사실심리 전 석방 처우과정 pretrial release program / 3098

정식사실심리 전 신청들 pretrial motions / 2493

정식사실심리 전 절차 pretrial proceeding / 2227, 2228, 2736, 3086

정식사실심리 전 협의 pretrial conference / 2517

정신이상 insane, insanity / 2736, 2772, 2793, 3246

정신적 감정 mental examination / 2760

정신적 결함 mental defect / 3246

정신(적) 질환 mental disease / 3246

제외(된, 하다) exempt, exemtion / 1749, 1750, 1753, 2000, 2001, 2098, 2105, 2116, 2117, 2119, 2121, 2123, 2125, 2126, 2127, 2128, 2131, 2132, 2134, 2241, 2242, 2272, 2387, 2390, 2393, 2394, 2395, 2397, 2399, 2425, 2426, 2459, 2476, 2488,

2489, 2528, 2546, 2547, 2649, 2650, 2654, 2655, 2676, 2710, 2871, 2877, 2878, 2889, 2895, 2898, 3061, 3067, 3068, 3069, 3074, 3075, 3076, 3078, 3086, 3112, 3113, 3170

제한된(적) 관할의(을 지니는) 법원들 courts of limited jurisdiction, limited jurisdiction Courts / 2514, 3072, 3073

제한적 면제 qualified immunity / 2231

(피해자 증인) 조력인, 조력인 (victim witness) advocate, supportive person / 2090, 2253, 2598

조사관 investigator / 1838, 2210, 2212, 2214, 2231, 2922, 2923, 2924, 3292, 3301, 3329, 3330

조사대배심 investigative grand jury / 1945, 1946, 1951, 1952, 3124

조사(적) 권한 investigative power / 2436, 2819, 2847, 2865

조사(적) 목적 investigative purposes / 2462, 2923, 2924

(배심투표) 조사집계 poll / 2727, 2728, 2729, 2740, 2779

(대배심의 법적) 조언자들 legal advisors of grand jury / 3043

조직(적) 범죄 organized crime / 1890, 1891, 1892, 1893, 1895, 2812, 2813, 2814, 2817, 2865, 3211, 3292, 3293, 3338, 3339

조직(적) 범죄활동 organized criminal activity / 2847, 2848, 2865

조합 partnership / 1777

종결변론 conclusion / 2722, 2770

종신형 life imprisonment / 2153, 2748, 3147

종합명부 master list / 2014, 2015, 2018, 2020, 2023, 2458, 2459, 2662, 2663, 2665, 2667, 2669, 2670, 2678, 2871, 2872, 2874, 2875, 2876, 2877, 2878, 2883, 2885, 2886, 2901, 2902, 2912, 2986, 3075

(주 전체) 종합 배심명부 state-wide master jury list / 3075, 3089, 3095, 3096

종합 배심원후보 명부 저장장치 master jury wheel / 3164

죄수 prisoner / 1931, 1968, 2089, 2838, 2839, 2857

주된 돌보미 primary caregiver, primary caretaker / 1751, 2394, 2395, 2396, 3077, 3078

주된 주장, 주요주장 case in chief / 3012, 3013, 3140, 3141

주 법원 사무처장 state court administrator / 3213, 3214, 3220, 3221, 3222

(알려진 최후의) 주소 last known address / 1905, 2514, 2668, 2669, 2677, 2678, 3149

주요주장, 주된 주장 case in chief / 3012, 3013, 3140, 3141

주장불충분 항변 demurrer / 2746, 3151, 3152

주장(서면) pleading / 1875, 1961, 1962, 1963, 1969, 2512

주 전체 종합 배심명부 state-wide master jury list / 3075, 3089, 3095, 3096

주 전체관할 대배심 statewide grand jury / 제3,4권의 V, 2074, 2075, 2076, 2077, 2078, 2079, 2080, 2081, 2847, 2865, 3210, 3216

(시간초과) 주차위반 offense of overtime parking / 2655, 2656

주 측 내부문서 internal state documents / 2760, 2761

중경죄 gross misdemeanor / 1777, 1817

중등학교 postsecondary school / 3076

중요증인 important witness, material witness / 1828, 1937, 2091, 2226, 3150, 3151

중장애인 severely disabled person / 2395, 2396

중절도 grand larceny / 2410

증강된 배심원후보 명부 enhanced prospective jury list

(실물)증거 real evidence / 3329, 3330

(추가적) 증거 additional evidence / 1840, 1862, 1864, 2496, 2803, 3293, 3294, 3345

(피고인에게 유리한) 증거, 피고인을 위한 증거, 피고인 측 증거 evidence for defendant / 1798, 2336, 2568, 2568, 2600, 2621

증거규칙 rule(s) of evidence / 1978, 2189, 2190, 2335, 2336, 3006

증거능력(이) 없는, 증거능력이 부정된 inadmissible / 1884, 2257

증거능력, 증거능력이 있는, 증거로서 허용될 수 있는 admissibility, admissible / 1884, 1932, 1933, 1934, 1950, 2255, 2256, 2257, 2279, 2281, 2283, 2297, 2476, 2477, 2509, 2567, 2747, 3133, 3343

(자백의) 증거능력 admissibility of a confession / 2747

증거물 exhibits / 1849, 1878, 1879, 2626, 2893, 2961, 2968, 3330, 3331, 3332, 3333

증거배제 suppression / 1927, 1931, 1934, 2228

증거(를) 배제(삭제)(하여 달라는) 신청 motion to suppress / 1896, 1926, 1927, 1934, 2228, 3135

증거 의사록 minute of evidence / 2626, 2627, 2631, 2632

증거의 우세 preponderance of the evidence / 2747, 3019

증거캐기 discovery / 제3,4권의 V, 1950, 1959, 2207, 2213, 2263, 2756, 2759, 2761, 2762, 2763, 2764, 2964, 3294

증거캐기 금지특권의 (보호)대상이 아닌 not privileged / 2462, 2463, 3007, 3008

증거캐기 금지특권의 (보호, 적용) 대상인, 증거캐기 금지특권을 지닌, 답변을 보류할 특권을 지닌 privileged / 2574, 2575, 2576, 2584, 3007, 3008

증거캐기 제한명령 protective order / 2254, 2263

증명되는(된) 이유에 따라서 for cause shown / 1825, 1946, 2049, 2188, 2205, 2260, 2341, 2394, 2395, 2821, 2853, 2941, 3207, 3208

(공범의) 증언 testimony of an accomplice / 2751, 2752

증언(하기를) 거부(하기) refusal to testify, refuse to testify / 1803, 1831, 1832, 1857, 1858, 1860, 2288, 2289, 2564, 2583, 2621, 2841, 2859, 3008, 3261, 3277, 3313, 3317

(진실한) 증언 truthful testimony / 1977

(최초의) 증인 first witness / 2223, 3110, 3141

(피해자) 증인 조력인, 조력인 (victim witness) advocate, supportive person / 2090, 2253, 2598

증인들의 출석을 강제하기 compel the attendance of witnesses / 2818

증인으로서 출석할 권리 right to appear as a witness / 1953, 3051

증인을 소환할 권리 right to call a witness / 1953

증인(의) 보수 witness fees / 1918, 1919, 2214, 2740, 2764, 2850, 2851

지문감정인 fingerprint technician / 2255

지문제출, 지문채취 fingerprint / 2518, 2519

(직접의) 지식 personal knowledge / 1945, 3062

(변호사가, 변호인이) 지정되다 attorney be appointed, counsel be appointed / 1858, 2334, 2821

(불필요한) 지체 unnecessary delay / 2766, 2767, 2850

직근상관 immediate superior / 2909

직무집행 영장 mandamus / 3110, 3111

직업학교 vocational school / 3076

직접의 지식 personal knowledge / 1945, 3062

직접항소 direct appeal / 2516, 2518

진실한 이름 true name / 2041

진실한 증언 truthful testimony / 1977

질문서, 배심원(후보) 자격심사 질문서 juror questionnaire, juror qualification questionnaire, questionnaire / 1756, 1757, 1759, 1760, 2128, 2130, 2134, 2681, 2700, 2882, 2914, 2930, 2987, 3064, 3086, 3087, 3088

집행관 sheriff / 1754, 1755, 1759, 1760, 1761, 1908, 1909, 1913, 1914, 1931, 1932, 1968, 1983, 2024, 2052, 2241, 2279, 2281, 2325, 2348, 2360, 2361, 2383, 2384, 2388, 2389, 2424, 2427, 2428, 2429, 2460, 2484, 2485, 2486, 2527, 2546, 2616, 2641, 2673, 2674, 2675, 2676, 2773, 2895, 2903, 2904, 2908, 2909, 3060, 3082, 3120, 3145, 3150, 3155, 3237, 3238, 3265, 3276

집행관보좌인 bailff / 2052, 2147, 2618, 2619, 2620, 3060, 3082, 3083, 3105, 3127, 3235, 3256, 3257, 3258, 3265, 3270, 3271, 3276

징계조치 disciplinary action / 3018

징벌적 손해배상 punitive damage / 2720, 2734, 2735

징수(하다) levy / 2155, 2157, 2158, 2421

ㅊ

차기연도 ensuing year, following calendar year, year next / 2060, 2061, 2356, 2366, 2426, 2663

(과반수) 찬성 majority vote / 2591, 2814, 2815, 2927, 3085

책임면제, 면제 immunity / 2336, 2337

(정식사실심리 전 석방) 처우과정 pretrial release program / 3098

첨부물 attachment / 3304

청각상실의, 청각장애의, 귀가 먼 deaf, hard of hearing, hearing impaired / 2300, 2308, 2659, 2893, 2935, 3144, 3183

체포영장 arrest warrant, warrant of arrest / 1826, 1899, 1909, 1938, 2055, 2215, 2457, 2518, 2947, 2949, 2975, 3017

체포절차 arrest processing / 1935

초등교사 primary teacher / 3077

총기감정사 firearms identification expert / 2255

최종변론 final arguments / 2770

최초의 증인 first witness / 2223, 3110, 3141

최초의 질문들 Initial questions / 2119, 2120

최초의 출석 initial appearance / 1899, 1911, 2500, 2507, 2515, 2516, 2517

(알려진) 최후의 주소 last known address / 1905, 2514, 2668, 2669, 2677, 2678, 3149

추가적 대배심 additional grand jury / 1946, 3178, 3179, 3202,

추가적 대배심원(후보) additional (prospective) grand jurors, further number of grand jurors / 2069, 2145, 2613, 2958, 3233, 3238, 3248

추가적 배심명부 additional jury list / 2406

추가적 증거 additional evidence / 1840, 1862, 1864, 2496, 2803, 3293, 3294, 3345

추정 presume, presumption / 1929, 2514, 2950, 2951, 2952

추천, 권고, 권고사항, 권유, recommendation → recommendation

축어적 기록 verbatim record / 2253, 2961

(증인들의) 출석(을) 강제(하기) compel the attendance of witnesses / 2818, 3111

(법정)출석영장 attachment / 3274, 3275, 3276, 3277

출석담보금증서 appearance bond / 1899

출석담보금증서, 서약보증서, 보증증서, 날인금 전채무증서 bond → bond

출석담보금증서, 서약보증서 recognizance → recognizance

출석부 attendance roll / 2555

출석일람표 appearance docket / 1863

(증인으로서) 출석할 권리 right to appear as a witness / 1953, 3051

출신국 national origin / 1918, 2013, 2099, 2530, 2873, 3163, 3173, 3174

출정통고서 citation / 1937, 2452, 3101

(이익)충돌 conflict of interest / 2456, 2457, 2963, 2964, 2998

취하(하다) abatement, discharge, dismiss, dismissal, set aside / 2219, 2220, 2769, 2770

치과위생사 dental hygienist / 2397

(구금) 치안판사 committing magistrate / 2339, 2625

치안판사 justice, justice of the peace, magistrate / 1773, 1826, 1831, 1890, 1899, 1901, 1902, 1903, 1907, 1908, 1909, 1936, 2042, 2045, 2340, 2346, 2389, 2391, 2393, 2394, 2476, 2477, 2507, 2511, 2513, 2515, 2519, 2531, 2544, 2545, 2557, 2577, 2580, 2603, 2607, 2625, 2632, 2828, 2873, 2880, 2884, 2885, 2887, 2892, 2904, 2905, 2906, 2912, 2913, 2919, 2949, 3133, 3153

치안판사 법원, 치안(판사) 재판소 court of general sessions, justice court, magistrate court / 1771, 1772, 1775, 1781, 1790, 2351, 2352, 2369, 2375, 2385, 2417, 2426, 2427, 2448, 2450, 2451, 2482, 2483, 2484, 2873, 2880, 2884, 2845, 2887, 2892, 2904, 2905, 2906

ㅋ

카운티 대배심 county grand jury, grand jury for a county, grand jury of a county / 1894, 1895, 1986, 1911, 1987, 1989, 1990, 1991, 2074, 2076, 2077, 2078, 2079, 2080, 2081, 2150, 2435, 2439, 2454, 2455, 2460, 2813, 2822, 2823, 2824,

2825, 2843, 2844, 2845, 2846, 2847, 2852, 2862, 2863, 2864, 2865, 3073, 3104, 3135, 3204, 3205, 3209, 3210, 3211, 3212, 3216, 3217, 3219, 3220, 3224

카운티 위원회 county commission, county commissioners court / 2299, 2874, 3257

카운티의 부동산거래증명등록관 county recorder / 1776

카운티 의회 county quorum court / 2715, 2716, 2717

컴퓨터 computer / 1753, 1754, 2019, 2193, 2194, 2201, 2202, 2351, 2352, 2364, 2404, 2436, 2444, 2612, 2613, 2666, 2667, 2668, 2670, 2671, 2672, 2673, 2675, 2677, 2678, 2688, 2923, 3333

ㅌ

타당한 이유 good cause → good cause

타이피스트 typist / 2004, 2007, 2034, 2212, 2336, 2337, 2820, 2842, 2848, 2860, 2861, 2866, 2928, 2936, 3010

탄핵 impeachment / 1831, 1887, 1935

탄핵적 accusatory / 3292

테러 terrorism / 2444, 3187, 3188, 3195, 3196

토지관할 territorial authority, territorial jurisdiction / 1789, 1790, 2174, 2175, 2176, 2445

(수화)통역인 sign language interpreter / 2659, 2660

통역인 interpreter / 1810, 1815, 1816, 1885, 1886, 1887, 1888, 1948, 2004, 2007, 2033, 2034, 2052, 2089, 2145, 2146, 2149, 2181, 2182, 2207, 2210, 2212, 2214, 2251, 2252, 2258, 2262, 2263, 2285, 2286, 2308, 2309, 2331, 2332, 2336, 2337, 2467, 2468, 2471, 2499, 2571, 2588, 2599, 2637, 2649, 2659, 2660, 2661, 2807, 2809, 2810, 2819, 2820, 2842, 2848, 2858, 2860, 2861, 2866, 2893, 2928, 2935, 2936, 3000, 3001, 3010, 3042, 3144, 3183, 3184, 3266, 3270, 3271, 3325

통합형사사건부 Unified Criminal Docket / 2185, 2186, 2197

투표 vote / 1764, 1786, 1837, 1839, 1840, 1846, 1851, 1861, 1862, 1872, 1878, 1886, 1888, 1896, 2015, 2034, 2055, 2147, 2148, 2183, 2244, 2248,

2249, 2258, 2259, 2296, 2310, 2337, 2338, 2339, 2349, 2350, 2474, 2475, 2501, 2531, 2532, 2599, 2602, 2621, 2799, 2808, 2809, 2810, 2819, 2820, 2860, 2866, 2874, 2928, 2929, 2936, 2969, 2970, 3010, 3015, 3053, 3066, 3091, 3185, 3239, 3241, 3247

투표권자, 유권자 voter → voter

(배심)투표 조사집계 poll / 2727, 2728, 2729, 2740, 2779

특별 개정기 special term / 2360, 2361, 2915, 2916, 2926, 2933

특별검사 special counsel, special prosecuting attorney, special prosecutor / 1850, 1851, 1864, 1865, 1895, 1944, 2206, 2210, 2214, 2455, 2456, 2457, 2594, 2922, 2975, 2976, 2977, 2980, 2990, 2997, 2998, 2999, 3000, 3001, 3003, 3004, 3005, 3006, 3007, 3009, 3010, 3011, 3012, 3013, 3023, 3024, 3026

특별검사보 special assistant / 3321, 3323, 3325

특별대배심 special grand jury / 2049, 2063, 2087, 2796, 3032, 3058, 3059, 3060, 3123, 3124, 3125, 3126, 3338, 3339

특별 배심명부 special jury list / 2369, 2374, 2376, 2377

특별 배심원(후보)단 extra or special panel / 2378, 2385

특별소집 배심원후보단 special venire / 2371, 2376

특별조사 법관 special inquiry judge / 2564, 2577, 2578, 2579, 2580, 2581, 2582, 2583, 2584, 2585, 2586

특별평결 special verdict / 2775, 2776

특정 사건을 위하여 선정된 배심원들의 선서 oath of jurors chosen for particular case / 2320, 2324, 2325

ㅍ

판결억지 arrest of judgment / 2323

판사들의 대배심 소집심사 합의부 panel of judges / 1944, 1945, 1951, 2974, 2976, 2977, 2978, 2979, 2980, 2981, 2982

편견, 선입견 bias, prejudice / 2400, 2495, 2497,

2653, 2708, 2709, 2712, 2987, 3021, 3036, 3162, 3246, 3247

(특별)평결 special verdict / 2775, 2776

폐정기 vacation / 2914, 2915, 3274, 3276

폭행 assault / 1930, 1932, 2776, 2777

표결 vote, voting / 1806, 1810, 1815, 1818, 1880, 1885, 1886, 1920, 1947, 1948, 2033, 2034, 2052, 2054, 2085, 2088, 2091, 2092, 2146, 2181, 2182, 2187, 2188, 2189, 2207, 2212, 2247, 2252, 2253, 2258, 2259, 2262, 2285, 2296, 2308, 2309, 2327, 2328, 2331, 2332, 2336, 2337, 2465, 2467, 2468, 2499, 2501, 2502, 2571, 2572, 2573, 2589, 2590, 2601, 2620, 2625, 2803, 2807, 2808, 2839, 2842, 2848, 2858, 2935, 2936, 3009, 3035, 3038, 3039, 3042, 3056, 3144, 3183, 3184, 3258, 3262, 3267, 3283

표적 target / 2592, 2976, 2977, 3005, 3006, 3007, 3032, 3033, 3034, 3037, 3044, 3045, 3046, 3048, 3051, 3052, 3055, 3056, 3246, 3305, 3306, 3307, 3308, 3309, 3310, 3311, 3312, 3313, 3314, 3315, 3316, 3341

피고인에게 유리한 증거, 피고인을 위한 증거, 피고인 측 증거 evidence for the defendant / 1798, 2336, 2568, 2568, 2600, 2621

피고인의 결석 absence of the defendant, defendant's absence / 1910, 1912, 2518, 2745

피부색 color / 1918, 2013, 2099, 2530, 2873, 3163, 3173, 3174

피해자 증인 victim witness / 2090

피해자 증인 조력인, 조력인 (victim witness) advocate, supportive person / 2090, 2253, 2598

ㅎ

하루 one-day / 1771, 1772, 1901, 2028, 2157, 2241, 2419, 2420, 2421, 2422, 2423, 2553, 2557, 2560, 2715, 2851, 2897, 2903, 2926, 2927, 2996, 3083, 3119, 3201

(아동)학대 abuse of a child, child abuse / 1773, 1792

학생 student / 2391, 2392, 3076, 3244

함축된 선입견 implied bias / 2708, 2709, 2712

합리적 근면, 정당한 근면 reasonable diligence,

due diligence / 1814, 2759, 2760, 2900, 2901, 3052

(변호인에 더불어 상담할) 합리적 기회 reasonable opportunity to consult with counsel / 2003

합리적 시간간격들 reasonable intervals / 1949, 1950

합리적 의심 reasonable doubt / 2777, 2778

(판사들의 대배심 소집심사) 합의부 panel of judges / 1944, 1945, 1951, 2974, 2976, 2977, 2978, 2979, 2980, 2981, 2982

(사법심사) 합의부 judicial review panel / 1924, 1925, 1928, 1929, 1944, 1945, 1951

합중국 사법관회의 Judicial Conference of the United States / 3335

(직접)항소 direct appeal / 2516, 2518

항소할 권리 right to appeal / 1927

해고 discharge / 1778, 2030, 2160, 2555, 2556, 2657, 3176

(보석금의) 해방 exoneration of bail / 1958, 2622

해임 discharge, dismiss, removal / 1781, 1782, 1831, 1943, 2472, 2486, 2589, 2618, 2647, 2822, 2823, 2921, 2988, 3018, 3099, 3118, 3201, 3207, 3208, 3253

허위선서 false swearing / 2574, 2575, 2576, 2577, 2880, 2892

현역복무, 현역(으로서)의 active, active duty, current / 2123, 2127, 2896, 3077, 3079

혈액검사 blood test / 1919

혈족관계 consanguinity / 2232, 2496, 2497, 2614, 2652, 2709, 3106, 3239, 3247

형량양보 sentence concession / 1977

혐의감축 charge reduction / 1977

(통합)형사사건부 Unified Criminal Docket / 2185, 2186, 2197

형사적 몰수 criminal forfeiture / 3340

형사적 법원모독 criminal contempt / 2029, 2030, 2031, 2471, 2528, 2537, 2538, 2556, 2819, 3008, 3009, 3176

혼인의 marital, married / 2695, 2879, 3163, 3173, 3174

홈스터디 프로그램 home study program / 3077

(원격지 간) 화상회의 video teleconferencing / 3261, 3266, 3270, 3271, 3281, 3282

화학자 chemist / 2255

환어음 draft / 1794

회계(들) accounts / 2431, 3107, 3110, 3111

회계감사관 auditor / 1775, 1776, 2214, 2348, 2357, 2421

회계출납관 treasurer / 1775, 1788, 1789, 2214, 2348, 2357, 2421, 2905, 2906, 3107, 3145

횡단면 cross section / 2013, 2102, 2250, 2262, 2530, 2696, 2697, 2872, 3160, 3249

횡령 embezzlement /2816

후견인 guardian / 2232, 2252, 2253, 2709, 2954, 3003, 3066

후견인-피후견인 관계 relation of guardian and ward / 2232, 2709

흉기 dangerous weapon, deadly weapon / 1900, 1930, 1932, 2410, 2638

흉기소지 강도 armed robbery / 2410

1년 / 1784, 1825, 1912, 1936, 1998, 1999, 2001, 2008, 2025, 2101, 2117, 2122, 2157, 2165, 2387, 2453, 2471, 2615, 2616, 2670, 2835, 2845, 2864, 2880, 2892, 2910, 2926, 2927, 2941, 2978, 3008, 3067, 3080, 3100, 3109, 3131, 3167, 3240, 3304

2개월 / 1940

2년 / 2382, 2426, 2451, 2545, 2554, 2655, 2874, 2877, 2880, 2885, 2892, 2910, 2978, 3058, 3068, 3097, 3132, 3178

2일 / 1768, 2015, 2397, 2516, 2594, 2997

3개월 / 1789, 1941, 3058, 3059

3년 / 2117, 2123, 2130, 2367, 2978, 2979

3명 / 1873, 1944, 1995, 2646,

4개월 / 2064, 2065, 2066, 2067, 2093, 2655, 2815

4명 / 2460, 3204

5년 / 2554, 2910, 2978, 3131, 3304

5명 / 3041

6개월 / 1832, 1858, 1941, 1967, 1989, 2029, 2062, 2063, 2066, 2068, 2093, 2270, 2316, 2451, 2482, 2483, 2554, 2853, 2941, 3023, 3035, 3097, 3113, 3163, 3192

6년 / 1947

6명 / 1999, 2322, 2526, 2834, 3034, 3073

7명 / 2016, 2617,

7일 / 2001, 2026, 2550, 2901, 2991, 3063, 3168, 3170, 3343

8명 / 1871, 1894, 3107

9명 / 1940, 2016, 2500, 2836, 2984

10명 / 2016, 2322

10일 / 1807, 1808, 1858, 1873, 2043, 2124, 2356, 2363, 2376, 2452, 2457, 2507, 2513, 2515, 2519, 2540, 2554, 2655, 2763, 2810, 2826, 2879, 2881, 2906, 2979, 3118

10퍼센트 ten percent / 1837

11명 / 1871, 1894, 2203

12개월 / 1941, 1946, 2260, 2853, 3201

12명 / 1760, 1785, 1818, 1819, 1939, 1947, 1956, 1963, 2002, 2188, 2561, 2587, 2603, 2617, 2690, 2834, 2836, 2864, 2966, 3073, 3099, 3192, 3204, 3249

13명 / 2179

14명 / 1758, 2154, 2966, 3240

14일 / 2607

15년 / 3093

15명 / 1995, 2016, 2047, 2049, 2201, 2863, 2917, 2933, 2984, 2988

15일 / 1757, 1840, 1841, 2240, 2355, 2358, 2361, 2427, 2484, 2505, 2671, 2813

16명 / 2239, 2251, 2525, 2561, 2562, 2587, 2588, 2589, 2917, 2933, 3099, 3124, 3181, 3237

17명 / 1758, 1760, 2958

18개월 / 2078, 2341, 2814, 3023, 3192, 3201

18명 / 1939, 1940, 1946, 2442, 2460

18세 / 2022, 2242, 2253, 2350, 2436, 2544, 2652, 2695, 2696, 2891, 3036, 3066, 3090, 3097, 3167, 3239, 3243

20명 / 1995, 2154, 2201, 2403, 2407

21일 / 2048

23명 / 2002, 2061, 2062, 2063, 2064, 2065, 2066, 2067, 2068, 2144, 2179, 2239, 2251, 3099, 3124, 3181, 3204

24개월 / 3067, 3164, 3174

25 퍼센트 / 1764

28일 /2061, 2062, 2064, 2065, 2066, 2067, 2068

30마일 / 1772, 2553

30일 / 1838, 1840, 1879, 1896, 1904, 1927, 1968, 2162, 2165, 2211, 2242, 2396, 2514, 2810, 2881, 2882, 2883, 2916, 2928, 3009, 3013, 3020, 3092, 3128, 3150, 3164, 3176, 3271

31일 / 2959, 3019

35일 / 2358, 2361

36명 / 1760, 2378

40명 / 2377

45명 / 2061, 2062, 2063, 2064, 2065, 2066, 2067, 2068,

45일 / 2504

50마일 / 2240, 3079

60일 / 1824, 1966, 2007, 2106, 2163, 2270, 2556, 3118, 3344

65마일 / 1750, 1772,

70세 / 1750, 2121, 2127, 2548, 2892, 3078, 3243

75명 / 2361, 2368, 2398, 2958, 3204

90일 / 1837, 1924, 2005, 2006, 2030, 2107, 2164, 2393, 2518, 2534, 3079, 3118, 3137, 3138, 3169, 3255

100마일 / 1793, 1796

100명 / 1757

120일 / 2980

150명 / 2111, 2958

200명 / 2824, 2884, 2886

730일 / 3091

Ⓐ

ABA 미국 법률가협회

abate, dismiss, dismissal 각하

abatement, discharge, dismiss, dismissal, set aside 취하(하다)

abet 교사하다

absence 결석

absence of the defendant, defendant's absence 피고인의 결석

absent 법정을 떠나 있는

abuse of a child, child abuse 아동학대

accessory after the fact 사후공범

accomplice 공범

(testimony of an) accomplice 공범의 증언

accounts 회계들

accusatory 탄핵적

acquit, acquittal 무죄방면

active, active duty, current 현역복무, 현역(으로서)의

actual bias 실제의 선입견

actual damages 실(제의)손해액

additional evidence 추가적 증거

additional grand jury 추가적 대배심

additional (prospective) grand jurors, further number of grand jurors 추가적 대배심원(후보)

additional jury list 추가적 배심명부

Administrative Director of the Courts 법원사무처장

Administrative Office of the Courts 법원사무처

(Office of Court) Administration 법원사무국

(court) administrator 법원 사무국장

admissibility, admissible admissibility 증거능력, 증거능력이 있는, 증거로서 허용될 수 있는

admissibility of a confession 자백의 증거능력

(last known) address 알려진 최후의 주소

(legal) advisors of grand jury (대배심의) 법적 조언자들

(victim witness) advocate, supportive person 피해자 증인 조력인, 조력인

affidavit 선서진술서

affinity, relationship 인척관계

affirm, affirmation 무선서확약(에 처하다)

aggravated perjury 가중위증죄

allowance to jurors 배심원들에게의 급여

All Writs Act 영장권한 통합법

alphabetical, alphabetizing, alphabetically 알파벳 순서로, 알파벳 순서에 의한

alternate foreman 예비배심장

alternate grand juror 예비대배심원

amnesty 대사(大赦)

annual jury list 당해연도 배심명부

another grand jury 별도의(다른, 또 한 개의, 상이한) 대배심 / 1827, 1875, 2004, 2060, 2061, 2062, 2064, 2065, 2066, 2067, 2068, 2092, 2093, 2270, 2271, 2311, 2323, 2468, 2504, 2505, 2622, 2627, 2796, 2822, 2921, 2929, 2938, 3113, 3114, 3186, 3196, 3248, 3272, 3294

(direct) appeal 직접항소

(right) to appeal 항소할 권리

(initial) appearance 최초의 출석

appearance bond 출석담보금증서

appearance docket 출석일람표

(right to) appear as a witness 증인으로서 출석할 권리

(counsel be) appointed, attorney be appointed (변호사가(변호인이)) 지정되다

appointed public officer 임명직 공무원

(final) arguments 최종변론

armed robbery 흉기소지 강도

arraignment 기소인부 신문

array 배심원(후보)단, 소집대상 (소집된) 배심원 후보단

arrest of judgment 판결억지

arrest processing 체포절차

arrest warrant, warrant of arrest 체포영장

arson 방화

assault 폭행

association 사단

attachment 법정출석영장, 수감(영장), 압류(영장), 첨부물

attempt 미수

attendance roll 출석부

(compel the) attendance of witnesses 증인들의 출석을 강제하기

(Removal and replacement of) attorney 변호사의 배제 및 교체

attorney and client relationship, attorney-client relationship 변호인-의뢰인 관계

attorney general 검찰총장

attorney be appointed, (counsel be) appointed (변호사가(변호인이)) 지정되다

attorney of record, counsel of record 정식기록 변호사, 정식기록 변호인

attorney's fee, attorney fee 변호사 보수

auditor 회계감사관

B

bail 보석금

bailable 보석이 가능한

(not) bailable 보석이 가능하지 아니한

bail forfeiture 보석금 몰수

(exoneration of) bail 보석금의 해방

bailiff 집행관보좌인

base jury list 기본 배심명부

beat 구타

benefits 급부(금)

(actual) bias 실제의 선입견

bias, prejudice 선입견, 편견

(implied) bias 함축된 선입견

bill of particulars 공소사실 명세서

blank 백지

blind 맹인인, 장님의

(legally) blind 법적으로 맹인인

blood test 혈액검사

Board of Elections, election commission 선거관리위원회

board of jury commissioners, jury commission 배심위원회

Board of Pardons and Paroles 사면 및 가석방 위원회

bona fide purchaser 선의의 매수인

bond 날인금전채무증서, 보증증서, 출석담보금증서 서약보증서 / 2299, 2473, 2501, 2905, 2906, 3146, 3150, 3285

box, jury box 배심원후보상자

breastfeeding 수유 증인

bribery 뇌물(죄)

brief minute 요약 의사록

burden of proof 입증책임

bureau of motor vehicles, Department of Motor Vehicles, Division of Motor Vehicles, Motor Vehicle Administration 자동차관리국

burglary 불법목적 침입

(newly established) business 새로이 설립된 사업체

business record 업무기록

bystander 구경꾼

C

(right to) call a witness 증인을 소환할 권리

(in) camera, close, closed, closure, nondisclosure 비공개(의, 의 것으로 하다)

capacity 권한, 능력, 자격 / 1879, 1993, 2206, 2242, 2539, 2807, 2879, 2880, 3161

capias 구인영장

capital 사형에 해당하는

(real-time) captioning 실시간 자막제공

(primary) caregiver, primary caretaker 주된 돌보미

case-in-chief 주된 주장, 주요주장

(challenge for) cause 이유부 기피

(for) cause shown 증명되는(된) 이유에 따라서

(objections for) cause 이유부 이의들

(show) cause 이유를 제시하다

(show) cause order 이유제시 명령

certified 배달증명우편에 의한

challenge for cause 이유부 기피

(peremptory) challenge 무이유부 기피

charge reductions 혐의감축

(examination without) charge (무료의) 검사

charter school 공립학교

check 수표

chemist 화학자

(case in) chief 주된 주장, 주요주장

Chief Justice 대법원장

chief justice 법원장

child abuse, abuse of a child 아동학대

child witness 아동 증인

children 자녀들

Christian Science Practitioner 목사

citation 출정통고서

city attorney 시티 검사

civil contempt 민사적 법원모독

civil penalty 민사벌금, 민사적 벌칙 / 2425, 3127

(attorney and) client relationship, attorney-client relationship 변호인-의뢰인 관계

(lawyer-)client privilege 변호사-의뢰인 특권

close, closed, closure, in camera, nondisclosure 비공개(의, 의 것으로 하다)

closing argument 최종변론

codefendant 공동피고인

(discharge of) codefendant 공동피고인에 대한 공소취하

collateral security 부담보

college 대학

color 피부색

jury commissioner 배심 위원

(county) commissioners court 카운티 의회

committing magistrate 구금 치안판사

(warrant) of commitment 구금영장

common law 보통법

(court of) common pleas 국민간소송 법원

compel the attendance of witnesses 증인들의 출석을 강제하기

complaint 소장, 소추청구장

computer 컴퓨터

(sentence) concession 형량양보

conclusion 종결변론

condition of release, release condition. 석방조건

(admissibility of a) confession 자백의 증거능력

confidentiality, obligation of secrecy, secrecy,

secrecy obligation 비밀준수 의무 비밀성, 비밀의무

conflict of interest 이익충돌

Congress, General Assembly, House 의회

consanguinity 혈족관계

conspiracy 공모 / 1891, 1892, 1944, 1946, 2220, 2221, 2436, 2437, 2443, 2444, 2445, 2447, 2508, 2752, 2573, 2817, 3299, 3300

consult with counsel 변호인을(에 더불어) 상담(의)하다

(reasonable opportunity to step outside the grand jury room to) consult with counsel 대배심실 밖으로 나가서 변호인에게 상의할 합리적 기회

contempt 법원모독

continuance, continue 연기속행(하다)

controlled substance 규제약물, 금제물, 마약 / 1900, 2433, 2439, 2443,

coroner 검시관

coroner's jury 검시배심

corporation 법인

(municipal) corporation 시군 자치체 / 2897

correction 경정, 교정

correctional facility, correctional institution 교정시설

corroboration, corroborating 보강(증거), 보강적인

corrupt, corruption 부정(한, 행위) 부패(한, 행위)

(reasonable opportunity to step outside the grand jury room to consult with) counsel 대배심실 밖으로 나가서 변호인에게 상의할 합리적 기회

counsel be appointed, attorney be appointed (변호사가(변호인이)) 지정되다

(be represented by) counsel, represented 변호인의 대변을 누리다

counsel of record, attorney of record 정식기록 변호사, 정식기록 변호인

(have) counsel present 변호인을 출석시키다

(reasonable opportunity to consult with) counsel 변호인에 더불어 상담할 합리적 기회

(right to be represented by) counsel 변호인의 대변을 누릴 권리

(right to have) counsel present 변호인을 출석시킬 권리

(separate) count 별개의 소인

counterintelligence 방첩활동

county auditor 카운티 회계감사관

county commission, county commissioners court 카운티 위원회

county grand jury, grand jury for a county, grand jury of a county 카운티 대배심

county quorum court 카운티 의회

county recorder 카운티 부동산거래증명등록관

(Office of) Court Administration 법원사무국

court administrator 법원 사무국장

court of common pleas 국민간소송 법원

court of general sessions, justice court, magistrate court 치안판사 법원, 치안(판사) 재판소

court of limited jurisdiction, limited jurisdiction Courts 제한적 관할의(을 지니는) 법원

court of record 정식기록 법원

court reporter, reporter, stenographer, stenographic reporter 속기사

(officer of a) court, judicial officer 사법관

credibility, reliability trustworthiness 신빙성

(organized) crime 조직(적) 범죄

(organized) criminal activity 조직(적) 범죄활동

criminal conspiracy 범죄공모

criminal contempt 형사적 법원모독

(Unified) Criminal Docket 통합형사사건부

criminal forfeiture 형사적 몰수

cross examination 반대신문

cross section 횡단면

custodial interrogation 구금신문

D

dangerous weapon, deadly weapon 흉기

deaf, hard of hearing, hearing impaired 귀가 먼, 청각상실의, 청각장애의

death, decease, die 사망, 사형 / 1751, 1836, 1837, 1838, 1846, 1861, 2007, 2008, 2233, 2234, 2270, 2416, 2512, 2672, 2695, 2709, 2719, 2730, 2740, 2745, 2747, 2748, 2800, 2954, 2955, 3092, 3093, 3099, 3108, 3109, 3117, 3118, 3137, 3147, 3253

death by electrocution 전기사형

death certificate 사망증명서

decease die, death, 사망, 사형 / 1751, 1836, 1837, 1838, 1846, 1861, 2007, 2008, 2233, 2234, 2270, 2416, 2512, 2672, 2695, 2709, 2719, 2730, 2740, 2745, 2747, 2748, 2800, 2954, 2955, 3092, 3093, 3099, 3108, 3109, 3117, 3118, 3137, 3147, 3253

defamatory 명예훼손적인

default, absence 결석

default judgment 결석판결

(mental) defect 정신적 결함

(absence of the) defendant, defendant's absence 피고인의 결석

degree of offense 범죄등급

(unnecessary) delay 불필요한 지체

deliberation 숙의

dental hygienist 치과위생사

demurrer 주장불충분 항변

Department of Corrections 교정국

Department of Motor Vehicles, Division of Motor Vehicles, bureau of motor vehicles, Motor Vehicle Administration 자동차관리국

Department of Public Health 공중보건국

departure 이탈

deposition 법정 외 증언녹취(록, 서)

depository 공탁소

deputy presiding juror, deputy foreman, deputy foreperson, vice foreman 부배심장

deputy sheriff 부집행관

die, death, decease 사망, 사형 / 1751, 1836, 1837, 1838, 1846, 1861, 2007, 2008, 2233, 2234, 2270, 2416, 2512, 2672, 2695, 2709, 2719, 2730, 2740, 2745, 2747, 2748, 2800, 2954, 2955, 3092, 3093, 3099, 3108, 3109, 3117, 3118, 3137, 3147, 3253

diligence, due diligence, reasonable diligence 근면, 정당한 근면, 합리적 근면

diminish, reduction 감경

direct appeal 직접항소

Director of National Intelligence 국가정보원장

(severely) disabled person 중장애인

disability 복무불능, 장애 / 1751, 1752, 1943, 2022, 2099, 2101, 2122, 2123, 2251, 2252, 2258, 2262, 2397, 2528, 2539, 2543, 2544, 2545, 2652, 2873, 2879, 2880, 2891, 2893, 3066, 3172, 3182

(physical) disability, physical handicap, physical infirmities, / 신체적 장애

discharge, release 석방

discharge, dismiss, dismissal, removal 임무해제, 해고, 해임

discharge, abatement, dismiss, dismissal, set aside 취하

discharge of codefendant 공동피고인에 대한 공소취하

disciplinary action 징계조치

discovery 증거캐기

dismissal, dismiss, discharge, abatement, set aside 취하

dismiss, dismissal, discharge, removal 임무해제, 해고, 해임

dismiss, dismissal, abate 각하

(be) dispatched 속달되다

disqualification, disqualified, disqualify 결격, 부적격, 자격결여, 자격박탈, 자격불인정, 자격부정 / 1767, 1942, 2015, 2018, 2021, 2022, 2024, 2025, 2098, 2101, 2105, 2116, 2125, 2126, 2128, 2130, 2131, 2132, 2134, 2136, 2177, 2269, 2270, 2272, 2273, 2348, 2349, 2351, 2354, 2359, 2360, 2376, 2377, 2379, 2384, 2385, 2387, 2388, 2389, 2390, 2399, 2405, 2406, 2427, 2428, 2429, 2454, 2456, 2457, 2458, 2459, 2484, 2485, 2486, 2494, 2495, 2496, 2532, 2541, 2543, 2544, 2545, 2546, 2548, 2564, 2579, 2589, 2591, 2594, 2595, 2646, 2649, 2650, 2651, 2652, 2658, 2672, 2673, 2677, 2687, 2688, 2689, 2692, 2697, 2699, 2708, 2712, 2792, 2793, 2806, 2836, 2871, 2882, 2889, 2890, 2891, 2892, 2893, 2896, 2897, 2898, 2913, 2925, 2958, 2964, 3036, 3061, 3065, 3068, 3106,

3163, 3167, 3168, 3170, 3234, 3249, 3251, 3252, 3253

(general) disqualification 일반적 결격사유

(judicial) district grand jury 재판구 전체관할 대배심

Division of Motor Vehicles, Department of Motor Vehicles, bureau of motor vehicles, Motor Vehicle Administration 자동차관리국

divorce 이혼

docket 사건일람표(에 등재하기), 심리예정표/ 1861, 1863, 2742

(Unified Criminal) Docket 통합형사사건부 / 2185, 2186, 2197

documentary evidence 문서증거

domestic violence 가정폭력

double jeopardy 이중위험

(reasonable) doubt 합리적 의심

draft 환어음

due diligence, reasonable diligence 정당한 근면, 합리적 근면

E

economic status 경제적 지위

elected official, elected public official 선출직 공무원

election commission, Board of Elections 선거관리위원회

election laws 선거법

elective office 선출공직

(death by) electrocution 전기사형

electronic communication 전자(적, 적인) 통신

electronic recording device, electronic recording equipment 전자적 녹음장치

electronic signature 전자적 서명

electronic surveillance 전자적 감시

embezzlement 횡령

emergencies, emergency 긴급(상황)

employer, master 고용주

ends of justice 사법의 목적

enhanced misdemeanor 가중경죄

enhanced prospective jury list 증강된 배심원후보 명부

ensuing year, following calendar year, year next 차기연도

envy 시기(심)

escape, flight 도주, 빠져나가기, 탈옥 / 1813, 1901, 2744, 2745, 2981, 3052, 3291, 3295, 3296, 3312

evidence for defendant 피고인에게 유리한 증거, 피고인을 위한 증거, 피고인 측 증거

(minutes of) evidence 증거 의사록

(real) evidence 실물증거

examination without charge 무료의 검사

exclusive judge 배타적 판단자

exculpatory 무죄임을 해명하여 주는 / 1884, 2091, 2994, 3006, 3012, 3013, 3319

excuse 면제(하다)

excuse permanently 영구적으로 면제하다

exempt, exemtion 제외(된, 하다)

exhibits 증거물

exoneration of bail 보석금의 해방

ex parte 일방절차(로)

expedited, expeditiously 급속(처리)의, 급속으로

expert 전문가

expertise 전문적 기술

expert testimony 전문가 증언

expert witness 전문가 증인

extended period of time 연장된(되는) 기간

extended service 연장된 복무

extort, racketeer 갈취, 공갈

extradition 범인인도, 송환

extra panel, special panel 특별 배심원(후보)단

F

(accessory after the) fact 사후공범

(matter of) fact, (questions of) fact 사실문제

false swearing 허위선서

Federal Register 연방관보

Federal Rules of Criminal Procedure 연방 형사소송법

final arguments 최종변론

financial institution 금융기관

financial statement 재무제표

fingerprint 지문제출, 지문채취

fingerprint technician 지문감정인

firearms identification expert 총기감정사

first class mail 일급우편

first witness 최초의 증인

flight, escape 도주, 빠져나가기, 탈옥

following calendar year, year next ,ensuing year 차기연도

foreign intelligence information 국외정보 관련의 정보

foreman, foreperson, presiding juror 배심장

(deputy) foreman, vice foreman, deputy foreperson, deputy presiding juror, 부배심장

forfeit, forfeiture 몰수(당하다)

forgery 위조

(juror questionnaire) form, qualification questionnaire form, (배심원) 자격심사 서식

former prosecution 과거의 소추

free access 자유로운 접근

freeholder 자유토지보유권자

fugitive 도망자

G

gambling 도박

gender, sex 성별

General Assembly, House, Congress 의회

general disqualification 일반적 결격사유

general verdict 일반평결

good cause 타당한 이유 / 1795, 1807, 1849, 1866, 1879, 1892, 1932, 1933, 1942, 1978, 2075, 2137, 2139, 2141, 2162, 2163, 2164, 2184, 2254, 2262, 2263, 2394, 2586, 2593, 2599, 2607, 2622, 2634, 2682, 2707, 2795, 2822, 2843, 2852, 2862, 2888, 2911, 2979, 2980, 2981, 2998, 3020, 3075, 3137, 3168, 3170, 3171, 3192, 3202, 3203, 3211, 3219, 3243, 3253

government agent, government personnel 정부요원, 정부의 요원, 정부의 직원

(additional) grand jury 추가적 대배심

(additional) (prospective) grand jurors, further number of grand jurors 추가적 대배심원(후보)

(another) grand jury 별도의(다른, 또 한 개의, 상이한) 대배심 / 1827, 1875, 2004, 2060, 2061, 2062, 2064, 2065, 2066, 2067, 2068, 2092, 2093, 2270, 2271, 2311, 2323, 2468, 2504, 2505, 2622, 2627, 2796, 2822, 2921, 2929, 2938, 3113, 3114, 3186, 3196, 3248, 3272, 3294

(be present in the) grand jury room 대배심실에 출석하다

grand jury for a county, grand jury of a county, county grand jury, 카운티 대배심

(investigative) grand jury 조사대배심

(judicial district) grand jury 재판구 전체관할 대배심

(legal advisors of) grand jury (대배심의) 법적 조언자들

grand jury list 대배심 명부

grand jury report 대배심 보고서

grand jury reporter 대배심 속기사

(outside the) grand jury room 대배심실 밖에서, 대배심실 밖으로

(reasonable opportunity to step outside the) grand jury room to consult with counsel 대배심실 밖으로 나가서 변호인 에게 상의할 합리적 기회

grand-jury secrecy 대배심 비밀

grand jury transcript 대배심 녹취록(서)

grand larceny 중절도죄

gross misdemeanor 중경죄

Guam 괌

guardian 후견인

(relation of) guardian and ward 후견인-피후견인 관계

H

habeas corpus 인신보호영장

(physical) handicap, physical infirmities, physical disability, / 신체적 장애

hard of hearing, hearing-impaired, deaf 청각상실의, 청각장애의, 귀가 먼

hardship 곤경

harmless error 무해한 오류

hatred 원한

(Department of Public) Health 공중보건국

(hard of) hearing, hearing-impaired, deaf 청각상실의, 청각장애의, 귀가 먼

hearsay, hearsay evidence 전문증거

hearsay statement 전문진술

high school 고등학교

(institution of) higher learning 고등교육기관

(legal) holidays 법정공휴일

home study program 홈스터디 프로그램

hope 기대 / 1786, 1787, 1843, 1844, 1985, 2070, 2147, 2172, 2276, 2589, 2590, 2619, 2797, 2798, 2837, 2856, 2960, 2993, 3039, 3104, 3206, 3207, 3250, 3251

House, General Assembly, Congress 의회

I

identifying information 신원확인 정보

identifying number (동일인, 동일성) 식별번호

ignoramus, not found, no bill, no-bill, no true bill, not a true bill 불기소 평결, 불기소 평결된 (대배심 검사)기소장안

immediate superior 직근상관

immigration 이민

immunity 면제(특권)

immunity from prosecution 소추면제

(order of) immunity 면제명령

(qualified) immunity 제한적 면제

(waiver of) immunity 면제의 포기, 면제포기서

impeachment 탄핵

important witness, material witness 중요증인

(life) imprisonment 종신형

inadmissible 증거능력(이) 없는, 증거능력이 부정된

in camera, close, closed, closure, nondisclosure 비공개(의, 의 것으로 하다)

incapacity, incompetency 무능력

income tax return 소득세 신고서

incriminating evidence 부죄적 증거, 부죄적 증언

indigent accused, indigent defendant 가난한 피고인

(physical) infirmities, physical disability, physical handicap, / 신체적 장애

(undue) influence 부당한 영향력

informant 신고자

in forma pauperis 소송구조

information 검사 독자기소(장)

(trial) information (정식사실심리) 검사 독자기소장

initial appearance 최초의 출석

Initial questions 최초의 질문들

initials 머리글자들

(jury of) inquest 강제적 사실조사 배심

insane, insanity 정신이상

inspection 점검

(Director of National) Intelligence 국가정보원장

intercepted, interception 도청

(conflict of) interest 이익충돌

interests of justice 사법의 이익

internal state documents 주 측 내부문서

internal defense document 방어 측 내부문서

internet 인터넷

interpreter 통역인

(reasonable) intervals 합리적 시간간격들

investigative grand jury 조사대배심

investigative power 조사(적) 권한

investigative purposes 조사(적) 목적

investigator 조사관

irregularity 규칙위반

issues of fact 사실의 쟁점들

issues of law 법의 쟁점들

J

jail, prison 감옥

(double) jeopardy 이중위험

joint trial 병합에 의한 정식사실심리

judge of probate, probate judge 유언검인 판사

Judicial Conference of the United States, Judicial Council (합중국) 사법관회의

judicial district grand jury 재판구 전체관할 대배심

judicial officer, officer of a court 사법관

judicial review panel 사법심사 합의부

juror fee, juror's fee, jury fee 배심원 보수

juror pool, jury poo l배심(원)(후보)풀

juror qualification questionnaire, juror questionnaire, questionnaire 배심원(후보) 자격심사 질문서

juror questionnaire form, qualification questionnaire form, (배심원) 자격심사 서식

jury administrator 배심관리인

jury book 배심장부

jury box, box 배심원후보상자

jury commission, board of jury commissioners 배심위원회

jury commissioner 배심위원

jury cost 배심비용

jury fee, juror fee 배심(원) 보수

jury instructions 배심 지시사항들

(additional) jury list 추가적 배심명부

(annual) jury list 당해연도 배심명부

(base) jury list 기본 배심명부

(enhanced prospective) jury list 증강된 배심원후보 명부

(grand) jury list 대배심 명부

jury list 배심명부

jury of inquest 강제적 사실조사 배심

jury panel, panel 배심원(후보)단

jury pool, juror pool 배심(원)(후보)풀

jury questionnaire 배심 질문서

jury tampering 배심매수죄

jury trial, trial by jury 배심에 의한 정식 사실심리, 배심재판

jury wheel 배심원후보 명부 저장장치

(master) jury wheel 종합 배심원후보 명부 저장장치

(ends of) justice 사법의 목적

(interest) of justice 사법의 이익

justice, justice of the peace, magistrate 치안판사

(obstruction of) justice 사법방해

Justice Manual 연방 법무부 검찰업무 편람

juvenile 소년

K

key 열쇠

kidnapping 유괴

(personal) knowledge 직접의 지식

(last) known address 알려진 최후의 주소

L

larceny, theft 절도

last known address 알려진 최후의 주소

(issues of) law 법의 쟁점들

lawyer-client privilege 변호사-의뢰인 특권

(sick) leave 병가

legal advisors of grand jury 대배심의 법적 조언자들

legal blindness, legally blind 법적(으로) 맹인(인)

legal holidays 법정공휴일

legal matter, matters of law, point of law, questions of law 법(의, 적) 문제

length of service, period of service, term, term of service, tenure, time 복무기간

levy 징수(하다)

libel 문서비방

life imprisonment 종신형

limitations period, period of limitations, Statute of limitations 공소시효

(courts of) limited jurisdiction, limited jurisdiction Courts 제한된(적) 관할의(을 지니는) 법원들

loan sharking 고리대금업

M

(committing) magistrate 구금 치안판사

magistrate (연방의) 수권보조 판사, (㈜) 치안판사

magistrate, justice, justice of the peace (㈜) 치안 판사

magistrate court, justice court, court of general sessions 치안판사 법원, 치안(판사) 재판소

magnetic tape 마그네틱 테이프

majority vote 과반수(의) 찬성

malfeasance 부정행위

malice, malicious 악의(의)

mandamus 직무집행 영장

manslaughter 고살

marital, married 혼인의

master, employer 고용주

master jury wheel 종합 배심원후보 명부 저장 장치

master list 종합명부

material object, tangible object 유형물

material witness, important witness 중요증인

matters of fact, questions of fact 사실문제들

matters of law, legal matter, point of law, questions of law 법(의, 적) 문제

mental defect 정신적 결함

mental disease 정신(적) 질환

mental examination 정신적 감정

mileage 여비수당

(Uniform Code of) Military Justice 군사법원 통일 법전

minor 미성년(자)

(brief) minute 요약 의사록

minutes 의사록

minutes of evidence 증거 의사록

minutes of the court 법원 의사록

misconduct 위법행위

(enhanced) misdemeanor 가중경죄

(gross) misdemeanor 중경죄

(limitation of witness fees in) misdemeanor trials 경죄 정식사실심리들에서의 증인보수들의 제한

misdemeanor 경죄

misdemeanor theft, petit larceny 경절도

misfeasance 실당행위

misrepresent, misrepresentation 부실기재, 부실 표시, 거짓되게 설명하다

mistrial 심리무효

(writ of) mittimus 수감영장

money laundering 자금세탁

Money Laundering Act 자금세탁방지법

mortgage fraud 담보대출사기, 담보권 사기

motion to dismiss an indictment 대배심 검사기소 장(을) 각하(하여 달라는) 신청

motion to suppress 증거(를) 배제(삭제)(하여 달 라는) 신청

Motor Vehicle Administration, bureau of motor vehicles, Department of Motor Vehicles, Division of Motor Vehicles 자동차관리국

multicounty grand jury 복수카운티 관할 대배심

municipal attorney 시군 자치체 검사

municipal corporation 시군 자치체

murder 모살

N

narcotic drug, narcotics 마약

national defense 국방

(Director of) National Intelligence 국가정보원장

national origin 출신국

new charge 새로운 공소

newly established business 새로이 설립된 사업체

new trial 새로운 정식사실심리

no bill, no-bill, ignoramus, not found, no true bill, not a true bill 불기소 평결, 불기소 평결된 (대배심 검사)기소장안

nolle prosequi 공소취하(서)

no contest 불항쟁 답변

noncapital 사형에 해당하지 아니하는

nondisclosure, in camera, close, closed, closure 비공개(의, 의 것으로 하다)

nondisclosure statement 비밀준수 서약서

nonjury trial 배심에 의하지 아니하는 정식사실심리

notarization, notarize 공증, 공증인에게서 인증받기

not a true bill, not found, no bill, no-bill, no true bill, ignoramus 불기소 평결, 불기소 평결된 (대배심 검사)기소장안

not bailable 보석이 가능하지 아니한

note 어음

not privileged 증거캐기 금지특권의 (보호)대상이 아닌

no true bill, not a true bill, not found, no bill, no-bill, ignoramus 불기소 평결, 불기소 평결된 (대배심 검사)기소장안

O

oath of jurors chosen for particular case 특정 사건을 위하여 선정된 배심원들의 선서

objections for cause 이유부 이의들

obligation of secrecy, confidentiality, secrecy, secrecy obligation 비밀준수 의무 비밀성, 비밀의무

obstruction of justice 사법방해

offense level 범죄등급

offense of overtime parking (시간초과) 주차위반

Office of Court Administration 법원사무국

officer 임원

(judicial) officer, officer of a court 사법관

official record 공문서, 공식기록, 공식의 기록 / 2015, 2255, 2531, 2874

one-day 하루

open court 공개법정, 공개의 법정

opening 개시변론

operator of a recording device 녹음장비 기사

(reasonable) opportunity to consult with counsel 변호인에 더불어 상담할 합리적 기회

(reasonable) opportunity to step outside the grand jury room to consult with counsel 대배심실 밖으로 나가서 변호인 에게 상의할 합리적 기회

oral statement 구두진술

oral summary 구술의 요약

order of immunity 면제명령

(show cause) order 이유제시 명령

organized crime 조직(적) 범죄

organized criminal activity 조직(적) 범죄활동

original documents 원본문서

outside the grand jury room 대배심실 밖에서, 대배심실 밖으로

(offense of) overtime parking (시간초과) 주차위반

ownership 소유권

P

(extra or special) panel 특별 배심원(후보)단

(jury) panel 배심원(후보)단

(judicial review) panel 사법심사 합의부

panel, panel of judges 판사들의 대배심 소집심사 합의부

(Board of) Pardons and Paroles 사면 및 가석방 위원회

pardon 사면, 은사

parent 부모

(offense of overtime) parking (시간초과) 주차위반

parole, supervised release 가석방

partnership 조합

penitentiary 교도소

per diem 일당

peremptory challenge 무이유부 기피

peremptory strike 무이유부 삭제

period of service, length of service, term, term of

service, tenure, time 복무기간

(aggravated) perjury 가중위증죄

perjury 위증(죄)

(excuse) permanently 영구적으로 면제하다

permanent physical disability, permanent physical or mental disability, permanently mentally or physically disabled, 영구적인 신체적 장애, 영구적인 신체적 내지는 정신적 장애, 영구적으로 정신적 내지는 육체적 장애를 지닌

(subornation of) perjury 위증교사

personal knowledge 직접의 지식

petit jury 소배심

petit larceny, misdemeanor theft 경절도

physical disability, physical handicap, physical infirmities / 신체적 장애

physical evidence 물적 증거

physical handicap, physical infirmities, physical disability, / 신체적 장애

place of commission 범행장소

plea agreement 답변합의

pleading 주장(서면)

(court of common) pleas 국민간소송 법원

point of law, legal matter, matters of law, questions of law 법(의, 적) 문제

poll 배심투표 조사집계

postconviction procedure 유죄판정 사후절차

postsecondary school 중등학교

(Christian Science) Practitioner 목사

prejudice bias, 선입견, 편견 / 2400, 2495, 2497, 2653, 2708, 2709, 2712, 2987, 3021, 3036, 3162, 3246, 3247

(without) prejudice 기판력의 불이익 없이, 불리한 기판력 없이, 권리들에 대한 침해 없이 / 2005, 2006, 2234, 2243, 2504, 2505, 2507, 2708, 2793, 3037

preliminary examination, preliminary hearing 예비심문

preponderance of evidence 증거의 우세

(attorney's) presence 변호사의 출석

present, presentment 대배심 독자고발(에 처하다)

(right to have counsel) present 변호인을 출석시킬 권리

(deputy) presiding juror, (deputy) foreman, deputy foreperson, vice foreman 부배심장

presiding juror, foreman, foreperson 배심장

presume, presumption 추정(하다)

pretrial conference 정식사실심리 전 협의

pretrial motions 정식사실심리 전 신청들

pretrial proceeding 정식사실심리 전 절차

pretrial release, release before trial, release pending trial 정식사실심리 전 석방

pretrial release program 정식사실심리 이전 석방 처우과정

prima facie 일응(의, 으로)

primary caregiver, primary caretaker 주된 돌보미

primary teacher 초등교사

prison, jail 감옥

prisoner 죄수

private room 비밀실

(lawyer-client) privilege 변호사-의뢰인 특권

privilege against self-incrimination 자기부죄 금지

(not) privileged 증거캐기 금지특권의 (보호)대상이 아닌

privileged 증거캐기 금지특권의 (보호, 적용)대상인, 증거캐기 금지특권을 지닌, 답변을 보류할 특권을 지닌

probable cause 상당한 이유

probate court 유언검인 법원

probate judge, judge of probate 유언검인 판사

probation 보호관찰

(enhanced) prospective jury list 증강된 배심원후보 명부

prospective juror 배심원후보

prospective jury list 배심원후보 명부

prostitution 매춘

protective order 증거캐기 제한명령

(be made) public, public announcement, publication, be published 공표(되기)

public agency, public authority, public institution 공공기관

public announcement, publication , (be made) public, be published 공표(되기)

public authority, public body, public agency, public institution 공공기관

public buildings 공공건물들

public corruption 공직부패

public defender 국선변호인

public document 공공문서

public employee 공공피용자, 공적 피용자

public event 공개적 행사

(Department of) Public Health 공중보건국

public inspection 공중의 점검

public institution, public agency, public authority 공공기관

public interest 공공의 이익, 공익, 공중의 이익 / 1756, 1784, 1890, 1892, 1893, 1896, 1972, 1975, 1976, 2002, 2031, 2032, 2049, 2203, 2204, 2250, 2438, 2448, 2449, 2574, 2576, 2578, 2579, 2583, 2584, 2588, 2612, 2801, 2812, 2815, 2819, 2820, 2842, 2843, 2844, 2848, 2852, 2853, 2860, 2862, 2866, 2941, 3022, 3101, 3180, 3181, 3192, 3211, 3219, 3226

public necessity 공공의 필요, 공익의 필요, 공중의 필요 / 1751, 2024, 2025, 2061, 2063, 2078, 2079, 2134, 2548, 2896, 3172

public office 공공 사무소, 공무상의 직위, 공적 직무, 공직 / 2440, 2441, 2811, 2817

public officer, public official 공무원, 공직자 / 1762, 1801, 1822, 1830, 1882, 1892, 1893, 1895, 2246, 2431, 2440, 2441, 2623, 2805, 2811, 2817, 2877, 2878, 3018, 3019, 3020, 3021, 3110, 3111, 3123, 3292, 3293

public record 공공기록

public transportation 대중교통

publication, be made public, public announcement, be published 공표(되기)

punitive damages 징벌적 손해배상

Q

qualification questionnaire form, juror questionnaire form (배심원) 자격심사 서식

qualified immunity 제한적 면제

qualified jury wheel 유자격 배심원후보자 명부 저장장치

(initial) questions 최초의 질문들

(qualification) questionnaire form, juror questionnaire form (배심원) 자격심사 서식

questionnaire, juror qualification questionnaire, juror questionnaire 배심원(후보) 자격심사 질문서

questions of fact, matter of fact 사실문제

questions of law, point of law, legal matter, matters of law 법(의, 적) 문제

(county) quorum court 카운티 의회

quorum 의사정족수

quotient 몫

quo warranto 권한개시(開示)영장

R

race 인종

racketeer, extort 갈취, 공갈

random selection 무작위 선정

rape 강간

real evidence 실물증거

real-time captioning 실시간 자막제공

reasonable diligence, due diligence 합리적 근면, 정당한 근면

reasonable doubt 합리적 의심

reasonable intervals 합리적 시간간격들

reasonable opportunity to consult with counsel 변호인에 더불어 상담할 합리적 기회

reasonable opportunity to step outside the grand jury room to consult with counsel 대배심실 밖으로 나가서 변호인 에게 상의할 합리적 기회

recognizance 서약보증서, 출석담보금증서 / 1864, 1865, 1899, 2226, 2243, 2274, 2705, 2969

recommendation 권고, 권고사항, 권유, 추천 / 1822, 1847, 1881, 1977, 2075, 2076, 2099, 2152, 2449, 3018, 3116, 3117, 3125, 3126

(counsel of) record, (attorney of) record 정식기록 변호사, 정식기록 변호인

(public) record 공공기록

(county) recorder 카운티 부동산거래증명등록관

recording device, recording equipment, electronic recroding device, electronic recording equipment 녹음장비, 전자적 녹음장비

redact, redaction 가리다, 가림처리 하다, 가리기

(charge) reductions 혐의감축

reduction, diminish 감경

refusal to testify, refuse to testify 증언(하기를) 거부(하기)

registered 등기우편에 의한

registered voters 등록유권자들

regular grand jury 정규 대배심

regular mail 정규우편

regular term 정규 개정기

reimburse, reimbursement 변상하다, 변상금

reinstatement 복직

relation of guardian and ward 후견인-피후견인 관계

(attorney and client) relationship, relation of attorney-client 변호인-의뢰인 관계

relationship, affinity 인척(관계)

release, discharge 석방

release, unlock 개봉

release before trial, release pending trial, pretrial release 정식사실심리 전 석방

release condition. conditions of release 석방조건

release pending trial, release before trial, pretrial release 정식사실심리 전 석방

reliability, credibility, trustworthiness 신빙성

removal and replacement of attorney 변호사의 배제 및 교체

removal, dismiss, dismissal, discharge 임무해제, 해고, 해임

(removal and) replacement of attorney 변호사의 배제 및 교체

(grand jury report) 대배심 보고서

reporter, court reporter, stenographer, stenographic reporter 속기사

(be) represented by counsel, represented 변호인의 대변을 누리다

(judicial) review panel 사법심사 합의부

right to (a) jury trial 배심에 의한 정식사실심리를 누릴 권리

right to appeal 항소할 권리

right to appear as a witness 증인으로서 출석할 권리

right to be represented by counsel 변호인의 대변을 누릴 권리

right to call a witness 증인을 소환할 권리

right to compel the attendance of witnesses 증인들의 출석을 강제할 권리

right to consult with counsel 변호인에 더불어 상의할 권리

right to counsel 변호인의 조력을 받을 권리

right to have counsel present 변호인을 출석시킬 권리

rule(s) of evidence 증거규칙

rumor 소문

S

(postsecondary) school 중등학교

(vocational) school 직업학교

scientific test 과학적 시험

seal, sealed, sealing 관인, 봉인 / 1817, 1826, 1848, 1896, 1897, 1948, 1949, 1959, 2084, 2182, 2227, 2228, 2229, 2230, 2314, 2315, 2336, 2337, 2474, 2475, 2477, 2596, 2599, 2600, 2602, 2762, 2763, 2830, 2841, 2849, 2855, 2861, 2866, 2867, 2924, 2939, 2940, 2982, 3013, 3014, 3016, 3019, 3021, 3022, 3030, 3032, 3086, 3122, 3187, 3188, 3189, 3190, 3191, 3196, 3209, 3216, 3217, 3223, 3224, 3248, 3300, 3339

sealed indictment 봉인된 대배심 검사기소장

search warrant 수색영장

second hearing 두 번째 심리

secrecy, secrecy obligation, obligation of secrecy, confidentiality 비밀준수 의무 비밀성, 비밀의무

seizure 압류(하다), 압수(하다)

(privilege against) self-incrimination 자기부죄 금지특권

seniority 선임자(로서의) 지위, 선임자 서열

sentence concession 형량양보

sentencing 양형상의, 형선고

separate, separation, sever, severance 분리

separate count 별개의 소인

sequester, sequestration 격리, 격리조치

(period of) service, length of service, term, term of service, tenure, time 복무기간

set aside, abatement, discharge, dismiss, dismissal 취하

sever, severance, separate, separation, 분리

severely disabled person 중장애인

sex, gender 성별

sex offense, sexual conduct, sexual offense, 성범죄

sheriff 집행관

show cause 이유를 제시하다

show cause order 이유제시 명령

(for cause) shown 증명되는(된) 이유에 따라서

sick leave 병가

sign language 수화

sign language interpreter 수화 통역인

social security number 사회보장 등록번호

solicitation 유도

source list 원천명부

source of information 정보원

special assistant 특별검사보

special counsel, special prosecuting attorney, special prosecutor 특별검사

special grand jury 특별대배심

special inquiry judge 특별조사 법관

special jury list 특별 배심명부

(extra or) special panel 특별 배심원(후보)단

special presentment 대배심 특별 독자고발장

special term 특별 개정기

special venire 특별소집 배심원후보단

special verdict 특별평결

speech impaired 언어장애의

speedy trial 신속한 정식사실심리

spouse 배우자

state court administrator 주 법원 사무처장

state grand juror 스테이트 대배심원(후보)

state grand jury 스테이트 대배심

statewide grand jury 주 전체관할 대배심

statewide master jury list 주 전체 종합 배심명부

statute of limitations 공소시효

stenographer, stenographic reporter, reporter, court reporter 속기사

(peremptory) strike 무이유부 삭제

strike 삭제(하다)

student 학생

subornation of perjury 위증교사

subpoena 벌칙부소환장

subpoena duces tecum 문서제출명령 벌칙부소환장

Subpoenaed material 문서제출명령 벌칙부소환장에 의하여 제출된 자료

substantial right 실질적 권리

(oral) summary 구술의 요약

summary manner 약식의 방법

Sunday 일요일

(immediate) superior 직근상관

supervised release, parole 가석방

supportive person, (victim witness) advocate 조력인, 피해자 증인 조력인

(motion to) suppress 증거(를) 배제(삭제)(하여 달라는) 신청

suppression 증거배제

surety 보증인

surplusage 불필요한 문구

false swearing 허위선서

sworn testimony, testimony under oath 선서증언

T

tales box 보결배심원후보상자

talesman 보결배심원

tangible objects, material object 유형물

target 표적

(income) tax return 소득세 신고서

(primary) teacher 초등교사

teacher 교사

technical college 전문대학

(video) teleconferencing 원격지 간 화상회의

telephone 전화

telephone standby 전화대기 상태

(special) term 특별 개정기

term, term of service, tenure, period of service, length of service, time 복무기간

territorial authority, territorial jurisdiction 토지관할

terrorism 테러

testimony of an accomplice 공범의 증언

testimony under oath, sworn testimony 선서증언

(truthful) testimony 진실한 증언

theft, larceny 절도

time, term, term of service, tenure, period of service, length of service, 복무기간

title 권원

transcript 녹취(록, 서)

travel expenses 여행경비

treasurer 회계출납관

treasury 재정회계

trial by jury, jury trial 배심에 의한 정식 사실심리, 배심재판

trial information (정식사실심리) 검사 독자기소장

true bill 기소평결부 대배심 검사기소장안, 대배심 검사기소평결, 기소평결 / 1847, 1862, 1889, 1896, 1919, 1936, 1955, 1956, 1957, 1958, 1959, 1963, 1969, 2005, 2016, 2053, 2293, 2294, 2315, 2339, 2474, 2506, 2625, 2788, 2806, 2828, 2836, 2855, 2920, 3056, 3115, 3151, 3203, 3205

true name 진실한 이름

trustworthiness, reliability, credibility 신빙성

truthful testimony 진실한 증언

typist 타이피스트

 U

unanimous 만장일치의

undue influence 부당한 영향력

Unified Criminal Docket 통합형사사건부

Uniform Code of Military Justice 군사법원 통일법전

university 대학교

unlock, release 개봉

unnecessary delay 불필요한 지체

use immunity 사용면제

 V

vacancy 결원, 공석, 궐석, 궐위 / 1860, 1880, 1940, 1941, 2250, 2348, 2351, 2800, 2913, 2921, 3117, 3118

vacation 폐정기

venire, venire facias 배심(원) 소집, 배심(원) 소집(영)장, 소집(환)된 배심원후보단, 소집대상 배심원후보단 / 1754, 1755, 1757, 1758, 1759, 1760, 1761, 1771, 1982, 1984, 2060, 2061, 2062, 2063, 2064, 2065, 2066, 2067, 2069, 2086, 2087, 2171, 2305, 2360, 2371, 2373, 2374, 2376, 2382, 2412, 2413, 2427, 2428, 2429, 2430, 2460, 2484, 2485, 2486, 2659, 2682, 3033, 3059, 3074, 3075, 3095

venireperson 배심원

venue 재판적, 재판지

verbatim record 축어적 기록

vice foreman, deputy foreman, deputy foreperson, deputy presiding juror, 부배심장

victim witness 피해자 증인

victim witness advocate, supportive person 피해자 증인 조력인, 조력인

video teleconferencing 원격지 간 화상회의

view 검증

visually impaired 시각 장애자

vocational school 직업학교

voir dire 배심원자격 예비심문

vote, voting 찬성, 투표, 표결

voter 유권자, 투표권자 / 1753, 1763, 1764, 1767, 1837, 1839, 2015, 2017, 2018, 2110, 2349, 2350, 2528, 2531, 2532, 2533, 2534, 2535, 2650, 2663, 2664, 2665, 2666, 2667, 2670, 2671, 2678, 2679, 2686, 2692, 2694, 2695, 2696, 2697, 2790, 3091, 3092, 3165

W

waiver of immunity 면제(특권)의 포기, 면제포
기서

waiver of indictment 대배심 검사기소(장을 누릴
권리에 대한) 포기(서)

(relation of guardian and) ward 후견인-피후견인
관계

warden 교도소장

warrant of arrest, arrest warrant 체포영장

warrant of commitment 구금영장

(dangerous) weapon, deadly weapon 흉기

(examination) without charge 무료의) 검사

without prejudice 기판력의 불이익 없이, 불리한
기판력 없이, 권리들에 대한 침해 없이 / 2005,
2006, 2234, 2243, 2504, 2505, 2507, 2708, 2793,
3037

(compel the attendance of) witnesses 증인들의
출석을 강제하기

(first) witness 최초의 증인

(important) witness, material witness 중요증인

(right to appear as a) witness 증인으로서 출석할
권리

right to call a witness 증인을 소환할 권리

(limitation of) witness fees in misdemeanor tri-
als 경죄 정식사실심리들에서의 증인보수들의
제한

witness's fees 증인 보수

witness for the prosecution 검찰 측 증인

writ of mittimus 수감영장

(All) Writs Act 영장권한 통합법

Y

year next, following calendar year, ensuing year
차기연도

부록: 대배심 개설

1. 대배심(Grand Jury)이란 무엇인가?

대배심은 지역공동체 내의 사민들로부터 법원에 의하여 무작위로 선정되고 소집되어 자격심사를 거쳐 충원구성되는, 당해 지역 내에서의 범죄들을 또는 공공사안들을 조사하여 기소 여부를 평결하고 보고서를 작성하는 사람들의 통일체로서 법원의 일부를 구성한다. 법원은 자신이 부여하는 임무를 위하여 대배심이 필요로 하는 권한을 영장의 발부와 증인소환 등을 통하여와 법적 조언으로써 조력하고, 검사는 대배심의 조사에 출석하여 증인신문과 법적 조언 등으로써 조력하며, 대배심은 이러한 법원, 검찰의 후원과 조력 가운데 사안에 대한 결정을 독립적으로 내린다. 결국, 시민들이 법원·검찰에 결합되어 공공의 문제들을 조사하고 처분하는 권한을 행사하는 독립의 기관이 대배심이다. 이로써 사법은 국민의 것이 되고, 국민의 법치전선은 전진된 공간에서 국민 자신에 의하여 상시적으로 수호된다.

일정한 범죄의 기소에 대배심의 평결을 요구함에 의하여, 권력자(국가)의 또는 개인들의 불의한 또는 악의적인 기소로부터 시민들을 보호하는 방패로서의 역할을 대배심은 한다. 나아가, 지역 내의 범죄들을 조사하여 기소할 권한을 대배심원 후보 풀인 전체시민들로 하여금 상시적으로 가지게 함에 의하여, 개인들에 의한 것을이든, 공직자에 내지는 권력자에 의한 것이든, 범죄를 다스리고 불의를 응징하는 시민들의 칼로서의 기능을 대배심은 발휘한다. 대배심은 국가사회의 정의실현을 위한 시민들의 대오이며 그들의 손에 시민들이 쥐는 무기이다.

2. 대배심의 기원 및 현재

대배심은 영국국왕 헨리 2세 때인 1166년의 클라렌덴법(the Assize of Clarendon)에 그 기원을 둔다. 각각의 주(州)에서, 순회법원의 지난 번 개정기 이래로 저질러진 모든 범죄들을 주 장관에게 보고하기 위하여 지역의 중요인물들의 조직체가 선서절차에 처해져, 재판에 넘길 피고인들을 결정하였다. 1215년 마그나카르타 제61조는 국왕의 불법에 대하여 귀족들 25명으로 구성되는 평의회가 국왕을 소추하고 재판하고 집행하도록 규정하였는데, 이것은 특히 공직자들을 포함하는 권력자에 대한 소추기능을 대배심이 지니게 된 배경이 되었다. 대배심 제도는 약 700여 년이 넘도록 영미법 국가에서 광범위하게 실시되어 왔고 법이 국민의 것으로 정립되는 데에 중요한 역할을 하였다. 국가검찰 제도가 수립되고 민주적 통제 아래서 신뢰성이 인정된 19세기 이후에 이르러 다른 나라들에서 점차로 대배심이 폐지되었으나, 미국의 연방과 콜럼비아 특별구에서와 주들에서 그것은 여전히 활발하게 작동하면서 법과 정의를 수호하고 있다. 대배심은 라이베리아에서, 그리고 문화적 역사적으로 우리에게 가까운 일본에서도 기능을 수행하고 있다.[1]

3. 대배심을 소집할 권한 내지 의무는 법원에 있다.

3.가. 대배심의 소집은 판사의 직권에 의하여, 검사의 청구에 따라서 또는 일정 수의 유권자들의 청구에 따라서 법원이 한다.

3.나. 공중의 이익이 요구하는 경우에는 대배심이 소집되도록 법원은 명령하지 않으면 안 된다.

검사가 범인을 재판에 넘기는 문제는 공중의 이익이 요구하는 사안에 해당하므로, 검사의 요청이 있으면 법원은 대배심을 소집하여야 한다. 지역 내의 범죄 활동의 내지는 부패의 충분한 증거가 있다는 것이 지역 판사들 과반수의 의견인 때에는 법원은 대배심을 소집하여야 한다.[2]

---

1) 박승옥, 박승옥 변호사가 말하는 사법개혁 쟁취의 길 시민배심원제 그리고 양형기준 (2018) 65쪽 이하의 위키피디아 Grand Jury 기사의 원문과 번역문을, 130쪽 이하의 마그나카르타 원문과 번역문을 참조하라.
2) Federal Rules of Criminal Procedure Rule 6(a)); Washington Revised Code 10.27.030

검사가 대배심 소집을 청구함에는 지방검사 회의의 적어도 3명의 위원회의 동의서를, 그리고 검찰총장의 동의서를 첨부한 청구서를 제출하도록 하고서, 대배심의 소집을 명령할지 여부를 판단하기 위한 대법원장에 의하여 지명된 세 명의 판사들의 대배심 소집심사 합의부의 판단에 따라서 대배심을 소집하게 하는 입법례가 있다.[3]

3.다. 유권자들의 청구에 의한 소집을 보장하는 입법례들

3.다.(1) 네바다주

다섯 명의 등록유권자들로 구성되는 청구인들의 위원회는 대배심의 소집의 필요성을 설명하는 선서진술서를 재판구 지방법원의 서기에게 제출한 뒤 180일 내에, 직전 총선거 때에 카운티 내에서 투표한 투표자들의 적어도 25% 숫자의 등록유권자들의 서명들을 담은 대배심소집 청구서를 서기에게 제출함으로써 대배심 소집을 법원에 청구할 수 있다. 청구서가 제출된 뒤 20일 내에 서기는 당해 청구서가 충분한지 또는 불충분한지 여부를 밝히는 검정서를 작성하여야 하고, 만약 청구서가 충분한 것으로 검정되면, 검정서 등본을 법원에 신속하게 제출하여야 하며, 한 개의 대배심을 법원은 소집하여야 한다. 청구서가 불충분한 것으로 검정되면, 당해 청구서가 불충분하다는 서기의 판정에 대한 법원의 검토를 구하는 요청서를 검정서 등본의 수령 뒤 2일 내에 법원에 위원회는 제출할 수 있다. 서기의 판정이 정확하였음을 만약 법원이 인정하면, 위원회는 대배심을 소집하기 위한 새로운 절차를 개시할 수 있거나 또는 불복절차를 취할 수 있다. 서기의 판정이 파기되지 않으면 안 된다고 만약 법원이 판단하면, 대배심을 법원은 소집하여야 한다.[4]

---

3) North Carolina General Statutes § 15A-622 (h)
4) Nevada Revised Statutes § 6.132

3.다.(2) 노스다코타주

주지사를 위한 직전의 총선거에서의 카운티 내의 전체 투표수의 적어도 25%에 해당하는 숫자의 카운티 유자격 유권자들에 의하여 서명된 청구서가 판사에게 제출되는 경우에는 - 서명자들의 숫자는 225명에 미달하여서도 5,000명을 초과하여서도 안 된다 - 언제든지 카운티의 재판구 지방법원 판사는 한 개의 대배심을 추출하도록 및 소환하여 출석시키도록 명령하지 않으면 안 된다.[5]

3.다.(3) 뉴멕시코주

카운티 내의 등록유권자 200명의 또는 등록유권자 2%의 그 둘 중 더 큰 숫자의 서명이 있으면 대배심의 소집은 명령되어야 한다.[6]

3.다.(4) 캔자스주

어떤 카운티에서든 100에다 직전의 주지사 선거에서의 당해 카운티 내에서의 전체 투표자수의 2%를 합산한 숫자의 유권자들의 서명들을 단 청구서가 재판구 지방법원에 제출된 뒤 60일 내에 한 개의 대배심이 소집되어야 한다.[7]

3.다.(5) 오클라호마주

오클라호마주 헌법 제5조 제5절에 규정된 발의청구서에 의한 카운티의 입법을 제안하기 위하여 요구되는 서명들의 숫자에 해당하는 카운티의 유자격 유권자들의 서명이 붙은 청구서의 제출이 있으면 재판구 지방법원 판사에 의하여 대배심은 명령되어야 하는바, 그 요구되는 서명들의 최소한도는 500으로, 최대한도는 5,000으로 한다.[8]

---

5) North Dakota Century Code 29-10.1-02
6) New Mexico Constitution Art. 2 Sec. 14
7) KS Stat § 22-3001 (c) (1)
8) Oklahoma Constitution Article II Section II-18

4. 배심원의 선정

4.가. 일반시민들로부터의 무작위선정

카운티를 위한 개개 배심은 카운티 내에 거주하는 주에 속한 성인 시민들의 공평한 횡단면으로부터 무작위로 선정되어야 한다.[9] 대배심원의 자격조건은 유무죄를 평결하는 소배심(petit jury)의 자격조건에 일반적으로 동일하게, 합중국의 시민일 것; 18세 이상일 것; 해당 카운티의 주민들일 것; 영어를 읽을 수, 말할 수 및 이해할 수 있을 것; 신체적 내지는 정신적 장애로 인하여 만족스러운 배심복무를 제공할 수 없는 경우가 아닐 것; 중죄들로 유죄판정 되고서 시민적 권리들이 회복되지 아니한 상태에 있지 아니할 것 등이 요구된다. 배심복무로부터의 결격인지 여부를 배심원 자격심사 서식 위에 제공되는 정보의 또는 당해 배심원후보와의 면담의 또는 여타의 상당한 증거의 토대 위에서 법원은 결정하여야 한다. 있을 수 있는 결격에 관하여 의사의 또는 목사의 증명서 등 증거를 제출하도록 배심원후보는 요구될 수 있는바, 그 의사는 내지는 목사는 법원의 재량에 따라서 법원에 의하여 질문에 처해진다.[10]

4.나. 판사가 또는 판사들이 조사대배심을 구성하는 입법례가 있다.

코네티컷주에서는, 판사들의 합의체에 한 명의 판사가 범죄조사를 신청함에 따라서 판사가/들이 조사대배심을 구성한다. 범죄조사를 구하는 신청을 수령하도록 지정된 판사들의 합의체에 그러한 신청을 상위 지방법원의, 항소법원의 내지는 대법원의 판사 누구나가 제기할 수 있고, 합의체가 신청을 승인하여 범죄조사를 명령하면, 범죄조사를 수행하도록 상위 지방법원의 한 명의 판사를, 주 헌법문제 담당 판사를, 또는 세 명의 판사들을 - 다만, 그 합의체에서 복무하도록 대법원장에 의하여 지명되는 한 명의 판사를 제외한다 - "조사대배심"으로 법원사무처장이 지정하여 그 조사대배심으로 하여금 범죄의 조사를 수행하게 하고 있다.[11]

---

9) 가령, MD Cts & Jud Pro Code § 8-104 등이다.
10) 가령, 10 DE Code § 4509, New Jersey Statutes 2B § 20-1 등이다.
11) Connecticut General Statutes § 54-47b

4.다. 대배심에 대한 또는 대배심원에 대한 기피신청

법에 따라서 대배심원들이 추출되지 않았음을 내지는 선정되지 않았음을 이유로 해서만 대배심은 기피될 수 있고, 당해 대배심에 또는 특정의 사안에 착석할 자격을 한 명의 개별 대배심원이 지니지 아니함을 이유로 그 배심원은 기피될 수 있다. 만약 대배심에 대한 기피가 인용되면, 그 대배심은 임무해제 되지 않으면 안 된다. 만약 한 명의 개별 배심원에 대한 기피가 인용되면, 그 배심원은 임무해제 되지 않으면 내지는 기피의 대상인 특정 사안에 대한 숙의로부터 배제되지 않으면 안 된다.[12]

5. 대배심원의 숫자

5명 이상 7명 이하(버지니아주),[13] 6명(인디애나주),[14] 6명 이상 및 10명 이하(사우스다코다주),[15] 7명 이상 11명 이하(버지니아주),[16] 12명(켄터키주),[17] 13명(테네시주),[18] 13명 이상 및 23명 이하(로드아일랜드주),[19] 15명(캔자스주[20] 및 라이베리아[21]), 15명 이상 21명 이하(플로리다주),[22] 16명(아이다호주[23] 및 웨스트버지니아주[24]), 23명 이하(뉴저지주),[25] 16명 이상 23명 이하(연방,[26] 뉴욕주[27] 및 조지아주[28]) 등 다양하다.

---

12) 아리조나주 Rules of Criminal Procedure Rule 12.8; MO Rev Stat § 540.060
13) Code of Virginia § 19.2-195
14) IN Code § 35-34-2-1
15) SD Codified L § 23A-5-1
16) Code of Virginia § 19.2-207 (특별대배심)
17) Kentucky Revised Statutes § 29A.200
18) Tennessee Code § 40-12-126
19) Rhode Island General Laws § 12-11-1
20) KS Stat § 22-3001(d)
21) 라이베리아 Criminal Procedure Law § 15.1
22) FL Stat § 905.01 (1)
23) ID Code § 2-103
24) WV Code § 52-2-3
25) New Jersey Statutes 2B § 21-2
26) Federal Rules of Criminal Procedure Rule 6(a)
27) New York Consolidated Laws, CPL § 190.05
28) Georgia Code § 15-12-61

6. 대배심원의 복무기간

뉴멕시코주의 경우, 3개월을 넘지 않는 기간 동안 대배심은 복무해야 한다.[29] 복무기간을 카운티에 따라서 4개월 또는 6개월로 하되 그 자신들을 대신할 다른 대배심이 충원구성되고 났을 때까지로 하는 입법례로서 매사추세츠주가;[30] 복무기간을 6개월로 하되, 단축시킬 수 있거나 또는 복무기간의 종료 전에 시작된 업무를 종결짓기 위하여 연장될 수 있게 하는 입법례로서 미주리주 및 뉴햄프셔주 등이;[31] 사람은 두 번의 연속되는 6개월 기간들을 초과하여서는 대배심원으로 복무하여서는 안 된다고 규정하는 입법례로서 사우스캐럴라이나주가 있다.[32] 연방의 경우에 복무기간은 원칙적으로 18개월의 범위 내에서 대배심의 임무를 법원이 해제할 때까지이다. 복무기간의 연장이 공익에 부합한다고 법원이 판단하고서 복무를 연장하는 경우에는 18개월보다도 더 길게 복무할 수 있는바, 연장이 허가될 수 있는 기간은 6개월 이하이지만, 다만 제정법에 의하여 달리 규정되는 경우에는 그러하지 아니하다.[33]

7. 대배심원의 복무방법

복무기간 중에 외부로부터 원칙적으로 단절되는 소배심원(petit juror)에 같지 아니하게, 대배심원들은 출퇴근을 하면서 복무한다. 재판구 지방법원 판사의 명령에 의하여 정해진 시간에, 그리고 카운티 검사의 요청에 따라서 또는 대배심원들 과반수의 요청에 따라서, 대배심은 회합하여야 한다.[34] 법원이 동의하는 경우를 제외하고는 3 연속일을 초과하여 휴회하지 못하도록, 그러나 법원의 동의가 있으면 대배심은 더 오랜 기간 동안 휴회할 수 있도록, 그리고 대배심의 휴정들을 법원의 휴정들에 가능한 한 밀접하게 일치시키도록 규정하는 입법례로서 텍사스주가 있다.[35]

---

29) NM Stat § 31-6-1
30) MA Gen L ch 277 §§ 2d, 2f
31) MO Rev Stat § 540.021, 5; NH Rev Stat § 600-A:3
32) SC Code § 14-7-1910 (E)
33) Federal Rules of Criminal Procedure Rule 6(g)
34) 아이오와주, RULES OF CRIMINAL PROCEDURE Rule 2.3 (4))
35) Code of Criminal Procedure, Art. 20A.053

8. 대배심의 종류

8.가. 정규 대배심(regular grand jury)

통례적으로는 검사가 제출하는 대배심 검사기소장안을 심리하여 기소여부를 평결하지만, 스스로도 사안의 조사에 들어갈 권한을 지닌다. 공익이 요구하는 바에 따라서 개개 카운티를 위한 한 개 이상의 대배심들을 개개 카운티의 배정배심 판사는 충원구성 하여야 하고 개개 카운티에는 적어도 한 개의 대배심이 항상 복무 중에 있어야 하게 하는 입법례로서 뉴저지주 등이 있다.[36]

8.나. 특별대배심 내지는 조사대배심

8.나.(1) 정규 대배심의 복무기간 중에는 적절히 다루어질 수 없는 장기간의 조사를 요구하는 상황에 대처하기 위한 특별대배심을 이유부로 순회구 지방법원장 판사가 소집할 수 있게 하는 입법례로서 가령 켄터키주가 있고;[37] 수사를 내지는 소추를 제기하도록 검찰총장에게 주지사가 또는 의회가 명령하는 때에 특별대배심을 소환하도록 검찰총장의 서면요청에 따라서 국민간소송 법원이 내지는 그 소속의 판사가 명령하는 입법례로서 오하이오주가 있다.[38] 피고인들에 의하여 수행된 사기가 또는 절도가 중요한 요소인 두 개 이상의 활동들이 있는 문제들을 조사할, 검토할, 또는 이에 대한 대배심 검사기소장을 발부할 권한을 가지는 주 전체관할의 특별대배심을 검찰총장으로 하여금 충원구성 할 수 있게 하는 입법례로서는 캘리포니아주가 있다.[39]

8.나.(2) 지역사회에서의 것을이든 또는 정부의 권한에, 그 기관에 내지는 공무원에 의한 것을이든 범죄활동을 포함하는 상황을 내지는 범죄활동을 촉진시키는 데 보탬이 되는 상황을 조사하여 보고함을 목적으로 하여 충원구성되는 특별대배심의 입법례로서 버지니아주가 있다.[40] 주장되는 주 법에 대한 위반행위를 내지는 여타의 사항을 조사함을 목적으로 하는 특별대배

---

36) New Jersey Statutes 2B § 21-1
37) Kentucky Revised Statutes § 29A.220
38) Ohio Revised Code § 2939.17
39) California Code § 923(c)
40) Code of Virginia § 19.2-191 (2)

심을 충원구성 하여 주도록 카운티의 상위 지방법원 판사들에게, 카운티의 상위 지방법원의 법원장이 그의 내지는 그녀의 발의로, 재판구 지방검사의 신청에 내지는 청구에 따라서, 또는 카운티의 내지는 전체로든 부분으로든 카운티 내에 소재하는 자치체의 선출직 공무원 어느 누구든지의 청구에 따라서 요청함에 의하여 한 개의 특별대배심이 충원구성 될 수 있게 하는 입법례로서 조지아주가 있다.[41]

8.나.(3) 노스캐럴라이나주에서, 재판구 지방검사에 의하여, 재판구 지방검사의 피지명 보조자에 의하여, 또는 특별검사에 의하여 대법원 서기에게 제출되는 청구서에 거명된 범죄들을 및 사람들을 조사하도록 한 개의 조사대배심으로서의 대배심을 소집하라는 대배심 소집심사 합의부의 명령은 청구서에 거명된 범죄들을 및 사람들을 조사하도록 당해 대배심에게 지시하여야 한다.[42]

8.다. 시민 대배심(citizen's grand jury)

위 3.다.의 일정 수 이상의 유권자들의 서명에 의한 소집청구에 따라서 법원이 소집하는 대배심이다.

8.라. 카운티 대배심(County GrandJury), 스테이트 대배심(State Grand Jury), 복수카운티 관할 대배심(Multi-County Grand Jury), 주 전체관할 대배심(Statewide Grand Jury)

단일 카운티 내에서의 범죄를 조사 평결하는 카운티 대배심(County Grand Jury)에 대조되는 개념으로서 단일카운티를 초과하는 범위를 다루기 위하여 소집되는 스테이트 대배심(State Grand Jury)을 두는 입법례로서 노스다코타주 등이,[43] 또는 복수카운티 관할 대배심(Multi-County Grand Jury)을 두는 입법례로서 뉴햄프셔주 등이,[44] 주 전체를 조사범위로 하는 대배심인 주 전체관할 대배심(Statewide Grand Jury)을 두는 입법례로서 매사추세츠주 등이 있다.[45]

---

41) Georgia Code § 15-12-100(a)
42) North Carolina General Statutes § 15A-622 (h)
43) North Dakota Century Code 29-10.2-01
44) NH Rev Stat § 600-A:1
45) MA Gen L ch 277b § 1

9. 대배심의 개수

버지니아주에서, 조지아주에서 등의 경우에, 특정 개정기에 대배심에 의하여 심리되어야 할 사건들의 숫자가 너무 많아서 단일 대배심에 의하여는 이에 대한 분별 있는 심리를 곤란하게 하는 때에는 언제든지, 그 개정기 동안에 동시에 또는 다른 때에 따로 따로 착석하는 두 개 이상의 정규 대배심들이 충원구성 되게 하도록 법원은 명령할 수 있거나, 법원의 어떤 개정기에든 공공의 이익이 요구하는 경우에는, 한 개 이상의 동시적 대배심들을 재판구 지방검사의 신청에 따라서 법원은 충원구성 할 수 있다.[46]

10. 대배심의 기관: 배심장, 부배심장, 서기

10.가. 대배심의 기관으로는 배심장, 부배심장, 서기 등이 있다.

배심원들 중 한 명을 배심장으로, 그리고 다른 한 명을 부배심장으로 재판구 지방법원 판사는 지명하여야 한다. 모든 대배심 검사기소 평결의 경우에 이에 찬성한 배심원들의 숫자의 기록을 배심장은 또는 배심장에 의하여 지명되는 다른 배심원은 보관하여야 하고 그 기록을 법원서기에게 제출하여야 한다. 배심장의 부재 동안에는 부배심장이 배심장을 대행한다.[47]

10.나. 배심장은 법원의 대리인으로서 대배심 절차를, 대배심의 회합들을 주재하여야 한다.

배심장은 대배심의 업무를 및 절차들을 질서정연한 방법으로 지휘하여야 하며, 한 명 이상의 대배심원들을 당해 대배심의 서기로서 복무하도록 지명할 수 있다.[48] 배심장은 질서를 유지함에 있어서, 선서들을 실시함에 있어서, 허가되지 아니하는 사람들을 및 허가되지 아니하는 방법으로 행동하는 사람들을 배제시킴에 있어서, 대배심의 질서정연한 임무수행을 위하여 필요한 바에 따라서 대배심 내의 임원들을 지명함에 있어서, 그리고 법에 의하여 또는 법

---

46) Code of Virginia 19.2-193; Georgia Code § 15-12-63
47) WYOMING RULES OF CRIMINAL PROCEDURE Rule 6(a)(7)(A)
48) TX Code of Criminal Procedure Art. 20A.052

원명령에 의하여 배심장 위에 부과될 수 있는 여타의 의무들을 이행함에 있어서, 법원의 대리인으로서 행동하여야 한다. 대배심 절차를 어지럽히는 누구나를 법원모독 절차에 처해 달라고 법원에 배심장은 요청할 수 있다.[49]

11. 대배심의 권한 및 의무: 기소·불기소의 평결, 대배심 보고서; 영장의 발부 등

11.가. 자신의 카운티 내에서 저질러진 내지는 정식사실심리 될 수 있는 모든 범죄들을 캐들어 갈, 그리고 그것들을 대배심 검사기소장에 의하여 순회구 지방법원에 고발할 권한을 및 의무를; 카운티 내의 공공 감옥들에의 모든 합리적인 시간대에의 자유로운 접근의 및 모든 공공기록들에 대한 무료의 검사의 권한을 대배심은 지닌다. 카운티 내의 모든 공무원들의 의도적인 및 부정한 직무상의 위법행위를 대배심은 파헤쳐야 한다.[50]

11.나. 캘리포니아주는 범죄를만이 아니라, 조사 대상 기관들의 임무사항들의 수행을 위한 관공서들의 폐지를 내지는 창출을, 장비의 구매를, 임차를, 매입을, 또는 방법에 내지는 체계에 있어서의 변경들을 포함하여, 카운티 공무원들의 수요 등등의 시민적 관심의 카운티 문제들을 조사하도록 내지는 파헤치도록 광범위한 임무를 대배심에게 부여한다.[51]

11.다. 대배심은 증거의 검토 뒤에 ① 사람을 범죄혐의로 기소하는 조치(기소평결)를 취할 수 있고, ② 고발을 기각하는 조치(불기소평결)를 취할 수 있다. ③ 그 이외에도, 검사 독자기소를 지방형사법원에 제기하도록 지방검사에게 명령하는 조치를; ④ 가정법원에의 이송을 위한 요청을 제기하도록 지방검사에게 명령하는 조치를 ⑤ 대배심 보고서를 제출하는 조치를 등 취할 수 있게 하는 입법례로서 뉴욕주가 있다.[52]

---

49) 아리조나주 Rules of Criminal Procedure Rule 12.3
50) SD Codified L § 23A-5-9; Minnesota Statutes 628.61; Nevada Revised Statutes § 172.105; North Dakota Century Code 29-10.1 23
51) CA Penal Code § 888
52) New York Consolidated Laws, CPL § 190.60

11.라. 출석을 및 증거의 제출을 벌칙부소환장에 의하여 요구할 대배심의 권한

자신 앞에의 증인들의 출석을 명령할 권한을, 자신의 조사에 관련 있는 모든 공공의 및 사적인 기록들의 내지는 여타의 증거의 제출을 요구할 권한을, 및 대배심을 소집하는 재판구 지방법원을 통하여 그 자신의 권한으로 발부되는, 및 재판구 지방법원의 법적 영장의 집행 책무를 맡는 공무원 아무나에 의하여 집행되는, 벌칙부소환영장에 의하여 그러한 권한을 시행할 권한을 대배심은 지닌다.[53]

12. 대배심에 대한 법원·검사의 조력

12.가. 법적 조언 등

법원과 검사는 대배심의 법적 조언자들이어야 한다. 법원과 검사의 조언을 대배심은 모든 합리적인 시간대에 요청할 수 있다. 그 밖의 어떠한 원천으로부터의 법적 조언을도 대배심은 추구하여서는 내지는 수령하여서는 안 된다.[54]

12.나. 검사의 대배심에의 출석, 증인신문 실시, 대배심에의 조언제공, 대배심 검사기소장 초안의 작성, 증인의 소환, 영장의 내지는 벌칙부소환장의 발부, 무죄임을 해명하는 증거의 제출 등

증인들을 대배심의 면전에서 신문하기 위하여 내지는 대배심 검사기소장들의 뼈대를 짜기 위하여 카운티 검사는 출석하여야 하고, 증인들을 그들의 면전에서 신문하기 위하여, 또는 법적 문제에 관하여 조언을 그들에게 제공하기 위하여, 대배심에 의하여 요구되는 경우에는 언제든지 그들에게 출석함은 카운티 내의, 내지는 카운티 내에 있지 아니한 시티 내의, 소추검사의 내지는 순회구 검사의 의무이다.[55] 대배심에 의하여 심리될 수 있는 그 어떤 사안에 대하여든 관련되는 정보를 제공함을 위하여 내지는 대배심이 요구할 수 있는 그 어떤 법 문제에 관하여든 대배심에게 조언을 제공하기 위하여 대배심 앞에 출석하도록 카운티 검사는 또는 카운티 검사보는 항상 허용되어야 하며, 그 필

---

53) NM Stat § 31-6-12
54) IN Code § 35-34-2-4 (k)
55) Minnesota Statutes Section 628.63; MO Rev Stat § 540.130

요하다고 대배심원들이, 카운티 검사가, 카운티 검사보가 간주하는 경우에는 대배심 앞의 증인들을 그러한 카운티 검사는 내지는 카운티 검사보는 신문할 수 있다.[56] 관련되는 정보를 내지는 지식을 보유하는 것으로 그 자신에 내지는 그녀 자신에 의하여 믿어지는 누구든지를 대배심 절차에서의 내지는 특별 조사 법관 절차에서의 증인으로서 검사는 소환할 수 있고 그의 내지는 그녀의 출석을 및 증거제출을 강제하기 위한 법적 영장을 내지는 벌칙부소환장을 검사는 발부할 수 있다.[57] 증인들의 출석을 확보하기 위한 영장을 대배심의 요청이 있을 경우에 주 검사는 내지는 그의 내지는 그녀의 지정 보조자는 발부해야 한다.[58] 조사를 수행함에 있어서 조력하도록 지명되는 검사는 조사의 표적인 사람에 관련하여 그의 소지 내에, 보관 아래에, 또는 통제 안에 있는 무죄임을 해명하여 주는 정보를 내지는 자료를 대배심에게 공개해야 한다.[59] 자신에게 제출되는 모든 증거를 대배심은 비교교량 하여야 하는바, 무죄임을 해명하여 주는 증거가 자신의 권한범위 내에 있다고 믿을 이유를 자신이 지니는 경우에는 그 증거가 제출되게 하도록 대배심은 명령하여야 하고, 그러한 증거의 제출을 위한 영장을 발부하도록 그 목적을 위하여 검사에게 대배심은 요구할 수 있다.[60]

12.다. 법원의 영장, 벌칙부소환장 등의 발부

대배심 앞에서 증언하도록 증인들을 불러오기 위한 벌칙부소환장을 및 그 밖의 영장을, 대배심에 의하여 또는 그 배심장에 의하여 또는 소추검사에 내지는 순회구 검사에 의하여 요구되는 경우에는 언제든지 당해 대배심이 충원구성된 법원의 서기는 발부하여야 한다.[61] 캔자스주에서, "만약 조금이라도 귀하들 앞에 출석하도록 및 증언하도록 적법히 소환된 증인이 이에 복종하기를 불이행하면 내지는 거부하면, 그 증인의 출석을 강제하기 위한 강제영장이 이

---

56) Nebraska Revised Statutes § 29-1409
57) Washington Revised Code § 10.27.140
58) FL Stat § 905.185
59) Connecticut General Statutes § 54-47f (f)
60) North Dakota Century Code 29-10.1-27
61) Nebraska Revised Statutes § 29-1409; MO Rev Stat § 540.160; Ohio Revised Code § 2939.12; KS Stat § 22-3008

법원에 의하여 발부될 것입니다."라고, 유권자들의 서명들을 단 청구서에 의하여 소집된 대배심의 대배심원들에게, 판사는 설명하여야 한다.[62]

12.라. 처벌 등에 의한 강제

대배심 앞에 출석하도록 및 증언하도록 적법하게 소환된 증인이 이에 따르기를 불이행하거나 거부하면, 그 증인의 출석을 강제하기 위하여 강제영장이 발부되어야 하는바, 그 불이행자를 여타의 사건들에서 법원으로부터 발부되는 한 개의 벌칙부 소환영장의 부준수에 대하여 법에 의하여 규정되는 방법에의 및 절차들에의 동일한 방법으로 및 절차들에 따라서 법원은 처벌할 수 있다.[63] 가령 캘리포니아주에서, 조금이라도 소환된 대배심원으로서 그 출석하기를 의도적으로 및 정당한 이유 없이 불이행하는 사람은 구금되어 출석이 강제될 수 있고 50달러 이하의 벌금을 법원은 아울러 부과할 수 있는바, 이에 따라 강제집행영장이 발부될 수 있다.[64]

12.마. 특별검사의 지명

대배심은 그 업무의 수행에 있어서 일정한 경우에 특별검사를 제공받을 수 있다.

12.마.(1) 대배심이 요청하는 경우

일정 등급의 카운티에서의 경우에 대배심의 요청이 있으면, 한 명의 특별검사를 카운티 이름으로 대배심에게 상위 지방법원의 주재판사는 선임할 수 있음이 캘리포니아주 입법례이다.[65] 캔자스주에서, 대배심은 재판구 지방법원의 승인을 얻어서 조사관들을 사용할 수 있고, 일정한 예외의 경우에를 제외하고는 특별검사를 사용할 수 있다.[66] 워싱턴주의 경우에, 대배심에 출석할 특별검사를 지명하도록 법원의 승인을 수령한 뒤에 주지사에게 대배심은 요청할 수 있는바, 법원에 의하여 승인되는 세 명을 요청서에서 대배

---

62) KS Stat § 22-3001 (c)(4)(D)
63) KS Stat § 22-3008 (b)
64) CA Penal Code § 907
65) CA Penal Code § 936.7
66) KS Stat § 22-3006 (c)

심은 지명하여야 하며, 한 명의 특별검사를 그 피지명자들 중에서 주지사는 지명하여야 한다.[67]

12.마.(2) 카운티 검사가 또는 검찰총장이 조사대상인 경우

몬태나주에서, 카운티 검사가 또는 검찰총장이 대배심 조사의 대상인 경우에, 한 명의 특별검사를 재판구 지방법원은 지명하여야 한다. 특별검사가 지명되면, 그 카운티 검사의 내지는 검찰총장의 사무소는 공무상의 권한으로써 참여해서는 안 되는바, 다만 직원 구성원들은 증인들로서 출석 할 수 있다.[68]

12.마.(3) 카운티 공무원들이 조사대상인 경우

네브라스카주에서, 카운티 공무원들의 공무상의 행위들에 관하여 조사가 이루어져야 한다는 점이 재판구 지방법원의 판사에게 드러나는 경우에는, 즉시 주 지사에게 배심장은 통지하여야 하는바, 한 명의 특별검사를 주 지사는 즉시 지명하여야 한다. 그리고 그러한 특별검사가 지명된 대상인 당해 소송물에 관련되는 모든 절차들 동안 카운티 검사는 내지는 카운티 검사보는 배제되어야 한다. 다만 특별검사가 지명되어 있는 대배심 앞의 한 명의 증인으로서 카운티 검사로 하여금 내지는 카운티 검사보로 하여금 출석하지 못하도록 이 절 안의 것은 금지하지 아니한다.[69]

12.마.(4) 특별대배심이 요청하는 경우

버지니아주에서, 특별대배심의 요청에 따라서 그 업무에서 특별대배심을 조력할 특별검사를 법원은 지명할 수 있고, 적절한 전문요원을 조사적 목적들을 위하여 특별대배심에게 법원은 제공할 수 있다.[70]

12.마.(5) 법원이 승인하는 경우

몬태나주에서, 재판구 지방법원의 승인을 조건으로 한 명의 특별검사를, 조

---

67) Washington Revised Code § 10.27.070 (10)
68) Montana Code Annotated § 46-11-304
69) Nebraska Revised Statutes § 29-1408
70) Code of Virginia § 19.2-211

사관들을, 통역인들을, 그리고 전문가들을 먼저 법원에 의하여 승인이 이루어진 합의된 보수로 카운티 검사는 고용할 수 있다.[71]

12.마.(6) 스테이트 대배심에서 검찰총장을 조력하게 하기 위한 경우

사우스캐럴라이나주에서, 한 개의 스테이트 대배심 사안에의 참여로부터 스스로 회피하기로 한 명의 법무관이 결정하면, 검찰총장은 그러한 조사를 및 소송추행을 수행하여야 하는바, 다만 당해 스테이트 대배심 조사를 다루게 하기 위한 내지는 그 조사에서 검찰총장 자신을 조력하게 하기 위한 충돌되지 아니하는 다른 법무관을 검찰총장은 그의 재량으로, 그 적절하다고 검찰총장이 간주하는 바에 따라서 지명할 수 있거나 또는 특별검사를 지명할 수 있다.[72]

12.마.(7) 이익충돌을 법원이 인정하는 경우

유타주에서, 한 명의 특별검사가 필요한지를 감독판사는 판단하여야 한다. 증명되는 타당한 이유 위에서만, 및 당해 대배심 앞에서 주를 여타의 경우에라면 대변하였을 검찰총장 사무소 내에, 카운티 검사 사무소 내에, 재판구 지방검사 사무소 내에, 또는 시군자치체 검사 사무소 내에 이익충돌이 존재한다는 한 개의 확인서면을 감독판사가 작성한 뒤에만, 한 명의 특별검사는 지명될 수 있다.[73]

12.마.(8) 검찰총장의, 카운티 검사의, 재판구 지방검사의, 시군자치체 검사의 결정에 따라서 법원이 지명하는 경우

유타주에서, 감독판사에 의하여 지명되는 한 명의 특별검사를 제공받기로 검찰총장은, 카운티 검사는, 재판구 지방검사는, 또는 시군자치체 검사는 결정할 수 있는바, 그 결정에 대한 당해 검사로부터의 통지서의 수령 즉시로 한 명의 특별검사를 이 절에의 부합 속에서 감독판사는 지명하여야 한다.[74]

---

71) Montana Code Annotated § 46-11-315 (3)
72) SC Code § 14-7-1650(C)
73) UT Code § 77-10a-12 (2)
74) UT Code § 77-10a-12 (5)

13. 대배심 절차들의 녹음

대배심이 숙의 중인 동안을 내지는 표결 중인 동안을 제외하고는, 모든 절차들은 법원 속기사에 의하여 내지는 적절한 녹음장비에 의하여 녹음되지 않으면 안 된다. 법원이 다르게 명령하지 않는 한, 녹음의, 속기사의 메모들의, 및 조금이라도 그 메모들로부터 작성되는 녹취록의 통제권을 검사는 보유한다.[75] 녹음은 절차들의 공정성을 확보하는 데 기여한다.

14. 대배심 절차의 비밀성 및 공개의 제한

14.가. 대배심 절차의 진행은 원칙적으로 비밀이고, 비밀준수 의무를 배심원들을 진다. 가령 "귀하들 자신의 의논을 및 귀하들의 동료들의 및 주(state)의 의논을 비밀로 귀하들은 간직할 것임을 및 조금이라도 귀하들 앞에서 신문되는 증인의 증언을 법에 의하여 허가되는 경우에가 아닌 한 공개하지 아니할 것임을, 조금이라도 대배심원이 말한 바를, 내지는 조금이라도 귀하들 앞의 사안에 대하여 어떻게 대배심원이 표결하였는지를 귀하들은 공개하지 아니할 것임을" 루이지애나주에서 대배심원들은 한다.[76]

14.나. 대배심 절차의 비밀성은 대배심실에 출석할 수 있는 사람을 제한하는 데서 시작된다. 연방의 경우에, 대배심이 개정 중인 동안에는, 검사들이, 신문되는 증인이, 필요한 경우의 통역인들이, 및 법원 속기사가 또는 녹음장비 기사가 출석할 수 있는 이외에는, 다른 사람들은 출석할 수 없고, 대배심이 숙의 또는 표결 중인 동안에는, 배심원들 이외에는, 그리고 청각장애의 또는 언어장애의 배심원들을 조력하기 위하여 필요한 통역인 이외에는 어느 누구도 출석할 수 없다.[77]

대배심 절차의 비밀성으로 인하여, 대배심의 조사대상인 표적이라 하더라도 변호인을 대배심실에 대동할 수 없게 하는 주들이 있다. 그 경우에 변호인에

---

75) Federal Rules of Criminal Procedure Rule 6(e)(1)
76) Louisiana Code of Criminal Procedure, Art. 431
77) Federal Rules of Criminal Procedure Rule 6(d)

게서의 상담은 적절한 시간간격을 두고서 대배심실 밖에 나가서 받아야 한다.[78] 대배심 자료의 공개는 검사의 임무를 수행함에 있어서의 사용을 위한 경우의 검사에게 등 법률이 정하는 엄격히 한정된 범위 내에서만 허용되며, 그 경우에도 대배심의 숙의들은 및 대배심원 누구든지의 표결은 공개될 수 없다.[79]

15. 대배심 절차에서의 변호인의 조력

15.가. 대배심 절차에서 변호인의 조력은 일방적 소추기관으로서의 대배심의 성격에 본질적으로 저촉되는 한도 내에서 부분적으로 제한된다. 일방절차로서의 본질적 성격에 저촉되지 아니하는 여타의 범위에서는 변호인의 조력이 보장된다.

15.나.(1) 가령, 미시간주에서, 지체 없는 변호인의 조력을 받을 권리를 대배심 앞에 소환되는 증인은 항상 지닌다.[80]

워싱턴주에서 증인으로서든 주요 피조사자로서든 조금이라도 대배심 앞에서 내지는 특별조사 법관 앞에서 증언하도록 소환되는 개인에게는, 만약 그 대배심 앞에 내지는 그 특별조사 법관 앞에 그 증인을 대동하고서 출석하는 변호사에 의하여 그 개인이 대변되고 있지 아니하면, 그의 내지는 그녀의 자기부죄 금지특권에 관하여 고지가 이루어지지 않으면 안 되고; 대배심 앞에서의 내지는 특별조사 법관 앞에서의 그의 내지는 그녀의 권리들에, 책임사항들에 및 의무사항들에 관하여 그를 내지는 그녀를 조언하는 변호사에 의한 대변을 누릴 권리를 그러한 개인은 지니며, 이 권리에 관하여 그에게 고지가 이루어지 아니하면 안 된다. 그의 내지는 그녀의 의뢰인에 의하여 출석이 이루어지는 모든 절차들 동안 변호사는 출석할 수 있는바, 다만 워싱턴주 현행법전집(RCW) 10.27.130에 따라서 면제가 부여되어 있는 경우에는 변호사는 출석할 수 없다. 면제가

---

78) North Carolina General Statutes § 15A-623 (h); Washington Revised Code § 10.27.120
79) Federal Rules of Criminal Procedure Rule 6(e)(2)(A)
80) THE CODE OF CRIMINAL PROCEDURE (EXCERPT) 767.19 e

부여되고 난 뒤에는 변호인은 대배심실 밖에서 상담을 위하여 대기할 수 있으며, 그에게의 상담을 위하여 합리적인 시간간격을 두고서 대배심실을 그러한 개인은 떠날 수 있다.[81]

15.나.(2) 펜실베니아주에서, 한 개의 조사대배심 앞에 출석하도록 및 증언하도록 또는 문서들을, 기록들을 또는 그 밖의 증거를 제출하도록 벌칙부로 소환되는 증인은 변호인의 조력을 받을 권리를 지니는바, 그 조사대배심의 출석 속에서 그 증인이 신문되는 동안의 조력을 이는 포함한다. 증인 선택의 변호인이 선임될 수 없는 경우에는 대배심의 업무가 진척될 수 있게끔 다른 변호인을 상당한 기간 내에 얻도록 그는 요구된다. 그러한 변호인은 증인에 의하여 선임될 수 있거나, 또는 법적 대변을 얻기 위한 충분한 자력을 획득할 수 없는 사람인 경우에는 지명되어야 한다. 그러한 변호인은 증인에 대한 신문 동안에 대배심실에 출석해 있도록 허용되어야 하고 그 증인을 조언하도록 허용되어야 하는바, 그는 이의들을 내지는 주장들을 제기하여서는 내지는 여타의 방법으로 대배심에게 또는 주 검사에게 말을 걸어서는 안 된다. 법원에 의하여 지명되는 국선변호인 규정을 복수관할카운티 조사대배심 절차를 위하여도 펜실베니아주 등은 두고 있다.[82]

16. 증거규칙 내지는 위법수집 증거배제 법칙의 적용 여하

뉴멕시코주의 경우에, 대배심 절차에 증거규칙은 적용되지 아니한다고; 한 개의 대배심 검사기소장의 제출의 근거가 되는 증거의 충분성은 대배심을 조력한 검사 쪽의 악의에 대한 증명이 없이는 재심리에 종속되지 아니한다고 규정하지만, 그러나 그보다도 먼저, 한 개의 대배심 검사기소를 대배심이 평결할 수 있는 그 앞의 증거는 적법한, 자격 있는, 그리고 사안에 관련 있는 증거를 말함을 명시한다.[83] 나아가, 증거능력 없는 증거의 제출에 검사 측의 악의가 개입된 경우에는 대배심 검사기소가 재심리에 종속될 수 있음을 이는 함축한다. 연방의 경우에,

---

81) Washington Revised Code § 10.27.120
82) https://www.legis.state.pa.us/WU01/LI/LI/CT/HTM/42/00.045..HTM § 4549(c); § 4553 (b)(2)
83) NM Stat § 31-6-11

개인의 헌법적 권리들에 대한 명백한 침해의 직접적 결과로서 얻어졌음을 검사가 직접 아는 증거를, 그렇게 침해되어 있는 사람에게 불리하게 사용하기 위하여 대배심에 검사는 제출하여서는 안 됨을 연방 법무부 검찰 업무편람(Justice Manual) 9-11.231은 규정한다.[84] 증거규칙들을 및 형사절차 일반에 관한 관련 사안들을 규율하는 규정들은 그 적절한 경우에 대배심 절차들에 적용될 수 있음을 뉴욕주는 명시하고 있고,[85] 증거의 효과를 판단할 배심원들의 권한은 재량적인 것이 아니라 법적 판단력으로써 및 증거규칙들에의 복종 속에서 행사되어야 함을 오레건주는 규정한다.[86] 일정한 예외를 제외하고는, 형사소송의 정식사실심리에서 이의를 누르고서 증거능력이 인정될 만한 것들 이외의 증거를 대배심은 수령해서는 안 됨을, 그러나 대배심 검사기소장을 뒷받침하는 충분한 자격 있는 증거가 대배심에 의하여 수령된 경우에는, 정식사실심리에서였다면 배제되었을 증거가 그 대배심에 의하여 수령되었다는 사실은 그 대배심 검사기소장을 무효로 만들지 아니함을 캘리포니아주는 규정한다.[87]

17. 자기부죄 금지특권(Privilege against Self-Incrimination)을 원용하는 증인에 대한 면제부여

17.가. 행위면제(transactional immunity; 소추면제)[88] 또는 사용면제(use immunity) 및 파생적 사용면제(derivative immunity)[89]

캔자스주에서, 증언하기를 내지는 답변하기를 대배심 앞에 출석하는 증인이 거부하면, 판사에게 서면으로 보고되어야 하는바, 그 보고서에는 답변이 거부되는 대상인 질문이 명시되어야 한다. 답변할 의무가 증인에게 있는지 없는지 여부를 그 경우에 판사는 판정해야 하고, 대배심에게 그 결정은 즉시 고지되

---

84) https://www.justice.gov/jm/jm-9-11000-grand-jury
85) New York Consolidated Laws, CPL § 190.30.1
86) Oregon Revised Statutes § 10.095
87) CA Penal Code § 939.6(b)
88) 그 증언이 관련을 지니는 증인의 해당 행위 자체를 처벌하지 아니하기로 하는, 즉 소추하지 아니하기로 하는 공식적 약속이다. 그 증언으로부터 도출되지 아니한 독립적 증거에 의하여서도 당해 증인을 소추할 수 없게 된다.
89) 그 증인의 증언을 그에게 불리한 증거로 사용하지 아니하겠다는 약속을 의미한다. 그 증언 자체를만이 아니라, 그 증언으로부터 파생되는 증거의 사용을 또한 하지 아니하겠다는 약속이 "파생적 사용면제"이다. 독립인 별개의 원천으로부터 입수된 증거에 의하여서는 그 증인은 소추될 수 있으나, 그 증거의 독립성을 검사는 입증하여야 한다.

어야 한다. 주를 위하여 카운티 검사는 내지는 지방검사는 내지는 검찰총장은, 그리고 사법의 이익이 요구한다는 판단 위에서 검사에게 고지한 뒤에 및 사안에 관한 검사의 권고사항들을 청취한 뒤에 재판구 지방법원 판사는, 행위면제를, 사용면제 및 파생적 사용면제를 어느 누구에게든 서면으로 부여할 수 있다. 행위면제를 부여받는 사람은 조금이라도 그 행위면제가 부여되는 대상인 그 저질러져 있는 범죄를 이유로 내지는 조금이라도 그 동일사건으로부터 생겨나는 그 밖의 행위들을 이유로 소추되어서는 안 된다. 사용면제를 및 파생적 사용면제를 부여받는 사람은 그 어떤 범죄를 이유로 해서든 소추될 수 있으나, 조금이라도 그러한 면제의 부여 아래서 제공되는 그 사람에게 불리한 증언을 내지는 조금이라도 그러한 증언으로부터 도출되는 증거를 주(state)는 사용해서는 안 된다. 그러한 면제부여 아래서 이루어진 증언의 내지는 진술들의 결과로서 증인 자신에게 거슬러서 증거가 도출되었다는 및 획득되었다는 이유들에 의거하여 그 증거를 주(state)로 하여금 사용하지 못하도록 금지해 달라는 신청을 서면으로 법원에 피고인은 제출할 수 있다. 그 주장들을 뒷받침하는 사실관계를 신청서는 서술해야 한다. 독립적으로 및 병행적 원천으로부터 그 증거가 얻어졌음을 명백한 및 설득력 있는 증거에 의하여 증명할 책임을 그러한 신청에 대한 청취 위에서 주(state)는 져야 한다. 면제를 부여받는 사람은 유죄를 자기 자신에게 증언이 씌울 수 있음을 이유로 그 증언하기를 거부할 수 없는바, 다만 한 개의 연방법 상의 범죄를 위한 토대를 그러한 증언이 구성할 수 있는 경우인데도 연방법에 따른 면제가 부여되지 아니한 때에는 그러하지 아니하다. 조금이라도 자기 자신이 피고인인 절차에서는 그 증언하도록 사람은 강제되어서는 안 된다.[90]

면제부여의 범위는 입법례에 따라서 상이하다. 가령, 노스캐럴라이나주에서, 대배심에 출석한 증인이 자기부죄 금지특권을 원용하면서 증언을 거부하면, 검사는 사용면제를 그 증인에게 부여할 수 있다.[91]

---

90) KS Stat § 22-3008 (e)
91) North Carolina General Statutes § 15A-623 (h)

18. 대배심의 의사정족수, 의결정족수

18.가. 의사정족수

요구되는 대배심원들의 숫자의 다양성 위에서, 다시 상이한 숫자의 의사정족수가 규정된다. 23명 이하로 및 16명 이상으로 대배심이 구성되는 미네소타주의 경우에, 대배심의 업무수행을 위한 의사정족수는 16명인바, 그 숫자의 구성원들이 출석해 있지 않으면 업무수행에 나아갈 수 없다.[92] 6명 이상의 및 10명 이하의 구성원들로 대배심이 구성되는 사우스다코다주의 경우에, 증거가 내지는 증언이 수령될 수 있으려면 내지는 여타의 업무가 처리될 수 있으려면 의사정족수인 여섯 명의 배심원들이 출석하지 않으면 안 된다.[93] 18명으로 개개의 스테이트 대배심이 구성되는 사우스캐럴라이나주의 경우에, 스테이트 대배심의 구성원 열두 명은 의사정족수를 구성한다. 대배심을 16명이 구성하는 아이다호주의 및 일리노이주의 경우에, 그 중 12명은 의사정족수를 구성한다. 의사정족수가 출석하면 대배심은 숙의할 수 있고 행동을 취할 수 있다.[94] 15명으로 대배심이 구성되는 캔자스주의 경우에 그 중 열두 명이 의사정족수를 구성한다.[95] 열두 명으로 대배심이 구성되는 와이오밍주의, 콜로라도주의 및 텍사스주의 경우에, 아홉 명 이상의 배심원들은 대배심으로서 행동할 수 있다.[96] 열여섯 명으로 대배심이 구성되는 웨스트버지니아주의 경우에, 15명 이상의 출석 대배심원들이 자격 있는 대배심이 된다.[97] 18명으로 주 전체관할 대배심이 구성되는 플로리다주의 경우에, 그 중 15명이 의사정족수를 구성한다.[98]

---

92) Minnesota Statutes Section 628.41.2
93) SD Codified L § 23A-5-18
94) FL Stat § 905.37 (3)
95) KS Stat § 22-3001 (d)
96) WYOMING RULES OF CRIMINAL PROCEDURE Rule 6(a)(4)(B); CO Rev Stat § 13-72-102; Texas Statutes 19A.251
97) WV Code § 52-2-4; Rules of Criminal Procedure Rule 6(a)
98) FL Stat § 905.37 (3)

18.나. 일반적 의결정족수

대배심의 일반적 의사결정은 재적 과반수의 찬성에 의하는 경우가 많다. 가령, 아이다호주에서 대배심은 자신 앞에서 증언하도록 소환되는 추가적 증인들을 위한 벌칙부소환장들의 발부를 대배심 과반수 찬성에 의하여 명령할 수 있고;[99] 아이오와주에서 대배심원들 과반수의 요청에 따라서 대배심은 회합하여야 하며;[100] 오클라호마주에서 복수카운티 관할 대배심 자신의 임무가 완료되었음을 과반수 찬성으로써 결정하고;[101] 유타주에서 공무원 등에 대한 해임의 권고 등을 위한 근거로서의 직무상의 비범죄적 위법행위 등에 관한 보고서를 과반수의 찬성으로 대배심은 제출할 수 있고;[102] 캔자스주에서 일정수 이상의 유권자들의 청구에 의하여 소집되는 대배심에서 특별검사는 내지는 조사관은 대배심의 과반수 찬성에 의하여 선정되어야 하고, 배정된 판사의 배제를 대배심의 과반수 찬성에 의하여 대배심은 추구할 수 있으며;[103] 일본에서 검찰심사회의의 의사는 과반수로 결정한다.[104]

19. 기소평결의 경우

19.가. 대배심 검사기소 평결을 위한 의결정족수

기소평결에 요구되는 숫자 또한 다양성을 보인다. 가령, 대배심원이 5명 이상 7명 이하인 버지니아주의 경우에 대배심 검사기소를 평결하는 데에는 내지는 대배심 독자고발을 제기하는 데에는 정규 대배심의 적어도 네 명이 찬성하지 않으면 안 된다.[105] 대배심원이 6명인 인디애나주의 경우에, 적어도 다섯 명의 대배심원들이 찬성하지 않으면 안 된다.[106] 대배심원이 12명인 켄터키주의 경우에, 9 명의 찬성으로 대배심 검사기소를 평결할 수 있다.[107] 대배심원이 6

99) Idaho Criminal Rules (I.C.R.) Rule 6 (d)(6)
100) https://www.legis.iowa.gov/docs/ACO/CR/LINC/06-30-2020.chapter.2.pdf Rule 2.3(4)j.
101) 2019 Oklahoma Statutes § 22-352. A.1
102) UT Code § 77-10a-17
103) KS Stat § 22-3001(c)(4)(C), KS Stat § 22-3016
104) 일본 검찰심사회법 제27조
105) Code of Virginia § 19.2-202
106) IN Code § 35-34-2-12 (b)
107) Kentucky Revised Statutes § 29A.200

명 이상 및 10명 이하인 사우스다코다주의 경우에, 여섯 명 이상의 배심원들의 찬성 위에서만 대배심 검사기소는 평결될 수 있다. 대배심원이 15명인 캔자스주에서와 라이베리아에서 12명 이상의 대배심원들의 찬성 위에서만 대배심 검사기소는 평결될 수 있다.[108] 대배심원이 15명 이상 21명 이하인 플로리다주에서, 12명의 대배심원들의 동의 없이는 대배심 검사기소는 평결되어서는 안 된다.[109] 대배심원이 16명인 아이다호주에서와 웨스트버지니아주에서, 열두 명 이상의 배심원들의 동의에 의하여서만 대배심 검사기소는 평결될 수 있다.[110] 대배심원이 16명 이상 23명인 연방에서와 조지아주에서의 경우, 적어도 12명의 배심원들이 찬성할 경우에만 대배심 검사기소에 처해질 있다.[111] 워싱턴주의 경우에, 범죄를 주요 피조사자가 저질렀다고 믿을 상당한 이유가 있음을 모든 증거에 터잡아 배심원들의 적어도 4분의 3이 확신하는 경우에만 대배심 검사기소를 대배심은 평결해야 한다.[112]

19.나. 대배심원들의 출석의 정도에 따라서 제한되는 기소평결 자격 상의 제한들

뉴저지주의 경우에, 대배심 검사기소에 관련한 모든 절차들 동안 출석한, 내지는 그 모든 절차들의 기록을 읽고 난 내지는 청취하고 난, 및 그 대배심기소에 관련하여 제출된 모든 증거물들을 조사하고 난 12명 이상의 대배심원들의 찬성에 의하여 대배심 검사기소는 평결될 수 있다.[113] 노스다코다주의 경우에, 결원을 보충하기 위한 대배심원으로 선정되는 사람은 그의 선정 시점에보다 앞서서 청취된 증거에 터잡는 사안에 관하여 표결하여서는 안 된다.[114] 뉴멕시코주에서는, 공소사실에 관하여 제출된 모든 증거를 그 배심원이 청취한 상태가 아니면 대배심 검사기소장에 대하여 그 배심원은 표결할 수 없다.[115] 오레건주에서의 경우에, 대배심 검사기소되는 사람에 내지는 대배심 독자고발되

---

108) KS Stat § 22-3011; 라이베리아 Criminal Procedure Law § 15.1
109) FL Stat § 905.23
110) Idaho Criminal Rule 6.5. (c); WV Code § 52-2-8
111) Federal Rule of Criminal Procedure Rule 6(f); Georgia Code § 15-12-61
112) Washington Revised Code § 10.27.150
113) New Jersey Statutes 2B § 21-7
114) North Dakota Century Code 29-10.1-20
115) NM Stat § 31-6-1

는 사실관계에 관련한 모든 증언을 대배심 검사기소에 내지는 대배심 독자고발에 찬성표를 던지는 적어도 다섯 명의 대배심원들이 만약 청취하였으면 그 구성원들 중 다섯 명의 찬성으로 지시를 구하여 사실관계를 대배심 검사기소에 처할 수 있거나 대배심 독자고발에 처할 수 있다.[116]

19.다. 기소평결에 필요한 심증의 기준

한 개의 범죄가 저질러져 있음을 및 그것을 피고인이 저질렀다고 믿을 상당한 이유가 있음을, 자신에게 증거가 제출되고 난 뒤에 대배심이 인정하는 경우에, 즉 대배심 자신의 판단으로 그 자신에 의하여 살펴진 증거가 만약 정식사실심리(trial)에서 해명되지 아니하는 경우에라면 및 반박되지 아니하는 경우에라면 한 개의 유죄판정을 뒷받침하는 것인 경우에; 자신들 앞의 모든 증거를 종합할 때, 만약 그 해명되지 아니한다면 내지는 반박되지 아니한다면 정식사실심리 배심에 의한 한 개의 유죄판정을 그것이 뒷받침하리라는 것이 그들의 판단인 경우에; 한 개의 대배심 검사기소를 대배심은 평결하여야 한다. 한 개의 범죄가 저질러져 있다고 및 그 범죄를 피고인이 아마도 저지른 터라고 믿도록 한 명의 합리적인 사람을 이끌어줄 정도의 증거를 자신 앞에 대배심이 지닐 때 상당한 이유는 존재한다.[117]

20. 불기소평결의 경우에의 재고발 가능 여하

뉴멕시코주에서, 그 자신에게 제출된 증거의 가치들에 터잡아 대배심이 결정을 내리고서 불기소 평결을 제출하고 나면, 동일 증거에 터잡아 그 대배심에게 또는 다른 대배심에게 그 사안은 다시 제기되어서는 안 된다.[118] 버지니아주에서, 비록 한 개의 대배심 검사기소장안이 불기소평결로 제출되더라도, 동일한 범죄를 이유로 동일한 사람을 겨냥하여 동일한 내지는 또 하나의 기소장안이 동일한 내지는 또 하나의 대배심에 의하여 보내질 수 있고 이에 따라 절차가 취해질

---

116) Oregon Revised Statutes § 132.360
117) Louisiana Code of Criminal Procedure, Art. 443; ID Code § 19-1107; Idaho Criminal Rule 6.5(a); SD Codified L § 23A-5-18
118) NM Stat § 31-6-11.1

수 있다.[119] 인디애나주에서, 과거의 대배심이 대배심 검사기소장을 발부할지 여부에 대한 숙의에 나아가 불기소하기로 표결한 바 있는 당해 과거의 대배심의 표적이었던 사람에 대하여, 과거의 대배심의 불기소 처분이 있기 전에 그 대배심에 제출되지 아니하였던, 새로이 발견된 중요한 증거에 의하여 대배심 기소평결을 대배심은 할 수 있다.[120]

21. 대배심 검사기소장을 각하하여 달라는 신청(Motion to Dismiss an Indictment)

대배심원들의 무자격을 이유로 하는 대배심 검사기소장의 각하신청이 제기될 수 있다. 가령, 사우스다코타주에서, 한 개의 대배심 검사기소장을 각하하여 달라는 신청은, 기피신청에 의하여 미리 판단된 바 없는 경우에, 배심원단에 대한 이의들에 또는 한 명의 배심원의 법적 자격들의 결여에 터잡을 수 있는바, 기소평결을 내리는 데에, 법적으로 자격 결여인 숫자를 찬성표들로부터 뺀 뒤의 5명 이상의 배심원들이 동의하였음이 기록으로부터 나타나는 경우에는 대배심의 한 명 이상의 구성원들이 법적으로 자격 결여였다는 이유로 대배심 검사기소장이 각하되어서는 안 된다.[121]

22. 배심원들의 보수, 여비수당 등

대배심원들은 소정의 보수를, 일당을, 여행경비를 지급받는다. 가령 웨스트버지니아주의 경우에 배심원(후보)에게는 당해 배심원(후보)의 주거로부터의 법원에까지의 내지는 법정이 소집되는 여타의 장소에까지의 왕복 여행경비들을 위하여 국무장관에 의하여 정해지는 요율에 의한 여비수당이 지급되어야 하고, 법원의 개정법정들에의 그의 내지는 그녀의 요구되는 출석의 결과로서 초래되는, 순회구 지방법원의 내지는 그 법원장의 재량에 따라서 정해지는, 그 요구되는 출석 하루마다의 15불 이상 40불 이하의 요율에 의한 여타의 지출경비들이 변상되어야 한다.[122]

---

119) Code of Virginia § 19.2-203
120) IN Code § 35-34-2-12 (d)
121) SD Codified L § 23A-5-5
122) WV Code § 52-1-17

23. 대배심의 독립성

일반적으로 법정에서 법원과 검사의 원조 아래서 대배심은 작동함에도 불구하고, 대배심은 본질적으로 법원으로부터도 검사로부터도 독립하여 기능한다. 대배심의 숙의는 및 평결은 검사를 및 판사를 배제한 완전한 비밀 속에서 대배심원들에 의하여 이루어진다. 일정수 이상의 유권자들의 청구에 따라서 충원구성되는 대배심에서의 경우에, 대배심에 배정된 판사의 배제를 대배심원들이 과반수 찬성에 의하여 추구할 수 있게 하는, 그리고 대배심이 기소평결 하는 사건을 만약 검사가 근면하게 소송추행하지 아니하리라는 것이 대배심의 의견인 경우에는 그 사건을 검찰총장더러 추행하도록 대배심이 요청할 수 있게 하는 캔자스주 입법례가 있다.[123]

United States v. Williams, 504 U. S. 36, 47-50 (1992) 판결은 대배심의 기능과 권한의 독립성을 이렇게 설명한다:

"여러 세기에 걸친 앵글로 어메리칸 역사 속에 깊이 뿌리잡힌 것이면서도, 연방헌법 본문에서가 아니라 권리장전(the Bill of Rights)에서 대배심은 언급된다. 그리하여 연방헌법 첫 세 조항들에 규정된 부서들 중의 어느 것에도 그것은 원문상으로 배정되어 있지 아니한 상태이다. 그것은 그 자체로 헌법적 장치이다. 실제로, 정부기관의 어느 부서에도 그것이 속하지 않는다는 데에, 정부의 및 국민의 양자 사이의 완충제로서 내지는 심판으로서 그것이 기능한다는 데에 그것의 기능에 관한 전체 이론은 있다. 비록 일반적으로 법정에서 및 법원의 원조 아래서 대배심이 작동함에도 불구하고, 대배심의 사법부에게의 헌법적 관계는 전통적으로, 이를테면 거리를 둔 것이 되어 왔다. 대배심의 기능에의 판사들의 직접적 관여는 대배심원들을 소환하여 소집하는 및 그들의 취임선서 절차들을 시행하는 구성단계의 것에 국한되어 왔다. …형사적 범죄를 조사하는 대배심의 권한의 범위에서도 그 권한이 행사되는 방법에서도 사법부로부터의 대배심의 기능적 독립은 뚜렷하다. 특정 사건에 내지는 분쟁에 대하여 관할이 미리 정해지는 한 개의 법원과는 다르게, 대배심은 법이 위반되고 있다는 의심만에 터잡아서도 또는 법이 어겨지지 아니하고 있다는 점에 대한 보장을 자신이 원한다

---

123) KS Stat § 22-3011(d) ; 각주 103)을 보라.

는 이유만으로도 조사할 수 있다. 자신의 의심하는 위반자를, 또는 심지어 자신이 조사하고 있는 범죄의 정확한 성격을조차도 대배심은 확인할 필요가 없다. 조사를 개시하는 데에 자신의 구성 법원으로부터의 허가를 대배심은 필요로 하지도 않으며 …또한 대배심 기소장을 구하는 데에 법원의 허가를 검사는 필요로 하지도 않는다. 그리고 그것의 하루하루의 기능에서 일반적으로 재판장의 간섭 없이 대배심은 작동한다. …그 자신의 증인들을 대배심은 선서시키고, …전적인 비밀 속에서 숙의한다. …참으로, 증인들의 출석을 그리고 증거의 제출을 대배심은 강제할 수 없으며, 그러한 강제가 요구될 때는 법원에 호소하지 아니하면 안 된다. …그리고 자신의 조력을 제공하기를 법원이 거절하고는 하는 경우는 연방헌법에 의하여 부여된 권리들을, 대배심이 추구하는 강제가 짓밟는 것이 될 경우이거나, see e.g., Gravel v. United States, 408 U. S. 606 (1972) (의원들의 말의 내지는 토론의 자유를 위한 면제(Speech or Debate Clause immunity)를 보전하기 위하여 신문을 제한하는 명령에 의하여 대배심 벌칙부 소환영장이 유효하게 제한됨), 또는 심지어 보통법에 의하여 인정되는 증언적 특권들을 그것이 짓밟는 것이 될 경우이거나이다. …그러나, 심지어 이 배경에서도, 자신 앞에 소환되는 증인의 적법한 권리들을 대배심이 침해하지 아니하는 한 외부적 영향에 내지는 감독에 의하여 방해됨이 없이 그 자신의 조사들을 자유로이 추구할 수 있도록 대배심은 남아야 함을 우리는 고집해 왔다. 이 독립의 전통을 인정하여, '검사에게서도 판사에게서도 독립하여 행동하는' 한 개의 조사기관을 연방헌법 수정 제5조의 헌법적 보장은 전제한다. …고 우리는 말한 바 있다. 형사적 소송추행의 구성요소와는 별개로서의 대배심 절차의 지위에 비추어, 형사절차들에서 피고인들에게 부여되는 특정의 헌법적 보장들은 대배심 앞에는 적용되지 아니한다고 우리가 말한 바 있음은 의문의 여지가 없다. 대배심기소장을 제출하기를 이전의 대배심이 거부하여 놓은 경우에 대배심 기소장을 대배심이 제출함을 연방헌법 수정 제5조의 이중위험 금지조항(the Double Jeopardy Clause)은 저지하여 주지 않는다. …대배심 앞에 출석하도록 개인이 소환될 때는, 설령 그가 그 조사의 대상이라고 하더라도 연방헌법 수정 제6조상의 변호인의 조력을 받을 권리가 적용되지 아니함을 우리는 두 차례에 걸쳐, 비록 판시하지는 않았으나 시사한 바 있다. …그리고 비록 자기부죄를 금지하는 연방헌법 수정 제5조상의 보장의 침해 속에서 질문들에 답변하도록 증인을 대배심은 강제할 수 없다 하더라도, …자기부죄 금지특권의 침해 속에서 이전에 얻어진 증거를 통한 대배심기소는 이에도 불구하고 유효함을 우리의 선례들은 시사한다. 그 자신의 구성법원으로부터의 대배심의 기능적 분리를 고려할 때, 대배심 절차의 방법들을 규정하기 위한 토대로서의 법원의 감독권한을 동원하기를 우리가 꺼려왔다는 점은 놀라운 일이 될 수 없다. 대배심의 증거확보 절차에 대한 감독을 행사해 달라는 요청들을 오랜 세월에 걸쳐 우리는 받아왔으나, 오늘 제기되는 것보다도 더 호소력 있는 것들을 포함하여 그 호소들 전부를 우리는 거부한 터이다. 연방헌법 수정 제4조의 위반을 통하여 연방정부가 획득해 놓은 물리적 증거에 터잡은 것으로 주장된 질문들에 United States v. Calandra, [414 U. S. 338 (1974)] 판결에서 대배심 증인은 직면하였다; 대배심 절차들에 위법수집 증거배제 원칙(the exclusionary rule)이 적용되어야 한다는 제의를 우리는 배척하였는데, 대배심의 역사적 역할에의 및 기능들에의 잠재적 손상을 그 이유로 하였다. …전문증거 규칙을 대배심 절차에 시행하기를 Costello v. United States, 350 U. S. 359 (1956)에서 우리는 거부하였는데, 기술적 규칙들에 의하여 방해받지 않으면서 그들의 조사들을 보통사람들이 수행하는 대배심 제도의 전체적 역사에 그것은 어긋날 것이기 때문이었다. …대배심 절차 규칙들을 그들 자신의 주도 위에서 형성하는 데에 조금이라도 연방법원들이 가질 수 있는 권한들은 모종의 매우 제한적인 것임을, 그들 자신의 절차들에 대하여 그들이 보유하는 권한에는 멀찌감치만큼이라도 비교될 수 없는 것임을 선례들은 시사한다. …검사의, 구성법원의 및 대배심 자체의 3자 사이의 전통적 관계들을 중대하게 변경하는 대배심 제도의 재구성을 그것이 허용하지 아니할 것임은 확실하다." (내부인용 등은 일부 생략됨)

| 역자 소개 |

 박승옥

경력

- 서울대학교 법과대학 졸업
- 대한변협 인권위원
- 조선대학교 법과대학 초빙객원교수
- 전남대학교 법학전문대학원 겸임교수
- 배심제도연구회 회장
- 전관예우 근절을 위한 헌법개정 운동본부 회장

저서

- 국제인권원칙과 한국의 행형(1993년, 공저)
- 법률가의 초상(2004년)
- 연방대법원판례에서 읽는 영미 형사법의 전통과 민주주의(2006년)
- 미국 연방대법원 판례시리즈 Ⅰ 미란다원칙(2007년)
- 미국 연방대법원 판례시리즈 Ⅱ 변호인의 조력을 받을 권리(2008년)
- 미국 연방대법원 판례시리즈 Ⅲ-1 위법수집 증거배제 원칙(2009년)
- 미국 연방대법원 판례시리즈 Ⅲ-2 위법수집 증거배제 원칙(2009년)
- 미국 연방대법원 판례시리즈 Ⅰ 미란다원칙(개정증보판)(2010년)
- 미국 법률가협회 법조전문직 행동준칙 모범규정(2010년)
- 한국의 공익인권 소송(2010년, 공저)
- 미국 연방대법원 판례시리즈 Ⅳ 적법절차; 자기부죄 금지특권(2013년)
- 미국 연방대법원 판례시리즈 Ⅴ 적법절차; 자백배제법칙, 배심제도, 이중위험금지원칙 (2013년)
- 미국 연방대법원 판례시리즈 Ⅵ 미국 형사판례 90선(2013년)
- 박승옥 변호사가 말하는 사법개혁 쟁취의 길 시민배심원제 그리고 양형기준 (2018년)
- 미국 연방대법원 판례시리즈 Ⅱ 변호인의 조력을 받을 권리 개정판 (2018년)
- 미국 연방대법원 판례시리즈 Ⅶ 표현의 자유 (Freedom of Expression) (2019년)
- 세계의 대배심 규정들 ① (2020년)
- 세계의 대배심 규정들 ② (2020년)

세계의 대배심 규정들 (4)

초판 1쇄 인쇄 2021년 5월 10일
초판 1쇄 발행 2021년 5월 15일

역 자 박 승 옥
펴낸이 임 순 재
펴낸곳 (주)한올출판사
등 록 제11-403호
주 소 서울시 마포구 모래내로 83(한올빌딩 3층)
전 화 (02) 376-4298(대표)
팩 스 (02) 302-8073
홈페이지 www.hanol.co.kr
e-메일 hanol@hanol.co.kr
ISBN 979-11-6647-083-7
ISBN 979-11-6647-081-3(세트)